Ausgewählte Dokumente zum Nachwirken

Johann Sebastian Bachs 1801–1850

BACH-DOKUMENTE

HERAUSGEGEBEN VOM BACH-ARCHIV LEIPZIG

Supplement zu

JOHANN SEBASTIAN BACH

NEUE AUSGABE SÄMTLICHER WERKE

BAND VI

BÄRENREITER

KASSEL · BASEL · LONDON · NEW YORK · PRAHA

2007

AUSGEWÄHLTE DOKUMENTE ZUM NACHWIRKEN JOHANN SEBASTIAN BACHS 1801–1850

Herausgegeben und erläutert von
Andreas Glöckner
Anselm Hartinger
Karen Lehmann

BÄRENREITER

KASSEL · BASEL · LONDON · NEW YORK · PRAHA

2007

Die „Neue Ausgabe sämtlicher Werke" Johann Sebastian Bachs
wird herausgegeben vom Johann-Sebastian-Bach-Institut Göttingen
und vom Bach-Archiv Leipzig

Bibliografische Information der Deutschen Nationalbibliothek
Die Deutsche Nationalbibliothek verzeichnet diese Publikation
in der Deutschen Nationalbibliografie; detaillierte bibliografische Daten
sind im Internet über http://dnb.ddb.de abrufbar.

www.baerenreiter.com

© 2007 Bärenreiter-Verlag Karl Vötterle GmbH & Co. KG, Kassel
Satz: ConText, Carola Trabert, Göttingen
Druck und Bindung: Druckhaus »Thomas Müntzer«, Bad Langensalza
ISBN 978-3-7618-1924-1

INHALT

Vorwort

Die Erkundung der Wirkungsgeschichte Johann Sebastian Bachs in der ersten Hälfte des 19. Jahrhunderts steht seit geraumer Zeit verstärkt im Blickfeld der Forschung. Das Aufspüren der zahlreichen und vielschichtigen, oftmals nur schwer zu überblickenden Verbindungen und Beziehungen zwischen den Protagonisten der Bach-Rezeption sagt nicht nur Wesentliches über das Geschichtsbewußtsein jener Zeit aus, sondern verdeutlicht auch die Voraussetzungen unseres heutigen Bach-Bildes. Die an der großen Zahl von Veröffentlichungen abzulesende hohe Aufmerksamkeit, die das Phänomen der Bach-Pflege im Zeitalter Beethovens, Mendelssohns und Schumanns auf sich gezogen hat, steht indes in einem auffälligen Kontrast zu der oft schlechten Zugänglichkeit des primären Quellenbestands. Dieses Mißverhältnis zu beheben gehört schon lange zu den Plänen des Bach-Archivs Leipzig, das gemäß seines Forschungsauftrags seit seiner Gründung im Jahr 1950 systematisch die Zeugnisse von Bachs Leben, Werk und Wirken sammelt und für die Öffentlichkeit wissenschaftlich aufbereitet.

Nachdem mit den Bänden I–III der Bach-Dokumente (erschienen 1963–1972) die seinerzeit greifbaren Zeugnisse zur Lebensgeschichte und zum Nachwirken Bachs bis zum Jahr 1800 in einer den Ansprüchen der Wissenschaft angemessenen Form vorgelegt waren,[1] begann die Erkundung und Verzeichnung der entsprechenden Dokumente für die erste Hälfte des 19. Jahrhunderts. Dabei wurde angesichts der Fülle des Materials rasch deutlich, daß es aussichtslos wäre, dieses auch nur annähernd vollständig aufzuarbeiten und zu edieren. Die umfassende Verzeichnung der Bach-Dokumente gehört zwar weiterhin zu den zentralen Aufgaben des Bach-Archivs, doch kann dies allenfalls in Form einer – ständig zu aktualisierenden – Datenbank erfolgen. Für die Druckfassung war hingegen eine Beschränkung unumgänglich. Nur durch eine kluge Auswahl konnten die Konturen der Bach-Rezeption jener Zeit deutlich gemacht werden. Zugleich erwies es sich angesichts der Heterogenität der Quellen, nicht zuletzt aber auch aufgrund pragmatischer Erwägungen als sinnvoll und notwendig, den ursprünglich geplanten umfassenden Band in drei inhaltlich jeweils geschlossene Einzelbände (Bach-Dokumente VI–VIII) zu unterteilen: Die – hier als Band VI vorgelegten – ausgewählten Dokumente zur Wirkungsgeschichte werden ergänzt durch eine kritische Ausgabe der grundlegenden Bach-Biographie

---

1 Die seit 1972 aufgefundenen Dokumente des Zeitraums 1685–1800 sind in einem Nachtragsband (Bach-Dokumente V, 2007) enthalten.

von Johann Nikolaus Forkel samt zugehörigen Materialien (Band VII) und eine kommentierte Ausgabe von Dokumenten speziell zur Quellenüberlieferung im 19. Jahrhundert (Band VIII).

Band VI schließt sich zeitlich unmittelbar an Band III an. Dies offenbart sich dem aufmerksamen Leser in zahlreichen inhaltlichen Anknüpfungen und Verbindungen. Diskussionen, die im späten 18. Jahrhundert angestoßen wurden, setzten sich vielfach über die Jahrhundertschwelle hinweg fort, erfuhren aber teilweise eine andere Akzentuierung. Die vielfältigen und verdienstvollen Bemühungen zahlreicher musikalischer Persönlichkeiten um die Veröffentlichung von Bachs Schaffen gingen einher mit ersten Versuchen, seine Musik mit den analytischen Methoden und dem ästhetischen Vokabular der Zeit zu begreifen und dem zeitgenössischen Publikum nahezubringen. So wurde im Verlauf eines halben Jahrhunderts der Boden für die erste kritische Gesamtausgabe bereitet, deren Beginn im Jahr 1850 nicht nur das Ende des Berichtszeitraums markiert, sondern auch Bachs überragende musikhistorische Bedeutung fest etabliert und damit eine neue Phase der Bach-Rezeption einleitet, deren Wesen allerdings kaum noch in einer Dokumentensammlung eingefangen werden kann.

Trotz der nunmehr sichtbar werdenden beeindruckenden Kontinuität der Auseinandersetzung mit dem Leben und Schaffen Bachs im späten 18. und frühen 19. Jahrhundert lassen sich für den in Band VI behandelten Zeitraum auch grundlegende Unterschiede erkennen. Zwar ist die Palette der verschiedenen Dokumente ähnlich breit wie in Band III, doch tritt quantitativ und qualitativ der publizistische und – im weitesten Sinne – feuilletonistische Bereich weitaus stärker in der Vordergrund, während Mitteilungen aus archivalischen Quellen nur noch geringe Bedeutung haben; Erinnerungen von direkten Zeitgenossen fallen bald nach 1800 naturgemäß völlig aus. Zugleich ist das Entstehen einer spezifischen Fachliteratur zum Thema Bach zu beobachten.

So eng die Verbindung zu den vorhergehenden Bänden auch ist, so unvermeidlich war es, für die Anordnung der Quellen eine neue und dem Gegenstand angemessene Form zu finden. Die editorische Entscheidung, das Korpus der Dokumente nur in Auswahl und Konzentration auf das Wesentliche zu präsentieren, machte zugleich die in den Bänden II und III vertretene streng chronologische Verzeichnung entbehrlich. Diese wurde zugunsten einer thematisch gebündelten Anordnung aufgegeben, die den großen Vorteil hat, Zusammenhänge und Entwicklungen leichter erkennbar zu machen. Die Auswahl der Dokumente innerhalb der einzelnen Teile beruht nicht auf der Entscheidung des jeweiligen Bearbeiters, sondern wurde innerhalb der Gruppe in mehreren internen Kolloquien erarbeitet. Viele Texte stehen stellvertretend für bestimmte Textgattungen und seinerzeit aktuelle Diskurse. Die Gliederung des Bandes in insgesamt fünf Teile mit jeweils eigener Binnennummerierung

(A – Biographisches, B – Ästhetik und Analyse, C – Werkausgaben, D – Aufführungen, E – Aufführungspraxis) stellt kein abstraktes und vorgefertigtes Raster dar; sie ist vielmehr aus der Beschäftigung mit dem Material selbst erwachsen. Wichtigstes Kriterium der Stoffanordnung war das Anliegen, dem Leser den Überblick und zugleich die Vertiefung in bestimmte Themenschwerpunkte zu erleichtern. In jedem Teil erwies sich ungeachtet der fortlaufenden Zählung eine jeweils inhaltlichen Kriterien folgende Gliederung in Unterkapitel als sinnvoll. Die Texte wurden soweit möglich nach den Originalquellen zitiert.[2] Wo diese verschollen beziehungsweise derzeit nicht erreichbar sind, mußte der Dokumententext aus der Literatur (Briefausgaben, Aufsätze usw.) übernommen werden. Die Wiedergabe der Dokumententexte folgt den Prinzipien der Dokumentenbände I–III; im einzelnen ist zu bemerken: Im *Kursivdruck* erscheinen einzelne Wörter oder auch Textstellen, wenn sie in der Quelle besonders hervorgehoben sind (etwa lateinische Buchstaben in einem sonst in deutscher Schrift niedergeschriebenen oder in Frakturschrift gesetzten Dokument). Gesperrter Satz wurde nicht übernommen; hingegen wurden im Original unterstrichene Passagen ebenfalls durch Unterstreichung hervorgehoben. Weitere Hinweise finden sich in den Einleitungen zu den einzelnen Teilen. Die – bewußt knapp gehaltenen – Kommentare und Literaturangaben sollen dem Benutzer des Bandes die Erschließung größerer Zusammenhänge erleichtern und wollen zu einer weiteren Erkundung des Terrains anregen.

Zum Gelingen des Bandes haben viele Personen und Institutionen mit kompetenter Hilfe und sachkundigen Auskünften beigetragen, denen ich zugleich im Namen der drei Bearbeiter des Bandes besonders danken möchte: Frauke Heinze und Marion Söhnel waren für die Bearbeitung des Personenverzeichnisses verantwortlich. Frauke Heinze hat zudem bei der Erstellung des Werkregisters mitgewirkt. Christine Kröhner und Eva-Maria Ranft beteiligten sich an der Durchsicht der zeitgenössischen Periodika. Johannes Glöckner und Franziska Lehmann sowie Frans Jansen (Amsterdam) halfen bei der datentechnischen Aufbereitung von Dokumententexten.

Wertvolle Hilfe bei der Ermittlung von Personendaten leisteten Peter Cahn (Frankfurt/Main), Stephan Hörner (München), Hermann Waeger (Langenberg) und Karl-Ferdinand Besselmann (Köln). Weiterführende Hinweise steuerten Michael Maul, Martin Petzoldt und Hans-Joachim Schulze bei.

Für die Bereitstellung von handschriftlichen oder gedruckten Quellen (beziehungsweise Arbeitskopien) gilt unser Dank Julia Doht (Johann-Sebastian-Bach-Institut Göttingen), Brigitte Geyer (Stadtbibliothek Leipzig, Musikbibliothek) Pater Lukas

---

2   Eine Ausnahme bilden lediglich der Briefwechsel Goethe/Zelter und die Briefe Ludwig van Beethovens. Für die Wiedergabe ausgewählter Textstellen wurden die neuen kritischen Ausgaben herangezogen.

Helg und Pater Odo Lang (Kloster Einsiedeln), Helmut Hell (Staatsbibliothek zu Berlin – Preußischer Kulturbesitz), Renate Hofmann (Brahms-Institut an der Musikhochschule Lübeck), Anja Morgenstern (Mendelssohn-Briefausgabe Leipzig), Thomas Synofzik und Anette Müller (Robert Schumann-Haus Zwickau), Jürgen Neubacher (Staats- und Universitätsbibliothek Hamburg), Hans-Günter Ottenberg (Dresden), Oliver Rosteck (Bremen), Ralf Wehner (Leipziger Ausgabe der Werke von Felix Mendelssohn Bartholdy), Peter Ward Jones (Bodleian Library Oxford), Matthias Wendt (Robert-Schumann-Forschungsstelle Düsseldorf), Andreas Vollberg (Archiv für Niederrheinische Musikgeschichte, Köln) und Uta Reinhardt (Stadtarchiv Lüneburg). Quellen und Kopien wurden ebenfalls bereitgestellt von der Universiätsbibliothek Leipzig, dem Sächsischen Staatsarchiv Leipzig, dem Niedersächsischen Staatsarchiv Wolfenbüttel und der Zentralbibliothek Zürich. Auch ihnen gilt unser aufrichtiger Dank.

Leipzig, im Mai 2007   Peter Wollny

Dokumentenübersicht (Teil A – E)

Teil A

Biographisches

Karen Lehmann

Miszellen

Anekdoten

Belletristisches

Teil B

Ästhetik und Analyse

Anselm Hartinger

Der Bachsche Stil: Beobachtungen, Apologien und Polemiken

B 45   Schumann: Bachs Wohltemperiertes Klavier als höhere Schule der Komposition
        (Leipzig, 4. August 1837) 243

B 46   Verteidigung Bachs gegen den Vorwurf der Vermischung epischer und
        dramatischer Formen in den Passionen (Leipzig, 21. August 1838) 243

B 47   Constantin Julius Becker: Bachs Musik und die Baukunst des Mittelalters
        (Straßburg, 1838) 245

B 48   Carl Ferdinand Becker: Bach als Erfinder des modernen Fingersatzes
        (Leipzig, 19. April 1839) 246

B 49   Schumann: Bachs „geheime Melodien" (Leipzig, 2. Juli 1841) 247

B 50   von Alvensleben: Musikalische Dramaturgie und Gemeinderepräsentation
        in der Matthäus-Passion (Leipzig, 25. Februar 1842) 247

B 51   Krüger: Textausdeutende Funktion der Bachschen Instrumentalstimmen
        (Emden, Dezember 1842) 248

B 52   Krüger: Bachs Werke als klassische Muster der guten Vortragsweise
        (Emden, Mai 1843) 249

B 53   Koßmaly: Empfindungsausdruck und absolute Qualität in der Musik Bachs
        und Beethovens (Leipzig, 13. Juni 1844) 251

B 54   Bach als kenntnisreicher Ausleger der Bibel (Erfurt, 1844) 252

B 55   Mosewius: Bedeutung und Eigenart von Bachs Kirchenkantaten
        (Leipzig, 5. Juni 1844) 252

B 56   [Siebeck]: Bachs Kunst thematischer Entwicklung (Erfurt, 1845) 255

B 57   Carl Philipp Emanuel Bachs Instrumentalstil gemessen an der Musik seines
        Vaters (Leipzig, März 1847) 255

B 58   von Winterfeld: Besonderheiten der Textwahl und Choralbehandlung in Bachs
        Kirchenkantaten (Leipzig, 1847) 256

B 59   von Winterfeld: Zur mangelnden Kirchlichkeit der Bachschen Kantaten und
        Passionen (Leipzig, 1847) 259

B 60   Brendel: Vergleich Bachs und Händels (Leipzig, 1848) 265

B 61   [Wagner]: Kritik an Bachs ausdrucksarmer Musiksprache
        (Leipzig, 6. September 1850) 267

B 62   Bach als Meister der Form und des Ausdrucks (Berlin, 29. März 1852) 268

Erfahrungen mit Bachs Musik

Werkbetrachtungen

Auseinandersetzung mit den Quellen
Quellenbeschaffung, Handschriftenbesitz und Katalogisierungsbemühungen

Quellenkritik, Echtheitsfragen und werkgeschichtliche Überlegungen

Teil C
Werkausgaben

Karen Lehmann

J. S. Bachs Werke. Herausgegeben von der Bach-Gesellschaft zu Leipzig, Breitkopf & Härtel 1851–1899

Vokalwerke

Kantaten

Einzelausgaben

Einzelausgaben

Teil D

Aufführungen

Dokumentation ausgewählter Konzertereignisse nach Werkgruppen

Andreas Glöckner

Motetten und Choralsätze

Messe in h-Moll

Missae breves

Johannes-Passion

Orgelwerke

Klavierwerke

Kammermusik

Orchesterwerke

Vermischtes: Bachkonzerte, „Historische Konzerte" und Gedenkveranstaltungen

Teil E

Aufführungspraxis: Konventionen, Probleme und Kontroversen

Andreas Glöckner und Anselm Hartinger

DIE DOKUMENTE UND IHRE KOMMENTARE

Teil A

Biographisches

Karen Lehmann

Einleitung

Johann Nikolaus Forkels Bach-Biographie von 1802 „Ueber Johann Sebastian Bachs Leben, Kunst und Kunstwerke", die erste umfassende Lebensgeschichte des großen Thomaskantors, steht im Zentrum der Bach-Biographik der 1. Hälfte des 19. Jahrhunderts. Es gibt kaum einen Bach-Biographen dieser Zeit, der sich nicht auf Forkel und seine Schrift bezieht. Ganze Passagen werden wortwörtlich übernommen, oft ohne Angabe der Quelle.

Entstanden ist Forkels „Bach" im Zusammenhang mit den redaktionellen Arbeiten an den „Oeuvres complettes de Jean Sebastien Bach" als Werbeschrift für diese sogenannte erste Bach-Gesamtausgabe, erschienen 1801–1804 bei Hoffmeister und Kühnel in Leipzig. Zusammen mit Carl Friedrich Zelters handschriftlichen Anmerkungen in seinem Handexemplar der Bach-Biographie wird Forkels Schrift als eigenständiger Band VII in die Reihe der „Bach-Dokumente" aufgenommen.

Bereits 1801, noch vor Forkel, gab der Breslauer Verleger August Schall ein kleines Bändchen mit Musikerbiographien heraus, darin gleich an erster Stelle Johann Sebastian Bach mit „einer kurzen Darstellung seines Lebens und seiner Manier". Als Quellen lagen dem Autor Ludwig Anton Leopold Siebigke die „Lebensbeschreibungen berühmter Musikgelehrten und Tonkünstler" von Johann Adam Hiller aus dem Jahre 1784 vor sowie der Bach-Artikel aus Ernst Ludwig Gerbers „Historisch-Biographischen Lexicon der Tonkünstler" von 1790. Neben diesen beiden Publikationen sind für die frühen Biographien an weiteren Quellen zu nennen: Der Nekrolog für J. S. Bach, verfaßt von Carl Philipp Emanuel Bach und Johann Friedrich Agricola, erschienen im letzten Band der „Musikalischen Bibliothek" von 1754 im Mizlerischen Bücher-Verlag, und Christian Friedrich Daniel Schubarts „Ideen zu einer Ästhetik der Tonkunst" von 1793.

1812 kündigt sich eine neue Quelle für die Bach-Biographik an: Gerbers „Neues historisch-biographisches Lexikon" in vier Teilen – eine Fortsetzung und Ergänzung seines „alten" Wörterbuches.

Nach wiederholten Aufforderungen in den musikalischen Zeitungen um „Beyträge zum neuen Lexikon" und auf der Suche nach einem geeigneten Verlag, wird schließlich 1812 der 1. Teil des „Neuen Lexikons" von dem Leipziger Verlag Ambrosius Kühnel herausgegeben. „Da der Herr Verf. obiges neue Wörterbuch schon vor

einiger Zeit als fertig angekündigt hat, so haben wir uns entschlossen, die Herausgabe desselben zu übernehmen. Wir hoffen um so mehr die thätige Mitwirkung des
musikalischen Publikums bey dieser Unternehmung zu finden, da dies Werk als das
einzige in seiner Zeit, eine Lücke in unserer Litteratur ausfüllt …" (Handschriftliche,
undatierte „Pränumerations-Anzeige" von A. Kühnel). Der in Teil I wiedergebene
Artikel über Johann Sebastian Bach stützt sich auf Mitteilungen aus den Nachlässen
von C. P. E. Bach, Johann Christian Kittel und Gerber.

Beispiele wie vielseitig und breitgefächert die Bach-Biographik der 1. Hälfte
des 19. Jahrhunderts angelegt ist, zeigen Franz Stoepels Kurzbiographie Bachs,
Christian Friedrich Michaelis' erste Beschreibung des „Andreas-Bach-Buches", dem
biographische Anmerkungen vorangestellt sind, oder das große „Universal-Lexicon der Tonkunst", bekanntgeworden unter dem Namen seines Redakteurs Gustav
Schilling, aus dem Jahre 1835 mit einem Beitrag über Bach von Adolph Bernhard
Marx. Während Stoepel sich auf Mitteilungen Carl Friedrich Zelters aus „zwei Handbriefen" und einem „Original-Brief" C. P. E. Bachs beruft, der Leipziger Universitätsdozent Michaelis die Gelegenheit nutzt, seine 1820 erworbene Handschrift zwei
Jahre später in den „Nachträglichen Nachrichten und Bemerkungen zur Geschichte
der neuern Musik" von Thomas Busby der interessierten Leserschaft zusammen
mit einem thematischen Verzeichnis der Bachiana bekanntzumachen, stellt Marx
eine umfassende Biographie Bachs in diesem Lexikon vor. Marx hatte sich bereits zu
dieser Zeit durch seine enthusiastischen Berichte in der von ihm herausgegebenen
Berliner Allgemeinen Musikalischen Zeitung über die Aufführungen der Matthäus-
Passion oder den Ankündigungen seiner Ausgabe der „Kirchen-Musik von Johann
Sebastian Bach" einen Namen gemacht.

1850 erschien bei Friedrich Hofmeister in Leipzig Carl Ludwig Hilgenfeldts
Zentenarschrift „Johann Sebastian Bach's Leben, Wirken und Werke" mit einer
genealogischen Tabelle und Notenbeilagen. Wir geben hier nur eine Rezension aus
der *Neuen Zeitschrift für Musik* wieder, in der die Zusammenstellung und Auswahl
der benutzten Quellen scharf kritisiert wird. Als Philipp Spitta 1873 und 1880 seine
zweibändige, auf breiter Quellengrundlage aufgebaute Monographie „Johann Sebastian Bach" vorlegte, wurde diese sehr bald zum Standardwerk der Bach-Forschung und verdrängte die Bach-Biographien von Forkel und Hilgenfeldt.

In Ergänzung zu den Einzel- und Gesamtdarstellungen folgen biographische
Miszellen, Bach-Anekdoten und Belletristisches über Bach. Hier erfahren wir etwas
über Bachs Porträt in der Thomasschule und den Eintritt in Mizlers Societät, über
Begebenheiten im Trauerhause Bachs und bekommen eine Geschichte um den fast
blinden Bach erzählt. Wenn wir, wie in der Anekdote von Friedrich August Roeber,
über eine Anwesenheit C. P. E. Bachs beim Begräbnis seines Vaters informiert werden, wofür es bisher keine Belege gab, dann sind wir in der glücklichen Lage, mit
dieser kurzen Erzählung eine Lücke in der Bach-Biographik zu schließen.

Einzel- und Gesamtdarstellungen

A 1

Siebigke: Museum berühmter Tonkünstler
Breslau, 1801

Johann Sebastian Bach,
Kapellmeister des Fürsten von Köthen, hernach Musikdirektor an der Thomasschule zu Leipzig und königlich polnischer
Hofkomponist, geb. den 21. März 1685. gest. den
28. Jul. 1750.

… | Johann Sebastian Bach steht billig an der Spitze unsers Tonkünstlerkabinets.*)
Ich werde zuerst die bekannt gewordnen Compositionen dieses unvergeßlichen
Mannes anführen, und dann eine kurze Darstellung seines Lebens und seiner Ma-
nier folgen lassen.

J. S. Bachs Compositionen.

In Kupfer gestochen sind:
1. Clavierübung in 6 Suiten, 1ster Theil.
2. Clavierübung in einem Conzert und einer Ouvertüre auf zwey Manuale, 2ter Theil.
3. Vorspiele über Kirchengesänge, der Clavierübung 3ter Theil.
4. Arie mit 30 Veränderungen,

*) Daß Bach diesen Platz verdiene, darin stimmt selbst das Ausland überein. S. die Breit-
kopfische allgemeine musik. Zeitung Jahrg. 1799 *p.* 104, wo ein in London heraus gekommenes
Kupfer sich befindet, das eine Sonne vorstellt, in deren Mittelpunkt der Name unsers Bachs
strahlt.

| 5. Sechs dreystimmige Choralvorspiele für die Orgel.
6. Einige canonische Veränderungen über: Vom Himmel hoch u. s. w.
7. Musikalisches Opfer. Dem Könige von Preußen zugeeignet; s. unten.
8. Die Kunst der Fuge. Sein letztes Werk, welches alle Arten der Contrapunkte und
Canons über einen einzigen Hauptsatz enthält. Seine letzte Krankheit verhinderte
ihn, nach seinem Entwurfe die vorletzte Fuge daran zu Ende zu bringen, und die
letzte, welche vier Themata enthalten und in allen vier Stimmen umgekehrt werden sollte, auszuarbeiten. Dieß Werk ist erst nach des Verfassers Tode ans Licht
getreten.
9. Vierstimmige Choralgesänge, auf 2 Systeme zusammengezogen, und herausgegeben von Carl Phil. Em. Bach. Berl. Erster Theil, 1765. Zweyter Theil, 1769; enthalten
zusammen 400 Chorale. Im Jahre 1784 | kam der erste, 1785 der zweyte, und 1786 der
dritte Theil der zweyten Auflage dieser vierstimmigen Chorale, verbessert heraus.

Seine ungedruckten Werke sind folgende:

1. Fünf Jahrgänge von Kirchenstücken auf alle Sonn- und Festtage.
2. Viele Oratorien, Missen, Magnificats, einzelne *Sanctus*, Dramen, Serenaden, Geburts- Namenstags - und Trauermusiken, Brautmessen, auch sogar einige komische Singstücke.
3. Fünf Passionen, worunter eine zweychörige.
4. Einige zweychörige Motetten.
5. Eine Menge von freyen Vorspielen, Fugen und dergleichen Stücken für die Orgel mit obligatem Pedale.
6. Sechs Trio's für die Orgel.
7. Viele variirte Chorale für die Orgel, zu Vorspielen.
ǀ 8. Ein Buch voll kurzer Vorspiele zu den meisten Kirchenliedern.
9. Das wohltemperirte Clavier, bestehend in zweymal 24 Präludien und Fugen, durch alle Tonarten, für's Clavier. Ein Werk von der größten Wichtigkeit, (s. unten.)
10. Sechs Toccaten für's Clavier.
11. Sechs Suiten für dasselbe.
12. Sechs dergleichen – etwas kürzer.
13. Sechs Sonaten für eine Violin, ohne Baß.
14. Sechs dergleichen für's Violonzell.
15. Verschiedene Conzerte für ein, zwey, drey, bis vier Claviere.
16. Fünfzehn Inventiones.
17. Fünfzehn Symphonien.
18. Sechs kleine Präludia.

Außerdem noch eine Menge anderer Instrumentalstücke von allerley Art und für allerley Instrumente.

ǀ Unser Bach (den man nicht mit 14 andern bekannt gewordenen Componisten dieses Namens zu verwechseln hat) war Sohn des Hof- und Rathsmusikus Johann Ambrosius Bach zu Eisenach. Sein Talent äußerte sich früh; indeß finde ich nicht aufgezeichnet, daß er vor seinem zehnten Jahre das Clavier gespielt habe. Die Anlagen in seiner Hand müssen also vortrefflich gewesen seyn, sonst könnte er es, da er ziemlich spät *) anfieng, unmöglich zu einer so unnachahmlichen, alles umfassenden Fertigkeit gebracht haben. Er hatte das Unglück, seine Eltern früh zu verlieren; doch war dieser Verlust, in Absicht auf die Kunst, mit vielem Guten verbunden. Denn er kam nun zu seinem ältern Bruder Johann Christoph, welcher zu Ordruff Organist war, und sehr gute Kenntnisse in der Musik besessen

*)   Ich halte dafür – und diejenigen, welche hierin Erfahrungen haben, werden mir beystimmen – daß man die Hand dessen, der das Clavier lernen soll, nicht zeitig genug bilden kann. Schon im dritten Jahre kann dieß geschehen. Notenkenntniß freylich muß man – nach den Fähigkeiten des Kindes – späterhin beybringen; etwa dann, wenn es die Buchstaben gelernt hat.

ǀ zu haben scheint. Unter Anführung dieses Mannes legte Joh. Sebastian den Grund im Clavierspielen, und fand in Kurzem an der Musik so viel Geschmack, daß er ihr den größten Theil seiner Zeit widmete. Von seiner brennenden Lernbegierde dient unter andern das zum Beweise, daß er einst seinem Bruder ein Notenbuch heimlich entwendete, welches er durch die dringendsten Bitten nicht hatte erhalten können. Dieses Buch bestand aus Frobergerschen, Kerlschen und Pachelbelschen *) Clavierstücken. Bach schrieb es Nachts bey Mondenschein in Zeit von sechs Monaten ab, und machte so fleißig Gebrauch davon, daß sein Bruder, welcher die schnellen Fortschritte des jungen Künstlers sich nicht erklä-

*)　Joh. Jac. Froberger, geb. 1635, war einer der ersten geschmackvollern Claviercomponisten. Er zeichnet sich durch seine Kunst eben so sehr, als durch seine Schicksale aus. S. Gerber's Tonkünstlerlexikon. *s. v. Froberger.*
Joh. Casp. von Kerl, geb. 1625, ein äußerst fertiger und gelehrter Orgelspieler. Wegen seiner Kenntnisse erhob ihn der Kaiser Leopold in den Adelstand.
Joh. Pachelbel, gest. 1706, ein berühmter Organist und Kirchencomponist zu Nürnberg.

| ren konnte, Argwohn schöpfte, ihn bey seinen nächtlichen Beschäftigungen überraschte, und ohne Barmherzigkeit Original und Copie seinen Händen entriß. Doch das Genie, weit entfernt, durch Hindernisse sich aufhalten zu lassen, wird dadurch vielmehr entflammt. Sebastian verdoppelte seine Aufmerksamkeit und seinen Eifer, und hatte es in der Kunst schon weit gebracht, als er, nach seines Bruders Tode, sich auf das Gymnasium zu Lüneburg begab. Auch hier übte er sich unaufhörlich, und unternahm manche Reise nach Hamburg, um den dasigen berühmten Organisten Joh. Ad. Reinken zu hören. Zugleich besuchte er oft die herzogliche Capelle zu Zelle, welche größtentheils aus Franzosen bestand. Doch scheint der französische Styl nicht viel Eindruck auf ihn gemacht zu haben, seine Melodien wenigstens sind nicht französisch. Desto mehr suchte sich Bach durch die Harmonie dieser Ausländer zu bilden; denn in dieser Rücksicht sind die ältern französischen Componisten nicht zu verachten; das ist unleugbar.
| 1703 kam unser Künstler nach Weimar als Hofmusikus und 1704 nach Arnstadt als Organist. Dieß ist die wichtigste Epoche in Bach's artistischem Leben. Denn in diesen Jahren machte er in der Composition und im Orgelspielen die großen Fortschritte, welche ihm die Bewunderung seiner Zeitgenossen erwarben. Dazu nützte ihm theils das fleißige Studium der Werke eines Bruhns, Reinke und Buxtehude, theils ein vierteljähriger Aufenthalt in Lübeck, wo er den trefflichen Orgelspieler Diedr. Buxtehude belauschte; theils – was das vorzüglichste ist – sein wahrhaft großes, erfinderisches Genie, das ihn die Mängel seiner Vorgänger verbessern und in die Geheimnisse der Harmonie weit tiefer eindringen lehrte. So ausgerüstet wurde er 1707 Organist zu Mühlhausen und 1708 Hoforganist zu Weimar. Beyfall und Aufmunterung von Seiten des Hofs machten ihn hier immer unternehmender und verschafften uns den größten Theil der Orgelstücke, die wir von ihm besitzen. Dazu kam, daß er 1714 eben daselbst Conzert- | meister wurde, und nun die Kirchenstücke zu componiren und aufzuführen hatte.

1717 besuchte er Dresden, und rettete daselbst die Ehre seiner Nation gegen den berühmtesten französischen Organisten *Marchand*, welchem der König von Polen eine große Besoldung angeboten hatte, wenn er zu Dresden bliebe. Die Sache verhielt sich so. *Volumier* hatte unsern Bach eingeladen, sich in Dresden hören zu lassen, und verschaffte ihm daselbst Gelegenheit, *Mr. Marchand* im Verborgenen zu hören. Dieß geschah; aber weit entfernt, durch die Fertigkeit des Franzosen abgeschreckt zu werden, fühlte vielmehr Bach sein Uebergewicht. *Son' anch' io pittore,* *) sprach Correggio, als er ein Meisterstück Raphael's mit der größten Aufmerksamkeit betrachtet hatte. Bach sagte noch mehr. Denn er bot, mit Vorwissen des Königs, dem stolzen Gallier einen Wettstreit an, welcher in dem Hause eines Ministers Statt haben sollte.

*)   Auch ich bin ein Maler.

I Am bestimmten Tage fand sich eine große Gesellschaft beyderley Geschlechts ein. Man wartete lange auf *Marchand*. Allein dieser, welcher Bachen schon kennen mochte, fand es nicht für gut, den ungleichen Kampf zu bestehen, und war schon am nämlichen Tage mit Extrapost abgereist. Bach ließ sich nun allein in seiner ganzen Kunst hören.

Nach seiner Zurückkunft nach Weimar erhielt er vom Fürsten von Köthen den Ruf als Kapellmeister, welchem er im nämlichen Jahre folgte. Von hieraus unternahm er eine abermalige Reise nach Hamburg zum Organist Reinken, der nun beynah hundert Jahr alt war, und ließ sich vor demselben in der Catharinenkirche im Beyseyn des Magistrats und vieler Liebhaber und Kenner der Musik, über zwey Stunden lang, auf der Orgel hören. Erstaunt über die Größe des Mannes trat Reinke zu ihm und sagte: „Ich dachte, diese Kunst wäre gestorben, allein ich sehe, daß sie in ihnen noch lebt."

I 1723 berief ihn der Rath zu Leipzig zum Musikdirektor an der Thomasschule. Kurz darauf erhielt er vom Herzog zu Weißenfels den Titel als Kapellmeister, und 1736, nachdem er sich vorher vor dem Dresdner Hofe mit Beyfall einigemal auf der Orgel hatte hören lassen, ernannte ihn der König zu seinem Hofkomponisten. Bey einer 1747 angestellten Reise nach Berlin fand er auch Gelegenheit, sich zu Potsdam vor dem Könige hören zu lassen. Der König gab ihm selbst das Thema zur Fuge, und verlangte, nach dessen bester Ausführung, eine sechsstimmige Fuge. Auch diesem Befehle leistete Bach sogleich vollkommen Genüge, indem er ein selbstgewähltes Thema mit bewundernswürdiger Fertigkeit sogleich auf dem Fortepiane und nach der Vorschrift des Königs durchführte. In Leipzig brachte er über des Königs Thema noch ein dreystimmiges und sechsstimmiges *ricercar*, nebst einigen Kunststücken, zu Papier, ließ dieselben in Kupfer stechen und widmete sie dem Könige. (s. oben.)

I Darauf aber verlor er seine Gesundheit, indem eine an seinen Augen vorgenommene Cur und Operation mißlang – und starb, zu früh für seine Freunde und für die Kunst, den 28sten Julii 1750 am Schlage.

Ich kann diese Lebensbeschreibung nicht besser beschließen, als wenn ich die Urtheile einiger berühmten Männer über unsern Bach hersetze.

Herr Hiller, in seinen Lebensbeschreibungen berühmter Tonkünstler, sagt: „Hat
jemals ein Componist die Vollstimmigkeit in der größten Stärke gezeigt, so war es
gewiß Joh. Seb. Bach. Hat jemals ein Tonkünstler die verborgensten Geheimnisse
der Harmonie zur künstlichsten Ausübung gebracht, so war es gewiß ebenderselbe.
Keiner hat bey diesen sonst trocken scheinenden Kunststücken so viele erfindungs-
volle und fremde Gedanken angebracht, als er. Er durfte nur irgend einen Hauptsatz gehört haben, um fast alles, was nur Künstliches darüber vorgebracht werden
konnte, gleichsam im Augen- | blicke gegenwärtig zu haben. Seine Melodien wa-
ren zwar sonderbar, doch immer verschieden, voll Erfindung, und keines andern
Componisten Melodien gleich. Sein ernsthafter Charakter zog ihn zwar vornehmlich
zur arbeitsamen, ernsthaften und tiefsinnigen Musik; doch konnte er auch, wenn es
nöthig war, sich zu einer leichten und scherzhaften Denkart, besonders im Spielen,
bequemen. Die beständige Uebung in Ausarbeitung vollstimmiger Stücke hatte
seinen Augen eine solche Fertigkeit zu Wege gebracht, daß er, in den stärksten Partituren, alle zugleich lautende Stimmen mit Einem Blicke übersehen konnte. Sein Gehör war so fein, daß er bey den vollstimmigsten Musiken auch den geringsten Fehler
zu entdecken vermögend war. Im Dirigiren sah er sehr auf Genauigkeit im Vortrage
und im Zeitmaße, welches er gewöhnlich sehr lebhaft nahm, war er überaus sicher.

„Als Klavier- und Orgelspieler kann man ihn sicher für den stärksten seiner Zeit,
vielleicht auch der künftigen Zeiten, halten. Den besten | Beweis davon geben seine
Orgel- und Klavierstücke ab, welche von jedem, der sie kennt, für schwer gehalten
werden. Das waren sie für ihn nun gar nicht; sondern er führte sie mit einer Leichtigkeit und Fertigkeit aus, als ob es nur Müsetten wären. Alle Finger waren bey
ihm gleich geübt; alle waren zu der größten Feinheit im Vortrage gleich geschickt.
Er hatte sich eine eigene Fingerordnung ausgesonnen, so daß es ihm nicht schwer
fiel, die größten Schwierigkeiten mit der fließendsten Leichtigkeit herauszubringen.
Man kennt diese Fingerordnung durch C. Phil. Eman. Bachs Versuch, und weis, daß
es dabey hauptsächlich auf den Gebrauch des Daumens ankömmt, den die berühmtesten Clavieristen bis dahin wenig oder gar nicht gebrauchten."

Und diese erstaunliche Fertigkeit, sagt Herr Gerber, diese nie vor ihm gebrauchte
Fingersetzung hatte er seinen eignen Werken zu danken; denn oft sahe er sich ge-
nöthigt, die Nacht zu Hülfe zu nehmen, um dasjenige herausbringen | zu können,
was er den Tag über geschrieben hatte. Es ist dieß um so eher zu glauben, da er
nie gewohnt war, beym Componiren sein Clavier um Rath zu fragen. So hat er, er-
zählt man, sein Temperirtes Clavier (s. oben) an einem Orte geschrieben, wo ihm
Unmuth, Langeweile und Mangel an jeder Art von musikalischen Instrumenten die-
sen Zeitvertreib abnöthigte. Auf dem Pedale mußten seine Füße jedes Thema, jeden
Gang den Händen auf das Genaueste nachmachen. Nicht ein Vorschlag, nicht ein
Mordent, nicht ein Pralltriller durfte fehlen, oder nur weniger nett und rund zum
Gehör kommen. Er machte mit beyden Füßen zugleich lange Doppeltriller, während

die Hände nichts weniger als müßig waren. Und Herr Hiller sagt nicht zu viel, wenn er behauptet: daß Bach mit den Füßen Sätze ausgeführt habe, die den Händen manches nicht ungeschickten Clavierspielers zu schaffen machen würden.

Zu allen diesen Vorzügen kam nun noch seine große Erfahrung und der feine Geschmack, mit | dem er die verschiedenen Register wählte und mit einander verband. Eben so war er auch der beste Beurtheiler oder Angeber, sowohl der Orgeldispositionen insbesondere, als des Baues selbst. Noch giebt uns sein voriger Kollege, der nachherige berühmte Professor Geßner zu Göttingen, ein angenehmes Gemählde von der Vortrefflichkeit unseres Bachs in einer Anmerkung zum 12ten Cap. des ersten Buchs der *instit. orat.* des Quintilians. *) Sie ist übersetzt, folgende:

**) „Alle diese Künste der Citherspieler, mein lieber Quintilian, würdest du für Kleinigkeit hal-

---

*)   *cf. Gesneri Quintilianus.*

**)   *Haec omnia, Fabi, paucissima esse diceres, si videre tibi ab inferis excitato contingeret Bachium, ut hoc potissimum utar, quod meus non ita pridem in Thomano Lipsiensi collega fuit: manu utraque et digitis omnibus tractantem vel polychordum nostrum, multas unum citharas complexum, vel organon illud organorum, cujus infinitae numero tibiae follibus animantur, hinc manu utraque, illic velocissimo pedum ministerio percurrentem, solumque elicientem plura diversissimorum, sed eorundem consentientium inter se sonorum quasi agmina: hunc, inquam, si videres, dum illud agit, quod plures citharistae vestrae et sexcenti tibicines non agerent, non una forte voce canentem cithæroedi instar, suasque peragentem partes, sed omnibus eundem intentum et de 30 vel 40 adeo simphoniacis, hunc nutu, alterum supplosione pedis, tertium digito minaci revocantem ad rhythmos et ictus; huic summa voce, ima alii, tertio media praeeuntem tonum, quo utendum sit, unumque adeo hominem, in maximo concinentium strepitu, cum difficillimis omnium partibus fungatur, tamen eadem statim animadvertere, si quid et ubi discrepet, et in ordine continere omnes, et occurrere ubique, et, si quid titubetur, restituere, membris omnibus rhythmicum, harmonias unum omnes arguta aure metientem, voces unum omnes, angustis unis faucibus edentem. Maximus alioquin antiquitatis fautor, multos unum Orpheas et 20 Arionas complexum Bachium meum, et si quis illi similis sit forte, arbitror.*

| ten, wenn es möglich wäre, daß du aus dem Grabe hervorgehn und Bachen hören könntest; (ich stelle dir diesen auf, weil ich ihn noch von Leipzig her, als meinen Collegen kenne) daß du denn sähest, wie er mit beyden Händen und allen Fingern jetzt das Clavier, welches die Töne vieler Cithern in sich begreift, jetzt das Instrument aller Instrumente, dessen unzählbare Pfeifen durch Blasebälge beseelt werden, beherrschet; wie er hier durch Hülfe beyder Hände, dort durch die Schnelligkeit seiner Füße, mannichfaltige und | dennoch mit einander harmonirende Akkorde zusammen drängt; wie er bey dem allen nicht bloß auf sein Spiel merkt, (welches nicht etwa einstimmig ist, welches vielmehr größere Wirkungen hervorbringt, als das Spiel von wer weis wie vielen deiner Cither- und Flötenspieler) sondern zu gleicher Zeit 30 bis 40 andre Musiker mit Zuwinken und Takttreten, oder wohl gar mit drohendem Finger, in Ordnung zu halten weis; wie er bald in höhern bald in tiefern Stimmen den rechten Ton angiebt; wie er, ungeachtet des Chorgesanges, welcher betäubend ihn umtönt, ungeachtet der bey weitem schwersten Rolle, die ihm selbst

übertragen ist, dennoch jeden kleinen Fehler aller Andern bemerkt, oder denselben zu verhüten, oder ihn wieder gut zu machen versteht; kurz, wie jede seiner Nerven, jedes seiner Glieder, für den Rhythmus empfänglich ist, wie er mit dem feinsten Gehör die Harmonien alle berechnet und für die verschiednen Stimmen vertheilt. Dabey ist er der größte Freund der guten Sitten und der deutschen Redlichkeit; und ich behaupte, mein Bach, oder, wer ihm sonst | gleicht, leistet, was viele Orpheus und 20 Arione nicht leisten."

Was nun die Manier und den Styl J.S. Bachs betrifft, so sey es mir erlaubt, noch einige Bemerkungen darüber hinzuzufügen.

Bach und seine großen Zeitgenossen sind oft beschuldigt worden, es fehle ihren Arbeiten an schönen Melodien. Allein gewöhnlich hört man solche Urtheile von denjenigen, welche weder die gehörige Bekanntschaft mit den Werken jener Meister, noch die Fertigkeit besitzen, aus ernsthaften und künstlich gearbeiteten Tonstücken die darinn versteckten Melodien herauszufinden. Dazu wird wahrlich mehr erfordert, als ein natürlich gutes Gehör. *) Denn, wenn die Akkorde in allen ihren Versetzungen erscheinen, und eine Dissonanz die andre verdrängt, dann wird das natürlich gute Gehör gleichsam betäubt vom unerwarteten Zusammenklange so vieler Harmonien, und es findet oft ein Chaos von Tönen, wo das

*)   s. meine Abhandlung über das Beurtheilen der Tonkünstler. Prov. Bl. April 1800.

| durch die Kunst geübte und ausgebildete Gehör die reinsten Fortschreitungen der Akkorde und die feinste Behandlung der herrschenden Melodie (des Thema) bemerkt. Freylich ist also nicht zu leugnen, daß Bachs Fugen oft ein künstliches, aber empfindungsleeres Getöne zu seyn scheinen – aber sie scheinen es auch nur. Wer sich die Mühe giebt und Kenntniß der Musik genug besitzt, dem unerschöpflichen Künstler in seinen Labyrinthen nachzugehn, der findet in der Mannichfaltigkeit die strengste Einheit und fühlt sich durch die großen Harmonien, welche die simple Melodie zieren, weit lebhafter afficirt, als durch manche Arien, die ihn oft keine einzige originelle Melodie und selten eine neue Verbindung der Harmonie hören lassen. Ueberhaupt hat kein Ausdruck mehr Anlaß zu Mißverständnissen in der Tonkunst gegeben, als der Ausdruck: schöne Melodie. Denn bald versteht man unter dem Worte schön, was man eigentlich ästhetisch nennen sollte (das ist: schön im weitesten Sinne), bald hat man damit das Schöne im engern Sinne gemeynt. Im letztern Verstande sind | allerdings Bachs Melodien nicht schön; da ist überhaupt keine Fuge schön, und kann und darf auch ihrer Natur nach nicht schön seyn. Wer wollte aber wohl leugnen, daß die Fuge ein ästhetisches Tonstück ist und daß also ein so vollendeter Fugenkomponist, wie unser Bach, ästhetische Melodien hervorgebracht haben muß? Gerade das Abgebrochene, das Männliche in den Fugenmelodien ist nöthig zum Ausdruck der Kraft. Das unmusikalische Publikum freylich empfindet oft bey Fugen Langeweile; aber der Künstler von Range, welchem beynahe keine der neuen Melodien fremd ist, und welcher eben deßwegen bey einfachern Tonstücken, welche er mit Einem Blicke überschaut, für seinen Geist zu wenig Beschäftigung fin-

det – der sehnt sich, wenn er ein Oratorium hört, trotz allen Arien und Recitativen, nach canonischen oder fugirten Sätzen und wirklichen Fugen, und wird dadurch erquickt, wie die lechzende Flur durch den befruchtenden Regen. So urtheilte ein erfahrner Musiker, als er die Schöpfung von Haydn gehört hatte.

| Und in diesen Fugenmelodien war Bach originell und sinnreich. Einige wenige Noten, welche bald chromatisch (wie z. B. die bekannte Fuge über Bachs Namen) bald diatonisch, bald in Sprüngen, bald in Laufern, bald fortgehend, bald durch Pausen unterbrochen, sich bewegen, reichen ihm hin, die trefflichsten Sätze darnach auszuführen. Wie vorsichtig er bey dieser Ausführung in der Beobachtung aller Regeln der Harmonie gewesen sey, wie sorgfältig er jede Dissonanz vorbereitet, wie natürlich er dieselbe aufgelöset, wie mannichfaltig er Führer und Gefährten in die Stimmen vertheilet habe – das bedarf keiner Erwähnung, das muß jeder, der unter die Musiker gerechnet werden will, längst erwogen haben. Nur das muß ich noch hinzusetzen, daß Bach, ungeachtet der beständigen Abwechselung der Harmonien, dennoch niemals die zunächst verwandten Tonarten verläßt. Er machte es also nicht, wie manche unserer neuern Komponisten, welche kein Bedenken tragen, bey den unbedeutendsten Anlässen sogleich in die entferntesten Tonarten auszuschweifen; er wußte | mit Wenigem hauszuhalten und sein feines Kunstgefühl erhielt ihn bey der größten Simplizität – da es ihm doch, vermöge seiner, noch von Niemanden wieder erreichten Kenntniß der Harmonie, ein Leichtes gewesen wäre, alle die plötzlichen Uebergänge, oder vielmehr Ueberfälle zu gebrauchen, womit Mozart's ungeschickte Nachahmer sich jetzt so brüsten.

Ich darf ferner nicht vergessen, Bachs große Kenntniß und geschickte Anwendung der alten Kirchentonarten zu rühmen. Kirnberger (s. Kunst d. r. S. 2ter Th. *p.* 49.) geht so weit, daß er in mehrerer Hinsicht J.S. Bach den delikatesten der neuern Componisten nennt, und in sehr starken Ausdrücken dessen Methode anempfiehlt, Kirchenstücke nach den alten Kirchentonarten zu setzen. „Heut zu Tage (so fährt er *p.* 66 fort) werden die alten Tonarten, zumal in protestantischen Ländern, wo die Kirchenmusik fast durchgängig sehr schlecht bestellt ist, zu sehr vernachlässigt; dieß ist eine mit von den Ursachen, warum die heutige Kirchenmusik, selbst in katholi- | schen Ländern, so tief gesunken ist, daß man sie fast nicht mehr von der theatralischen unterscheiden kann. So gut eine solche Musik auch ausgearbeitet seyn mag, so ist sie in der Kirche doch allezeit von matter, wo nicht den Empfin- dungen der Andacht ganz entgegengesetzter Wirkung. Man höre dagegen eine von guten Meistern in den wahren Kirchentonarten ausgearbeitete Musik, eine Messe von *Prenestini, Leonardo Leo, Lotti, Franc. Gasparini, Frescobaldi, Battiferri,* Fux, Hendel, J.S. Bach u.s.w. Ja man höre dagegen bloß einen simpeln Choral! welche Kraft! welche der Kirche und der Religion anständige Würde! welche Hoheit des Aus- drucks! u.s.w. Die Vernachlässigung der alten Tonarten wird auch noch den gänz- lichen Verfall der Fugen nach sich ziehen, oder hat ihn vielmehr schon nach sich gezogen; denn wie selten kommt hie oder da noch eine regelmäßige Fuge zum Vorschein?"

Wieviel ließe sich nicht noch von Bachs trefflicher Manier, den Choral zu behandeln, von seinen vielstimmigen Sätzen, von seinen Präludien | sagen? – Doch, ich übergehe dieß, um nicht zu weitläuftig zu werden, und schließe mit dem Wunsch, mit der herzlichen Bitte, daß doch ja diejenigen unserer Musiker, welche mit der höhern, d. h. mit der Kirchenmusik, sich beschäftigen, vor allen andern Komponisten, J. S. Bach oder Hendel studiren mögen. Auch hier läßt sich anwenden, was Quintilian vom Cicero sagt: Wer Bach am besten versteht, oder, welches das Nämliche ist, wem Bach am meisten gefällt, (denn man kann ihn nicht verstehen, ohne Gefallen an ihm zu finden) der freue sich – denn er ist in der Tonkunst am weitesten gekommen.

S.

Quelle: *Museum | berühmter Tonkünstler. | – | In | Kupfern und schriftlichen Abrissen | vom | Professor C. A. Siebigke. | – | Oder | Museum deutscher Gelehrten | und | Künstler. | Zweyter Band. | – | Breslau, | bey August Schall, | 1801. | I. | Johann Sebastian Bach. | – | Nebst | einer kurzen Darstellung seines Lebens und | seiner Manier. | – | 1801.*, S. 3–30, hier S. 6–30. [Expl.: D-LEb und D-LEm (mit Porträt), Signatur: *I 8° 288*]

Das eingefügte Porträt (→ Dok IV, B 39) ist ein unbezeichneter Stich in Anlehnung an den anonymen Stich nach „Gebel" (→ Dok IV, B 19). → A 4 (Kommentar).

Anm.: Große Teile sind aus Hiller L (→ Dok III, Nr. 895) entnommen, mitunter stilistisch überarbeitet, S. 19–21 aus Gerber ATL (→ Dok III, Nr. 948). Zum Zitat (S. 21–24) aus Gesners Quintilian-Ausgabe → Dok II, Nr. 432; vgl. auch A 22 (Winterfelds Übertragung); S. 28–29 zitiert Siebigke aus Kirnbergers *Kunst des reinen Satzes … . Zweyter Theil*, 1776, S. 49 und S. 66 (→ Dok III, Nr. 767); bei Siebigke fehlen die Namen Froberger und Zelenka. Zu Siebigkes „Abhandlung über das Beurtheilen der Tonkünstler" → Dok III, Nr. 1014a K.

Weitere Bach-Erwähnungen:

Museum berühmter Tonkünstler. – … Zweyter Band. … 1801. | III. | Wolfgang Gottlieb Mozart. | – | Nebst | einer kurzen Darstellung seines Lebens und | seiner Manier. | – | 1801., S. 3–70.

„… [S. 14:] Daß der junge Componist [Mozart], bey seinem Aufenthalt in London, schwere Tonstücke von Bach, Händel, Paradies und andern Meistern, mit aller Nettigkeit vom Blatte gespielt habe, ist vielleicht eine nicht genug geprüfte Sage, die sich von Nichtkennern herschreibt. Der berühmte Häßler, der sich eben so sehr durch seinen Geschmack, als durch seine Fertigkeit im Vomblattspielen auszeichnet, pflegte Sonaten von mäßiger Schwierigkeit gern vorher durchzusehen, ehe er sie exekutirte. Und wer Sebastian Bachs Sachen kennt, und aus Erfahrung weis, wieviel Uebung, bey noch so großer Fertigkeit, dazu gehört, um ihrer mächtig zu werden, der muß nothwendig obige Erzählung in Zweifel [S. 15:] ziehen; – den Umstand nicht zu gedenken, daß solche Compositionen von einem siebenjährigen Kinde, das kaum eine Oktave zu spannen vermag, schwerlich mit Nettigkeit erlernt werden können. Ich mußte hierüber freymüthig meine Meinung sagen und werde es in ähnlichen Fällen immer thun, um nach meinen Kräften dazu beyzutragen, daß man endlich aufhöre, auf Kosten des gesunden Menschenverstandes seinen Helden zu loben. Mozarts Talent bleibt groß, wenn er auch nach zehnmahligem Durchspielen erst Bachs u. a. schwere Tonstücke gespielt hat. Eher möchte ich folgender Erzählung Glauben beymessen. Johann Christian Bach,*) sagt man, habe den kleinen Mozart zu sich ans Klavier genommen, habe dann mit einigen Takten angefangen, dann Mozart fortfahren lassen, dann selbst wieder gespielt; – und so hätten Beyde durch wechselndes Spiel eine ganze Sonate

mit einer solchen Präcision herausgebracht, daß jeder, [S. 16:] der ihnen zuhörte, meinte, das
Stück würde nur von Einem vorgetragen. ...

*)   Dieß ist der sogenannte Englische Bach, Sohn des großen Seb. Bach, Kapellmeister der Kö-
nigin von England, geb. 1735, gest. 1782."

Anm.: Taufnamen Mozarts: Johannes Chrysostomus Wolfgangus Theophilus (vgl. *Mozart. Die
Dokumente seines Lebens.* Gesammelt und erläutert von Otto Erich Deutsch, Leipzig 1961, S. 11:
„Aus dem Taufbuch der Dompfarre Salzburg 28. Januar 1756"].
Mozart hielt sich mit seinem Vater Leopold und der Schwester Maria Anna (Nannerl) in London
1763–1765 auf, wo er auch Johann Christian Bach kennenlernte.
*Museum berühmter Tonkünstler. – ... Zweyter Band. ... 1801. | VI. | Friedrich Wilhelm Rust. | – |
Nebst | einer kurzen Darstellung seines Lebens und | seiner Manier. | – | 1801., S. 3–29.*

„... [S. 6:] In einem Alter von 13 Jahren spielte er Seb. Bachs 24 Präludien und Fugen vom Anfang bis zu Ende auswendig. Sein Geschmack an dieser schweren Art von Composition wurde
in seinen Universitätsjahren dadurch vermehrt, daß er sehr oft Gelegenheit hatte, den berühmten Fugisten Friedemann Bach zu hören und ihm die Geheimnisse seiner Kunst abzustehlen.
Nicht selten bat dieser finstere und mit der Mittheilung seiner Kenntnisse etwas karge Mann
Rust auf eine Fuge zu Gaste und wunderte sich dann nicht wenig, seine eignen Gedanken, die
er vorher auf der Orgel vorgetragen hatte, von unserm Künstler auf das Feinste und Gelehrteste
ausführen zu hören. ... [S. 7:] ... Der Beyfall seines Fürsten und einiger Kenner gaben unserm
jungen Musiker neuen Muth, in der Kunst immer größere Fortschritte zu machen. Einer der
größten Clavierspieler – dessen auch Hr. Burney in seinen Reisen sehr vortheilhaft erwähnt –
Gottlieb Friedrich Müller, [S. 78:] damals in Dessau. Er war ein Schüler des großen Goldbergs*
und behandelte das Clavier mit eben so vieler Fertigkeit als Delikatesse. Rust ward sein fleißiger
Schüler und da er durch Bachs Fugen schon eine gewisse Festigkeit und Präcision des Vortrags
erlang hatte, so ward es ihm nicht schwer, sich nach und nach die eigenthümlichen Schönheiten
der Goldbergischen Spielart zu eigen zu machen. ... "
Anm.: Nach autobiographischen Mitteilungen (→ Dok III, Nr. 811 und Nr. 829). Rust war als
Stud. jur. in Halle Schüler W. F. Bachs. Mit Burneys Reisen ist gemeint: *Carl Burney's, der Musik
Doctors, Tagebuch seiner Musikalischen Reisen.* 3 Bände, Hamburg 1772–1773 (deutsche Überset-
zung: C. D. Ebeling). Über Gottlieb Friedrich Müller schreibt Burney im 3. Band seiner *Musika-
lischen Reisen*: „Herr Müller, Hoforganist zu Dessau, ist ein Mann von großer Geschicklichkeit.
In seinen Kompositions entdeckt man Geschmack, Einbildungskraft und eine große Fertigkeit
der Hände. Allein sein Ehrgeiz, bei jeder Gelegenheit neue Passagien einzuführen, macht seine
Stücke oft strotzend, unnatürlich und affektiert; und zu diesem Fehler kommt noch der seinen
Landsleuten so gewöhnliche, seine Gedanken bis zu einer einschläfernden Länge hinauszuspin-
nen. ..." (vgl. *Carl Burneys der Musik Doktors Tagebuch seiner Musikalischen Reisen. Dritter Band.
Durch Böhmen, Sachsen, Brandenburg, Hamburg und Holland. Aus dem Englischen übersetzt ...
Hamburg, 1773* ... Zit. nach der Ausgabe Reclam Leipzig, ²1975, hrsg. von E. Klemm, S. 469.)
Lit.: Hans-Joachim Hinrichsen, *Johann Nikolaus Forkel und die Anfänge der Bachforschung*, in: Bach
und die Nachwelt 1, S. 225; Lit. zu Ludwig Anton Leopold Siebigk(e): Gerber NTL, Bd. IV,
Sp. 203; Eitner, S. 164.

A 2

(Salzmann): Denkwürdigkeiten aus dem Leben ausgezeichneter Teutschen

Schnepfenthal, 1802

Johann Sebastian Bach.

Dieser Stammvater einer der ausgezeichnetsten Künstlerfamilien, selbst einer der größten Tonkünstler, ward am 21sten May 1685 in Eisenach geboren, und zeigte früh Anlagen zur Musik, die er, Theils auf dem Gymnasium zu Lüneburg, Theils bey der herzoglichen Capelle in Celle weiter ausbildete. Im Jahr 1703 wurde er Hofmusicus in Weimar, 1704 Organist in Arnstadt, 1707 zu Mühlhausen, 1712 Concertmeister in Weimar, 1717 Kapellmeister beym Fürsten von Anhalt-Köthen, und 1723 Musik-Director in Leipzig, welche Stelle er bis an seinen Tod, den 28sten Jul. 1750 bekleidete. Dieses große musicalische Genie spielte das Klavier, den Flügel und das Cymbal mit gleicher Kraft und auf der Orgel war er einzig in seiner Art. In seiner Ju- | gend sollte er in Dresden einen musicalischen Wettstreit mit dem berühmten Clavierspieler Marchand eingehen, aber dieser erkannte ihn als den Sieger an, indem er sich durch Entweichung dem Wettstreite entzog; und als sich Bach in Hamburg auf der Orgel hören ließ, sagte ihm der alte Virtuos Reinke: Ich dachte, die Kunst die Orgel zu spielen, wäre gestorben, ich sehe aber, sie lebt in Ihnen. Und sie lebte in ihm mit einer unbeschreiblichen Zauberkraft. Wie er jedes Instrument, das er spielte, mit unbedingter Gewalt beherrschte und jeden Styl und jeden Theil der Tonkunst umfaßte: so zeigte er sich doch in seiner höchsten Glorie auf der Orgel, und er ist Meister und Muster des großen, edlen Kirchenstyls. Seine Compositionen sind reich an Ideen, an Kraft, an kühnen Modulationen, an großer Harmonie, an neuen melodischen Gängen und enthalten einen unerschöpflichen Schatz musicalischer Kunst, aber sie sind so schwer gesetzt und erfordern eine so große Kunst des Vortrags, daß, ungeachtet aus Bachs Schule große Tonkünstler hervorgegangen sind, itzt nur noch wenige seinem schweren kunstvollen Style Geschmack abgewinnen, noch wenigere seine Stücke fehlerfrey vorzutragen im Stande sind.

Quelle: *Denkwürdigkeiten | aus dem Leben | ausgezeichneter Teutschen | des | achtzehnten Jahrhunderts. | – | Schnepfenthal, | im Verlage der Erziehungsanstalt. | 1802.*, Sp. 605–606. [Expl.: D-LEu, Signatur: *Lit. Gesch.* 697]
Anm.: Zusammenfassung verstreuter Notizen. Als Quellen sind erkennbar: Nekrolog (→ Dok III, Nr. 666), Hiller L (→ Dok III, Nr. 895), Schubart, *Ideen zu einer Ästhetik* (→ Dok III, Nr. 903) und Gerber ATL (→ Dok III, Nr. 948).
In der Biographie über Johann Philipp Kirnberger, Sp. 613–614, folgende Bach-Erwähnung (Sp. 613): „… und suchte vom Hof-Organisten Gerber, dem Schüler des großen Bach in Leipzig, im Orgelspiel zu lernen. Im Jahr 1739 und 1740 saß er selbst zu Bachs Füßen in Leipzig und übte sich unter ihm im Clavierspielen und in der Composition. …" In der Biographie über C.P.E. Bach, Sp. 618–619, folgende Bach-Erwähnung (Sp. 618): „Der Sohn des großen Johann Sebastian war im März 1714 in Weimar geboren und studierte in Leipzig und Frankfurt an der Oder die

Rechte. Aber zum Kunstgenie von der Natur geweiht und in seines Vaters musikalischer Schule gebildet, wurde er bald als Tonkünstler bekannt. ..." Am Schluß des Bandes (Sp. 781–795): „Register nach alphabetischer Ordnung" und „Register nach den Fächern".
Lit.: M. Rud. Rich. Fischer, *Christian Gotthilf Salzmann*, in: *Denkmäler verdienstvoller Deutschen, viertes Bändchen*, Leipzig 1829; *Biographisch-Bibliographisches Kirchenlexikon*, Art. „Salzmann, Christian Gotthilf", Band VIII (1994), Sp. 1271–1277 (R. Lachmann); Arthur Prüfer, *Eine alte, unbekannte Skizze von Sebastian Bachs Leben*, BJ 1915, S. 166–169; Walther Vetter, *Der Kapellmeister Bach*, Potsdam 1950, S. 361, Anm. 60; Spitta I, S. XIV–XVI.

A 3

ENGELHARDT: TÄGLICHE DENKWÜRDIGKEITEN AUS DER SÄCHSISCHEN GESCHICHTE
DRESDEN UND LEIPZIG, 1809

21ter März.
1685. geb. Joh. Sebast. Bach, Musikdirektor in Leipzig.

Sonderbar, daß in manchen Familien gewisse Talente gleichsam erblich sind. Die Silber- | manne waren vorzügliche Instrumentmacher, die Bache trefliche Tonkünstler. Veit Bach, der älteste bekannte Stammvater dieser denkwürdigen, musikalischen Familie, flüchtete im 16. Jahrh. aus Ungern nach Thüringen. Alle seine Nachkommen, bis ins siebente Glied, hatten Talente zur Tonkunst und lebten, einige ausgenommen, nur von ihr und für sie. Unter wenigstens 15 Musikern des Namens und der Familie Bach, zeichnete sich Joh. Sebastian vorzüglich aus. Was Albrecht Dürer und Lucas Cranach einst für die Malerei in Deutschland, das ward nachher Johann Sebastian Bach für die Musik, nämlich der Stifter einer neuen Schule, aus welcher die größten Virtuosen auf Orgel und Flügel hervorgegangen sind.

Bach verlor zeitig seinen Vater, den Hof- und Rathsmusikus Johann Anton zu Eisenach und ward deshalb von seinem ältern Bruder, Johann Christoph, Organisten zu Ordruf, erzogen, der ihn zwar gründlich in der Musik unterrichtete, sein Talent dazu aber mehr zu unterdrücken, als zu wecken suchte, damit einst der Schüler nicht etwa den Meister übertreffe. So verschloß er z. B. ein Notenbuch voll schwerer Stücke, nach welchem der Knabe, wie so mancher andre nach Leckerbissen, sich sehnte. Doch Bach stand, wenn alles zu Bette war, auf, langte mit seinen kleinen Händen das Notenbuch künstlich | durch das Gitterwerk eines Schrankes heraus und schrieb nun, bei Mondschein, (denn Licht wagte er nicht anzuzünden) ab, so viel er konnte. Allein kaum hatte er, nach 6 monatlicher Nachtarbeit, die musikalische Beute ganz in Händen, da ward sie von seinem neidischen Bruder bemerkt und weggenommen.

Nach dessen Tode kam er auf das Gymnasium zu Lüneburg, wo man ihn, seiner schönen Stimme wegen, sehr wohl aufnahm.

Im 18ten Jahre schon ward er Hofmusikus zu Weimar, im 19ten Organist zu Arn-
stadt. Als solcher reisete er auf ein Vierteljahr nach Lübeck, blos um den berühmten
Organisten Buxtehude zu studiren. 1708 ward er Organist zu Mühlhausen, dann
Hoforganist und Konzertmeister zu Weimar, wo er seine meisten und berühmtesten
Orgelstücke setzte.

Als 1717 der bekannte Französ. Klavierspieler, Marchand, nach Dresden kam und
dort soviel Aufsehen machte, daß ihn der König mit grosem Gehalt Dienste anbot,
erhielt Bach, vom Konzertmeister Volumier, heimlich die Einladung zu einem
musikalischen Wettstreite mit Marchand, der alles über die Achsel ansah. Bach kam,
hörte erst unerkannt seinen Gegner spielen und schrieb diesem dann eine musikalische Ausforderung, welche Marchand natürlich nicht ausschlagen konnte.

Französische Flüchtigkeit schien indes doch deutsche Gründlichkeit zu fürchten.
Die Konzert- | stunde schlug. Der künstlerische Kampfplatz war in dem Hause
eines Ministers. Bach stellte sich ein. Marchand aber verlies heimlich Dresden mit
Extrapost – – Bach spielte nun vor einer glänzenden Versammlung und alles zollte
ihm Bewundrung.

Im Jahr 1717 ward er fürstl. Köthenscher Kapellmeister. Als solcher besuchte er einst
den berühmten, fast 100 iährigen Organisten, Reinken, in Hamburg und lies sich in
der Katharinenkirche auf der Orgel hören. „Ich dachte, diese Kunst wäre gestorben;
sehe aber, daß sie in Ihnen noch lebt." Damit belohnte der ehrwürdige, musikalische
Greis das Orgelspiel des Fremden, der dadurch mehr geschmeichelt sich fand, als
wenn ein Fürst ihm Ring oder Dose geschenkt hätte.

1723 gieng Bach nach Leipzig als Musikdirektor an die Thomasschule, erhielt dann
vom Sächs. Weissenfelsischen Hofe den Kapellmeistertitel und ward 1736 von August II., vor dem er sich mehrmals in Dresden hören lies, zum Hofkomponisten
ernannt. Selbst Friedrich II. zollte Bachen, als er 1747 in Potsdam vor ihm spielte,
seinen ganzen Beifall.

Der König kam damals, wie man erzählt, etwas spät in die Kirche, lies aber Bachen
sagen, er möge nicht auf ihn warten. Bach gehorcht. Mitten im Spiele kommt der
König auf das Chor und tritt hart an die Orgelbank. Bach läßt sich | nicht stören – er
steckt eben in einem Laufer mit Händen und Füssen – ganz Ernsthaft nickt er dem
Monarchen, und erst, als er den Akkord geschlossen hat, steht er auf, den allerhöchsten Besuch sich zur Ehre zu rechnen. Denn mitten im Akkord aufzuhören schien
ihm eine musikalische Unmöglichkeit.

So war auch eine Dissonanz seinen Ohren die größte Qual und er wollte, wie er oft
sagte, lieber falsche Menschen, als falsche Töne ertragen. Einst tritt er in eine Gesellschaft, wo ein iunger Herr eben auf dem Flügel phantasirt, aber, sobald er Bach sieht,
aufspringt und in Eil mit einer Dissonanz endet. Bach geht, ohne zu grüssen, ans
Instrument, schließt rein den falschen Akkord und dann erst macht er der Gesellschaft seine Eintrittsverbeugung.

Bachs lezte Jahre waren traurig. Uebermässige Anstrengung des Gesichts, besonders
in der Jugend, verursachte ihm eine Augenkrankheit, die er durch eine wiederholte

schmerzhafte Operation zu heben meinte. Aber vergebens. Im Gegentheil zog man
ihm durch schädliche Arzneien auch andre Uebel zu, welchen ein Schlagflus den
28. Juli 1750 ein Ende machte.

Unter seinen 11 Söhnen, die ihn nur zum Theil überlebten, zeichneten sich Wilhelm
Friedemann oder der Hallische, Carl Philipp Emanuel oder der Hamburger, Johann
Christoph Friedrich oder der Lippische und Johann Chri- | stian oder der Englische
Bach (denn man pflegt die Bache nach den Orten ihrer Anstellung zu unterscheiden)
als grose Musiker aus. Einer seiner berühmtesten Schüler war Homilius in Dresden.

Bach spielte und komponirte meisterhaft, seine Hände und Füsse hatten fast gleiche
Fertigkeit. Während die Finger aufs lebhafteste beschäftigt waren, machte er mit den
Füssen Triller und Laufer, die Mancher mit den Händen kaum nachgespielt haben
würde. Seine Hand war eben so gros als stark. Er griff bequem eine Duodezim mit
der Linken, wie mit der Rechten und konnte stundenlang spielen, ohne zu ermüden.
Seine Kompositionen für Orgel und Klavier sind fast lauter Meisterstücke, aber auch
so schwer, daß nur Meister sie vortragen können. Uebertrieben ist es indes wohl,
wenn man behauptet: es lebten iezt kaum 2–3 Menschen in Deutschland, die sie
fehlerfrei vorzutragen im Stande wären. Es gab eine Zeit, wo alle Schulmeister und
Organisten nur Bachs schwere Säze studirten. Jezt sind sie, wie so manches Gründliche und Gute, aus der Mode. Da er meist ohne Klavier komponirte, so hatte er oft
selbst Noth, bei Nacht zu spielen, was er am Tage gesetzt hatte.

Seine größte Stärke bestand in Fugen, die er oft nur aus einigen Noten bildete. So
spielte er einst in einer Dorfkirche, ohne, daß der Schulmeister ihn kannte, aber na-
türlich zu dessen groser | Verwunderung. Jener wünscht den Namen des Virtuosen
zu wissen, und Bach beginnt mit den vier Buchstaben seines Namens eine Fuge,
worüber dem Schulmeister Hören und Sehen vergeht.

Quelle: *Tägliche | Denkwürdigkeiten | aus der | Sächsischen Geschichte. | – | Jedem Freunde des | Va-
terlandes, | besonders | der Jugend | von | Karl August Engelhardt, | Mitglied der Königl. Sächs. Ober-
lausitzischen | Gesellschaft der Wissenschaften. | – | Zweiter Theil. | Mit einem kolorirten Kupfer. | 753*
[Stempel] | – | *Dresden, beim Verfasser | und | Leipzig, bei J. A. Barth, 1809.* [3 Teile, 1809–1812] | *Preis
beim Verf. 18 Gr. im Buchh.* 22 Gr., S. 111–117. [Expl.: D-B Sq 486]
Anm.: Pseudonym für Engelhardt: Richard Roos (vgl. ADB 6, S. 140. J. Franck). Zusammenfas-
sung verstreuter Notizen. Als Quellen sind erkennbar: Nekrolog (→ Dok III, Nr. 666), Hiller L
(→ Dok III, Nr. 895) und Gerber ATL (→ Dok III, Nr. 948). Zu Homilius als Schüler Bachs →
Dok III, Nr. 895K, sowie Forkel, S. 42.
Zur Anekdote über die Dissonanzauflösung → Dok III, Nr. 804, Nr. 973 und Nr. 997.
Lit.: Dok III, Nr. 997K.

A 4

GERBER: ERGÄNZUNGEN UND NACHTRÄGE
ZUM HISTORISCH-BIOGRAPHISCHEN LEXICON DER TONKÜNSTLER VON 1790
LEIPZIG, 1812–1814

* Bach (Johann Sebastian) – von diesem großen Meister fanden sich in des Hamburger Bachs Nachlasse noch nachstehende ungedruckte Werke, welche im ält. Lex. fehlen.

I. Singstücke.

1) *Oratorium Tempore Nativitatis Christi. Pars 1*: Jauchzt, frohlocket etc. *Pars 2*: Und es waren Hirten etc. *Pars 3*: Herrscher des Himmels etc. *Pars 4*: Fallt mit Jauchzen etc. *Pars 5*: Ehre sey dir, Gott, gesungen etc. *Pars 6*: Herr, wenn die stolzen Feinde etc. Alle Theile sehr stark be- | setzt, mit Hörnern, Flöten und Hoboen, zum Theil auch mit Trompeten und Pauken, außer den gewöhnlichen Bogeninstrumenten. 2) Eine Passion nach dem Evangelisten Johannes, mit Flöten und Hoboen. 3) Eine zweychörige Passion nach dem Matthäus, mit Flöten, Hoboen und 1 Gambe. 4) Die große katholische Messe, bestehend in 1) *Missa.* 2) *Symbolum Nicaenum (Credo)*, 3) *Sanctus*, 4) *Osanna*, mit Pauken, Trompeten und andern Blaseinstrumenten. 5) IV Messen, in Partitur, mit Flöten. 6) V *Sanctus* aus verschiedenen Tonarten und mit verschiedener Besetzung. 7) II *Magnificat*, nebst einigen ausgeführten Chorälen. 8) In allen meinen Thaten etc. ausgeführt, mit Hoboen. 9) Kantate: Gott ist mein König etc. mit Flöten, Hoboen, Fagotten, Trompeten und Pauken. 10) II Motetten: Jesu meine Freude, und: Der Geist hilft unsrer, für 4 Singst. u. Fundament. 11) Motette für 2 Chöre: Jauchzt dem Herrn alle Welt, für 8 Singst. und Fundament. Noch VI Motetten. 12) Drama, der Königin zu Ehren, stark besetzt. 13) IV Glückwünschungs-Kantaten, auf solenne Tage, stark besetzt. 14) III Trauungs-Kantaten, stark besetzt. 15) II komische Kantaten: Schlendrian mit seiner Tochter Lieschen, und: Wir han en neue etc. 16) Kantate, von der Vergnügsamkeit: Ich bin in mir vergnügt. Mit 1 Flöte und 1 Hoboe. 17) *Perogni Tempo*: Ich halte viel etc. stark besetzt. 18) Der Streit zwischen Phöbus und Pan, stark besetzt. 19) Ueber 100 Kirchenkantaten, alle von seiner eigenen Hand geschrieben, befinden sich aber noch in der Bibliothek der Thomasschule zu Leipzig. Nur sehr wenige Kenner seiner Werke hatten blos vom Hörensagen bisher noch Kenntniß von diesem Schatze. Gegenwärtig aber machte Hr. Musikdir. Müller auch öffentlich Gebrauch davon, indem er schon mehrere theils in der Kirche und theils im Schulkonzerte aufgeführt hat. Hr. Hofr. Rochlitz sagt davon: „Niemand, der mit diesen erhabenen und tiefen Produkten nicht bekannt ist, kann sagen, daß er Bachen kenne, indem er eben hier sein Eigenstes, Vorzüglichstes und gleichsam die Quintessenz seines Geistes niederlegte. Zugleich enthal- | ten die so innige und ausdrucksvolle Stücke, (besonders im Erhabenen und Wehmüthig-Trauernden) daß auch keiner der unkundigsten Zuhörer nicht dadurch wäre ergriffen worden." s. Leipz. mus. Z. Jahrg. V. S. 247.

Verschiedene von diesen Werken sind durch Hrn. Traeg in öffentlichen Handel gekommen. Ferner aus Emanuels Nachlasse: II. Instrumentalstücke: 20) Des wohltemperirten Klaviers zweyter Theil, bestehend in 24 Präludien und 24 Fugen durch alle harte und weiche Tonarten. Uebertrift den 1sten Theil an Vortreflichkeit. 21) V Praeludien und Fugen fürs Klavier. 22) XV Inventionen fürs Klavier. 23) IV Klaviersuiten. 24) Toccata aus D dur, fürs Klavier. 25) Fuge, sechsstimmig, fürs Klav. aus C moll. 26) *Fuga canonica in Epidiapente*, fürs obligate Klavier und eine Violine, 27) Chromatische Fantasie und Fuge aus D moll, f. Klav. 28) III Flügel-Konzerte, mit Begleit. mehrerer Instr. 29) VIII Klaviertrio's, mit einer Violin oder Flöte, 30) III Ouvertüren, aus C, D dur und H moll, für 10 Instrum. 31) Sinfonie aus D dur, für 11 Instrum. 32) Doppelkonzert für 2 Violinen, mit Begleit. aus D moll. 33) Violinkonzert mit Begleit. aus A moll, und 34) VI Suiten fürs Violoncell, ohne Begleitung. Unter meiner eigenen Sammlung von Werken dieses Meisters befinden sich noch folgende bemerkenswerthe Stücke; als: 35) IX Veränderungen über: O Gott du frommer etc. aus C moll. 36) 11 Trio's, für 2 Man. und Pedal, über: Allein Gott in der Höhe etc. und: Eine feste Burg ist etc. 37) II Trio's, das eine für 2 Flöten und Baß, und das 2te für Flöte, Violin und Baß, beyde aus G dur. Die übrigen Bachischen Werke unter meiner Sammlung sind theils unter dem obigen Emanuelischen Nachlasse und theils schon im ält. Lex. angezeigt worden. An Bachischen Orgelstücken insbesondere war aber ohnstreitig wohl des letzt verstorbenen Organisten Kittel Sammlung die stärkste, wie der Auktions-Katalog von seinem mus. Nachlasse ausgewiesen hat. Zwar ist nun auch diese schöne Sammlung zerstreut; doch steht zu vermuthen, daß sich Kittels würdige Schüler größtentheils darein getheilt haben werden, | wo sie auch in guten Händen ist. Diese Stücke, alle einzeln, von Kittels Hand geschrieben, folgen hier noch summarisch, mit Uebergehung der schon angeführten Sammlungen. 38) IX Toccaten, mit oblig. Pedal. Als 1 in C dur, 1 in C moll fürs Manual, 1 in D dur, 3 in F dur, 1 in G dur fürs Manual, und 2 in G moll, 39) IV Fantasien, worunter 1 fünfstimmig und 1 nebst Fuge in A moll. Desgleichen eine Sammlung von mehrern kleinen Fantasien. 40) *Pastorella* für die Orgel. 41) *Ricercar* in C moll, 6 stimmig; scheint obige No. 25 zu seyn. 42) III Präludien, worunter 1 in C dur und 1 in A moll. 43) Sammlung verschied. Piecen, nebst 3 Präludien und Fugen f. d. Orgel, in D, F und G. 44) Sammlung von Präludien und Fugen mit oblig. Ped. 45) XXII Präludien und Fugen; als 6 in C dur, 2 in C moll, 1 in D dur, 1 in D moll, 3 in E moll, 1 in F moll für die volle Orgel, 1 in G dur, 3 in A moll, 1 in B, 1 in H moll, und 1 mit Suite. 46) *Capriçe* nebst 10 Fugen, Hrn. Marpurg gewidmet. 47) XIII Fugen mit oblig. Pedal, als 2 in C moll, 1 in D moll, 1 in E dur, 1 in F dur, und 1 in G moll; 1 in C moll, vierstimmig; 2 in E, vierstimmig; 1 in F dur, dreystimmig; 1 in G moll, und 1 in A dur, dreystimmig. 48) I Trio in A, von Sebast. Bachs eigener Hand geschrieben. 49) III Sonaten f. 2 Klav. und Ped. 1 in Es, 1 in B und 1 in D moll. 50) VI Fugen fürs Fortepiano. 51) II Fugen für 2 Klaviere, in D moll. 52) III Konzerte für 2 Man. und Ped. in C dur, A moll und D moll.

Folgende einzelne Stücke findet man auch in neueren Werken anderer Verfasser mit

eingedruckt: 1) *Aria con Variaz. p. il Cembal. s. Hawkins Hst. Tom. V. p.* 256. 2) Fuge
fürs Klavier aus F moll, in Reichardts Kunstmagaz. 3) *Christe eleison, in Canone, a
4 Voc. et 6 Strom.* s. Kirnbergers Kunst des reinen Satzes. II Th. 3e Abth. Noch scheint
hier die Bemerkung nicht ganz überflüßig zu seyn; daß am Ende seiner Kunst der
Fuge, welche 1803 b. Nägeli in Zürch abermals sehr nett gestochen worden ist, das
letzte Thema die Buchstaben seines Namens: *B.A.c.H.* hören läßt; welche Fuge
aber | auch unvollendet geblieben ist. Beynahe war nun Bach, größer als seine Vor-
gänger und Nachfolger, ein volles Jahrhundert im ruhigen Besitze seiner Alleinherr-
schaft im Reiche der Harmonie, und unser Muster, beym Gebrauche derselben, geblieben, als Riese Vogler aufstand, und in seinem Choralsysteme, Bachen, in seinen
vierstimmigen Chorälen, nicht etwa nur einer Sünde zeihete, nein, sondern Takt für
Takt Fehler entdeckte, und was das schlimmste war, seine Aussprüche durchaus mit
unwiderlegbaren Gründen bewies. So kritisirte ehemals Lessing in jede Zeile von
Klopstocks Messias einen Fehler! – s. dessen Briefe. Indessen ist Klopstock unser
erster Dichter geblieben. Auch Bach wird dieserwegen so viel an seinem Ruhme
nicht verlieren, und diese Vorfälle beweisen nichts weiter, als daß alles unter dem
Monde der Unvollkommenheit unterworfen ist und fehlen kann. Auf der andern
Seite hingegen ist es mit der Kritik solcher scharfsinnigen Köpfe auch etwas eigenes, wenn sie ein System nach ihrer Weise und Erfindung neu aufstellen und nach
solchem ein Jahre lang schon fertiges Werk eines andern richten wollen. Ein Kniff
mancher Hrn Rezensenten. – Wehe aber dem armen Autor, dem auf solche Weise
mitgespielt wird! Blößen und Fehler müssen dann unvermeidlich seyn. Wie aber,
wenn dies neue System wirklich auf vernünftigen und richtigen Gründen beruhet,
wie hier das Voglersche, das wirklich neue Epoche in der Kenntniß und Behandlung
der alten Tonarten, so wie überhaupt des Chorals, macht? Dann sind und bleiben es
freylich Fehler, welche Bach begangen hat und die wir in Zukunft vermeiden müssen. Wenn wir aber diese von Bach vor 100 Jahren begangenen Fehler genauer untersuchen, so sind es entweder Fehler wider die Schule der alten Tonarten und deren
Behandlung, oder es sind Fehler wider die Aesthetik und wider den Geschmack.
Die erstern kann man aber Bachen nicht wohl zurechnen. In welcher Schule und
bey welchem Meister hätte er diese genauen Kenntnisse und den bestimmten Unterschied der Schlußfälle der mancherley Tonarten kennen lernen sollen? Etwa in
Italien? Er, ein | armer Waise in Thüringen, dessen gespannteste Hoffnungen auf
einen Organistendienst von 60 bis 70 Thlr. jährlich reichten? Oder in Büchern? Aber
in welchen fand man vor 100 Jahren über die verworrene Lehre von den alten Tonarten wohl einen deutlichen und klaren Unterricht von derselben Behandlung, die
Tonleitern ausgenommen, welche seit 1000 Jahren bekannt waren? Das also wäre zu
viel von ihm gefordert. Er, der alles durch sich selbst war, hat auch alles geleistet,
was Fleiß und Talent möglicher Weise in seinem Zeitalter leisten konnten. Noch weniger aber darf man ihm die ästhetischen Fehler zur Last legen, an die zu seiner Zeit
niemand dachte, die niemand nur ahnete. Zu welcher Höhe der Vollkommenheit
und Vortreflichkeit hat sich seit 100 Jahren die Melodie erhoben? Sie, die eben in der

Harmonie nach und nach jenes Steife und Holperichte durch Eleganz, Gewandtheit und Leichtigkeit verdrängt, und unsere Ohren immer mehr gebildet hat. Ueberdies sollten uns nicht die Stöße von Abhandlungen und Bänden, welche seit 50 Jahren in allen Formaten und allen Sprachen über den Geschmack und über das Schöne geschrieben sind, neue, unsern Großvätern noch unbekannte Wahrheiten entdeckt haben, wodurch wir uns allerdings ihnen überlegen fühlen müssen? Dem ohngeachtet bleiben an Bachs Werken noch so manche andere Seiten zu bewundern übrig, wo er den Künstlern gleichsam ein Ziel vorgesteckt hat, dem sie sich nie nähern werden, ohne sich zugleich der Vollkommenheit zu nähern. Dies Ziel nun allgemeiner vor Augen zu stellen, sind jetzt (1800) mehrere Tonkünstler und Musikverleger des In- und Auslandes damit beschäftiget, selbige, seine Werke nämlich, in schön und korrekt gestochenen Ausgaben der Dunkelheit zu entreißen und bekannter zu machen. Auch scheint dies der rechte Zeitpunkt zu seyn; denn nur um 30 Jahre früher würde im Allgemeinen, (seine Schüler ausgenommen,) der Sinn für dessen Arbeit sowohl, als auch die Kräfte, selbige studiren und vortragen zu können, noch merklich gemangelt haben. Es kommt hierzu aber, meines Erachtens, noch ein Bewegungsgrund mehr, welcher wirklich in der Richtung unseres ge- | genwärtigen Geschmacks liegt, und welches kein geringer Beweis von den tiefern Einsichten unseres Zeitalters in das Wesen der Kunst und deren Vollkommenheit ist. Hierüber erlaube man mir noch einige Worte hinzu zu setzen; andere mögen dann diese Idee, bey mehrerer Muße und an schicklichern Orten, weiter auseinander setzen und erklären. Schon vorhin habe ich der gegenwärtigen kultivirten Melodie gedacht, mit deren Bildung, Bereicherung u. Verschönerung man sich fast ausschließend, den größten Theil des 18. Jahrhunderts hindurch, beschäftiget hat, so daß uns gegenwärtig in der Sprache der Empfindungen wenige oder keine Ausdrücke mehr zu fehlen scheinen, da ihr Reichthum an Phrasen und ihre Gewandtheit nichts mehr zu wünschen übrig lassen; es müßte denn eine Einschränkung der in neuern Zeiten so häufig gebrauchten türkischen Modulationen in chromatischen Fortschreitungen und schnellen Ausweichungen in die entferntesten Tonarten seyn. – Diese Manier in der Komposition also, wobey die Melodie durchaus herrschend ist und bleibt, war im 18. Jahrhunderte auch die herrschende, und wurde am Ende bey jeder Art von Musik, also auch bey Instrumentalstücken, angewendet. Da aber die Komponisten ihre Ideale von schöner Melodie und selbst ihren Stoff nur von Theater-Gesängen hernahmen und hernehmen konnten, diese sich aber den Gedichten hatten anschmiegen müssen, deren Empfindungen oft mit jeder Zeile abwechseln; so befanden wir uns größtentheils in dem Falle von Zuhörern einer ihnen unbekannten, in Violinquartetten arrangirten Oper: das heißt, wir hörten nichts, als lauter zwecklos aufeinander folgende heterogene, vielleicht noch am besten kontrastirende Ideen, je nachdem sie sich der Imagination des Komponisten dargeboten hatten, gleich einer Schnure Korallen von verschiedener Größe und allen möglichen Farben wie von ohngefähr an einander gereiht. Wobey man allerdings mit jenem fragen konnte: Sonate, was willst du mir sagen?

Dies war aber nichts anders, als bloße angewandte Musik (*applicata*), wobey die wenigsten Komponisten die reine Musik (*pura*) gehörig zu handhaben er- | lernt hatten. Man erlaube mir immer, diese sehr zweckmäßigen, aus der *Mathesis pura* und *applicata* entlehnten Ausdrücke dem Hrn. Triest, Verfasser der vortreflichen und scharfsinnigen Bemerkungen über die Ausbildung der Tonkunst im 18. Jahrhunderte. s. Leipz. mus. Z. Jahrg. III. S. 227, abzuborgen; da sie so ein großes Licht über das Wesen der Kunst verbreiteten. Endlich fing man gegen das Ende dieses Jahrhunderts an, diese Ungereimtheit in der Instrumentalmusik zu fühlen, und auch hier war es größtentheils das Werk unsers vortreflichen Joseph Haydn, nach seinem tiefen Gefühl von Wahrheit und Schönheit, uns mit guten Mustern voran zu gehen: indem er, statt der bisher an einander gereiheten Flicklappen aller Art, durch die Bearbeitung und Zerlegung eines einzigen Satzes, ein großes, schönes Ganzes zu bilden, und gleich dem Goldarbeiter, aus einem kleinen Kügelchen, einen langen, aus lauter homogenen Theilen bestehenden Faden zu ziehen wußte. Dies brachte uns nun wieder auf die seit 70 Jahren vernachläßigte Bearbeitung der reinen Musik, welche sich auf die Kunst gründet, ein reichhaltiges Thema zu erfinden, selbiges zu zergliedern, und so aus diesen Theilen, entweder nach dem herrschenden Geschmacke in freyer Manier, oder nach den Regeln des Kontrapunkts und der Fuge, ein schönes selbstständiges Ganzes zu bilden, dessen Einheit von der ersten bis zur letzten Zeile um so weniger unverkennbar seyn muß, da es durchaus der musikalische Ausdruck einer und der nämlichen Empfindung ist.

Um mich so verständlich als möglich zu machen, was ich, im Gegensatze von angewandter Musik, unter reiner Musik verstehe; so untersuche man folgende 2 Muster von reiner Instrumentalmusik, welche wahrscheinlich in den Händen des größten Theils meiner Leser sind, oder doch seyn sollten. Das erste ist eine streng gearbeitete Fuge aus F moll von J. Sebast. Bach, in Reichardts Kunstmagazin. B. I. S. 198–201 abgedruckt. Das zweyte Muster ist eine frey gearbeitete Klaviersonate aus C dur, von Jos. | Haydn; man findet selbige, Wien, bey Artaria, *Op. 30. No.* 1, desgleichen *Oe. compl.* b. Breitkopf u. Härtel. *Cahier II. No.* 1. Man braucht sich von jedem dieser beyden Stücke nur die 4 ersten Takte zu merken, und man hat den ganzen Stoff, woraus beyde Meister diese ihre Stücke von 4 Folioseiten verfertiget, und so verfertiget haben, daß beyde als Lieblingsstücke, das erste ins Magazin und das andere zu London, noch besonders abgedruckt worden sind. Auffallend ist eine gewisse Aehnlichkeit, welche diese beyden Themen mit einander haben, nur daß das Fugenthema da um eben so viel Noten fällt, wo das Sonatenthema steigt; daher ersteres, verbunden mit seiner weichen Tonart, ein gewisses Gefühl von süßer Traurigkeit ausdrückt, wogegen das 2te lauter Fröhlichkeit athmet. Ein Beyspiel hingegen von Instrumentalmusik, welche aus lauter, und zwar deklarirter angewandter Musik zusammengesetzt ist, giebt uns Hr. Wölfl mit vieler Kunst und Beurtheilung in seinen *III Sonat. sur des Idées prises de l'Oratoire de I. Haydn: La Création. Op. 14.* Noch hundert tausend andere Werke unterscheiden sich von diesen, außer der ungeschickten Zusammensetzung, nur dadurch, daß die Komponisten keine Anweisung beydrucken lassen wollten, oder konnten, woher sie ihre Ideen entlehnt hatten. Und nun auf einmal wurde die Wichtigkeit der Muster, welche uns Sebastian Bach in dieser Art von Kunst hinterlassen hatte, einleuchtend. Man fand das Studium derselben immer nothwendiger, da es nun nicht sowohl mehr auf Herbeyschaffung musikalischer Ideen, Figuren, Ausdrücke und Rhythmen ankam, sondern auf die Fertigkeit, den gesammelten Vorrath von Materialien kunstgerecht behandeln und verarbeiten zu lernen. Um diesem Bedürfnisse durch ächte Muster von reiner und nicht angewandter Musik, entgegen zu kommen, wetteifern folgende Herrn, Bachs Genius noch nach 100 Jahren, so wie andere große Meister jener Zeit, in der Erneuerung ihrer Werke durch den Stich zu ehren, die merkantilische Spekulation abgerechnet.

1) Zu London kündigte 1799 ein Organist, wahrscheinlich Hr. Kollmann an: J. Seb. Bachs wohltemperirtes Klavier, mit Erläuterungen, in Kupferstich her- | aus zu geben. 2) Zu Zürch kündigte 1800 Hr. H. George Nägeli in einer Prachtausgabe nicht nur alle merkwürdigen Klavierwerke von J. Seb. Bach, sondern auch überhaupt eine Auswahl merkwürdiger Klavierwerke in strenger Schreibart, von allen Nationen, eines Frescobaldi u.s.w. an; wobey auch er Erläuterungen hinzufügen wollte. Ein Unternehmen, welches eben sowol der Schönheit des Stichs, der Probe nach, als seiner Zweckmäßigkeit wegen alle mögliche Unterstützung verdient. 3) Zu Bonn kündigte 1800 Hr. N. Simrock die 2 Theile des temperirten Klaviers in 48 Präludien und Fugen von Sebast. Bach gestochen an, welche auch bereits erschienen sind. 4) Zu Leipzig kündigte 1800 Herr Kühnel, Seb. Bach's sämmtliche Klavier- und Orgelwerke an. Hiervon sind erschienen: 1) *Toccata p. Clav.* 2) *15 Inventions p. Cl.* 3) *15 Simphonies p. Cl.* 4) *Exercices p. Cl.* (Klavierübungen.) *Oe. I. Partie 1, 2, 3, 4, 5, 6.* 5) *Fantaisie chromatique.* 6) *6 Préludes à l'usage des Commençans.* 7) *Fantaisie p. Cl. No. 1.* 8) *Six Suites p. Cl.* (Die kleinen französ. Suiten.) *No. 1–6.* 9) *Exerc. p. Cl. Oe. II. Aria con Variazioni p. Cl.* 10) *Exerc. p. Cl. Oe. III. Préludes p. l'Orgue.* (Vorspiele über Gesänge.) 11) *Le Clavecin bien tempéré. Preludes et Fugues dans les tons et demitons du mode maj. et mineur.* (Das wohltemperirte Klavier.) *1. Part. 2. Part.* 12) *Grandes Suites, dites Suites Angloises p. Cl. No. 1.* Diese ganze Kollektion nebst Bachs Portrait kostet im Pränumerationspreise nur 11 Thlr. 8 gr. In diesem Verlage erschien auch: Ueber Joh. Sebast. Bach's Leben, Kunst u. Kunstwerke. Für patriotische Verehrer echter musikal. Kunst, von J. N. Forkel. Mit Bach's Bildniß, und Kupfertafeln, 1802. 5) Achtstimmige Motetten in Partitur, erschienen b. Breitkopf u. Härtel gedruckt, 1802. Ohne Zweifel sind dies einige von den herrlichen lateinischen 2 chörigen Motetten, welche die Thomasschüler zu Anfange des Frühgottesdienstes in Leipzig ohne einige Begleitung abzusingen pflegen. Ich kann mich noch besinnen, eine davon am er- | sten Weihnachtstage 1767 mit tiefer Erschütterung meines ganzen Wesens angehört zu haben. Nichts kann aber auch der Hoheit, Erhabenheit und Pracht, die darin herrscht, gleich kommen. 6) Choralvorspiele. 1s Heft. Ebend. desgl. 2s, 3s und 4s Heft. 7) *Air av. 30 Variat. p. le Pianof.* Wien 1803. 8) *Sonates p. un Violon seul.* Ebend. es sind deren 3. 9) *VI Klaviersonaten mit obligat. Violine.* Zürch, b. Nägeli. 10) *Messa à 8 voci reali et 4 ripieni coll'acc. di 2 Orchest. No. 1.*

Quelle: *Neues | historisch-biographisches | Lexikon | der | Tonkünstler, | welches | Nachrichten von dem Leben und den Werken | musikalischer Schriftsteller, berühmter Komponisten, Sänger, Meister auf | Instrumenten, kunstvoller Dilettanten, Musikverleger, auch Orgel- | und Instrumentenmacher, | älterer und neuerer Zeit, | aus allen Nationen enthält; | von | Ernst Ludwig Gerber, | Fürstlich Schwarzburg-Sonderhausischem Hof-Sekretair zu Sondershausen. | – | Erster Theil. | A–D. | [Zweyter Theil. | E–I.; Dritter Theil. | K–R. ; Vierter Theil. | S–Z.] | – | Leipzig, bey A. Kühnel. | 1812.* [1812., 1813., 1814.], Sp. 213–223. [Expl.: D-LEb]

Fotomechan. Nachdruck: Graz 1966 / 69.

Anm.: Gerber NTL ist eine Fortsetzung und Ergänzung von Gerber ATL (→ Dok III, Nr. 948), das den biographischen Teil enthält.

Mitteilungen aus den Nachlässen von C. P. E. Bach, E. L. Gerber und Kittel.

Erwähnungen der Bach-Familie: Bach (Carl Philipp Emanuel), Sp. 197–201; Bach (Georg Christoph), Sp. 201; Bach (Johann Bernhard), Sp. 201–202; Bach (Johann Christian), Sp. 202; Bach (Johann Christoph), Sp. 206–210; Bach (Johann Christoph Friedrich), Sp. 210–211; Bach (Johann Ernst) Sp. 211–212; Bach (Johann Ludwig), Sp. 212; Bach der jüngere (Johann Michael), Sp. 213; Bach (Wilhelm), Sp. 223–224; Bach (Wilhelm Friedem.), Sp. 224.

Dem 4. Teil des Lexikons ist ein „fünffacher Anhange von Nachrichten über musikalische Bildnisse, Büsten, | Abbildungen berühmter Orgeln und musikalischer Erfindungen." (Titelblatt) beigegeben. Das *I. | Verzeichniß | in Kupfer gestochener und in Holz geschnittener Bildnisse berühmter Tonlehrer | und Tonkünstler, als Fortsetzung der ersten Numer des Anhangs im a. | Lexikon; wobey, zu leichterer Uebersicht, auch die dort angezeigten Exemplare | summarisch mit angeführt und die Tonkünstler mit einem Stern (*) bezeichnet sind.* vermerkt Sp. 673: „*Bach (Io. Sebast.) s. a. Lex. 1 mal; und ders. Fol. *Bollinger sc. Hausmann p.* ders. Fol. *Nettling sc. Hausmann p.* ders. 12. *Bollinger sc. Gebel p.* s. *Mus. Zeit. J. I.* ders. 12 Nachstich in Siebigks Museum. ders. 8. *sc. Riedel.* …" Das *II. | Fortgesetzte Verzeichniß | der Gemälde und Zeichnungen von Bildnissen berühmter Tonlehrer | und Tonkünstler, welche sich theils an öffentlichen Orten und theils in Pri- | vatsammlungen befinden. s. des alten Lexikons Anhang. No. III. | …* vermerkt Sp. 735–736: „*Bach (Io. Sebast.)* in Oel gemalt und sehr wohl erhalten, besitzt Hr. Kittel in Erfurt. Er erhielt es 1798 aus Langensalz; vielleicht aus der Verlassen- | schaft der Herzogin von Weißenfels. Auch in Oel gemalt auf der Thomasschule zu Leipzig." Das *IV. | Fortgesetzte Verzeichniß | von großen und berühmten Orgelwerken, deren Risse durch den | Grabstichel gemein gemacht worden sind.* vermerkt Sp. 769: „*Viola pomposa,* s. a. L. I. Seb. Bach." → A 27.

Rezension: AMZ, 14. Jg., Nr. 38, 16. Sept. 1812, Sp. 615–624, hier Sp. 619: „… Von der Vollständigkeit der Artikel, besonders der deutschen Schulen, so wie von dem Fleiss und der Sorgsamkeit des Verf.s in der Bearbeitung derselben, einen Begriff zu bekommen, vergleiche man nur die – allerdings mit besonderer Vorliebe ausgearbeiteten Nachrichten über die musikal. Heroen in der reichen, weitverbreiteten *Bach*'schen Familie, welche zu nicht weniger, als zwey und zwanzig Aufsätzen Stoff gegeben hat. (Es sey hier zugleich die Kleinigkeit berichtigt: die Seite 222 erwähnten, ganz vortrefflichen Motetten des Seb. Bach sind nicht die, vom Verf. gerühmten, kürzern und weniger ausgezeichneten, ursprünglich lateinischen, sondern ganz so, wie sie gedruckt erschienen sind, von dem grossen Künstler geschrieben worden.) – …"

Lit.: DBE; Eitner, S. 203–204; Riemann 1929; W. Winzenburger, *Translation* [Artikel J.S. Bach] *from Gerber's Neues Historisch biographisches Lexikon der Tonkünstler (1812),* in: *Bach. The Quarterly Journal of the Riemenschneider Bach Institute,* Vol. I, Nr. 3, Juli 1970, S. 30–40.

A 5

Carl Maria von Weber: Kurzbiographie Bachs
Leipzig, 1821

BACH (Johann Sebastian), geboren zu Eisenach den 21. März 1685. – Von Zeit zu Zeit
sendet die Vorsehung Heroen, die den gemächlich von einem Jünger auf den andern
vererbten Kunst-Schlendrian und seine Modeformen mit gewaltiger Hand erfassen,
und so ein Neues gestalten, welches nun lange in Jugendfrische vorbildlich wieder
weiter wirkt, mit Riesenkraft seiner Zeit den Anstoß gibt, und den Heros, der es
von sich ausgehen ließ, zum Licht- und Mittelpunkte dieser Zeit und dieses Ge-
schmackes erhebt. In der Regel vergißt man dabei, ungerecht genug, daß diese
Riesengeister doch auch nur Kinder ihrer Zeit waren, und daß viel Trefliches schon
da vorhanden seyn mußte, wo so weithin leuchtend Großes entstehen konnte. – Seb.
Bach gehört zu diesen Kunstheroen. Von ihm ging so viel Neues und in seiner Art
Vollendetes aus, daß seine Vorzeit fast in Dunkelheit verschwand, ja, sonderbar
genug, sein Zeitgenosse Händel wie einer andern Epoche angehörig betrachtet
wird. Sebast. Bach's Eigenthümlichkeit war selbst in ihrer Strenge eigentlich romantisch, wahrhaft teutscher Grundwesenheit, vielleicht im Gegensatz zu Händels mehr
antiker Größe. Sein Styl zeigt Großartigkeit, Erhabenheit und Pracht. Seine Wirkungen brachte er hervor durch die wunderbarsten Verkettungen der Stimmenführung,
und dadurch erzeugte fortgesponnene seltsame Rhythmen, in den künstlichsten
kontrapunktischen Verflechtungen, aus denen sein erhabener Geist einen wahrhaft
gothischen Dom der Kunstkirche auferbaute, während alle kleineren Geister vor
ihm, in der bloß herrschenden Künstlichkeit, untergingen, in Trockenheit das innere
Leben der Kunst in der bloßen Form suchten und daher nicht fanden.
Nicht vergessen darf man dabei, daß die Musik damals vor allem der Kirche diente,
und von ihr ausging. Der Orgelspieler lenkte die Gemüther, und die Tonwelt, die
für einen schaffenden Geist in der Orgel liegt, gab hinlänglich jenen Stoff, den jetzt
der Componist in allem Orchesterluxus suchen muß. – Die vollendete Beherrschung
der Orgel, die S. Bach sich zu erringen wußte, bedingte auch seine ganze Kunstrich-
tung. Das Großartige, die immer in Massen sich aussprechende Natur dieses Instrumentes ist auch in ihm das Bezeichnende und Charakteristische, und die Größe
seiner Werke in harmonischer Rücksicht entwickelte sich aus der | Gewandtheit sei-
ner Selenkräfte, die widersprechendsten Melodie-Linien zu einem Ganzen zu verknüpfen.
Diese Freiheit des Stimmenflusses in gleichwol strengster Gebundenheit, zwang
ihn auch freilich Mittel zu erfinden, seine Erzeugnisse ausführbar zu machen. Daher verdankt ihm das Klavierspiel vor allem einen Fingersatz, den uns erst sein
Sohn Karl Philipp Emanuel Bach in seinem Versuch, über die wahre Art Klavier zu
spielen, mittheilte, und dessen Eigenthümlichkeit besonders darin bestand, daß er
zuerst den Daumen wesentlich gebrauchte, da man vorher meist sich mit 4 Fingern

beholfen hatte. Auch erfand er die sogenannte *Viola pomposa*, weil die damaligen Violoncellisten bei den figurirten Bässen seiner Werke nicht fortkamen. Es war dieß eine vergrößerte Bratsche mit fünf Saiten, der außer dem Violoncell-Umfang noch die höhere Quinte E beigegeben, und somit der Vortrag umfangsreicher Figuren erleichtert ward.

Von Seb. Bach ging das, was man eine Schule nennt, aus. Ohne die Stufen, die Er und Händel gebaut, wäre schwerlich Mozart zu seiner Höhe gestiegen. Die Kunst, seine Sachen wirkend vorzutragen, ist wol ganz untergegangen, da der davon zu erwartende Genuß weder auf der Oberfläche liegt, noch ob des Reichthums des harmonischen Baues, der äußere melodische Contour so vorherrschend heraustreten kann, als unser verwöhntes Ohr es verlangt.

S. B. war der Sohn des Hof- und Raths-Musikus Joh. Ambros. Bach zu Eisenach *). Er erhielt, schon vor dem 10. Jahre verwaist, von seinem ältern Bruder, dem Organisten Johann Christoph in Ordruff, den ersten Unterricht; wie es scheint, nicht ohne Handwerksgrillen, da Sebastian sich den Weg zu den bessern Werken von Frohberg, Kerl, Pachelbel etc. heimlich, bei Nacht im Mondenscheine, bahnen mußte. Von hier kam er als Diskantist auf die Michaelisschule zu Lüneburg, von wo aus ihn der Trieb vorwärts zu schreiten öfter nach Hamburg führte, den berühmten Organisten Reinke zu hören. 1703 wurde er Hofmusikus in Weimar, 1704 Organist in Arnstadt. Von nun an entfaltete sich in regem Streben sein Geist. 1707 wurde er Organist im Mühlhausen, und im folgenden Jahre rief man ihn als Hoforganisten nach Weimar zurück, wo man ihn auch 1714 zum Konzertmeister ernannte. Kurz darauf erhielt er den Ruf als Kapellmeister zu dem Fürsten von Anhalt-Köthen; 1723 aber ging er nach Leipzig als Musikdirektor und Cantor der Thomasschule, wo er auch den 28. Juli 1750 am Schlage starb. 1736 hatten ihm der Herzog von Weißenfels den Kapellmeistertitel und der König von Polen den Titel als königl. poln. und kurfürstl. sächs. Hofcompositeur ertheilt **).
Er hatte 11 Söhne und 9 Töchter. Von den Söh-

---

*)   Die Familie stammt aus Preßburg in Ungern von einem Bäcker, Veit Bach, der zu Anfange des 17. Jahrhunderts Ungern verließ. In: Korabinsky Beschreibung der Stadt Preßburg 1784 findet man ein vollständiges Stammregister derselben.
**)   Forkels geistreiches Werk, Über Joh. Sebastian Bach's Leben, Kunst und Kunstwerke, Leipzig 1802, darf nicht anzuführen vergessen werden.

| nen, obwol alle mit Talent begabt, haben 4 sich besonders ausgezeichnet. Wilhelm Friedemann, genannt der Hallesche, geboren 1710 zu Weimar, ein gründlicher Orgelspieler, Fugist und Mathematiker, gest. zu Berlin 1784. Carl Philipp Emanuel, geboren zu Weimar 1714, gemeiniglich der Berliner genannt. Er neigte sich mehr zum galanten Styl, und war ein Liebling des Publicums. Der Kunst hat er den wichtigsten Dienst durch die Herausgabe des Werkes geleistet, worin er die Vervollkommnung des Klavierspiels der Welt mittheilte, die sein Vater erfunden hatte. Er starb zu Hamburg 1788. Joh. Christoph Friedrich, der Bückeburger, geboren 1732 zu

Weimar, und gest. zu Bückeburg 1795, kam im Geschmack seinem Bruder Emanuel am nächsten. Johann Christian, genannt der Engländische auch Mayländische, geboren zu Leipzig 1735 und gest. zu London 1782 als Kapellmeister der Königin, war der galanteste dieser Brüder in seinen Arbeiten, daher zu seiner Zeit eben so beliebt, als jetzt gänzlich vergessen.

Überhaupt ist der Reichthum von musikalischen Talenten, den die Bachsche Familie geliefert hat, unglaublich ***).

***)   Gerber hat in seinem älteren und neuern Tonkünstler-Lexicon allein 22 ausgeführte Artikel.

(Karl Maria v. Weber.)

Quelle: Allgemeine | Encyclopädie | der | Wissenschaften und Künste | in alphabetischer Folge | von genannten Schriftstellern bearbeitet | und herausgegeben von | J. S. Ersch und J. G. Gruber | Professoren zu Halle. | – | Siebenter Theil | mit Kupfern und Charten. | – | B – BARZELLETTEN. | – | Leipzig, Druck und Verlag von Johann Friedrich Gleditsch 1821, S. 28–29. [Expl.: D-LEu, Signatur: *St. Thomas. 909*)

Anm.: Als Quellen sind erkennbar und teilweise mitgeteilt: J. N. Forkel, *Allgemeine Litteratur der Musik,* Leipzig 1792; Forkel; Gerber ATL (→ Dok III, Nr. 948) und NTL (→ A 4). Zu Bachs Fingersatz und der Einbeziehung des Daumens vgl. Forkel, S. 14–16, sowie C. P. E. Bach, *Versuch über die wahre Art …* , Berlin 1753, S. 17 (→ Dok III, Nr. 654). Zu J. M. Korabinsky → Dok III, Nr. 974, zur Viola pomposa vgl. Forkels Bericht im *Musikalischen Almanach für Deutschland auf das Jahr 1782,* S. 34–35 (→ Dok III, Nr. 856), sowie H. C. Koch, *Musikalisches Lexikon,* Frankfurt am Main 1802, Sp. 1691 (→ A 26).

Vgl. die Rezension *Hinterlassene Schriften von Carl Maria von Weber. 3ter und letzter Band. Dresden u. Leipzig, bey Arnold. 1828. (Pr. 1 Thlr. 2 Gr.)* (AMZ, 31. Jg., Nr. 17, 29. April 1829, Sp. 273–277, hier Sp. 274:) „Von folgendem Jahre [1821]: Ueber Sebastian Bach. Wir möchten diesen kleinen, aber, was er will, gewiss erreichenden Aufsatz wie eine Art Sühnung betrachten, die der brave W. sich selbst, wegen einer frühen Versündigung an diesem grossen Manne, auferlegte. W. giebt, seinem hier ganz populairen Zwecke gemäss, zwar nur das Allgemeinste und Bekannteste über Bach und seine Compositionen: aber er spricht diess, eben für jenen Zweck musterhaft aus; nämlich, nicht nur vollkommen gegründet und mit lebendigem Antheile, sondern zugleich so, dass es auch der sehr wenig unterrichtete Musikliebhaber und der bloss practische Musikus vollkommen verstehen kann, dass er es mit Vergnügen lieset, und dass es ihm, will er nicht selber weiter dringen, wohl auch genügen kann. Man muss in allen solchen Fällen viel wissen, um so wenig zu sagen, und viel vermögen, um so wenig zu thun. – …"

Lit.: Max Maria Freiherr von Weber, *Karl Maria von Weber. Ein Lebensbild.* Hrsg. von Rudolf Pechel, Berlin 1912.

A 6

JONES / EDLER VON MOSEL: KURZBIOGRAPHIE BACHS
WIEN, 1821

Joh. Sebast. Bach war zu Eisenach 1685 geboren, und wurde, durch sein ausgezeichnetes Talent bald der Gegenstand der allgemeinen Bewunderung. Als er sich im Jahre 1717 zu Dresden befand, both er dem berühmtesten französischen Organisten damahliger Zeit, Marchand, einen Wettstreit im Orgelspiele an, welchem dieser durch schleunige Abreise auszuweichen für gut fand. Bald darnach ernannte ihn der Fürst von Anhalt-Köthen zu seinem Capellmeister, welche Stelle er 1723 mit jener eines Musikdirectors in Leipzig vertauschte. Im Jahre 1747 machte er eine Reise nach Berlin, wo er seine seltenen praktischen Kenntnisse im Contrapuncte dadurch bewies, daß er über ein ihm vom Könige gegebenes Thema eine sechsstimmige Fuge aus dem Stegreif spielte. Das Jahr 1750 entriß ihn der Kunst, deren Zierde er gewesen war. In Hinsicht auf Vollstimmigkeit des Satzes und auf Anwendung der Harmonielehre kam kein Componist ihm gleich; als Clavier- und Orgelspieler war er der größte seiner Zeit; | beydes bestätigen seine hinterlassenen Werke auf die siegreichste Weise, zumahl die unter dem Titel: Das wohltemperirte Clavier bekannten 48 Präludien und Fugen aus allen Tonarten. Unter seinem kostbaren Nachlaß befinden sich auch eine Menge geistlicher Cantaten, welche nach der Versicherung eines der ersten Kunstkenner, des Herrn Hofraths Rochlitz, die herrlichste seiner Arbeiten seyn sollen. Ein strahlendes Vorbild für Alle, welche in das Heiligthum der Kunst einzudringen streben, hatte auch Mozart (von welchem zu sprechen sich späterhin schickliche Gelegenheit zeigen wird, und der deßhalb in obigem Verzeichnisse fehlt) ihn frühzeitig zu dem seinigen gewählt, und die Werke jenes großen Meisters waren ihm in den Mannesjahren eben so anziehende Ergetzung, wie sie in dem Jünglingsalter ihm ernstliches Studium gewesen.

Quelle: *Geschichte | der | Tonkunst | von | G. Jones. | Aus dem | Englischen übersetzt und mit Anmerkungen begleitet | von | J. F. Edlen von Mosel. | – | Wien, 1821. | Im Verlage der Kunsthandlung Steiner und Comp. | – | Gedruckt bey Anton Strauß.*, S. 197–198. [Expl.: D-LEb]
Anm.: Aus „Anmerkungen. … Nr. 27" (S. 190–203). Weitere Bach-Erwähnung, S. 178, Anm. Nr. 18: „Allerdings besaß Deutschland im siebenzehnten Jahrhunderte ausgezeichnete Tonsetzer, ja, einer der größten Sterne, die jemals am deutschen musikalischen Horizont glänzten, Joh. Sebastian Bach, dessen späterhin ausführlicher gedacht werden soll, ging zu jener Zeit auf. …" S. 198, Anm. Nr. 27: Kurzbiographie C. P. E. Bachs. Bach-Erwähnungen noch auf S. 83: Vergleich der Fugen Frescobaldis und Bachs; S. 190 und S. 203: Bach-Aufführungen, veranstaltet von Freiherr van Swieten.
Rezension in: AMZ, 23. Jg., Nr. 7, 14. Februar 1821, Sp. 97–110, hier Sp. 97: „Diese Schrift des Herrn G. Jones war bisher in Deutschland zwar nicht unbekannt: aber es ist sehr zu zweifeln, ob sie selbst allen den Gelehrten, die den Gegenstand derselben … bekannt geworden. … Und dennoch verdient sie gar sehr, in aller dieser Händen zu seyn. …", und Sp. 105: „Bey der ersten

Erwähnung Joh. Sebastian Bachs durch Hrn. von M., S. 178 in der 18ten Anmerkung, sey bemerkt, dass dieser unsterbliche Meister bey weitem nicht seines Geschlechts der Erste war, der als Componist, Lehrer und Orgelspieler seine Zeitgenossen überglänzte. Vorzüglich that diess Joh. Christoph Bach, der ältere, so viel wir wissen, Onkel, wo nicht Grossonkel des Sebastian; ein Künstler, der in allen jenen Beziehungen vortrefflich sich zeigte. Wir kennen von ihm Compositionen, die, zwar weniger künstlich, tiefsinnig und grüblerisch, wenn man will, weniger gelehrt, als viele des Neffen, diesen jedoch an Originalität der Erfindung, an Reichthum, Gründlichkeit und Würde der Ausführung und an Mannichfaltigkeit des Ausdrucks kaum nachstehen: an fasslichem, ansprechendem Gesang aber, wie an sanftheiterm Sinn, sie übertreffen. Und dieser wahrhaft grosse Mann war – Stadtorganist zu Eisenach. ..."

Lit. zu Ignaz Franz Edler von Mosel: Neuer Nekrolog; Eitner, S. 77–79; Riemann 1929; DBE.

A 7

Stoepel: Kurzbiographie Bachs nach Mitteilungen Zelters

Berlin, 1821

[1. Spalte:] Bach, Johann Sebastian, geb. zu Eisenach 1685, starb 1750 als Königl. Poln. Hofcomponist, Capellmeister des Herzogs von Weißenfels und des Fürsten von Cöthen, und Musikdirektor an der Thomasschule zu Leipzig. ...

[2. Spalte:] | Der Verfasser dieses, glaubte sich nicht fähig, auch nur Andeutungen über die musicalische Größe und Wichtigkeit dieses Heros geben zu können, und theilt daher was zu diesem Zweck der Professor Zelter ihm geschrieben, hier mit, überzeugt, daß nur solch ein Mann es werth ist, dem unsterblichen Bach ein würdiges Denkmal zu stellen.

„Sein Leben ist, außer durch Mitzler und Gerber, von Forkel beschrieben worden. Forkels Nachrichten beruhen auf Mitzler und zwei Handbriefen des C.P.E. Bach, die nur wenig flüchtige Züge enthalten, aus welchen jedoch die Einsamkeit und Einschränkung erkennbar wird, in welche Bach's unerschöpftes und unerschöpfliches Talent, wie in ein Zauberschloß verbannt war. Und eben daraus resultirt auch der Umstand, daß Bach nur sich und für sich gearbeitet hat; mehr um sich zu erleichtern, als zu offenbaren; darum sind auch Bach's geistliche Stücke weniger kirchlich, als für die Kirche. Daß ihm dieser Umstand bei seinem Leben (siehe Scheibe kritischer Musikus) und später, zum Vorwurf gemacht worden, ist bekannt, nicht so erkannt, wie er zu seinem innersten Wesen, wie er zu seiner unerfaßlichen Größe, Grundbedingung war. Forkel nennt Seb. Bach den größten Organisten, den größten Harmonisten und zugleich den größten Dichter. – Wer ihn mit Homer vergleichen wollte, könnte jedoch finden, daß Bach tiefer sey, sollte er auch von jenem Dichter des Alterthums an Hoheit und Klarheit übertroffen werden." ...

[3. Spalte:] | Es ist hier vielleicht der Ort, zur Vervollständigung der Geschichte der Bachs zu bemerken, wie bisher, und auch bei Forkel, einer der bedeutendsten unter ihnen übersehen oder vergessen worden ist. Auch diese Notiz gebe ich, wie ich sie unserm verehrten Zelter verdanke.

„Ludwig Bach, Fürstlich Meinungscher Capellmeister, ist geb. 1677 – also 8 Jahr vor Sebastian – und gest. 1730. Von diesem Manne, der viel componirt haben muß, denn sonst wären seine Sachen nicht so wie sie sind, besitze ich siebzehn Kirchenstücke und einige Motetten. Von den ersteren hat Sebastian zwölfe selbst abgeschrieben; sie mußten es werth seyn, wenn der sie abschrieb. Emanuel lobt sie gleichfalls sehr in einem Original-Briefe, den ich dazu besitze, und nennt Ludwig seinen Vetter." …

Quelle: *Grundzüge | der | Geschichte der modernen Musik. | – | Nach den besten Quellen bearbeitet, | von | Franz Stoepel. | Nebst einem Vorwort von Gottfried Weber. | – | Berlin, | Verlegt bei Duncker und Humblot. | – | 1821.*, S. 61. [Expl.: D-LEu, Signatur: Ästh. 898^vt]
Anm.: Aus „Zweite Abtheilung.", Kapitel „C. Von Guido von Arezzo bis zu Ende des achtzehn-ten Seculi.". Aufgeteilt in drei Spalten: „Namen und Zeit | musikal.-wichtiger Schriftsteller | oder Personen überhaupt.", „Deren Schriften oder was sie gethan.", „Bemerkungen." → A 28.
Zu Gottfried Weber → A 8, S. 625, mit Erwähnung seines *Versuchs einer geordneten Theorie der Tonsetzkunst*, Mainz 1824.
Zu den beiden „Handbriefen" von C.P.E. Bach an Forkel (Ende 1774 und 13. Januar 1775) → Dok III, Nr. 801 und Nr. 803, mit Hinweis auf Stoepel: „Die Mitteilungen waren wohl für die schon 1774 geplante Bach-Biographie Forkels bestimmt. Das erst 1802 erschienene Werk verwer-tet diesen und den folgenden Brief nahezu vollständig und übernimmt manche Formulierungen wörtlich." Zu dem „Original-Briefe" C.P.E. Bachs (vor 1760) → Dok III, Nr. 704. Vgl. auch A 28 (Fußnote zu Johann Ludwig Bach).
Erwähnungen der Bach-Familie: Johann Christoph B., S. 53; Ludwig B., S. 61; Wilhelm Friede-mann B. und Carl Philipp Emanuel B., S. 68 – 71; Johann Christian B., S 68 – 69.
Lit. zu Franz David Christoph Stöpel: Neuer Nekrolog; Riemann 1929.

A 8

MICHAELIS: BIOGRAPHISCHE ANMERKUNGEN –
BESCHREIBUNG DES „ANDREAS-BACH-BUCHES"

LEIPZIG, 1822

Nachträgliche Nachrichten und Bemerkungen zur
Geschichte der neuern Musik.
Vom Uebersetzer.

[S. 596:] Das Gebiet der Tonkunst erstreckt sich so weit, und ist besonders in der neuern Zeit von so vielen Componisten, Virtuosen und Schriftstellern angebaut und bearbeitet worden, daß von der allgemeinen Geschichte der Musik eine erschöpfen-de Vollständigkeit so wenig zu versprechen, als zu erwarten ist. Auch war das gegen-wärtige Werk nicht auf einen solchen Umfang berechnet. Indeß habe ich gesucht, durch beiläufige Zusätze einige Lücken in demselben auszufüllen. Hier folgen noch

Nachträge, wobei mir jedoch Kürze vorgeschrieben war, um das Buch nicht unverhältnißmäßig zu erweitern. …

| [S. 597:] … Zu Ende des siebzehnten und zu Anfange des achtzehnten Jahrhun-
derts wurde die Tonkunst besonders von Teutschen, in der Composition und Exse-
cution, mit vieler ernster Gründlichkeit behandelt. Es gab große Contrapunctisten,
welche im Gebiet der Harmonie sich auszeichneten, wozu das Ansehen des Orgelspiels und der Chöre der Kirchenmusik am meisten beitrug. Einer der größten,
fruchtbarsten und gründlichsten Meister auf der Orgel, und in der Composition,
sowohl für sie, als für andre Instrumente, und für den Gesang, war der Herzogl.
Sächs. Weissenfelsische Kapellmeister Johann Sebastian Bach (geb. 21. März 1685 zu
Eisenach, gestorben zu Leipzig, als Cantor und Musikdirector an der Thomasschule
und den beiden Hauptkirchen, am 28. Juli 1750), ein Genie der ersten Größe, dem
es vielleicht nur an Gelegenheit fehlte, um sich, wie Händel, mit dem er wetteifert,
und den er an tiefsinniger voller Harmonie und (wie Kenner versichert haben) auf
der Orgel im Gebrauch des Pedals wahrscheinlich noch übertroffen hat, nicht nur
in Orgel- und andern Instrumental- und in Kirchencompositionen, son- | [S. 598:]
dern auch im dramatischen Fache auszuzeichnen. Bei allem erhabenen Ernst, der
in seinem Stil vorherrscht, bei aller harmonischen Gelehrsamkeit, mit der seine
allermeisten Werke gearbeitet sind, fehlte es ihm doch gar nicht an der Gabe, auch
leicht, populär, gefällig, und selbst in gewissem Grade launig zu schreiben. Er studirte die großen Meister seiner Zeit im Orgelspiel, namentlich Reincke in Hamburg
und Buxtehude aus Lübeck *); er arbeitete auch in dem damals bekannt und beliebt
gewordenen Französischen und im Italiänischen Geschmack **), stämpelte aber alle
seine Werke mit der Originalität seines Genies. Es ist hier die Absicht und der Raum
nicht, seine Verdienste zu charakterisiren und zu würdigen, wozu des verdienstvollen Forkel's klassische Schrift: Ueber J.S. Bach's Leben, Kunst und Kunstwerke
(Mit Bach's Bildniß. Leipzig, im *Bureau de Musique* 1802) hinreicht; oder seine vielen
mannichfaltigen Werke aufzuzählen, die man in Gerber's Tonkünstlerlexikon, dem
ältern und dem neuern

*) Er suchte auch verschiedene Male Händel's Bekanntschaft, welcher ihm aber immer auszu-
weichen schien, so daß er keine Gelegenheit fand, seine Kunst durch persönliche Proben kennen
zu lernen.
**) Zum Beweise dient der *Zweite Theil der Clavier-Uebung, bestehend in einem Concerto nach Ita-
liänischem Gusto und einer Ouvertüre nach Französischer Art vor ein Clavicymbel mit zwei Manualen.
Denen Liebhabern zur Gemüths-Ergötzung verfertiget von Johann Sebastian Bach, Hochfürstl. Sächs.
Weissenfels. Capellmeistern und Directore Chori Musici Lipsiensis. In Verlegung Christoph Weigel Junio-
ris.* 27 Fol. Seiten, gestochen. Hieher gehört auch eine *Aria variata alla Maniera Italiana,* in A moll,
mit 10 Variationen, die ich in Mspt. habe.

| [S. 599:] (einem lehrreichen, mit mühsamer Sorgfalt angelegten Repertorium für
den musikalischen Literator), möglichst vollständig verzeichnet findet. Ich wollte
nur die Musikfreunde vom neuen auf diesen alten Meister aufmerksam machen,
und ihm hier einen verdienten Platz neben einem Händel und ähnlichen Heroen der

Tonkunst anweisen, und zur Aufsuchung, Erhaltung und mehrern Benutzung seiner
Werke Etwas beitragen, die doch außer seinen vorzüglichsten Klavier- und Orgelstücken, und seinen herrlichen Vocalmotetten (welche in neuerer Zeit herausgegeben worden sind) vielleicht noch mehr aus der Verborgenheit hervorgezogen und
der Vergessenheit entrissen werden könnten. Ueber 100 Kirchencantaten von ihm
sollen sich auf der Thomasschule zu Leipzig befinden, von denen aber leider nur
einige wenige durch den verstorbenen Kapellmeister A. Eberh. Müller, vorherigen
Cantor an dieser Schule, in öffentlichen Aufführungen bekannt worden sind. Und
doch ist man durch die Vortrefflichkeit dieser religiösen Tonstücke so sehr auf eine
Wiederholung und auf die andern begierig geworden. Es ist wenigstens erfreulich,
daß seine großen Vocal-Motetten von Zeit zu Zeit von den Zöglingen der Anstalt
öffentlich gesungen werden, auf welcher, unter allen seinen Nachfolgern (Harrer,
Doles, Hiller, Müller, Schicht), sein Geist noch zu ruhen scheint.
In einem alten geschriebenen Notenbuche, mit dem Namen des damaligen Besitzers
J. Andr. Bach (ohne Zweifel eines Gliedes der großen auf 22 Künstlernamen zählen-
den Bachischen Familie) und mit der Jahrzahl | [S. 600:] 1754 bezeichnet, finden sich
unter 49 verschiedenen Hauptpartien für Klavier oder Orgel (eins für die Laute ungerechnet) auch mehrere von J. S. Bach, unter denen mir nur seine herrliche *Toccata
in Fis moll* schon bekannt ist. Da unter diesen Bachischen Sachen vielleicht manches
noch nicht herausgegeben, und doch der Herausgabe werth ist, oder um wenigstens
manchem Leser eine interessante Ansicht von Bach's Ideen und Manier zu gewähren, so will ich diese verschiedenen Stücke durch die Themata hier anzeigen, und
bin geneigt, dem Musikverleger, der Etwas davon drucken zu lassen wünschte, eine
sorgfältige Abschrift zu verschaffen.
Zuvor aber benutze ich die Gelegenheit, die mir dieses Notenbuch gibt, die andern
Meister kürzlich anzuführen, von denen es Orgel- und Klaviersachen enthält. Es sind
fast lauter in ihrer Art und zu ihrer Zeit berühmte Namen großer Meister auf der
Orgel und im Contrapunct, welche wohl einen Platz in einer Geschichte der Musik
verdienen, und durch die Vereinigung, in der sie hier getroffen werden, auf die hohe
Achtung, in der sie kurze Zeit nach Bach's Tode noch standen, schließen lassen. Es
sind folgende: Joh. Pachelbel, geb. zu Nürnberg 1653, Vicar des Organisten, Casp.
Kerl, an der Stephanskirche zu Wien, nach welchem er sich bildete; seit 1675 Organist zu Stuttgard, und seit 1695 zu Nürnberg, nachdem er einen Antrag nach England, so wie einen neuen nach Stuttgard, abgelehnt hatte. Er starb 1706. – Dietrich
Buxtehude, Sohn des Organisten Johann Buxtehude, zu Helsingör in Dänemark,
war seit | [S. 601:] 1669 Organist zu Lübeck; starb 1707. – Georg Böhm, aus Thü-
ringen gebürtig, Organist zu Lüneburg, blühte als gelehrter und geschmackvoller
Tonsetzer zu Anfange des achtzehnten Jahrhunderts. – Telemann, der sich bisweilen
unter dem versetzten Namen Melante verbarg, jener berühmte, fruchtbare Kirchen-,
Theater- und Kammer-Componist, Kapellmeister zu Baireuth, Eisenach, Sorau und
Frankfurt am Main, und Musikdirektor zu Hamburg, wo er 1767 im 86sten Jahre
starb, war auch Dichter und Schriftsteller. – Die beiden Polaroli (ich weiß nicht,

ob von dem Vater Carlo Francesco, oder dem Sohne, Antonio, die beiden schönen contrapunctischen *Capriccj* in D und C dur sind) blüheten als Operncomponisten in Venedig zu Ende des siebzehnten und Anfange des achtzehnten Jahrhunderts, und waren Kapellmeister an der St. Marcuskirche daselbst. – Joh. Ernst Pestel, Hoforganist zu Altenburg, geb. 1659. – Joh. Adam Reincke, geb. 1623 in den Niederlanden zu Deventer, Organist zu Hamburg, einer der größten Orgelspieler, gab auch Violinquartetten heraus; starb 1722. – Marin Marais, geb. zu Paris 1656, Viol da Gambist, componirte, außer andern Opern, mit Lulli gemeinschaftlich *Alcide* (1693), wovon dieß Notenbuch die Ouvertüre u. a. Sätze enthält. – *Marchand*, berühmter Französischer Organist zu Paris, geb. zu Lyon 1669, entwich dem angestellten Wettstreit mit J. S. Bach auf der Orgel zu Dresden. Er starb 1737. – Joh. Heinr. Buttstett, Organist zu Erfurt, geb. 1666, Pachelbel's Schüler. – Christian Ritter (von dem | [S. 602:] sich hier eine kunstreiche Suite in *Fis* moll nebst einer Sarabande mit Variationen befindet) war königl. Schwedischer Kapellmeister (zu welcher Zeit, kann ich nicht angeben). – J. C. F. Fischer, wahrscheinlich Joh. Caspar Ferdinand, Markgräfl. Kapellmeister zu Baden, blühete um 1720 als großer Klavierist, gab Vorspiele und Fugen zu Augsburg 1738 heraus; ein Vorspiel in G dur in diesem Musikbuche zeugt von seiner großen Kunst.

Hier folgt nun das thematische Verzeichnis der in der erwähnten Sammlung enthaltenen Stücke von J. S. Bach.

N. 1. *Fuga.*

Vierstimmig.

[BWV 949]

N. 2. *Toccata.*

[BWV 910]

N. 3. *Ouverture.*

[BWV 820]

N. 4. *Toccata. Manualiter.*

[BWV 911]

N. 5. *Toccata. Manualiter.*

[BWV 916]

N. 6. *Fuga in G moll.*

Vierstimmig.

[BWV 578]

N. 7. *Aria variata alla maniera Italiana.*
     (Con X Variazioni.)

etc.

[BWV 989]

N. 8. *Fantasia.*

[BWV 570]

N. 9. *Thema Legrenzianum. Elaboratum per J. S. B. cum subjecto. Pedaliter.*

[BWV 574b]

N. 10. *Fantasia, ed Imitazione.*

Imitatio.

[BWV 563]

N. 11. *Fantasia e Fuga.*

[BWV 944]

N. 12. *Passacaglia, C b, con Pedale.*

[BWV 582]

| [S. 611:] Wenn diese Stücke des großen Meisters vielleicht nicht alle durch den Druck bekannt und erhalten worden sind, so sind es wahrscheinlich folgende, die ich aus einer andern geschriebenen Sammlung kenne, nämlich: 1. *Toccata, pedaliter*, in C dur, mit einem *Largo* in A moll, und einer *Fuga* im $^6/_8$ Tact, in C dur; 2. *Fantasia*, $^4/_4$ Tact, A moll; 3. *Praeludium cum Fuga, pedaliter*, in C dur (ein äußerst glänzendes und prächtiges Stück); 4. eine Fuge, *Canzona* überschrieben, in D moll, im $^4/_4$, und nachher in $^3/_2$ Tact, voll herrlicher vierstimmiger Harmonie; 5. *Preludio o Fantasia con Fuga*, in D moll, $^4/_4$ Tact. ...

| [S. 616:] ... Durch Choralbücher haben sich im verflossenen und im gegenwärtigen Jahrhundert mehrere Verfasser, z. B. J. S. Bach (vierstimmige Choralgesänge.

4 Theile. Leipzig, bei Breitkopf.), Knecht, Umbreit, Vierling, Kühnau, Hiller, Schicht, Kittel, um den Kirchengesang oder doch, wie S. Bach, um die harmonische Kunst, verdient gemacht. Für die Orgel arbeitete (außer Häßler, Vierling und andern Orgel-componisten) dieser zuletzt genannte Meister (wahrscheinlich der letzte noch übrige Schüler Seb. Bach's) **) theils als Lehrer und Organist, theils durch seine trefflichen Compositionen, und der neueste, dessen Geiste und Geschmacke die Freunde des wahren Orgelspiels verpflichtet sind, ist C. H. Rink, Kittels würdiger Schüler, Verfasser mehrerer Orgelcompositionen ***). ...

**)   Er starb zu Erfurt 1809 im 77. J. s. A.
***)   Auch K. P. E. Bach gab zu Berlin bei Rollstab [sic!] *Preludio e sei Sonato per l'Organo* heraus.

| [S. 618:] ... Nach J. S. Bach's Tode, fing der Stil der Teutschen Kammermusik bald an, eine freiere Bewegung anzunehmen, wozu wahrscheinlich Bach's Söhne, Karl Philipp Emanuel, Christian, und Wilhelm Friedemann, beitrugen. ...
| [S. 620:] ... Die interessante Gattung Tonstücke, die man unter dem Namen Sonate kennt, und welche für das Klavier oder Pianoforte am beliebtesten geworden ist, hat in der letzten Hälfte des verflossenen Jahrhunderts bis auf die neueste Zeit so viele glückliche Bearbeiter gefunden, daß ich nur etliche der bekanntesten anführe, und zwar nach ungefährer Zeitfolge und einiger Verwandtschaft ihres Stils: Dom. Scarlatti; J. S. Bach (seine Partiten lassen sich auch als Sonaten ansehen); ...

Quelle: *Allgemeine | Geschichte der Musik | von | den frühesten bis auf die gegenwärtigen Zeiten; | nebst | Biographieen | der berühmtesten musikalischen Componisten | und Schriftsteller. | Von | Thomas Busby, | Doctor der Musik. | Aus dem Englischen übersetzt und mit Anmerkungen und | Zusätzen begleitet | von | Christian Friedrich Michaelis. | Zweiter Band, | enthaltend den Zeitraum vom sechzehnten Jahrhundert an bis | auf die neueste Zeit. | – | Leipzig, 1822. | In der Baumgärtnerschen Buchhandlung.* [Erster Band: Leipzig 1821.] [Expl.: D-LEb]
Anm.: Aus „Nachträgliche Nachrichten und Bemerkungen zur Geschichte der neuern Musik. Vom Uebersetzer.", S. 596–655. 1820 wurde das „Andreas-Bach-Buch" von Christian Friedrich Michaelis erworben (heute in D-LEm, Signatur: *III.8.4*). Der oben wiedergegebene Text ist die erste Beschreibung dieser Handschrift.
Weitere Bach-Erwähnungen: S. 59 und S. 463; (in Fußnoten von Michaelis): S. 437 und S. 453; S. 473–474: „Bekannt ist auch, wie innig sich seine [Mozarts] hohe Verehrung für unsern großen Joh. Seb. Bach in Leipzig an der Schule, an welcher dieser Meister glänzte, ausgedrückt, und wie er daselbst seine hinterlassenen Werke aufzusuchen sich bemüht | hat. Und als er einmal Nachmittags in der Thomaskirche (ohne daß es vorher sehr bekannt geworden war) die Orgel spielte, machte sein Meisterspiel auf den hinter ihm stehenden damaligen alten Cantor Doles, auch noch einen Schüler Bach's) einen solchen Eindruck, daß er (wie mir ein Freund von Doles und mir, der, wie ich, ihn zu hören das Glück hatte, sagte) mit Rührung geäußert haben soll: er habe geglaubt, der alte Bach sey wieder aufgestanden!" (→ Dok III, Nr. 1009K; siehe auch A 10, S. 95).
Lit.: ADB 21, S. 677–678 (Prantl); Neuer Nekrolog; Schulze Bach-Überlieferung, S. 30ff.; Krause I, S. 15–16.

A 9

KRAUSE: DARSTELLUNGEN AUS DER GESCHICHTE DER MUSIK
GÖTTINGEN, 1827

Joh. Sebastian Bach.

Nächst Händel verdient Bach das Studium des Künstlers und des Geschichtfor-
schers, und die Theilnahme jedes Freundes der Musik.

Joh. Seb. Bach stammte aus einer Künstlerfamilie, in welcher während 6 Generationen an 50 ausgezeichnete Musiker gezählt werden; denn unter ihren Söhnen
waren kaum zwei oder drei, welche nicht ein vorzügliches Talent zur Musik hatten,
und die Musik nicht zur Hauptbeschäftigung ihres Lebens machten *). Unter den
ausgezeichneten Tonkünstlern dieser Familie war aber Joh. Sebastian der Ausge-
zeichnetste, oder vielmehr mit allen andern Unvergleichbare. – Der Stammvater Veit
Bach, war ein Bäckermeister zu Preßburg; er mußte zu Anfang des 17ten Jahrhunderts der Religion wegen Ungarn verlassen. – In einem Dorfe bei Gotha setzte er
sein Handwerk fort; liebte aber Musik, besonders das Zytherspiel, so daß er selbst
unter dem Getöse der Mühle daran sich ergötzte. Diese Liebe zur Musik ging auf
Söhne und Enkel über, die bald die meisten Cantoren-, Organisten- und Stadtmusi-
kantenstellen in Thüringen

*)   Siehe in Korabinsky Beschreibung von Preßburg 1784 ein vollständiges Stammregister der
Bachschen Familie.

| einnahmen. Drei seiner Enkel ließ der Graf von Schwarzburg-Arnstadt nach Italien
reisen. Unter den Urenkeln thaten sich wiederum drei als Komponisten hervor, von
denen durch Joh. Seb. Bach einige Werke erhalten worden sind. Die Glieder dieser
nun ausgebreiteten Familie kamen jährlich einmal in Erfurt, Eisenach oder Arnstadt
zusammen, um ein musikalisches Familienfest zu feiern, welches sie mit einem Choral begannen, dann aber heitere scherzhafte Volkslieder anstimmten.

Joh. Seb. Bach wurde zu Eisenach im Jahr 1685 geboren. Im zehnten Jahre verlor er
seinen Vater J. Ambrosius; dieser war Hof- und Stadtmusikus; – und so konnte das
Genie des Sohnes schon in der ersten Kindheit geweckt und genährt werden. Das
verwaiste Kind wandte sich zu seinen ältern Bruder Joh. Christoph, der Organist
in Ordruff war. Von ihm erhielt er den ersten Unterricht im Klavierspielen; worin
er schnelle Fortschritte machte. Eine von seinem Bruder geheimgehaltene Sammlung der auserlesensten Klavierstücke der besten Meister, deren Gebrauch ihm sein
Bruder verweigerte, schrieb er beim Mondenlichte binnen sechs Monaten heimlich
ab; doch sein Bruder war so grausam, ihm auch diese Kopie wiederum zu entrei-
ßen. – Nach dem kurz darauf erfolgten Tode dieses Bruders ließ sich Sebastian | in
Lüneburg ins Chor der Michaelisschule als Discantist aufnehmen; doch verlor er
bald seine schöne Discantstimme und widmete seinen größten Fleiß dem Klavier-
und Orgelspielen. Mehremale reiste er als Schüler von Lüneburg nach Hamburg,

um den berühmten Organisten Reinken zu hören; so wie nach Celle, um durch die dortige, meist aus Franzosen bestehende Kapelle die französische Musik kennen zu lernen. Im Jahre 1703 wurde er, als achtzehnjähriger Jüngling, Hofmusikus in Weimar als Violinist; das Jahr darauf Organist in Arnstadt. Dort studirte er die Werke der berühmtesten Organisten, und reisete zu Fuß nach Lübeck, um den damals hochberühmten Organisten Buxtehude, dessen Werke er studirt hatte, fast ein Vierteljahr lang ohne dessen Wissen zu belauschen. – Im Jahr 1707 trat er die Organistenstelle in Mühlhausen an, und im Jahr 1708 wurde er Hoforganist in Weimar; dort bildete er sich zum großen Orgelspieler und Orgelcomponisten. Im Jahr 1717 wurde er zugleich Concertmeister, mit dem Auftrage, Kirchenstücke zu setzen und aufzuführen. Das ihm angetragne Organistenamt zu Halle an Zachau's Stelle nahm er nicht an, um einen geschickten Schüler dieses berühmten Mannes nicht zu verdrängen. Jetzt stand Bach als Mann in der ganzen Reife und Kraft seiner Kunst, | mit allen lebenden Künstlern unvergleichlich da. Im Jahr 1717 kam der berühmte Klavier- und Orgelspieler Marchand von Versailles, aus Frankreich verbannt, nach Dresden; der König hatte ihm einen starken Gehalt angetragen, da sein feiner, zierlicher Vortrag ihm allgemein Bewunderung gewonnen hatte. Der Concert- und Balletmeister Volumier berief aber, mit Wissen des Königs, unsern Bach nach Dresden; – Bach trug Marchand einen förmlichen Wettstreit an, aber dieser fand es gerathener, plötzlich abzureisen, und Bach mußte allein sich hören lassen. Kurz darauf wurde Bach Kapellmeister des Fürsten von Anhalt-Cöthen. Damals reiste er nach Hamburg; – der berühmte, fast hundert Jahr alte Reinken hörte ihn in der Katharinenkirche, in Beiseyn des Magistrats und andrer Vornehmen, mehre Stunden lang spielen und besonders einen Choral nach echter Orgelkunst variiren, und sagte ihm: „daß er geglaubt habe, diese Kunst sey ausgestorben, aber mit Freuden sehe er, daß sie in Bach noch lebe."

Im Jahr 1723 wurde Bach zum Musikdirector und Cantor an der Thomasschule in Leipzig berufen, welches Amt er bis an seinen Tod verwaltete. Im Jahr 1736 erhielt er den Titel eines Königlichen Hofcompositeurs. Ums Jahr | 1740 war sein Ruf allgemein verbreitet, so daß Friedrich der Große, in dessen Diensten Sebastian Bach's Sohn Phil. Emanuel stand, ersteren zu hören begehrte; daher Sebastian endlich im Jahr 1747 mit seinem Sohne Friedemann nach Potsdam reiste. Er führte ein ihm vom König aufgegebenes Fugenthema aus dem Stegreif durch, und auf des Königs Wunsch improvisirte er eine sechsstimmige Fuge auf ein von diesem selbst gewähltes Thema zur größten Verwunderung des kunstkennenden Königs. Beide Fugen arbeitete Bach späterhin aus, und widmete sie dem König unter dem Titel: musikalisches Opfer.

In den letzten Lebensjahren wurde Bach's Gesicht schwach; und nicht lange überlebte er die völlige Erblindung, die ihn infolge einer zweimal verunglückten Operation traf. Er starb im Jahr 1750. Bach hatte dreizehn Söhne und neun Töchter; die musikalischen Anlagen der Söhne aber wurden nur in einigen der ältern hoch ausgebildet, vorzüglich in den beiden ältesten, Friedemann und Philipp Emanuel, und in dem jüngsten Johann Christian, den man den Mayländischen oder Englischen Bach nannte, und dessen heitere, liebliche Sangweisen in ganz Europa allbeliebt wurden. | Ueber Seb. Bach's Kunst ist Eine Stimme des Ruhmes unter seinen Zeitgenossen. Sein Ruhm wächst noch jetzt bei den Kunstkennern, und die fernste Zukunft wird seinen Styl großartig und schön, und in seiner Art einzig finden. Marpurg sagt: „daß Seb. Bach die Gaben und Vollkommenheiten mehrer großen Männer in sich allein vereinigte." Hiller, welcher sich, auch als zweiter Nachfolger Seb. Bach's im Amte an der Thomas-Schule, selbst bleibendes Verdienst um die deutsche Kunstschule erworben, sagt: „hat jemals ein Komponist die Vollstimmigkeit in ihrer größten Stärke gezeigt, so war es gewiß Seb. Bach; hat jemals ein Künstler die verborgensten Geheimnisse der Harmonie zur kunstvollen Ausübung gebracht, so war es gewiß eben derselbe. Er durfte nur irgend einen Hauptsatz gehört haben, um fast alles, was nur Künstliches darüber vorgebracht werden konnte, gleichsam in Augenblicke gegenwärtig zu haben. Seine Melodien waren zwar sonderbar, aber doch immer verschieden, voll Erfindung und keines andern Komponisten Melodien gleich. Sein ernster Charakter zog ihn vornehmlich zur ernsthaften und tiefsinnigen Musik hin. Die beständige Ausarbeitung vollstimmiger Stücke hatte seinen Augen eine solche Fertigkeit zuwege gebracht, daß er in den stärk- | sten Partituren alle Stimmen mit Einem Blicke übersehen konnte; und sein Gehör war so fein, daß er bei den vollstimmigsten Musiken den geringsten Fehler entdeckte. Beim Dirigiren sahe er sehr auf Genauigkeit des Vortrages, – und im Zeitmaße, welches er gemeiniglich sehr lebhaft nahm, war er überaus sicher. – Als Klavier- und Orgelspieler kann man ihn sicher für den stärksten seiner Zeit, vielleicht auch der künftigen Zeiten, halten. Er spielte seine eignen schwersten Sachen mit der größten Leichtigkeit; alle Finger waren bei ihm gleich geübt, und zur größten Feinheit im Vortrage gleich geschickt." – Diese erstaunliche Fertigkeit hatte er seinen eignen Werken zu danken; denn oft, so sagt er selbst, habe er sich genöthigt gesehen, die Nacht zu Hülfe zu nehmen, um dasjenige herausbringen zu können, was er den Tag über geschrieben hatte; er setzte seine schwersten Sachen, ohne sich dabei des Klaviers zu bedienen, so wie dagegen andre große Meister, z. B. Haydn, sich gewöhnt hatten, am Klaviere zu componiren. So hat Bach sein Meisterstück, das wohltemperirte Klavier, – das ist, zum Theil sehr künstliche Fugen und Präludien, – an einem Orte geschrieben, wo er durch diese Arbeit sich Unmuth und Langeweile, ohne irgend ein Instrument zu haben, vertrieb. | Auf dem Pedale hatte er eine erstaunenswürdige Fertigkeit; denn er spielte darauf jede Melodie, mit Vorschlägen, Mordenten und Trillern und sogar mit Doppeltrillern, wo sie paßten; und Hiller behauptet: er habe mit den Füßen Sätze ausgeführt, die den Händen manches nicht ungeschickten Klavierspielers zu schaffen machen würden. Forkel, einer der tiefsten Kenner der Bachschen Kunst und Kunstwerke, hat in seiner Schrift über Bach's Leben *) treffende Bemerkungen und Beiträge zur Würdigung dieses großen Künstlers geliefert. Er bemerkt unter andern, daß Bach die Kunst des Klavier- und Orgelspieles eine Stufe höher gehoben, nicht allein durch den Gehalt seiner Dichtungen, sondern auch durch die Art des Spieles im Anschlage und im

Fingersatze, den er ganz umbilden mußte, „da er zuerst anfing Melodie und Harmonie so zu vereinigen, daß selbst seine Mittelstimmen nicht bloß begleiten, sondern ebenfalls singen mußten, da er den Gebrauch der Tonarten theils durch Abweichung von den damals noch üblichen Kirchentönen, theils durch Vermischung des chromatischen und enharmonischen Klanggeschlechts erweiterte, und zuerst das

*)   Forkel, über J. Seb. Bach's Leben, Kunst und Kunstwerke, mit Bach's Bildniß. Leipz. 1802.

| Klavier so temperiren lernte, daß es in allen 24 Tonarten gleich rein gespielt werden konnte." – Bach ging in den erwähnten Hinsichten viel weiter als Couperin, dessen Werke er übrigens kannte und schätzte. Sowohl bei seinen freien Phantasien, als beim Vortrag seiner geschriebenen Compositionen, worin alle Finger beider Hände stets beschäftigt sind, und dabei oft fremdartige, ungewöhnliche Melodien ausführen, soll er keinen Ton verfehlt haben. – Er spielte am liebsten auf dem Klavier, da die Pianofortes damals noch allzu unvollkommen waren. Er war aller Tonarten und ihrer innigsten und feinsten Verkettung Meister, und seine chromatischen und enharmonischen Sätze sind so natürlich fließend als seine diatonischen; seine chromatische Phantasie ist ein schöner Erweis dieser ihm eigenthümlichen Kunst. Bei der Lebhaftigkeit seines Tempo's, war sein Vortrag dennoch so reichhaltig, und so mannigfaltig, daß jedes seiner Stücke wie eine Rede sprach; die heftigsten Affecte schilderte er nicht sowohl durch äußere Mittel des starken Anschlages, sondern durch innere Mittel der Kunst. Er behandelte beides, Klavier und Orgel, auf die jedem dieser Instrumente angemessene Weise, aber ganz verschieden, und war in beiderlei Spiel gleich groß. Sein Sohn, der als Klavier- und Orgelspieler so sehr be- | wunderte W. Friedemann, betrachtete sich selbst in dieser Kunst nur als ein Kind gegen seinen Vater. Sein freies Orgelspiel soll noch andachtvoller, würdiger und erhabner gewesen seyn, als seine bewundernswürdigen Orgelcompositionen; in den letzteren ist Melodie und Harmonie ganz anders behandelt, als in seinen Klaviercompositionen. Schon in seinen weltlichen Compositionen verschmähte Bach alles Gewöhnliche, in seinen Orgelsachen aber ist Alles erhaben, feierlich und würdevoll. Die Mittel, wodurch er diesen großen, heiligen Styl erlangte und zur Darstellung brachte, lagen in seiner Art, die alten Kirchentonarten zu behandeln, in der getheilten Harmonie, in dem Gebrauche des obligaten Pedales und in seiner Art die Register der Orgel zu wählen, zumeist aber in der Eigenthümlichkeit seines tiefsinnigen Geistes und seiner unerschöpflichen Phantasie. Durch die getheilte Harmonie wird die Orgel zum eigentlichen vier-, fünf- und sechsstimmigen Chore. Er hatte den Orgelbau aufs Genauste studirt, und hatte gelernt, jeder besondern Orgelstimme die angemessenen Melodien zu geben. So brachte er die Orgelkunst zu einer Vollendung, wie sie vor ihm nie war, und schwerlich je übertroffen werden wird; – mit Recht nannte ihn der berühmte Organist Sorge, den Fürsten aller Klavier- und Orgelspieler. | In seiner ersten Jugend folgte auch Bach dem verdorbenen Zeitgeschmacke; aber er gelangte bald zur Ahnung und dann zum Bewußtseyn der höheren Kunst, die in ihm schlummerte. Die damals erschienenen geistvollen Violinconcerte von Vivaldi

dienten ihm zur Anleitung, seiner eignen Kraft inne zu werden; er bemühte sich, sie für sein Klavier einzurichten; und die freiere, oft befremdliche Art, die Melodien zu führen, hat wohl mit hierin einen Grund der Entwickelung gefunden. Nun bildete er sich nach und nach seinen eignen Styl aus. In seinen Compositionen sind immer mehre Melodien miteinander verwebt, von denen jede obligat ist, keine der andern bloß dient, sondern abwechselnd eine der andern frei untergeordnet wird, so daß abwechselnd eine bald oben das Wort führt, bald in der Mitte, bald unten; damit verbindet er die mannigfaltigste Rhythmik. Keine Taktart und keine ihrer Eintheilungen ließ er unversucht, selbst die gefünfte Taktart suchte er anzubahnen. Aus der rhythmischen Verwebung solcher Melodien besteht die Bachsche Harmonie in den Werken, die er von seinem fünf und dreißigsten Lebensjahre an verfertigt hat. Seine Melodien sind insgesammt ungewöhnlich, nie gehört, und doch natürlich sangbar und dabei in seinen freien Compositionen so klar und so deutlich, daß | sie ihrer großen Wirkung auf Geist und Gemüth nicht verfehlen. Deßhalb mußte er sich auf der Grundlage der überlieferten Kunstgesetze, diese berichtigend und erweiternd, seine eigne neue Kunstgesetzgebung schaffen; denn seine Stimmen mußten, um geschmeidig und biegsam zu seyn, auf eine freiere Weise als bisher, fortschreiten; er mußte den Durchgang der Töne in der ausgedehntesten Art ausüben, um allen Stimmen einen freien, fließenden Gesang zu verschaffen; – auch war er der Meinung, daß auf einem liegenden Grundtone Alles angeschlagen werden könne, was der ganze Tonvorrath im diatonischen, chromatischen und enharmonischen Klanggeschlechte darbietet. – Wenn daher seine Werke nicht in gehörig lebhaftem Zeitmaße vorgetragen werden, und ohne den erforderlichen Ausdruck, so klingt vieles sehr hart, was um so schöner lautet, wenn es auf die rechte Weise zur Erscheinung gebracht wird, wo es dann die tiefe Originalität des unsterblichen Künstlers beurkundet. Seine Modulation, das ist der Fortgang aus einer Tonart in die andere, ist eben so eigenthümlich und immer neu, dabei so leicht und so unmerklich überschreitend, so rein von allen gesuchten, sprungweisen Uebergängen; anregend und befriedigend auf gleiche Weise im vielstimmigen, und im ein- und zweistimmigen Satze; wie | seine chromatische Phantasie, und viele seiner zweistimmigen Inventionen es zeigen. – Er verstand die Kunst in eine, und in zwei Stimmen von leichtem natürlichen Gesange, die ganze Tiefe und Fülle der Harmonie und der Modulation zu legen. Wir haben von ihm sechs Soli für die Violine, und sechs andere für das Violoncell, die ohne alle Begleitung sind, und durchaus keine zweite singbare Stimme zulassen. Seine Klavier- und Orgelwerke sind in allen Theilen der Kunst wesentlich verschieden von seinen Gesangstücken gedacht und ausgeführt. Nie arbeitete er für den großen Haufen; – er hatte immer sein hohes Kunstideal im Auge, oder vielmehr, er war nur von dem rein idealen Leben der Kunst selbst durchdrungen. Nie hat er ein Lied gesetzt; doch liebte er den einfachen Gesang sehr, auch die heitere Opermusik; öfters reiste er deshalb nach Dresden, um die Opern von Hasse und anderen berühmten Meistern zu hören, und pflegte dann wohl zu seinem Sohne Friedemann zu sagen: wollen wir nicht die schönen Dresdner Liederchen einmal wieder hören?

Wegen aller dieser einzigen Eigenschaften kann Bach's Musik so wenig, als die im echten Palestrinastyle, jemals veralten. Er hatte im Kirchenstyle, besonders für den Gesang, den richtigen Grundsatz: sich nicht auf den Ausdruck ein- I zelner Worte, sondern nur auf den des ganzen Inhalts einzulassen; ein Grundsatz, wider den wir große Meister, wie Alessandro Scarlatti, Händel und Haydn, und wohl auch bisweilen van Beethoven, fehlen sehen. Seine Chöre überhaupt, besonders seine Chorfugen, sind voll Pracht und Feierlichkeit. In seinen reichhaltigen Gesangcompositionen liegt ein noch unbenutzter Schatz von Kunst. Die Deutschen errichten jetzt ihren berühmten Volkgenossen so manches tode, nutzlose, Denkmal; wird unser Volk noch erwachen, die großen Bachischen Meisterwerke, die nur in Weniger Händen sind, dem Untergange zu entziehen? – Ich stimme aus eigner Erfahrung, die ich in den Singacademien in Berlin und Dresden gemacht habe, unserm Forkel bei, in der Behauptung, daß Bach's Mottetten, die er für das starke Sängerchor der Thomasschüler setzte, an Pracht, an Reichthum der Harmonie und Melodie, und an Leben und Geist, an richtiger, gefühlvoller Declamation des Textes Alles übertreffen, was man von dieser Art hören kann. – Bach ehrte und liebte alles Schöne und Geniale im weiten Gebiete der Tonkunst; vorzüglich schätzte er Fux, Händel, Caldara, Keyser, Hasse, Graun, Telemann. Bach wünschte Händel'n zu sehen, als dieser zweimal Halle besuchte; I er sandte seinen Friedemann an Händel dahin ab, aber Händel fand nicht Zeit zu dem bereits kranken Bach zu kommen.

Bach lebte ein einfaches häusliches, stilles Leben; er reiste nie, und strebte nicht nach äußerem Erwerbe und äußerem Glanze; und so konnte er die unglaubliche Menge gediegener Meisterwerke in so verschiedenen Kunstgattungen in Muße schaffen, wovon leider nur ein kleiner Theil, und die größten gar nicht, gedruckt, und viele schon verloren sind.

Ich schließe diese kurze Schilderung mit einigen Bemerkungen, welche mich das eigene, genauere Studium Bachischer Kunstwerke gelehrt hat. – In Bach's Werken hat die Tondichtung im Erstwesentlichen ihre höchste Stufe erreicht, ihr höchstes Leben begonnen; sie ist ein vielstimmiges Gespräch des Geistes und des Gemüthes mit sich selbst, mit Gott und mit der Welt geworden, und zugleich ein treues Abbild des Einen allgemeinen Lebens und seiner Geschichte, – eine Kunstwelt, worin der endliche Geist im endlichen Gebiet, der göttlichen Vorsehung ähnlich, schafft und waltet; zugleich eine gemüthinnige Sprache, worin der endliche Geist dem unendlichen Worte Gottes auf endliche Weise antwortet, welches in dem Einen Leben Gottes mittelst der Welt an ihn ergeht. – Das intellectuelle, geistige Element der Kunst I scheint in Bach's Werken zu überwiegen; – sie sind Schilderung des ins Gemüth eingelebten Geistes. Seine Werke sind gedankenvoll, tiefsinnig, und die geschilderten Gefühle werden durch große, tiefe Gedanken geweckt und getragen. Nie hatten sich zuvor in einem Künstler Melodie und Harmonie so innig durchdrungen; – Bach giebt Melodien, die eine Welt von Harmonie in sich halten, und Harmonien, die nur im wechselnden, organischen Leben freier Melodien stetig werdend, in steter Schöpfung erscheinen. Die rein und vollständig ausgesprochenen Accorde treten bei ihm meist nur im Anfange und am Schlusse gleichsam reinplastisch hervor, – sie sind ihm vielmehr nur die ideellen Grenzen aller Melodien, welche um die Grundlagen der Harmonie in freiem, schönem Spiel sich bewegen; – während eine Harmonie kaum geahnet ist, ruft sie schon die Ahnung neuer Harmonien hervor, und ist schon in diese übergegangen. Seine Melodien sind so eigenthümlich, und doch dabei so natürlich, so charaktervoll, daß sie uns oft wie aus einer fremden, höhern Welt anklingen; – so wie Michael Angelo's Gestalten uns ebenfalls die Gebilde anderer Welten vor Augen zu führen scheinen. Das Eigenthümliche der Bachischen Melodien beruht in dem freien Gebrauche der Nonen und Undecimen, sowie der | Vorhalte und der Vorhalte zu Vorhalten, in der freiern Anwendung der verschiedenen aus den Accorden gebrochnen melodischen Figuren, und in der schönen, unerschöpflich mannigfachen Abwechslung der diatomischen, chromatischen und enharmonischen Tonstufen und Tonfortschreitungen, überhaupt in dem glücklichen Vereine der neuen Dur- und Molltonarten mit den altgriechischen Kirchentonarten, deren großartige, und tiefgemüthliche Fortschreitungen und Schlüsse Bach mit großer Kunst in seine Werke aufgenommen hat.

Die contrapunktische Kunst erschien in der ersten und zweiten Epoche der modernen Musik, überwiegend, aber isolirt; sie verschlang oder fesselte die Harmonie und die Melodie. Bach hat diese große Kunst, auch geschichtlich, vollständig ergründet, und ihr neue, nie geahnte Tiefen eröffnet, die noch unendliche Schätze bergen. Bach hat die contrapunktische Kunst in höherer Vollendung wiedergeboren, im innigen Bunde mit freier, vielstimmiger Melodie, und doch dabei in gleicher, ja in noch größerer Strenge und organischer Gesetzmäßigkeit. – Auch die Instrumentalmusik hat dieser geniale Künstler auf eine höhere Stufe gehoben, besonders das Violoncell; wofür er Stellen setzte, welche die damaligen Künstler nicht darstellen konnten. Bach aber urtheilte: der Ton- | dichter müsse der äußeren Vollendung der Instrumente vorangehn, sie vorbereiten, – zu ihr nöthigen; dann werde die Zeit schon kommen, wo die Instrumentisten auf vervollkommneten Instrumenten das Nöthige würden gelernt haben. Diese Zeit ist nun da. Ich habe in Berlin mehre der großen Bachschen instrumentirten Gesang-Compositionen in großer Vollkommenheit unter Zelter darstellen gehört. Möge nur bald die Zeit kommen, wo das deutsche Volk auch in Bach seine eigne Würde erkennt, und dessen unsterbliche Werke für die Nachwelt rettet.

Quelle: *Darstellungen | aus der | Geschichte der Musik | nebst | vorbereitenden Lehren | aus der | Theorie der Musik, | von | Karl Christian Friedrich Krause. | – | Göttingen, | in der Dieterich'schen Buchhandlung. | – | 1827.*, S. 171–188. S. VII–VIII: „Subscribenten-Verzeichniß." [Expl.: D-LEb]
Ebenda. | *Zweite vermehrte und verbesserte Auflage. | Herausgegeben von | Aug. Wünsche. | Leipzig | Dieterische Verlagsbuchhandlung | Theodor Weicher | 1911.* Fotomechan. Nachdruck der 2. Aufl.: Zentralantiquariat der DDR, Leipzig 1977.
Anm.: Aus der „Dritten Abtheilung. Schilderungen aus dem Leben und Wirken berühmter Tonkünstler der neuern Zeit" (S. 107–224). Nach „acht Vorlesungen", die der Göttinger und Jenaer

Privatdozent Krause „im Winter des Jahres 1825–1826 vor einer hochachtbaren Gesellschaft von Kennern und Freunden der Musik" gehalten hatte (Vorwort, S. III).
Weitere Bach-Erwähnung: Vergleich Händels mit J.S. Bach. „Wird sein [Händels] Kunstverdienst im Vergleich mit dem Jo. Seb. Bach's erwogen*),

*)   Vergl. die Abhandlung hierüber in der allg. deutschen Bibliothek S. 295–303 des 80ten Bandes.

so zeigt sich zwischen beiden Künstlern an Großheit, heiligem Ernst, Kraft des Geistes und Tiefe des Gemütes eine große Verwandtschaft; aber der Kunststyl beider ist dennoch grundwesentlich verschieden. In der Klavier- und Orgelmusik gesteht jeder Kenner Bach den Vorzug ein; aber Händel wird von Bach in der Tiefe der Harmonie und in der Kunst der in vielen Stimmen zugleich obligaten Melodie, übertroffen. Bach's Oratorien, Cantaten, ein- und zweichörige Messen und Passionen sind nicht gedruckt und wenig bekannt, denn Weimar und Leip- | zig ist nicht London; und in Deutschland ist niemand zu finden, der Bachs große Werke zum Druck förderte, wie dieses Glück der Händelschen Muse im Jahr 1786 in England zu Theil wurde. – Ich habe mehre große Gesangcompositionen in Berlin von denselben Künstlern, welche die Händelschen Oratorien aufführten, darstellen gehört, und ich kann diese Bachschen Meisterstücke den Händelschen ernsten Compositionen auch hinsichts der Gewalt und Pracht, der Großheit und des tiefen Ernstes nicht nachsetzen, hinsichts der Melodie aber, und der Instrumentation, stehn sie ebenfalls Händels schönsten Werken gleich. Schon die Bachschen Mottetten zeigen, daß er in der Vokalmusik mit Händel denselben Rang einnimmt. Außer Bach und Hasse hält indeß wohl keiner seiner Zeitgenossen eine Vergleichung mit Händel aus. – ..." (S. 169–170).
Als Quellen sind erkennbar: Hiller L (→ Dok III, Nr. 895), Gerber ATL (→ Dok III, Nr. 948), Forkel. Zu J.M. Korabinsky → Dok III, Nr. 974; zu Marpurg → Dok III, Nr. 655.
Rezension in: AMZ, 30. Jg., Nr. 2, 9. Januar 1828, Sp. 17–26, hier Sp. 25–26: „Die teutschen hier behandelten Meister sind zuvördertst Händel, J. Seb. Bach und Hasse. Auch über diese müssen wir auf das Buch selbst verweisen; sie leiden keinen Auszug und die Zeichnung derselben gehört zu dem Gelungensten der Schrift. Nur einen einzigen Wunsch des Verf., den wir selbst lebhaft schon längst in uns trugen und oft ausgesprochen haben, erlauben wir uns hier auszuheben: ‚Möge doch bald die Zeit kommen, wo das teutsche Volk auch in Bach seine eigene Würde erkennt und dessen unsterbliche Werke für die Nachwelt rettet.' Man sollte denken, es müsste ein solches durch einen dazu tüchtigen Mann geleitetes Unternehmen auch kaufmännisch betrachtet nur vortheilhaft seyn. Möchte sich doch ein unternehmender Mann bald dazu entschliessen! …
Und so möge denn das im Allgemeinen gut geschriebene Werk, für dessen Verf. wir unsere geringen Ausstellungen zu geneigter Beachtung, wenn er sie derselben nicht unwerth erklären will, im Falle, dass eine zweyte Auflage, was wir wünschen, nöthig würde, aufrichtig und hochachtend niedergeschrieben haben, recht zahlreiche Freunde finden, wie es dies vor vielen anderen verdient."
Lit. zu Karl Christian Friedrich Krause: DBE; Christoph Johann Gottfried Haymann, *Dresdens theils neuerlich verstorbne, theils jetzt lebende Schriftsteller und Künstler: wissenschaftlich classificirt, nebst einem dreyfachen Register*, Dresden 1809.

A 10

BECKER: DENKMÄLER VERDIENSTVOLLER DEUTSCHEN
LEIPZIG, 1829

Johann Sebastian Bach,
Cantor an der Thomasschule und Musikdirektor
zu Leipzig.
(Geb. den 21 März 1685, gest. den 28. Juli 1750.

[S. 79:] Wie vor dem Geist, der ihn schuf, sich zeiget der gothische
Münster
Also, ein herrlicher Dom, stehet vor Bach die Musik.
Tief ergründet er erst die Geheimnisse myst'scher Verkettung,
Drauf in der Fuge Bau zeigt er den Gipfel der Kunst.

Ist es auf der einen Seite Pflicht, mit ehrfurchtsvoller Bewunderung an einen Meister
zu denken, dessen Werke über ein volles Jahrhundert unter uns leben, so gewährt es
auf der andern auch stets die reinste Freude, sich in die Zeit und Nähe eines Künstlers zu versetzen, der alles um sich her verdunkelte, und höchstens einen Stern
neben sich, nicht über sich sah. – Der Glückliche, welchen die Nachwelt noch als
unübertrefflich anerkennen wird, war: Johann Sebastian Bach, der in seinen Kunsterzeugnissen deutschen Tiefsinn bewährte; dem das Tiefste der Kunst geoffenbaret
wurde; der die Gaben und Vollkommenheiten mehrerer großen Männer in sich
allein vereinigte; der aus sich schöpfte, wie aus einem unversiegbaren Quell; der
einzig war, wie er einzig noch ist. –
Joh. Seb. Bach *) wurde im Jahre 1685,

*)   Zum Grunde dieser Charakteristik ist die geistreiche Schrift gelegt: Ueber J. S. Bachs Leben,
Kunst und Kunstwerke von J. N. Forkel. Leipzig, 1802. – I Uebrigens vergleiche man damit: Neue
eröffnete musikal. Bibliothek von L. Mizler. 1754. IV. B. S. 100. – Lebensbeschreibungen berühmter Tonkünstler von J. A. Hiller. 1784. I. B. S. 9.

I den 21. März, in Eisenach geboren. Sein Vater, Johann Ambrosius Bach, war Hof-
und Stadtmusikus daselbst, doch schon im Knabenalter 1695 wurde er ihm durch
den Tod geraubt, so wie er einige Jahre früher seine Mutter verlieren mußte.
So allein stehend in der Welt, fand unser Bach seine Zuflucht bei einem seiner älteren Brüder, Johann Christoph, welcher als Organist in Ordruff lebte, und von diesem empfing er den ersten, gründlichen Unterricht in der Tonkunst. Schnell faßte
er dessen Lehren, überwand bald die kleinen Uebungsstücke, die ihm aufgegeben
wurden, und sah sich nach schwereren um. Wie aber diese zu erlangen, da der
Bruder sie ihm nicht reichte? – Einen Beweiß von Bach's glühendem Eifer, von seinem unwiderstehlichen Drang, sich immer mehr auszubilden, wird folgender Zug

geben. Der Knabe hatte nehmlich bemerkt, daß der Bruder ein Buch besaß, worin mehrere schwere Klavierstücke der besten damaligen Meister, z. B. von Buxtehude, Joh. Pachelbel, J. J. Frohberger u. a. enthalten waren. Diesen Schatz als Eigenthum zu besitzen, war das Ziel, wonach er strebte. Doch alle Bitten von seiner Seite blieben umsonst. Bald war aber ein Entschluß gefaßt, und der übrigens wohlverschlossene Schrank, der das Werk enthielt, ließ durch die Gitterthüren seinen kleinen Händen Raum genug, es zu erfassen, zusammen zu rollen und heraus zu ziehen. 6 Monate bedurfte | Sebastian, um das Werk sein nennen zu können, denn nur bei mondhellen Nächten konnte er daran schreiben, da es ja ein tiefes Geheimniß bleiben mußte. Aber zu seinem größten Schmerz wurde der Bruder Christoph diesen Schatz gewahr, nahm ihm die so schwer gewordene Abschrift wieder ab, und er erhielt sie nicht eher wieder, als nach dem bald darauf folgenden Tode des Bruders.

Aufs Neue verlassen ging nun der junge Bach in Gesellschaft einer seiner Mitschüler, Namens Erdmann *), nach Lüneburg, und wurde daselbst gern in das Chor der Michaelisschule als Diskantist aufgenommen. Seine Stimme verschaffte ihm hier ein gutes Fortkommen; allein er verlor sie bald, und sah sich dadurch in neuer Verlegenheit. Doch verblieb er auf der Schule in Lüneburg, setzte das Clavier- und Orgelspiel mit größtem Eifer fort, übte sich in freien Stunden auf der Violine, und unternahm, da sich in Lüneburg wenig Gelegenheit bot, Vorzügliches zu hören, Reisen nach Celle und Hamburg, um hier die damals berühmte Capelle zu hören, dort den würdigen J. A. Reincke zu bewundern, worauf er 1703 in Weimar als Hofmusikus bei der Violine angestellt wurde. Allein es genügte ihm dieser Posten zu wenig, und mit Freuden nahm er ein Jahr darauf die Organistenstelle an der neuen Kirche in Arnstadt an, wo er mehr seiner Neigung zum Orgelspiel nachhängen konnte.

In dieser Periode bildete er sich schon bedeutend aus, studierte alle practischen Werke seiner berühmten Vorgänger und Zeitgenossen, und unternahm gern

*)   Er starb in Danzig als Baron und Russisch-Kaiserlicher Resident.

| eine Fußreise nach Lübeck, um den großen D. Buxtehude *) als Orgelspieler kennen zu lernen. Aber dieser anhaltende Fleiß blieb auch nicht unbelohnt. Sebastian wurde bekannt, und erhielt verschiedene Anträge zu Organistenstellen. Er nahm daher jetzt die an der St. Blasiuskirche zu Mühlhausen 1707 an; allein diese Stadt hatte nicht die Freude, ihn lange zu besitzen. Eine im folgenden Jahre nach Weimar unternommene Reise, und die Gelegenheit, die sich ihm bot, sich vor dem regierenden Herzog hören zu lassen, machte, daß man ihm die Hoforganistenstelle in Weimar antrug, von welcher er sogleich Besitz nahm. Der kaum gehoffte Beifall, der vergrößerte Wirkungskreis, konnte für ihn nicht ohne Erfolg bleiben. Er spornte ihn immer mehr an, sein großes Talent auszubilden, und der Jüngling suchte nun nicht mehr allein als Orgelspieler, sondern auch als Componist zu glänzen. Gelegenheit, seine Kräfte als Tondichter zu üben, fand sich aber um so mehr, da er 1714 an eben diesem Hofe zum Conzertmeister ernannt wurde, in welchem Amte er nicht nur Kirchenstücke aufführen, sondern auch setzen mußte. Aber auch manchen Jünger

der Tonkunst bildete er in Weimar, unter denen Johann Caspar Vogler **) als der
würdigste obenan steht.

*)   Dietrich Buxtehude wurde 1669 als Organist an der Marienkirche zu Lübeck angestellt,
und starb daselbst den 9. Mai 1707. Er war nicht allein ein großer Orgelspieler, sondern auch
trefflicher Componist. Eine von seinen jetzt sehr seltenen Compositionen findet sich in der Geschichte der Musik von Th. Busby. 1822. II. B. S. 677.
**)   Bach selbst sagte über diesen Schüler (geb. 1698, gest. um 1765): „Er sei der größte Meister
auf der Orgel, den er gebildet hätte."

| Noch einige Jahre verweilte Bach in dieser Stelle und machte sich so berühmt, daß
er nicht blos von dem Musikliebhaber angestaunt, sondern auch von dem Kenner
mit Recht bewundert wurde. Es fällt in diese Zeit eine Anekdote, welche von seiner Größe ein so treffliches Zeugniß ablegt, daß sie hier wohl verdient, mitgetheilt
zu werden. Der König von Polen und Churfürst von Sachsen, August II., hatte den
berühmten Orgelspieler Jean Louis Marchand *) gehört, und bot ihm eine ansehnliche Belohnung an, wenn er in seine Dienste treten wollte. J. B. Volümier, damaliger
Conzertmeister in Dresden, kannte aber schon den gediegenen Bach, und wünschte
daher, daß diese beiden Meister einen Wettkampf unternehmen möchten, damit der
König sich dann selbst von der Kunst und Fertigkeit, die ein Jeder von ihnen besäße,
überzeugen möchte. Mit Bewilligung des Königs wurde also Bach (1717) nach Dresden eingeladen, und voll Muth und unerschrocken auf seine Kräfte bauend, stellte
sich der Meister ein. Volümier verschaffte ihm bald Gelegenheit den französischen
Künstler zu hören, und darauf forderte Bach voll innerer Sicherheit ihn in einem
höflichen Billet zu einem Zweikampf auf. Er erbot sich darin, alles, was Marchand
ihm aufgeben würde, aus dem Stegreif auszuführen, und bat um gleiche Bereitwilligkeit. Die Ausforderung wurde angenommen, und mit Vorwissen des Königs Zeit
und Ort des Kampfes bestimmt. Am bezeichneten Tage stellte sich

*)   J. L. Marchand wurde 1669 zu Lyon geboren, und starb in Paris 1757. Nachrichten über ihn fin-
den sich aufgezeichnet in den historisch-kritischen Beiträgen von F. M. Marpurg 1754. I. B. S. 450.

| Bach mit seiner gewohnten Pünktlichkeit ein; eine große Gesellschaft ist schon auf
dem Kampfplatze versammelt, doch Marchand – kommt nicht, er war die Nacht
vorher – mit Extrapost abgereist. Bach mußte sich demnach allein hören lassen, und
erhielt allgemeinen Beifall, ob gleich der höchst interessante Wettkampf, nehmlich
den Unterschied der deutschen und französischen Musik recht fühlbar zu machen,
vereitelt war! Man würde sich irren, wenn man hieraus schließen wollte, daß Marchand ein mittelmäßiger Spieler gewesen. Alsdann würde es Bachs Ruhm nicht
vergrößert haben, daß er sein Ueberwinder wurde. Marchand hatte in Frankreich
und Italien jeden Orgelspieler übertroffen, und wünschte auch in Deutschland ein
Gleiches zu thun. *) Bach ließ ihm daher übrigens gern Gerechtigkeit widerfahren,
und gestand ihm eine „feine und manierliche Spielart" zu.
Als hierauf Bach mit Lorbeern gekrönt, nach Weimar zurück gekommen war, erhielt

er noch in eben dem Jahre einen Ruf nach Anhalt-Cöthen, wo ihn der kunstsinnige
Fürst Leopold, ein großer Liebhaber der Tonkunst, als Capellmeister anzustellen
wünschte. Er trat dieses Amt unverzüglich an, und verwaltete es ohngefähr sechs
Jahre mit der größten Zufriedenheit. Während dieser Zeit (1722) unternahm er eine
Reise nach Hamburg, um jetzt als Mann zu zeigen, was er als Jüngling kaum hoffen
ließ. Er spielte auf der Orgel in der Catharinenkirche in Gegenwart des Magistrats
und vieles

*)   Burney sagt hierüber: „Es war eine Ehre für Pompejus, daß Cäsar sein Ueberwinder, und
für Marchand, daß er von Niemand, als von Bach besieget worden war." S. musik. Reisen. III. B.
S. 52. 1773.

l Vornehmen der großen Stadt auf zwei Stunden lang. Alles lauschte mit gespannte-
ster Aufmerksamkeit auf den Künstler, der das Tiefste seiner Kunst entfaltete. Da
kann der alte, fast hundertjährige Organist Reincke *) nicht länger an sich halten;
er umarmt den Meister, und ruft voll Begeisterung aus: „Wahrlich, ich dachte, diese
Kunst wäre gestorben, ich sehe aber, daß sie in Ihnen noch lebt!"
1723, nach Kuhnau's Tode, war Leipzig so glücklich, diesen Fürst aller Clavier- und
Orgelspieler, wie ihn Sorge in einen seiner Werke nennt, zu fesseln. Obgleich nehmlich Bach seinen Fürsten höchst ungern verließ, so nahm er doch die offene Stelle
eines Cantors und Musikdirektors an, und verblieb daselbst bis an sein Ende. Bald
darauf erhielt er als Anerkennung seiner großen Verdienste vom Herzog von Weißenfels den Capellmeistertitel, und im Jahr 1736 ward er zum Königl. Polnischen und
Churfürstl. Sächsischen Hofcompositeur ernannt; nachdem er sich vorher einigemal
in Dresden vor dem Hofe und den dasigen Musikkennern mit großem Beifalle auf
der Orgel hatte hören lassen.
Ruhig verlebte er in Leipzig, nur mit der Composition, Unterricht geben, und dem
Orgelspielen beschäftigt, seine Tage, und von hier aus machte er, außer einigen Reisen nach Dresden, um die italienische Oper zu hören, eine Reise nach Berlin (1747),

*)   Joh. Adam Reincke war zu Deventer den 27. April 1632 geboren, und starb den 24. Novem-
ber 1727 in Hamburg. Eine Anecdote, welche von seiner Stärke als Künstler ein Zeugniß ablegt,
findet sich in Gerbers Tonkünstler-Lexikon 1790. II. B. S. 261.

l welche ihn zwar nicht berühmter machen konnte, aber in einer Characteristik
Bach's nicht übergangen werden darf. Sein zweiter Sohn, Carl Philipp Emanuel
Bach, kam 1740 als Königl. Kammermusikus und Cembalist zu Friedrich dem Großen, und hatte die Ehre, die Flötensolos, welcher der kunstliebende junge König
spielte, auf dem Flügel zu akkompaniren. Der Ruf von der alles übertreffenden
Kunst Joh. Sebastians war in dieser Zeit so verbreitet, daß auch der König sehr
oft davon reden und rühmen hörte. Er wurde dadurch begierig, einen so großen
Künstler selbst zu hören und kennen zu lernen. Anfänglich ließ er gegen den Sohn
ganz leise den Wunsch merken, daß sein Vater doch einmal nach Potsdam kommen
möchte. Allein nach und nach fing er an bestimmt zu fragen, warum denn sein Va-

ter nicht einmal komme? Der Sohn meldet die Aeußerungen des Königs seinem Vater, und dieser, zwar nach einiger Ueberwindung, sich von seiner Familie und seinen Schülern zu trennen, unternimmt 1747 die Reise. Der König hielt um diese Jahre noch pünktlich seine bekannten Cammerconcerte, worin er selbst fünf bis sechs Conzerte auf der Flöte bließ *). Eines Abends, als so eben die musikalische Unterhaltung beginnen soll, der König seine Flöte ergreift, wird ihm durch einen Offizier der geschriebene Rapport von angekommenen Fremden überbracht. Mit der Flöte in der Hand, übersah er das Papier, drehete sich schnell gegen die Capellisten, und sagte mit einer Art von Unruhe: „Meine Herren,

*)   Ueber diese Conzerts, wozu Quanz an 500 Compositionen geschrieben hatte, siehe Gerber's Tonkünstler-Lexikon unter dem Art. Friedrich II.

I der alte Bach ist gekommen!" Die Flöte wurde hierauf weggelegt, und der alte Bach, der in der Wohnung seines Sohnes abgetreten war, sogleich auf das Schloß beordert. Bach hat nicht Zeit, sein Reisekleid mit einem schwarzen Cantor-Rock zu verwechseln, sondern muß sogleich zu dem großen König. Das Cammerconcert wird für diesen Abend aufgegeben, aber Bach von dem König genöthigt, die in mehreren Zimmern des Schlosses herumstehenden Silbermannischen Fortepiano's zu probiren. Die Capellisten gingen von Zimmer zu Zimmer mit, und der Meister mußte überall probiren und fantasiren. Nachdem er einige Zeit fantasirt hatte, bat er sich vom König ein Fugenthema aus, um es sogleich ohne alle Vorbereitung auszuführen. Hierauf ertheilte ihm der große Friedrich folgendes Thema:

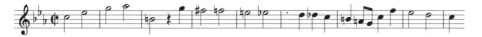

Der König bewunderte die gelehrte Art, mit welcher sein Thema so aus dem Stegreif durchgeführt wurde, und äußerte nun, vermuthlich um zu sehen, wie weit eine solche Kunst getrieben werden könne, den Wunsch, auch eine Fuge mit sechs obligaten Stimmen zu hören. Weil aber nicht jedes Thema zu einer solchen Vollstimmigkeit geeignet ist, so wählte sich Bach selbst eines dazu, und führte es sogleich zur größten Verwunderung aller Anwesenden auf eine eben so prachtvolle und gelehrte Art aus, wie er vorher mit dem Thema des Königs gethan hatte. Auch seine Orgelkunst wollte der König kennen lernen. I Bach wurde daher an den folgenden Tagen von ihm eben so zu allen in Potsdam befindlichen Orgeln geführt, wie er vorher zu allen Pianoforte's geführt worden war, und darauf mit der höchsten Zufriedenheit entlassen. Nach seiner Zurückkunft nach Leipzig arbeitete er das vom König erhaltene Thema aus, ließ es unter dem Titel: Musikalisches Opfer, in Kupfer stechen, und widmete es dem Monarchen.
Da dieses Werk zu den künstlichsten und berühmtesten Bachs gehört, von dem aber nur wenig Exemplare vorhanden sind, so, daß es dadurch zu den wahren Seltenheiten zu rechnen ist, so wird eine nähere Bekanntschaft damit gewiß nicht ohne

Interesse sein. Der vollständige Titel davon ist: Musikalisches Opfer, Sr. Königl. Majestät von Preußen allerunterthänigst gewidmet, von J. S. Bach. Nach einer kurzen
Vorrede und der Angabe des sogenannten „königlichen Thema" – folgt

1) *Ricercare* *), dreistimmig fürs Clavier.

2) *Canon perpetuus super thema regium.*

3) *Ricercare*, dreistimmig.

4) *Canon*, zweistimmig, mit der Ueberschrift: *Quaerendo invenietis.*

5) *Canon*, vierstimmig.

6) Eine Sonate für Violin, Flöte und Baß, von vier Sätzen, und endlich

7) *Canon perpetuus*, zweistimmig, mit einem *Continuo.*

Alle diese Stücke sind wirklich über jenes oben ange-

*)   Eigentlich bedeutet *Ricercare* als Kunstausdruck: eine künstliche Fuge. Doch der gute Bach
will mit diesem Worte sagen: *Regis Iussu Cantio Et Reliqua Canonica Arte Resoluta.*

| führte Thema geschrieben; man findet es überall auf die künstlichste Weise ver-
webt, und fast auf alle ersinnliche Art kontrapunktisch behandelt *). –
Mit gleicher Kunst, mit unermüdetem Fleiß arbeitete er täglich in seinem Berufe,
bis ihm des Körpers Schwächen Stillstand boten, denn durch das anhaltende Studium, besonders die vielen schon in früher Jugend aufgeopferten Nächte, wurde
sein Auge schwach. Täglich vermehrte sich diese Schwäche, und schon stellten sich
Schmerzen ein. Da unterzog er sich gern zweimal einer Operation, doch beidemal
ohne Erfolg, das Augenlicht verlosch gänzlich, und seine sonst so feste Natur war
zerstört. Er kränkelte noch ein halbes Jahr, bis er am Abend des 30. Juli 1750, in die
Welt der reineren Harmonieen, schnell und ohne Schmerz aus seinem, stets der
Kunst geweihten Leben abgerufen wurde. –
„Was Newton als Weltweiser, war Bach als Musiker", sagt der feurige D. Schubarth
in seiner Aesthetik (S. 100.) und nicht zu entschuldigen wäre es, bei einer Darstellung
Bachs nicht näher, wenn auch nur kurz, seine besondern Verdienste zu bezeichnen.

*)   Freunden kontrapunktischer Künste theilen wir den *Canon* unter Nr. 4 mit. Als Kunstwerk,
so wie als Seltenheit, ist er gleich beachtungswerth.

Canon. – Quaerendo invenietis!

| Seine Art das Clavier zu behandeln, ist nicht allein von allen seinen Zeitgenossen bewundert, sondern selbst von trefflichen Künstlern beneidet worden. Ja er machte darin sogar eine sogenannte Schule, welche sein würdiger Sohn, der schon oben genannte C. P. E. Bach *) beschrieben und herausgegeben hat, und die noch in einem N. Hummel lebt, da sie bis jetzt als die richtigste und zweckmäßigste anerkannt werden muß. Sowohl bei seinen freien Fantasieen, als beim Vortrag seiner Compositionen, die er sich so schwer setzte, daß er, was er am Tage schrieb, die Nacht emsig einstudieren mußte, soll er eine so eminente Sicherheit gehabt haben, daß er auf seinem Clavichord nie einen Ton verfehlte. Nicht minder groß war seine Fertigkeit, Partituren zu übersehen, und ihren wesentlichen Inhalt bei dem ersten Anblick auf dem Instrument vorzutragen; sogar neben einander gelegte Stimmen übersah er so leicht, daß er sie sogleich abspielen konnte.

Als Orgelspieler war er noch größer, wie als Clavierspieler, wenn man anders annimmt, daß die

*)   Versuch über die wahre Art das Clavier zu spielen, II Theile.

| Orgel ein bedeutend umfangreicher Instrument ist. Er muthete sich auf der Orgel alles zu, und gab mit dem Pedal nicht blos Grundtöne, sondern spielte eine förmliche Baß-Melodie mit seinen Füßen, die oft so beschaffen war, daß mancher mit fünf Fingern sie kaum heraus gebracht haben würde. Jeden Gang, jedes Thema, mußten seine Füße ihren Vorgängern den Händen, auf das Genaueste nachmachen. Kein Vorschlag, kein Mordent, kein Pralltriller dürfte fehlen, oder nur weniger nett und rund zum Gehör kommen. Er machte mit beiden Füßen lange Doppeltriller, indessen die Hände nichts weniger als müßig waren.

In einem Briefe über ihn, von einem seiner Zeitgenossen *), findet sich folgende hierher gehörige Stelle: „Ich habe diesen großen Mann unterschiedene male spielen hören. Man erstaunt bei seiner Fertigkeit, und man kann kaum begreifen, wie es möglich ist, daß er seine Finger und seine Füße so sonderbar und so behend in einander schrenken, ausdehnen, und damit die weitesten Sprünge machen kann, ohne

*)   J. A. Scheibens Critischer Musik. 1745. S. 62. – Der Verf. war nichts weniger als ein Freund von dem großen Bach, und darum ist sein Urtheil gewiß auch von Werth. –
Ein anderer von seinen Zeitgenossen bemerkt: „Wer das delicate im General-Baß, und was sehr wohl accompagniren heißt, recht vernehmen will, muß den großen J. S. Bach hören, welcher einen jeden General-Baß zu einem Solo so accompagnirt, daß man denket, es sei ein Conzert, und wäre die Melodie, so er mit der ersten Hand machet, schon vorhero also gesetzt worden." –
Neu eröffnete mus. Bibliothek von Lorenz Mizler. 1739. I. B. S. 48.

| einen einzigen falschen Ton einzumischen, oder durch eine so heftige Bewegung den Körper zu verstellen." Demohngeachtet vergaß er aber nie, an welchem Orte er sich befand, und erregte in der That durch sein Orgelspiel nicht allein Verwunderung, sondern das reinste Entzücken und heiligen Schauer bei dem Laien, wie bei dem Kenner. Er brachte aber auch dadurch die Orgelkunst auf eine solche Stufe, wie sie vor ihm nie war, und nie überschritten worden ist.

Als Lehrer des Claviers und der Orgel erwarb er sich einen Ruhm, wie kein Anderer. Alle Freunde der Tonkunst drängten sich zu ihm, wenn auch nur einige Stunden haben zu können. Doch Viele bildete er zu Meistern, welche seinen Namen und seine Schule bis auf unsere Zeiten fortpflanzten, daß sie noch nicht ausgestorben ist. Als die merkwürdigsten und berühmtesten seiner Schüler, nennen wir außer dem oben genannten J. C. Vogler vier (der ihm gebornen eilf) Söhne: Wilhelm Friedemann (geb. 1710, gest. 1784); Carl Philipp Emanuel (geb. 1714, gest. 1788); Joh. Christian Friedr. (geb. 1732, gest. 1795); Johann Christian (geb. 1735, gest. 1795) *); Joh. Peter Kellner (geb. 1705, gest. 1760); Johann Friedr. Agricola (geb. 1720, gest.

*)   Als merkwürdig müssen wir noch anführen, daß die Tonkunst in der Bach'schen Familie heimisch war, denn 22 Glieder weihten sich ihr. Der gute Walther meint, „dieß kömmt vielleicht daher, daß sogar die Buchstaben b a c h in ihrer Ordnung *melodisch* sind." Von jedem einzelnen Gliede siehe übrigens Gerbers altes und neues Tonkünstler-Lexicon.

| 1774); Joh. Christ. Kittel (geb. 1732, gest. 1809); Joh. Ludw. Krebs (geb. 1713, gest. 1780); Gottfr. Aug. Homilius (geb. 1714, gest. 1785); Christoph Transchel (geb. 1721, gest. 1800); Goldberg; Altnikol; Müthel; Voigt und Schubert.

Als Componist war er einer der fruchtbarsten seiner Zeit, und für uns ist er noch von der größten Wichtigkeit. Seine Werke leben in frischer Jugendkraft, und noch heute verfehlen sie zum größten Theil ihren Zweck nicht. Hat aber auch jemals ein Componist die Vollstimmigkeit in ihrer größten Stärke gezeigt, so war es gewiß J. S. Bach. Hat jemals ein Tonkünstler die verborgendsten Geheimnisse der Harmonie zur künstlichen Ausübung gebracht, so war es gewiß eben derselbe. Keiner hat bei diesen, sonst trocken scheinenden Kunststücken so viele inhaltsvolle und neue Gedanken angebracht, als dieser Meister. Er durfte nur irgend einen Hauptsatz gehört haben, um fast alles, was nur künstliches darüber hervorgebracht werden konnte, gleichsam im Augenblick gegenwärtig zu haben. Seine Melodien waren zwar öfters sonderbar, doch immer verschieden, voll Erfindung, und keines andern Componisten Melodien gleich. Es ist fast kein sogenannter Vorhalt möglich, den er nicht angewendet; alle ächte harmonische Kunst, und alle unächte harmonische Künsteleien, hat er in Ernst und Scherz tausendmal mit solcher Kühnheit und Eigenheit gebraucht, daß der größte Harmoniker, der einen fehlenden Thematakt in einem seiner größten Werke ergänzen sollte, nicht ganz dafür stehen konnte, ihn wirklich ganz so, wie ihn Bach hatte, ergänzt zu haben. Nur nicht vergessen darf man dabei, bemerkt | C. M. v. Weber*) sehr richtig, daß die Musik damals vor allem der Kirche diente, und von ihr ausging. Der Orgelspieler lenkte die Gemüther, und die Tonwelt, die für einen schaffenden Geist in der Orgel liegt, gab hinlänglich demselben jenen Stoff, den jetzt der Componist in allem Orchester-Luxus suchen muß. Daher finden wir unter seinen vielen Werken auch nur sehr wenig sogenannte galante Compositionen, und selbst diese wenigen sind streng und fest gehalten. In der Kirche müssen wir ihn aufsuchen, und da finden wir Werke, welche durch ihre Kraft, ihre Kunst, ihre Schönheit, ihren wahrhaft kirchlichen Charakter noch nicht über-

troffen worden sind. Wer würde nicht begeistert, wenn er die Motetten hört: Singet
dem Herrn ein neues Lied – Der Geist hilft unserer Schwachheit auf – Sei Lob und
Preiß mit Ehren. – Wer würde nicht gerührt durch die sprechenden Töne: Wie sich
ein Vater erbarmet – ?
In der Fuge steht er ganz allein, und man kann behaupten: nie ist eine Fuge von
irgend einem Componisten gemacht worden, die einer der seinigen an die Seite gesetzt werden könnte. Jede von ihnen hat ihren eigenen, genau bestimmten Charakter, so wie ihre eigenen, davon abhängenden Wendungen in Melodie und Harmonie.
Wenn man daher eine kennt und vortragen kann, so kennt man wirklich nur eine,

*)   C. M. v. Weber hinterlassene Schriften. 1828, III. B. S. 68. Auch: Allgem. Encyclopädie v.
Ersch und Gruber. VII. B. S. 28.

| und kann auch nur eine vortragen, anstatt daß man Dutzende von Fugen von an-
dern Componisten kennt, und vortragen kann, sobald die Wendungen einer einzigen begriffen, und der Hand geläufig worden sind.
Auf diese Weise versuchten wir den Meister darzustellen, und zu zeigen, was er war.
Was er für unsere Zeiten noch ist, läßt sich nicht verkennen. Von allen wahren Meistern wurde er bis jetzt verehrt *), und wird es noch in späten Jahren sein. Möchte
er es auch von jedem Freund der Tonkunst, und möchte Deutschland zeigen, wie es
seine großen Meister achtet. Nicht ein kaltes Studium geben seine Werke, wenn man
mit Liebe sich ihnen nähert, und es ist undankbar, ihn einen Künstelnden und Ver-
standsüchtigen zu nennen **). Er hatte davon keine Ahnung. Er gab für seine Zeit,
und eilte ihr auf Adlersflügeln voraus. Sollte noch nicht die Zeit seiner völligen Anerkennung genaht sein? Doch wohl! Viele wackere Freunde erkennen ihn im wahren
Licht; täglich schließen sich Neue an sie an, und der Kühne, welcher wandelte auf
nie betretenen Bahnen, dessen irdische Reste kein irdisches Denkmal

*)   Welche Liebe der geniale Mozart gegen Bach hegte, findet man aufgezeichnet in der Leipz.
mus. Zeit. 1798, I. B. S. 117, und daraus wörtlich in W. A. Mozart's Biographie. 1828, S. 656.
**)   Wie und auf welche Weise Bachs Compositionen studirt werden müssen, dazu giebt uns
der geistreiche Fr. Rochlitz in der Leipz. mus. Zeit. 1808, S. 509, und: Für Freunde der Tonkunst.
1825, II. B. S. 205, – treffliche Lehren.

| schmückt *), dieser Kühne bleibt vom Untergange frei.

*)   So wenig als man den Grabhügel des guten Vater Schicht (gest. 1823), auf dem Leipziger
Friedhof sieht, eben so wenig findet sich der des großen J. S. Bach. Alle unsere Mühe, die angewendet wurde, nur ungefähr die Stelle des Letztern anzugeben, war vergeblich. –

C. F. Becker, Organist in Leipzig.

Quelle: *Denkmäler | verdienstvoller Deutschen | des 18ten und 19ten Jahrhunderts. | – | Viertes Bändchen.
| – | Inhalt. | … | Johann Sebastian Bach, von C. F. Becker. | … | – | Nebst 6 lithographirten Portraits. |
– | Leipzig, | in der A. Fest'schen Verlagsbuchhandlung. | 1829.,* S. 77–96. Lithographie von F. W.
Thümeck (→ Dok IV, B 29). [Expl.: D-LEu, Signatur: *Lit. Gesch.* 685]

Anm.: Nach Becker (Fußn. zur Sp. 79 und Sp. 80) waren die Hauptquellen für seine Bach-Biographie: Forkel, der Nekrolog (→ Dok III, Nr. 666) und Hiller L (→ Dok III, Nr. 895). Große Teile sind mitunter wortgetreu aus Forkels Bach-Biographie übernommen. Zur *Geschichte der Musik* von Busby → A 8; zur Aussage über J. C. Vogler → Dok II, Nr. 266, sowie Forkel, S. 42; zu Johann Gottfried Walthers Bemerkung in seinem *Musicalischen Lexicon* → Dok II, Nr. 323; zu „Webers hinterlassenen Schriften" → A 5; zu Mozarts „Liebe … gegen Bach" → A 8 (Kommentar). Vgl. auch Beckers kurzen Aufsatz *Erinnerung an die Cantoren der Thomasschule zu Leipzig*, in: *Allergnädigst privilegirtes Leipziger Tageblatt*, Nr. 95, 5. April 1830, S. 678–681, hier S. 679–680.
Lit.: MGG², Art. „Becker, Carl Ferdinand" (P. Krause).

A 11

GROSSER: LEBENSBESCHREIBUNG DES KAPELLMEISTER DES FÜRSTEN VON KÖTHEN

BRESLAU, 1834

Vorerinnerung.
Ausgemacht bleibt es, wenn die Kunst bleiben, und nicht immer mehr zu blos zeitvertreibender Tändelei zurück sinken soll, so müssen überhaupt klassische Kunstwerke mehr benutzt werden, als sie seit einiger Zeit benutzt worden sind. Bach, als der erste Klassiker, der je gewesen ist, kann hierin unstreitig die besten Dienste leisten.
| Er steht billig an der Spitze unsers Tonkünstlerkabinets. Siehe die Breitkopfische allgemeine musikalische Zeitung, Jahrgang 1799 *pag. 104.*, wo ein in London herausgekommenes Kupfer sich befindet, das eine Sonne vorstellt, in deren Mittelpunkt der Name unsers Bachs strahlt. |

I.

Dieser Choriphäus aller Orgelspieler gehört zu einem Geschlechte, welchem Liebe und Geschicklichkeit zur Musik, gleichsam als ein allgemeines Geschenk, für alle seine Mitglieder, von der Natur mitgetheilt zu sein scheinen.
Ich bezweifle, daß es je eine Familie gegeben hat, in welcher eine ausgezeichnete Anlage zu einer und eben derselben Kunst gleichsam erblich zu sein schienen, so war es gewiß die Bachische.
So viel ist gewiß, daß von Veit Bachen dem Stammvater dieses Geschlechts an, alle seine | Nachkommen, nun schon bis ins siebente Glied, der Musik ergeben gewesen, auch alle, nur etwa ein Paar davon ausgenommen, Profeßion von der Musik gemacht haben.
Dieser Veit Bach war ein Bäcker zu Presburg in Ungarn. Beim Ausbruch der Religions-Unruhen im sechszehnten Jahrhundert wurde er vertrieben, und ließ sich im Thüringschen in dem Orte Wechmar, ein nahe bei Gotha liegendes Dorf, nieder. Er fing hier bald an, sich wieder mit seiner Bäcker-Profession zu beschäftigen, ver-

gnügte sich aber nebenher bei müßigen Stunden sehr gerne mit der Cither, die er
sogar mit in die Mühle nahm, und während dem Mahlen unter allem Getöse und
Geklapper der Mühle darauf spielte. Viele seiner Nachkommen haben auch in dieser
Provinz ihren Aufenthalt gefunden.

Unter den vielen vom Bachischen Geschlechte, welche sich in der praktischen
Musik, auch in Verfertigung neuer musikalischer Instrumente hervorgethan haben,
sind außer unserm Johann Se- | bastian, sonderlich folgende, ihrer Komposition
wegen, merkwürdig:

1) Heinrich Bach, ein, im Jahre 1692 verstorbener Organist in Arnstadt.

2) Johann Christoph, Hof- und Stadt-Organist in Eisenach. Dieser war vorzüglich
glücklich in Erfindung schöner Melodieen und im Ausdruck der Texte. Im sogenannten Bachischen Archiv, welches C. Ph. Emanuel in Hamburg besaß, fand sich
unter andern eine Motette von seiner Composition, worin er es gewagt hatte, von
der übermäßigen Sexte Gebrauch zu machen, ein Wagestück, welches in seinem
Zeitalter für ungeheuer groß gehalten wurde. Er ist gestorben im Jahre 1703, und
dessen Bruder

3) Johann Michael, Organist und Stadtschreiber im Amte Gehren. Er war ein vorzüglich guter Komponist. Im Bachischen Archiv befinden sich von ihm einige Motetten,
worunter auch eine doppeltchörige für 8 Stimmen ist, nebst verschiedenen einzel-
nen | Kirchenstücken. Beide waren Söhne des erstern; der letztere war Joh. Sebast.
Bachs erster Schwiegervater.

4) Johann Ludewig, Herzoglicher Meiningischer Kapellmeister.

5) Johann Bernhard Bach, Kammermusikus und Organist zu Eisenach. Dieser soll
vorzüglich schöne Ouvertüren nach französischer Art gemacht haben. Ist gestorben
im Jahre 1749.

Es würde zu verwundern sein, daß so brave Männer außerhalb ihrem Vaterlande so
wenig bekannt geworden sind, wenn man nicht bedächte, daß diese ehrlichen Thüringer mit ihrem Stande und Vaterlande so zufrieden waren, daß ihnen nie die Lust
ankam, außerhalb demselben einem bessern Glücke nachzugehen.

Genügsam von Natur und durch Erziehung, bedurften sie nur wenig zum Leben, und
der innere Genuß, den ihnen ihre Kunst gewährte, machte, daß sie die goldenen Ketten, welche damals geachteten Künstlern von großen Herren als besondere Ehren-
zeichen ertheilt wurden, nicht ent- | behrten, sondern ohne den mindesten Neid sie an
andern sahen, die vielleicht ohne diese Ketten nicht glücklich gewesen sein würden.

Außerdem besaßen die verschiedenen Glieder dieser Familie eine sehr große Anhänglichkeit an einander. Forkel sagt in Johann Sebastian Bachs seiner Lebensbeschreibung folgendes darüber: „Da sie unmöglich alle an einem einzigen Orte beisammen leben konnten, so wollten sie sich doch wenigstens einmal im Jahre sehen,
und bestimmten einen gewissen Tag, an welchem sie sich sämmtlich an einem dazu
gewählten Orte einfinden mußten. Auch dann noch, als die Familie an Zahl ihrer
Glieder schon sehr zugenommen, und sich außer Thüringen auch hin und wieder
in Ober- und Niedersachsen, so wie in Franken hatte verbreiten müssen, setzten sie

ihre jährlichen Zusammenkünfte fort. Der Versammlungsort war gewöhnlich Erfurt, Eisenach oder Arnstadt. Die Art und Weise, wie sie die Zeit während dieser Zusammenkunft hinbrachten, war ganz musikalisch.

Da die Gesellschaft aus lauter Kantoren, Or- | ganisten und Stadtmusikanten bestand, die sämtlich mit der Kirche zu thun hatten, und es überhaupt damals noch eine Gewohnheit war, alle Dinge mit Religion anzufangen, so wurde, wenn sie versammelt waren, zuerst ein Choral angestimmt.

Von diesem andächtigen Anfang gingen sie zu Scherzen über, die häufig sehr gegen denselben abstachen.

Sie sangen nämlich nun Volkslieder, theils von possierlichem, theils auch von schlüpfrigem Inhalt zugleich mit einander aus dem Stegreif so, daß zwar die verschiedenen extemporirten Stimmen eine Art von Harmonie ausmachten, die Texte aber in jeder Stimme andern Inhalts waren. Sie nannten diese Art von extemporirter Zusammenstimmung Quodlibet, und konnten nicht nur selbst recht von ganzem Herzen dabei lachen, sondern erregten auch ein eben so herzliches und unwiderstehliches Lachen bei jedem, der sie hört. Einige wollen diese Possenspiele als dem Anfang der komischen Operette unter den Deut- | schen betrachten. Allein solche Quodlibette waren in Deutschland schon weit früher im Gebrauch."

Eine gedruckte Sammlung derselben ist schon im Jahre 1542 zu Wien herausgekommen. *)

*)   Ich besaß so eine Sammlung noch vor drei Jahren, allein sie ist mir abhanden gekommen, oder wie Herr N. N. zu sagen pflegt, ob Seiten, gekommen. |

II.

Johann Sebastian Bach wurde im Jahr 1685, den 21. März, in Eisenach geboren. Sein Vater, Johann Ambrosius Bach, war Hof- und Stadtmusikus daselbst; die Mutter aber eine geborne Lemmerhirt, war die Tochter eines Rathsverwandten in Erfurt. Sein Vater hatte einen Zwillingsbruder, mit Namen Johann Christoph, welcher Hof- und Stadtmusikus in Arnstadt war. Diese beiden Brüder waren einander in allen, auch sogar was den Gesundheitszustand und die Wissenschaft in der Musik betraf, so ähnlich, daß man sie, wenn sie beisammen waren, bloß durch die Kleidung unterscheiden konnte.

Johann Sebastian war noch nicht volle 10 Jahre alt, als sein Vater im Jahre 1695 | starb. Die Mutter war schon früher gestorben. Er kam nun zu seinem ältern Bruder Johann Christoph, welcher zu Ordruff Organist war, und sehr gute Kenntnisse in der Musik besessen zu haben scheint. Unter Anführung dieses Mannes legte Johann Sebastian den Grund im Klavierspielen, und fand in Kurzem an der Musik so viel Geschmack, daß er ihr den größten Theil widmete.

Die Lust des kleinen Johann Sebastian zur Musik war schon in diesem zarten Alter ungemein. Er hatte, in kurzer Zeit, alle Stücke, die ihm sein Bruder zum Lernen aufgab, in die Faust gebracht. Ein Buch voll Klavierstücke, von den damaligen berühmtesten Meistern, Frobergern, Kerlen, Pachelbel *) etc. aber, welches sein Bruder besaß, wurde ihm, alles Bittens ungeachtet, versagt. Die Begierde nach

*)   Joh. Jacob Froberger, geb. 1635, war einer der ersten geschmackvollern Klavier-Componisten. Er zeichnete sich durch seine Kunst eben so sehr, als durch seine Schicksale aus. S. Gerber's Ton- | künstlerlexikon s. v. Froberger. Joh. Casp. von Kerl, geb. 1625, ein äußerst fertiger und gelehrter Orgelspieler. Wegen seiner Kenntnisse erhob ihn der Kaiser Leopold in den Adelstand. Joh. Pachelbel, gest. 1706, ein berühmter Organist und Kirchenkomponist zu Nürnberg.

| dem Besitz des Buchs wurde durch die Verweigerung immer größer, so daß er endlich desselben auf irgend eine Art heimlich habhaft zu werden suchte. Da es in einem bloß mit Gitterthüren verschlossenen Schranke aufbewahrt wurde, und seine Hände noch klein genug waren, um durchzugreifen und das nur in Papier geheftete Buch zusammenrollen und herausziehen zu können, so bedachte er sich nicht lange, von so günstigen Umständen Gebrauch zu machen.

Allein aus Mangel eines Lichtes konnte er nur bei mondhellen Nächten daran schreiben, und bedurfte 6 volle Monate, ehe er mit seiner so mühseligen Arbeit zu Ende kommen konnte. Er suchte sich dieselbe insgeheim, mit ausnehmender Begierde, zu Nutze zu machen, als zu seinem | größten Leidwesen sein Bruder dessen inne wurde, und ihm seine, mit so vieler Mühe verfertigte Abschrift, ohne Barmherzigkeit, wegnahm, die er auch nicht eher als nach dem bald darauf erfolgten Tode dieses Bruders wieder erhielt.

Johann Sebastian, aufs neue verwaiset, begab sich, in Gesellschaft eines seiner Schulkameraden, Namens Erdmann, der als Baron und russisch kaiserlicher Resident in Danzig gestorben ist, nach Lüneburg, und ließ sich daselbst im Chor der Michaelisschule als Diskantist aufnehmen.

Einige Zeit hernach ließ sich einsmals, als er im Chore sang, wider sein Wissen und Willen, bei den Soprantönen auch zu gleicher Zeit die tiefere Oktave hören. Diese ganz neue Art von Stimme behielt er acht Tage lang, binnen welcher Zeit er nicht anders, als in Oktaven singen und reden konnte. Er verlor hierauf die hohen Töne des Soprans, und zugleich seine schöne Stimme.

Seine Neigung zum Klavier- und Orgelspielen war um diese Zeit noch eben so feurig, als | in den früheren Jahren, und trieb ihn an, alles zu thun, zu sehen und zu hören, was ihn nach seinen damaligen Begriffen immer weiter darin bringen konnte. Er übte sich unaufhörlich, und unternahm manche Reise nach Hamburg, um den dasigen berühmten Organisten Johann Adam Reinken zu hören. Zugleich besuchte er oft die herzogliche Kapelle zu Celle, welche größtentheils aus Franzosen bestand. Doch scheint der französische Styl nicht viel Eindruck auf ihn gemacht zu haben, seine Melodien wenigstens sind nicht französisch.

Im Jahre 1708 kam er nach Weimar, und ward daselbst Hofmusikus; durch welche Verhältnisse aber, ist nicht bekannt.

Er vertauschte aber diesen Platz schon im folgenden Jahre mit der Organisten-Stelle an der neuen Kirche zu Arnstadt, vermuthlich um seiner Neigung zum Orgelspie-

len mehr als in Weimar nachhängen zu können, wo er für die Violine angestellt war.
Dies ist die wichtigste Epoche in Bach's artistischen Leben.

| Denn in diesen Jahren machte er in der Komposition und im Orgelspielern die
großen Fortschritte, welche ihm die Bewunderung seiner Zeitgenossen erwarben.
Dazu nützte ihm theils das fleißige Studium der Werke eines Bruhns, Reinke und
Buxtehude, theils ein vierteljähriger Aufenthalt in Lübeck, wo er den trefflichen Orgelspieler Dieterich Buxtehude belauschte; theils – was das vorzüglichste ist – sein
wahrhaft großes, erfinderisches Genie, das ihn die Mängel seiner Vorgänger ver-
bessern und in die Geheimnisse der Harmonie weit tiefer eindringen lehrte.

Die Wirkungen seines Eifers und so anhaltenden Fleißes müssen um diese Zeit
schon große Aufmerksamkeit erregt haben, denn er bekam nun kurz nach einander
den Ruf zu verschiedenen Organisten-Stellen.

Im Jahre 1707 wurde er zum Organisten an der St. Blasiuskirche in Mühlhausen
berufen. Als er aber ein Jahr nach dem Antritt derselben eine Reise nach Weimar
machte, und sich dort vor dem damals regierenden Herzog hören ließ, | fand sein
Orgelspielen so großen Beifall, daß man ihm die Hof-Organistenstelle antrug, die er
auch annahm.

Beifall und Aufmunterung von Seiten des Hofs machten ihn hier unternehmender
und verschafften uns den größten Theil der Orgelstücke, die wir von ihm besitzen.
Im Jahre 1714 wurde er, an eben diesem Hofe, zum Konzertmeister ernannt. Die
mit dieser Stelle verbundenen Verrichtungen bestanden damals hauptsächlich
darin, daß er Kirchenstücke componirte und aufführte. Nebenher hat er in Weimar
verschiedene brave Organisten gezogen, unter welchen Johann Casper Vogler, sein
zweiter Nachfolger, vorzüglich bemerkt zu werden verdient.

Händels Lehrer, der Organist und Musikdirektor Zachau zu Halle, starb in dieser
Zeit, und der nun schon berühmte Joh. Seb. Bach wurde zu seinem Nachfolger be-
rufen. Er reisete auch wirklich nach Halle, um sein Probestück daselbst aufzuführen.
Er nahm jedoch, man weiß nicht aus welcher Ursache, die Stelle nicht an, sondern
überließ sie einem geschickten und wohlge | rathenen Zachauischen Schüler, mit
Namen Kirchhof.

Im Jahre 1717 reisete er nach Dresden, und rettete daselbst die Ehre seiner Nation
gegen den berühmtesten französischen Klavierspieler und Organist, Marchand, welchem der König eine große Besoldung angeboten hatte, wenn er zu Dresden bliebe.
Die Sache verhält sich so:

Der damalige Conzertmeister in Dresden, Volumier, dem die Verdienste unsers
Bachs bekannt waren, schrieb an ihn nach Weimar, und lud ihn zu einem musikalischen Wettstreite mit dem Marchand nach Dresden ein. Bach nahm diese Einladung
an, und reiste nach Dresden. Volumier verschaffte ihm Gelegenheit seinen Gegner
erst im Verborgenen zu hören. Hierauf lud Bach den Marchand, durch ein höfliches
Handschreiben, zu einem Wettstreite ein. Er erbot sich alles, was Marchand ihm aufgeben würde, aus dem Stegreife auszuführen, erbat sich aber von ihm eine gleiche
Bereitwilligkeit. Da Marchand die Ausforderung annahm, so wurde mit Vorwissen

des Königs Zeit und Ort des Kampfes be- | stimmt. Eine große Gesellschaft beiderlei Geschlechts und von hohem Range versammelte sich in dem zum Kampfplatz gewählten Hause des Marschalls, Grafen von Flemming. Bach ließ nicht auf sich warten, aber Marchand erschien nicht. Nach langem Warten ließ man sich endlich in seiner Wohnung nach ihm erkundigen, und die ganze erwartungsvolle Versammlung erfuhr nun zu ihrer größten Verwunderung, daß Marchand schon am Morgen dieses Tages mit Extrapost von Dresden abgereist sey, ohne von jemand Abschied genommen zu haben.

Ob nun gleich aus dem Wettstreite zwischen zwei großen Männern nichts werden konnte, so hatte doch Bach die beste Gelegenheit, die Stärke zu zeigen, mit welcher er wider seinen Gegner bewafnet war, welches er auch, zur Verwunderung aller Anwesenden that.

Bach ließ übrigens dem Marchand die Gerechtigkeit wiederfahren, daß er ihm eine feine und manierliche Spielart gern zugestand. Beifall erhielt Bach bei dieser Gelegenheit im Ueberfluß; aber ein Geschenk von 100 Louisd'or, welches | ihm der König bestimmt hatte, soll er nicht erhalten haben.

Nach seiner Zurückkunft nach Weimar erhielt er vom Fürst Leopold von Anhalt-Cöthen, der ein vorzüglicher Kenner und Liebhaber der Musik war, den Ruf als Kapellmeister, welchem er im nämlichen Jahre folgte.

Von hieraus unternahm er eine abermalige Reise nach Hamburg zum Organist Reinken, der nun beinahe hundert Jahr alt war, und ließ sich vor demselben in der Catharinenkirche im Beisein des Magistrats und vieler Liebhaber und Kenner der Musik, über zwei Stunden lang, auf der Orgel hören. Reinke hörte ihn mit besonderem Vergnügen zu, und machte ihm am Ende das Kompliment: „Ich dachte, diese Kunst wäre ausgestorben; ich sehe aber daß sie in Ihnen noch lebt."

Er nöthigte ihn hierauf zu sich ins Haus, und erwies ihm viel Höflichkeit.

Nach Kuhnau's Tode im Jahre 1723 wurde Bach zum Musikdirektor und Kantor an der Tho- | masschule zu Leipzig ernannt. In dieser Stelle blieb er bis an sein Ende.

Der Fürst Leopold von Anhalt-Cöthen liebte ihn sehr; Bach verließ also seine Dienste ungern. Aber der bald nachher erfolgte Tod dieses Fürsten zeigte ihm doch, daß ihn die Vorsehung gut geführt hatte. Auf diesen ihm sehr schmerzhaften Todesfall verfertigte er eine Trauermusik mit vielen ganz vorzüglich schönen Doppelchören, und führte sie selbst in Cöthen auf.

Nicht lange darauf bekam er vom Herzoge zu Weißenfels den Kapellmeistertitel, und im Jahr 1736 ward er zum Königl. Polnischen und Churfürstlichen Sächsischen Hof-Compositeur ernannt; nachdem er sich vorher einigemal in Dresden, vor dem Hofe, und den dasigen Musikkennern, mit großem Beifalle auf der Orgel hatte hören lassen.

Sein zweiter Sohn, Carl Phil. Emanuel, kam im Jahr 1740 in die Dienste Friedrichs des Großen.

Der Ruf von der alles übertreffenden Kunst Johann Sebastians war in dieser Zeit so verbreitet, daß auch der König sehr oft davon | reden und rühmen hörte. Er wurde dadurch begierig, einen so großen Künstler selbst zu hören und kennen zu lernen. Anfänglich ließ er gegen den Sohn ganz leise den Wunsch merken, daß sein Vater doch einmal nach Potsdam kommen möchte. Allein nach und nach fing er an, bestimmt zu fragen, warum denn sein Vater nicht einmal komme?

Der Sohn konnte nicht umhin, diese Aeußerungen des Königs seinem Vater zu melden, der aber anfänglich nicht darauf achten konnte, weil er meistens mit zu vielen Geschäften überhäuft war. Als aber die Aeußerungen des Königs in mehrern Briefen des Sohns wiederholt wurden, machte er endlich im Jahre 1747 dennoch Anstalt, diese Reise in Gesellschaft seines ältesten Sohnes, Wilhelm Friedemann, zu unternehmen.

Der König hatte um diese Zeit alle Abende ein Kammerconzert, worin er meistens selbst einige Konzerte auf der Flöte blies. Eines Abends wurde ihm, als er eben seine Flöte zurecht machte, und seine Musiker schon versammelt waren, | durch einen Offizier der geschriebene Rapport von angekommenen Fremden gebracht. Mit der Flöte in der Hand übersah er das Papier, drehte sich aber sogleich gegen die versammelten Kapellisten und sagte mit einer Art von Unruhe: Meine Herren, der alte Bach ist gekommen!

Die Flöte wurde hierauf weggelegt, und der alte Bach, der in der Wohnung seines Sohnes abgetreten war, sogleich auf das Schloß beordert.

Der König gab ihm selbst ein Thema zu einer Fuge auf, die Bach sogleich auf einem Silbermannschen Fortepiano, sehr gelehrt und künstlich ausführte. Hierauf verlangte der König eine sechsstimmige Fuge zu hören, und Bach leistete diesem Befehle sogleich, über ein selbstgewähltes Thema, Genüge.

In Leipzig brachte er über des Königs Thema noch ein dreistimmiges und sechsstimmiges *Ricercar*, nebst einigen Kunststücken, zu Papier, ließ dieselben in Kupfer stechen und widmete sie dem Könige.

Dies war Bachs letzte Reise. Sein von Natur etwas blödes Gesicht, welches durch seinen | übermäßigen Eifer im Studiren, wobei er, besonders in seiner Jugend, ganze Nächte hindurch saß, noch mehr war geschwächt worden, brachte ihm, in seinen letzten Jahren, eine Augenkrankheit zuwege. Auf Anrathen einiger Freunde, die auf die Geschicklichkeit eines aus England zu Leipzig angekommenen Augen-Arztes großes Vertrauen setzten, wagte er es, sich einer Operation zu unterwerfen, die aber zweimal verunglückte. Nun war nicht nur sein Gesicht ganz verloren, sondern auch seine übrige so dauerhafte Gesundheit war durch den mit der Operation verbundenen Gebrauch vielleicht schädlicher Arzneimittel völlig zerrüttet. Zehn Tage vor seinem Tode schien es sich und unvermuthet mit seinen Augen zu bessern, so daß er einmal des Morgens recht gut sehen, und auch das Licht des Tages wieder vertragen konnte. Allein wenige Stunden darnach ward er von einem Schlagflusse überfallen; auf diesen erfolgte ein hitziges Fieber, an welchem er auch am 28. Juli 1750 im 66sten Jahre seines Lebens, sanft und seelig verschied.

Er war zweimal verheirathet. In der ersten | Ehe wurden ihm 7 und in der zweiten 13 Kinder geboren, nämlich 11 Söhne und 9 Töchter.

Die Söhne hatten sämmtlich vortreffliche musikalische Anlagen; sie wurden aber nur bei einigen der ältern völlig ausgebildet. |

III.

Johann Sebastian Bachs Kompositionen sind folgende:

I. In Kupfer gestochen.

1. Klavierübung, bestehend in Präludien, Allemanden, Couranten, Sarabanden, Giquen, Menuetten und andern Galanterien, den Liebhabern zur Gemüthsergötzung verfertigt. *Opus 1*. Im Verlag des Autors. 1731. Dieses erste Werk besteht aus 6 Suiten, von welchem die erste im Jahre 1726 herauskam, und die übrigen einzeln nachfolgten, bis sie im Jahr 1731 zusammengestochen wurden.

2. Klavierübungen zweiter Theil, bestehend in einem Konzert, und einer Ouverture für | einen Klavicymbal mit zwei Manualen. Im Verlag Christoph Weigels zu Nürnberg.

3. Klavierübungen dritter Theil, bestehend in verschiedenen Vorspielen über einige Kirchengesänge, für die Orgel. Im Verlag des Autors. Außer den für die Orgel bestimmten Präludien, Fugen und Vorspielen, die sämmtlich Meisterstücke der Kunst sind, enthält diese Sammlung auch noch vier Duette für ein Klavier, die als Muster von Duetten keine dritte Stimme zu lassen.

4. Eine Arie mit 30 Veränderungen fürs Klavicymbal mit 2 Manualen. Nürnberg, bei Balthasar Schmid. Auch ist eine regulaire 4stimmige Fuge, und außer vielen andern höchst glänzenden Variationen für 2 Klaviere, zuletzt noch ein sogenanntes Quodlibet darin enthalten, welches schon allein seinen Meister unsterblich machen könnte, ob es gleich hier bei weitem noch nicht die erste Partie ist.

5. Sechs dreistimmige Vorspiele zu eben so viel | Gesängen, für die Orgel mit 2 Klavieren und Pedal. Zella, am Thüringer Wald bei Joh. G. Schübler.

6. Einige kanonische Veränderungen über den Gesang: Vom Himmel hoch da komm ich her. Nürnberg, bei Balthasar Schmid.

7. Musikalisches Opfer, dem König von Preußen Friedrich II. zugeeignet. Das von dem König erhaltene Thema, von welchem schon geredet worden, ist hier erstlich als eine 3 stimmige Klavierfuge unter dem Namen: *Ricercar*, oder mit der Aufschrift: *Regis Iussu Cantio Et Reliqua Canonica Arte Resoluta*, ausgeführt. Zweitens hat der Komponist ein 6stimmiges *Ricercar* fürs Klavier daraus gemacht. Drittens folgen: *Thematis regii elaborationes canonicae* von mancherlei Art. Endlich ist viertens ein Trio für die Flöte, Violine und den Baß über dasselbe Thema beigefügt.

| 8. Die Kunst der Fuge. Sein letztes Werk, welches alle Arten der Kontrapunkte und Canons über einen einzigen Hauptsatz enthält. Seine letzte Krankheit verhinderte ihn, nach seinem Entwurfe die vorletzte Fuge daran zu Ende zu bringen, und die letzte welche vier Themata enthalten und in allen vier Stimmen umgekehrt werden sollte, auszuarbeiten. Dies Werk ist erst nach des Verfassers Tode ans Licht getreten.

9. Vierstimmige Choralgesänge, gesammelt und herausgegeben von C. Ph. Em. Bach.

Berlin. Erster Theil 1765. Zweiter Theil 1760, in Folio. Diese Choräle sind eigentlich für vier Singstimmen auf vier Systeme gesetzt; aber den Liebhabern der Orgel und des Klaviers zu gefallen auf zwei Systeme zusammengezogen. Jeder Theil enthält 200 Choralmelodieen. Von vieren im ersten Theile sagt der Herausgeber, daß sie nicht von seinem Vater wären. |

II. Seine ungedruckten Werke.
1. Fünf Jahrgänge von Kirchenstücken, auf alle Sonn- und Festtage.
2. Viele Oratorien, Missen, Magnificat, einzelne Sanctus, Dramen, Serenaden, Geburts- Namenstags- und Trauermusiken, Brautmessen, auch sogar einige komische Singstücke.
3. Fünf Passionen, worunter eine zweichörige ist.
4. Einige zweichörige Motetten.
Die meisten dieser Werke sind aber nun zerstreut. Die Jahrgänge wurden nach des Verfassers Tode unter die ältern Söhne vertheilt, und zwar so, daß Wilhelm Friedemann das meiste davon bekam, weil er in seiner damaligen Stelle zu Halle den meisten Gebrauch davon machen konnte. Seine nachherigen Umstände nöthigten ihn, das, was er erhalten hatte, nach und nach zu veräußern. Von den übrigen größern Singwerken ist ebenfalls nichts mehr beisammen. Blos von den doppelchörigen Motetten sind noch 8 bis 10 vorhanden; aber ebenfalls nicht in einer, sondern in mehreren Händen. In dem an | das Joachimsthalische Gymnasium zu Berlin vermachten musikalischen Nachlaß der Prinzessin Amalia von Preußen, befindet sich von Bachischen Singcompositionen vielleicht noch am meisten beisammen, obgleich ebenfalls nicht viel.
5. Eine Menge von freien Vorspielen, Fugen und dergleichen Stücken für die Orgel mit obligatem Pedale.
6. Sechs Trio's für die Orgel, für zwei Klaviere mit dem obligaten Pedal. Bach hat sie für seinen ältesten Sohn, Wilhelm Friedemann, aufgesetzt, welcher sich damit zu dem großen Orgelspieler vorbereiten mußte, der er nachher geworden ist. Man kann von ihrer Schönheit nicht genug sagen. Sie sind in dem reifsten Alter des Verfassers gemacht, und können als das Hauptwerk desselben in dieser Art angesehen werden.
7. Viele variirte Chorale für die Orgel, zu Vorspielen.
8. Ein Buch voll kurzer Vorspiele zu den meisten Kirchenliedern.
| 9. Das wohltemperirte Klavier, oder Präludien und Fugen durch alle Töne. Zum Nutzen und Gebrauch der lehrbegierigen musikalischen Jugend, wie auch den in diesem Studio schon *habil* seienden zum besondern Zeitvertreib aufgesetzt und verfertigt. Erster Theil 1722. Der zweite Theil dieses Werks, welcher ebenfalls 24 Präludien und 24 Fugen aus allen Tönen enthält, ist später verfertigt. Er besteht vom Anfang an bis ans Ende aus lauter Meisterstücken. Im ersten Theil hingegen befinden sich noch einige Präludien und Fugen, welche das Unreife früher Jugend an sich tragen, und von dem Verfasser wahrscheinlich nur beibehalten sind, um die

Zahl vier und zwanzig voll zu haben. Doch auch hier hat er mit der Zeit gebessert, wo nur irgend zu bessern war.

10. Sechs Toccaten fürs Klavier.

11. Sechs große Suiten für dasselbe, bestehend in Präludien, Allemanden, Couranten, Sarabanden, Giquen etc. Sie sind unter dem Namen der Englischen Suiten be- | kannt, weil sie der Komponist für einen vornehmen Engländer gemacht hat.

12. Sechs kleine Suiten, bestehend in Allemanden, Couranten etc. Man nennt sie gewöhnlich französische Suiten, weil sie im französischen Geschmack geschrieben sind.

13. Sechs Sonaten fürs Klavier mit Begleitung einer obligaten Violine. Sie sind zu Cöthen verfertigt, und können in dieser Art unter Bachs erste Meisterstücke gerechnet werden. Sie sind durchgehends fugirt; auch einige Canones zwischen dem Klavier und der Violine kommen darin vor, die äußerst sangbar und charaktervoll sind.

14. Sechs Sonaten fürs Violonzell.

15. Verschiedene Conte für ein, zwei, drei bis vier Klaviere.

16. Funfzehn zweistimmige Inventiones. Man nannte einen musikalischen Satz, der so beschaffen war, daß aus ihm durch Nachahmung u. Versetzung der Stimmen die Folge eines ganzen Stücks entwickelt werden | konnte eine Invention. Diese 15 Inventionen sind zur Bildung eines angehenden Klavierspielers von großem Nutzen.

17. Funfzehn Simfonien.

18. Sechs kleine Präludien zum Gebrauch der Anfänger.

Außerdem noch eine Menge anderer Instrumentalstücke von allerlei Art und für allerlei Instrumente. |

IV.

Johann Sebastian Bachs Art das Klavier zu behandeln, ist von jedem, der das Glück gehabt hat, ihn zu hören, bewundert, und von allen, die selbst Ansprüche machen konnten, für gute Spieler gehalten zu werden, beneidet worden.

Aus der leichten, zwanglosen Bewegung der Finger, aus dem schönen Anschlage, aus der Deutlichkeit und Schärfe in der Verbindung auf einander folgender Töne, aus der vortheilhaften Fingersetzung, aus der gleichen Bildung und Uebung aller Finger beider Hände, und endlich aus der großen Mannigfaltigkeit seiner melodischen Figuren, die in jedem seiner Stücke auf eine neue, | ungewöhnliche Art gewendet sind, entstand zuletzt ein so hoher Grad von Fertigkeit und Allgewalt über das Instrument in allen Tonarten, daß es nun für Seb. Bach fast keine Schwierigkeiten mehr gab. So wohl bei seinen freien Fantasien, als beim Vortrag seiner Kompositionen, in welchen bekanntlich alle Finger beider Hände ununterbrochen beschäftigt sind, und so fremdartige ungewöhnliche Bewegungen machen müssen, als die Melodien derselben selbst fremdartig und ungewöhnlich sind, soll er doch eine solche Sicherheit gebabt haben, daß er nie einen Ton verfehlte. Auch besaß er eine so bewundernswürdige Fertigkeit im Lesen und Treffen anderer Klavierwerke (die freilich sämmtlich leichter als die seinigen waren), daß er einst, als er noch in Weimar lebte, gegen einen seiner Bekannten äußerte, er glaube wirklich, es sey ihm möglich, alles ohne Anstoß beim ersten Anblick zu spielen. Er hatte sich aber geirrt. Der Bekannte, gegen den er sich so geäußert hatte, überzeugte ihn davon, ehe 8 Tage vergingen.

Er lud ihn eines Morgens zum Frühstück zu | sich, und legte auf das Pult seines Instruments außer andern Stücken auch eines, welches dem ersten Ansehen nach sehr unbedeutend zu sein schien.

Bach kam und ging seiner Gewohnheit nach sogleich zum Instrument, theils um zu spielen, theils um die Stücke durchzusehen, welche auf dem Pulte lagen. Während er diese durchblätterte und durchspielte, ging sein Wirth in ein Seitenzimmer, um das Frühstück zu bereiten. Nach einigen Minuten war Bach an das zu seiner Bekehrung bestimmte Stück gekommen und fing an, es durchzuspielen. Aber bald nach dem Anfange blieb er vor einer Stelle stehen. Er betrachtete sie, fing nochmals an, und blieb wieder vor ihr stehen. Nein, rief er seinem im Nebenzimmer heimlich lachenden Freunde zu, indem er zugleich vom Instrument wegging: Man kann nicht alles wegspielen, es ist nicht möglich!

Sein Lieblingsinstrument war das Klavichord. Die sogenannten Flügel, obgleich auch auf ihnen ein gar verschiedener Vortrag statt findet, waren ihm doch zu seelenlos, und die Pianoforts waren | bei seinem Leben noch zu sehr in ihrer ersten Entstehung, und noch viel zu plump, als daß sie ihm hätten Genüge thun können.

Seinen Flügel konnte ihm Niemand zu Dank bekielen; er that es stets selbst.

Was im Vorgehenden von Joh. Seb. Bachs vorzüglichem Klavierspielen gesagt wurde, kann im Allgemeinen auch auf sein Orgelspielen angewendet werden.

Er hatte eine eigne Art, die Orgel zu registriren. Sie war so ungewöhnlich, daß manche Orgelmacher und Organisten erschracken, wenn sie ihn registriren sahen. Sie glaubten, eine solche Vereinigung von Stimmen könne unmöglich gut zusammen klingen, wunderten sich aber sehr, wenn sie nachher bemerkten, daß die Orgel grade so am besten klang, und nun etwas Fremdartiges, Unwöhnliches bekommen hatte, das durch ihre Art zu registriren, nicht hervor gebracht werden konnte.

Er besaß eine genaue Kenntniß des Orgelbaues.

| Ueberhaupt entging dem scharfen Blicke seines Geistes nichts, was nur irgend auf seine Kunst Beziehung hatte und zur Entdeckung neuer Kunstvortheile genutzt werden konnte. Seine Achtsamkeit auf die Ausnahme großer Musikstücke an Plätzen von verschiedener Beschaffenheit, sein sehr geübtes Gehör, mit welchem in der vollstimmigsten und besetztesten Musik jeden noch so kleinen Fehler bemerkte, seine Kunst auf eine so leichte Art ein Instrument rein zu temperiren, können zum Beweise dienen, wie scharf und umfassend der Blick dieses großen Mannes war.

Als er im Jahr 1747 in Berlin war, wurde ihm das Opernhaus gezeigt.

Alles was in der Anlage desselben in Hinsicht auf die Ausnahme der Musik gut oder fehlerhaft war, und was Andere erst durch Erfahrung bemerkt hatten, entdeckte er beim ersten Anblick.

Man führte ihn in den darin befindlichen großen Speise-Saal; er ging auf die oben herum laufende Gallerie, besah die Decke, und sagte, ohne fürs erste weiter nachzuforschen, der Baumeister habe hier ein Kunststück angebracht, ohne es vielleicht zu wollen, und ohne daß es Jemand wisse.

| Wenn nämlich Jemand an der einen Ecke des länglicht viereckichten Saals oben ganz leise gegen die Wand einige Worte sprach, so konnte es ein Anderer, welcher übers Kreuz an der andern Ecke mit dem Gesichte gegen die Wand gerichtet stand, ganz deutlich hören, sonst aber Niemand im ganzen Saal, weder in der Mitte, noch an irgend einer andern Stelle. Diese Wirkung kam von der Richtung der an der Decke angebrachten Bogen, deren besondere Beschaffenheit er beim ersten Anblick entdeckte.

Theils das Amt, in welchem Joh. Seb. Bach stand, theils auch überhaupt der große Ruf seiner Kunst und Kunstkenntnisse verursachte, daß er sehr häufig zur Prüfung junger Orgel-Candidaten, und zur Untersuchung neuerbauter Orgelwerke aufgefordert wurde. Er benahm sich in beiden Fällen so gewissenhaft und unparteiisch, daß die Zahl seiner Freunde selten dadurch vermehrt wurde.

Der ehemalige dänische Kapellmeister Scheibe unterwarf sich in frühern Jahren ebenfalls einmal seiner Prüfung bei einer Organistenwahl, fand | aber dessen Ausspruch so ungerecht, daß er sich nachher in seinem kritischen Musikus durch einen heftigen Ausfall an seinem ehemaligen Richter zu rächen suchte. |

V.

Bach und seine großen Zeitgenossen sind oft beschuldigt worden, es fehle ihren Arbeiten an schönen Melodien. Allein gewöhnlich hört man solche Urtheile von denjenigen, welche weder die gehörige Bekanntschaft mit den Werken jener Meister, noch die Fertigkeit besitzen, aus ernsthaften und künstlich gearbeiteten Tonstücken die darin versteckten Melodien herauszufinden. Dazu wird wahrlich mehr erfordert, als ein natürlich gutes Gehör. Denn, wenn die Akkorde in allen ihren Versetzungen erscheinen, und eine Dissonanz die andre verdrängt, dann wird das natürlich gute Gehör gleichsam betäubt vom unerwarteten Zusammenklange so vieler Harmonien, und es | findet oft ein Chaos von Tönen, wo das durch die Kunst geübte und ausgebildete Gehör die reinsten Fortschreitungen der Akkorde und die feinste Behandlung der herrschenden Melodie (des Thema) bemerkt.

Freilich ist also nicht zu leugnen, daß Bachs Fugen oft ein künstliches, aber empfindungsleeres Getöne zu sein scheinen – aber sie scheinen es auch nur. Wer sich die Mühe giebt und Kenntniß der Musik genug besitzt, dem unerschöpflichen Künstler in seinen Labyrinthen nachzugehn, der findet in der Mannigfaltigkeit die strengste Einheit und fühlt sich durch die großen Harmonien, welche die simple Melodie zieren, weit lebhafter afficirt, als durch manche Arien, die ihn oft keine einzige originelle Melodie und selten eine neue Verbindung der Harmonie hören lassen. Ueberhaupt hat kein Ausdruck mehr Anlaß zu Mißverständnissen in der Tonkunst gegeben, als der Ausdruck: schöne Melodie. Denn bald versteht man unter dem Worte schön, was man eigentlich ästhetisch nennen sollte (das ist: schön im weitesten Sinne), bald hat man damit | das Schöne im engern Sinne gemeint. Im letztern Verstande sind allerdings Bachs Melodieen nicht schön; da ist überhaupt keine Fuge schön, und kann und darf auch ihrer Natur nach nicht schön seyn.

Wer wollte aber wohl leugnen, daß die Fuge ein ästhetisches Tonstück ist, und daß also ein so vollendeter Fugenkomponist, wie unser Bach, ästhetische Melodieen hervorgebracht haben muß? Gerade das Abgebrochene, das Männliche in den Fugenmelodieen ist nöthig zum Ausdruck der Kraft.

Das unmusikalische Publikum empfindet freilich oft bei Fugen Langeweile; aber der Künstler von Range, welchem beinahe keine der neuen Melodieen fremd ist, und welcher eben deswegen bei einfachern Tonstücken, welche er mit einem Blicke überschaut, für seinen Geist zu wenig Beschäftigung findet – der sehnt sich, wenn er ein Oratorium hört, trotz allen Arien und Recitativen, nach canonischen oder fugirten Sätzen und wirklichen Fugen, und wird dadurch erquickt, wie die lechzende Flur durch den befruchtenden Regen. | So urtheilte ein erfahrner Musiker, als er die Schöpfung von Haydn hörte.

In der Bach'schen Fuge sind alle Forderungen erfüllt, die man sonst nur an freiere Kompositionsgattungen zu machen wagt. Ein charaktervolles Thema, ununterbrochen blos aus demselben hergeleiteter, eben so charaktervoller Gesang vom Anfang bis ans Ende; nicht blos Begleitung in den übrigen Stimmen, sondern in jeder ein selbstständiger mit den andern einverstandener Gesang, wiederum vom Anfange bis ans Ende; Freiheit, Leichtigkeit und Fluß im Fortgang des Ganzen; unerschöpflicher Reichthum an Modulation, mit untadelhafter Reinheit verbunden; Entfernung jeder willkührlichen, nicht zum Ganzen nothwendig gehörigen Note; Einheit und Mannigfaltigkeit im Styl, im Rhythmus und in den Tonfüßen; und endlich ein über alles verbreitetes Leben, wobei es dem Spieler oder Hörer bisweilen vorkommt, als wenn alle Töne in Geister verwandelt wären, dieß sind die Eigenschaften der Bachischen Fuge, Eigenschaften, die bei jedem Kenner, welcher weiß, was für Maaß von Geisteskraft zur Her- | vorbringung solcher Werke erforderlich ist, Bewunderung und Staunen erregen müssen. Sollte auch ein solches Kunstwerk, in welchem sich alles vereinigt, was in andern Kompositionsgattungen, ihren veränderten Bestimmungen nach, vereinzelt wird, nicht vorzügliche Bewundrung verdienen?

Besonders verdient noch gerühmt zu werden seine große Kenntniß und geschickte Anwendung der alten Kirchentonarten. Kirnberger (1. Kunst d. r. S. 2ter Th. *p.* 49.) geht so weit, daß er in mehrerer Hinsicht J. S. Bach den delikatesten der neuern Komponisten nennt, und in sehr starken Ausdrücken dessen Methode anempfiehlt, Kirchenstücke nach den alten Kirchentonarten zu setzen. „Heut zu Tage (so fährt er *p.* 66 fort) werden die alten Tonarten, zumal in protestantischen Ländern, wo die Kirchenmusik fast durchgängig sehr schlecht bestellt ist, zu sehr vernachlässigt; dieß ist eine mit von den Ursachen, warum die heutige Kirchenmusik, selbst in katholischen Ländern, so tief gesunken ist, daß man sie fast nicht mehr von der theatralischen unterscheiden kann.

| So gut eine solche Musik ausgearbeitet seyn mag, so ist sie in der Kirche doch allezeit von matter, wo nicht den Empfindungen der Andacht ganz entgegengesetzter

Wirkung. Man höre dagegen eine von guten Meistern in den wahren Kirchentonarten ausgearbeitete Musik, eine Messe von *Prenestini, Leonardo, Leo, Lotti, Franc. Gas-
parini, Frescobaldi, Battiferri*, Fux, Händel, J. S. Bach u. s. w. Ja man höre dagegen blos
einen simpeln Choral! welche Kraft! welche der Kirche und der Religion anständige
Würde, welche Hoheit des Ausdrucks! u. s. w." |

VI.

Alle seine Schüler sind bei seiner vortrefflichen Lehrart ausgezeichnete Künstler
geworden, obgleich einer mehr als der andere, je nachdem einer entweder früher in
seine Schule kam, oder in der Folge Aufmunterung und Veranlassung zur fernern
Ausbildung und Anwendung des von ihm erhaltenen Unterrichts fand. Seine beiden
ältesten Söhne, Wilh. Friedemann und C. Ph. Emanuel, sind indessen doch die ausgezeichnetsten unter ihnen geworden, gewiß nicht, weil er ihnen bessern Unterricht als
seinen übrigen Schülern ertheilt hat, sondern weil sie schon von ihrer ersten | Jugend
an, Gelegenheit hatten, im väterlichen Haus nichts als gute Musik zu hören. *)
Außer dem schon früher erwähnten Schüler Joh. Kasspar Vogler sind noch folgende
merkwürdig:
1. Homilius, Musikdirektor an den drei Hauptkirchen und Kantor an der Kreuz-
schule zu Dresden; geb. den 2ten Februar 1714 zu Rosenthal an der böhmischen
Grenze, und gest. am 1ten Juni 1785. Er war nicht nur ein vortrefflicher Organist,
sondern auch ein vorzüglicher Komponist für die Kirche.

*)   Es ist hier blos die Rede von solchen Schülern, welche die Kunst zu ihrer Hauptbeschäf-
tigung gemacht haben. Außer diesen hat Bach noch gar viele andere Schüler gehabt. Jeder in
seiner Nähe lebende Dilettant wollte sich wenigstens rühmen können, den Unterricht eines so
großen und berühmten Mannes genossen zu haben. Viele gaben sich auch für dessen Schüler
aus, ohne es je geweßen zu seyn.

| 2. Transchel in Dresden. Er war ein feiner Klavierspieler und ein guter Musikleh-
rer. Man hat 6 Polonaisen fürs Klavier von ihm in Manuscript, die außer den Wilh.
Friedemannischen vielleicht alle Polonaisen in der Welt übertreffen.
3. Krebs. Organist zu Altenburg. Er war nicht nur ein sehr guter Orgelspieler, sondern auch ein fruchtbarer Komponist für Orgel, Klavier und Kirchenmusik.
4. Goldberg aus Königsberg. Er war ein sehr starker Klavierspieler, aber ohne besondere Anlage zur Komposition.
5. Altnikol, Organist zu Naumburg und Schwiegersohn seines Lehrers. Er soll ein
starker Orgelspieler und Komponist gewesen seyn.
6. Kirnberger, Hof-Musikus der Prinzessin Amalia von Preussen zu Berlin. Er war
einer der merkwürdigsten unter Bachs Schülern, voll des nützlichsten Kunsteifers
und wahren hohen Kunstsinnes; geb. 1721 zu Saalfeld im Thüringschen. Gestorben
zu Berlin an einer sehr langen und schmerzhaften Krankheit im Jahr 1783.
| 7. Kittel, Organist in Erfurt. Er war ein sehr gründlicher (obgleich nicht sehr fer-
tiger) Orgelspieler.

Ich habe oben schon gesagt, daß Bachs Söhne sich unter seinen Schülern am meisten ausgezeichnet haben. Der älteste, Wilh. Friedemann, geb. zu Weimar im Jahr 1710 starb mit dem Titel eines hessen-darmstädtischen Kapellmeisters 1784 zu Berlin. Er war einer der größten Harmonisten und geschiktesten Orgelspieler. Man hat von ihm die bekannten 6 Fugen fürs Klavier.

C. Ph. Emanuel folgt zunächst auf ihn; er wurde geboren 1714 zu Weimar und starb zu Hamburg im Jahr 1788. Er kam, nachdem er zu Leipzig die Rechtsgelehrsamkeit studirt hatte, als Musiker in preußische Dienste nach Berlin, und wurde dann Musikdirector zu Hamburg. Er hat meistentheils für das Klavier gearbeitet, auch Melodien zu Gellerts geistlichen Liedern herausgegeben, Am besten sind seine Vocalcompositionen. Sein „Versuch über die wahre Art, Kla- | vier zu spielen," ist noch immer ein classisches Werk in seiner Art.

Johann Christoph Friedrich, geb. zu Weimar 1732, starb 1795 als Konzertmeister zu Bückeburg; ahmte die Manier Emanuels nach, erreichte seinen Bruder aber nicht. Er soll jedoch nach Wilh. Friedemanns Aussage unter den Brüdern der stärkste Spieler gewesen seyn, und seines Vaters Klaviercompositionen am fertigsten vorgetragen haben. Durch seine herausgegebenen Musikalien ist er ziemlich bekannt.

Johann Christian, (der englische genannt), geb. 1735 zu Leipzig, gest. zu London 1772, war wegen der galanten Manier, in der er geschrieben, lange Zeit Lieblingskomponist. |

VII.

Joh. Seb. Bach war ein vorzüglich guter Hausvater, Freund und Staatsbürger. Die Tugenden des Hausvaters bewies er durch seine Sorgfalt für die Bildung seiner Kinder, und die übrigen durch gewissenhafte Erfüllung gesellschaftlicher und bürgerlicher Pflichten.

Jedermann ging gern mit ihm um. Seine Gastfreundschaft kannte man weit und breit und deshalb wurde sein Haus fast nie von Besuchen leer.

Als Künstler war er außerordentlich bescheiden. Alle seine Urtheile über andere Künstler und ihre Werke waren freundlich und billig. *) Es

*)   Möchte sich doch Herr N. zu N. auch nach Bach richten. – Doch wer kennt nicht seine Tadelsucht?

| mußte ihm nothwendig manches Kunstwerk klein vorkommen, da er sich ausschließend fast immer mit der höhern, größern Kunst beschäftigte; dennoch hat er sich nie erlaubt, ein hartes Urtheil darüber zu äußern, es müßte denn gegen einen seiner Schüler gewesen seyn, welchen er reine, strenge Wahrheit schuldig zu seyn glaubte. Noch weniger hat er sich je durch das Gefühl seiner Kraft und Uebermacht verleiten lassen, ein herausfordernder musikalischer Renomist *) zu werden, wie dies so häufig der Fall bei Spielern ist, die sich für stark halten, wenn sie einen schwächern vor sich zu sehen glauben.

Die vielen, zum Theil abentheuerlichen Fechterstreiche, die ihm nachgesagt werden, z. B., daß er bisweilen, als ein armer Dorfschulmeister gekleidet, in eine Kirche gekommen sey, und den Organisten gebeten habe, ihn einen Choral spielen zu lassen, um sodann das, durch sein Spielen erregte allgemeine Staunen der Anwesenden zu

*)   Deren gibt es heut zu Tage sehr viele.

| genießen, aber vom Organisten zu hören, er müsse entweder Bach oder der Teufel seyn etc. sind erdichtete Mährchen.

Die Komponisten, die er in seiner Jugend studirte, schätzte und liebte, sind schon genannt. In seinem spätern, völlig reifen Alter wurden sie aber verdrängt. Hingegen hielt er nun viel auf den ehemaligen kaiserlichen Ober-Kapellmeister Fux. auf Händel, auf Caldara, auf Reinh. Kayser, auf Hasse, beide Graune, Telemann, Zelenka, Benda etc. überhaupt auf alles, was damals in Dresden und Berlin am vorzüglichsten war. Was man in der Welt ein glänzendes Glück nennt, hat Bach nicht gemacht. Er hatte zwar ein einträgliches Amt, aber er hatte auch von den Einkünften desselben eine große Anzahl Kinder zu ernähren und zu erziehen. Andere Hilfsquellen hatte und suchte er nicht. Er war viel zu sehr in seine Geschäfte und in sene [sic!] Kunst vertieft, als daß er diejenigen Wege hätte einschlagen mögen, auf welchen vielleicht für einen solchen Mann, wie er war, besonders in seiner Zeit, eine Goldgrube zu finden gewesen wäre.

Quelle: *Lebensbeschreibung* | *des* | *Kapellmeister des Fürsten von Köthen, hernach* | *Musikdirektor an der Thomasschule zu Leipzig und* | *königl. polnischer Hofkomponist* | *Johann Sebastian Bach.* | *–* | *Nebst* | *einer Sammlung interessanter* | *Anekdoten und Erzählungen* | *größtentheils aus dem Leben berühmter Ton-* | *künstler und ihrer Kunstverwandten.* | *Herausgegeben* | *von* | *J. E. Großer.* | *Neue Ausgabe.* | *–* | *Breslau,* | *bei Eduard Pelz.* | *1834.*, S. 5–58 [1. Ausg. Breslau 1829.] [Expl.: D-LEb]
Frontispiz: Unbezeichnete Lithographie (Verlag J. D. Gruson u. Comp., Breslau) in Anlehnung an die unbezeichnete Vignette zum 1. Jahrgang der AMZ, einem verkleinerten Abdruck des Stichs, den Breitkopf & Härtel wahrscheinlich um 1798 als Einzelblatt mit dem Signum „Gebel pinx Leipzig" (offenbar Emanuel Traugott Goebel) veröffentlichte (→ Dok IV, B 19, B 20 und B 22).
Anm.: Johann Gottlob Schneider in Dresden gewidmet. Große Teile, mitunter wortgetreu, sind aus Forkel entnommen. Hinweise auf Gerbers NTL (→ A 4), Fußn. zu S. 15–16, mit Anmerkungen zu Johann Jacob Froberger, Johann Kaspar Kerll und Johann Pachelbel. Abschnitt V mit ästhetischen Betrachtungen über den Ausdruck „schöne Melodie" und über die Fuge als ein „ästhetisches Tonstück" (S. 47), in Anlehnung an Triest (→ B 1) und Thibaut (→ B 32). S. 59–74: „Zum Beschluß noch einige Anekdoten von ihm und seinen Söhnen." → A 36.
Lit. zu Johann Emanuel Großer: Carl Julius Adolph, *Die Tonkünstler Schlesiens: ein Beitrag zur Kunstgeschichte Schlesiens, vom Jahre 960 bis 1830*, Breslau 1830; Karl Gabriel Nowack, *Schlesisches Schriftsteller-Lexikon: oder bio-bibliographisches Verzeichnis der im zweiten Viertel des 19. Jahrunderts lebenden schlesischen Schriftsteller*, Breslau 1836–1843.

A 12

Milde: Über das Leben und die Werke
der beliebtesten deutschen Dichter und Tonsetzer
Meissen, 1834

Deutsche Tonsetzer.

———

I.

Johann Sebastian Bach.

———

Der Tonsetzer Bach, von welchem hier die Rede seyn soll, stammte aus einer Familie her, die in sechs Generationen vor ihm funfzig als Musiker gehabt hat.

Auch die Söhne des Bach's, von welchem hier die Rede ist, waren Musiker und zum Theil Tonsetzer, doch bei weitem nicht in dem Grade, wie ihr Vater.

Dieser war am 21sten März 1685. zu Eisenach geboren, wo sein Vater, der die Vornamen Johann Ambrosius führte, Hof- und Stadtmusikus war.

Unser Bach erhielt von seinem ältern Bruder, mit Vornamen Johann Christoph, Unterricht im Clavierspielen. Dieß lernte er bald so gut, daß er schwere Sachen spielen wollte. Sein Bruder verweigerte ihm aber die Mittheilung eines Notenbuches, in welchem mehrere Stücke von Musikern enthalten waren, welche er zu spielen wünschte. Da ergriff er die Maaßregel, daß er das | Notenbuch, welches sich in einem mit Gitterthüren versehenen Schranke befand, durch Zusammenrollen heraus zog, was er mittelst seiner kleinen Hände möglich zu machen im Stande war. Aber nun hatte er kein Licht; daher konnte er es nur beim Mondlichte abschreiben. Wirklich brachte er eine solche Abschrift nach sechs Monaten zu Stande. Allein sein Bruder nahm sie ihm weg. Doch dauerte dieß nicht lange, denn sein Bruder starb bald, und so nahm er seine Abschrift wieder in Besitz.

Dann ging er in das Chor der Michaelisschule zu Lüneburg und ließ sich daselbst als Discantist aufnehmen. Es verließ ihn aber diese Stimme bald. Ehe er eine andere gute Stimme erhielt, übte er sich inmittelst im Clavier- und Orgelspielen.

Seine erste Anstellung war die als Hof-Musikus in Weimar. Dieß geschah im Jahre 1703., wo Bach erst 18. Jahr alt war. Das Jahr darauf ward er Organist in Arnstadt. Hier studierte er vorzüglich die Schriften der berühmtesten Organisten, und ging von da im Jahr 1706. zu Fuß nach Lübeck, um dort den berühmten Organisten Dietrich Buxtehude, dessen Werke er schon gelesen hatte, zu belauschen, denn es geschah dieß ohne jenes Vorwissen und bald ein Vierteljahr lang.

Darauf erfolgten seine ferneren Anstellungen sehr schnell hinter einander. Denn im Jahr 1707. erhielt er eine | Organistenstelle in Mühlhausen. Im Jahr 1708. ward er Hof-Organist in Weimar, wo er sich als Orgelspieler und als Tonsetzer für sie ausbildete. Dieß gerieth ihm so gut, daß man ihm daselbst im Jahr 1717. zugleich eine

Stelle als Concert-Meister, jedoch mit dem Auftrage, gab, Kirchenstücke zu setzen und aufzuführen.

Im Jahr 1717. war ein französischer Clavier- und Orgelspieler, *Jean Louis Marchand*, nach Dresden gekommen und hatte vor dem damaligen Polnischen Könige und Sächsischen Kurfürst öfter gespielt. Da fragte der König, dem er gefallen hatte, seinen Concert-Meister *Volumier* über ihn. Dieser Concert-Meister mochte dem Hrn. *Marchand* wohl ein geschicktes Abspielen, aber nicht sonstige gründliche Kenntnisse zugetraut haben, und schlug dem König einen musikalischen Wettstreit mit unserm Bach vor. *Volumier* hatte wahrscheinlich die Absicht gehabt, dem Könige das Vergnügen zu verschaffen, ihren beiderseitigen Werth aus eigner Vergleichung bestimmen zu können. Es ward daher mit Bewilligung des Königs ungesäumt ein Bote an Bach nach Weimar geschickt, um ihn zu diesem Wettstreite einzuladen. Bach nahm die Einladung an und erschien in Dresden. Der Concert-Meister verschaffte ihm zuerst Gelegenheit, *Marchand* heimlich zu hören. Bach behielt seinen Muth und lud den Franzosen durch eine höfliche | Zuschrift zu einem musikalischen Wettstreit ein, erbot sich, alles, was dieser ihm aufgeben würde, aus dem Steegreife auszuführen; forderte aber von ihm eine gleiche Bereitwilligkeit. *Marchand* nahm die Aufforderung an, und so ward mit Vorwissen des Königs die Zeit und der Ort des Kampfes bestimmt.

Eine große Gesellschaft beiderlei Geschlechts von hohem Range versammelte sich in dem zum Kampfplatz gewählten Hause des Marschalls Grafen von Flemming. Unser Bach ließ nicht auf sich warten und erschien zur bestimmten Zeit. Aber *Marchand* blieb aus, und nach langem Warten bekam man die Nachricht, daß *Marchand* schon am Morgen dieses Tages von Dresden abgereist sey, ohne von irgend jemand Abschied zu nehmen.

Bach mußte sich nun allein hören lassen, und that dieß zu aller Anwesenden Bewunderung.

Nicht lange nach diesem Ereignisse ward er von dem damaligen Fürst Leopold von Anhalt-Cöthen, der die Musik kannte und liebte, zu seinem Kapell-Meister berufen. Bach trat diese Stelle an und verwaltete sie fast sechs Jahre, machte aber während dieser Zeit eine Reise nach Hamburg, um sich dort auf der Orgel hören zu lassen. Sein Spiel erregte allgemeine Bewunderung.

| Im Jahr 1723. wurde Bach zum Musik-Director und Cantor an der Thomas-Schule zu Leipzig ernannt. Bach bedauerte es zwar, seinen geliebten Fürsten verlassen zu sollen, aber er nahm diese Stelle doch an und verwaltete sie bis zu seinem Tode. Ein Trost war ihm, daß der Fürst von Cöthen bald nachher starb. Auf diesen ihm aber dennoch sehr schmerzhaften Todesfall setzte er eine Trauermusik mit vielen Doppel-Chören, die er in Cöthen selbst aufführte.

Nach einiger Zeit erhielt er von dem Herzog von Weißenfels den Kapellmeister-Titel, und im Jahr 1736. den Titel eines Königl. Polnischen und Kurfürstl. Sächsischen Hof-Compositeurs.

Schon früher hatte Friedrich der Große den Wunsch gehegt, Sebastian Bach einmal spielen zu hören, denn er liebte die Musik und spielte selbst die Flöte. Er äußerte diesen Wunsch gegen Bach's Sohn, Phil. Emanuel, der in seinen Diensten stand. Dieß veranlaßte unsern Bach, im Jahr 1747. mit seinem Sohne Friedemann nach Potsdam zu reisen. Es traf sich, daß der König bei Bach's Ankunft gerade sein Kammer-Concert hielt und dieser dem König sogleich gemeldet wurde. Er schickte auf der Stelle zu Bach, und diesem blieb dabei keine Zeit, sein Amtskleid anzuziehen, sondern er mußte in dem Reisekleide erscheinen. Nach be- | endigten Complimenten schritt Bach zum Werk und führte ein ihm von dem Könige gegebenes Fugen-Thema aus dem Stegreif durch, und improvisirte eine sechsstimmige Fuge zu des Königs und aller Anwesenden Bewunderung. Beide Fugen arbeitete Bach in der Folge aus und widmete sie dem Könige unter dem Titel: musikalisches Opfer.

Den folgenden Tag mußte Bach auch seine Kunst im Orgelspiele beweisen und auf mehreren Orgeln des Ortes spielen, wobei er ebenfalls Beifall erhielt.

Diese Reise war Bach's letzte. Durch seinen anhaltenden, sehr oft bis in die Nacht fortdauernden Fleiß waren seine Augen geschwächt worden. Er verfiel sogar in eine schmerzhafte Augenkrankheit, daß er sich zweimal einer Operation unterwerfen mußte. Dennoch erfolge keine Besserung. Der hiermit verbundene Gebrauch der ihm vielleicht schädlichen Arzneimittel zerrüttete seine früher so dauerhafte Gesundheit, und so starb er Abends am 30. Juli 1750. im 66sten Jahre seines Lebens.

Bach war zweimal verheirathet gewesen. *) In der ersten Ehe wurden ihm sieben, in der zweiten vier-

*)   Der Verfasser hat die Namen der Frauen Bach's in dessen Lebensbeschreibungen nicht angegeben gefunden, auch in der Folge ihm erst genannten nicht.

| zehn Kinder geboren, namentlich elf Söhne und neun Töchter.

Von Bach's Söhnen haben sich nur die beiden ältesten aus der ersten Ehe, Friedemann und Philipp Emanuel, und der jüngste aus der zweiten, Johann Christian, in musikalischen Anlagen ausgebildet, aber keiner von ihnen hat den Vater erreicht. Den jüngsten nannte man den Mayländischen oder Englischen Bach, weil man dessen heitere und liebliche Sangweisen liebte.

Eine vollständige Beschreibung seines Lebens ist folgende Schrift: „Ueber Johann Sebastian Bach's Leben, Kunst und Kunstwerke. Für patriotische Verehrer echter musikalischer Kunst von J.M. [sic!] Forkel. Mit Bach's Bildniß und Kühnel (*Bureau de Musique*) 1802." in 4. – Eine kürzere Beschreibung von Bach steht in der Schrift: „Darstellungen aus der Geschichte der Musik nebst vorbereitenden Lehren aus der Theorie der Musik, von Karl Christian Friedrich Krause." Göttingen. 1827. S. 171 bis 188.

In der Forkelschen Schrift findet man eine kunstverständige Beurtheilung der Art, wie Bach das Clavier und die Orgel spielte. S. 11. bis 23. Auch werden S. 50. bis mit 62. Bach's Werke genau angeführt. – Unter denselben befinden sich mehrere Clavier- | Uebungen, namentlich Präludien; Allemanden; Menuetten; ein Concert im

italienischen Geschmack; eine Ouverture nach französischer Art; eine Arie mit Veränderungen; sechs Choräle, auf einer Orgel mit zwei Clavieren und Pedal zu spielen; einige kanonische Veränderungen über das Weihnachtslied: Vom Himmel hoch
da komm' ich her u. s. w.; das bereits erwähnte musikalische Opfer und die Kunst
der Fuge. Das letzte Werk kam erst nach dem Tode des Verfassers heraus. Dasselbe
geschah mit I. den Claviersachen, welche 1) sechs kleine Präludien für Anfänger; –
2) funfzehn zweistimmige Inventiones (diese bedeuteten musikalische Sätze, die so
beschaffen waren, daß aus ihnen durch Nachahmung und Versetzung der Stimmen
die Folge eines ganzen Stückes entwickelt werden konnte, eine Invention); – 3) funfzehn dreistimmige Inventiones (auch Symphonien genannt, nur daß sie noch mehr
enthalten sollen); – 4) das wohltemperirte Clavier, oder Präludien und Fugen durch
alle Töne; – 5) Chromatische Fantasie und Fuge. Lange hat sich Forkel Mühe geben
müssen, um diese Fantasie in Besitz zu bekommen, bis er sie endlich durch Bach's
Sohn, Wilh. Friedemann aus Braunschweig, erhielt. Ein dessen und Forkel's Freunde, der Knittelverse machte, auf ein beigelegtes Blatt geschrieben:

| Anbey kommt an
Etwas Musik von Sebastian,
Sonst genannt: *Fantasia chromatica*;
Bleibt in alle *Saecula*.

– 6) Eine Fantasie anderer Art, wie die vorhergehende, bloß wie ein Sonaten-Allegro
in zwei Theilen; – 7) sechs große und – 8) sechs kleine Suiten, bestehend in Präludien, Allemanden, Couranten u. s. w. – II. den Claviersachen mit Begleitung anderer
Instrumente. Dahin gehören 1) sechs Sonaten für das Clavier, mit Begleitung einer
Violine; – 2) Viel einzelne Sonaten, mit Begleitung der Violine, Flöte, Viola da Gamba
u. s. w. – 3) Concerte für den Flügel, mit Begleitung allerlei Instrumente; – 4) Zwei
Concerte für zwei Claviere, mit Begleitung von Violinen, Bratsche und Violoncell; –
5) Zwei Concerte mit Begleitung von vier BogenInstrumenten, und – 6) ein Concert
für Clavier und mit Begleitung von vier Bogen-Instrumenten. – Besonders nützlich
war: 7) sein Wohltemperirtes Clavier, welches aus 24. Vorspielen und Fugen durch
alle Tonarten bestand. – III. Orgelsachen. Dahin gehören nämlich: 1) große Präludien und Fugen mit obligatem Pedal; – 2) Vorspiele über die Melodien verschiede-
ner Choral-Gesänge, und – 3) sechs Sonaten oder Trio für zwei Claviere mit dem |
obligaten Pedale, um sich zum Orgelspieler auch zu Hause bilden zu können. –
IV. Instrumentalsachen. Von diesen sollen nur wenige noch vorhanden seyn, weil
sie meistens verloren gegangen sind. Zu den erhaltenen gehören: 1) sechs Violin-
Solo's und – 2) sechs Violoncello-Solo's; beide ohne alle Begleitung. – V. Singsachen.
Diese bestehen aus: – 1) fünf vollständigen Jahrgängen von Kirchenstücken auf alle
Sonn- und Festtage; – 2) fünf Passions-Musiken; eine davon zweichörig; – 3) viele
Oratorien, Missen, Magnificate, einige Sanctus, Geburtstags-, Namenstags- und
Trauer-Musiken, Brautmessen, Abend-Musiken, auch einige italienische Cantaten,
und – 4) viel ein- und zweichörige Motetten.

Quelle: *Über | das Leben und die Werke | der beliebtesten | deutschen | Dichter und Tonsetzer | von |*
Theodor Milde. | – | Zweiter Theil. | Von den deutschen Tonsetzern. | – | Meissen, | bei Friedrich Wil-
helm Goedsche. | 1834., S. 1–10. [Expl.: D-Jmi, Signatur: *Hist. Lit. III, 31/38*]
Anm.: Über Theodor Milde waren keine Lebensdaten und -beschreibungen zu ermitteln.
Als Quellen sind angegeben: Forkel und Krause, *Darstellungen aus der Geschichte ...* (→ A 9). Im
Vorwort (S. I–II) verweist Milde auf Gerbers ATL (→ Dok III, Nr. 948) und NTL (→ A 4). Zum
Knittelvers über die Chromatische Phantasie und Fuge → Dok III, Nr. 768.

A 13

SCHUMANN: KURZBIOGRAPHIE BACHS

LEIPZIG, 1834

Bach, die berühmteste deutsche Tonkünstlerfamilie. Der Stammvater, Johann Ambrosius, ging der Religion wegen aus seiner Heimath Ungarn fort, um sich im protestantischen Deutschland eine andere zu suchen. Johann Sebastian wurde 1685 zu
Eisenach geboren, verlor aber schon als Knabe von 10 Jahren seine Eltern. Bereits
im 19. Jahr erhielt er die Organistenstelle in Arnstadt. Um diese Zeit war es, wo er
unermüdet nach dem Ziel zu ringen begann, das ihm sein Genius deutlich gezeigt.
Nachdem er 1707 dieses Amt mit einem ähnlichen in Mühlhausen, später mit der
Concertmeisterstelle in Weimar vertauscht, ward er 1717 Kapellmeister in Köthen.
Von da aus berief ihn der Magistrat zu Leipzig. Er starb als Musikdirector und Cantor an der Thomasschule, die ihren Ruhm auf seinen Namen gründet, am 28. Juli
1750. Vergebens sucht man nach einem Denkmal; nicht einmal eine Spur von seinem
Grabe ist zu treffen. Wie groß und reich stach sein inneres Leben gegen das äußere
ab! Nicht allein Fleiß war es, der ihn hinaushob über alle Schwierigkeiten der musikalischen Combinationen, sondern angestammtes Genie des Scharfsinnes. Was wir
Nachkömmlinge für Wunderbares in der Verflechtung der Töne gefunden zu haben
meinen, liegt schon in ihm angesponnen und oft ausgewickelt. Zu dieser vollkommenen Beherrschung des Physischen kommt nun auch der Gedanke, der Geist, der
seinen Werken inne wohnt. Dieser war durch und durch Mann. Daher finden wir
in ihm nichts Halbes, sondern Alles ganz, für ewige | Zeiten geschrieben. Dieser
Geist schuf aber auch nicht einseitig, sondern reich, ja üppig. Wie das höhere Genie
meistens auch das fruchtbarere ist, so hat er uns eine Sammlung von Kunstwerken
hinterlassen, deren bloß äußerer Umfang in Erstaunen setzt. Er schrieb fast für alle
Instrumente und in allen Gattungen, unter jenen am meisten für Orgel und Klavier,
auf welchen er der größte Virtuos seiner Zeit war, in diesen am häufigsten für die
Kirche. Bach hinterließ 20 Kinder, unter denen sich 11 Söhne als Musiker auszeichneten. Der älteste, Friedemann, soll seinen Vater als Orgelspieler erreicht, ja übertroffen haben. Der andere, Philipp Emanuel, lebte in glücklichen Verhältnissen als
Kammermusikus Friedrich's des Großen. Als Klaviercomponist bezeichnet er eine

Epoche, da seine Werke wegen ihres freiern phantastischen Schwunges, dem freilich die Höhe des väterlichen fehlt, als erste in dieser Schreibart der haydn-mozart'schen Periode verwandte anzusehen sind. Durch seine Schrift „über diese wahre Art das Klavier zu spielen," in welcher namentlich der Daumen, erst von Johann Sebastian frei auf Obertasten gebraucht, als die Mechanik erweiternd und erleichternd dargestellt ist, bereitete er die Kunst des Klavierspielens vor, die sich nach und nach in solcher Höhe ausgebildet.

R. S.

Quelle: *DAMEN | Conversations | Lexikon. | – | Herausgegeben | im Verein mit Gelehrten und Schriftstellerinnen | von | C. Herlosssohn. | – | Erster Band. | A bis Belmonte. | – | Leipzig, 1834. | In Commission bei Fr. Volckmar.*, S. 402–403. [Expl.: D-LEdb, Deutsches Buch- und Schriftmuseum, Signatur: *VA 844*]
Lit.: Richard D. Green, *Robert Schumann als Lexikograph*, Mf 32, 1979, S. 394–403.

A 14

Gathy: Musikalisches Conversations-Lexicon

Leipzig, Hamburg und Itzehoe, 1835

Bach (Joh. Sebastian), diesem unsterblichen, seiner tiefsten Eigenthümlichkeit nach echt deutschen Tonkünstler, dem größten Contrapunktisten und Orgelspieler der Welt, dessen Werke selbst ein Mozart, Beethoven und alle großen Komponisten als eine unerschöpfliche Fundgrube wahrer Ausbeute für die Kunst betrachteten, sind wir eine genauere Charakteristik schuldig. Sein Leben war einfach. In vieler Hinsicht ist es interessant, ihn mit Händel zu vergleichen. Händel und Bach wurden geboren nach langem Schlummer künstlerischer und auch tonkünstlerischer Originalität, fast in einem Monate; Beide starben im hohen Mannsalter, thätig bis an ihr Lebensende. Beide wuchsen in niederm Stande und kümmerlichen Verhältnissen auf; Beide waren stark und eisenfest von Körper. An Beiden zeigte sich das große Talent schon in den Kinderjahren; Beide sind schon als Knaben tief eingeweiht in Theorie und Praxis. Beide erhielten Unterricht von ausgezeichneten Organisten, um gleichfalls ausgezeichnete Organisten zu werden. Beide gelangen später zu einem höhern Beruf, werden weit und breit berühmt und von den größten Fürsten ihrer Zeit ausgezeichnet. Beide widmen ihre Fähigkeit vor Allem dem Erhabenen, Großen, Reichen, und am liebsten für religiöse Zwecke. Beide sind strengrechtliche Männer, voll Glauben an die Religion. Beide erblinden in ihrem Alter, ohne deshalb ihrer Kunst untreu zu werden; Beide sterben ruhig, geachtet und geehrt, aber erst von der Nachwelt mehr verstanden. Wie viele Aehnlichkeiten; und dabei doch Beide so ganz verschieden als Menschen und als Künstler; Händel gefiel sich im Gewühl des Lebens, unter Massen des Volks und im Umgang mit den Großen, machte die

vielfältigsten Erfahrungen, und blieb bei allem Schicksal seinem Charakter treu
bis zum Tode; sein Leben hat etwas Heroisches. Bach fühlte sich befriedigt, mit sie-
benzig Thalern als Organist in Arnstadt angestellt zu sein, ließ sein weiteres Glück
ungesucht kommen, lebte in stiller Zurückgezogenheit seinem Amte und seiner
Kunst, und erzeugte eine ganze Colonie von Kindern, starb arm, und ruht auf dem
Leipziger Gottesacker, Niemand weiß wo. Sein Leben bat etwas Patriarchalisches.
Uebrigens haben Beide einander nie gesehen, und eben so wenig bemerklich auf
einander eingewirkt. Wer ausführlicher über Bach's Leben belehrt sein will, den
verweisen wir auf die Biographie Seb. Bach's von Forkel, indem wir hier nur die
wichtigsten Data anmerken. Sebastian Bach ist den 21. März 1685 zu Eisenach geboren. Er legte den Grund zu dem Klavierspielen zu Ohrdruff bei seinem ältern Bruder Johann Christoph. Nach dessen Tode lernte er in Lüneburg; bildete sich bei dem
Organisten Reinecke in Hamburg und bei dem Organisten Buxtehude in Lübeck
weiter aus. | 1703 erhielt er einen Ruf als Concertmeister nach Weimar; 1704 ging er
nach Arnstadt, wo er sich eigentlich zu dem großen Organisten und Kompositeur
ungestört ausbildete; 1707 ward er Organist zu Mühlhausen, 1708 Hoforganist in
Weimar, 1714 Concertmeister daselbst, 1717 Kapellmeister zu Köthen, 1723 Cantor
und Musikdirektor an der Thomasschule zu Leipzig, und 1736 Königl. Kurf. Sächs.
Hofkomponist. Einmal wurde er zu einem Wettstreit mit dem französischen Virtuosen Marchand nach Dresden eingeladen; doch machte sich dieser vor Bach's An-
kunft aus dem Staube. Die Bachsche Familie stammte aus Presburg in Ungarn; Joh.
Ambrosius Bach, Sebastians Vater, auch ein wackerer Musiker, verließ Ungarn wegen der Religion und ging nach Thüringen. Mehr als 50 Tonkünstler sind aus dieser
Familie hervorgegangen. Sebastian starb am 28. Juni 1750, in Leipzig. Bach verbindet in seinen Werken die große Einheit mit möglicher Mannigfaltigkeit, indem er
jedoch lieber der letztern als der erstern etwas aufopfert. Zu jedem Stücke wählt
er einen Hauptgedanken, dem er dann einen oder mehrere Nebenideen zugesellt,
die sich aber so natürlich anschmiegen, daß jener erst mit diesen verbunden ganz
hervorzutreten scheint. Diese Ideen trennt, verbindet, dreht und wendet er auf alle
nur ersinnliche Weise, so daß kaum der vertrauteste Kenner seinen wundersamen
Strukturen bis ihre Tiefen folgen kann. Sehr selten ist er gefällig; das Gefühl faßt er
von Seiten des Großen und Erhabenen, und hält es kräftig auf dem Höhenpunkte
fest. Am meisten beschäftigt er den Verstand, doch auf eine lebendige, durchdrin-
gende Weise; wer bei einem Kunstgenusse nicht denken mag, für den sind seine
Werke nicht. Bei dem Gesange behandelt er jede Stimme frei und melodiös, wobei
jedoch alle nur ein engverschlungenes Ganze bilden. Man muß daher alle Theile
und zugleich das Ganze immer mithören, wenn man ihn verstehen will; sonst hört
und sieht man Vieles, kann aber das Ganze nicht überhören und übersehen. Um sich
in seine Art einzuweihen, studiere man etwa erst seine Choräle und achte auf den
Gang der Stimmen in Bezug auf die Hauptmelodie. Von diesen gehe man zu dem
„wohltemperirten Klavier" über und spiele die einzelnen Stücke so oft als möglich;
auf diese Art wird der sich Uebende mehr und mehr in Sebastians abstruse Weise

eindringen und sein Genius wird ihm immer klarer aufgehen. Was ihm erst fremdartig klang, wird ihm bald wunderbar vertraut entgegentreten, er wird seinem
geheimnißvollen Führer durch die sonderbaren labyrinthischen Gänge mit Genuß
folgen und ihn auf jedem Schritte lieber gewinnen. Nach solchen Vorübungen wird
man erst fähig, Bach's Gesang- und Orchesterstücke zu fassen. Dann werden Bach-
sche Motetten, wie: „Wie sich ein Vater u. s. w." „Sei Lob und Preis," eine eigne |
stärkende und erhebende Kraft auf das Gemüth üben. Eins seiner bedeutendsten
Werke ist seine „Große Passionsmusik nach dem Evangelisten Johannes," voll Wahrheit und treuen, innigen Ausdrucks. Hier wollte er populär sein; und in der That
die Recitative und Chöre sind nicht genug zu preisen, und thaten bei den Aufführungen große Wirkung. Ein sehr interessanter Aufsatz über die drei Passionen Seb.
Bach's findet sich in Rochlitz Schriften für Freunde der Tonkunst. 4 Bände. Die Zahl
seiner Kompositionen ist sehr groß. (Ueber 100 Concerte, Sonaten, Präludien, Trios,
auch für Flöte und Cello; Giguen, Allemanden, Couranten, Fugen, Sarabanden, auch
Sonaten für drei Hände. Ueber 100 Cantaten für die Kirche. Auch ist er als Erfinder
der Fingersetzung zu betrachten. Das Meiste von Seb. Bach ist 1800 bei Kühnel in
Leipzig erschienen; Vieles aber blieb noch ungedruckt. Die Werke Bach's tragen
durch den genauen Fleiß, durch den sinnvollen Ernst, durch das Vorwalten des Gedankens und die tiefe, gründliche Kunst, wie wir schon sagten, ein echt deutsches
Gepräge; sie erinnern an jene gothischen Dome, an denen die colossale Idee des
Meisters bis in's Kleinste mit treuer Sorgsamkeit ausgeführt ist, wo die Bogen, Verzierungen, Bilder und zahllosen Figuren alle in einem wunderbaren Einklang zu
einander stehen; deren Anblick den Betrachter anfangs verwirrt, aber bei längerm
Beschauen immer mehr mit der Ahnung einer erhabenen Harmonie erfüllt.

Quelle: *Musikalisches | Conversations-Lexicon, | Encyklopädie | der gesammten Musik-Wissenschaft |
für | Künstler, Kunstfreunde und Gebildete, | unter Mitwirkung | von | Ortlepp, J. Schmitt, Meyer, Zöll-
ner u. m. A., | redigiert | von | A. Gathy. | – | Ausgabe in Einem Bande. | – | Leipzig, Hamburg und Itze-
hoe, | Schuberth & Niemeyer. | – | 1835.*, S. 28–29. [Expl.: D-LEmi, Signatur: *Mub 14/5*]
Anm.: August G. (Pseudonym: Jordanus Bruno) war Schüler von Johann Christian Friedrich
Schneider in Dessau sowie Mitarbeiter der NZfM. Herausgeber des *Musikalischen Conversations-
lexikons*, Hamburg 1835, 2. Aufl. 1840.
Enthält noch folgende Biographien der Bach-Familie: Carl Philipp Emanuel B. (S. 26–27), Ceci-
lia B. [geb. Grassi, Gattin Johann Christian B.] (S. 27), Johann Bernhard B. (S. 27), Johann Christian B. (S. 27), Johann Christoph B. (S. 27), Johann Christoph Friedrich B. (S. 27), Johann Ludwig B. (S. 27), Johann Michael B. (S. 27–28), Wilhelm [Friedrich Ernst] B. (S. 29), Wilhelm Friedemann B. (S. 29).
Lit. zu August Gathy, auch Franz Servais August G.: ADB 8 (Fürstenau), S. 408–409; Hans Schrö-
der, *Lexikon der hamburgischen Schriftsteller bis zur Gegenwart*, Hamburg 1851–1853.

A 15

MARX: BIOGRAPHIE BACHS
STUTTGART, 1835

Bach, Johann Sebastian (im Stammbaum Nr. 26), geboren zu Eisenach den 21. März 1685, gestorben den 28. Juli 1750. Der unermeßliche Ruhm dieses Musikers hat im Laufe von fast anderthalb Jahrhunderten so wenig eine Verringerung erlitten, daß es vielmehr erst der letzten Zeit vorbehalten geblieben ist, einen tiefern Blick in sein innerstes Wesen zu thun, um daß man je später, je mehr erkennt, was der Eine Mann vermocht, was er alles vollbracht, was er in seinen zahllosen Werken uns zur Erhebung, zum Studium, zum letzten und höchsten Lernen, zum ewigen Muster-bilde für unser Wirken niedergelegt. Dieser Mann war der unscheinbare Kantor in Leipzig, mit seinem Schuldirector in Zwist, um den Unterhalt seiner Familie besorgt, während welsche und deutsche Zeit-Genossen auf Goldhaufen die Huldigungen der Großen und der nachjubelnden Nationen entgegen nahmen.
Wir müssen wohl, von manchem Beispiel geleitet, darauf gefaßt seyn, den hochver-dienten und hoch gefeierten Mann von geringern Zeitgenossen überglänzt, in dürf-tigerm Wirkungskreise, in kümmerlichen Verhältnissen zu finden. Nicht verstanden, verkannt und versäumt werden von den Zeitgenossen, ja unbemerkt bleiben, das sind gewöhnliche Schicksale für die, welche von der Laune und Schwäche des Tags unberührt ihrem Sterne folgen auf höherer Bahn. Aber das Geschick ist einzig zu nennen, daß die Zeitgenossen einen Mann ehren und bewundern, und das zweite, dritte Geschlecht ihn nachfeiert: – und der Preis nur seinem Vergänglichen, Zufäl-ligen, Beiläufigen, Körperlichen gilt, sein Ewiges und Wesentliches, sein Geistiges versäumt. Dieses eigenste Schicksal hat Bach betroffen. Es ist um so merkenswerther, da kühn vorhergesagt werden darf, daß die Erkenntniß seines Geistes und Wesens der Vorläufer einer neuen Zeit seyn wird, die uns erlöset von allem Uebel und allen Uebelkeiten, welche die neueste Zeit aus Italien und Frankreich über uns und unsre Musik gebracht hat. Es ist rührend und tröstlich, daß Bach in unschuldiger unbewuß-ter Treue jenes Nicht-Erkanntwerden selbst wohl nicht gefühlt hat. Wenn wir aber endlich begreifen, daß eben dieser Gang seines Künstler-Schicksals ein nothwen-diger und der einzig heilsame war, so wird uns der neue Blick in eine allweise Lei-tung aller Geschicke neu erheben über jede Bekümmerniß des Augenblicks, in der wir über unsern oder der Kunst | weitern Fortgang zweifelhaft werden. – Wir finden Bach in engen Lebens- und Wirkensverhältnissen. Sprößling einer um ihren pro-testantischen Glauben aus Ungarn vertriebenen Bäckerfamilie, die Thüringens kleine Städte mit zahlreichen geschickten Musikern versehen hatte, Sohn eines Mu-sikers, Zögling seines Bruders, des Cantors Joh. Christoph Bach in Ohrdruff, sehen wir ihn ganz verloren in musikalischen Studien. Vergebens will der Bruder ihm ein Heft Musikalien vorenthalten; er stielt sie und schreibt sie bei Mondschein ab, da eine Lampe ihm genommen ist. Bald finden wir ihn die Nächte durch beschäftigt,

das einzuspielen, was er Tags über, in damals unerhörter Schwierigkeit, geschrieben hat. Er wandert nach Hamburg, um den ältesten Orgelmeister, Reinken, zu hören, tritt 1703 in herzoglich weimarschen Dienst, wird 1704 Organist in Arnstadt, wo er sich vollends in der Kunst des Contrapunkts und im Orgelspiel ausgebildet zu haben scheint, kommt 1707 als Organist nach Mühlhausen, 1708 als Hoforganist nach Weimar. Da wird er 1714 Conzertmeister, 1717 Capellmeister des Fürsten von Köthen; endlich 1723 kommt er auf den Schauplatz seines reichsten Wirkens, nach Leipzig, als Cantor an der Thomasschule. Hier lebt er seiner Kunst und seinem Amte als ein frommer, treuer Diener der Kirche, als ein strenger, gefürchteter und geliebter Vorsteher seines Chors, als gesuchter überaus fleißiger und getreuer Lehrer, als ehrenfester Bürger und Hausvater einer zahlreichen Familie. 10 Söhne hinterläßt er der Welt als tüchtige Musiker, unter ihnen den weltlichen, galanten Emanuel und den dem Vater frommtreuen, bis zum trüben Ende seinem Wollen nacheifernden Friedemann, des Vaters Liebling. Hochverehrt weit und breit, um Rath und That allerwärtsher angegangen, ist er Allen nach Kräften bereit. Auch Fürsten ehren ihn; sein Herr, der ganze Dresdner Hof, damals in Ueppigkeit und Prachtliebe versunken dem flachen von Hasse geförderten italienischen Musikwesen, dem gedankenlosen Ohrenkitzel der Kastratenmusik hingegeben, stolzirt mit dem seltsamen, raren Mann aus Leipzig, läßt ihn auch, etwa zu einem Wettstreit mit dem französischen Virtuosen Marchand, herüberkommen, und bewundert seine „teufelmäßige" Geschicklichkeit. Auch wird er (1736) zum Königlich Polnischen, Kurfürstlich Sächsischen Hofcompositeur ernannt, und noch jetzt sollen in einem Musikalienschranke aus jener Zeit die Stimmen seiner hohen Messe aufbewahrt liegen. Auch Friedrich der Große vernimmt von dem merkwürdigen Cantor, und verlangt ihn zu hören, empfängt ihn mit sonderbarer Bewegung und entläßt ihn nicht unbeschenkt. Der alte Mann erblindet aber, da er seine Compositionen, um sie herauszugeben, selbst mit Friedemann in blankes Kupfer stechen muß, und stirbt im 65sten Jahre am Schlagfluß. Sein treuestes Bildniß hängt zu Berlin in der Bibliothek des Joachimsthales. Wenn man den festen Bau und die schwarzen Augen sieht, da ist einem, als bräche Feuer aus Felsen. Unter der gedankenreichen erhabenen Stirn und Nase mischen sich um den lächelnden Mund Grimm und Freudigkeit, wie sie allein der durchgearbeitete, zum Letzten entschlossene, seiner sichre und freudige Glaubenseifer in evangelischer Gewalt verrichten kann. Wir können uns an diesem Orte nicht erlauben, auf seine Verdienste um das Clavierspiel, um die Behandlung der Orgel, um die Applicatur für beide Instrumente einzugehen; dies alles ist des Näheren bei seinem Biographen Forkel zu lesen. Er führte nicht nur die Compositionen für beide Instrumente weiter, als sie je vor ihm und bis nach Mozart gegangen, sondern gab auch die Möglichkeit der technischen Ausführung. Von ihm aus verbreitete über Sachsen, über Nord- | deutschland und immer weiter eine Pflanzschule ehrenwerther Meister des Clavier- und Orgelspiels die gediegene Lehre und Spielart; und noch jetzt setzen die Tüchtigsten ihren Ruhm darin, Abkömmlinge der Bachschen Schule zu seyn. – Auch der Einfluß des Altmeisters auf Orgel- und Instrumentenbau bleibe unerörtert; und nur erwähnen wollen wir, daß die tüchtigsten Leistungen der bisherigen Theorie, die Clavierschule durch C. P. E. Bach, die Harmonik durch Kirnberger, die Contrapunctik durch Marpurg, sich auf seine Lehre und sein Beispiel gründen und an der Uebereinstimmung mit seinen Werken ihre Probe ablegen wollten. Rechnen wir damit noch alle; die von ihm und seinen Schülern gebildeten gründlichen, vielfältig wirkenden und weiter lehrenden Tonsetzer und Schulen zusammen, so dürfen wir ihn, von dem alles das ausging, den Begründer und Vater der deutschen Tonkunst nennen, so Vieles auch früher aus den venedischen, dann überhaupt aus den italienischen Schulen, von Süddeutschland her, ferner durch Händel und später von Frankreich her derselben zugeflossen ist, so viel Eigenes und Neues sich auch nach Bach entwickelt hat, so wenig sich endlich leugnen läßt, daß vor und mit ihm deutsche und fremde Meister in ähnlicher Weise gewirkt und zum Ganzen beigetragen haben. Alle diese Punkte müssen hier bei Seite treten, wo sie doch nicht nach allen Seiten und Beziehungen erörtert werden können. Nur das ist Aufgabe, den Meister in seinem Wesen als Componisten aus seinen Werken kenntlich zu machen. Wenn es nun darauf ankommt, einen Künstler aus seinen Schöpfungen zu erkennen, so lenkt sich die Betrachtung auf zwei Hauptpunkte, die freilich im wirklichen Kunstwerke, in ihrem Wesen selbst zusammenfallen zu einer untrennbaren Einheit, deren einstweilige Trennung aber uns eine gesichertere, reichhaltigere Erkenntniß verspricht. Wir können nämlich bei jedem Künstler nach seiner Idee, nach der geistigen Tendenz, dem Gedankeninhalt seines Schaffens fragen, und nach der Anschauung, nach der leiblichen Auffassung, die er von seiner Kunst, als einem geistig-körperlichen Wesen gewonnen hat. Jene Idee ist das unmittelbare Produkt aus dem Geiste des Künstlers überhaupt; ja, sie ist mit ihm identisch. Sie ist daher auch die Mutter der Anschauung, die sich im Künstler vom Kunstwesen bildet; diese Anschauung ist ihre erste That und die späteren eigenen Schöpfungen des Künstlers sind nur ihre ferneren Resultate. Ja man überzeugt sich leicht, daß auch kein zeitlicher streng durchzuführender Unterschied besteht zwischen jener Anschauung und den Werken eines Künstlers; denn in diesen offenbart sich nicht blos jene, sondern sie wächst, verändert sich, reift an und mit ihnen. Wenn aber die Idee eines Künstlers sich in jedem einzelnen Werke nur in einer bestimmten Beziehung, nur einseitig manifestirt, nur aus der Gesammtheit Aller vollständig zu erkennen ist, so erhalten wir für die Wanderung durch all diese nacheinander aufzufassenden Werke einen festen Stand- und Gesichtspunkt, indem wir uns vorerst auf die Stelle zu versetzen wissen, von der aus der Künstler die ganze Kunst angeschaut, sein Wirken begonnen hat. Hat es ihn zuerst und zu innerst (wie vielleicht Beethoven) angezogen, in die Klänge und Harmonien hineinzulauschen, – oder hat den frischen Geist Naturlaut und Volksgesang aus froher Brust (wie vielleicht Haydn) angerührt zum Mitertönen, – oder hat sein in sich versunkenes Sinnen die Tonfäden verfolgt, die sich aus mancherlei Stimmen zu einem Ganzen weben: all solche Neigung ist die erste Geburt aus der Grundidee und ihr erster Zeuge, der uns einweiset in jedes einzelne Werk, und jeden Zug desselben uns auslegt. Seb. Bachs Geist erwachte unter

dem Tongewebe contrapunctisch vereinigter Stimmen, | wie seine ganze Zeit es
noch von der vorhergehenden Periode niederländischer, italienischer und altdeutscher Schule überkommen und die protestantische Kirche in ihren Muteten u. A. bewahrt hatte. Es ruht eine eigne Macht in diesen polyphonen Tonbauten; nur daß sie
nicht jedem sich beleben, daß mancher heutige Musiker vor ihnen zurückschrickt,
wenn sie wie ein hoher grauer Dom ernsthaft in das Lattenwerk neuerer Vergnüg-
lichkeiten hereinschauen. Wem aber der Chor der Stimmen sich wirklich beseelt,
wem jede Stimme in eignem freiem Daseyn, als eine Person für sich, nahetritt, um
sich mit allen andern gleichberechtigten, gleichfreien zu Einem Ganzen, zu Einem
Zwecke zu vereinen, von dem weichen alle particularen, subjectiven und selbsti-
schen Gedanken, die ihn bei einer einzigen Hauptstimme hätten überschleichen
können; er hat nicht aus und für sich, sondern für einen Chor verschiedener Individualitäten zu sprechen, und der Gedanke muß werth seyn, von Vielen getragen zu
werden. Dieses Gewebe selbstständiger Stimmen fordert, um sich organisch und
klar zu entfalten, um sich zu steigern und zu vollenden, nicht blos vom Rhythmus,
sondern auch von der Modulation weitere und großartige Räume, einen ruhigern,
stetigern, erhabnern, allem Kleinen entsagenden Fortgang. So wird das Tongebäude
nicht blos reicher, sondern erhält als Grundcharakter eine Größe, Würde und Gediegenheit, die in andern Kunstformen in jedem einzelnen Werke erst besonders errun-
gen werden müssen. Ja wenn der in solchem Umgang Erstarkte dann am gelegenen
Orte sich in eine homophone Bildung, in eine einzelne Stimme einschließt, dann
trägt er in sie den ganzen Reichthum, die ganze vervielfältigte Kraft seines Geistes
und Charakters hinein, und das Einfache, in das sich die vielfache Macht gleichsam
zusammengelegt hat, wird um so tiefsinniger, um so tiefgewaltiger. Dies ist der
Grundzug polyphoner Composition, den jede besondere Kunstform in ihrer eignen
Weise neu ausprägt *). Und hiermit ist zugleich der Grundzug Bachscher Composition erkannt. Macht; dies ist das erste Wort für alle seine Werke. Sicherheit, Leichtigkeit im Innern auch bei dem kühnsten reichgerüstetsten Einherschritt, Würde und
Erhabenheit sind in ihrem Gefolge. Dieser Charakter offenbart sich aber nicht blos
in und an großartigen, gewaltigen Aufgaben, sondern auch im kleinsten Kreise, in
den innigsten zartesten oder zierlichsten Gebilden. Man fühlt auch in ihnen die
Macht des Geistes, die dahinter steht; man sagt sich nicht blos bei dem Kirchenstück,
auch bei der tiefsinnigen Sarabande, bei der leichthin scherzenden Gigue, daß der
Mann das Alles zur Ehre Gottes vollbracht hat. Um Solches zu vermögen, hatte er
sich aller Gestalten und Bewegungen des Tonreichs ganz bemeistert. Mag er in seinen zweistimmigen Inventionen für das Clavier oder in seinen kleinen Orgelprä-
ludien ein unbedeutendes Motiv spielend aus einer Lage, aus einer Stimme in die
andre werfen und kunstfertig ein Tonstück zusammenscherzen, oder mag er alle Gestalten der Fuge zum kunstkühnsten gewaltigsten Baue aufbieten: überall sind ihm
alle Wege bekannt und offen, jeder Schritt und Schwung ist ihm leicht. Es scheint, er
habe kein Thema anrühren können, ohne es zugleich in allen möglichen Umstel-
lungen und Umkehrungen, mit allen harmonischen und contrapunctischen Bezie-

hungen und allen Combinationen der Verkehrung, Vergrößerung, Zergliederung, rhythmischen und melo-

*)   Wir müssen annehmen, daß jeder, der nicht schon anderweitig sich mit dem Gedanken der verschiedenen polyphonen Formen vertraut gemacht hat, die einzelnen dahingehörigen Artikel, Fuge, Canon u. s. w. aus dieser Encyclopädie zu Rathe ziehe.

| dischen Erweiterung u. s. w. zu erblicken. Daher kann es ihm nie fehlen, daher kann ihm nie daran liegen, etwas Besonderes zu suchen, Neues oder Originelles zu erhaschen. Er hat eben alles; und in der Gewohnheit dieses Besitzes ergreift er ruhig und klar überall nur das Gehörige und Nöthige. So geht mit der Sicherheit und Stetigkeit einer mathematischen Schlußkette sein Tonwerk vom Anfang sicher zum Ziele, ohne Lücke, ohne Sprung, stets fortschreitend, mannigfaltig, neu und stetig zugleich, sich kräftigend und hebend, und stets, ein schöner Reigen der Stimmen, leichtbewegt in Wohlverhältniß. So führt er seine Melodie bis an die äußerste Gränze ohne Gewaltsamkeit; so entfaltet sich seine Modulation bis zu den fernsten Punkten im vollquellendsten Reichthum der Harmonien ohne Uebertreibung, ohne Uebereilung, gleich einer organischen Naturentwickelung. Und in diesen stets tiefer und weiter sich dehnenden Tonräumen bewegt sich nicht nur das polyphone Gewebe, sondern entbindet sich auch die einzelne Melodie zu einer nur auf solchem Boden erreichbaren innerlichen Unerschöpflichkeit und Macht. Nur das Eine, die Kraft der Melodie, hat man bisweilen in Frage gestellt. Denn freilich gehen seine Melodien so weit über den engen Spielraum und Gewohnheitskreis dessen hinaus, was man gewöhnlich bei Melodie sich vorstellt, daß nur ein unentnervter und unerschlaffter Geist ihnen in ihre Tiefen nachfolgen mag. Manchem mag auch nur entgehen, daß Bach statt einer, gern vier und mehr gleichzeitige Melodien miteinander fortführt. Uebereinstimmend hat man ihn als den höchsten Meister des Contrapuncts anerkannt und die oben gezeichnete Unerschöpflichkeit und Herrschaft über alle, auch die kunstreichsten Gestaltungen bewundert. Es ist nur Eins unbemerkt geblieben, und wir müssen es um so schärfer in das Auge fassen, weil sich von da die wahre Erkenntniß von der unzulänglichen Auffassung seines Wesens scheidet. – Eben weil man ihn als den unvergleichlichen Meister im Contrapuncte, namentlich in der Fuge, erkennen mußte, hat man die sogenannte kunstreiche oder auch künstliche, gelehrte Schreibart als das Ziel seines Strebens angesehen, auch wohl einen Gegensatz zwischen ihm und irgend einem andern Hochgestellten darin gesucht, daß Er der kunstreichen Form, der Andere dem Geistigen oder der Empfindung nachgegangen, Er der combinirende Verstand, der Andere der empfindende und schauende Genius zu nennen sey. – Man hat nur das Aeußerliche mit dem Innerlichen verwechselt; oder vielmehr: schon jenes ist so außerordentlich, so gedankenvoll, den Meisten so durchaus unerreichbar erschienen, daß sie an das tiefer liegende Innerste gar nicht haben gelangen können *). Nur für den Lehrzweck in einzelnen kleinern Werken, oder für sich versuchsweise bildete Bach das Kunstreiche, ja das Künstliche um seiner selbst willen; so unter andern in dem für ersteren Zweck geschriebenen Werke:

die Kunst der Fuge, in welchem eine vier- und eine dreistimmige Fuge (Nro. 12 und
13) ganz und gar, von Note zu Note, verkehrt **) worden sind, – das einzige bekannt
gewordene und ganz gelungene Beispiel vollständiger Anwendung einer

*)   Befördert wird dieses Vorurtheil durch die unzweckmäßige Weise, in der Viele sich Bach nä-
hern; sie beginnen mit seinen Inventionen und Fugen, – und müssen, wenn etwa Mozarts oder
Beethovens Sonaten vorangegangen sind, von dem kunstreichern Bau befremdet werden. Man
mache sich erst an seinen Suiten, namentlich deren Präludien, Sarabanden, Giguen, dann im
Gesang an den ansprechendsten Arien und Recitativen mit seinem Geiste und Fühlen vertraut,
so wird man ihn nicht mißverstehen.
**)   Siehe den Artikel Verkehrung und die andern technischen hier erwähnten.

| Kunstform, die in der Regel nur auf eine kurze einzelne Durchführung beschränkt
und schon in dieser Anwendung von den Technikern als eine sogenannte Zierde
der Fuge angesehen wird. Bach selbst war so weit entfernt, in allen dergleichen
Kunstformen seinen Zweck zu sehen, daß er, außer für den Lehrzweck in wenigen
einzelnen Tonstücken, das Kunstreichere nie gesucht, in der großen Anzahl seiner
Fugen diese Formen der Vergrößerung, Verkehrung u. s. w. verhältnißmäßig sehr selten angewendet hat, und nie anders, als wo sie seinem höhern Zwecke dienten, ja
wo sie für denselben eben das einzig rechte Mittel waren und zu einer neuen geistigen Kraft, zu einem neuen Gedanken wurden, ohne den das Ganze unvollständig
geblieben wäre *). Jede, auch die kunstreichste Form, ist ihm nur Mittel zum Zweck;
so weit ist er entfernt, dies je zu verkennen, daß sein höchstes und ausgedehntestes
Werk, die matthäische Passion, auch nicht eine einzige Fuge **) enthält, und sein
anderes großes fugenreiches Werk, die hohe Messe, in allen seinen Fugen auch nicht
eine einzige jener kunstvollern Formen, die ihm zu sicher und natürlich waren, als
daß er sie je hätte überschätzen, ihnen unzeitig nachgehen können. Und wenn wir
nun endlich, im Bewußtseyn seiner unumschränkt bildenden, und doch nie eitler
Künstlichkeit, stets nur dem geistigen Zwecke aller Kunst dienenden Macht, uns zu
seinen Werken wenden, wenn wir im Auffassen, wie Er im Schaffen, die Form mit
den Schwierigkeiten ihrer Erlernung vergessen, so spricht uns aus Allem ein hoher
edler, freier Geist an, der im ungebundnen Flatterzuge der Tonreihen seine Gedanken und Empfindungen frei umherspielen läßt, durchaus sinnvoll und gefühlvoll,
hier und da die Saite eines bestimmteren Gefühls schärfer rührend, bald wieder
über alles beschränkende Affectleben hinwegschwebend im Reigen der freien Töne;
so hat er in seiner Kunst ein Abbild niedergelegt, an dem wir uns versinnlichen können, was der tiefe Jakob Böhm (wo er die selige Gemeinschaft himmlischer Wesen
am lebendigsten schildert!) ein heiliges Spiel Gottes nennt, ein spielseliges Leben,
worin die reine, volle, reiche Freude, nicht aus einer bestimmten Anschauung entsprungen, nicht an einem Schaubilde haftend, sondern als erhöhtes Seelenleben, als
aufflammender Lebensfunke erscheint: ein himmlisches Freudenreich. – Was der
Mystiker hier zu ahnen und an den höchsten Gedanken, die Gottheit, zu knüpfen
wagte, vermochte kein Tonkünstler, vor Bach, in Tönen zu weben; dies ist der Grund-

inhalt seiner leichter geführten, zarter gebildeten, bald innigern, bald in leichtem und doch stets würdigem Scherze dahin spielenden Clavierstücke, wie seiner glanzvollen, oft fürstlich prunkenden Orchestersätze und seiner jetzt stillfrommen, jetzt majestätisch erbrausenden Orgelcompositionen. Soll noch Eines gesagt werden, so ist es, daß seine Tonmacht auch jedes Material, jedes Organ, das sie wählt, vollkommen beherrscht. Das zartbebende Clavier für sich allein entspricht diesen tiefsinnig zarten Sarabanden, diesen netten Tanzstücken, Inventionen, Variationen ***), diesen geistvollen Fugen und Fantasien so ganz, wie die Violine

*)   So überzeugt sich z. B. der Kenner leicht, daß in der, auch von Marpurg mitgetheilten, Fuge der sogenannten G dur-Messe (deren Text ursprünglich geheißen: Siehe zu, daß deine Gottesfurcht nicht Heuchelei sey – vergl. Berl. allg. mus. Ztg. Jahrgang 5 Seite 421) die gleich mit der zweiten Stimme eintretende Verkehrung des ersten Thema's die zweckmäßigste, im Grunde einzig genügende Fortführung ist – und dann den Text in einem neuen wichtigen Sinne ausspricht.

**)   Nur der Chor „Laß ihn kreuzigen" enthält eine Fugendurchführung; aber welch' eine!

***)   30 Veränderungen über eine Ariette, neben den zierlichsten Canons in allen Intervallen auch | Spielfiguren enthaltend, die nach hundert Jahren noch an Anderen als neu und frischglänzend bewundert wurden.

| allein den für sie geschriebenen 6 Solo's; beide vereinen sich in den Sonaten eben so wunderreizend und wundertief. Wahrhafte Conzerte, Wettstreite, stimmt er mit zwei bis vier Flügeln, mit acht und mehr Instrumenten an, und prachtvoller hat noch keiner das Orchester geführt, als er, z. B. in der Ouvertüre aus D dur, mit Saiteninstr., drei Oboen, drei Trompeten. Ueberall ist seine Erfindung eins geworden mit dem ergriffenen Instrumente. Nirgends aber mehr, als mit der Orgel. Die Orchestercomposition hat ganz neue Bahnen gefunden und sich auf geistige Höhen geschwungen, die Bach selbst unbekannt waren. Das Clavier hat sich verwandelt und neuern Meistern ganz neue Flüge, ungeahnete Klanggebiete und Weisen erschlossen. Nur in der Orgel ist noch nichts vollendet worden, das nicht Bach unendlich größer und reicher uns hinterlassen hätte. Denn die Orgel führte ihn auf seinen eigensten Boden, wo sein schwebender Geist Bestimmung, höchsten Beruf, theuerste Pflicht und vollste Befriedigung fand. Die Kirche war es, der er angehörte, das Wort der Schrift war es, auf das er unverwandt schaute, an dem er hielt. Und eben hier hat ein volles Jahrhundert ihn versäumt. Als ein treuer Diener der Kirche, dem obliegt, den Gottesdienst mit Spiel und Gesang zu schmücken, stellt er sich zu seinem Geistlichen, bespricht mit ihm und bereitet sorgfältig die Feier. So entstehen neben vielen Motetten, Messen, Magnificat u. a., neben den in der neuesten Zeit zum Theil wieder veröffentlichten Passionsmusiken nach den vier Evangelien fünf vollständige Jahrgänge Kirchenmusiken auf alle Sonn- und Festtage, aus mehreren Chören, Arien, Recitativen und Chorälen bestehend, mit einem sorgfältig gearbeiteten Orchester ausgestattet, zu Worten der Bibel und Kirchenliedern gesetzt. Nur ein sehr kleiner Theil, und auch er erst in der neuesten Zeit, ist in die Hände des Publikums gekommen, eine viel größere Zahl hat man nur in Privat- und halb-öffentlichen

Sammlungen kennen lernen, ein Theil scheint verloren. Was man aber auch kennt, ist ein unwidersprechliches Zeugniß von dem ernstlichen, unermüdlichen Eifer, mit dem Bach durchweg sein wahrhaft heiliges Amt verwaltet hat. Durchdrungen davon, daß das Wort der Bibel ein ewiges sey, von dem, wie es selber verkündet, nicht ein Tüttel verloren gehen dürfe, vertieft er sich mit einem wahrhaft evangelischen Geiste und Eifer in seinen Text. Nicht Töne zum Wort, eine Melodie neben dem Texte, nicht ein bloßer Verstand der Sache, nicht die bloße Gehülfsatmosphäre seines Textes, nicht ein bloßes Sympathisiren und Mitfühlen mit ihm kann hier genügen: seine Musik, schon die Singstimme für sich ganz allein, wird eine Auslegung des Textes; sie steigt in die Tiefen der Sprache, und holt den innersten Sinn jedes Wortes, ja buchstäblich jeder Sylbe und jedes Lautes herauf; sie wiederholt das Wort, um seinen Sinn zu erweitern und zu verstärken, sie wendet sich, um es von einer andern Seite, im andern Sinne zu betrachten und tiefsinnig, salbungsvoll ganz zu erschöpfen. Hier gedeiht nun jene Macht über alle Gestalten des Tonreichs zu ihrem vollsten Segen; die Töne biegen und einigen sich mit jeder Wendung des tiefinnersten Sinnes, wie das gesunde Organ ununterscheidbar dem gesunden Gedanken folgt; die kühnsten, fernsten Wendungen aber verknüpfen sich harmonisch in den Tönen wie im Geiste. So hat sich ihm eine Gesangsprache gebildet, so durch und durch eigen, so erfüllt in jedem Tone und jeder Sylbe von heiligem Geiste, so | fern von den flüchtigeren oder weltlichen Bildungen Andrer, daß ein schwächeres Geschlecht davor zurückschrecken mußte, daß es sein gebrechliches Saitenspiel zerbrechen, oder jene Gesänge verleugnen mußte. Und es hat sich nicht bedacht, sie unkirchlich oder auch unsangbar zu nennen. In der That sind sie nicht der selbstgefälligen Eitelkeit der Sänger gewidmet. Wer aber im Geiste des Wortes sich ihnen widmet, um mit seinem Vermögen, wie es ihm in Sinn und Stimme gelegt ist, das Ewige zu preisen, dem wird sich, – welche der vier Stimmen ihm auch gegeben sey – der tiefste, reichste Born heiligen Gesanges erschließen. Mit solchen Stimmen nun hat der heilige Sänger, zum Triumph des evangelischen Glaubens, die Hochgesänge der Mutterkirche, Magnificat und Messe, in einer Weihe und Herrlichkeit und Wahrhaftigkeit gesungen, wie kein Angehöriger der alten Kirche bis auf den heutigen Tag vermocht; denn er unternahm es im Geiste und in der Wahrheit. In diesem Sinne hat er das höchste Mysterium der Glaubensgeschichte gefeiert, in seiner matthäischen Passion die Leidensgeschichte Jesu, treu den Worten des Evangelisten, in dramatischer Lebendigkeit und Wirklichkeit des Hergangs und frömmster, innigster Theilnahme der Gemeinde, daß das Längst-Geschehene, Fern-Entlegene, noch einmal in unsrer Mitte mit und für und an uns geschieht. Wenn wir aber bedenken, daß der Glaube selbst im Scheidewasser voltairescher Afterphilosophie und der oft gefühlsleeren, sogenannten Vernunftreligion geprüft werden mußte; so werden wir inne, daß dieser Zeit Bachs evangelische Gesänge verhallen, ja widerwärtig seyn mußten, daß sie erst wiedertönten, als über Zweifel und Kaltsinn hinweg das Wort der Wahrheit wieder vernommen und beherzigt werden konnte. Und so wird eine neue Hoch-Zeit auch unsrer Kunst gefeiert werden, wenn das ewige Wort der Wahrheit All-Alles durchdringt und an Bachs Vorbilde wir lernen, ihm allein und überall, in allen Reichen der Kunst, treu nachzuwandeln.

ABM.

Quelle: *Encyclopädie | der | gesammten musikalischen Wissenschaften, | oder | Universal-Lexicon | der | Tonkunst. | – | Bearbeitet | von | M. Fink, de la Motte Fouqué, Dr. Grosheim, Dr. Heinroth, | Prof. Dr. Marx, Director Naue, G. Nauenburg, L. Rell- | stab, Ritter v. Seyfried, Prof. Weber, Baron | v. Winzingerode, m. A. und | dem Redacteur | Dr. Gustav Schilling. | – | Erster Band.* [Zweiter–Sechster Band, Supplement-Band] *| Stuttgart, | Verlag von Franz Heinrich Köhler. | 1835.* [1835–1838, 1842], Sp. 371–378. [Expl.: D-ERu, Signatur: *Kst. 9*)
Faksimile-Nachdruck: Hildesheim 1974.
Anm.: Überarbeitete Fassung von Ferdinand Simon Gaßner, in: *Universal-Lexikon | der | Tonkunst. | – | Neue Hand-Ausgabe | in | einem Bande. | – | Mit Zugrundlegung des größeren Werkes | neu bearbeitet, | ergänzt und theilweise vermehrt | von | Dr. F. S. Gaßner, | Großherzoglich Badischem Hof-Musik-Director. | – | Stuttgart. | Verlag von Franz Köhler. | 1849. | – | Druck der Wilhelm Hasper'schen Hofbuchdruckerei in Karlsruhe.,* S. 81–84.
1842 hatte G. bereits ein Nachtragsheft zu Schilling herausgegeben (vgl. ADB 8, Fürstenau). Schilling und Gaßner enthalten noch folgende Biographien der Bach-Familie: Wilhelm Friedemann B., Sp. 378–380; S. 85; Ambrosius B., Sp. 380; S. 85; Carl Philipp Emanuel B., Sp. 380–384; S. 85–87; Heinrich B., Sp. 384; S. 87; Johann Christian B., Sp. 384–386; S. 87–88; Johann Christoph B., Sp. 386; S. 88; Johann Christoph Friedrich B., Sp. 386–387; S. 88. Die Angaben zum Stammbaum beziehen sich auf die Wiedergabe in der AMZ, 25. Jg., Nr. 12, 19. März 1823, Beylage Nr. I. → A 28.
Rezension, in: NZfM, 2. Jg., 3. Bd., Nr. 45– 47, 4., 8. und 11. Dezember 1835, S. 177–178, S. 181–182 und S. 185–186 (C. F. Becker): „Hat sich z. B. die Redaction einen Plan festgesetzt, ob die einzelnen Compositionen der Meister angeführt werden sollen? Wir bezweifeln es. So enthalten die schön geschriebenen Biographieen von J. S. Bach und Beethoven nur die Angabe einiger Werke, und nur in so weit sie zur Charakteristik unmittelbar nöthig, ..." (S. 178). Anzeige: AMZ, 38. Jg., Intell.-Bl. Nr. 1, Januar 1836: „Bericht über das Universal-Lexicon der Tonkunst. Unter Mitwirkung der Herrn ... 6 Bände im grössten Lexicon-Format. Seitdem vor länger als einem Viertel-Jahrhundert in Deutschland zuerst von Gerber (→ A 4) und Koch (→ A 26) auf höchst verdienstliche Weise versucht wurde, das Gesammt-Gebiet der Musik in encyclop. Form dem grösseren Publikum zugänglich zu machen, hat es bisher nicht an vielfachen Nachahmungen gefehlt, ...".
Lit. zu Gustav Schilling: Grove 1920; zu Ferdinand Simon Gaßner: DBE; Neuer Nekrolog.

A 16

Biographie von Johann Sebastian Bach und seinen Söhnen

Zürich, 1839

Das dießjährige Neujahrsblatt, liebe junge Leser, bringt euch ein Bild ernster Natur. Ihr lernet Johann Sebastian Bach, einen Mann kennen, der ein Held der Tonkunst war, einen Fels, auf den die deutsche Schule baute, einen Geist, der leuchtet für und für.

Joh. Sebastian Bach (im Stammbaum Nr. 26) ward geboren zu Eisenach den 21. März 1685, er starb den 28. Juli 1750.

Der unermeßliche Ruf dieses Musikers hat im Laufe von anderthalb Jahrhunderten so wenig eine Verringerung erlitten, daß es vielmehr erst der neuern Zeit vorbehalten blieb, einen tiefern Blick in sein innerstes Wesen zu werfen, daß man je später, je mehr erkennt, was der Eine Mann vermocht, was er vollbracht, was er in seinen zahllosen Werken der Kunstwelt zur Erhebung, zum Studium, zum letzten und höchsten Lernen, zum ewigen Musterbilde niedergelegt hat. Dieser Mann war der unscheinbare Kantor in Leipzig, dürftig, um den Unterhalt seiner zahlreichen Familie besorgt, während andere Kunstgenossen, seine geistige Gründlichkeit lange nicht erreichend, die Huldigung der Welt in reichen Zügen schlürften.

Wir finden Bach in engen Lebens- und Wirkensverhältnissen. Sprößling einer um ihres protestantischen Glaubens willen aus Ungarn vertriebenen Bäckerfamilie, die Thüringens kleine Städte mit zahlreichen geschickten Musikern versehen hatte, Sohn eines Hof-Musikers zu Eisenach, Zögling seines Bruders, des Kantors Christoph Bach in Ohrdruff, sehen wir ihn ganz verloren in musikalischen Studien. Vergebens will der Bruder ihm ein Heft Musikalien vorenthalten; er stiehlt sie und schreibt sie bei Mondschein ab, da eine Lampe ihm genommen ist. Bald finden wir ihn, die Nächte durch beschäftigt, das einzuspielen, was er in damals uner- | hörter Schwierigkeit den Tag über geschrieben hatte. Er wandert nach Hamburg, um den ältesten Orgelmeister, Reinken, zu hören, tritt 1703 in Herzoglich Weimarschen Dienst, wird 1704 Organist in Arnstadt, wo er sich vollends in der Kunst des Contrapunkts und im Orgelspiel ausgebildet zu haben scheint, kommt 1707 als Organist nach Mühlhausen, 1708 als Hoforganist nach Weimar. Da wird er 1714 Concertmeister, 1717 Kapellmeister des Fürsten von Köthen; endlich 1723 kömmt er auf den Schauplatz seines reichsten Wirkens, nach Leipzig, als Kantor an die Thomasschule. Hier lebt er seiner Kunst und seinem Amte als ein frommer treuer Diener der Kirche, als ein strenger gefürchteter und geliebter Vorsteher seines Chors, als gesuchter fleißiger Lehrer, als ehrenfester Bürger und Hausvater einer zahlreichen Familie. Von 11 Söhnen sterben 4 jung, die übrigen erzieht er seiner Kunst, und sechs überleben ihn, alle gründliche Musiker, darunter die berühmt gewordenen Wilhelm Friedemann, des Vaters Liebling, Carl Philipp Emanuel, Joh. Christoph Friederich und Johann Christian. Bach ist hochgeehrt weit und breit, um Rath und That von allen Seiten angegangen, ist er überall zu helfen nach Kräften bereit. Auch Fürsten zeichnen ihn aus; sein Herr, der ganze Dresdner Hof, damals in Ueppigkeit und Prachtliebe versunken, dem flachen von Hasse geförderten italienischen Musikwesen hingegeben, brüstet sich mit dem seltsamen raren Manne aus Leipzig, läßt ihn auch zum Wettstreit mit dem französischen Klavieristen Marchand nach Dresden herüberkommen und bewundert seine teufelmäßige Geschicklichkeit *). Sebastian Bach wurde 1736 zum Königlich Polnischen, Kurfürstlich Sächsischen Hofcompositeur ernannt, und noch jetzt sollen in einem Musikalienschranke aus jener Zeit die Stimmen seiner hohen Messe aufbewahrt liegen.

Friederich der Große hatte gegen den zweiten Sohn Joh. Sebastian Bach's, Carl Philipp Emanuel, der seit 1740 in Berlin angestellt war, den Wunsch immer bestimmter geäußert, der alte Bach möchte einmal nach Potsdam kommen, und Sebastian entschloß sich endlich 1747, in Gesellschaft seines ältesten Sohnes Friedemann die Reise zu unternehmen. Der König war eben im Begriffe, sein Quartett, das er damals fast jeden Abend hielt, zu beginnen, als ihm die Liste der Angekommenen überbracht wurde. Er lief das Blatt durch, legte sogleich die Flöte weg und rief den Musikern zu: „Meine Herren, der alte Bach ist gekommen!"

Sebastian wurde sogleich in seinen Reisekleidern herbeigeholt. Mehrere Silbermann'sche Claviere, die der König überaus liebte, wurden von dem Cantor geprüft und auf eine Art behandelt, welche Friederich in Erstaunen setzte. Nach mehreren bewunderten Phantasieen bat sich Bach von dem König ein Fugenthema aus, das er im Augenblicke zum Erstaunen Aller

*)   Bach spielte das Clavier mit der gleichen Schöpferkraft wie die Orgel, auf welcher er selbst in den neuesten Zeiten unerreicht blieb. Seine Faust war gigantisch. Er griff z. B. eine Duodezime mit der linken Hand und colorirte mit den mittleren Fingern dazwischen. Er machte Laufe auf dem Pedal mit der äußersten Genauigkeit, zog die Register so unmerklich durch einander, daß der Hörer fast unter dem Wirbel seiner Zaubereien versank. Seine Faust war unermüdet und hielt tagelanges Orgelspiel aus.

| auf das Herrlichste durchzuführen begann. Darauf wünschte Friederich auch eine Fuge mit sechs obligaten Stimmen zu hören, um zu sehen, wie weit eine solche Kunst getrieben werden könne; Sebastian wählte sich auf der Stelle ein dazu geeignetes Thema und arbeitete es zu allgemeiner Bewunderung eben so gelehrt als prachtvoll aus. Am folgenden Tage wurde Bach zu allen Orgeln geführt, in deren Behandlung er so groß war.

Daheim wieder angelangt, setzte Bach das von Friederich dem Großen erhaltene Thema in Noten, behandelte es drei- und sechsstimmig und fügte noch mancherlei canonische Kunst hinzu. Dieses Werk ließ er unter dem Titel: „Musikalisches Opfer" stechen und widmete es dem Könige.

Die erste Ausgabe desselben ist längst vergriffen, das Werk aber dem Kenner so äußerst merkwürdig und lehrreich, daß es vor wenigen Jahren wieder neu aufgelegt in der Kunstwelt erschien.

Sebastian Bach's Kunst alterte nie, leider aber sein Körper, und der gute Mann hat-te das Unglück zu erblinden, als er, um seine Compositionen herauszugeben, genöthigt war, mit Beihülfe seines Sohnes Friedemann dieselben selbsten in blankes Kupfer zu stechen. Ein Schlagfluß endigte das merkwürdige Leben im 65sten Altersjahre.

Sein treustes Bildniß hängt zu Berlin in der Bibliothek des Joachimthales. Wenn man den festen Bau und die schwarzen Augen sieht, da meint man, es bräche Feuer aus dem Felsen. Unter der gedankenreichen erhabenen Stirn und Nase mischen sich um den lächelnden Mund entschlossener Ernst und freudige Zuversicht. Es würde uns zu weit führen, seine Verdienste um das Clavierspiel und die Behandlung der Orgel hier umständlich zu beleuchten, lese man darüber seinen Biographen Forkel

nach, nur so viel sei gesagt, daß er nicht nur die Compositionen für beide Instrumente weiter, als sie je vor ihm und bis nach Mozart gegangen, führte, sondern er
gab auch die Möglichkeit der technischen Ausführung. Von ihm aus verbreitete sich
über Sachsen, Norddeutschland und immer weiter eine Pflanzschule ehrenwerther
Meister des Clavier- und Orgelspiels in gediegener Lehre und Spielart, und noch
jetzt setzen die Tüchtigsten ihren Ruhm darein, Abkömmlinge der Bach'schen
Schule zu sein. Auch der Einfluß des Altmeisters auf Orgel- und Instrumentenbau
bleibe unerörtert und einzig sei erwähnt, daß die tüchtigsten Leistungen der bisherigen Theorie, die Clavierschule durch Carl Philipp Emanuel Bach, die Harmonik
durch Kirnberger, die Contrapunktik durch Marpurg sich auf seine Lehre und sein
Beispiel gründen und an der Uebereinstimmung mit seinen Werken ihre Probe ablegen wollten. Rechnen wir damit noch alle die von ihm und seinen Schülern gebildeten gründlichen, vielseitig wirkenden und weiter lehrenden Tonsetzer und Schulen
zusammen, so dürfen wir ihn, von dem alles das ausging, den Begründer und Vater
der deutschen Tonkunst nennen, obschon es sich nicht leugnen läßt, daß aus italienischen Schulen von Händel und selbst aus Frankreich her ihr Manches zugeflossen,
und mit Bach mancher andere deutsche und fremde Meister zur Hebung derselben
beigetragen hat.
Das Unvergleichliche der Bach'schen Compositionen ist die heilige Gewalt, die
Macht, die l aus seinen Tönen spricht; etwas Mystisches liegt in seinen Schöpfungen, seien sie dem zarten Claviere, in leichtem würdigen Scherze, dem fürstlich
prunkenden Orchester, der stillfrommen und plötzlich majestätisch erbrausenden
Orgel geweiht. Seine unendliche Kunst wußte jedes Material, jedes Organ, das sie
wählte, vollkommen zu beherrschen. Das zartbebende Clavier ganz für sich allein
entspricht diesen tiefsinnig zarten Sarabanden, den netten Tanzstücken, Variationen,
den geistvollen Fugen und Phantasieen in dem Maße, wie die einzelne Violine in den
für sie geschriebenen 6 Solo's; beide vereinen sich in den Sonaten eben so wunder-
reizend als wundertief. Wahrhafte Conzerte, Wettstreite stimmt er mit zwei bis vier
Flügeln, mit acht und mehr Instrumenten an, und prachtvoller hat noch keiner das
Orchester geführt, als er, z. B. in der Ouvertüre aus *D dur*, mit Saiteninstrumenten,
drei Hoboen und drei Trompeten. Ueberall ist seine Erfindung eins geworden mit
dem ergriffenen Instrumente, nirgends aber mehr als bei der Orgel. Die Orchester-
composition hat sich zwar seit Bach ganz neue Bahnen erschlossen, die jenem unbekannt waren, und das Clavier sich dergestalt verwandelt, daß ein ungeahntes
Klanggebiet in neuen Flügen entstanden ist. Nur in der Orgel ist noch nichts vollendet worden, das nicht Bach unendlich größer und reicher uns hinterlassen hätte.
Denn die Orgel führte ihn auf seinen eigensten Boden, wo sein schwebender Geist
Bestimmung, Beruf, Pflicht und vollste Befriedigung fand.
Die Kirche war es, der er angehörte, das Wort der Schrift war es, auf das er unver-
wandt schaute, an dem er hielt. Als ein treuer Diener der Kirche, dem obliegt, den
Gottesdienst mit Spiel und Gesang zu schmücken, stellt er sich zu seinem Geist-
lichen, bespricht mit ihm und bereitet sorgfältig die Feier. So entstehen neben vielen

Motetten, Messen, Magnificat u. a., neben den in der neuesten Zeit theilweise wieder veröffentlichten Passionsmusiken nach den vier Evangelien, fünf vollständige Jahrgänge Kirchenmusiken auf alle Sonn- und Festtage aus mehreren Chören, Recitativen, Arien und Chorälen bestehend, mit einem sorgfältig gearbeiteten Orchester ausgestattet, zu Worten der Bibel und Kirchenliedern gesetzt. Nur ein sehr kleiner Theil davon, und auch erst in der neuesten Zeit, ist in die Hände des Publikums gekommen, Mehreres haben Privat- und öffentliche Sammlungen gewonnen, Vieles scheint verloren gegangen. Was man aber kennt, ist ein unwidersprechliches Zeugniß von dem ernstlichen, unermüdlichen Eifer, mit dem Bach fürdauernd sein heiliges Amt verwaltete. Durchdrungen davon, daß das Wort der Bibel ein ewiges sei, vertieft er sich mit einem wahrhaft evangelischen Geiste und Eifer in seinen Text. Nicht Töne zum Wort, eine Melodie neben dem Texte können ihm genügen, seine Musik, voraus die Singstimme, wird eine Auslegung des Textes; sie wiederholt das Wort, um seinen Sinn zu erweitern, sie wendet sich, um es von einer andern Seite zu betrachten und tiefsinnig, salbungsvoll ganz zu erschöpfen. Hier gedeiht nun jene Macht über alle Gestalten des Tonreiches zu einem vollständigen Segen; die Töne biegen und einigen sich mit jeder Wendung, die kühnsten, fernsten derselben aber verknüpfen sich harmonisch in den Tönen wie im Geiste.

So hat sich ihm eine Gesangsprache gebildet, so durch und durch eigen, so erfüllt in jedem Tone und jeder Sylbe vom heiligen Geiste, so fern von den flüchtigen oder weltlichen Bil- | dungen Anderer, daß ein schwächeres Geschlecht davor zurückbeben, daß es sein gebrechliches Saitenzeug zerbrechen, oder jene Gesänge verleugnen mußte. Der gefälligen Eitelkeit der Sänger sind diese Gesänge nicht gewidmet. Wer aber im Geiste des Wortes sie singt, um mit seinem Vermögen in Sinn und Stimme das Ewige zu preisen, dem wird sich – welche der vier Stimmen ihm auch gegeben sei – der tiefste reichste Born heiligen Gesanges erschließen.

Eine lange böse Zeit von Afterphilosophie und gefühlsleerer Vernunftreligion prüfte seither schwer den Gläubigen, und Bach's Gesänge verhallten. Sie ertönten erst wieder, als über Zweifel und Kaltsinn das Wort der Wahrheit den Sieg errang. Und so wird eine neue schöne Zeit gefeiert werden, wenn das ewige Wort der Wahrheit das All durchdringt, und an Bach's Vorbilde wir lernen, ihm allein und überall, in allen Reichen der Kunst, treu nachzuwandeln.

Quelle: *Siebenundzwanzigstes Neujahrsstück | der | allgemeinen Musik-Gesellschaft in Zürich | 1839. | – | Biographie von Johann Sebastian Bach und seinen Söhnen. | – | Zürich, | gedruckt bei Orell, Füßli und Compagnie.*, S. 3–7. [Expl.: D-LEb]
Frontispiz: Stich von Johann Martin Eßlinger (→ Dok IV, B 23).
Anm.: Als *XXVII. Neujahrsgeschenk an die Zürcherische Jugend* (Außentitel). Beilage: Stammbaum – Lithographie von Orell, Füssli & Co. (nach Beilage Nr. I zur AMZ, 25. Jg., Nr. 12, 1823); vgl. hierzu auch *Bemerkungen zu dem Stammbaum der Bachischen Familie.* von C. F. Michaelis, AMZ, 25. Jg., Nr. 12, 19. März 1823, Sp. 187–191 (→ A 28, sowie A 29). Enthält noch folgende Biographien der Bach-Familie: Wilhelm Friedemann B., S. 7–9; Carl Philipp Emanuel B., S. 10–11; Johann Christoph Friedrich B., S. 12 und Johann Christian B., S. 12–14.

A 17

SCHIFFNER: SEBASTIAN BACH'S GEISTIGE NACHKOMMENSCHAFT
DRESDEN / LEIPZIG, 1840

...

Bei weitem die umfassendste und für den Deutschen interessanteste [tabellarische Zusammenstellung] zeigt uns die erweislichen Nachkommen des Altvaters aller modernen Musik, Meisters Ockeghem, den man sehr passend den Sebastian Bach des 15. Jahrhunderts genannt hat. Von ihm ausgehend, kommen wir in ununterbrochener Reihe, immer vom Lehrer im Satze zum Schüler fortschreitend, bis in die Gegenwart herab; und zuletzt dürften auch wohl alle übrige Tafeln nur Zweige dieses Einen uralten Stammes sein –. Ockeghem's Stammbaum aber, welcher im Ganzen keinen ausreichenden Papierbogen zur Darstellung finden würde, zerfällte ich wieder in 4 Abtheilungen. Die erste zeigt den Stamm selbst, kurze Seitenäste treibend, bis zu Schütz herab, den man wohl den Sebastian Bach des 17ten Jahrhunderts nennen darf, und welcher für deutsche Musik, wie Mich. Prätorius im Theoretischen, so im Praktischen zum zweiten Schöpfer geworden ist. Wenn nun zwar dessen größter Schüler Bernhard unseres Wissens ohne geistige Enkel geblieben ist, so breitete sich dagegen die Nachkommenschaft von Schelle und von Theile so gewaltig aus, daß mit ihnen der Stamm sich ganz natürlich in zwei Hauptäste spaltet. In keinem Zweige der weitern Verästung aber ist die heiligste Eiche deutscher Musik so weithin schattend und ergötzlich geworden, als in dem des Sebastian Bach, über dessen Zusammenhang mit Schütz ich mich näher erklären muß.

Obwohl der unvergleichliche Sebastian unserer Zeit nicht gar zu fern steht –, obwohl unser eigenes Leipzig der Hauptplatz seines Wirkens, dessen Segen schon in erster Generation sich über ganz Norddeutschland verbreitete, gewesen ist –, obwohl man sich auch fortwährend beeifert hat, selbst das Geringste aus Bach's Verhältnissen und Schicksalen vor der Vergessenheit zu sichern: so ist doch die Geschichte seiner Bildung und besonders seines eigentlichen Unterrichtes noch wenig aufgeklärt. Früher genügte die Annahme Bach's ebenfalls zu seiner Zeit berühmter Vater Ambrosius habe den Knaben bis in's 10te Lebensjahr oder bis zum eigenen Tode vorbereitet, und der ältere Bruder Christoph habe das | Uebrige hinzugefügt. Neuere Untersuchungen aber belehrten uns, daß dieser brüderliche Unterricht blos das Clavierspiel betraf, vielleicht mit Zuziehung des Gesanges. Auch ging Sebastian bekanntlich schon sehr zeitig als Kirchen-Discantist nach Lüneburg, dann aber 1703 als Geiger in die Weimarische Capelle, 1704 als Organist nach Arnstadt. Nun weiß man freilich, daß Bach bei dem großen Orgelspieler Reinke, den zu hören und später zu besuchen er gar häufig von Lüneburg nach Hamburg wanderte, und welcher als ein wahrscheinlicher Schüler Samuel Scheid's unsern Sebastian ebenfalls in den Ockeghem'schen Stammbaum einreihen würde, sich gar manche Belehrung geholt hat. Es ist nur aber an einen förmlichen Unterricht im Höhern der Tonkunst um so weniger zu denken, als Bach schwerlich jemals länger als eine Nacht in Hamburg weilen durfte, und als Reinke, damals ein 90jähriger Greis, zwar zu väterlichem Rathe, aber schwerlich zu eigentlichem Unterrichte geneigt sein konnte. Ueberdies weiß man von Bach als Tonsetzer vor seinem Arnstädter Amte durchaus nichts. Wohl aber erfüllte er plötzlich die Welt – unter welcher ich zuerst freilich nur Thüringen verstehe – nicht blos als Orgelspieler, sondern auch als Tonsetzer mit Erstaunen, sobald er von seinem heimlichen Aufenthalte in Lübeck zurückgekehrt war. Ohne Zweifel im Gefühle des Mangels an begründeter Kunde dessen, was sein überschwenglicher Genius wohl ahnete, nahm er einst zu Arnstadt vierteljährigen Urlaub zu einer Reise, deren Ziel und Zweck er Niemandem vertraute. Es ist aber später dennoch bekannt geworden, daß Bach für jene ganze Zeit zu Lübeck sich in das tiefste Studium der Harmonie und der musikalischen Gesetze vergrub, dabei auch keine Gelegenheit verabsäumte, den berühmten Dänen Buxtehude Orgel schlagen zu hören. Diese Heimlichkeit aber ist es eben, was mir, mindestens doch auf's Wahrscheinlichste, dafür spricht, daß Bach wirklich unter Buxtehude studirt hat. Man darf nämlich nicht vergessen, daß der „weltkundige" Bach sein Arnstäd-tisches Publicum, dem ein Unterschied zwischen Orgelschlagen und den höchsten, heiligsten Geheimnissen der Tonwelt (wie selbst Naumann, als sein Name schon ganz Europa durchtönte, sie bei Hasse zu studiren nicht verschmähete) zu den böhmischen Dörfern gehören mochte, durchaus seinen so spät zu nehmenden Un-terricht nicht wissen lassen durfte, wenn er nicht durch denselben Schritt, der ihn zum hohen Meister machte, seinen Credit einbüßen wollte. Halten wir diese Hypo-these fest, so ist es Buxtehude, der unsern Sebastian zu Heinrich Schütz's Urenkel macht, indem er selbst Theile's Schüler gewesen. Abgesehen daher von aller andern Verzweigung, erhalten wir bis auf Fissont zu Paris, als das jüngste mir bekannte Zweiglein des großen Ockeghem'schen Stammbaums, folgende Reihe der Lehrer und Schüler: Ockeghem, Josquinus, Mouton, Willaert, Andreas Gabrieli, Johann Gabrieli, Schütz, Theile, Buxtehude, Sebastian Bach, Homilius, Hiller, Neefe, v. Beet-hoven, Reicha, Fissont.

Auch Heinrich Schütz, Corelli, Scarlatti und sein trefflichster Schüler Durante; auch Tartini, der seine Speculationen über die Töne als das Höchste in der Musikwelt betrachtete; auch Martini, dieser „Lehrer von Europa", und seine berühmten Schü-ler Naumann, Vogler und Mattei; auch Haydn und Albrechtsberger, – alle diese ha-ben eine große Zahl ausgezeichneter Tonsetzer herangebildet. Keiner aber so viele, als unser Sebastian, dem unsere Tafel 34 zum Theil wahrhaft erlauchte Namen als unmittelbare Schüler anreiht, in einer Ordnung, wie sie chronologisch sich am besten zu rechtfertigen schien. Doch mußten die obscureren Namen meist in einen Haufen zusammenfließen, weil uns die Geschichte von ihnen zu wenig, größten-theils nicht einmal die Taufnamen aufbewahrt hat. Indessen ist doch bekannt, daß Altnikol, ein geachteter Orgelspieler und Tonsetzer, Sebastian's Schwiegersohn und Cantor zu Naumburg –, Voigt aber in Ansbach angestellt war; daß der Königsberger Goldberg in der gräfl. Brühl'schen Capelle zu Dresden als Clavier- und Orgelspieler glänzte, in der freien Phantasie daselbst seines Gleichen suchte, aber seines barocken Wesens halber doch mehr bespöttelt als gerühmt wurde, und eben so unbetrauert starb, wie der ihm ähnliche Friedemann Bach.

I [S. 93:] (Fortsetzung.) Friedemann Bach (l. 1710–1784), Sebastian's ältester und genialster, aber auch mißrathenster Sohn bekleidete die ehrenvollen Stellen eines evangel. Hoforganisten zu Dresden (1736–1747) und eines Dom-Organisten zu Halle (davon er auch der Halle'sche Bach hieß; 1747 bis 1767), und wurde von ganz Deutschland als der größte Meister seines Rieseninstrumentes anerkannt, beim Darmstädter Hofe zum Ehren-Capellmeister ernannt u.s.f.; aber die Dienstuntreue, zu welcher seine Zerstreutheit und Liederlichkeit ihn so häufig verleitete, ward endlich zu arg für längere Nachsicht, und nach einem unstäten Leben, zum Theil bei Komödienbanden von der letzten Classe, privatisirte er in Berlin. Mit Tartini zu Einer Zeit, beschäftigten auch ihn, den starken Mathematiker, die Ton-Verhältnisse und harmonischen Speculationen so sehr, daß er der geordneten Tonwerke nur wenige lieferte; diese aber gehören auch zum Triumphe der Kunst. In der freien Phantasie wagt man nur, seinen unvergleichlichen Vater und Mozart über ihn zu stellen. Minder glücklich war er als Dichter, wenn er z.B. bei Einweihung der Frauen-Orgel zu Dresden mit dem Verse hervortrat:

> Kann was natürlicher als *Vox humana* klingen?
> Und besser, als Cornett, mit Anmuth scharf durchdringen?
> Die Gravität, die nun in dem Fagotto liegt,
> Macht, daß Herr Silbermann Natur und Kunst besiegt.

Am wenigsten wohl war der geniale Träumer zum Lehrer gemacht, und wirklich kennen wir nur zwei Schüler von ihm: der Görlitzer Cantor Petri aus Sorau (l. 1715–1795) und der Berliner Kapellmeister Nichelmann aus Himmel's Geburtsorte Treuenbrietzen (l. 1717–1761). Nichelmann, den auch Sebastian und Emanuel Bach belehrt, Keyser und Mattheson in Hamburg vielfältig berathen hatten, war ein gründlicher Kunstkenner, ermangelte aber des Genius, der ihn zum Meister würde erhoben haben.

Ungleich nützlicher, als Friedemann, ist der Welt Emanuel Bach (der Berliner oder Hamburger Bach; l. 1714–1788) geworden, der mit ordnungsvoller Ausbildung einen trefflichen Charakter verband. Nach langem Aufenthalte in der königl. Capelle zu Berlin, und bei der Bewerbung um das Cantorat in Leipzig von seinem minder großen Mitschüler Doles besiegt, ging er als Kirchenmusik-Director nach Hamburg. Ihn, den viel Genannten, den auch J. Haydn sehr hoch hielt, dessen Orgelfugen, Choräle und Cantaten weltkundig sind, dessen Oratorien dasselbe Glück mindestens verdienen – brauchen wir nicht weiter zu rühmen. Unter seinen zahlreichen Schülern aber strahlen uns am hellsten seine jüngeren, vom Vater ihm anbefohlnen Brüder Christoph oder der Bückeburger –, und Christian, der Mailändische, eng-

lische oder Londoner Bach, entgegen. Jener, unter allen 20 Geschwistern entschieden
der stärkste Clavier- und auch ein berühmter Orgelspieler, ermangelte zwar des
hohen Bach'schen Genius, lieferte aber doch beliebte Kirchen- und Kammerstücke
in großer Menge, und starb 1795, also im 63sten Jahre, als Director der Bückeburger
Capelle. Außer seinem Sohne Wilhelm, dem k. preuß. Kammer-Clavierspieler, und
dem Consistorialrathe Horstig, einem der geachtetsten Kritiker in der Musikwelt,
der 1795 zu Miltenberg starb, belehrte Christoph auch den trefflichen Aug. Eb. Müller aus Nordheim (l. 1767–1817), den man 1794 vor die Nicolai-Orgel zu Leipzig,
1800 als Substituten und 1804 als Nachfolger in Hillers (einst Sebastians) Stelle, 1810
aber als Capellmeister nach Weimar berief. Dieser Meister auf Orgel, Flöte und Clavier, dessen Werke zum Theil lange unter Mozart's Namen cursirten, und der über-
haupt für Theorie und | Praxis in der Musik viel Verdienstliches geleistet hat, zog
auch treffliche Jünger heran, …

Emanuel's jüngster Bruder Christian (l. 1735–1782) brachte es minder durch genialen Schwung, als durch den Tact, womit er Italiens Geschmack traf und zum Theil
auch bildete, zu einer großen Beliebtheit sowohl in Meiland, wo er lange privatisirte,
als in London, wo er der königl. Capelle vorstand. Sein Gloria, aus 9 Sätzen bestehend, gilt für ein bedeutendes Werk; übrigens hat er besonders zahllose Lieder und
Bühnenstücke geschrieben. – Unter Emanuel's übrigen Schülern steht der Hambur-
gische Musikdirector Schwenke aus Hannover (l. 1766–1823) obenan. …

| [S. 97:] (Fortsetzung.) Von Sebastian's Söhnen kommen wir nun zu seinen frem-
den Schülern. Der treffliche Kirchencomponist Tobias Krebs aus Heichelheim
(l. 1690–1758) hatte in Weimar schon unter Walther (dessen musikalisches Lexikon,
auf Draud's Bibliothek gebaut, der Grundbau des Gerber'schen ist, wie schon oben
angeführt) studirt, ward Organist in Buttstedt, und darf nicht mit dem gleichfalls
Sebastian'schen Schüler Ludwig Krebs aus Buttelstedt (l. 1713–1780) vermengt werden, von dem das (somit ganz unstatthafte) Sprichwort ging: man habe im Bach nur
Einen Krebs gefangen. …

Der seiner Zeit berühmte Gothaische Capellmeister Stölzel aus Grünstädtel bei
Schwarzenberg (l. 1690–1749) wird zwar von Rochlitz als ein Schüler Sebastians
betrachtet, kann dies aber wohl nicht im vollen Wortsinne gewesen sein, da er, nur
um 5 Jahre jünger als Bach, dennoch sehr jung schon einen großen Namen erwarb;
man darf daher wohl eher an ein (vielleicht gar gegenseitiges?) Berathen denken.
…

| … Kaspar Vogler aus Arnstadt (l. 1698–1765) gilt für einen der größten Orgelspie-
ler Deutschlands, setzte auch viele Orgelstücke, Choräle, Opern u. s. w., und starb
zu Weimar als Bürgermeister und Hoforganist. Nicht minder fruchtbar war sein
trefflicher Mitschüler Gerber aus Wenigenehrig bei Sondershausen (l. 1702–1775),

ließ jedoch aus zaghafter Bescheidenheit nur wenig drucken. Er stand unter allen Schülern Sebastian's diesem im Variiren der Choräle am nächsten, …

Der Culmbach'sche und später k. dänische Capellmeister Scheibe, Sohn eines Orgelbauers in Leipzig und 1708 geboren, hatte sich zu Sondershausen meist schon ausgebildet, als er noch Sebastian's höhern Unterricht suchte, hat außer Cantaten, Oratorien, Concerten u. s. w. besonders eine Menge beliebter Symphonieen (mehr unseren Ouvertüren entsprechend) geliefert, begründete in Hamburg 1738 unter dem Titel des „kritischen Musikus" eine der ersten musikalischen Zeitschriften, und blieb bis zum Tode 1776 in hohem Ansehen. Er vollendete die Bildung des später zu besprechenden Einicke. …

Zu Sebastian's trefflichen und liebsten Schülern gehörte „Vater Doles", wie Mozart, Naumann u. a. ihm befreundete jüngere Meister ihn zu nennen pflegten. Dieser liebenswürdige, in seiner Bescheidenheit der Ferne minder bekannt gewordene, auch nicht eben hoch-geniale, aber gründliche Meister war 1715 zu Steinbach bei Ruhla geboren (folglich ein Landsmann des um die Literatur der Choräle verdienten Geraischen Superintendent und Prof. Avenarius), ward 1748 in Freiberg Cantor, rückte – indem man sein Probewerk dem des Emanuel Bach vorzog – 1756 nach Harrer's Tode in Sebastian's Stelle ein, und starb tief betrauert von fast zahllosen Schülern und seinen Mitbürgern 1797. Im Fache der Motetten ist er einer der beliebtesten Meister geblieben; er lieferte aber auch treffliche Choräle, Psalme, Cantaten und Lieder, großentheils ungedrucktes Eigenthum seiner lieben Thomasschule. …

| [S. 101:] (Fortsetzung.) Nicht zwar als Componist, wohl aber als kritischer und ästhetischer Kunstkenner machte der zu Leipzig privatisirende *Mag.* Mizler (geb. 1711 zu Wettelsheim in Franken) sich sehr geltend, großentheils im Streite mit noch gediegenern Männern. Unterricht hatte er schon bei Ehrmann zu Ansbach, bei Sebastian mehr blos freundliche Berathung gefunden. Außer Gedichten lieferte er auch viele theoretisch-musikalische Werke, so wie in der 1736 begonnenen „musikalischen Bibliothek" wohl die erste musikalische Zeitschrift der Deutschen. Die von ihm gestiftete „Societät der musikalischen Wissenschaften" aber kann vermöge ihrer Concerte als Verbindungsglied gelten zwischen dem alten *Collegium musicum* und der noch jetzt herrlich blühenden Concert-Anstalt. – Auf lange Zeit wird uns nun von Sebastian einer seiner größten Schüler,
Homilius aus Rosenthal bei Königstein (l. 1714–1785) abziehen; denn dieser Meister, der nicht mit Friedemanns Eigensinne seinen Weg einsam gehen wollte, sondern durch eine mäßige und schwerlich zu tadelnde Accomodation ein desto weiteres Feld voll Nutzens und Ergötzens für die Jünger und für die Freunde der Kunst befruchtete, darf nicht allein nach dem Style, den er sich durch Vermischung der Bach'schen Elemente mit jenen von Lotti, Porpora und Hasse schuf, sondern auch nach der Menge seiner ausgezeichneten Schüler für den Begründer einer besondern

Schule gelten. Dieser vortreffliche Mann, der ganz Dresden zum dankbaren Freunde
hatte, ward daselbst 1742 Cantor und 1755 Kirchenmusik-Director, gehörte zugleich
zu den größten Orgelspielern, und schrieb eine staunenswerthe Menge trefflicher
Kirchenstücke; insbesondere rechnet man seine Chöre und Recitative, und der Gattung nach seine Motetten zu dem Besten in der weiten Sphäre der Tonwelt. …

| [S. 121:] (Fortsetzung.) Was wir über Beethoven's Abstammung von Sebastian be-
merken mußten, das trifft auch den unübertrefflichen
Naumann aus Blasewitz bei Dresden (l. 1741–1801); denn eben so wenig sein erster
unzureichender Unterricht bei Homilius, als sein letzter, den er noch, als ein schon
weltkundiger Meister, für die tiefsten Geheimnisse des musikalischen Effectes bei
Hasse in Venedig nahm, berechtigt uns zur Bestimmung des Platzes, an welchem
wir ihn zu begrüßen hätten. …

Unserm Rückblicke nach Sebastian's eigenen Schülern begegnet nun zuerst der
unübertroffene Gambist Abel aus Cöthen (l. 1722–1787), welcher die Gambe bei
seinem Vater in Bieberach erlernte, seit 1748 in der Dresdener Capelle, dann lange
königl. Capelldirector zu London war, und den großen Clavierspieler J. B. Cramer
im Satze unterwies. Dieser, in Mannheim 1771 geboren, wurde für's Clavier von
seinem berühmten Vater in London, von Schröter und Clementi gebildet, schrieb
überaus viel und meist classische Claviersachen, auch eine berühmte Pianoforte-
schule, bewohnte bis 1835 London, wo man seinen Unterricht eifrig suchte, und
privatisirte dann in München, Wien u. a. Städten. …
| …Doch am genanntesten und verdientesten ward Schneider [„Johann Gottlob
Schneider, der würdige Nestor der sächsischen Musikwelt…"] durch die Bildung
seiner Söhne zu einem Kleeblatte von Orgelvirtuosen, wie es außer der Bach'schen
Familie nie und nirgends weiter vorkam. Auch im Satze vom Vater schon vorberei-
tet, bezogen die Söhne nun das Zittauer Gymnasium, und fanden hier weitere
Ausbildung durch Unger (s. o.), der wohl auch für Marschner nicht ohne wichtigen
Einfluß geblieben ist **) und achtbare Kirchensachen schrieb. …
| [S. 133:] (Schluß.) Zu Sebastians berühmten Schülern gehört nicht so sehr durch
seine trefflichen Kirchensachen, als noch mehr durch seine etwas italienisirenden
Opern, der k. preuß. Capelldirector und Hofcomponist Agricola aus Dobitzschen bei
Altenburg (l. 1720–1774), welcher auch gute theoretische und geschichtliche Werke
schrieb, und u. A. den Berliner Musikalienhändler Rellstab (l. 1759–1813) belehrte.
…
| … Nicht minder reich an guten Schülern, als Kirnberger, erscheint unter Sebastians
Zöglingen der unter allen zuletzt verstorbene Kittel aus Erfurt (l. 1723–1809), welcher als Organist 1762 aus Langensalza nach Erfurt ging, zufrieden mit dem Ruhme
des größten deutschen Orgelspielers glänzende Capellmeisterstellen ablehnte, und
nicht eben sehr viele, dafür aber classische Orgel- und Clavierstücke, Lieder u. s. w.
schrieb. …

| … Nicht minder groß auf der Orgel war Sebastians Neffe Häßler aus Erfurt (l. 1747–1822), welcher als Clavierspieler und besonders in der freien Phantasie ziemlich für den Ersten seiner Zeit galt, in Erfurt und dann in Moskwa Organist und Musikdirector war, viele Kunstreisen machte, schriftlich nur wenig hinterließ, und in Moskwa privatisirend starb. …

| … Einer von Sebastians letzten Schülern war der als Virtuos und Clavierlehrer zu Dresden sehr beliebte Transchel (l. 1721–1800), dessen Polonaisen insbesondere zu den classischen Clavierwerken gerechnet werden, …
Da wir von Christoph Bach, von Krebs und Rembt früher schon gesprochen, schließen sich hier unsere Bemerkungen zur Bach'schen Schule mit dem Wunsche: das Schicksal möchte uns doch vergönnen, diese und alle übrige Tafeln, begleitet mit ähnlichen kurzen Notizen, in einem eigenen Werkchen den Freunden der Musikgeschichte bald übergeben zu können.
Dresden.

Albert Schiffner.

Quelle: Albert Schiffner, *Sebastian Bach's geistige Nachkommenschaft.* (NZfM, 7. Jg., 12. Bd., Nr. 23–28, 31, 32, 34; 17., 20., 24., 27., 31. März, 3., 14., 17., 24. April 1840; S. 89–90, 93–94, 97–99, 101–102, 105–106, 109–111, 121–122, 125–126, 133–135). Mit einer beigefügten Tabelle: „Sebastian Bach's geistige Nachkommenschaft, | mittels des steten Fortgehens vom Lehrer zum Schüler construirt | von | Albert Schiffner. | Bruchstück einer viel größeren Tafel und Probe vieler ähnlicher Darstellungen. | – | Als Beilage zur ,Neuen Zeitschrift für Musik.' Einzeln ist dieselbe für 6 Gr. von der Verlagshandlung des Rob. Friese in Leipzig zu beziehen."
Anm.: → A 19, mit Hinweis auf eine eigenständige Veröffentlichung Schs. unter dem Titel *Sebastian Bachs geistige Nachkommenschaft mittelst des steten Fortgehens vom Lehrer zum Schüler construirt*, Leipzig 1842, Fol. bei Friese (vgl. auch ADB 31, S. 195–196, F. Schnorr von Carolsfeld). Vgl. auch Schs. Beitrag über „Franz Morlacchi", in: NZfM, 8. Jg., Bd. 15, Nr. 41, 19. November 1841, S. 161, Fußnote *): „Mein Blatt: ,Bach's geistige Nachkommenschaft' hatte M. wahrhaft enthusiasmirt; …"
Lit.: ADB 31, S. 195–196; *Sächsisches Schriftsteller-Lexicon: alphabetisch geordnete Zusammenstellung der im Königreich Sachsen gegenwärtig lebenden Gelehrten, Schriftsteller und Künstler, nebst kurzen biographischen Notizen und Nachweis ihrer im Druck erschienenen Schriften.* Hrsg. von Wilhelm Hann, Leipzig 1875.

A 18

ORTLEPP: JOHANN SEBASTIAN BACH

STUTTGART, 1841

Johann Sebastian Bach, diesem unsterblichen, seiner tiefsten Eigenthümlichkeit nach echt deutschen Tonkünstler, dem größten Contrapunktisten und Orgelspieler der Welt, dessen Werke selbst ein Mozart, Beethoven und alle großen Componisten als eine unerschöpfliche Fundgrube wahrer Ausbeute für die Kunst betrachteten, sind wir eine genauere Charakteristik schuldig. Sein Leben war einfach. In vieler Hinsicht ist es interessant, ihn mit Händel zu vergleichen. Händel und Bach wurden geboren nach langem Schlummer künstlerischer und auch tonkünstlerischer Originalität, fast in einem Monat; Beide starben im hohen Mannsalter, thätig bis an ihr Lebensende. Beide wuchsen in niederm Stande und kümmerlichen Verhältnissen auf; Beide waren stark und eisenfest von Körper. An Beiden zeigte sich das große Talent schon in den Kinderjahren; Beide sind schon als Knaben tief eingeweiht in Theorie und Praxis. Beide erhielten Unterricht von ausgezeichneten Organisten, um gleichfalls ausgezeichnete Organisten zu werden. Beide gelangen später zu einem höhern Beruf, werden weit und breit berühmt und von den größten Fürsten ihrer Zeit ausgezeichnet. Beide widmen ihre Fähigkeit vor Allem dem Erhabenen, Großen, Reichen, und am I liebsten für religiöse Zwecke. Beide sind strengrechtliche Männer, voll Glauben an die Religion. Beide erblinden in ihrem Alter, ohne deßhalb ihrer Kunst untreu zu werden; Beide sterben ruhig, geachtet und geehrt, aber erst von der Nachwelt mehr verstanden. Wie viele Aehnlichkeiten! und dabei doch Beide so ganz verschieden als Menschen und als Künstler; Händel gefiel sich im Gewühl des Lebens, unter Massen des Volks und im Umgang mit den Großen, machte die vielfältigsten Erfahrungen, und blieb bei allem Schicksal seinem Charakter treu bis zum Tode; sein Leben hat etwas Heroisches. Bach fühlte sich befriedigt, mit siebenzig Thalern als Organist in Arnstadt angestellt zu seyn, ließ sein weiteres Glück ungesucht kommen, lebte in stiller Zurückgezogenheit seinem Amte und seiner Kunst, und erzeugte eine ganze Kolonie von Kindern, starb arm, und ruht auf dem Leipziger Gottesacker. Niemand weiß wo. Sein Leben hat etwas Patriarchalisches. Uebrigens haben Beide einander nie gesehen, und eben so wenig bemerklich auf einander eingewirkt. Wer ausführlich über Bachs Leben belehrt seyn will, den verweisen wir auf die Biographie Seb. Bachs von Forkel, indem wir hier nur die wichtichsten Data anmerken. Sebastian Bach ist den 21. März 1685 zu Eisenach geboren. Er legte den Grund zu dem Klavierspielen zu Ohrdruff bei seinem ältern Bruder Johann Christoph. Nach dessen Tode lernte er in Lüneburg; bildete sich bei dem Organisten Reinecke in Hamburg und bei dem Organisten Buxtehude in Lübeck weiter aus. 1703 erhielt er einen Ruf als Concertmeister nach Weimar; 1704 ging er nach Arnstadt, wo er sich eigentlich zu dem großen Organisten und Compositeur unge- I stört ausbildete; 1707 ward er Organist zu Mühlhausen, 1708 Hoforganist in Weimar, 1714 Concertmeister daselbst, 1717 Kapellmeister zu Köthen, 1723 Cantor und Musikdirector an der Thomasschule zu Leipzig, und 1736 Königl. Churf. Sächs. Hofcomponist. Einmal wurde er zu einem Wettstreit mit dem französischen Virtuosen Marchand nach Dresden eingeladen; doch machte sich dieser vor Bachs Ankunft aus dem Staube. Die Bach'sche Familie stammte aus Preßburg in Ungarn; Joh. Ambrosius Bach, Sebastians Vater, auch ein wackerer Musiker, verließ Ungarn wegen der Religion und ging nach Thüringen. Mehr als 50 Tonkünstler sind aus dieser Familie hervorgegangen. Sebastian starb am 28. Juni 1750, in Leipzig. Bach verbindet in seinen Werken die größte Einheit mit möglichster Manchfaltigkeit, indem er jedoch lieber der letztern als der erstern etwas aufopfert. Zu jedem Stücke wählt er einen Hauptgedanken, dem er dann eine oder mehrere Nebenideen zugesellt, die sich aber so natürlich anschmiegen, daß jener erst mit diesen verbunden ganz hervorzutreten scheint. Diese Ideen trennt, verbindet, dreht und wendet er auf alle nur ersinnliche Weise, so daß kaum der vertrauteste Kenner seinen wundersamen Strukturen bis in ihre Tiefen folgen kann. Sehr selten ist er gefällig; das Gefühl faßt er von Seiten des Großen und Erhabenen, und hält es kräftig auf dem Höhenpunkte fest. Am meisten beschäftigt er den Verstand, doch auf eine lebendige, durchdringende Weise; wer bei einem Kunstgenusse nicht denken mag, für den sind seine Werke nicht. Bei dem Gesange behandelt er jede Stimme frei und melodiös, wobei jedoch alle nur ein eng-verschlungenes Ganze bilden. Man muß daher | alle Theile und zugleich das Ganze immer mithören, wenn man ihn verstehen will; sonst hört und sieht man Vieles, kann aber das Ganze nicht überhören und übersehen. Um sich in seine Art einzuweihen, studiere man etwa erst seine Choräle, und achte auf den Gang der Stimmen in Bezug auf die Hauptmelodie. Von diesen gehe man zu dem „wohltemperirten Klavier" über und spiele die einzelnen Stücke so oft als möglich; auf diese Art wird der sich Uebende mehr und mehr in Sebastians abstruse Weise eindringen und sein Genius wird ihm immer klarer aufgehen. Was ihm erst fremdartig klang, wird ihm bald wunderbar vertraut entgegentreten; er wird seinem geheimnißvollen Führer durch die sonderbaren labyrinthischen Gänge mit Genuß folgen und ihn auf jedem Schritte lieber gewinnen. Nach solchen Vorübungen wird man erst fähig, Bachs Gesang- und Orchesterstücke zu fassen. Dann werden Bach'sche Motetten, wie: „Wie sich ein Vater u. s. w." „Sey Lob und Preis," eine eigne stärkende und erhebende Kraft auf das Gemüth üben. Eins seiner bedeutendsten Werke ist seine: „Große Passionsmusik nach dem Evangelisten Johannes," voll Wahrheit und treuen, innigen Ausdrucks. Viele seiner zahlreichen Compositionen sind noch ungedruckt. (Ueber 100 Concerte, Sonaten, Präludieen, Trios, auch für Flöte und Cello; Giguen, Allemanden, Couranten, Fugen, Sarabanden, auch Sonaten für drei Hände. Ueber 100 Cantaten für die Kirche. Auch ist er als Erfinder der Fingersetzung zu beachten.) Die Werke Bachs tragen durch den genauen Fleiß, durch den sinnvollen Ernst, durch das Vorwalten des Gedankens und die tiefe, gründliche Kunst, wie wir schon sagten, ein echt | deutsches Gepräge; sie erinnern an jene gothischen Dome, an denen die kolossale Idee des Meisters bis ins Kleinste mit treuer Sorgsamkeit ausgeführt ist, wo die

Bogen, Verzierungen, Bilder und zahllosen Figuren alle in einem wunderbaren Einklang zu einander stehen; deren Anblick den Betrachter anfangs verwirrt, aber bei
längerem Beschauen immer mehr mit der Ahnung einer erhabenen Harmonie erfüllt.

Quelle: *Großes | Instrumental- | und | Vokal-Concert. | Eine musikalische Anthologie. | – | Heraus-
gegeben | von | Ernst Ortlepp. | – | Fünfzehntes Bändchen. | – | Stuttgart. | Franz Heinrich Köhler. |
1841., S. 97–101.* [Expl.: D-LEu, Signatur: 38-0-637:9483/9491]
Anm.: Rezension, in: NZfM, 8. Jg., 15. Bd., Nr. 15, 20. August 1841, S. 60 (Julius B[ecker]).
Lit.: ADB 24, S. 447–448 (Brümmer).

A 19

STALLBAUM: BIOGRAPHISCHE NACHRICHTEN ÜBER DIE CANTOREN AN DER THOMASSCHULE ZU LEIPZIG

LEIPZIG, 1842

Johann Sebastian Bach,
der von 1723 bis 1750,
also 27 Jahre hindurch, das Cantorat bekleidete, mit so allgemeiner Uebereinstim-
mung bewundert, daß auch selbst die größten | Meister der Musik ihn willig als
ihren Meister anerkannt haben, und noch in der Gegenwart anzuerkennen bereit
sind, wie denn eben auch jetzt ein Mendelssohn-Bartholdy durch Errichtung eines
Denkmals unter Bachs ehemaliger Cantoratswohnung dem Genius desselben seine
Huldigung darbringt. Denn mit unermeßlicher Kraft hob dieser seltene Mann die
Kunst der Töne, über die er, wie Keiner, wunderbare Gewalt übte, bis zu einer noch
nicht gesehenen Höhe der Vollendung empor, eine Vollendung, welche selbst nach
dem Zeitraume von einem Jahrhundert in vieler Beziehung nicht erreicht, sondern
nur bewundert und angestaunt wird, und ihn selbst zum unsterblichen Musterbilde
schöpferischer Erfindung gemacht hat.
Sein Vater war Johann Ambrosius Bach, Hof- und Rathsmusikus zu Eisenach, wo
unser Sebastian am 21. März 1685 geboren wurde. Schon in dem Knaben zeigte
sich ein unwiderstehlicher Drang nach Beschäftigung mit Musik. Als zehnjähriger
Jüngling seiner Aeltern beraubt fand er Aufnahme bei seinem älteren Bruder Johann Christoph Bach, Organisten in Ohrdruff, der ihm den nöthigen Schulunter-
richt ertheilen ließ und ihn nebenbei auch im Clavierspielen unterwies. Allein
schon damals trat bei ihm eine so leidenschaftliche Liebe zur Musik hervor, daß,
als sein Bruder ihm einst ein Heft Musikalien vorenthielt, er dasselbe heimlich entwendete und des Nachts bei Mondenschein in Zeit von sechs Monaten abschrieb,
um davon später heimlich ungehinderten Gebrauch machen zu können, was ihm
indessen freilich nicht gelang. Nach dem Tode des Bruders begab er sich auf das
Gymnasium nach Lüneburg, um hier im Singechore zu dienen. Hier wurde und

blieb Musik der Hauptgegenstand seiner Beschäftigungen, und fleißig besuchte er auch von da aus Hamburg, um den berühmten Orgelvirtuosen Reinken zu hören. Zugleich fand er auch erwünschte Gelegenheit, Zutritt in die Herzogliche Kapelle zu Celle zu erhalten, wo er den damaligen französischen Geschmack in der Musik kennen lernte. Im Jahre 1703 trat er als Hofmusikus in Herzoglich | Weimarischen Dienst; wurde 1704 Organist in Arnstadt, wo er sich im Contrapunkt und im Orgelspiel gebildet zu haben scheint; kam 1707 als Organist nach Mühlhausen, und schon 1708 wieder als Hoforganist nach Weimar. Sechs Jahre nachher wurde er dort Conzertmeister, verließ aber Weimar nach drei Jahren, indem er 1717 Kapellmeister des Fürsten von Köthen wurde. Nach so häufigem Wechsel äußerer Verhältnisse fand er endlich eine Stelle, welche ihm bis an das Ende seines Lebens einen beständigen Wirkungskreis bieten sollte. Denn nach Kuhnaus Tode ließ der Magistrat zu Leipzig den Ruf zur Cantorstelle an der Thomasschule, nachdem derselbe an Georg Philipp Telemann vergeblich ergangen war, an ihn ergehen. Diesem folgte er, und nicht äußere Ehre und Ruhm suchend, ja selbst den einfachen Titel Cantor dem eines Kapellmeisters, welches Prädicat ihm später von Sachsen-Weißenfels ertheilt wurde, so wie dem eines Königlich-Churfürstlichen Hofcompositeurs, mit Vorliebe voranstellend, verblieb er diesem am 30. Mai 1723 begonnenen Berufe auch treu bis zu seinem am 28. Juli 1750 erfolgten Tode, welcher durch eine Augenkrankheit, an der er selbst erblindete, herbeigeführt worden sein soll.

Es ist hier nicht unsere Aufgabe, über die großen und bewundernswürdigen Verdienste Bachs, die er sich als praktischer und theoretischer Musiker erworben, und über seine Kunstleistungen die Urtheile der Kunstverständigen zusammenzustellen. Wer diese nebst interessanten Einzelnheiten aus seiner Lebensgeschichte kennen lernen will, den verweisen wir auf Forkel „Ueber J. S. Bachs Leben und Kunstwerke." Leipzig, 1803. gr. 4. bei Hofmeister [sic!] und Kühnel, und auf die Recension davon in der Jenaischen Lit. Zeit. 1803. Nro. 222. S. 273ff.; ferner auf J. A. Hiller in seinen Lebensbeschreibungen berühmter Tonkünstler, Leipzig bei Dyk, 8. S. 20ff. Schlichtegrolls Nekrolog, 6ten Jahrgang, 1. Bd. S. 268ff. Denkmäler verdienstvoller Deutscher 4. Bd. 1829. S. 80ff. Fr. Rochlitz „Ueber den Geschmack an Seb. Bachs Compositionen," in seinem Werke: „Für | Freunde der Tonkunst, 2. Bd. S. 205ff. und „Ueber J. Seb. Bachs Cantate: Eine feste Burg ist unser Gott," ebendaselbst, 3. Bd. S. 361ff., und endlich auf einen gehaltvollen Artikel in D. Gustav Schillings Encyclopädie der gesammten musikalischen Wissenschaften oder Universal-Lexicon der Tonkunst, Bd. 1. S. 371 bis 378. Hier werde im Ganzen nur bemerkt, was er für die Schule gethan und in welcher Weise er für den ihm gewordenen Wirkungskreis an derselben und als Musikdirector an den beiden Hauptkirchen thätig gewesen ist. Wir möchten dies aber mit zwei Worten aussprechen, indem wir sagen, daß er, so wie er nur Cantor heißen mochte, so auch ganz und gar und in vollem Sinne Cantor gewesen ist.

Denn die geistliche, die heilige Musik war es zunächst, welcher er, obschon er auch den von Kuhnau und Andern bereits geweckten Sinn für edlere Profanmusik in seinen Concerten pflegte und erhielt, von nun an vorzugsweise und ununterbrochen seine ganze Kraft zuwendete, und wodurch er auch bei der Nachwelt vorzüglich seines Namens Unsterblichkeit erlangt hat. Bei der Nachwelt sagen wir; denn leider wurde seine wahre Größe von seinen Zeitgenossen meistens verkannt, wie er denn auch selbst am Dresdener Hofe und von Friedrich dem Großen, der ihn 1747 nach Potsdam rief, um 15 von ihm angekaufte Silbermannsche Flügel zu probiren, nur als Orgel- und Clavier-Virtuos angestaunt und dann ohne Ehrenbezeugungen gelassen wurde, obschon er auch in dieser Beziehung für damalige Zeiten sicherlich mehr leistete, als jetzt alle jene zahlreichen mechanischen Künstler, welche ob ihrer eingelernten Kunststückchen überall hochgeehrt und selbst mit den übermäßigsten Beifallsbezeugungen überhäuft werden. Als treuer Diener der Kirche ließ er es von nun an seine erste Aufgabe sein, den Gottesdienst ernst und erhebend durch Ton und Gesang zu schmücken und so fromme Andacht gleichsam zu befruchten und zu beleben. Und wenn schon die Fülle musikalischer Kunst, die in ihm wohnte, ihn besonders dazu befähigte, so war es nicht minder sein wahrhaft frommes | Gemüth, was ihn dazu geschickt machte. Denn wie in der Tonkunst, so wohnte er auch ganz in der Bibel, die ihm und seiner zahlreichen Familie – er hatte 11 Söhne und 9 Töchter – täglich Stoff zu frommer Andacht gewährte. In ihren Sinn und Geist mit wahrhaft evangelischem Geiste und Eifer vertieft benutzte er aus ihr entlehnte Texte oder auch evangelische Kirchenlieder, und wußte sie um so gediegener musikalisch gleichsam auszulegen, je mehr er das Reich der Harmonien mit dem umfassendsten Blicke des Geistes nach seinem ganzen Inhalte überschaute und mit wunderbarer Freiheit und Herrschaft über die Töne für das Gefühl darzustellen vermochte, was er in seinem Geiste aufgenommen hatte. Bei ihm ist daher Harmonie in weiterem Sinne des Wortes, und fromm und ernst erfaßter Gedanke, Eins, beides zusammen aber vereint wird durch seine colossale Kraft zu einem kühnen großartigen Dome, dessen Herrlichkeit dem Betrachtenden Freude, Bewunderung und Staunen abnöthigt, ohne daß sie jemals ganz begriffen werden kann. Denn seine Schöpfungen sind eben freie Schöpfungen eines großen Genius, die ihren eigenthümlichen Charakter an sich tragen, und im Einzelnen und Ganzen ein höchst originelles Gepräge haben, was eben so wenig nachgebildet werden kann, als der originelle Bau eines großartigen Münsters oder Domes, ja die selbst fort und fort zu immer neuer Betrachtung und Bewunderung einladen, ohne daß derselben jemals Schranken gesetzt werden könnten. In solchem Geiste schuf er denn seine Motetten, deren viele noch bis auf den heutigen Tag von unserem Thomanerchore mit Begeisterung für Begeisterte in der Sonnabendsvesper vorgetragen werden; in solchem Geiste schrieb er seine anderweitigen Kirchenmusiken, unter ihnen fünf vollständige Jahrgänge auf alle Sonn- und Festtage, aus welchen später sein Sohn Philipp Emanuel 104 ausgewählte Stücke bekannt gemacht hat; in solchem Geiste dichtete er seine durch Mendelssohn-Bartholdy neulich auch bei uns wieder ins Leben gerufene große Passionsmusik nach den vier Evangelien und andere Passionsmu- | siken[1]); in solchem Geiste schrieb er seine Missen, Oratorien, Choralgesänge und andere ähnliche Werke; und in solchem Geiste, setzen wir endlich hinzu, ließ er auch die

Töne der Orgel, wenn er sie berührte, mit wahrer Allgewalt über sie – denn die
Füße führten oft aus, was sonst die Hände nicht vermögen – in großartigen majestä-
tischen Accorden dahinrauschen, und erhob in gediegener Klarheit, aber mit der
bewunderungswürdigsten Tiefe der Kunst, die Gemüther der Zuhörenden unwillkürlich zur Ahnung des Göttlichen und Unendlichen. So also lebte Bach wahrhaft
für seinen Beruf, und er vermochte dies um so eher, als er sich eben fast ganz hierauf
beschränkte und unter sorgfältiger Vermeidung alles dessen, was Geist und Gemüth
zerstreut und seine Kraft zertheilt, ganz in sich gesammelt und abgeschlossen lebte
und so in sich vollendet dastand.

Verdient er nun aber in dieser Hinsicht als ein wahrer Cantor und Director der kirchlichen Musiken bezeichnet zu werden, so ist dieß auch noch in anderer Beziehung
der Fall, indem er theils die Kirchenmusiken mit dem übrigen Gottesdienste in Einklang zu setzen suchte, theils Alles aufbot, um die Mittel zur möglichst vollkommenen Ausführung derselben zu gewinnen. Es ist unleugbar eine der Hauptursachen,
weshalb die geistlichen Musiken oft ihre Wirkung verfehlen, darin zu suchen, daß
dieselben nicht mit den übrigen Theilen der jedesmaligen Gottesverehrungen in
gehörigem Zusammenhange stehen, ja die Musik selbst mit den Gedanken, deren
Begleiterin sie ist, nicht selten in auffallendem Widerspruche erscheint. Geistliche
Lob- und Danklieder werden oft nach Melodien gesungen, die nur für Buß- und
Trauergesänge passen, so daß der Ausdruck des frohen, erhebenden Dankgefühles
musikalisch zur Nänie wird, und umgekehrt werden Lieder, welche den Ausdruck
der Reue, der Betrübniß, des Schmerzes, der Hilfsbedürftigkeit und des Elendes
zum Inhalte haben, in Me-

[1])   Ueber die Veranlassung und Entstehung von diesen Tondichtungen giebt interessante
Nachrichten Fr. Rochlitz „Für Freunde der Tonkunst." 4. Bd. S. 422ff. und 3. Bd. S. 364.

| lodien vorgetragen, die nur für den Ausdruck der Freude, der Hoffnung, des Dan-
kes geeignet sind. Es ist dieß in unsern Gesangbüchern leider ein sehr allgemeiner
Fehler, den freilich hauptsächlich die neuern Liederdichter verschuldet haben, die
sich nicht um den Geist und Charakter der alten Kirchenmelodien bekümmerten,
nach welchen sie die Rhythmen ihrer Gesänge wählten. Ein geistlicher Liederdichter sollte jedenfalls immer auch musikalisch sein. Eben so bietet sich nicht selten
die Bemerkung dar, daß die Hymnen, Motetten, Oratorien u.s.w. dem Inhalte der
Predigt und der übrigen Gesänge nicht entsprechen, wodurch offenbar der Gottesdienst seine Einheit verliert, ein Umstand, der in der protestantischen Kirche um so
fühlbarer werden muß, als sie nicht den stehenden Typus der katholischen Missa
zuläßt, und bis jetzt keine Tondichtungen besitzt, welche auf ähnliche Weise, wie
die Missa den katholischen Gottesdienst theilweise durchzieht, so einzelne Theile
ihres Cultus in Verbindung zu setzen geeignet wären. Bach fühlte dieß Alles sehr
lebendig, und war bemüht dem Uebelstande so viel wie möglich abzuhelfen. Darum schrieb er seine vierstimmigen Choralgesänge, zusammen 400, erst nach seinem
Tode von seinem Sohne Carl Philipp Emanuel Bach 1765 und 1769 herausgegeben,

und in einer zweiten Auflage wieder in drei Theilen 1784–86 gedruckt. Um aber den größern Kirchenmusiken Zusammenhang mit den übrigen Theilen der Gottesverehrung geben zu können, arbeitete er, wie schon oben angedeutet, unter Anderem ganze Jahrgänge für die einzelnen Sonn- und Festtage aus. Ja er ging noch weiter; er besprach sich auch vor den sonn- und festtäglichen Gottesverehrungen mit seinem Geistlichen, und ließ sich den Inhalt der zu haltenden Predigt im Voraus mittheilen, um sorgfältig und zweckgemäß die musikalischen Aufführungen vorbereiten zu können. Herr Hofrath Rochlitz macht darüber im vierten Bande seines Werkes „Für Freunde der Tonkunst" Seite 424 u. ff. nähere Mittheilungen. „Auch über Vermeidung des Disparaten zwischen der Musik und den übrigen Theilen | des Gottesdienstes an Sonntagen und anderen Festtagen vereinigten sich beide Ehrenmänner (Bach und der damalige Superintendent *D*. Salomon Deyling). Sie beseitigten dieses Disparate durch folgendes einfache Verfahren. Deyling entwickelte in der Regel seine ganze Predigt – wenn auch oft künstlich genug – aus dem Sonn- und Festtags-Evangelium: demselben Evangelium gemäß wählte und ordnete nun auch Bach seine Musik, so daß sie schon darum sich an das Uebrige anschließen mußte, wenigstens niemals ihm fernstehen konnte. Da nun aber doch der Fall nicht selten eintreten mußte, daß Deyling von der Regel abging und irgend einen abweichenderen, nicht zu erwartenden Gegenstand durchführen wollte, wozu er nur die Veranlassung – eine Einzelnheit, ein Bild u. dgl. – aus dem Evangelium nahm; so sandte ihm Bach jedesmal zu Anfang der Woche mehrere auf den Tag gerichtete Texte seiner Kirchenstücke zu (gewöhnlich drei) und der Doctor wählte daraus. Dazu gehörte nun freilich ein großer Reichthum an solchen Stücken; diesen aber schuf sich Bach selbst, und schrieb deren unaufhörlich. So ist die erstaunliche Menge dieser seiner Werke entstanden."

Giebt dieß nun abermals einen deutlichen Beweis von der Treue und Gewissenhaftigkeit, mit welcher er seinem Berufe als Cantor lebte, so dürfen wir auch endlich die große Sorgfalt nicht unerwähnt lassen, mit welcher er für die Herbeischaffung der zur tüchtigen Aufführung und Darstellung der kirchlichen Tondichtungen erforderlichen Mittel arbeitete. Das erste, was er in dieser Hinsicht bemerkte, war der Mangel an tüchtiger und ausreichender Instrumentalmusik. Diese mußte ihm um so mangelhafter erscheinen, als ihm seine eigenen, über das Gewöhnliche emporragenden Schöpfungen größere Mittel und ausgebildetere Kräfte vermissen ließen. Wurde doch auch damals für die Instrumentalmusik ein großer Theil des Schülerchores benutzt, und dadurch einerseits dem Gesange Kräfte entzogen, die gerade bei seinen Compositionen schwer zu entbehren waren, und andererseits für Instrumentalmusik junge Leute gebraucht, die schon wegen | anderweitiger Beschäftigung mit gelehrten Studien es hierin nur selten zu einiger Fertigkeit bringen konnten. Bach wendete sich deshalb im Jahre 1730 in einer Vorstellung an den Magistrat, zeigte, welche Desiderien sich hier herausstellten, legte dar, wie jetzt das Orchester besetzt werden müsse, und machte endlich Vorschläge zur bessern Organisation desselben, welche natürlich auch nicht ohne Erfolg geblieben sind. Allein gleichzeitig sorgte er auch, wie schon früher, für tüchtige Einübung des Sängerchores und für Unterweisung desselben in theoretischer und praktischer Hinsicht. Und dieß gerade lag ihm um so mehr am Herzen, als es seine amtliche Stellung zur Schule mit sich brachte, den Alumnen derselben nicht bloß Musiklehrer, sondern im weiteren volleren Sinne Lehrer überhaupt und Erzieher zu sein. Mit allem Fleiße und aller Treue ertheilte er daher seinen Unterricht, wobei er besonders auf Präcision in der praktischen Ausübung gesehen haben soll. Für das gesammte Chor aber war er ein eben so geliebter als strenger und gefürchteter Vorsteher, dessen Willen zu erfüllen sowohl Ehrerbietung als Furcht bewegen mochte.

Und so wirkte er denn auch für die Schule als Gesammtheit wahrhaft segensreich, was auch von den Rectoren nicht verkannt wurde. Denn der in seiner Art eben auch große Johann Matthias Gesner ehrte nicht nur seine Kunst und seinen Eifer, sondern achtete ihn auch persönlich hoch, und schon anderwärts haben wir bemerkt, daß sich zwischen beiden Männern sogar ein seltenes collegialisches Verhältniß gestaltete. Zeugniß davon giebt bis auf diesen Tag noch eine Anmerkung Gesners zum Quintilian 1. Buch Cap. 12, 3. wo folgende Worte Quintilians stehen: *An vero citharoedi non simul et memoriae et sono vocis et pluribus flexibus serviunt, quum interim alios nervos dextra percutiunt, alios laeva trahunt, continent, probant, ne pes quidem otiosus certam legem temporum servat, et haec pariter omnia?* Hierzu bemerkt Gesner sehr schön Folgendes: *„Haec omnia, Fabi, paucis | sima esse diceres, si videre tibi ab inferis excitato contingeret Bachium, ut hoc potissimum utar, quod meus non ita pridem in Thomano Lipsiensi collega fuit, manu utraque et digitis omnibus tractantem vel polychordum nostrum, multas unum citharas complexum, vel organon illud organorum, cujus infinitae numero tibiae follibus animantur, hinc manu utraque, illinc velocissimo pedum ministerio percurrentem, solumque elicientem plura diversissimorum, sed eorundem consentientium inter se sonorum quasi agmina: hunc, inquam, si videres, dum illud agit, quod plures citharoedi vestri et sexcenti tibicines non agerent, non una forte voce canentem citharoedi instar etc. Maximus alioquin antiquitatis fautor multos unum Orpheas et viginti Arionas complexum Bachium meum, et si quis illi similis sit forte, arbitror."*

So war also Bach wie gesagt, Cantor in wahrem und vollem Sinne des Wortes, und eben weil er ganz war, was er sein konnte und sein wollte, darum steht er bei seiner ihm verliehenen Kraft so unübertrefflich groß da. Im Einklange aber mit seinem Berufsleben stand auch sein häusliches und Familienleben. Denn entfernt von Zerstreuung und Genußsucht, in der so Manche sich Geist und Bildung zu holen gedenken, lebte er vielmehr einfach im Kreise seiner zahlreichen Familie als ein wackerer, biederer, wahrhaft ehrenfester und frommer Hausvater, wovon auch die Frucht sich an seinen Söhnen offenbarte, die fast alle tüchtige Musiker wurden, und zum Theil selbst des Vaters Größe nacheiferten, wie namentlich der älteste, sein geliebter Wilhelm Friedemann, der gründlichste Orgelspieler, der größte Fugist und der tiefste Musikgelehrte seiner Zeit, und überdies geschickter Mathematiker und kenntnißreicher Jurist, bis 1767 Musikdirector und Organist an der Marienkirche in Halle, später freilich durch eigene Schuld unglücklich, gestorben in Berlin 1784; ferner Carl

Philipp Emanuel, seit 1740 Kammermusikus Friedrichs des Großen, und seit | 1707
Musikdirektor in Hamburg, gestorben daselbst 1788, dessen Leben und Verdienste
Fr. Rochlitz „Für Freunde der Tonkunst" Band 4. S. 397ff. einer ausführlichen Darstellung gewürdigt hat; und Johann Christian, der jüngste von den elf Brüdern, oder
der sogenannte Londoner Bach, seit 1759 in London, wo er Königlicher Kapellmeister wurde, gestorben 1782. Rührend ist es zu lesen, daß der alte Sebastian in Folge
übergroßer Anstrengung seiner Augen, und beschäftiget mehrere seiner Werke zum
Behufe öffentlicher Bekanntmachung selbst zu stechen, völlig erblindete, daß er aber
auch in diesem Zustande der Blindheit noch fortfuhr wundervolle Tonwerke zu
schaffen. Namentlich dictirte er einem seiner jüngern Söhne die kunstreiche achtstimmige Motette: Komm Jesu, komm! mein Leib ist müde, der saure Weg wird mir
zu schwer!" ein großartiger und kunstvoller Seufzer aus dem Tiefsten der Seele um
Erlösung von der schweren Bürde des Leidens, die freilich jetzt auch auf ihm, dem
sonst so kraftvollen, hart und drückend lasten mochte. Er theilte aber auch hierin,
wie in so vielem Andern, das Schicksal seines großen Zeitgenossen, Georg Friedrich
Händel, welcher ebenfalls zuletzt erblindete, und seinem Todesjahre nahe noch sein
herrliches Oratorium Jephta seinem treuen Smith in die Feder dictirte.[1]
Es hat seinen eigenen Werth, wenn von großen Männern treue Bildnisse hinterlassen
sind, durch welche die Nachwelt in den Stand gesetzt wird, sich auch von ihrer Persönlichkeit eine Vorstellung zu machen. Ein günstiges Geschick hat von unserem
Bach ein solches Gemälde in Oel unserer Thomasschule zugeführt, indem der spätere Cantor und Musikdirector derselben Aug. Eberhard Müller bei seinem Abgange
nach Weimar als Großherzoglicher Kapellmeister im Jahre 1809 ihr solches zum Andenken verehrte. Es ist ein herrliches schönes Bild, was

[1]   Eine sehr schöne Parallele zwischen beiden großen Männern und deren Schicksalen giebt
der verehrungswürdige Fr. Rochlitz „Für Freunde der Tonkunst", Band 4. Seite 153ff.

| uns den kräftigen, biedern, freundlich ernsten, geistreichen Mann mit aller Leben-
digkeit vor Augen führt, so daß, wer mit den von ihm vorhandenen Charakteristiken bekannt ist, augenblicklich sagen muß, wenn er in unseren Musiksaal, wo es
sich jetzt befindet, eintritt: das ist Sebastian Bach! Nach diesem Gemählde ist im
vorigen Jahre eine herrliche Lithographie erschienen von unserm kunstsinnigen
Schlick und L. Zöllner gearbeitet; und nach seinem Muster wird auch das Denkmal
gearbeitet sein, was jetzt dem großen Manne zu Ehren auf Mendelssohn-Bartholdy's
Veranstaltung an der Thomaspforte unter den Fenstern der Cantoratswohnung em-
porsteigt. Aber auch noch ein anderes Denkmal, ein wahres National-Denkmal,
könnte unserem Bach gesetzt werden. Von seinen zahlreichen Werken, namentlich
von seinen Kirchenmusiken, sind in der That im Ganzen nur wenige veröffentlicht;
das Meiste davon ist noch Manuscript und findet sich überall zerstreut in den Händen Einzelner. Was ein solcher Genius geschaffen, das ist und bleibt ewig Original
und wird durch keinen andern Genius jemals ersetzt oder erreicht werden können.
Darum würde es ein großes Verdienst sein, Bachs sämmtliche Werke, soweit solche

noch vorhanden sind, in einer Gesammtausgabe zugänglich zu machen, wenigstens vor Allem seine Manuscripte zu sammeln und zu sichern. Es würde dieß das kräftigste Mittel sein, um eine Vorhersagung zur Wahrheit zu machen, welche dem Munde eines wahrhaften Kunstgeweihten entströmt ist, und deren Erfüllung jeder Freund der deutschen Musik wünschen muß. „Es darf, sagt dieser, kühn vorausgesagt werden, daß die Erkenntniß seines Geistes und Wesens der Vorläufer einer neuen Zeit sein wird, die uns erlöset von allem Uebel und allen Uebelkeiten, welche die neueste Zeit aus Italien und Frankreich über uns und unsere Musik gebracht hat." Daß übrigens Bach eine große Anzahl mittelbarer und unmittelbarer Schüler gebildet hat, ist allgemein bekannt. Als die ausgezeichnetsten von Letzteren sind anerkannt | Joh. Caspar Vogler, später Herzoglicher Hoforganist und – Bürgermeister zu Weimar; Joh. Ludwig Krebs, ebenfalls Herzoglicher Hoforganist zu Altenburg, von welchem Bach selbst zu sagen pflegte, es habe sich nur ein Krebs in seinem Bächlein gefangen; Gottfried August Homilius, Musikdirector in Dresden und Cantor an der Kreuzschule daselbst; und Johann Philipp Kirnberger, Hofmusikus in Berlin, berühmt als Theoretiker. Eine treffliche Uebersicht von Bachs geistigem Einflusse auf die Mit- und Nachwelt bietet eine Tabelle von Herrn Albert Schiffner in Dresden, auch einem ehemaligen Zöglinge der Thomana, welche als Beilage zur „Neuen Zeitschrift für Musik" von D. Schumann erschienen, aber auch besonders unter folgendem Titel zu haben ist: Sebastian Bachs geistige Nachkommenschaft mittelst des steten Fortgehens vom Lehrer zum Schüler construirt." Leipzig, 1842. Fol. bei Friese. Es ergiebt sich aus dieser Tabelle, daß Bach auch in dieser Beziehung recht eigentlich Vater der neuern Musik genannt werden kann.

Quelle: *Ueber | den innern Zusammenhang musikalischer | Bildung der Jugend mit dem Gesammtzwecke des | Gymnasiums, | eine | Inauguralrede, | nebst | biographischen Nachrichten | über die | Cantoren an der Thomasschule | zu Leipzig. | – | Eine Gelegenheitsschrift, | womit | zur geneigten Theilnahme | an der | in der Thomasschule üblichen Jahresfeier | am 31. December 1842 um 5 Uhr | ergebenst einladet | Prof. Gottfried Stallbaum, | der Schule Rector. | – | Leipzig, | Druck von J. H. Nagel.,* S. 78–90. [Expl.: D-LEb]
Anm.: Die vorangestellte Rede an die „Verehrungswürdigen Patrone und Ephoren der Schule …" (S. 3–46) wurde „bei der feierlichen Einführung des neuerwählten Cantors und Musikdirectors an der Thomasschule, Herrn Moritz Hauptmann, am 12. September 1842" (S. 3, Fußn. 1) gehalten. Weitere Bach-Erwähnungen auf den Seiten 91 (G. Harrer), 92, 94 (J. F. Doles) und S. 100 (J. A. Hiller). Zu Gesners *Quintilian* → Dok II, Nr. 432.
Sts. Bach-Biographie wurde im *Leipziger Tageblatt und Anzeiger*, Nrn. 78, 82 und 90, 19., 23. und 31. März 1843, S. 573–574, 601–602 und S. 667–668, abgedruckt, aus Anlaß zur „Enthüllung des seinem [Bach] Ruhme errichteten Monumentes" am 21. März 1843 (Einleitung zu Nr. 78). Die Anmerkungen der Redaction verweisen auf Johann Cornelius Maximilian Poppe, einem „fleißigen Sammler aller zur Chronik Leipzigs dienenden Momente". Poppe hatte der Redaction „einige zum Theil quellenmäßige Notizen aus Bach's Leben" zur Verfügung gestellt. Lit. zu Poppe: Carl W. Naumann, *Leipziger Lebensläufe. Johann Cornelius Maximilian Poppe*, in: Schriften des Vereins für die Geschichte Leipzigs, Bd. 23, S. 74; *Bibliographie zur Geschichte der Stadt Leipzig*.

Erster Hauptband, Weimar 1971 (Aus den Schriften der historischen Kommission der Sächsischen Akademie der Wissenschaften zu Leipzig), S. 102 und 111.
Vgl. Sts. Beitrag *Die Reihefolge der Cantoren an der Thomasschule zu Leipzig.*, in: NZfM, 8. Jg., Bd. 14, Nr. 23 und Nr. 24, 19. und 22. März 1841, S. 91–92 und S. 95–97, sowie Nr. 26, 29. März 1841, S. 105–106 (*Nachträglich*). Vgl. auch Sts. Schrift *Die Thomasschule zu Leipzig nach dem allmäligen Entwickelungsgange ihrer Zustände insbesondere ihres Unterrichtswesens. …*, Leipzig 1839, mit Bach-Erwähnungen auf S. 60 (Fußn., Aufführung von BWV Anh. I / 18) und S. 67–70, 79 und S. 85.
Zu A. Schiffners Aufsatz *Sebastian Bach's geistige Nachkommenschaft* sowie der eigenständigen Veröffentlichung (Friese 1842) → A 17.
Lit.: Albert Brause, *Johann Gottfried Stallbaum. Ein Beitrag zur Geschichte der Thomasschule in der ersten Hälfte des 19. Jahrhunderts*, I. und II. Teil, Leipzig 1897 und 1898.

A 20

MOSEWIUS: JOHANN SEBASTIAN BACH IN SEINEN KIRCHEN-CANTATEN

BERLIN, 1845

Biographisches.

Der Stammvater der so berühmt gewordenen Bach'schen Familie hiess Veit Bach. Er war ein Bäcker seines Gewerbes zu Presburg in Ungarn. Beim Ausbruche der Religions-Unruhen im sechszehnten Jahrhundert flüchtete er sich nach Thüringen und nahm seinen Wohnsitz zu Wechmar, einem nahe bei Gotha liegenden Dorfe. – Es wird von ihm erzählt, dass er eine grosse Neigung für die Musik gehabt und leidenschaftlich gern die Cyther gespielt habe. Diese Neigung zur Musik pflanzte sich auf seine Söhne, und durch diese weiter auf die nach und nach sehr zahlreich gewordene Familie fort, so dass bald mehrere ihrer Glieder die Cantor-Organisten- und Stadtmusikanten-Stellen in Thüringschen Gegenden im Besitze hatten. – Aus diesen sendete der damals regierende Graf von Schwarzburg-Arnstadt drei Enkel des Stammvaters auf seine Kosten nach Italien, um sie in ihrer Kunst mehr zu vervollkommnen. Es waren Heinrich Bach, geboren 1615 zu Wechmar, gestorben 1691; Christoph Bach, geboren 1613, gestorben 1661; Johann Bach, geboren 1604, gestorben 1675. Ihre Namen sind nicht weiter berühmt geworden; doch schon aus der vierten Generation zeichneten sich einige Glieder aus, von deren Compositionen durch Sebastian Bach's Sorgfalt mehrere Stücke bis auf uns gekommen sind: es sind die Söhne oben erwähnten Heinrichs:
1. Johann Christoph, Hof- und Stadt-Organist zu Eisenach, geb. 1643, gest. 1703, bekannt von ihm ist ein Kirchenstück auf das Michaels-Fest, „Es erhob sich ein Streit" welches 22 reale Stimmen hat.
2. Johann Michael, ein jüngerer Bruder des vorigen, Organist und Stadtschreiber

im Amte Gehren. Von beiden Brüdern hat Naue neun treffliche Motetten herausgegeben, Leipzig bei Hofmeister.

Dann 3. Johann Bernhard, Kammermusikus und Organist zu Eisenach, Johann's Enkel;
soll vorzüglich schöne Ouvertüren nach damaliger französischer Art gemacht haben.
Im Jahre 1685 am 21. März wurde Johann Sebastian Bach zu Eisenach geboren, wo
sein Vater, Johann Ambrosius, Hof- und Stadt-Musikus war, ein Zwillingsbruder
des ihm bis zum Verwechseln ähnlichen Johann Christoph, Hof- und Stadt-Musikus
zu Arnstadt. Noch nicht volle zehn Jahre alt, kam Sebastian schon völlig verwaist,
im Jahre 1695 zu seinem ältern Bruder Johann Christoph, Organist in Ordruff, von
welchem er den ersten Unterricht im Clavierspielen erhielt. Bald genügten ihm
die gewöhnlichen Uebungsstücke nicht mehr, und er suchte sich ein geschriebenes Heft mit Compositionen der damals berühmtesten Tonsetzer für das Clavier
(Froberger, Kaspar Kerl, Pachelbel), welches sein Bruder besass, und ihm auf sein
Bitten von diesem vorenthalten wurde, heimlich zu verschaffen. Nachdem er es
sich in mondhellen Nächten copirt hatte, bemerkte es sein Bruder und nahm es
ihm fort. Erst nach dessen bald darauf erfolgtem Tode konnte er es wieder erhalten. – Auf's neue verwaist, ging Sebastian nach Lüneburg, wo er als Discantist in
das Chor der Michaelskirche aufgenommen wurde. In Folge seiner Neigung für das
Clavier- und Orgelspiel reiste er noch als Schüler mehreremale nach Hamburg, um
dort den berühmten Organisten Johann Adam Reinken zu hören, zuweilen auch
nach Celle, wo eine, meistens aus Franzosen bestehende, Kapelle sich befand. Der
französische Geschmack in der Musik war damals in jenen Gegenden etwas ganz
Neues. – Als Sebastian Bach achtzehn Jahre alt war, im Jahre 1703, kam er als Hofmusikus nach Weimar, wo er für die Violine angestellt wurde. Schon im folgenden
Jahre vertauschte er diesen Platz mit der Organisten-Stelle zu Arnstadt. Die Compositionen für die Orgel von Dieterich Buxtehude, welche er kennen gelernt hatte,
veranlassten ihn, von hier aus eine Fussreise nach Lübeck zu machen, wo er diesen
berühmten Componisten (er war bei der dortigen Marienkirche angestellt) auch als
Organisten kennen lernte. Er blieb ein Vierteljahr lang sein heimlicher Zuhörer und
kehrte sodann mit vermehrten Kenntnissen nach Arnstadt zurück. |

Im Jahre 1707 erhielt Sebastian Bach einen Ruf als Organist an der St. Blasius-Kirche
nach Mühlhausen, dem er auch folgte, aber schon ein Jahr darauf erwarb er sich in
Folge des grossen Beifalls, den er auf einer Reise nach Weimar daselbst als Orgelspieler erhielt, die Stelle des dortigen Hoforganisten. Im Jahre 1717 wurde er zum
Concertmeister ernannt, welches Amt ihm auch die Composition und Aufführung
von Kirchen-Stücken zur Pflicht machte. – Nach dem Tode Zachau's, Organist und
Musikdirector in Halle, Händel's Lehrer, wurde ihm dessen erledigter Platz ange-
tragen, den er aber nicht annahm. – Bach war jetzt in seinem 32 Lebensjahre nicht
nur ein bekannter Organist und Componist, sondern hatte vielmehr schon eine so
grosse Berühmtheit erlangt, dass er den Vergleich mit den berühmtesten Künstlern
seiner Zeit ohne Nachtheil befürchten zu müssen, ertragen konnte. – Mitzler's Bibliothek (Band 10 S. 163) erzählt davon ein bekannt gewordenes Beispiel aus dem Jahre

1717. Der in Frankreich berühmte Clavier-Spieler und Organist Marchand war nach Dresden gekommen, hatte sich vor dem Könige mit besonderem Beifalle hören lassen und war so glücklich, dass ihm Königliche Dienste mit einer starken Besoldung angeboten wurden. Der damalige Concert-Meister in Dresden, Volumier, schrieb an Bach nach Weimar, und lud ihn ein, nach Dresden zu kommen, um mit dem hochmüthigen Marchand einen musikalischen Wettstreit um den Vorzug zu wagen. Bach nahm diese Einladung willig an, und reiste nach Dresden.

Volumier empfing ihn mit Freuden, und verschaffte ihm Gelegenheit seinen Gegner erst verborgen zu hören. Bach lud hierauf den Marchand durch ein höfliches Handschreiben, in welchem er sich erbot, alles was ihm Marchand Musikalisches aufgeben würde, aus dem Stegreife auszuführen und sich von ihm gleiche Bereitwilligkeit versprach, zum Wettstreite ein. Marchand bezeigte sich sehr willig, Tag und Ort wurden nicht ohne Vorwissen des Königs angesetzt. Bach fand sich zur bestimmten Zeit auf dem Kampfplatze in dem Hause des Marschalls Grafen v. Flemming ein, wo eine grosse Gesellschaft von Personen vom hohen Range, beiderlei Geschlechts, versammelt war. Marchand liess lange auf sich warten. Als man sich endlich in seiner Wohnung nach ihm erkundigen liess, erfuhr die Gesellschaft zu ihrer Verwunderung, dass Marchand schon am Morgen desselben Tages Dresden verlassen habe, ohne von jemand Abschied zu nehmen und Bach liess sich nun allein zur Bewunderung aller Anwesenden hören. Nachdem er wieder nach Weimar zurückgekehrt war, berief ihn der Herzog Leopold von Anhalt-Cöthen als Capellmeister. Bach verwaltete diese Stelle sechs Jahre lang, in dieser Zeit (etwa 1722) machte er eine Reise nach Hamburg, wo er sich auf der Orgel hören liess. Der alte fast hundertjährige Reinken machte bei Gelegenheit des Chorals: „An Wasserflüssen Babylons," den Bach durchführte, die Bemerkung: „Ich dachte diese Kunst wäre ausgestorben, ich sehe aber, dass sie in Ihnen noch lebt." – Im Jahre 1723 wurde Bach nach Kuhnau's Tode als Cantor und Musik-Director an der Thomasschule zu Leipzig ernannt, welches Amt er bis zu seinem Tode verwaltete. Später erhielt er vom Herzog von Weissenfels den Capellmeister-Titel und im Jahre 1739 den Titel eines Königlichen polnischen und Churfürstlich sächsischen Hof-Compositeurs. Durch dessen zweiten Sohn, Carl Philipp Emanuel, welcher 1740 in die Dienste Friedrichs des Grossen trat, veranlasst, reiste Bach 1747 nach Berlin in Gesellschaft seines ältesten Sohnes Friedemann. Der König liess ihn in Potsdam zu sich kommen, und hörte ihn auf den verschiedenen Silbermann'schen Flügeln, welche noch heute im neuen Palais stehen, spielen. Auch auf der Orgel liess sich Bach in Potsdam hören. – Ein zur Benutzung für freie Fantasie ihm von Friedrich dem Grossen gegebenes Thema, arbeitete Bach später zu Hause aus und liess es unter dem Titel: Musikalisches Opfer drucken. –

Dies war Bach's letzte Reise. Der anhaltende Fleiss, mit welchem Bach Tag und Nacht, besonders in jungen Jahren gearbeitet, hatte seine Augen geschwächt. Die Schwäche wuchs mit den Jahren, und es entstand eine schmerzhafte Augenkrankheit. Eine Operation, welcher sich Bach zweimal unterwarf, missglückte, in Folge deren er nicht nur sein Gesicht ganz verlor, sondern auch seine sonst so dauerhafte

Gesundheit, vielleicht durch dabei gebrauchte Arzeneimittel, zerrüttet wurde. Er kränkelte hierauf noch ein halbes Jahr, bis er am Abend des 30. July 1750 im 66. Jahre starb. – Bach war zweimal verheirathet gewesen; aus der ersten Ehe waren ihm sieben, aus der zweiten dreizehn Kinder geboren worden, eilf Söhne und neun Töchter. – Von den Söhnen erster Ehe überlebten ihren Vater:

1. Wilhelm Friedemann, geboren zu Weimar 1710, gestorben zu Berlin 1784.
2. Carl Philipp Emanuel, geboren zu Weimar 1714, gestorben zu Hamburg 1788. Aus der zweiten Ehe sind nach des Vaters Tode bekannt geworden:
1. Johann Christoph Friedrich, geboren zu Leipzig 1734, gestorben 1795.
2. Johann Christian (der Mailänder oder Londoner Bach), geboren zu Leipzig 1735, gestorben zu London 1782.

(Näheres in Mitzler's Bibliothek, in Forkel's Leben, Kunst und Kunstwerke Sebastian Bach's, im Tonkünstler-Lexicon von Gerber und dem Universal-Lexicon der Tonkunst.)

Quelle: *Johann Sebastian Bach | in seinen | Kirchen-Cantaten und Choralgesängen. | – | Dargestellt | von | Johann Theodor Mosewius, | Musikdirektor und Lehrer der Tonkunst an der Königl. Universität und am Königl. akademischen Institute für Kirchen-Musik, Direktor der | Sing-Akademie, und Secretair der musikalischen Section der vaterländischen Gesellschaft zu Breslau. | Berlin, 1845. | – | Verlag der T. Trautwein'schen Buch- und Musikalien-Handlung. | (J. GUTTENTAG.)*, S. 1–2. [Expl.: A-Wn, Signatur: 396131-D.Mus]

Anm.: Der Abschnitt „Biographisches" ist den Ausführungen über „Seb. Bach's Kirchencantaten" und „Seb. Bach's vierstimmige Choral-Gesänge" vorangestellt. Ursprünglich waren diese bereits 1839 geschriebenen Aufsätze „zur Begleitung einer Ausgabe Bach'scher Choralgesänge mit unterlegten dazu gehörigen Textesworten bestimmt" (Vorrede, S. VII). Nach Mosewius hat jedoch „Die Becker'sche Ausgabe der Choräle jene beabsichtigte überflüssig gemacht." (AMZ, 46. Jg., Nr. 7, 14. Februar 1844, Fußnote zur Sp. 105.) Mosewius übergab seine teilweise veränderten Aufsätze der AMZ zur Veröffentlichung (46. Jg., Nr. 7, 8, 23, 24, 28, 36–38; 14., 21. Februar, 3., 12. Juni, 10. Juli, 4., 11., 18. September 1844; Sp. 105–109, 121–123, 377–392, 393–404, 465–475, 593–597, 609–614, 625–632.) Die Ausgabe von C. F. Becker erschien 1841–1843 in 6 Lieferungen im Leipziger Verlag Robert Friese (→ C 87); die vollständige Sammlung ist angezeigt, in: NZfM, 10. Jg., Bd. 18, 1843, Intell.bl. Nr. 6, 15. Mai 1843.
Rezension der Abhandlung von Mosewius: AMZ, 47. Jg., Nr. 43, 22. Oktober 1845, Sp. 753–756 (Kahlert).
Lit.: *Schlesische Lebensbilder.* Hrsg. von Friedrich Andreae, Max Hippe: namens der Historischen Kommission für Schlesien, Breslau 1922–1968.

A 21

<small>BIOGRAPHIEN DER BERÜHMTESTEN MÄNNER UND FRAUEN</small>
PEST, 1846

Sebastian Bach.

———

Geboren 1685. Gestorben 1750.

Der Vater der neueren Musik, Johann Sebastian Bach, ist zugleich Ahnherr eines Tonkünstlergeschlechtes, welches nach ihm bis auf die neuere Zeit noch in vielen Zweigen geblüht hat. Die Familie stammt aus Ungarn, welches Land Sebastian's Vater, Johann Ambrosius Bach (gestorben 1695 | als Hof- und Rathsmusikus in Eisenach) wegen der religiösen Wirren verließ und sich nach Deutschland wendete. Sebastian erblickte das Licht zu Eisenach den 21. März 1685, bekam den ersten Unterricht von seinem Bruder Johann Christoph, Organisten zu Ohrdruff, später in Hamburg von dem berühmten Organisten Reinke, und setzte dann seine Ausbildung auf der Michaelsschule zu Lüneburg fort. 1704 wurde er Organist zu Arnstadt, nachdem er bereits ein Jahr in Weimar die Stelle eines Hofmusikus versehen hatte. 1707 folgte er dem Rufe als Organist nach Mühlhausen, und 1708 nahm er die Stelle als Hoforganist in Weimar an. Später wurde er erst Concertmeister, nachmals Kapellmeister bei dem Fürsten von Anhalt-Köthen, und 1723 Kantor und Musikdirektor an der Thomasschule zu Leipzig. Hier erhielt er den Titel als Kapellmeister und königl. poln. und kurfürstl. sächsischer Hofkompositeur; hier war es auch, wo er durch Lehre und Vorbild einen Stamm vortrefflicher Organisten und Kantoren bildete, der zunächst durch Sachsen und Thüringen über ganz Norddeutschland sich verbreitete. Was Albrechtsberger, Kirnberger und Marpurg in der Theorie des Satzes geleistet, läßt sich auf Bach zurückführen, gleichwie in ihm jene Klavierschule wurzelt, die durch seinen Sohn Philipp Emanuel Aufsehen erregte, durch Clementi und Cramer weiter geführt ward und in Hummel scheinbar ihren Abschluß erhalten hat. – Sein Tod erfolgte den 8. Juli 1750. – Das Zeitalter Bach's war hinsichtlich der Musik nicht etwa ausgezeichnet; es wurde charakterisirt durch eine gewisse tödtende Schlaffheit und einen herz- und geistlosen Schlendrian. Bach's großartiger Geist erschuf sich eine neue Bahn, mit ihm begann ein neues Zeitalter. Natürlich trugen seine Bestrebungen das Gepräge des damals herrschenden Geschmacks, d. h. sie bewegten sich im Gebiete der Kirchenmusik, gingen also besonders vom Orgelspielen aus. Und hier war er vollendeter Meister. Er leistete Unerhörtes, Neues, aber Besseres. Wir erwähnen hier nur seiner Fugen. Mit seltener Kunst wußte er die größten harmonischen Schwierigkeiten zu überwinden, und die verschiedenartigsten Melodien zu einem schönen, prächtigen Ganzen zu verbinden. Meister im Kontrapunkte, phantasiereich und gewandt, schrieb er seine Werke, die durch ihre Tiefe und prächtige Erhabenheit noch jetzt die Bewunderung Aller im hohen Grade erregen. Ueberdies verdanken ihm die Klavierspieler die Aufstellung eines ganz neuen Fingersatzes, indem er die Anwendung des Daumens, welcher vorher nur selten gebraucht worden war, als wesentlich nothwendig empfahl.

Quelle: *Neuer | PLUTARCH, | oder: | Bildnisse und Biographien | der | berühmtesten Männer und Frauen | aller | Nationen und Stände; | von | den ältern bis auf unsere Zeiten. | – | Nach den zuverlässigsten Quellen | bearbeitet | von einem Vereine Gelehrter. | IV. Band. | Mit 120 Bildnissen in Stahlstichen.– – | Pesth, 1846. | Verlag von Conrad Adolf Hartleben.*, S. 154–155. [Expl.: D-B Pb 1980]
Anm.: Zu dem unbezeichneten Stich auf Tafel LXX („Verlag von C. A. Hartleben in Pesth. Stahlstich v. Carl Mayer's Kunst-Anstalt in Nürnberg") nach der Lithographie von F. W. Thümeck (Dok IV, B 29) → A 10.

A 22

von Winterfeld: Biographie Johann Sebastian Bachs

Leipzig, 1843–1847

Johann Sebastian Bach.

Das Wenige, was über Johann Sebastian Bachs äußere Lebensschicksale bekannt geworden, finden wir in manchen Schriften zusammengestellt, seit Hiller, Forkel und ihre Vorgänger das Andenken an diesen außerordentlichen Mann neu zu beleben suchten, dessen Hauptwerke damals kaum noch von einzelnen Kennern nach Würden geschätzt waren. Es dürfte also überflüssig scheinen, das oft schon Erzählte abermals zu wiederholen, zumal da Bach in unserer Zeit mehr als um die seinige Freunde gefunden hat, die ihn hoch, ja, allein verehrend, Allem auf das Genaueste nachforschen, was sich auf ein so begabtes Daseyn bezieht, so daß ihnen in dem nur flüchtigen Abrisse seines Lebens, den wir zu geben vermögen, kaum etwas Neues begegnen dürfte. Dennoch wird Jeder das vollständige Bild eines so großen Tonkünstlers da mit Recht erwarten, wo von dem Gemeine- und dem Kunstgesange in der evangelischen Kirche, für die er schöpferisch wirkte, die Rede ist, und ungern sich verwiesen sehen auf frühere Berichte, wo er ihn selber in allen seinen Lebensbeziehungen gern anschaulich hervortreten sähe. Darum sei hier, zum Beginne des Berichtes über ihn, dasjenige wieder dargeboten, was man auch sonst bereits über ihn gelesen hat, und mögen wenige, zerstreut und einzeln entdeckte, der Erzählung eingewobene Züge, sofern sie das Bild des Meisters beleben, nicht unwillkommen seyn.

Johann Sebastian Bach wurde am 21sten März 1685 zu Eisenach geboren, ein Sohn des dortigen Hof- und Stadtmusikus Johann Ambrosius Bach und der Elisabeth gebornen Lämmerhirt, Tochter eines Rathsverwandten in Erfurt. Wir finden, bei Erwähnung seines Vaters nicht sowohl großer Vorzüge gedacht, welche diesen, den Sproß eines musikalisch besonders begabten Stammes, | ausgezeichnet hätten, als des allerdings merkwürdigen Umstandes, daß er einen Zwillingsbruder, Johann

Christoph, Hof- und Stadtmusikus zu Arnstadt gehabt, dem er so außerordentlich
geglichen, daß auch Beider Frauen sie kaum anders, als an Zufälligkeiten der Kleidung hätten unterscheiden können. Sie liebten einander auf das Zärtlichste, sagt
Forkel, einen älteren Bericht darüber (vielleicht nach Wilhelm Friedemann Bachs
Erzählungen) erweiternd: Sprache, Gesinnung, der Styl ihrer Musik, ihre Art des
Vortrags, Alles war einander gleich; wenn einer krank war, wurde es auch der
andere, ja sie starben bald nach einander.
Leider traf unsern Sebastian schon in zarten Jahren das Geschick, seine Eltern zu verlieren. Seiner früher heimgegangenen Mutter folgte auch sein Vater bereits im Jahre
1695 nach, als der Knabe kaum das zehnte Jahr zurückgelegt hatte. Er blieb daher
der Obhut seines ältesten Bruders, Johann Christoph, Organisten zu Ohrdruff anvertraut, von dem er die erste Anleitung zum Clavierspiele erhielt. Bald hatte er sich
aller Übungsstücke bemeistert, an denen der Bruder ihn gemächlich heraufzubilden
gedachte, und wünschte nun an Bedeutenderem seine Kräfte zu versuchen. Allein
sein Bruder versagte ihm, was auch die Veranlassung dazu gewesen seyn mag, ein
Buch, worin er mehre Clavier- und Orgelstücke damaliger berühmter Meister, Froberger, Kerl, Pachelbel und Anderer gesammelt hatte. Sebastians dringendes Bitten
darum blieb vergebens, das hartnäckige Versagen des ihm gerecht scheinenden
Wunsches schärfte sein Verlangen um so mehr, und endlich ersann er eine List, des
ersehnten Schatzes sich zu bemächtigen. Das Buch war nur in Papier geheftet, und
in einem mit Gitterthüren verschlossenem Schranke aufbewahrt. Seine Händchen
langten leicht hindurch, er rollte das Buch zusammen, stand in mondhellen Nächten
auf, wenn Alles schlief – denn eines Lichtes war er nicht mächtig – und vollendete
so in Zeit von sechs Monaten mühsam eine Abschrift; leider vergebens. Denn kaum
hatte er sich in deren Besitz gesetzt, als sein Bruder, dem die Sache ohnehin nicht
leicht verhehlt bleiben konnte, die angewendete List entdeckte, und ihm sein schwer
errungenes Besitzthum wieder abnahm, das er auch erst nach dessen Tode wieder
erhielt. Vielleicht hat diese Begebenheit seiner Kinderjahre den Grund zu seiner späteren Augenkrankheit, ja, mittelbar zu seinem damit nahe zusammenhängenden
Tode gelegt. Er war von Natur eines blöden Gesichtes; die außerordentliche Anstrengung desselben, um bei dem Dämmerscheine des Mondlichts eine Abschrift
doch wahrscheinlich bunt und kraus figurirter Handstücke zu vollenden, kann für
dasselbe nur verderblich geworden seyn, wenn auch seine sonst kräftige, gesunde
Natur das Übel nicht sogleich hervortreten ließ.
Nach dem Tode seines Bruders wanderte Sebastian in Gesellschaft eines Mitschülers,
Erdmann, später Freiherrn und kaiserlich russischen Residenten in Danzig, nach
Lüneburg, um das dortige Michaelis-Gymnasium zu besuchen. Seine ungemein
schöne Sopranstimme bereitete ihm eine gute Aufnahme, doch blieb ihm jene Natur-
gabe nicht lange. Der Stimmbruch kündigte sich einige Zeit nachher bei ihm da-
durch an, daß gleichzeitig mit seinen Soprantönen bei dem Chorsingen die tiefere
Octave sich hören ließ, eine seltsame Erscheinung, während sonst das Überschlagen
aus einem Stimmregister in das andere etwas Gewöhnliches ist. Acht Tage lang, bei

Reden und Singen, dauerte seine Doppelstimme, sodann war nicht allein sein Sopran, sondern seine Singstimme zugleich verloren.

Vielleicht erhielt er dadurch Veranlassung mit verdoppeltem Eifer in der Übung
des Clavier- und Orgelspiels fortzufahren. Er pilgerte zuweilen nach Hamburg, um
Johann Adam Reincken, da- | mals berühmten Organisten an der Katharinenkirche,
zu hören, und die Capelle Herzog Georg Wilhelms zu Celle, meist aus Franzosen
bestehend, gab ihm Gelegenheit den damaligen französischen Geschmack genauer
kennen zu lernen.

Ob er über diesen Wanderungen seine wissenschaftliche Ausbildung hintangesetzt
habe, wie weit er überhaupt in derselben gediehen sei, wissen wir nicht, dürfen
jedoch voraussetzen, daß er, gleich seinem Vater und den meisten seines Stammes,
die Tonkunst damals schon zu seinem Lebensberufe zu wählen entschlossen gewesen. In Übereinstimmung damit finden wir ihn im Jahre 1703 als Hofmusikus
in Weimar, kaum 18 Jahr alt; 1704 als Organisten an der neuen Kirche zu Arnstadt,
hier nun zuerst im Besitze eines Instrumentes, das ihm einen Spielraum für seine
außerordentlichen Gaben, und den Genuß der Früchte seines bisherigen Fleißes gewährte. Sein Eifer wurde dadurch immer mehr erwärmt, sein Entschluß, das Außerordentliche zu leisten, bethätigte sich in jeder seiner Handlungen. Die Werke von
Bruhns, Reincken, Buxtehude, und einigen französischen Organisten, für deren Art
und Kunst er in Celle Vorliebe gewonnen hatte, wurden ihm Muster; um Buxtehude,
hochgeschätzten Organisten an der Marienkirche in Lübeck zu hören, scheute er
nicht den langen Weg dahin zu Fuße zurückzulegen, und blieb ein ganzes Vierteljahr im Verborgenen Zuhörer dieses Meisters um dann erst nach Arnstadt zurück-
zukehren. Mit seiner wachsenden Geschicklichkeit wuchs auch sein Ruf. Um 1707
berief ihn die thüringische Reichsstadt Mühlhausen als Nachfolger Johann Georg
Ahle's an die Stelle des Organisten der Hauptkirche zu St. Blasien; von dort reiste er
im folgenden Jahre, 1708, nach Weimar, und fand Gelegenheit sich am Hofe hören
zu lassen. Der früher dort fast unbemerkt gebliebene Jüngling hatte seitdem zum
Manne sich herangebildet; in der Blüthe seiner Kraft, in aller Wärme seines regen
Eifers für die Kunst, auf der Höhe seiner durch anhaltenden Fleiß gewonnenen Fertigkeit, trat er dort auf, gewann die vollste Bewunderung und erhielt sogleich den
Antrag für die Stelle des dortigen Hof- und Kammerorganisten, die er auch unmittelbar in Besitz genommen zu haben, und nicht nach Mühlhausen zurückgekehrt
zu seyn scheint, wiewohl diese Stadt sonst in gutem Andenken bei ihm blieb. In
Weimar verweilte er 9 Jahre, seit 1714 mit dem Titel eines herzoglichen Concert-
meisters, wodurch er die Verpflichtung überkam, Kirchenstücke zu setzen und sie
aufzuführen, während er bis dahin vornehmlich nur der Orgel gelebt, die meisten
seiner Sätze für dieses Instrument geschaffen, und manchen tüchtigen Organisten,
unter andern Johann Caspar Vogler herangebildet hatte, der späterhin seine dortige
Stelle einnahm.

Um welche Zeit sein Ruf an die Liebfrauenkirche zu Halle als Organist erfolgt sei,
läßt sich nicht genau bestimmen. Es war nach dem Tode von Händels Lehrer, Fried-

rich Wilhelm Zachau, der bis dahin diese Stelle bekleidet hatte; dessen Ableben aber wird von Gerber einmal mit Bestimmtheit in das Jahr 1721 (14. August) *) ein anderes Mal um 7 Jahre früher (1714) gesetzt. **) Die letzte dieser Angaben ist wohl die richtige, und da Bach jene Stelle nicht annahm, sondern in Weimar blieb, so ist es möglich, daß seine Erhebung zum Concertmeister und der damit verbundene höhere Rang dazu beitrugen, seinen Entschluß zu bestimmen, neben der großen, verdienten Gunst die er am dortigen Hofe genoß.

*)   N. L. IV. Col. 624.
**)   Eben da III. Col. 50.

I Sebastians Ruf als Orgelkünstler war nunmehr durch Norddeutschland weit verbreitet, und es ereignete sich wenige Jahre später, um 1717, eine Gelegenheit, ihn noch fester zu gründen. Jean Louis Marchand, königlich französischer Hof-organist, war in jenem Jahre nach Dresden gekommen, hatte sich am Hofe Friedrich Augusts als Clavierspieler mit großem Beifalle hören lassen, so daß ihm dort könig-liche Dienste mit einer bedeutenden Besoldung angeboten wurden. Jean Baptiste Volumier, damals Concertmeister daselbst, sei es nun Eifersucht gegen seinen mit Anmaßung auftretenden Landsmann gewesen, den er zu demüthigen gedachte, oder nur der einfache Wunsch, ihm in Sebastian den damals berühmtesten deut-schen Clavier- und Orgelspieler entgegenzustellen und an dem Wettkampfe beider Künstler sich zu ergötzen, gab Bach von der Anwesenheit des fremden Künstlers Nachricht, und lud ihn mit Vorwissen des Königs nach Dresden ein. Bach leistete der Einladung Folge, begab sich von Weimar nach Dresden, wurde von Volumier mit Freuden empfangen, und erhielt durch diesen Gelegenheit, Marchand unbe-merkt zu hören; obgleich Marpurg, angeblich aus Sebastians eigenem Munde, er-zählt, daß dieser schon damals die Aufmerksamkeit des Franzosen dadurch erregt habe, daß er eine von demselben eben vorgetragene Melodie mehre Male auf das Künstlichste aus dem Stegereife verändert und durchgeführt habe. Dem sei nun wie ihm wolle, darin stimmen alle Berichte überein, daß Bach durch ein höfliches Schreiben Marchand zum Wettstreite einlud, mit dem Anerbieten, jede Aufgabe, die Jener ihm stellen werde, aus dem Stegereife zu lösen, wenn auch er ihm eine gleiche Bereitwilligkeit verspreche. Marchand nahm die Ausforderung an, Tag und Stunde des musikalischen Wettkampfes wurde festgesetzt, eine glänzende Gesell-schaft vornehmer Personen beiderlei Geschlechts hatte sich in dem Hause eines uns nicht genannten angesehenen Mannes versammelt, Zeuge davon zu seyn. Bach war gegenwärtig, Marchand dagegen erschien nicht; man erkundigte sich in seiner Woh-nung nach ihm, besorgend, er habe etwa das getroffene Übereinkommen vergessen, und erfuhr zu nicht geringer Verwunderung, daß er, wie ein Zeitgenosse sich aus-drückt „bei früher Tageszeit mit der geschwinden Post aus Dreßden verschwunden sey." Sebastian war Sieger geblieben ohne Kampf, er benutzte jedoch die gegebene Gelegenheit, die Fülle der Mittel zu zeigen die ihm zu Gebote gestanden, auch den mächtigsten Gegner zu überwältigen. Seine Kunst erregte Staunen und allgemeine

Anerkennung: einer Belohnung von 100 Louisd'or die ihm der König zugedacht hatte, soll er indeß durch Unterschleif eines Hofbedienten verlustig gegangen seyn. In eben diesem Jahre berief Fürst Leopold von Anhalt Cöthen, ein großer Freund und Gönner der Tonkunst, unseren Sebastian als Capellmeister. Wir lesen, daß er dieses Amt unverzüglich angetreten habe; sei es nun, daß in seinen Verhältnissen in Weimar eine Veränderung eingetreten war, die sie ihm weniger erwünscht machte, sei es, daß die Persönlichkeit seines neuen Gebieters, eines jungen, geistreichen Fürsten, der ihn vorzüglich hochschätzte, einen besondern Zug auf ihn übte. Er diente ihm fast 6 Jahre zu seiner vollen Befriedigung, und wir finden nur eine weitere Reise angemerkt, die ihn gegen das Ende dieses Zeitraums aus dessen Nähe entfernte. Um 1722 nämlich reiste er nach Hamburg und ließ dort vor den Vätern der Stadt und vielen angesehenen Männern auf der Orgel der Katharinenkirche sich hören, mehr als 2 Stunden lang, zu Aller Bewunderung. Adam Reincken, Organist an dieser Kirche, damals fast hundert Jahr alt, ein Mann, dem Stolz und Neid gegen Kunstgenossen, vielleicht nicht ohne Grund, vorgeworfen werden, hörte ihm aufmerksam, und mit besonderem Vergnügen zu, namentlich als er fast eine halbe Stunde lang den Choral „An Wasserflüssen Babylon" auf das Mannichfachste durchführte, | in der Art, wie die älteren Hamburger Organisten bei den Sonntagsvespern es zu thun pflegten. Nachdem er geendet, begrüßte ihn der Alte mit den Worten: ich dachte, diese Kunst wäre gestorben, ich sehe aber, daß sie in Ihnen noch lebet. Reincken selber hatte eben diese Melodie vor vielen Jahren in ähnlicher Art gesetzt, und diese Arbeit, auf die er besondern Werth legte, in Kupfer stechen lassen; um so unerwarteter, aber auch ehrender war dieser Ausspruch, an dessen Aufrichtigkeit um so weniger zu zweifeln ist, als Reincken es nicht dabei bewenden ließ, sondern unsern Meister zu sich einlud und ihn mit vieler Zuvorkommenheit behandelte.

Endlich, um das Jahr 1723, trat Sebastian in diejenige Stellung, worin er bis an sein Lebensende verharrte. Johann Kuhnau, Stadtcantor zu Leipzig, war am 25sten Juni 1722 gestorben, ein Mann, von dem Mattheson versichert, er wisse seines Gleichen nicht als Organisten, grundgelehrten Mann, Componisten und Chorregenten. Je tiefer man den Verlust eines so ausgezeichneten Künstlers empfand, um so schwieriger mußte die Wahl seines Nachfolgers werden, obgleich von nahe und ferne sich nahmhafte Bewerber um die erledigte Stelle fanden: Georg Balthasar Schott, Musikdirektor der neuen Kirche zu Leipzig, der Capellmeister zu Altenburg, dessen Name uns nicht genannt wird, Christoph Graupner, Capellmeister zu Darmstadt; Georg Philipp Telemann zu Hamburg war durch ansehnliche Erhöhung seines Einkommens zum Rücktritte bewogen worden. Jene zuerst genannten hatten im Anfange des Jahres 1723 ihre Probe abgelegt, Schott nur wenige Tage vor Bach, am 2ten Februar, dem Feste der Reinigung Mariä. Am 7ten desselben Monats, am Sonntage Estomihi, trat Bach mit der seinigen auf, ohne Zweifel dazu ausdrücklich aufgefordert, denn es ist nicht wahrscheinlich, daß er bei dem glücklichen Verhältnisse zu seinem Fürsten freiwillig eine Änderung seiner Lage werde gesucht haben. Er blieb der Erwählte, und trat am 30sten Mai 1723, dem 2ten Sonntage nach Trinitatis, das Stadtcantorat mit seiner ersten Musik in der Kirche zu St. Nicolai an. Zugleich wurde ihm das Directorium der Musik in der akademischen Kirche übertragen, jedoch nur bei dem sogenannten alten Gottesdienste, d. i. (wie ein gleichzeitiger Chronist sich ausdrückt) „bei denen Fest- und *Quartal-Orationibus;*" denn das Directorium bei dem neuen Gottesdienste (den Sonn- und Festtagspredigten) hatte schon der Organist Johann Gottlieb Görner bei St. Nicolai erhalten.

Bach hatte durch Übernahme des ihm übertragenen Amtes eine frühere erwünschte Stellung verlassen; sie würde aber auch ohne sein Zuthun in Kurzem aufgehört haben. Fürst Leopold von Anhalt Cöthen starb nämlich unvermuthet bald nach Bachs Übersiedelung nach Leipzig, in noch jungen Jahren; dieser, den letzten Ehren- und Liebesdienst gegen seinen Herrn mit Freuden übernehmend, setzte ihm von dort aus die Begräbnißmusik, und führte sie dann in Cöthen persönlich auf.

In Leipzig stand Sebastian, in seiner Eigenschaft als Musikdirektor an der Hauptkirche St. Nicolai, neben einem ausgezeichneten Manne, der durch die ganze Zeit seiner Amtsführung ihm Vorgesetzter, aber auch Freund blieb, und seine großen Gaben vollkommen gewürdigt zu haben scheint. Es war Salomon Deyling, aus Weyda im Vogtlande gebürtig, früher Generalsuperintendent der Grafschaft Mansfeld, und Präses des Consistoriums zu Eisleben, um 1721 als Superintendent und Pastor an St. Nicolai nach Leipzig berufen, seit 1722 auch öffentlicher, ordentlicher Lehrer der Gottesgelahrtheit daselbst; in allen diesen Ämtern thätig bis zu seinem am 5ten August 1755 erfolgten Tode, etwas über fünf Jahre nach Bachs Heimgange. Dieser Mann, nach den Worten eines neuern | Schriftstellers *) „hochgeachtet als gelehrter Theolog und sehr eindringlicher Kanzelredner, gefürchtet wegen seiner Strenge in Lehre und Leben, ein Mann, durchgreifenden, ganz entschiedenen Charakters, selbst durch Gestalt und Haltung Jedermann imponirend" hat sicherlich auf die Einrichtung und Gestaltung der Bachschen in Leipzig entstandenen Kirchenjahrgänge bedeutend eingewirkt, obgleich zu bezweifeln steht, daß es mit der Übereinkunft Beider über die Passionsmusiken in der heiligen Woche sich so verhalten haben werde, wie eben jener Gelehrte berichtet, wovon später zu reden seyn wird.

An der Thomaskirche wechselte die Würde des Pfarrers sechsmal während der amtlichen Thätigkeit Sebastians, und wenn auch die meisten der Männer, welche jene bekleideten, von der untergeordneten Stellung der Subdiaconen und Diaconen an der Kirche zu ihr erhoben wurden, also längere Zeit in geistlichen Verrichtungen bei ihr angestellt waren, so finden wir doch keinen unter ihnen genannt als unserem Meister näher befreundet, der eben daselbst häufiger wechselnden Sonnabendsprediger – 15 während 27 Jahren – nicht zu gedenken. Als Organist bei St. Nicolai und Dirigent des s. g. neuen akademischen Gottesdienstes stand ihm der schon genannte Johann Gottlieb Görner zur Seite, an der Thomaskirche Christian Gräbner, statt dessen uns jedoch um 1730 jener erste begegnet, also aus seiner früheren Stellung dahin übergegangen war. Als Schulrektoren bei St. Thomas waren Johann Heinrich Ernesti (bis zum 16ten October 1729), Johann Matthias Geßner, später Professor in Göttingen, und Johann August Ernesti seine Vorgesetzten, als Conrektor der Magister Johann Heinrich Hebenstreit. Geßner war sein Freund und Verehrer; mit Lebendigkeit und Wärme spricht er sich aus darüber in einer Anmerkung zum Quintilian, wo die Rede ist von einem Kitharöden, der singend, spielend, ja, tanzend zugleich, ein Gedicht vorgetragen habe. „Alles dieses (sagt er, seinen Schriftsteller anredend) mein Fabius, würdest du etwas nur Geringes nennen, vermöchtest du, aus der Unterwelt erweckt, unseren Bach zu schauen, denn sein will ich am liebsten hier gedenken, als meines vormaligen Amtsgenossen bei der Thomasschule. Ja, du sprächest also, sähest du ihn, wie er unsere vielsaitige neue Lyra, einen Verein vieler Cythern, mit beiden Händen, mit allen Fingern behandelt, zumal aber, wie er jenes Tonwerkzeug über alle andern, dessen zahllose Pfeifen durch Bälge belebt werden, mit beiden Händen, ja, mit hurtigstem Dienste der Füße überläuft, wie er, der Einzelne, ganze Schaaren verschiedenster, und dennoch unter sich übereinstimmender Töne hervorlockt; schautest du ihn, sage ich, wenn er – was viele eurer Cytherspieler und sechshundert Flötenbläser nicht vermöchten – nicht etwa mit nur einer Stimme singt und seine Aufgabe ausführt wie ein Sänger zur Laute, sondern unter dreißig oder vierzig Zusammenwirkenden auf alle merkt, den mit einem Winke, einen andern mit stampfendem Fuße, einen dritten mit drohendem Finger zum Ebenmaaße, zum rechten Treffen zurückführt; diesem mit hoher, einem zweiten, einem dritten mit tiefer und mittlerer Stimme den Ton im Voraus angiebt, mit dem er eintreten soll; wie der eine Mann, bei dem lautesten Getöne des Zusammensingens, in den schwersten Stellen Jedem dienstbar, doch auf der Stelle erlauscht, ob, und wo etwas nicht stimme, und alle in Ordnung zu erhalten, überall hülfreich einzutreten weiß; wo etwas wankt, es herzustellen, mit allen Gliedern den Rhythmus, mit scharfem Ohre die Harmonie zu messen, aus seiner einen engen Kehle alle Stimmen hervorzubringen versteht! Bin ich im Übrigen auch ein großer Verehrer des Alterthums, so meine ich doch, daß mein einer Bach, und ein ihm Gleichkommender, wenn es einen Solchen geben sollte, vielmal den Orpheus und wohl zwanzigmal

*)   Rochlitz, für Freunde der Tonkunst, IV. *p.* 422. 423.

| den Arion in sich schließt!" [→ Dok II, Nr. 432] So scheinen die übrigen Schulvorsteher, namentlich der jüngere Ernesti nicht gedacht zu haben. Dieser war ein ausgezeichneter Gelehrter, zumal in seinem Fache, allein weder Freund noch Kenner der Tonkunst, ja, wie es scheint, achtete er sie gering, und war ihr abhold, als vermeintlicher Störerin wissenschaftlicher Ausbildung. Es mußten daher manche Reibungen entstehen zwischen ihm und dem für diese Kunst unermüdlich thätigen, seine Zöglinge mit Ernst zu ihr anhaltenden Meister, der in seiner Eigenschaft als Capellmeister zweier Fürstenhöfe – des Cöthenschen und des Weißenfelsischen, der ihn später ebenfalls mit diesem Titel beehrt hatte – gegen den Vorsteher der Lehranstalt, der er mit seinen Gaben diente, nicht in dem ganz untergeordneten Verhältnisse eines gewöhnlichen Cantors zu stehen glaubte; nicht zu gedenken des erhöhten Bewußtseyns, womit seine zuvor freudig anerkannte außerordentliche Meisterschaft in seiner Kunst ihn durchdrang, die dasjenige ihm wohl aufzuwiegen schien, was,

im Vergleiche gegen seinen Vorgänger Kuhnau, ihm an gelehrter Bildung gebrechen mochte. Forkel erzählt, der im Jahre 1736 ihm beigelegte Titel eines königlich Polnischen und Churfürstlich Sächsischen Hof-Compositeurs sei durch Verhältnisse veranlaßt worden, in die er durch sein Amt als Cantor an der Thomasschule gekommen; und es scheint wohl, er wolle auf das eben Angeführte deuten, ohne darüber sich näher auszusprechen.

Sebastians Stellung bei der Leipziger Universität gab ihm nicht selten Veranlassung, neben seiner Thätigkeit für den Gottesdienst in den Hauptkirchen der Stadt auch in anderem Sinne öffentlich hervorzutreten. Kurz nach seinem Amtsantritte hatte der Doktor Johann Florens Rivin die ordentliche Professur der Rechtsgelahrtheit an der Hochschule überkommen, und am 9ten Juni 1723 wurde ihm deshalb „mit einer Cantate die Gratulation abgestattet." Es ist nicht unwahrscheinlich, daß diese, als erste amtliche Gelegenheitsmusik, von unserm Meister herrührte, obgleich wir es nicht ausdrücklich bemerkt finden; doch war freilich das Gedicht – wenn wir es so nennen wollen – das seine Aufgabe bildete, nicht eben geeignet, ihm diese Arbeit erfreulich zu machen. Wie er mit seiner Kunst, Versen gegenüber wie die folgenden, sich habe gebehrden können, ist in der That schwer zu begreifen:

> Du bist ein *practicus;*
> Wer oft in schweren Fällen
> Ihm selbst nicht helfen kann,
> Der flehet dich um klugen Beistand an,
> Und sucht dich vor den Riß zu stellen etc.
> Das Ober- Hof- und Appellation-Gericht
> Bewundert deinen Witz u. s. w.

Es mag wohl seyn, daß er deshalb in ähnlichen Fällen, wo die Aufgabe ihm wenig zusagte, sie seinem Amtsgenossen Görner überließ, der sich gern geltend gemacht zu haben scheint, und den wir manchmal, wo es eigentlich seines Amtes nicht gewesen wäre, in solcher Art thätig finden.

Anderemale fand neben des Meisters künstlerischem Hervortreten auch ein öffentliches, persönliches statt. So am 12ten Mai 1727, dem 58sten Geburtstage Friedrich Augusts, Königs von Polen und Churfürsten von Sachsen. Außer andern vielen Festlichkeiten bei persönlicher Anwesenheit des Gefeierten, führten auch – so erzählen Siculs Leipziger akademische Jahresberichte [→ Dok II, Nr. 220] – „die *convictores* Abends nach acht Uhr, als ihnen, daß es nunmehr Zeit sey, durch den Hof-Fourier gemeldet worden | war, eine Music auf, welche von dem Capellmeister und Stadt-Cantor, Herrn Johann Sebastian Bach componiret worden, und die derselbe persönlich dirigirte." Zum „*dramate musico*" war dabei „eine *elaboration* beliebet worden" worin der Held des Tages durch allegorische Personen und Götter des Olymp – Philuris (Leipzig, die Lindenstadt bedeutend), Harmonia, Apollo und Mars – gefeiert, und in Recitativen, Arien, Ariosi, einem Duett, und einem Chore zum Schlusse angesungen wurde. Christian Friedrich Haupt, der Urheber dieser „*elaboration*", auf einem silbernen Becken ein Exemplar derselben tragend, das „auf weißem Atlas gedruckt, in *ponceau*farbenen Sammet mit goldenen Dressen und Franzen eingebunden war," schritt, von einem feierlichen Fackelzuge geleitet, bis in des Königs Vorzimmer, wo er sein Werk demselben zu Händen des Oberschenken von Seiffertitz überreichte: unterdeß wurde die Musik auf dem Markte aufgeführt, „zu allergnädigstem *Contentement*, bei sehr großem Zulauf, unter einer genügsamen *Barrière* von der, vor Königlicher Majestät die Aufwartung habenden Soldatesque." Ähnliche dramatisch allegorische Cantaten zur Feier der Geburtstage des Landesherrn scheinen damals sehr beliebt gewesen zu seyn; auch bei dem Jahre 1730 gedenkt Sicul einer solchen, von Gottsched mit Bezug auf das damals stattfindende Lustlager zwischen Großenhayn und Mühlberg gedichteten, und bei Gelegenheit einer späteren Reihe von Streitschriften über Vorzüge und Gebrechen Bachischer Setzweise, bei der wir in der Folge zu verweilen haben werden, wird eine Abendmusik erwähnt, die unser Meister in der Ostermesse 1738 in Gegenwart der Landesherrschaft zu Leipzig öffentlich aufgeführt habe, und welche „rührend, ausdrückend, natürlich, ordentlich, nicht nach verderbtem, sondern bestem Geschmack" gesetzt gewesen, und „mit durchgängigem Beifalle angenommen worden."

Auch andere als fröhliche öffentliche Ereignisse nahmen Sebastians Thätigkeit während seiner Leipziger Amtsführung in Anspruch. So, nicht lange nach jener Geburtsfeier deren wir zuerst gedachten, noch in demselben Jahr 1727, der Tod der Königin von Polen und Churfürstin von Sachsen, Christiane Eberhardine von Brandenburg-Bayreuth. Am 17ten October 1727 beging auf diese Veranlassung die Leipziger Hochschule in der Pauliner Kirche einen feierlichen Trauergottesdienst, für den Bach eine von Johann Christoph Gottsched gedichtete Ode von neun Strophen gesetzt hatte. Wir kommen später auf dieses Werk zurück, das uns ein Beispiel geben wird wie unser Meister gleich anderen berühmten Zeitgenossen durch seine Töne, wir dürfen nicht sagen zu malen, doch dem bloßen Schalle und Geräusche eine tonkünstlerische Bedeutung abzugewinnen gestrebt habe.

Eine der wichtigsten Gelegenheiten für große und festliche kirchliche Musikaufführungen bot die im Jahre 1730 eintretende zweite Jubelfeier der Überreichung der Augsburgischen Confession. Leipzig beging so durch drei Tage, gleich einem hohen Feste, am 25sten, 26sten und 27sten Juni. Unser Meister hätte hier seiner Obliegenheit als Stadtcantor und Musikdirektor der Hochschule nicht zugleich genügen können, er zog die kirchliche Wirksamkeit vor, und überließ seinem Amtsgenossen Görner die akademische. Für den ersten Festtag, Vormittags, war als Predigttext vorgeschrieben: Römer I, 16. 17: „Ich schäme mich des Evangelii Christi nicht, denn es ist eine Kraft Gottes, die da seelig machet alle, die daran glauben, die Juden vornehmlich, und auch die Griechen; sintemal darin offenbaret wird die Gerechtigkeit die vor Gott gilt, welche kömmt aus Glauben in Glauben, wie denn geschrieben steht: der Gerechte wird seines Glaubens leben." Für den Nachmittag desselben Tages lautete der Text (Hebräer XIII, 15. 16): „So lasset uns nun opfern durch ihn (Christum, den Hohenpriester) das Lobopfer | Gott allezeit, das ist die Frucht der Lippen, die seinen Namen bekennen. Wohlzuthun und mitzutheilen vergesset nicht, denn solche

Opfer gefallen Gott wohl." Diesen Sprüchen gegenüber hatte Bach für seine Kirchenmusik in St. Nicolai, welche herkömmlich mit einem Bibelworte zu beginnen, und mit einem Chorale zu schließen pflegte, zwischen denen Betrachtungen und Erwägungen mancherlei Art in den Formen neuerer Tonkunst, Recitativen, Arien, Duetten, sich hören ließen, zum Anfange den ersten Vers des 149sten und den 4ten des 150sten Psalms gewählt: „Singet dem Herrn ein neues Lied, die Gemeine der Heiligen soll ihn loben; Lobet ihn mit Pauken und Reigen, lobet ihn mit Saiten und Pfeifen etc." und zum Schlusse die dritte Strophe von Luthers Liede: „Es woll' uns Gott genädig seyn" über den 67sten Psalm:

> Es danke Gott und lobe dich
> Das Volk in guten Thaten etc.

Dem 2ten Festtage waren die Predigttexte Hebräer X, 23. 24, und Psalm 93, 5 bestimmt: „Lasset uns halten an der Bekenntniß der Hoffnung, und nicht wanken, (denn er ist treu der sie verheißen hat) und lasset uns unter einander unser selbst wahrnehmen mit Reizen zur Liebe und guten Werken etc." und: „Dein Wort ist eine rechte Lehre, Heiligkeit ist die Zierde deines Hauses ewiglich" etc. Bach aber hatte seiner, an diesem Tage in der Thomaskirche aufgeführten Musik den ersten Vers des 65sten Psalms vorangestellt: „Gott man lobet dich in der Stille zu Zion, und dir bezahlet man Gelübde etc." und sie mit der letzten Strophe des lutherischen Pfingstliedes „Komm heiliger Geist, Herre Gott" beschlossen:

> Du heilige Brunst, süßer Trost,
> Nun hilf uns freudig und getrost
> In deinem Dienst beständig bleiben
> Die Trübsal uns nicht abtreiben etc.

Die für den dritten Festtag erlesenen Predigttexte endlich waren aus Joh. VII, 16 bis 18, und Römer X, 10. 11 entnommen, wo es heißt: „Meine Lehre ist nicht mein, sondern deß der mich gesandt hat. So jemand will deß Willen thun, der wird inne werden, ob diese Lehre von Gott sey, oder ob ich von mir selbst rede. Wer von ihm selbst redet, der suchet seine eigene Ehre; wer aber suchet die Ehre deß, der ihn gesandt hat, der ist wahrhaftig, und keine Ungerechtigkeit ist an ihm etc." und: „So man von Herzen gläubet, so wird man gerecht, und so man mit dem Munde bekennet, so wird man seelig; denn die Schrift spricht: wer an ihn gläubet wird nicht zu Schanden werden." Bachs Kirchenmusik, die an diesem Tage wieder in St. Nicolai stattfand, begann mit dem 6ten und 7ten Verse des 122sten Psalms: „Wünschet Jerusalem Glück, es müsse wohl gehen denen, die dich lieben, Es müsse Friede inwendig seyn in deinen Mauern, und Glück in deinen Palästen etc." und schloß mit den beiden Versen des Liedes: „Ach bleib bei uns, Herr Jesu Christ etc." worin die Gemeine um das Licht des heiligen Gotteswortes, um Beständigkeit, um Festhalten an Predigt und Sacrament bittet. In solcher Weise war man damals bestrebt, Predigt und Kunstgesang zu weihen durch das heilige Wort der Offenbarung, beides dadurch in Übereinstimmung und Zusammenhang zu bringen, | und dafür wirkten Deyling und Bach, der Superintendent und sein Cantor, treulichst durch jene 27 Jahre, die ihnen zu gemeinschaftlicher Thätigkeit vergönnt waren. Wie vielfach aber der letzte bestrebt gewesen sei die herkömmliche Form nicht in eine starre und todte ausarten zu lassen, wird die nähere Betrachtung seiner Werke an ihrer Stelle uns lehren. Jenen Musiken ging das lateinische Kyrie, Gloria und Credo voran, aus dem Gottesdienste der alten Kirche herkömmlich herübergenommen, und sie wurden durch Orgelspiel eingeleitet; ein Theil, meist der Anfangsspruch und eine Arie, der dann das von der Gemeine gesungene Lied: „Wir glauben all' an einen Gott" folgte, wurde vor der Predigt aufgeführt, das Übrige nach deren Beendigung. In gleicher Art, scheint es, war überhaupt der Regel nach, der festtägliche Gottesdienst eingerichtet *); als etwas Besonderes für diese Gelegenheit finden wir das *Te Deum* (wie ausdrücklich bemerkt wird) mit Trompeten und Pauken vorgeschrieben.

Gewöhnlich pflegt man Bach, seine kirchlich-akademische Thätigkeit ausgenommen, als einen still in das Innere seines Hauses zurückgezogenen, die Berührung mit der Welt ablehnenden Mann sich zu denken. Dem ist aber nicht so; er dehnte seine Wirksamkeit auch aus über die Grenzen hin, die ihm von seiner Pflicht unmittelbar gesteckt waren. So finden wir **) um das Jahr 1736 zwei wöchentliche Concerte in Leipzig, deren einem Joh. Seb. Bach vorstand, und das an jedem Freitage Abends von 8 bis 10 Uhr, in der Meßzeit auch am Dienstage zu gleicher Stunde, auf dem Zimmermann'schen Kaffeehause in der Katharinenstraße gehalten wurde. Das andere (im Schelhaferschen Saale in der Klostergasse) fand Donnerstags um eben die Zeit, in der Messe auch Montags, unter Görners Leitung statt. Die Theilnehmer an denselben waren meist Studirende, und es ist zu rühmen, daß beide Männer durch Vereinigung der Jugend für Kunstzwecke dem damals herrschenden rohen Leben der akademischen Bürger zu steuern suchten, von deren Zügellosigkeit die oft vorkommenden Mandate gegen Unfug in den Kirchen, und ein ernstlicher Aufstand im Jahre 1726, weil ihnen untersagt worden war in Schlafpelzen und mit Tabakspfeifen auf den Straßen herumzugehen, kein erfreuliches Zeugniß ablegen. Bach hatte aber auch, wollte er irgend in seinen kirchlichen Aufführungen etwas leisten, seine tiefsinnigen Schöpfungen nur in einigermaßen würdiger Gestalt zum Gehör bringen, die dringendste Veranlassung sich der Geneigtheit der studirenden Jugend zu versichern. Denn es war mit den Kräften gar übel beschaffen, die ihm dafür zu Gebote standen, wie er es selber berichtet in einem: „kurzen jedoch höchstnöthigen Entwurf einer wohlbestallten Kirchenmusik, nebst einigen unvorgreiflichen Bedenken vor dem Verfall derselben," geschrieben zu Leipzig am 23sten August 1730. [→ Dok I, Nr. 22] Seiner Rechnung nach bedürfte es zu einer wohlbestallten Kirchenmusik 56 Personen, 36 Sänger und 20 Instrumentisten; unter seinen Thomanern befanden sich jedoch nur 17 als Sänger zu gebrauchende, 20 „so sich noch erstlich mehr perfectioniren müssen, um mit der Zeit zur Figuralmusic gebrauchet werden zu können" und 17 untüchtige. Was die Instrumentisten anlangt, so bestanden die zur Kirchenmusik bestellten aus 8 Personen, 4 Stadtpfeifern, 3 Kunstgeigern und einem Gesellen. „Von deren Qualitäten und musikalischen Wissenschaften (bemerkt Bach) etwas nach

*)   Wir theilen später eine Bemerkung Bachs mit von 1714, über die Ordnung des musika-
lischen Gottesdienstes zu Leipzig.
**)   Mitzler, Musikal. Bibliothek. I, 1, S. 63. [→ Dok II, Nr. 387].

| der Wahrheit zu erwähnen, verbietet mir die Bescheidenheit. Jedoch ist zu conside-
riren, daß sie theils *emeriti*, theils auch in keinem solchen *exercitio* sind wie es seyn
sollte." Er war also genöthigt, den Mangel an Instrumentisten durch Beihülfe der
Studirenden und der Alumnen der Thomasschule zu ersetzen.
Zur Zeit seiner Vorgänger, Schelle und Kuhnau, „die sich schon der Beihülfe der
Herren *studiosorum* bedienen müssen, wenn sie eine vollständige und wohllautende
Musik hatten produciren wollen" war der Rath dem obwaltenden Mangel zu Hülfe
gekommen: er hatte einige Vocalisten, als auch Instrumentisten „mit *stipendiis* be-
gnadiget, mithin zur Verstärkung derer Kirchenmusiquen animiret. Der itzige *status
musices* aber (fährt Bach fort) ist ganz anders als ehedem beschaffen, die Kunst um
sehr viel gestiegen, der *gusto* hat sich verwunderungswürdig geändert, daher auch
die ehemalige Arth von Music unsern Ohren nicht mehr klingen will, und man um
so mehr einer erklecklichen Beihülfe benöthigt ist, damit solche *subjecta* choisiret
und bestellet werden können, so den itzigen musikalischen *gustum* assequiren, die
neuen Arthen der Music bestreiten, mithin im Stande seyn können, dem *compositori*
und dessen Arbeit *satisfaction* zu geben." Nun seien aber „die wenigen *beneficia*, so
ehe hätten sollen vermehret als verringert werden, dem *Choro musico* gar entzogen."
Damit sei die Lust Fremder, bei den Kirchenmusiken mitzuwirken, nothwendig erkaltet. Die Herren *studiosi* hätten sich „dazu willig finden lassen, in der Hoffnung,
daß Ein- oder Anderer mit der Zeit einige Ergötzlichkeit bekommen, und etwa mit
einem *stipendio* oder *honorario* (wie vor diesem gewöhnlich gewesen) werde begna-
digt werden. Da nun aber solches nicht geschehen, sondern die etwanigen wenigen
beneficia, so ehedem an den *Chorum musicum* verwendet worden, *successive* gar entzogen worden, so habe hiermit sich auch die Willfährigkeit der *studiosorum* verloren;
denn wer werde umsonst arbeiten oder Dienste thun?"
Belohnen also konnte der Meister seine musikalischen Helfer unter den Studirenden
nicht, er mußte sie auf anderem, einem begabten und ausgezeichneten Manne zu
Gebote stehendem Wege zu gewinnen suchen, dem des Eifers für die Sache, ehren-
den Beifalls, freundlichen Zuvorkommens; und daran hat er es gewiß nicht fehlen
lassen.
Ein Streit zwischen Johann Adolf Scheibe, Königl. Dänischem Capellmeister, der im
März 1737 mit einer musikalischen Zeitschrift unter dem Titel: „der critische Musicus" aufgetreten war, und unserem Meister, der in dem sechsten Stücke jenes Blattes
[→ Dok II, Nr. 400] sich wegen seiner Setzweise hart und kränkend angegriffen
meinte, findet zweckmäßiger da seine Würdigung, wo des Meisters eigenthümliche
Art und Kunst uns näher beschäftigen wird. Bach, sei es, weil der Feder nicht besonders gewachsen, sei es, um seine Kunstthätigkeit nicht durch fremdartige, zerstreuende Dinge zu unterbrechen, hatte bei diesem Kampfe sich der Feder des Magister

Johann Abraham Birnbaum zu Leipzig bedient, der sich erst später namenkundig gab, seine Schutzschrift aber gleich Anfangs dem Meister zugeeignet hatte, für den sie verfaßt war. Auch Görner scheint dabei auf Bachs Seite sich mit betheiligt zu haben; eben auf ihr stand auch der M. Lorenz Christoph Mitzler, ein Schüler Geßners und Bachs auf der Thomasschule, der seit 1738 unter dem Titel: „Musikalische Bibliothek, oder gründliche Nachricht nebst unpartheiischem Urtheil von musikalischen Schriften und Büchern etc." ebenfalls eine Zeitschrift herausgegeben hatte, der wir manchen anziehenden Beitrag zur Kenntniß ihrer Zeit verdanken. Mitzler hatte seit 1738 eine Gesellschaft der musikalischen Wissenschaften gegründet, der auch Bach, jedoch | fast zehn Jahre später, um 1747, beitrat. Er, der schaffende Künstler, ließ als Glied derselben zwar nicht in theoretische Speculationen sich ein, beschenkte jedoch die Gesellschaft bei seinem Eintritte in dieselbe mit seinem auf die mannichfachste Weise, unter Erschöpfung fast aller kanonischen Kunst ausgearbeitetem Choral: „Vom Himmel hoch da komm ich her," welcher später in Kupfer gestochen wurde, und mit einem dreifachen Canon zu sechs Stimmen, den der 4te Theil der Mitzlerschen Bibliothek uns aufbewahrt hat. [→ Dok III, Nr. 666]
Eben dieses Jahr, 1747, gab Veranlassung zu einem Werke ähnlicher Art als die zuletzt erwähnten beiden. Sebastians zweiter Sohn, Philipp Emanuel, schon 1738 von Friedrich, Kronprinzen von Preußen, nach Rheinsberg berufen, befand sich seit dessen Thronbesteigung, 1740, in seinem Dienste als Kammermusikus. Diesem kunstliebenden Könige war der große Ruf nicht unbekannt geblieben, den der Vater jenes seines geistreichen Tonkünstlers genoß, und er hatte anfangs andeutend, dann bestimmter seinen Wunsch aussprechend, zuletzt nach der Zeit seiner Erfüllung ausdrücklich fragend, ihm Veranlassung gegeben, seinen Vater zu einer Reise nach Potsdam aufzufordern. Im Jahr 1747 unternahm es endlich der Alte, in Gesellschaft seines ältesten Sohnes, Wilhelm Friedemann, sich auf den Weg dahin zu begeben. Der König erhielt eben vor dem Beginne seines abendlichen Kammerconcerts den Meldezettel, auf welchem sich der Name des angekommenen Meisters befand, der in der Wohnung seines Sohnes abgetreten war. Sich gegen die versammelten Musiker wendend, mit dem Ausrufe: „der alte Bach ist gekommen" befahl er, ihn sofort auf das Schloß zu laden. Der Meister, durch den Boten gedrängt, war genöthigt in seinen Reisekleidern zu bleiben, und fand sich mit seinem ältesten Sohne ein, der den Vorgang später an Forkel erzählte. Leider hat sich dieser damit begnügt, uns von dem Eindrucke zu berichten, den jene Erzählung auf ihn gemacht, statt uns von den Reden und Gegenreden, die zwischen dem Könige und dem Cantor stattfanden, etwas mitzutheilen, wir sind daher außer Stande, durch irgend einen eigenthümlichen Zug den trockenen Bericht über diesen Vorfall zu beleben. An die Stelle des gewöhnlichen Concerts trat jenen Abend eine Wanderung des Königs und des Leipziger Cantors durch alle Zimmer des Schlosses, in denen Silbermannsche Pianofortes sich befanden, welche der König sehr liebte; alle mußte Sebastian versuchen und sich in freier Fantasie auf ihnen hören lassen, in Gegenwart der Capellisten, die sich ungehindert angeschlossen hatten. In der Widmung des Werkes, dessen

wir bald näher gedenken werden, spricht sich der Meister gegen den großen König über das weiter Vorgefallene aus, und wir lassen ihn nun selber reden, so weit jene Zueignung uns dazu in den Stand setzt. „Mit einem ehrfurchtsvollen Vergnügen (sagt der Alte) erinnere ich mich annoch der ganz besondern Königlichen Gnade, da vor einiger Zeit, bei meiner Anwesenheit in Potsdam, Ew. Majestät selbst ein Thema zu einer Fuge auf dem Clavier mir vorzuspielen geruhten, und zugleich allergnädigst auferlegten, solches alsobald in Deroselben höchster Gegenwart auszuführen. Ew. Majestät Befehl zu gehorsamen, war meine unterthänigste Schuldigkeit." Allen, dem Könige voran, hatte er mit dieser Ausführung genügt, und dieser verlangte nun noch eine Fuge von sechs wesentlichen Stimmen zu hören. Für eine solche, zumal wenn sie unvorbereitet erfunden und sogleich vorgetragen werden soll, ist nicht ein jedes Thema geeignet und das königliche, ein chromatisches von bedeutender Länge, bot besonders große Schwierigkeiten dar. Bach wählte deshalb selber eines, und erfüllte durch dessen augenblickliche Ausarbeitung in der vorgeschrie- | benen Form den Befehl Friedrichs. So sehr ihn nun auch der König in dieser Leistung, eben wie in der ihr voraufgegangenen, bewundert und es lebhaft gegen ihn ausgesprochen hatte, so weit glaubte doch der bescheidene Meister zurückgeblieben zu seyn hinter demjenigen, was von ihm zu erwarten gewesen wäre. „Ich bemerkte gar bald (fährt er in der gedachten Widmung fort) daß wegen Mangels nöthiger Vorbereitung die Ausführung nicht also gerathen wollte, als es ein so treffliches Thema erforderte. Ich fassete demnach den Entschluß und machte mich sogleich anheischig, dieses recht königliche Thema vollkommen auszuarbeiten, und sodann der Welt bekannt zu machen." Dieser Entschluß wurde ausgeführt, und die Arbeit unter dem Titel: „Musikalisches Opfer" am 7ten Juli 1747 dem Könige zugeeignet. Neben einer freien Durchführung, wohl derjenigen ähnlich, die er diesem vorgetragen hatte, giebt er hier eine Reihe verschiedenartiger Canons, eine zweistimmige, und eine sehr ausführliche sechsstimmige Fuge über das königliche Thema, das er früher für eine solche nicht hatte benutzen können, endlich eine dreistimmige Sonate für Flöte, Geige und Baß, von der wir nicht wissen, ob der König später in einem seiner Kammerconcerte sie ausgeführt haben mag, was in sofern zu bezweifeln ist, als er in seinem musikalischen Vortrage sich nicht gern durch strenge Schranken einengen ließ, sondern sich lieber, ohne Rücksicht auf Zeitmaaß, nach seiner jedesmaligen Empfindung frei erging, was bei einem Bachschen Werke nicht so leicht thunlich war. Huldigend schließt der alte Meister die Widmung seines Werkes, mit den Worten es habe dasselbe „keine andere, als nur diese untadelhafte Absicht, den Ruhm eines Monarchen, obgleich nur in einem kleinen Punkte, zu verherrlichen, dessen Größe und Stärke gleichwie in allen Kriegs- und Friedens-Wissenschaften, also auch besonders in der Musik, jedermann bewundern und verehren müsse." [→ Dok I, Nr. 173]

Diese Reise war der letzte Lichtpunkt in dem Leben Sebastians. Er hatte als schaffender und ausübender Künstler auf dem Clavier und der Orgel vor dem größesten Herrscher seiner Zeit sich in seiner ganzen Meisterschaft gezeigt, vor einem Herr-

scher, der seine Kunst wohl zu würdigen verstand; er hatte die ehrendste Anerkennung von ihm erfahren, mit Genugthuung war er in seine Heimath zurückgekehrt.
Dort erwarteten ihn aber Tage des Leidens und der schweren Prüfung. Sein ursprünglich schwaches Gesicht war durch Anstrengung in früherer Jugend, zumal
seine nächtlichen Schreibereien bei Mondlicht, später durch anhaltendes Arbeiten,
namentlich auch durch eigenes Graviren seiner Werke in Kupfer, bedeutend angegriffen worden; in diesen späteren Jahren entwickelte sich eine schmerzhafte und
gefährliche Augenkrankheit, durch die sein Erblinden zu befürchten war. Theilneh-
mende Freunde riethen ihm, sich der Behandlung eines aus England gekommenen,
damals in Leipzig verweilenden Augenarztes zu unterwerfen. Dieser wagte eine
Operation, welche zweimal mißglückte. Damit war nicht allein die Sehkraft verloren
gegangen, sondern auch die bisher feste Gesundheit des Meisters zeigte sich durch
den Gebrauch gewaltsamer Arzneimittel, welche die Operation hatten vorbereiten
und unterstützen sollen, unwiederbringlich zerrüttet. Während des seitdem bis zu
seinem Ende ihm auferlegten sechsmonatlichen Siechthums blieb er gefaßt und im
Innern thätig. Sein letztes Werk, die Kunst der Fuge, worin sein Scharfsinn alles zu
erschöpfen gedacht hatte, was aus einem Fugenthema entwickelt werden könne,
für das er, um es zu krönen, zum Schlusse noch die verwickeltste und schwierigste
Aufgabe sich gestellt hatte, blieb zwar unvollendet, allein seine Fähigkeit, die Bilder
seines Innern auszugestalten, dauerte fort. Noch in seinen letzten Tagen beschäftigte
ihn ein Tonsatz über die Melodie des Liedes: „Wenn wir in höchsten Nöthen seyn"
den er seinem Schwie- | gersohne Altnikol, Organisten zu St. Wenceslaus in Naum-
burg, dem Gatten seiner ältesten Tochter zweiter Ehe, Elisabeth Juliane Friederike,
in die Feder sagte. Wie sehr er seiner Kunst noch während jener Leidenstage mächtig gewesen, zeigt dieser Satz auf das Deutlichste, aber auch seine fromm-ergebene
Stimmung leuchtet klar und erhebend daraus hervor. Er weihte, schon an der
Schwelle seines Lebens, seinem Schöpfer mit der Gabe, die er ihm verdankte, durch
die sein innerstes Wesen mehr als durch Worte zu offenbaren ihm vergönnt war,
das willige Opfer eines demüthigen, zerschlagenen, aber auch reinen und festen
Herzens; und als ein solches Opfer, als die letzte schaffende That seines vielbemüh-
ten und fruchtbaren Lebens steht dieser Satz mit Recht als ein Anhang hinter seinem letzten unvollendet gebliebenen Werke. Am 28sten Julius *) 1750, Abends nach
einem Viertel auf 9 Uhr, im 66sten Jahre seines Alters, schlummerte er zu einem
besseren Leben hinüber. Zehn Tage zuvor hatte die Hoffnung sich hervorgethan,
daß er könne erhalten bleiben; es war ihm eines Morgens die Sehkraft unerwartet
wiedergekehrt, mit der Fähigkeit, das Licht zu ertragen. Allein ein bald nachher ein-
getretener Schlagfluß, ein in Folge davon entwickeltes heftiges Fieber, vereitelte alle
Bemühungen zweier der geschicktesten Leipziger Ärzte, ihn zu retten.
Er hatte in zwei Ehen gelebt, und in beiden zusammengenommen zwanzig Kinder
erzeugt. Seine erste Gattin, Maria Barbara, Tochter Johann Michael Bachs, Organisten und Stadtschreibers im Amte Gehren, gebar ihm zwei Töchter und fünf Söhne,
unter diesen die berühmten Tonmeister Wilhelm Friedemann (1710) und Carl Phi-

lipp Emanuel (1714). Diese geliebte Frau wurde ihm, in strengstem Verstande, unerwartet entrückt. Als er, von einer Reise nach dem Carlsbade mit seinem Fürsten
Leopold von Cöthen um 1720 zurückgekehrt, sein Haus wieder betrat, empfing er
bei dem Eintritte die schmerzliche Kunde, daß sie, die er in blühender Gesundheit
verlassen hatte, gestorben und begraben sei; er hatte nicht einmal gewußt noch
geahnt, daß sie krank gewesen. Seine zweite Ehegattin, Anna Magdalena, jüngste
Tochter des herzogl. Weißenfelsischen Hoftrompeters Johann Caspar Wülcken, die
er im Jahre 1721 geehlicht, gab ihm sechs Söhne und sieben Töchter, unter denen
drei von diesen und jenen, eben wie deren Mutter, ihn überlebten. Aus dieser Ehe
stammen Johann Christoph und Johann Christian Bach: jener zuletzt Concertmeister
am Bückeburger Hofe, ein fertiger Spieler, seinem Bruder Philipp Emanuel im Ganzen nachstrebend; dieser unter dem Namen des Mailänder und später des Londoner
Bach bekannt, eines ganz andern Weges gehend, als seine älteren Brüder in ihren
Tonschöpfungen gethan, so daß er kaum noch der Schule seines Vaters als angehö-
rend zu betrachten ist.

Man wird nicht erwarten, den berühmten Stifter dieser Schule hier in jeder Richtung
seiner hervorragenden Kunstthätigkeit gewürdigt zu finden. Die Betrachtung seines
Einflusses auf den evangelischen Kirchengesang in der doppelten Beziehung als
Gemeine- und als Kunstgesang, seines Verdienstes als Orgelspieler, kann allein den
Gegenstand unserer Darstellung bilden. Manchen dürfte es überraschen, jene doppelte Beziehung zu dem Kirchengesange hier erwähnt zu sehen, indem den Meisten
wohl seine große Fruchtbarkeit auf dem Gebiete kirchlichen Kunstgesanges, seine
Gabe als Setzer geistlicher Liedweisen bekannt seyn wird, während ihnen seine Thä-
tigkeit als Sänger derselben ganz

*)   Ich folge der Angabe in Mitzlers Musikal. Bibliothek, IV, *p.* 167 [→ Dok III, Nr. 666]. Forkel
nennt den 30ten desselben Monats, ob nach Wilhelm Friedemanns Angabe, muß dahin gestellt
bleiben. [→ Forkel, S. 11]

| fremd geblieben ist. Und doch ist diese ein nicht unerheblicher Theil seines ausge-
zeichneten Kunstlebens. Das Lied und seine Weise sind urkundlich die Grundlage
des aus dem Gemeinegesange eigenthümlich hervorgeblühten Kunstgesanges der
evangelischen Kirche, und keinen der für diesen thätigen großen Tonmeister der
vorangehenden Jahrhunderte haben wir beiden völlig fremd gefunden, war auch
der Eine mehr, der Andere minder dafür begabt. Daß eben Bach, im achtzehnten
Jahrhunderte unter den Tonschöpfern für die Kirche der hervorragendste, hierin
eine Ausnahme machen werde, dürften wir also nicht voraussetzen. Nun hat aber
Forkel, der innigste Verehrer, der Lebensbeschreiber dieses großen Meisters, die
Behauptung ausgesprochen, er solle nie ein Lied gemacht haben; wozu – wie er
hinzufügt – es seiner auch nicht bedurft habe, indem diese kleinen lieblichen Kunst-
blümchen deswegen doch nie ausgehen würden, die Natur treibe sie allenfalls
auch ohne besondere Pflege von selbst hervor. [→ Forkel, S. 37] Und doch ist diese
Behauptung unrichtig; viele Weisen geistlicher Lieder rühren von S. Bach her, ja, es

steht dahin, ob wir ihn nicht zu den ersten Förderern jener, um den Anfang des Jahrhunderts sich bestimmter hervorthuenden Richtung des geistlichen Liedergesanges werden zu rechnen haben, die in den ersten Abschnitten des vorangehenden Buches uns beschäftigt hat. Die eigenthümliche Art der Melodiebildung aber, die wir an jenen Weisen wahrnehmen, finden wir auch übertragen, theils auf die Hauptstimme von Andern herrührender, älterer oder gleichzeitiger, von ihm gesetzter Choräle, vor allem aber auf die Gestaltung der Mittelstimmen dieser Tonsätze, zumal des Tenors. Für die besondere Gefühls- und Auffassungsweise des Meisters, für die Entwickelung seiner Kunstthätigkeit, sind demnach jene Weisen von entschiedener Erheblichkeit, und die Prüfung, welche derselben ihm angehören, ist ein unerläßlicher Theil einer Darstellung, die sich mit ihm beschäftigt. Denn einer nähern Prüfung und Forschung bedarf es; eine nicht unbedeutende Zahl von Weisen liegt uns vor, von denen wir wissen, daß sie neu von ihm erfundene begreifen, ohne daß diese uns bestimmt bezeichnet sind; es ist uns überlassen, sie unter der Gesammtzahl aller zu erkennen.

…

Quelle: *Der | evangelische Kirchengesang | und | sein Verhältniß | zur | Kunst des Tonsatzes, | dargestellt von | Carl von Winterfeld. | Erster Theil [– 3. Theil] | – | Leipzig, 1843. [–1847.] | Druck und Verlag von Breitkopf und Härtel.* [Expl.: D-LEm, Signatur: P 5524]
Repographischer Nachdruck: Hildesheim 1966.
Aus Bd. III, Zweites Buch: „Letzte hohe Blüthe des Kunstgesanges in der evangelischen Kirche, in wesentlichem Zusammenhange mit dem Gemeinegesange. Vorübergehende Bestrebungen für diesen letzten." Erster Abschnitt, S. 256–439.
Anm.: → B 23. Mit zahlreichen Musik-Beilagen, ohne Angabe der Quellen; die Änderungen der Schlüssel ohne Angabe der Originalbezeichnung, die Änderungen von Noten ohne weitere Bemerkungen.
„Das dreibändige umfangreiche Werk gibt ein beredtes Zeugniß von seinen gründlichen Quellenstudien. Es war für damalige Zeit (Leipzig 1843–1847) ein wahrhaft monumentales Werk und kann mit Recht als Grundstein der modernen Musikgeschichtsforschung genannt werden, … Dies echt historische Verfahren hat W. trotz des großen Umfanges des Werkes, ohne Ermüdung durch das ganze Werk fortgesetzt und dadurch nebst den mehreren hundert Tonsätzen, welche den Text stets begleiten, ein Material nutzbar gemacht, welches allen späteren von unnennbarem Werthe gewesen wäre, wenn er nur auch die Fundquellen angegeben hätte. …" (ADB 43, S. 491–492, R. Eitner).
Lit.: Eduard Emil Koch, *Geschichte des Kirchenliedes und Kirchengesangs mit besonderer Rücksicht auf Württemberg*, Stuttgart 1847; Johannes Zahn, *Die Melodien des deutschen evangelischen Kirchenliedes*, Bd. I–VI, Gütersloh 1889–1893.

A 23

KRÜGER: REZENSION VON HILGENFELDTS JOHANN SEBASTIAN BACHS LEBEN,
WIRKEN UND WERKE – KRITIK AN DER ZUSAMMENSTELLUNG UND
AUSWAHL DER BENUTZTEN QUELLEN

LEIPZIG, 29. NOVEMBER 1850

C. L. Hilgenfeldt, Johann Sebastian Bach's Leben,
Wirken und Werke – Leipzig, Hofmeister, 1850. 4.
182 S. mit Beilagen.

Zum Gedächtniß an Leben und Tod des ewigen Tonmeisters haben sich in diesen
Tagen manche Stimmen vernehmen lassen, mahnende, preisende, deutende, erzäh-
lende. Das beste Gedächtniß ist, seine Thaten ehren durch Wiederbelebung seiner
Werke. Diese Schuld der Zeiten abzutragen ist das Denkmal bestimmt, das die Ge-
sellschaft der Freunde Bach's in's Leben zu rufen entschlossen ist: eine würdige
Gesammtausgabe seiner Werke. Hierzu ist der beste Commentar: ihn immerfort
studiren, hören und verbreiten; alle Worte sind nichts ohne eigenes Erlebniß der
Anschauenden, des hingegebenen Herzens.

Zu anderen Commentaren, die man etwa bedürfen möchte, bieten manche gelehrte
Werke namentlich unserer Zeit reiche Fundgruben; systematisch braucht's eben
nicht zu geschehen, das wäre eine Aufgabe für Vorlesungen, für einen academi-
schen Cursus. Wer dessen bedarf, erliest sich das Nöthige – vorbereitend aus Marx
und Mosewius, tiefer einführend aus Winterfeld. (Evang. Kirchenges. 3, 256–428.)
Das Leben Seb. Bach's ist seinen Freunden bekannt. Wer ihn nicht kennt, bedarf
auch seines Lebens nicht; der Neugierige findet das Nöthige in Wörterbüchern und
Encyclopädien. Wer ihm als Freund näher zu treten wünscht, dem steht so Manches
offen von Forkel bis auf Winterfeld, von der einfachsten bis zur kunstvollsten und
tiefsinnigsten Darstellung – daß man sich fragt: wem zu Liebe ist nun die vorliegende Biographie geschrieben?

Die Vorrede sagt von einer „systematisch geordneten Zusammenstellung" die beabsichtigt sei; im Context findet sich solche nicht, außer in den Ueberschriften. Die
Vorrede sagt, der einzige Vorgänger, auf den sich der Verf. stützen können, sei Forkel gewesen – als wenn die größten, tiefsten und treuesten Forschungen unseres
Winterfeld gar nicht existirten! Ganz consequent kommt auch Winterfeld's Name
nirgend im Werke vor, selbst wo sein Wort die Lösung des Räthsels gäbe, wie z. B.
S. 47 über die Kirchentonarten, worüber das bekannte flache Urtheil wiederholt
wird, dessen Quelle der leichtblütige Mattheson ist – hier freilich der „Geniale" genannt! (S. 58). – Jenes allerseichteste Urtheil, das die Kirchentöne „aus Nothbehelf
entstanden" wähnt (S. 47), und sich nur zu der milden Concession herbeiläßt, es
biete „jene Harmoniefolge nichts destoweniger ungemein viel Reizendes. ... ja zum
Ausdrucke des Großartigen, Unbegreiflichen mehr als jede andere Geeignetes"
solch sanftmüthiges Urtheil sollte doch im Jahre 1850 kein deutscher Kunstgelehrter

schreiben, nachdem Winterfeld's Geschichtsdarstellungen fast 20 Jahre lang unsere dunkele Wissenschaft erleuchtet haben. Dort ist auch zu lesen, wie weit Bach überhaupt im Sinne der alten Kirchentöne gearbeitet habe, was aus Hilgenfeldt S. 47 keineswegs erhellt.

| Und so fort *in infinitum*! Das Buch ist von einem Dilettanten geschrieben und für Dilettanten mundrecht, mit allem zeitgemäßen Zopfstyl *) ausgestattet und jedwedem salonmäßigen Erforderniß, um für philosophisch zu gelten. Dagegen ein reiches Wort neuen Erlebnisses, tiefinnerster Anschauung nirgend! abgerechnet die allerdings neue Notiz, daß *organo pleno* nicht *organo pleno* bedeute (S. 64), sondern nur: „volles Hauptmanual". Wir aber glauben aus Bach's Schule und Schülern freilich zu wissen, daß wo eine Haupt-Koppel vorhanden ist, die ganze Orgel gekoppelt wird, sofern alles rein gestimmt ist und deutlich kann vernommen werden. Indirect kann man dies sogar in Hilgenfeldt's Worten wiederfinden, da er zum *organo pleno* doch die Mixturen und Posaunen zulässig hält; wie, wenn sich die nöthigen Stimmen nur in verschiedenen Manualen finden? Dieses haben wir auf manchen schwächeren Orgeln so gefunden, und mochten daher in diesem sonst citatenreichen Buche gern ein Citat als Beleg jener Behauptung von dem „Hauptmanual als *organ. plen.*"

„Wiederholungen waren nicht zu meiden", sagt die Vorrede schließlich; doch scheint es, eine künstlerische Darstellung, des Künstlers würdig, hätte durch besonnene Composition gemieden, dreimal dasselbe von Bach's Jugendzeit, von seinem Clavierspiel u. s. w. zu wiederholen, und hätte sowohl hier Discretion an der Geduld der Leser geübt, als in jenen Excursen S. 6–7, S. 48–49, wo man nichts von Bach, desto mehr aber von des Verf. Zorn über schlechte Virtuosen und noch schlechtere Organisten vernimmt.

Eigenthümlich sind uns zwei Sätze vorgekommen, deren Inhalt wir anderswo uns noch nicht erinnern gelesen zu haben: 1) von Bach's System S. 55–59; 2) von der unrhythmischen Natur der Fuge S. 69.

Was das Erste anlangt, so ist nach manchem Hin- und Wiederreden über Harmonie und Melodie und dergl. die Entdeckung gemacht, daß Bach's „Grundsatz" durchaus auf dem „System des Grundbasses" beruhe (S. 59). Was das bedeute, weiß ich nicht. Als Grundlage der Harmonie hat auch Palestrina den Baß betrachtet, so gut wie das „Princip der Einheit" (S. 55) nicht Bach allein, sondern jeden wahren Künstler bewegt. Soll also jenes beides nicht leeres Geschwätz sein, so bedarf es einer bestimmteren Deutung, die wir vermissen. Ueberhaupt

---

*) Dazu rechnen wir alle die vormärzlichen curialen Redeweisen „derzeit, dermalen, desfallsig, nichtsdestoweniger, oft mehr als zu viel, bislang, identisch, ob und wiefern, dürfte, möchte, wollte, sollte – an und für sich zwar, ungemein schön" – und andere Kielkropfigkeiten, die der Liebhaber im Buche selbst ohne unsere Hülfe erblättern mag.

---

glauben wir, daß „Grundsätze und Systeme" zunächst nur dem Philosophen, nicht dem Künstler angehören; daß der Künstler eben seine Begabung in der Freiheit beweist, und alles Systematische ihm nur Schule nicht Leben ist; daß alle Systematik außer der Schule und dem Catheder (oft auch auch da!) nur Krankheit ist, oder ein Fallhut für leere Köpfe. – Wollte Herr Hilgenfeldt das Gegentheil beweisen, nun so müßte er es eben – beweisen.

Desgleichen bedürfen wir lebhaft einer Deutung der räthselhaften Worte: „die Fuge, eine Compositionsgattung, die an und für sich [merket den Systematiker!] dem Rhythmus nicht günstig ist" etc. (S. 69). Welchem Rhythmus nicht? Dem Tanzrhythmus? Siehe Sebastian's Giguen. Dem individuellen gegensätzlichen nicht? Siehe Sebastian's Temperirtes Schatzkästlein. Dem vocalen, dem malerischen nicht? Siehe Sebastian's Passionschöre. Welchem also nicht? Gewiß nicht dem Auber'schen, dem Rossini'schen, dem Donizettischen. Ist dieser gemeint? Sonst weiß ich's nicht! helfe mir ein Anderer!!

Dankenswerth ist, daß der Verfasser gesammelt hat, was als Tradition der Bach'schen Schule über seine Methode des Clavierspiels (S. 35) bekannt ist; eine faßliche Zusammenstellung dessen, was Forkel, Griepenkerl u. a. ausführlich gegeben haben. Bei Gelegenheit der gleichschwebenden Temperatur (S. 37, 38) vermissen wir die Bemerkung, daß diese eben durch Seb. Bach zu der heutigen Gestalt vollendet ist; ein ungeheurer Schritt aus der alten Welt in die neue, ein positives Ueberschreiten der älteren Systeme, die bis dahin nur negativ oder versuchend übersprungen waren. Erst nach diesem größten Gewinn schrieb Seb. Bach sein wohltemperirtes Clavier, den Schlußstein der großen Erfindung und ihr erstes Zeugniß.

Am Schlusse des H.'schen Werkes findet sich ein *Catalogue raisonné* sämmtlicher Werke von Seb. Bach; eine sehr willkommene Zusammenstellung nach den Vorarbeiten von Mosewius, Mendelssohn etc. – Notenbeilagen sind: Zwei *„Quotlibete"* (sic) aus dem XVI. Jahrhundert; wie sie hierher gehören, ist nicht abzusehen; sie sind albern und geschmacklos genug, um zu zeigen, daß unseren würdigen Alten auch was Menschliches begegnet, und daß es zu allen Zeiten Quacksalber gegeben hat. Zur Erläuterung des (S. 8) über „extemporirte" Familienbelustigung Gesagten dienen diese Quodlibete schwerlich, da sie nicht einmal aus der Bach'schen Familie herrühren. – Die zwei Canons von Seb. Bach sind interressant, und künstlich, der erste nicht ohne Schönheit.

Es muß auch solche Käuze geben! rief der Freund mir zu, als ich mehr unwillig als billig ward über | solches Werk aus dem aufgeklärten Jahrhundert – von einem Hodegeten, der vom Lande der Kunst gehört, ja eine Kunstreise dahin gemacht hat, aber nicht drin gelebt, gelitten, geweint, erstorben – und doch – – – auch in jeder Gestalt liest man um Seines Namens Willen, was über ihn Klug und Schwaches geschrieben wird – – – οὐδέ τι οἱ χιὸς σήπεται – – –

Emden.   *Dr.* E. Krüger.

Nachschrift der Redaction. Da wir unser Exemplar dem Hrn. Rec. sogleich zur Anzeige übersendeten, so konnten wir von dem Werke bis jetzt nur eine flüchtige Kenntniß nehmen, und es steht uns deßhalb kein genaueres Urtheil zu. Nur in Einem erlauben wir uns eine andere Ansicht anzudeuten. Das Studium der Werke

des Meisters thut es allein auch nicht; wie fremd derselbe in einem ganz anders
gewöhnten Zeitalter für Viele, die den guten Willen haben, ihn kennen zu lernen,
da steht, davon kann man sich täglich überzeugen. Die Forschungen aber der oben
genannten Autoren sind für eine große Zahl gänzlich unzugänglich. Wir halten darum derartige Werke verdienstlich zur Verbreitung der Kenntniß des Meisters, selbst
wenn Neues für die mit ihm Vertrauten nicht gewonnen wird.

Quelle: NZfM, 17. Jg., 33. Bd., Nr. 41, 19. November 1850, S. 221–223 (*Bücher, Zeitschriften.*).
Nachweis: *JOHANN SEBASTIAN BACH'S | LEBEN, WIRKEN UND WERKE. | – | EIN BEI-
TRAG | ZUR KUNSTGESCHICHTE DES ACHTZEHNTEN JAHRHUNDERTS | VON | C. L. HIL-
GENFELDT. | – | Als Programm | zu dem am 28. Julius 1850 eintretenden Säculartage des Todes von
Johann Sebastian Bach. | Mit einer genealogischen Tabelle und Notenbeilagen. | – | LEIPZIG, | FRIED-
RICH HOFMEISTER.*
Reprint: Hilversum 1965.
Anm.: → A 32 und C 35. Zu den „Forschungen" von Winterfeld → A 22. Zu Marx und Mosewius
→ A 15 und 20.
Anzeige: NZfM, 17. Jg., 33. Bd., Nr. 7, 23. Juli 1850, Intell.bl., S. 36; NBAMZ, 4. Jg., Nr. 31, 31. Juli
1850, S. 247. Unter *Auszeichnungen. Beförderungen.* folgende Mitteilung: „Dem Doctor C. L. Hil-
genfeldt in Hamburg hat der König von Sachsen für das demselben zugeeignete Werk „Joh. Seb.
Bach's Leben, Wirken und Werk", die für verdienstliche Leistungen in Wissenschaft und Kunst
bestimmte große goldene Medaille, als ein Zeichen der Anerkennung zustellen lassen." (NZfM,
17. Jg., 33. Bd., Nr. 28, 4. Oktober 1850, S. 152. *Tagesgeschichte.*).

Miszellen

A 24

Beethoven: Komposition zugunsten von Regina Susanna Bach

Wien, 22. April 1801

… – wie ich neulich zu einem guten Freunde von mir komme, und er mir den Betrag
von dem, was für die Tochter des unsterblichen Gott's der Harmonie gesammlet
worden, zeigt, so erstaune ich über die geringe Summe, die Deutschland und besonders ihr Deutschland dieser mir verehrungswürdigen Person durch ihren Vater,
anerkannt hat, das bringt mich auf den Gedanken, wie wär's, wenn ich etwas zum
besten dieser Person herausgäbe, auf *praenumeration*, diese Summe und den Betrag,
der alle Jahr einkäme, dem *publikum* vorlegte, um sich gegen jeden angriff festzu-
sezen – sie könnten das meiste dabey thun, schreiben sie mir geschwind wie das am
besten möglich sey, damit es geschehe, ehe unß diese Bach stirbt, oder ehe dieser

Bach austroknet und wir ihn nicht mehr tränken können – daß sie dieses werk verlegen müßten, versteht sich von selbst. ...

Quelle: Beethoven an Breitkopf & Härtel, 22. April 1801. Zit. nach: Beethoven Briefe 1, Brief Nr. 59.
Anm.: Beethoven bezieht sich auf eine Sammlungsaktion zugunsten von Regina Susanna Bach, der jüngsten Tochter J.S. Bachs, aufgerufen von Friedrich Rochlitz im Intelligenz-Blatt Nr. XIII zur AMZ, 2. Jg., Mai 1800 (→ Dok III, Nr. 1034). Siehe auch Dok III, Nr. 1044 mit dem Dank von Regina Susanna B.

A 25

ROCHLITZ, BREITKOPF UND HÄRTEL, REGINA SUSANNA BACH: DANK FÜR GELDSPENDEN

LEIPZIG, 19. / 20. MAI 1801

Unsere Bitte um Unterstützung der einzigen aus dem verdienten Bachischen Hause Uebergebliebenen, der jüngsten Tochter Sebastian Bachs, ist vom Publikum nicht übersehen worden: man hat dieser guten Frau durch uns einen nicht ganz unbeträchtlichen Beytrag zur Erleichterung ihres unversorgten Alters zukommen lassen; sie hat in diesen Blättern darüber quittirt und dafür gedankt. Mit inniger Rührung empfingen wir aber jezt, den 10ten May, durch den Wiener Tonkünstler, Herrn Andreas Streicher, die ansehnliche Summe von 307 Gulden Wiener Courant, welche von dem hiesigen Banquier Löhr mit 200 Rthlr. bezahlt worden sind, von den untengenannten Personen. Die Sammlung war durch den angeführten Musiker veranstaltet und vornehmlich betrieben von dem verdienten Herrn Grafen Fries in Wien, an welchen ohnedies, wer unter uns Sinn hat für das Gute und Schöne, von seinem Aufenthalte in Leipzig her, so gern denkt. Zugleich erklärt sich der berühmte Wiener Komponist und Virtuos, Herr v. Beethoven, er werde eins seiner neuesten Werke einzig zum Besten der Tochter Bachs im Breitkopf-Härtelschen Verlage herausgeben, damit die gute Alte von Zeit zu Zeit Vortheil davon ziehen möchte: wobey er auf so edle Weise auf möglichste Beschleunigung der Herausgabe dringt, „damit uns ja nicht etwa diese Bach früher stürbe, als jener Zweck erreicht würde" – Möchte es dahin kommen, dass jeder grosse Künstler und Gelehrte, wenn er die Seinigen nicht versorgen *kann*, mit der Ueberzeugung dem Tode entgegensehen könnte: edle Wohlhabende werden ihrer nicht vergessen! Möchte jedem unverschuldet Darbenden nicht nur so anständige Unterstützung, sondern auch, zur Vollendung der Freude, so herzliche Theilnahme, als das beygefügte Schreiben beweiset, zu Theil werden! Möchte endlich jeder, der, wo er nicht selbst genug helfen kann, Andere aufzufordern wagt, solche Bestätigung, wie wir, bekommen für seinen Glauben: es giebt der guten Menschen genug, denen man nur zu sagen braucht, das thut, und hier ist es angewendet! –

Leipzig, den 19ten May 1801.

Friedrich Rochlitz.
Breitkopf und Härtel.

	Wiener Courant Fl.
Von Fräulein von Herz	4
Von Herrn Leopold von Herz	4
Von Frau Gräfin von Flavigny	6
Von Frau Gräfin von Lerchenfeld	8
Von Herrn Grafen von Hardegg	8
Von Ihro Exzell. der Frau Gräfin von Schönfeld	12
Von Hrn. von Eskeles	15
Von Sr. Exzell. Herrn Baron van Swieten	25
Von Sr. Exzell. Herrn Grafen Appony	25
Von Sr. Exzell. Herrn Grafen Wrbna	25
Von Ihro Durchlaucht der Frau Gräfin Fries	25
Von Herrn Grafen Fries	50
Von Sr. Durchlaucht dem Fürsten Lobkowitz	100
	Fl. 307

Mit Thränen der Freude empfange ich diese, alle meine Erwartungen weit übersteigende Summe. Keiner von den Tagen, die mir die Vorsehung noch schenkt, soll vergehen, ohne dass ich dieser meiner Wohlthäter mit innigem Danke gedächte. Leipzig, den 20sten May 1801.

Regina Susanna Bach.

Quelle: AMZ, 3. Jg., Intell.-Bl. Nr. IX, Juni 1801.
Anm.: → A 24; → Dok III, Nr. 1034. Zu der von Andreas Streicher in Wien durchgeführten Sammlung und der von Beethoven in diesem Zusammenhang mehrfach geäußerten, doch schließlich unausgeführten Absicht, durch den Ertrag einer neuen Komposition oder ein Benefizkonzert, einen Beitrag zu leisten, vgl. insbes. Dok III, Nr. 1044K. Vgl. auch den Brief von B & H an Beethoven vom 30. Juni 1803, mit der Erinnerung an die Unterstützung von Regina Susanna B (Wilhelm Hitzig, *Die Briefe Gottfried Härtels an Beethoven*, ZfMw 9 (1926 / 27), S. 327.
Lit.: Reinhold Bernhardt, *Das Schicksal der Familie Johann Sebastian Bachs*, in: Der Bär 1930, S. 167–176; Luther Documenta, S. 78.

A 26

HEINRICH CHRISTOPH KOCH: BACH ALS ERFINDER DES LAUTENCLAVICYMBELS
UND DER VIOLA POMPOSA
FRANKFURT AM MAIN, 1802

...

| ...Lautenclavicymbel. Ein von Joh. Seb. Bach angegebenes, und von Zach. Hildebrand gebauetes Clavierinstrument.

[Sp. 892]

...

| ...Viola pomposa, ein Geigeninstrument von Joh. Seb. Bachs Erfindung. Die noch sehr unvollkommene Spielart, mit welcher zu seiner Zeit das Violoncell behandelt wurde, und die lebhaften, oft ziemlich schweren Bässe seiner Tonstücke veranlaßten ihn zu der Einrichtung dieses Instrumentes. Es zeichnete sich von der Viole durch vermehrte Größe des Körpers, durch merklich höhere Zargen, und besonders dadurch aus, daß es mit der Tiefe der vier Saiten des Violoncells noch die fünfte Saite e verband, wodurch der Spieler in den Stand gesetzt wurde, die hohen und geschwinden Passagen der Grundstimme ohne Uebersetzung der Hand zu spielen, und also die Höhe leichter herauszubringen als auf dem Violoncell. Uebrigens wurde es eben so traktirt, wie die Viole. Dieses Instrument ist seit geraumer Zeit, theils wegen der, durch die Größe seines Körpers verursachten Unbequemlichkeit, theils auch wegen der vervollkommneten Spielart des Violoncells gänzlich wieder außer Gebrauch gekommen. Dagegen bedient man sich noch hin und wieder einer Viole in gewöhnlicher Form und Stimmung mit der hinzugefügten e Saite der Violine, die von einigen auch Violino pomposo genannt wird.

[Sp. 1691]

...

| ...Bach, (Johann Sebastian) Königl. Pohln. Hofkomponist, Kapellmeister zu Weißenfels, und Musikdirektor an der Thomasschule zu Leipzig, der größte Contrapunktist und Organist seiner Zeit, war zugleich der Erfinder der Viola pomposa und eines Lautenclavicymbels. Siehe Viola pomposa und Lautenclavicymbel.

[Sp. 1790]

Quelle: *Musikalisches Lexikon,* | *welches* | *die theoretische und praktische Tonkunst, encyclopädisch* | *bearbeitet, alle alten und neuen Kunstwörter erklärt,* | *und die alten und neuen Instrumente beschrieben,* | *enthält,* | *von* | *Heinrich Christoph Koch,* | *Fürstl. Schwarzburg-Rudolstädt. Kammer-Musikus.* | *–* | *A–Z.* | *–* | *Frankfurt am Main,* | *bey August Hermann dem Jüngern.* | *1802.* [Expl.: D-LEm, Signatur: *P 4807*]
Faks.-Reprint der Ausgabe Frankfurt/Main 1802, hrsg. und mit einer Einführung versehen von N. Schwindt, Kassel etc. 2001.
Übers. dän.: Musikalsk haand-lexikon, Kopenhagen 1826 (H.C.F. Lassen, gekürzt).

Anm.: Aus *Musikalisches Lexikon.* | – | *Erste Abtheilung.* | – | *A–M.* und … | – | *Zweyte Abtheilung* | *N–Z*, sowie aus *Zweyter Anhang*, | *oder* | *Alphabetisches Namensverzeichniß derjenigen Personen, die sich* | *im Fache der Musik durch solche Erfindungen, Verbesserungen* | *u.d.gl. ausgezeichnet haben, von welchen hier und da in den* | *Artikeln dieses Lexikons gehandelt worden ist.*
Rezension: AMZ, 6. Jg., Nr. 3, 19. Oktober 1803, Sp. 33–45.
Lit.: L.F. Hesse, *Heinrich Christoph Koch*, in: *Verzeichniß geborner Schwarzburger, die sich als Gelehrte oder als Künstler durch Schriften bekannt machten*, achtes Stück, Rudolstadt 1814, S. 11–14; ADB 16 (Anemüller); Gerber NTL, Bd. I, Sp. 81–83; Carl Dahlhaus, *Der rhetorische Formbegriff H. Chr. Kochs und die Theorie der Sonatenform*, AfMw 35 (1975), S. 155ff.

A 27

Gerber: Bildnisse Johann Sebastian Bachs in seinem Besitz

Sondershausen, 1804

… |

Bach, J. Sebast.	Fol. Küttner.
-- -- -- -- -- --	Fol. Bolliner.
-- -- -- -- -- --	Fol. Netling.
-- -- -- -- -- --	12. Bollinger.
-- -- -- -- -- --	12. bei Schall. Nachstich.

…

[S. 32]

Quelle: *Wissenschaftlich geordnetes* | *Verzeichniß* | *einer Sammlung* | *von* | *musikalischen Schriften,* | *nebst* | *einer Anzahl von Bildnissen* | *berühmter Tonkünstler und musikalischer* | *Schriftsteller,* | *wie auch* | *von verschiedenen Orgelprospecten,* | *als ein Beitrag* | *zur Literaturgeschichte der Musik, und auf Verlangen* | *einiger Freunde zum Drucke befördert* | *von* | *dem Besitzer derselben* | *Ernst Ludwig Gerber,* | *Hof- Secretär zu Sondershausen.* | – | *Sondershausen, 1804.* | *Gedruckt mit Fleckschen Schriften.* [Expl.: D-LEm, Signatur: *I.* 4°318]
Anm.: Aus *VI. Bildnisse von Tonkünstlern, kunstfertigen* | *Dilettanten, und Gelehrten, welche eigene* | *Traktate musikalischen Inhalts heraus-* | *gegeben haben.* | – | … , S. 31–32. Zu Samuel Gottlob Kütners Stich → Dok IV, B 13; zu Friedrich Wilhelm Bollingers Stich →B 35 sowie B 19; zu Friedrich Wilhelm Nettlings Stich →B 27; zu dem „Nachstich." „bei Schall." → B 39, ein unbezeichneter Stich (siehe auch B 19), als Einzelblatt „In Breslau bey Aug. Schall zu haben.", im „Museum berühmter Tonkünstler" von C.A. Siebigke, Breslau 1801, der Biographie J.S. Bachs vorangestellt (→ A 1). Der Abschnitt „I. Geschichte und Kritik." enthält auf S. 6 noch folgenden Bach-Eintrag: „Forkels, D.J.N., … Ebenders. Ueber Sebast. Bachs Leben und Kunst. Leipz. 1802. gr. 4. X. …"
Rezension: BMZ, 1. Jg., 1805, Nr. 21, S. 83–84, unter *Vermischte Nachrichten*.: „Der unermüdet fleißige Gerber …" (Reichardt).

A 28

Michaelis: Stammbaum der Bachischen Familie aus dem Nachlass Kittels
Leipzig, 19. März 1823

Bemerkungen zu dem Stammbaum der Bachischen Familie.
(S. die Beylage No. I.)

Wir kennen zwar einige Familien und Geschlechter, in welchen eine und dieselbe Kunst sich mit glücklichem Erfolge gleichsam erblich fortgepflanzt und ausgebreitet hat, z. B. die Familie der Benda, welche gegen zehn Mitglieder auf dem Gebiete der Musik aufzuweisen hatte; aber schwerlich dürfte das Bachische Geschlecht übertroffen werden, in welchem sechs Generationen hindurch das musikalische Talent blühete, und zum wenigsten weit über zwanzig achtbare Namen der Geschichte der Tonkunst angehören, und etliche als erste Zierden derselben glänzen. Der gegenwärtige Stammbaum (welcher aus dem Nachlasse des 1809 zu Erfurt verstorbenen grossen Organisten Kittel herrührt, des letzten würdigen Schülers unsers von ihm so hoch verehrten Joh. Sebast. Bach) führt zwar 59 Zweige dieses Geschlechts auf, aber freylich auch solche, die nicht zur Reife kamen, oder von denen uns die Annalen der Tonkunst keine Kunde geben. Die Gleichheit der Vornamen mehrerer Bache, oder das Weglassen derselben auf ihren Werken, erschwert oft oder verhindert die Unterscheidung der Personen; auch fehlen auf diesem Stammbaum einige Data. Wir haben, so viel möglich, die Lücken auszufüllen und die verschiedenen Personen zu unterscheiden gesucht; und geben hier, nach den Nummern des Stammbaums, durch kürzliche Nachweisung der von den Künstlern bekleideten Stellen, ihrer vorzüglichsten Verdienste und einiger Lebensumstände, eine Erläuterung desselben, wobey besonders Gerber's älteres und neueres Lexikon der Tonkünstler benutzt, und mit Walther's Lexikon [→ Dok II, Nr. 323], Forkel's Schrift über Bach und Hiller's Biographie verglichen worden ist. Nähere Belehrung hat man bey Gerber zu suchen.

1. Veit Bach, aus Ungarn, ein Bäcker, welcher wegen Religionsverfolgungen ins Thüringische flüchtete, wo nachher das musikalische Talent seiner Nachkommen lange und vorzüglich geblüht hat. Er liebte schon Musik, und spielte die Cither.
2. Hans oder Johann Bach, wahrscheinlich der Musikus und Teppichmacher zu Wechmar, bey dem sein Sohn Heinrich den ersten Musikunterricht empfing.
4. Johann Bach, Director der Rathsmusik zu Erfurt seit 1635.
6. Heinrich Bach, Organist und Stadtmusikus zu Arnstadt.
8. Joh. Aegidius Bach, Organist an der Michaeliskirche und Director der Rathsmusik zu Erfurt.
10. Georg Christoph Bach, Cantor und Componist zu Schweinfurt.
11. Johann Ambrosius Bach, Hof- und Rathsmusikus zu Eisenach, Vater des grossen Johann Sebastian.

12. Joh. Christoph, des vorhergehenden Zwillingsbruder, von dem aber die nähern Nachrichten fehlen.

13. Joh. Christoph Bach, ein grosser Contrapunktist, Kirchencomponist und Orgelspieler, aus Arnstadt, war Hoforganist zu Eisenach.

14. Joh. Michael Bach, Organist im Amte Gehren, Sebastian Bach's erster Schwiegervater, ein geschätzter Kirchen- und Klaviercomponist; Bruder des vorhergehenden.

18. Joh. Bernhard Bach, Organist zu Erfurt und Magdeburg, und seit 1703 hochfürstlicher Kammermusikus zu Eisenach, zeichnete sich durch Choralvorspiele aus.

24. Johann Christoph Bach, Organist zu Ohrdruf, der ältere Bruder des berühmten Sebastian, und dessen erster Lehrer auf dem Klavier.

26. Johann Sebastian Bach, der berühmte grosse Contrapunktist, Kirchen- und Kammercomponist und Orgelspieler, den man noch aus seinen zahlreichen genialen und kunstvollen Werken für die Kirche, die Orgel, das Klavier und andere Instrumente bewundert. Er war Anfangs Hofmusikus zu Weimar, dann Organist zu Arnstadt und Mühlhausen, nachher Hoforganist und Concertmeister zu Weimar, hierauf Fürstlich Anhalt-Köthenscher Kapellmeister, und endlich Cantor und Musikdirector an der Thomasschule zu | Leipzig, worauf er vom Herzog zu Weissenfels den Kapellmeistertitel erhielt, und 1736 vom König von Polen und Kurfürsten von Sachsen zum Hofcompositeur ernannt wurde. Er starb zu Leipzig in seinem dasigen Amte.

29. Joh. Nicolaus Bach, Organist und Klaviermacher zu Jena, auch Componist, war aus Eisenach gebürtig.

30. Johann Christoph Bach, ein Sohn des Organisten gleiches Namens zu Eisenach, lebte als Musiklehrer zu Rotterdam und in England.

31. Des vorigen Bruder, Johann Friedrich Bach, war ein guter Klavier- und Singcomponist. Er starb 1730.

36. Johann Ernst Bach, Sohn des Johann Bernhard zu Eisenach, und Organist zu Weimar seit 1748, auch Herzoglicher Kapellmeister, ein vorzüglicher Sing- und Instrumentalcomponist, starb zu Eisenach 1781, und hatte seinen Sohn im Amte zum Nachfolger.

41. Johann Elias Bach, Cantor und Inspector des Gymnasiums zu Schweinfurt seit 1743.

43. Joh. Bernhard Bach, Organist zu Ohrdruff, wo sein Vater Organist und Schullehrer gewesen, starb (nach Gerber) 1742: ein guter, obwohl nicht fruchtbarer Tonsetzer, Bruderssohn von Joh. Sebastian.

46. Joh. Andreas Bach, lebte noch um 1754, wie ein von ihm hinterlassenes, mit seinem Namen bezeichnetes Notenbuch, voll Orgel- und Klavierstücke der damals berühmten Meister, auch J. Sebast. Bach's, beweiset, und wahrscheinlich zu Leipzig. Als kräftiger Componist erscheint er in einem *Capriccio Presto* (C moll $^4/_4$) fürs Klavier, von zwey Theilen, an dessen Schlusse die Noten b a c h angebracht sind. Man findet bey Gerber u. a. von ihm keine Nachricht.

47. Wilhelm Friedemann Bach, sonst oft der Hallische genannt, Sebastians ältester Sohn, geboren zu Weimar, zuletzt Hessendarmstädtischer Kapellmeister, ein in Wis-

senschaften wohl unterrichteter Mann, und ein origineller, trefflicher Componist für Klavier und Orgel, auch Componist einer Pfingstcantate. Er war in Dresden und Halle Organist und starb in Berlin.

49. Karl Philipp Emanuel Bach, der durch seine zahlreichen originellen und geistvollen Compositionen fürs Klavier, durch einige Kirchenstücke und mancherley Gesänge, so wie durch seinen *Versuch über die wahre Art das Klavier | zu spielen,* berühmte Kapellmeister der Prinzessin Amalie von Preussen zu Berlin, und nachmaliger Musikdirector zu Hamburg; daher er unter dem Namen des Berliner oder Hamburger bekannt war.

56. Joh. Christoph Friedrich Bach, Schaumburg-Lippischer Concertmeister, der sogenannte Bückeburger, ein trefflicher Componist von Cantaten, Oratorien und Instrumentalsachen.

57. Joh. Christian Bach, ein geschmackvoller Tonsetzer für Klavier und andere Instrumente, und fürs Theater, lebte Anfangs in Leipzig und Berlin, dann aber zu Mailand, wo er Domorganist war, und nachher bis an seinen Tod als Kapellmeister der Königin von England zu London, wo er mehrere seiner Opern und ein Oratorium und Kirchenstück aufführte. Er ist unter dem Namen des Mailändischen, Englischen oder Londoner Bach bekannt.

Noch finden sich bey Gerber folgende Tonkünstler und Componisten mit dem Namen Bach, welche auf diesem Stammbaume nicht vorkommen, und von welchen vielleicht einer das leer gelassene Feld 58 ausfüllen könnte. 1. Friedrich Ludwig Bach, Sing- und Klaviermeister zu Berlin, lebte noch um 1790 daselbst.

2. Joh. Ludwig Bach, geboren 1677, Sachsen-Meinungscher Kapellmeister, ein Kirchencomponist, starb 1730. S. Gerbers ält. Lexikon. *)

3. Joh. Michael Bach, der jüngere, erst Cantor zu Tonna, dann weit umher auf Reisen, nachher zu Göttingen und Güstrow (um 1779 und 1780), gab zu Cassel 1780 eine Anleitung zum Generalbass heraus.

4. Oswald Bach. Von ihm erschien ein Singunterricht 1790 zu Salzburg.

5. Wilhelm Bach, Sohn des Bückeburger, Kammermusikus und Cembalist der verwittweten Königin von Preussen zu Berlin. Geboren 1754.

Verehrer des Bachischen Geschlechts und Namens, denen etwa genauere Notizen zur Berichtigung oder Ergänzung dieser Genealogie zu

*) Prof. Zelter erwähnt (in Franz Stöpels Grundzügen der Geschichte der modernen Musik, Berlin, 1821) [→ A 7] siebzehn Kirchenstücke und einige Motetten dieses Meisters; von den erstern hatte Seb. Bach zwölf abgeschrieben, und Emanuel Bach rühmt sie in einem Briefe, worin er Ludwig seinen Vetter nennt.

| Gebote ständen, werden hiermit um gefällige Mittheilung ihrer Nachrichten ersucht.

C. F. M.

Quelle: AMZ, 25. Jg., Nr. 12, 19. März 1823, Sp. 187–191, sowie Beylage Nr. I.

Anm.: Den Ausführungen liegt als Quelle zugrunde: „Der ganze Stammbaum der Bachischen Familie unter Glas, in schönen lakirten Rahmen." (Kat Kittel, Nr. 850). Vgl. insbes. Dok III, Nr. 802 („Nachträge zur Bachschen Familienchronik" von C. P. E. Bach, Ende 1774), mit Hinweis auf eine „enge Verwandtschaft mit einem bei Korabinsky [→ Dok III, Nr. 974] abgebildeten Stammbaum ..., wie auch mit einem weiteren Exemplar aus dem Besitz Johann Christian Kittels, ..."
Vgl. auch die Ausführungen von F. W. von Kawaczyński und J. G. W. Ferrich → A 30, sowie den „Stammbaum der Familie Bach.", in: *Aesthetisch-historische | Einleitungen | in die | Wissenschaft der Tonkunst | von | Dr. Wilhelm Christian Müller, | Lehrer an der Hauptschule in Bremen. | – | Zweiter Theil. | – | Leipzig, | bei Breitkopf und Härtel | 1830*, S. (XXV).
Lit.: Hermann Kock, *Genealogisches Lexikon der Familie Bach*. Bearbeitet und aktualisiert von Ragnhild Siegel. Herausgegeben vom Bachhaus Wechmar und Bachhaus Eisenach, Gotha 1995; Christoph Wolff, Walter Emery, E. Eugene Helm, Ernest Warburton, Ellwood S. Derr, *Die Bach-Familie. Aus dem Englischen von Christoph Wolff und Bettina Obrecht (The New Grove. Die großen Komponisten)*, Stuttgart, Weimar 1993.

A 29

Becker: Über Bachs Porträt in der Thomasschule und dem Eintritt in Mizlers Societät

Leipzig, 25. November 1840

Johann Sebastian Bach's Portrait.

Keine schönere Zierde kann den Musiksaal der alten Thomana in Leipzig schmücken, als das sauber in Oel gemalte Bildniß des herrlichen Johann Sebastian Bach. Immer ist es, als lebte der Meister noch unter seinen Jüngern und Schülern und oft war es mir, da ich häufig in jenem Raume, Cäcilien gewidmet, weilte, aufhorchend den wunderbaren Tonfolgen oder selbst in die hohen Lieder mit einstimmend, die hier aus jugendlicher Brust ertönten, als schaue er jetzt fest und sinnend, dann wohlgefällig und mildfreundlich, doch auch öfters fast zürnend und mit geschlossenen Augenbrauen aus dem schmucklosen Rahmen herab, je nachdem Wahl und Ausführung der Gesänge und der Singenden dem Hehren zu entsprechen schien oder nicht. Ein treffliches Bild, in seinen letzten Lebensjahren ihn darstellend, mit einem dreizeiligen Notenblättchen in der Hand, oben bezeichnet mit:
*Canon triplex â 6 voc.! – *)

*)   Nur drei Oelgemälde, außer dem in Leipzig befindlichen, zu denen Bach gesessen, sind bekannt. Sie waren im Besitze C. P. E. Bach's, der Prinzessin Anna Amalia von Preußen – jetzt in dem Joachimsthaler Gymnasium zu Berlin – und J. Chr. Kittels in Erfurt. Letzterem diente es zu einer eigenthümlichen Belohnung und Strafe für seine zahlreichen Schüler. Zeigte sich nemlich der Lehrling in seinem Fleiße dieses Vaters der Harmonie würdig, so wurde der Vorhang, der es bedeckte, aufgezogen. Für den Unwürdigen hingegen blieb Bach's Angesicht verhüllt. Eben dies geliebte Bild sollte nach seinem Ableben an seine Orgel in der Predigerkirche aufgehängt

werden. Gerber's neues Tonk.-Lex. B. 3, S. 58. Kittel war einer der letzten Schüler Bach's, aber schwerlich hat er den theuren Lehrer „noch im letzten Jahre vor seinem Tote 1754 besucht", wie Müller in der Wissenschaft d. Tonkunst, B. 2, S. 100 [→ A 28, Anm.] meint, da Bach schon vier Jahre früher – gestorben war.

| Bei welcher Gelegenheit wurde aber wohl das musikalische Räthsel, das die Ueberschrift führen sollte: *ex ungue leonem* – und das Gemälde entworfen?
Folgendes diene zur nähern Erläuterung.

Im Jahre 1738 errichtete in Leipzig Lorenz Mizler, Doctor der Philosophie und Medicin, sowie ausgezeichneter Mathematiker*), eine musikalische Societät. Die Tonkunst, besonders die Theorie derselben immer mehr auszubreiten und von allen den ihr anhaftenden Schlaken zu reinigen, war das Ziel, wonach die Gesellschaft – aus zwölf heimischen, vier auswärtigen und sechs durch Diplom erwählten Mitgliedern bestehend – emsig strebte. Ein Johann Sebastian Bach, obgleich seit 1723 in Leipzig als Cantor und Musikdirector angestellt und schon zu dieser Zeit in ganz Deutschland hochgeehrt und angestaunt, war einem solchen Bunde nicht würdig genug, denn der 3. und 4. Paragraph der Gesetze lautete: „Bloße praktische Musikverständige können deswegen in dieser Societät keinen Platz finden, weil sie nicht im Stande sind, etwas zur Aufnahme und Ausbesserung der Musik beizutragen. Theoretische Musikgelehrte aber finden einen Platz bei uns, wenn sie gleich in der Ausübung nicht viel wis-

*)   Um die Tonkunst machte sich Mizler durch die deutsche Uebersetzung des *Gradus ad Parnassum* von J.J. Fux – Leipzig, 1742 – verdient und lieferte selbst mehre theoretische Werke, welche in meiner Literatur der Musik, S. 207, 414, 415, 483, 493 und 508 beschrieben sind.

| sen, weil sie in den mathematischen Ausmessungen vielleicht was nützliches erfinden können. Die Mitglieder müssen alle studirt und sonderlich in der Philosophie und Mathematik sich wohl umgesehen haben, es mag solches auf Academien oder zu Hause geschehen sein."

Wie vermochte der gute Bach, der bloße Practiker, wie ihn diese Societät nur bezeichnen konnte, da er nie den Zirkel und das Winkelmaß erfaßte, um seine unvergleichlichen Werke zu entwerfen, Theil an einer so hochgelehrten Gesellschaft zu nehmen? Hier stand ja einzig und allein der Grundsatz fest: die Mathematik ist das Herz und die Seele der Musik!

Doch die Mitglieder, wohl fühlend, wie wenig auf solche beschränkte Weise die Kunst wahrhaft gefördert werde, hatten zugleich auch noch das Gesetz entworfen: „Die Societät behält sich die Freiheit vor, Personen von bekannter Geschicklichkeit aus eigener Bewegung für ihre Mitglieder zu erklären und dadurch aller Vortheile, so ein Mitglied hat, fähig zu machen." Nach diesem Paragr. wurde zuerst „Georg Friedrich Händel, Sr. königl. Majestät von Großbrittanien Kapellmeister, von den sämmtlichen Mitgliedern aus eigener Bewegung erwählet und solchem die erste Ehrenstelle im Jahre 1745 eingeräumt." Desgleichen „trat Johann Sebastian Bach, Capellmeister und Musikdirector in Leipzig, in die Gesellschaft im Jahre 1747 im

Monat Junius." Gereicht es dieser Gesellschaft wahrlich nicht zur Ehre, fast 10 Jahre
zu bestehen, ehe sie sich entschließen konnte, einen Bach in ihre Mitte aufzunehmen,
so findet man es sicherlich fast lächerlich, von einem solchen Meister Proben seiner
Befähigung zu verlangen. Und doch ging man nicht davon ab, denn nach dem 26. §.
der Statuten heißt es ausdrücklich: „Wer die nöthige Geschicklichkeit besitzet und
in die Societät treten will, der kann, nebst beigelegten Proben in der Theorie und
Praxis, an den Secretair schreiben." Bach, „der sich zwar nicht in tiefe theoretische
Betrachtungen der Musik einließ, aber desto stärker in der Ausübung derselben
war", der kindlich fromme, dabei höchst kräftige Mann, der in seiner zahlreichen
Familie, in der Bibel und in der Tonkunst nur lebte, für den die ganze übrige Welt
nicht vorhanden war, kam – was kaum glaublich ist – diesen Anforderungen nach.
Er lieferte ehrerbietigst der Societät als schwache Versuche seines Talentes das für
alle Zeiten merkwürdige Meisterstück, den vollständig ausgearbeiteten Choral:
„Vom Himmel hoch da komm ich her" – *) und den schon erwähnten sechsstimmigen Canon. Tüchtig wurde wahrscheinlich beides befunden; seiner Aufnahme stand
nichts mehr im Wege und nur noch dem 21. Gesetze hatte er zu genügen, nemlich:
„Ein jedes Mitglied soll sein Bildniß, gut auf Leinwand gemalet, zur Bibliothek ein-
schicken." Auch diesem Wunsche leistete Bach bereitwillig Folge.

*)   Vor einigen Jahren in einer schönen Ausgabe bei Haslinger erschienen.

Die Gesellschaft löste sich um das Jahr 1755 auf, da Mizler Leipzig verlassen hatte.
Wo die Bibliothek derselben, ihre Protokolle, die Bildnisse sämmtlicher Mitglieder
aufbewahrt wurden und ob sie noch vorhanden sind, konnten wir nicht in Erfahrung
bringen. Nur Bach's Portrait fand nach dem Verblühen der Societät seine würdigste
Stelle an dem Orte, wo er über fünf und zwanzig Jahre gewirkt und unermüdet
geschaffen hatte. Leider übt die Zeit auf dasselbe ihre Rechte aus; das Sanfte und
Duftige verschwindet darauf in allmähliger Verdunklung; die Schatten verlieren ihr
Durchsichtiges; daher war es gewiß ein sehr glücklicher Gedanke, dieses Bild – und
wenn wir nicht irren zum erstenmal – treu und sorgfältig aufzunehmen und durch
die Lithographie zu vervielfältigen *). Auf diese Weise wird aufs Neue allen Kunstfreunden die günstige Gelegenheit geboten, sich an den Gesichtszügen eines Mannes zu erfreuen, dessen Größe und Ruhm sie so oft schon beschäftigt hat **).
Nun noch ein Wort über den Canon, den das Bild dem Beschauer bietet. Umsonst
dürfte wohl der beste Theoretiker sich bemühen, das Kunstwerk zu entziffern, wie
es sich dort findet. Der Schlüssel in der Ober- und Mittel-Stimme ist falsch und
bedarf der Berichtigung. Glücklich genug ist das kleine musikalische Räthsel genauer in dem 4. Bande der musikalischen Bibliothek von L. Mizler – Leipzig, 1754,
Taf. IV. – enthalten [→ Dok III, Nr. 665], einem Werke, welches von Obigem 1736 begonnen wurde und das uns die beigebrachten Notizen an die Hand gab. Nach jener
Mittheilung erscheint es auf nebenstehende Art:

Canon triplex á 6 voc.

Eine Auflösung – in freier Gegenbewegung –, die Bach vielleicht nicht gegeben oder Mizler nicht aufgenommen hat, mag hier aufgestellt werden, aber unent-

*)   Vgl. die Notiz im Vermischten in Nr. 42.
**)   Möchte doch Händel's Bildniß, ebenfalls wie das von Bach in Oel gemalt, welches Händel selbst um 1740 nach Halle an seine Anverwandten sandte und noch daselbst befindlich ist, als würdiges Seitenstück zu dem besprochenen dem Publicum übergeben werden.

I schieden bleiben, ob sie die einzig richtige ist, wenn gleich ein bewährter Kunstkenner neuerer Zeit völlig damit übereinstimmt *).

Auflösung.

C. F. Becker.

*)   A. André's Lehrbuch der Tonsetzkunst, B. 2, S. 274, §. 156.

Quelle: NZfM, 7. Jg., 13. Bd., Nr. 43, 25. November 1840, S. 169–171.
Anm.: Es handelt sich um das Ölgemälde von E.G. Haußmann, 1746 (→ Dok IV, B 1). Erste Überlegungen eines Zusammenhanges von Haußmanns Bach-Porträt und Bachs Eintritt in L. C. Mizlers „Correspondirende Societät der musikalischen Wissenschaften" (→ Dok III, Nr. 665). Vgl. auch die kurzen Beiträge in der NZfM, 7. Jg., 13. Bd., Nr. 42, 21. November 1840, S. 168, und AMZ, 44. Jg., Nr. 50, 14. Dezember 1842, Sp. 1003–1004, mit Hinweisen auf die Lithographie von F.G. Schlick (→ Dok IV, B 15). In „Müllers … Wissenschaft d. Tonkunst" [→ A 28, Anm.] heißt es auf S. 100: „S. vorzügl. Sch. war Kittel, den er noch im letzten Jahre vor s. Tode 1754 besucht hat. …" Mit Beckers „Literatur der Musik" ist gemeint: C. F. Becker, *Systematisch-chronologische Darstellung der mus. Literatur …*, Leipzig 1836 und 1839.

A 30

KAWACZYŃSKI / FERRICH: UEBER DIE FAMILIE BACH. –
EINE GENEALOGISCHE MITTHEILUNG
LEIPZIG, 26. JULI UND 2. AUGUST 1843

Der Name *Bach* hat in der musikalischen Welt einen so guten Klang, und die Tonwerke, welche aus der Familie dieses Namens hervorgingen, sind, zum Theil, für Jeden, dem ein tieferes Studium der Musik zur Lebensaufgabe geworden, von so hohem Interesse, dass es nicht unangemessen und der Tendenz dieser Blätter vollkommen gemäss erscheint, die Genealogie dieser merkwürdigen Familie, welche sich Jahrhunderte lang durch so viele tüchtige Musiker auszeichnete, ihrem Ursprung und ihrer Verzweigung nach möglichst genau kennen zu lernen. Zwar fehlt es nicht an ziemlich instructiven Nachrichten über diesen Tonkünstlerstamm, und sowohl in einigen unserer musikalischen Encyclopädien, wie auch in dieser Zeitung, welche (Jahrgang 1823) eine umständliche Genealogie der Bach'schen Familie und deren Stammbaum mittheilte, scheint dieser Gegenstand erschöpfend genug abgehandelt zu sein. Gleichwohl dürfte in den Spalten dieser Blätter die nachträgliche Mittheilung eines *alten Manuscriptes*, welches von dem im Jahr 1695 geborenen *Joh. Lorenz Bach*, Organisten zu Lahm in Franken, herrührt, noch immer um so willkommener erscheinen, als dasselbe manches Berichtigende und noch Neue enthält. Es fand sich dasselbe kürzlich unter den Papieren des Herrn Pfarrer *Ferrich* zu Seidmannsdorf bei Coburg (eines Urenkels des gedachten J. L. Bach) vor, und seiner Güte verdanken die Leser die genau genommene Abschrift jener bereits sehr verblichenen und stellenweise kaum leserlichen alten Handschrift. Auch ein gemalter Stammbaum der Bach'schen Familie aus jener Zeit fand sich bei diesem Documente vor. Da derselbe aber, wie aus dem Manuscripte selbst hervorgeht, nicht ganz richtig ist, so dürfte jener Stammbaum, welcher dem Jahrgang 1823 dieser Zeitung beigegeben worden, dem Leser ein weit genügenderer Leitfaden bei Durchlesung nachstehender Mittheilung werden, als dieser. Die Nummern freilich werden nicht ganz stimmen. Indem nun Einsender darauf hinweist, hält er es für das Beste, jenes alte Manuscript in treuer Abschrift, mit den Bemerkungen des gedachten Herrn Besitzers, folgen zu lassen, und hofft (die Vergleichung dieser Handschrift mit früher bekannten Genealogieen der Bach'schen Familie den Geschichtsfreunden selbst überlassend) der | musikalisch-gebildeten Welt keine unwillkommene Mittheilung gemacht zu haben.

Kawacyński.

Ursprung der musikalischen Bach'schen Familie.
1) Vitus Bach, ein Weissbäcker in Ungarn, hat im 16. Saeculo der lutherischen Religion halben aus Ungarn entweichen müssen, ist dannenhero, nachdem er seine Güter, so viel es sich hat wollen thun lassen, zu Gelde gemacht, in Deutschland gezogen und da er in Thüringen genügsame Sicherheit vor die lutherische Religion gefunden, hat er sich in Wechmar, nahe bei Gotha, niedergelassen und seine Bäckers-

profession fortgetrieben. Er hat sein meistes Vergnügen an einem Cytrinigen (sic)
gehabt, welches er auch mit in die Mühle genommen und unter währendem Mahlen
darauf gespielt. Es muss doch hübsch zusammengeklungen, wiewohl er doch dabei
den Tact sich hat imprimiren lernen. Und dieses ist gleichsam der Anfang zur Musik
bei seinen Nachkommen gewesen.

2) Johannes Bach, des vorigen Sohn, hat anfänglich die Bäckerprofession ergriffen,
weilen er aber eine sonderliche Zuneigung zur Musik gehabt, so hat ihn der Stadtpfeifer in Gotha zu sich in die Lehre genommen. Zu der Zeit hat das alte Schloss
Brunnenstein noch gestanden und hat sein Lehrherr damaligem Gebrauch nach auf
dem Schlossthurm gewohnt, bei welchem er auch nach ausgestandenen Lehrjahren
noch einige Zeit in Condition gewesen. Nach Zerstörung des Schlosses aber, so
Ao. 15 (Lücke) geschehen und da auch mittelst der Zeit sein Vater Veit gestorben,
hat er sich nach Wechmar gesetzt, allda Jungfer Anna Schmiedin, eines Gastwirths
Tochter aus Wechmar geheirathet und des Vaters Güter in Besitz genommen. Seit
seinem Hiersein ist er öfters nach Gotha, Arnstadt, Erfurth, Eisenach, Schmalkalden
und Suhl, um denen dasigen Stadtmusicis zu helfen, verschrieben worden. Starb
1626 in damalig grassirender Contagionzeit; sein Weib aber lebte noch nach dessen
Tod 9 Jahr als Wittib und starb 1635.

3) Dessen Bruder – – Bach ist ein Teppichmacher worden und hat 3 Söhne gehabt,
so die Musik erlernet und welche der damaligst regierende Graf zu Schwarzburg-
Arnstadt auf seine Unkosten nach Italien hat reisen lassen, um die Musik besser zu
excoliren. | Unter diesen dreien Brüdern ist der jüngste durch einen Unfall blind
und der blinde Jonas genannt worden und von welchem man damaligst viel Aben-
theuerliches gesprochen hat. Da nun dieser unverheirathet verstorben, so stammen
vermuthlich von dessen andern 2 Brüdern die Namens- und Geschlechtsverwand-
ten her, so ehedem in Mechterstadt (zwischen Eisenach und Gotha lieget) und der
Orten herum gewohnet.

Der Ao. 173. in Meinungen verstorbene Capellmeister Johann Ludwig Bach, dessen
seliger Vater Jacob Bach Cantor in der Ruhl gewesen, war von diesem Stamme, in-
gleichen der vor etlichen Jahren gestorbene Domcantor zu Braunschweig, Stephan
Bach, dessen Bruder – – Bach Priester in Lähnstädt ohnweit Weimar war. Es sollen
auch von diesem Geschlechtsnamen einige Inwohner unter deren Herrn von Seebach Herrschaften, besonders in Oepffershausen, sich befinden, ob aber solche von
jetzterwähnter Nebenlinie abstammen, ist unbekannt.

4) Johannes Bach, ältester Sohn des sub No. 2 erwähnten Hans Bachens, ist in Wechmar geboren Ao. 1604 d. 26. Nov. Da nun sein Vater, Hans Bach, wenn er an obge-
nannte Oerter ist verlangt worden, ihn vielfältig mitgenommen, so hat einsmals der
alte Stadtpfeifer in Suhl, Hoffmann genannt, ihn persuadirt, seinen Sohn ihm in die
Lehre zu geben, welches auch geschehen und hat er sich daselbst 5 Jahre als Lehr-
knabe und 2 Jahr als Geselle aufgehalten. Von Suhl hat er sich nach Schweinfurth
gewendet, allwo er Organist worden. Ao. 1635 ist er nach Erfurth als Director derer
Raths-Musikanten berufen worden, wohin er sich auch begeben und nach etlichen

Jahren hat er auch den Organistendienst ad praedicat. zugleich mitbekommen; starb 1673; hat sich 2 Mal verehelicht, als 1) mit Jungfer Barbara Hoffmännin, seines lieben Lehrherrn Tochter und mit derselben ein todtes Söhnlein gezeugt, welcher todten Frucht die Mutter eine halbe Stunde darauf nachgefolget. 2) Mit Jungfer Hedewig Lämmerhirtin, Herrn Valentin Lämmerhirtens, Rathsverwandten in Erfurth Jungfr. Tochter und hat mit selbiger folgende sub No. 7. 8. 9 Söhne gezeugt.

5) Christoph Bach, mittlerer Sohn des sub No. 2 berührten Hans Bachens, ist gleichfalls geboren zu Wechmar Ao. 1613 d. 19. April; erlernte gleichfalls musicam instrumentalem; war anfänglich fürstlicher Bediener am Weimarischen Hof; bekam hernach unter der Erfurthischen und dann zuletzt unter der Arnstädtischen musikalischen Compagnie Bestallung, allwo er auch Ao. 1661, den 12. Sept., verstorben; war verehelichet mit Jungfer Maria Magdalena Grablerin, gebürtig aus Wettin in Sachsen. *NB*. Mit welcher er die sub No. 10. 11 und 12 folgenden 3 Söhne zeugte. *NB*. Verstarb 24 Tage nach ihres sel. Mannes Christophori Tode, d. 6. Octobr. 1661 in Arnstadt.

6) Heinrich Bach, dritter Sohn des sub No. 2 gedachten Hanns Bachens; war gleich seinem mittleren Bruder, Christoph, in der Compagnie zu Arnstadt und hatte darbei den Stadt-Organistendienst. Ist gleichfalls in Wechmar geboren Ao. 1615 d. 16. Dec. Starb zu Arnstadt Ao. 1692. War verheirathet mit Jungfer Eva Hoffmännin aus Suhl, vermuthlich einer Schwester der sub No. 4 gedachten Barbara Hoffmännin.

| 7) Johann Christian Bach, der älteste Sohn von Johann Bachen sub No. 4, ward in Erfurth geboren 1640. Starb daselbst als Director derer Rathsmusikanten Ao.1682. Dessen 2 Söhne folgen sub No. 16 und 17.

8) Johann Egydius Bach, der andere Sohn von Johann Bachen sub No. 4, war geboren zu Erfurth 1645. Starb daselbst als Director derer Rathsmusikanten und Organist zur Michaeliskirche Ao. 1717. Dessen 2 Söhne folgen sub No. 18 und 19.

9) Johann Nicolaus Bach, dritter Sohn von Johann Bachen sub No. 4, wurde Jung zu Erfurth 1653. War ein sehr guter Viole da Gambiste und in der Rathscompagnie daselbst. Starb an der Pest 1682 und hinterliess einen Posthumum, Johann Nicolaus sub No. 20.

10) Georg Christoph Bach, war der erste Sohn von Christoph Bachen sub No. 5, geboren 1641 d. 6. Sept., wurde als Cantor nach Schweinfurth berufen und starb daselbst Ao. 1697 d. 24. April. Dessen Söhne folgen sub No. 21.

11) Johann Ambrosius Bach, zweiter Sohn Christoph Bachens No. 5, war Hof- und Stadtmusicus in Eisenach. Ist geboren 1645 d. 22. Febr. Starb in Eisenach Ao. 1695. War verehelicht mit Jfr. Elisabetha Lämmerhirtin, Herrn Valentin Lämmerhirtens E. E. Rathsverwandten in Erfurth Jungfr. Tochter. Zeugete mit selbiger 8 Kinder, als 6 Söhne und 2 Töchter, da von denen Söhnen 4 unverheirathet gestorben, wie auch die jüngste Tochter, 3 Söhne aber und die älteste Tochter haben die Aeltern überlebet und sich verehelicht, wie folgt sub No. 22. 23 und 24.

12) Johann Christoph Bach, vorigen Ambrosii Zwillingsbruder und Christoph Bachens dritter Sohn, war Hof- und Stadtmusicus in Arnstadt. Zeugete mit Jfr. Martha

Elisabetha Eisentrautin, Herrn Franz Eisentrauts gewesenen (Lücke) in Ordruff Jfr. Tochter folgende sub No. 25 und 26 benannte 2 Söhne.

13) Johann Christoph Bach, erster Sohn von Heinrich Bachen sub No. 6, war geboren zu Arnstadt Ao. (Lücke). Starb zu Eisenach als Hof- und Stadtorganist 1703. War ein profonder Componist. Zeugete mit seinem Weibe, Frau (Lücke) geborenen Wiedemannin, Stadtschreibers zu Arnstadt ältesten Tochter die sub No. 27. 28. 29 und 30 folgenden 4 Söhne.

14) Johann Michael Bach, Heinrich Bachs sub No. 6 anderer Sohn, ist gleichfalls zu Arnstadt geboren Ao. (Lücke) war Stadtschreiber und Organist im Amte Gehren. War gleich seinem älteren Bruder ein habiler Componist. Hinterliess nach seinem Tode eine Wittib, weil. Herrn Stadtschreibers Wiedemanns von Arnstadt zweiter Tochter und mit solcher 4 unversorgte Töchter, aber keinen Sohn.

15) Johann Günther Bach, dritter Sohn Heinrich Bachs sub No. 6, sublevirte seinen Vater, war ein guter Musicus und geschickter Verfertiger verschiedener neu inventirter musikalischen Instrumente. Starb ohne männliche Erben Ao. 16…

16) Johann Jacob Bach, ältester Sohn von Johann Christian Bachen sub No. 7, geboren in Erfurth 1668. Starb unverheirathet als Hausmanns Geselle beim sel. Johann Ambrosius Bachen in Eisenach 1692.

| 17) Johann Christoph Bach, Johann Christian Bachens sub No. 7 zweiter Sohn. War geboren in Erfurth 1673. Starb in Gehren als Cantor 1727. Seine Kinder folgen sub No. 31. 32 und 33.

18) Johann Bernhard Bach, ältester Sohn von Joh. Egydyo Bachen sub No. 8. Ist in Erfurth Ao. 1676 geboren. Lebet noch anjetzo (*Ao.* 1735) als Cammermusicus und Organist in Eisenach. Succedirte Joh. Christ. Bachen sub No. 13. Dessen einziger Sohn folget sub No. 34.

19) Johann Christoph Bach, der zweite Sohn von Joh. Egydio Bachen sub No. 8. Ist in Erfurth geboren 1685. Steht jetzo als Director derer Rathsmusikanten in Erfurth. Dessen Söhne folgen sub No. 35. 36 und 37.

20) Johann Nicolaus Bach, ein Posthumus des sub No. 9 gedachten Joh. Nic. Bachens, wurde ein Chirurgus und wohnet jetzo 10 Meilen hinter Königsberg in Preussen im Amte (Lücke) hat aber das ganze Haus voll Kinder.

21.) Johann Valentin Bach, ein Sohn Georg Christoph Bachs sub No. 10, geboren Ao. 1669 d. 6. Januar Nachmittags um 3 Uhr. Ao. 1694 d. 1. Mai in Schweinfurth als Stadtmusicus angenommen und allda verstorben Ao. 1720 d. 12. August. Dessen Söhne folgen sub No. 38. 39 und 40.

22) Johann Christoph Bach, ältester Sohn von Johann Ambrosio Bachen sub No. 11, ward geboren in Eisenach Ao. 1671. Starb in Ordruff als Organist und Schulcollega 1721 d. 22. Februar.

23) Johann Jacob Bach, zweiter Sohn von Joh. Ambrosio Bachen sub No. 11, ward in Eisenach geboren Ao. 1682. Lernte die Stadtpfeifer-Kunst bei seines sel. Vaters Successore, Herrn Heinrich Hallen, kam nach einigen Jahren, als Ao. 1704 in königl. Schwedische Kriegsdienste als Hautboiste (ein Wort ist verwischt) die Fatalität

mit seinem gnädigsten Könige Carolo dem 12ten nach der unglücklichen Pultava-
ischen Bataille das türkische Bendern zu erreichen, allwo er in die 8 bis 9 Jahr bei
seinem Könige ausgehalten und sodann ein Jahr vor des Königes Retour die Gnade
genossen, als königlicher Cammer- und Hofmusicus nach Stockholm in Ruhe zu
gehen, allwo er auch Ao. 17.. gestorben, keine Leibeserben hinterlassen.
| [S. 561:] 24) Johann Sebastian Bach, Joh. Ambrosii Bachens jüngster Sohn, ist
geboren in Eisenach Ao. 1685 d. 21. Martii, ward 1) Hofmusicus in Weimar bei
Herzog Johann Ernsten Ao. 1703; 2) Organist in der neuen Kirche zu Arnstadt
1704; 3) Organist zu St. Blasii Kirche in Mühlhausen 1707; 4) Cammer- und Hoforganist zu Weimar 1708; 5) An eben diesem Hofe Ao. 17.. Concertmeister; zugleich 6) Capellmeister und Director derer Cammer-Musiquen am Hochfürstl.
Anhalt-Köthischen Hofe Ao. 1717; 7) wurde von der Ao. 1723 als Director Chori
musici und Cantor an der Thomasschule nacher Leipzig vociret, ist zugleich von
Haus aus Capellmeister von Weissenfels und Köthen, wie auch königl. Pohln.
Hof-Compositeur. Dessen Familie folget No. 46 seqq. *Starb 1750 d. 28. Julii an einem
Schlagflusse in Leipzig.* (*NB.* Letztere Worte sind im Originale mit anderer Dinte geschrieben.)
25) Johann Ernst Bach, erster Sohn Johann Christoph Bachens, natus 1683 d. 5. Aug.
sub No. 12, ist Organist in Arnstadt an der Oberkirche. Dessen Kinder folgen sub
No. (Lücke).
26) Johann Christoph Bach, zweiter Sohn Johann Christoph Bachens, lebet in
Planckenhayn (sic) und nähret sich mit einem Materialistenkram, ist zwar verheirathet, aber nicht beerbet, natus 1689 d. 12. Sept.
27) Johann Nicolaus Bach, dermaliger Senior aller noch lebenden Bachen, ist ältester
Sohn von Johann Christoph Bach sub No. 13. Ist Organist sowohl bei der Universität
als Stadtkirche in Jena. Ward 1669 im October geboren.
28) Johann Christoph Bach, zweiter Sohn von Johann Christoph Bachen sub No. 13,
ist auch der Musik zugethan, hat sich aber niemalen zu einer Function begeben,
sondern sein meistes Plaisir in Reisen gesuchet.
29) Johann Friedrich Bach, war dritter Sohn von Johann Christoph Bach sub No. 13.
Starb 172. (nicht ausgeschrieben) als Successor Organista J. S. Bachens der Blasii Kirche in Mühlhausen und zwar unbeerbet.
30) Johann Michael Bach, vierter Sohn von Johann Christoph Bachen sub No. 13.
Erlernte die Orgel-Machers-Kunst, ist aber nach diesem in die Nord- | länder gereist
und nicht wieder retourniret, dass man also keine weitere Nachricht von ihm hat.
31) Johann Samuel Bach, ältester Sohn des sub No. 17 erwähnten J. C. Bachens, starb
in Sondershausen als Musicus.
32) Johann Christian Bach, zweiter Sohn des J. C. Bachens No. 17. War gleichfalls ein
Musicus. Starb in Sondershausen frühzeitig, wie sein Bruder. (Aus der folgenden
Nummer ist ein Stückchen Papier mit einem Theile der Schrift herausgerissen. Aus
der Vergleichung mit dem gemalten Stammbaume, der jedoch von No. 22 an hinsichtlich der Reihenfolge der Nummern mit dieser Beschreibung nicht mehr über-

einstimmt, obgleich derselbe von einerlei Hand beschrieben worden zu sein scheint, ergibt sich, dass der Name „Johann Günther" gemeint sei.)

33) Johann Günther Bach, dritter Sohn J.C. Bachens No. 17. Ist ein guter Tenorist. Stehet jetzt noch als Schul-Collega bei der Kauffmanns-Gemeinde i (Lücke).

34) Johann Ernst Bach, einziger Sohn des sub No. 18 gedachten Johann Bernhard Bachens, ist geboren 1722. Wird nebst denen studiis der Musik gleichfalls obliegen.

35) Johann Friedrich Bach, ältester Sohn des sub No. 19 erwähnten J.C. Bachs, ist Schulmeister in Andisleben.

36) Johann Egydius Bach, anderer Sohn J.C. Bachs sub No. 19, ist Schulmeister in grossen Munra.

37) Wilhelm Hieronymus Bach, J.C. Bachs No. 19 dritter Sohn.

38) *Johann Lorenz Bach, Johann Valentin Bachs No. 21, ältester Sohn, ist Organist zu Lahm in Franken, geboren zu Schweinfurth d. 10. Sept. 1695.* (Dessen Leichenstein war noch jetzt zu sehen (1842) im Gottesacker zu Lahm im Itzgrunde. Bemerkung des Abschreibers.)

39) Johann Elias Bach, Joh. Val. Bachs No. 21 anderer Sohn, geboren zu Schweinfurth den 12. Februar 1705 früh um 3 Uhr, Studios. Theol. *Starb als Cantor und Inspector zu Schweinfurth 1755 d. 30. Nov.* (Derselbe soll unter mehreren Kindern einen Sohn hinterlassen haben, der Pfarrer in Schweinfurt gewesen ist. Bemerkung des Abschreibers.)

40) Johann Heinrich Bach, Joh. Val. Bachs No. 21 dritter Sohn, ist sehr jung gestorben.

| 41) Tobias Friedrich Bach, Johann Christoph Bachs No. 22 (im gemalten Stammbaum No. 24. Bemerk. des Abschreibers.) ältester Sohn, ist Cantor in Udestadt ohnweit Erfurth, geboren 1695 d. 21. Julii.

42) Johann Bernhard Bach, jetzt erwähnten J.C. Bachs No. 22 zweiter Sohn, succedirte seinem seligen Vater als Organist in Ordruff, geboren 1700 *d. 24. Nov. Starb 1743 d. 12. Junii.*

43) Joh. Christoph Bach, dritter Sohn J.C. Bachs No. 22, ist Cantor und Schul-Collega in Ordruff, geboren 1702 d. 12. *Nov. Starb d. 2. Nov. 1756.*

44) Johann Heinrich Bach, vierter Sohn J.C. Bachs No. 22. Stehet in Diensten bei den Herren Grafen von Hohenloh als Musicus und Cantor in Oehringen. Ist geboren 1707.

45) Johann Andreas Bach, fünfter Sohn J.C. Bachs No. 22. Ist in fürstl. Gothaischen Militar-Diensten als Hautboiste, geboren 1713 *d. 7. Sept. Ist anjetzo Organist in Ordruff.*

46) Wilhelm Friedemann Bach, Joh. Seb. Bachs No. 24 (im gemalt. Stammb. No. 26. Bemerk. des Abschreibers.) ältester Sohn, ist pro tempore Organist an der Sophienkirche in Dresden, geboren 1710 d. 22. Nov.

47) Carl Philipp Emanuel Bach, zweiter Sohn J.S. Bachs No. 24. Lebet in Frankfurt an der Oder p. t. als Studiosus und informiret auf dem Clavier. Geboren den 14. Martii 1714. (Von fremder Hand ist eingeschaltet: „ist Capellmeister in Berlin gewesen, ging von Berlin nach Hamburg, wurde daselbst d. 3. Nov. Musikdirector, starb zu Hamburg d. 15. Dec. 1788 Nachts um 10 Uhr.")

48) Johann Gottfried Bernhard Bach, dritter Sohn J.S. Bachs sub No. 24. Ist Organist in Mühlhausen an der Marien- oder Oberkirche. Geboren den 11. Maji 1715.

49) Gottfried Heinrich Bach, vierter Sohn J.S. Bachs sub No. 24. Ist geboren d. 26. Febr. Ao. 1724. Inclinirt gleichfalls zur Musik, in specie zum Clavier.

50) Johann Christoph Friedrich Bach, fünfter Sohn J.S. Bachs No. 24. Ist geboren d. 21. Junii 1732.

51) Johann Christian Bach, sechster Sohn sub No. 24. Nat. 1735 d. 5. Sept.

52) Johann Christoph Bach, Joh. Nic. Bachs sub No. 27 (im gemalten Stammbaume No. 28. Bemerk. des Abschreibers.) ältester Sohn.

53) Johann Christian Bach, Joh. Nic. Bachs sub No. 27 zweiter Sohn.

54) Johann Heinrich Bach, Johann Christoph Bachs sub No. 28 einziger Sohn. (Die letzte Zeile kann nicht vollständig gelesen werden.)

———

Vorstehende, die Bach'sche Familie betreffende biographische Notizen sind von meinem Urgrossvater, dem sub No. 38 aufgeführten Johann Lorenz Bach gesammelt und niedergeschrieben worden. Gegenwärtige Abschrift ist von dem Originale unmittelbar genommen und nach deren Anfertigung nochmals sorgfältig verglichen, die Orthographie aber nicht durchgängig beibehalten wor- I den. Aus der Sammlung selbst geht hervor, dass dieselbe (cf. sub No. 18) im Jahre 1735 niedergeschrieben worden ist, und die verschiedenartige Färbung der Dinte, mit welcher die Nachträge geschrieben sind – im Druck sind dieselben an der *Cursivschrift* kenntlich – könnten etwa als eine Bestätigung dieser Angabe angesehen werden. Auffallend aber ist es, dass der gemalte, von derselben mir wohlbekannten Hand meines seligen Urgrossvaters beschriebene Stammbaum von vorstehender Sammlung bald in der Reihenfolge der Nummern und zwar von No. 22 an, bald in der Abstammung (der sechste Sohn des Joh. Sebast. Bach ist nicht als von diesem, sondern als von Joh. Nic. Bach abstammend aufgeführt) abweicht. Eine genauere Vergleichung macht jedoch die Vermuthung sehr wahrscheinlich, dass dem gemalten Stammbaume die fragliche Sammlung biographischer Notizen ganz allein zu Grunde gelegen, dass aber der Maler die Zweige mitunter unrichtig angesetzt und dann der Schreiber sich geholfen habe, so gut es eben gehen wollte.
Nachrichtlich.

Joh. Georg Wilh. Ferrich.

Abschrift von Abschrift.
(Dieser Auszug ist von anderer, meines seligen Vaters Hand, geschrieben.)
Joh. Gottfried Walther's, fürstl. Sächs. Hofmusici und Organisten an der Haupt-Pfarr-Kirche zu St. Petri und Pauli in Weimar, musikalisches Lexicon. Leipzig, verlegts Wolfgang Deer 1732. Pag. 63. 64.

1) Joh. Bernhard Bach (*cf. No. 18 in der Sammlung biographisch. Notizen*), Herrn Agidii Bach's gewesenen ältesten Rathsmusici zu Erffurth, älterer Sohn, geboren Ao. 1676 d. 23. Nov., wurde erstlich daselbst an der Kaufmanns-Kirche Organist, kam 1699 in dergl. Function nach Magdeburg und Ao. 1703 nach Eisenach, allwo er als fürstlicher Cammer-Musicus noch stehet.

2) Joh. Christoph Bach (*cf.* No. 13), ein 38 Jahr lang gewesener Organist zu Eisenach und Vater der dreien Brüder, näml. des Jenaischen Organisten Herrn Joh. Niclas (*cf.* No. 27), welcher Ao. 1669 d. 10. October geboren worden, 1695 in nur besagter Stadt zu diesem Dienste gelanget und insonderheit wegen seiner verfertigten Claviere bekannt ist; des bishero in Rotterdam, jetzo aber in Engelland sich befindenden Musici, welcher Johann Christoph (*No.* 28) heisset und auf dem Clavier informirt, sich auch eine geraume Zeit vorhero in Erffurth und Hamburg aufgehalten hat; und des Mühlhäusischen Organisten an der St. Blasii-Kirche Namens Johann Friedrich (*No.* 29), welcher Ao. 1730 verstorben ist; hat verschiedene feine Clavier-, insonderheit aber dergl. Vocal-Stücke gesetzt, so aber nicht gedruckt worden sind. Ist Ao. 1703 d. 31. Mart. im 60. Jahr seines Alters gestorben.

3) Johann Michael Bach (*No.* 14), erstberührten Johann Christoph zu Eisenach Bruder, gewesener Organist und Stadtschreiber zu Gehren, einem Flecken und Amt am Thüringer Walde, Herrn Johann Sebastian Bachs erster Schwiegervater, hat sehr viele Kirchenstücke, starke Sonaten und Claviersachen gesetzt, wovon aber gleichfalls nichts gedruckt worden ist.

| 4) Joh. Sebastian Bach (*No.* 24), Herrn Johann Ambrosii Bachs, gewesenen Hof- und Raths-Musici zu Eisenach Sohn, geboren daselbst Ao. 1685 d. 21. Martii, hat bei seinem ältesten Bruder, Herrn Johann Christoph Bachens (*No.* 22), gewesenen Organisten und Schul-Collegen zu Ordruff die ersten Principia auf dem Clavier erlernet; wurde erst zu Arnstadt 1703 an der neuen Kirche und 1707 zu Mühlhausen an der St. Blasii-Kirche Organist; kam 1708 nach Weimar, wurde hieselbst hochfürstl. Cammer-Musicus und Hof-Organist, 1714 Concert-Meister; 1717 zu Köthen hochfürstl. Capell-Meister und 1723, nach des sel. Herrn Kuhnauers Tode, Music-Director in Leipzig, auch hochfürstl. Sachs. Weissenfelsischer Capell-Meister. Von seinen vortrefflichen Claviersachen sind in Kupfer herausgekommen: 1726 eine Partita aus B dur, unter dem Titul Clavier-Uebung, bestehend in Praeludien, Allemanden u. s. w. Dieser ist gefolgt die zweite aus C moll, die dritte aus A moll, die vierte aus D dur, die fünfte aus G dur und die sechste aus E moll, womit vermuthlich das Opus sich geendigt. Die Bachische Familie soll aus Ungarn herstammen und Alle, die diesen Namen geführt haben, sollen, so viel man weiss, der Music zugethan gewesen sein, welches vielleicht daher kommt, dass sogar auch die Buchstaben B A C H in ihrer Ordnung melodisch sind. (Diese Remarque hat den Leipziger Herrn Bachen zum Erfinder.)

Quelle: AMZ, 45. Jg., Nr. 30 und Nr. 31, 26. Juli und 2. August 1843, Sp. 537–541 und Sp. 561–565.
Anm.: Nach den „biographischen Notizen" von Johann Lorenz Bach (1695–1773), ältester Sohn von Johann Valentin B. (1669–1720). → A 28 (Nr. 40) des Stammbaumes.
Lit.: → A 28.

A 31

EDUARD EMIL KOCH: BACHS WIRKEN ALS CHORALKOMPONIST UND ORGANIST
STUTTGART, 1847

Johann Sebastian Bach, der Vollender des Gebäudes der Harmonie. Er ist geb.
21. März 1685 zu Eisenach, wo sein Vater, Johann Ambrosius Bach, Hof- und Rathsmusikus war. Als er schon im zehnten Jahr seine Eltern verloren hatte, kam er zu
seinem ältern Bruder, Johann Christoph, nach Ohrdruff, wo derselbe Organist war,
um unter seiner Anleitung den Grund im Clavier zu legen. Schon als Knabe hatte
er eine so brennende Begierde zur Musik, daß er seinem Bruder ein durch keiner-
lei Bitten zu erhaltendes Notenbuch von Pachelbel'schen Klavierstücken heimlich
entwendete und Nachts beim Mondenschein in einer Zeit von sechs Monaten abschrieb. Nach seines Bruders Tod kam er auf das Gymnasium zu Lüneburg, von
wo aus er fleißig nach Hamburg ging, um den berühmten Organisten Joh. Adam
Reinken zu hören. Im J.1703 wurde er Hofmusikus in Weimar und 1704 Organist
in Arnstadt. Hier namentlich bildete er sich durch fleißiges Studium der Werke des
Bruhns, Reinken und Buxtehude, zu dem er ein ganzes Vierteljahr lang nach Lübeck
ging, zum großen Organisten und Tonsetzer aus. Im J. 1707 kam er als Organist in
die Reichsstadt Mühlhausen, wo kurz zuvor am 1. Dez. 1707 Johann Georg Ahle,
sein unmittelbarer Vorgänger, gestorben war. Der Geist beider Ahle, des Vaters,
Joh. Rudolph, und des Sohns, der Schöpfer der Arienform im geistlichen Tonkunst-
gebiet, wirkte hier merklich auf ihn ein, so daß er dann später es war, welcher die
Arienform vollends aufs Eigenthümlichste ausgestaltete. Bereits im J. 1708 erhielt er
den Ruf nach Weimar auf die Hoforganistenstelle; hier componirte er seine meisten
Orgelstücke, worin er sich meisterhaft zeigte. Nachdem er daselbst im J. 1714 auch
zum Con- | certmeister ernannt war, war er dadurch veranlaßt und gehalten, die
Kirchenstücke zu componiren und aufzuführen. Wir haben fünf Jahrgänge von Kirchenstücken auf alle Sonn- und Festtage von ihm, auch viele Oratorien. Im J. 1717
sodann berief ihn der Fürst von Cöthen als Kapellmeister. Von Cöthen aus besuchte
er noch einmal seinen unterdessen hundert Jahre alt gewordenen Meister Reinken
und ließ sich vor ihm in der St. Catharinenkirche im Beisein des Magistrats über
zwei Stunden lang auf der Orgel hören. Da rief der alte Reinke, entzückt über sein
Orgelspiel, am Schlusse aus: „Ich dachte, diese Kunst wäre gestorben, ich sehe aber
jetzt, daß sie noch lebt." Er war aber auch wirklich der größte Orgelspieler, den es je
gegeben. So schwer die Orgel- und Klavierstücke waren, die er selbst componirte,
so leicht waren sie für ihn. Er hatte sich eine eigene Fingerordnung ausgesonnen,
bei der besonders der zuvor fast nie gebrauchte Daumen in Mitthätigkeit gezogen
ist, so daß es ihm nicht schwer fiel, die größten Schwierigkeiten mit der fließendsten Leichtigkeit herauszubringen. Auf dem Pedal mußten seine Füße jedes Thema,
jeden Gang ihren Vorgängern, den Händen, aufs genaueste nachmachen, so daß
kein Vorschlag und kein Triller fehlen durfte: er machte oft mit beiden Füßen zu-

gleich lange Doppeltriller, indeß die Hände nichts weniger, als müßig waren. Hiller
sagt deßhalb von ihm: „er habe mit den Füßen Sätze ausgeführt, die den Händen
manches nicht ungeschickten Clavierspielers zu schaffen machen würden." Endlich
im J. 1723 berief ihn der Rath von Leipzig an die Thomasschule als Musikdirektor,
worauf ihm auch einige Jahre später der Titel eines Königl. polnischen Hofcompo-
nisten durch den Churfürsten von Sachsen ertheilt wurde. In Leipzig wirkte er nun
als fruchtbarer Tonmeister 27 Jahre lang. Nach und nach verlor er aber durch eine
mißlungene Augenoperation seine vorige Gesundheit und starb 65 Jahre alt am
28. Juli 1750 am Schlag. Ausführlich hat sein Leben Kapellmeister Hiller in den „Lebensbeschreibungen berühmter Tonkünstler, erster Band", beschrieben. [→ Dok III,
Nr. 895]
Bach hat, während die meisten Tonkünstler dieser Zeit den Choral, die alte Kirchenweise, fast geringschätzten und bei ihren größern, der theatralischen Form immer
mehr genäherten, geistlichen Tondichtungen denselben nur oberflächlich und
flüchtig behandelten und ihn allein im Orgelspiel, als Grundlage künstlicher Ausführungen, einer größern Rücksicht würdigten, sich wieder mit aller Vorliebe den
alten Chorälen zugewendet und einen ganz besonders tiefen Sinn für die kirchlichen
Grundformen gezeigt. Nicht bloß für die Orgel harmonisirte er sie, nicht bloß zu
künstlichen Orgelausführungen benützte er ihre Melodien, worin er Meister war,
er suchte sie auch durch eigene vielstimmige Tonsätze in der reichsten Harmonie-
fülle ihrem innersten Wesen und Gedanken nach zu entfalten und zu überarbei-
ten. Dann webte er sie gewöhnlich seinen geistlichen Concerten, in denen er nach
Hammerschmidt's Vorgang die Gesprächs- | form zwischen dem Schriftwort und
einer kirchlichen Weise liebt, ein, indem er neben Recitativen, Duetten, Arien einen
alten Prachtchoral durchklingen ließ, harmonisch belebt mit allen Mitteln der Vokal-
und Instrumentalmusik. So webte er z. B. in seine „große Passionsmusik", eines der
herrlichsten geistlichen Concerte (er schrieb noch vier weitere Passionen), unter die
Recitativform, in der der evangelische Text der Leidensgeschichte vorgetragen wird
und unter die in Arienform dazwischen eintretenden Sologesänge oder Duette die
alten Kirchenweisen: „Herzliebster Jesu, was hast du verbrochen" – „O Welt, sieh
hier dein Leben" („Nun ruhen alle") – „Was mein Gott will, das g'scheh all'zeit" –
„O Mensch, bewein' dein' Sünden groß" – „Werde munter mein Gemüthe" (V. 4) –
„O Haupt voll Blut und Wunden" („Herzlich thut mich") in reichster Tonfülle und
mit der imposantesten Wirkung hinein. Besonders kunstvoll und ansprechend ist
es, wie er hier einen Doppelchor einführt, bei welchem unter dem Chorgesang:
„Kommt ihr Töchter, helft mir klagen" der alte Choral: „O Lamm Gottes", von
einem andern Chor gesungen, wunderbarlich verwebet ist.
Er war der größte und tiefsinnigste Harmonist, und kein Tonkünstler hat, wie er, die
verborgensten Geheimnisse der Harmonie zu solch künstlicher Ausübung gebracht.
In seinen Tonsätzen, die alle mit dem wundervollsten Reichthum der Modulation
und der kunstvollsten Stimmführung ausgestattet sind, besteht die Harmonie aus
einer Verwebung mehrerer Melodien, die zugleich alle so sangbar sind, daß jede

zu ihrer Zeit als Oberstimme erscheint. Im gebundenen Styl hat er unübertroffene Meisterwerke geliefert; „die Kunst der Fuge", in der er so groß dasteht, war sein letztes Werk; seine letzte Krankheit verhinderte ihn an deren Vollendung.

Bach fertigte auch eigene Choralgesänge, von denen aber die meisten ursprünglich nicht für den Gemeindegesang bestimmt sind, er bestimmte sie vielmehr in der ausgebildetsten Arienform für seine Oratorien, Cantaten und Motetten, so daß bei ihm dasselbe Verhältniß wiederkehrt, das wir bei den Concertmeistern des siebenzehnten Jahrhunderts, besonders bei einem Joh. Rudolph und J. G. Ahle, deren Nachfolger in Mühlhausen er war, erblicken. In den Gemeindegesang konnten diese kunstgeschmückten Arien nicht recht übergehen; am ehesten hat sich noch einige kirchliche Geltung verschafft die Melodie:

„O du dreeiniger Gott" – heißt auch:

„Wie gnädig warst du Gott" oder:

„O Gott, du frommer Gott."

Sein Sohn, Carl Ph. Emmanuel Bach in Hamburg, gab nach seinem Tode aus den Choralsammlungen, die der Vater sich angelegt hatte, heraus: „Vierstimmige Choralgesänge, auf zwei Systeme gezogen und herausgegeben von C.P.E. Bach. 1. Thl. 1765. 2. Thl. 1769"; beide Theile zusammen enthalten 400 Choräle. Eine | zweite verbesserte Auflage hievon erschien in den Jahren 1784–86 in drei Theilen. Neuerdings gab Becker in Leipzig in den Jahren 1841 und 1842 eine Sammlung von 360 jener vierstimmigen Choräle heraus. [→ C 87]

(Geschichte des Kirchenlieds und Kirchengesangs, mit besonderer Rücksicht auf Würtemberg. Von Emil Koch, Pfarrer in Großaspach. Stuttgart 1847, 1 Theil.)

Quelle: Eduard Emil Koch, *Geschichte des Kirchenlieds und Kirchengesangs, mit besonderer Rücksicht auf Württemberg*, 1. Theil, Stuttgart 1847. Zit. nach: Euterpe, 9. Jg., Nr. 4, April 1849, S. 60–63 (*Bücherblick.*).
Lit.: ADB 16 (Bertheau), S. 373; Riemann 1929.

A 32

SCHELLENBERG: ZUM 100. TODESTAG VON J. S. BACH

LEIPZIG, 26. JULI 1850

Sebastian Bach.

Die Feier des 100jährigen Todestages Sebast. Bach's, der wir die heutige Nummer widmen, hat eine wichtige Unternehmung, sowie mehrere interessante Erscheinungen hervorgerufen. Wir geben nachstehend unsern Lesern eine Uebersicht.

Folgendes großartige Unternehmen, dessen sich die Verlagshandlung Breitkopf und Härtel unterzieht, sei zunächst der weitesten Beachtung empfohlen:

Am 28sten Juli 1750 starb in Leipzig Johann Sebastian Bach. Die Wiederkehr dieses Tages nach hundert Jahren richtet an alle Verehrer wahrer, ächt Deutscher Tonkunst die Mahnung, dem großen Manne ein Denkmal zu setzen, das seiner und der Nation würdig sei. Eine durch Vollständigkeit und kritische Behandlung den Anforderungen der Wissenschaft und Kunst genügende Ausgabe seiner Werke wird diesen Zweck am reinsten erfüllen. Die Unterzeichneten, welche sich in dem Wunsche begegnet sind, dieses Unternehmen mit allen Kräften zu fördern, legen den Verehrern des großen Meisters in Folgendem die Grundzüge dar, nach welchen sie dasselbe ins Leben zu rufen beabsichtigen.

Die Aufgabe ist, alle Werke Joh. Seb. Bach's, welche durch sichere Ueberlieferung und kritische Untersuchung als von ihm herrührend nachgewiesen sind, in einer gemeinsamen Ausgabe zu veröffentlichen. Für jedes wird wo möglich die Urschrift oder der vom Komponisten selbst veranstaltete Druck, wo nicht, die besten vorhandenen Hülfsmittel zu Grunde gelegt, um die durch die kritisch gesichtete Ueberlieferung beglaubigte ächte Gestalt der Compositionen herzustellen. Jede Willkür in Aenderungen, Weglassungen und Zusätzen ist ausgeschlossen.

Die Herausgabe geschieht durch eine Bach-Gesellschaft, deren Mitglieder sich zu einem jährlichen Beitrag von 5 Thlr. prän. verpflichten. Die durch diese Beiträge erwachsende Summe wird, da jede buchhändlerische Speculation ausgeschlossen bleibt, ganz und gar zu den für die Publication Bach'scher Compositionen erforderlichen Herstellungskosten verwandt; für jeden Beitrag von 5 Thlr. wird den Theilnehmern jährlich ein Exemplar der für dieses Jahr veröffentlichten Compositionen mit einer Uebersicht über die Verwendung der Gelder zugestellt: für den im Jahre 1850 gezahlten Beitrag im Laufe des Jahres 1851 u. s. f. Die Ausstattung wird ohne luxuriös zu sein in Format, Druck und Papier sich vor den gewöhnlichen Publicationen in einer Weise auszeichnen, wie es sich für ein Nationalunternehmen geziemt. Je größer die Anzahl der Subscribenten ist, um so mehr wird jährlich publicirt, um so eher die Vollendung des großen Werkes erreicht werden können; bei 300 Theilnehmern werden nach einem ungefähren Ueberschlag 50–60 Bogen jährlich geliefert werden können. Die Platten bleiben Eigenthum der Gesellschaft.

Die Herausgabe geschieht in folgenden Abtheilungen:

1) Gesangmusik a) mit und b) ohne Begleitung.

2) Instrumental-Compositionen a) für Orgel, b) Clavier, c) Orchester.

| Es wird von allen Compositionen für mehrere Stimmen oder Instrumente stets die Partitur gedruckt, bei den Gesangscompositionen mit Begleitung auch ein Clavierauszug untergelegt.

Ein Hauptaugenmerk bei der Anordnung der zu publicirenden Werke wird es sein, sofern nicht die Herausgabe eines umfassenden Werkes alle Kräfte eines Jahres in Anspruch nimmt, in jedem Jahr Kompositionen verschiedener Gattungen zu veröffentlichen, so jedoch, daß die Vervollständigung der Bände zusammengehöriger Compositionen dabei möglichst berücksichtigt werde. Nicht minder wird das Streben dahin gerichtet sein, die Veröffentlichung ungedruckter oder durch Seltenheit so gut wie unbekannter Werke thunlichst in den Vordergrund treten zu lassen. Durch die Benutzung der Forschungen der Herren Becker, Dehn, Hauser, v. Winterfeld ist eine vollständige Uebersicht der auf uns gekommenen gedruckten wie ungedruckten Werke Bach's möglich geworden. Bereits ist uns auch aus öffentlichen wie Privatsammlungen freigebigste Unterstützung zugesagt worden; mit um so größerem Vertrauen richten wir nun an alle die, welche im Besitze Bach'scher Schätze sind, die Bitte, uns die Benutzung derselben für diese Gesammtausgabe gestatten zu wollen.

Daß die Redaction mit Strenge, Umsicht und Hingebung geübt werden wird, dafür glauben die Unterzeichneten dem Publikum die Bürgschaft in den Namen ernster und treuer Forscher bieten zu dürfen, welche in ihren Reihen verzeichnet sind.

Die Herstellung des Druckes wird die Breitkopf und Härtel'sche Officin übernehmen.

Beseelt von dem innigen Wunsche und dem festen Vertrauen des Gelingens wenden sich die Unterzeichneten an die zahlreichen Verehrer höherer Tonkunst und ihres großen Meisters mit der Bitte durch Rath und That ein Unternehmen zu fördern, das für die Kunst und Wissenschaft in der Musik im höchsten Grade bedeutend ist. Namentlich an die Vorsteher von Vereinen richtet sich ihre Bitte, daß sie in weiterem Kreise thätige Theilnahme für ein Unternehmen wecken, das der vereinten Kräfte Vieler bedarf um würdig ausgeführt zu werden, so daß es unser Volk und unsere Zeit ehrt. Mögen alle, an welche dies Wort gelangt, denen es Ernst mit Deutscher Kunst ist, mit Eifer und Freudigkeit mit Hand anlegen an das Denkmal des großen Meisters.

Zeichnung von Beiträgen wird jede Buch- und Musikalienhandlung annehmen. Mittheilungen aller Art entgegenzunehmen und Auskunft zu ertheilen ist jeder der Unterzeichneten bereit, doch wird es förderlich sein, dieselben an die Breitkopf- und Härtel'sche Buchhandlung für die Bach-Gesellschaft zu adressiren.

Leipzig, im Juli 1850.

Dr. Baumgart in Breslau.
C. F. Becker, Organist in Leipzig.
Breitkopf u. Härtel in Leipzig.
Ritter Bunsen, Kön. Preuß. Gesandter in London.
S. W. Dehn, Prof. u. Custos d. kön. Bibliothek in Berlin.
M. Hauptmann, Musikdirector in Leipzig.
Fr. Hauser, Director des Conservator. in München.
Dr. Hilgenfeldt in Hamburg.
Otto Jahn, Professor in Leipzig.
August Kahlert, Professor in Breslau.
Dr. Ed. Krüger, Director in Emden.
A. B. Marx, Professor in Berlin.
J. Moscheles, Professor in Leipzig.
Mosewius, Musikdirector in Breslau.

J. Rietz, Kapellmeister in Leipzig.
Rungenhagen, Director der Singakademie in Berlin.
C. H. Schede, Regierungsrath in Marienwerder.
Dr. R. Schumann in Dresden.
Dr. L. Spohr, Kapellmeister in Cassel.
Frh. G. v. Tucher, Oberappellationsrath in Neuburg.
C. v. Winterfeld, Geh. Obertribunalrath in Berlin.

Eine Monographie, welche so eben unter dem Titel: „Joh. Seb. Bach's Leben, Wirken
und Werke. Ein Beitrag zur Kunstgeschichte des 18ten Jahrhunderts von C. L. Hilgenfeldt" bei Fr. Hofmeister erschienen ist [→ A 23], verdient die aufmerksamste
Beachtung aller Künstler und Kunstfreunde. Es ist nicht unsere Absicht, die Schrift
hier schon ausführlich zur Anzeige zu bringen; erst vor wenig Tagen erschienen,
konnten wir derselben nur eine flüchtige Kenntnißnahme widmen; soviel indeß läßt
sich sogleich erkennen, daß durch diese Schrift wieder ein tüchtiger Schritt vorwärts
geschehen ist in der Erkenntniß des großen Meisters, sowohl was das Aeußere, als
auch was das Innere betrifft. Der Hr. Verf. behandelt sehr ausführlich folgende
Capitel: Zunächst als Einleitung die Familie Bach. Sodann Seb. Bach selbst unter
folgenden Abschnitten: Aeußere Lebensverhältnisse; Bach als Mensch und Künstler; Bach als Clavierspieler; B.'s Leistungen auf der Orgel; Bach als Componist; B.'s
Werke; Uebersicht sämmtlicher Compositionen B.'s, (Singcompositionen, Claviercompositionen, Orgelcompositionen, Compositionen für Orchesterinstrumente); B.
als Lehrer; Urtheile der Zeitgenossen B.'s über ihn. „Den historischen Theil anlangend," sagt der Hr. Verfasser in der Vorrede, „so habe ich alle irgend auffindbare,
oder mir zugängliche Quellen nach besten Kräften zu benutzen gesucht, manches
früher Zweifel- | hafte festgestellt, manches Unrichtige berichtigt, manches Neue
aufgefunden und kund gegeben."
Eine zu „J. S. Bach's hundertjährigem Gedächtnißtage" erschienene Orgelcomposition
führt den Titel: Phantasie für die Orgel nebst einem Vorwort, betreffend die Entwickelung des Orgeltonsatzes im 17ten und 18ten Jahrhundert und dessen Bedeutung
für die Gegenwart von H. Schellenberg. Gern führen wir das durch einen Vortrag des
Componisten uns schon bekannt gewordene Werk hier in diesem Zusammenhange
an, da wir es zu den besten Erscheinungen der Jetztzeit auf diesem Gebiete glauben rechnen zu dürfen. Die bemerkenswerthe Vorrede sei nachstehend mitgetheilt:

Vorwort.
Betrachten wir den Entwicklungsgang der Tonsetzkunst, wie sich derselbe in den
Orgeltonwerken des 17ten und 18ten Jahrhunderts zeigt, so erscheint uns die höhere
Kontrapunktik als siegende Waffe einer Macht, welche unvergängliche Tonschöpfungen hervorgerufen hat. Wir sehen, daß die Figural-, Canon- und Fugenform, durch
den damaligen kirchlichen Standpunkt getragen, zu immer höherer Vollendung gelangten und so ihre angestammte Herrschaft behaupteten. Es fanden diese Formen

nicht allein in verschiedenartigen Choralbehandlungen reiche Verwendung, sondern sie wurden auch trefflich benutzt für Werke, die der glänzenden Technik und
Geschicklichkeit einzelner Organisten zunächst ihre Entstehung verdankten.

Die Namen Frescobaldi, Froberger, Pachelbel, Buxtehude, Zachau, Kaufmann, Walther, Eberlin, Krebs, Kittel bezeichnen uns Künstler, welche die Kunst mit starkem
Arme stützten, – die Vorläufer, Mitlebenden und geistigen Nachkommen des hoch-
strahlenden Gestirns, das wie bis heute, so fort und fort uns auf der Bahn der Kunst
überhaupt, als der Orgeltonsetzkunst insbesondere voranleuchtet, des großen Tonmeisters Sebastian Bach.

Die Orgeltonwerke dieses Heros weichen ihrem Inhalte und ihrer Gestaltung nach
so sehr von den Tonsätzen seiner Vorgänger und Zeitgenossen ab, daß sie gegen
die der letzteren zumal, deren Bedeutung wir anerkennen, doch einen bei weitem
höheren, unwiderstehlichen und unvergänglichen Reiz ausüben. Ein Blick auf die
Choralvorspiele: Aus tiefer Noth –, Wenn wir in höchsten Nöthen sein –, auf die
großen Bearbeitungen des Kyrie, auf die *Ricercata a 6* im musikalischen Opfer und
die canonischen Veränderungen über das Weihnachtlied: „Vom Himmel hoch da
komm' ich her" – gewiß das Höchste, was der menschliche Geist in tiefsinnigen
Combinationen zu leisten vermag – lehrt uns neben der Allgewalt der Technik des
Meisters nicht minder die Tiefe des Ausdrucks bewundern, der uns mitten durch
die labyrinthischen Tongeflechte entgegentönt, wie uns gleicherweise Bach in jenen
Choralvorspielen, die weniger, oder gar keine höheren contrapunctischen Combinationen enthalten, wie z. B. Schmücke dich, o liebe Seele –, Das alte Jahr vergangen ist –, Ich ruf' zu dir, Herr Jesu Christ –, O Mensch, bewein' dein' Sünde groß –,
aus dem vorwiegend melodischen Elemente heraus in einer religiösen Hoheit und
Würde erscheint, daß Kenner wie Laien gleich mächtig davon berührt werden *)
Ehren wir die Erzeugnisse der Zeitgenossen des Meisters als solche des Fleißes und
der Geschicklichkeit, nennen wir namentlich Krebs mit Auszeichnung, – den unter den Schülern am eifrigsten Bestrebten, die Bahn des Meisters zu verfolgen, – so
bleibt uns doch kein Zweifel, daß der Genius Bach's, sie alle überstrahlt. Dieser
war es, welcher den Orgeltonsatz nach allen Richtungen durchdrang, sich überall
neu offenbarte und auf diesem Felde, wo er in den Präludien und Fugen in C-Moll,
F-Moll, G-Moll, A-Moll, E-Moll, H-Moll etc. seine höchste Kraft und Weihe niederlegte, unerreicht blieb.

Wir sehen nach des Meisters Tode die Bebauung dieses Kunstgebietes bis in die
ersten Decennien des 19ten Jahrhunderts von Stufe zu Stufe herabsinken. Die ganze
Kunstanschauung derer, welche sich auf diesem Gebiete thätig erwiesen, trug daran
Schuld. Ihre Vorstellung von der Aufgabe der Kunst war eine verkehrte. Die Ver-
standesthätigkeit galt ihnen als der einzige und allein selig machende Factor musikalischen Schaffens; Gemüth, Eigenthümlichkeit wurde für wenig oder nichts geachtet,
ja letztere, wo sie sich kundthat, sogar hart angefeindet. Man mochte in dieser Zeit
an den Bach'schen Werken lediglich nur die harmonischen und contrapunctischen
Combinationen studirt und bewundert, doch die vielfachen Fingerzeige für den for-

schenden Geist, die wahre künstlerische, die Form selbstschöpferisch beherrschende Freiheit nicht herausgefunden haben. Ich will hierbei unter andern nur an die doppelchörigen Motteten Bach's erinnern, die man in dieser Beziehung studiren möge. Der Genius der Kunst wandte sich dagegen auf

*)   Bei Vergleichung zwischen Bach und Händel hört man zuweilen die Aeußerung: Bach's Tonwerke seien mehr Erzeugnisse des Verstandes, die Händel's dagegen mehr Erzeugnisse des Gemüths. Dies ist eine oberflächliche, wo nicht gar leichtfertige Aeußerung. Es kann hier nicht darauf eingegangen werden, zu veranschaulichen, worin diese Meister sich besonders von einander unterscheiden. Sie stehen in gleich erhabener Größe neben einander. Dies ist der Grund, warum Händel im Eingange nicht erwähnt werden konnte.

I jene Gebiete hinüber, welche durch die Namen Mozart und Beethoven hinlänglich bezeichnet werden. Diese Meister verscheuchten die Dunkel gräulicher Pedanterie; die Kunst stand, wenn gleich in anderem Gewande, doch in derselben Urkraft wieder da, in welcher Bach von ihr schied.

Auf unserem Gebiete fand sich Keiner, der neues Leben verbreitete; dahin drang nicht der Lichtstrahl der Erkenntniß. Mögen die vielen kleinen Erzeugnisse im Fache der Orgelmusik zu Ende des 18ten und in dem ersten Drittel des gegenwärtigen Jahrhunderts für besondere Zwecke ihr Verdienstliches haben, mag selbst hin und wieder eine andere Manier, ein anderer Styl hervorgetreten sein, – es ist wohl gewiß, weder die Orgeltonsetzkunst, noch weniger die Kunst überhaupt gewann dadurch. Blicken wir demnach auf Bach, wie er seine Sendung auf eine Weise erfüllte, welche noch die spätesten Generationen zu hoher Verehrung verpflichtet, auf die großen Thaten Mozart's und Beethoven's, so erwächst uns, den Jetztlebenden, die Erkenntniß, daß die Orgelmusik, soll sie anders zu Bedeutung in der Gegenwart gelangen, nicht isolirt dastehen, sondern das ganze Gebiet des Tonsatzes umfassend auftreten müsse.

Die neueste Zeit birgt vielfache Bestrebungen, das lange wüst gelassene Feld von Neuem urbar zu machen. Man kann sagen, es sind Tonwerke entstanden, die, von künstlerischem Geiste durchdrungen, Zeugniß geben von der Erkenntniß dessen, was noth thut.

Der Fortschritt hat begonnen. Zeige sich dieser in größeren oder kleineren Stücken, seien diese virtuosen oder practischen Zwecke gewidmet, – genug, man hat erkannt, daß ein Anderes der Königin der Instrumente enttönen müsse, als ein langer Zeitraum nach Bach's Hintritt zum größten Theile gebracht hat.

So belebe und befruchte vor Allem das erhabene Vorbild dieses Meisters solche Erkenntniß mehr und mehr. Die Orgeltonwerke desselben geben auf jede Frage Antwort Dem, der sie in sich aufgenommen, und ihre bedeutsamen Fingerzeige für unsere Zeit verstanden hat. Jeder darum, der für die Orgel schreibt, lasse sich von dem Geiste jener ewigen Werke durchdringen, die als ein aufgeschlagenes Buch, als Gesetz und Evangelium Jedermann vor Augen liegen, der sehen und hören will, damit in der Folge selbst auch den kleineren Formen für den öffentlichen Gottesdienst Geist inne wohne und diese nicht mehr, wie bisher häufig, als leerer Formalismus, sondern als Erzeugnisse künstlerischer Schöpferkraft sich darstellen.

Indem ich dem nachfolgenden Werke diese Worte voransetze, verwahre ich mich vor der irrigen Annahme, als solle dasselbe maßgebend für die Gegenwart sein. Keiner ist entfernter von der Kühnheit solchen Ansinnens, als ich. Wiefern mich bei dem Werke das Gebot der Kunst leitete, wiefern ich deren Forderungen für die Gegenwart erkannt, die Erkenntniß dieser Forderungen durch eigenes Schaffen bethätigt habe, dies sage das aufrichtige Urtheil der Kunstgenossen. Mir lag daran, den Standpunkt kürzlich zu bezeichnen, von dem aus ich handele.

Sebastian Bach's hundertjähriger Gedächtnißtag gibt mir dazu insbesondere erwünschte Veranlassung. Möge angesichts des hohen Tages das Vorliegende nicht verkannt, sondern als eine Gabe zum Antriebe weiterer Förderung der sich in unsern Tagen entwickelnden Orgeltonsetzkunst hingenommen werden, damit es geschehe, daß der neu emporwachsende Keim sich unter dem Schirme Bach'scher Kunst nach und nach zum starken Baume entfalte.

H. Schellenberg.

Endlich gedenken wir noch eines ausführlichen Artikels von A. G. Ritter in dem „Magdeburger Korrespondenten", Beilage Nr. 218, 219, 220, 222, 223, 224, der die lobenswerthe Bestimmung hat, bei der jetzt gegebenen Veranlassung das größere Publikum über die Bedeutung des Meisters aufzuklären. Ueber eine in Magdeburg schon am 28sten Juni veranstaltete Feier theilen wir demnächst einen Bericht mit.

D. Red.

Quelle: NZfM, 17. Jg., 33. Bd., Nr. 8, 26. Juli 1850, S. 37–40.
Anm.: → A 23 und C 35.

ANEKDOTEN

A 33

BACHS ORGELSPIEL IM BEISEIN „VORNEHMER MUSIKKENNER"
DRESDEN, 17. JULI 1810

Der große Sebastian Bach ließ sich auch manchmal auf seiner herrlichen Orgel in der
Thomaskirche zu Leipzig in der Woche hören, wenn vom Dresdner Hofe vornehme
Musikkenner ihn darum baten. Sein Balgentreter, ein ehrlicher Spießbürger aus
Nordhausen, pflegte allemal zu sagen: „Heute haben wir uns wieder hören lassen,
ich bin herzlich müde davon; aber was soll ich thun? Ich kann doch Hrn. Bach nicht
im Stich lassen."

Quelle: *Beiträge zur Belehrung und Unterhaltung für Jedermann auf das Jahr 1810*, Nr. 78, 17. Juli
1810, Sp. 624.
Lit.: Bach-Anekdoten enthalten (nach Hans-Martin Pleßke, *Bach in der deutschen Dichtung*,
BJ 1959, S. 5–51, hier Fußn. 147) u. a. K. F. Bolt, *Bach-Lesebüchlein*, Berlin 1950, S. 32–34; S. Brandl,
Scherzo, Eßlingen 1951, S. 7; C. Dietze, *Musiker-Anekdoten*, Leipzig 1936, S. 7–8; E. E. Reimerdes,
Geschichten um Johann Sebastian Bach. In: Zeitschrift für Musik. Jg. 102. 1935, S. 319–320; E. Stemp-
linger, *Von berühmten Musikern*, München 1942, S. 7–8. Pleßke erwähnt auf S. 33 auch folgende
Anekdote, überliefert von Heinrich von Kleist: „Bach, als seine Frau starb, sollte zum Begräbnis
Anstalten machen. Der arme Mann war aber gewohnt, alles durch seine Frau besorgen zu las-
sen; dergestalt, daß, da ein alter Bedienter kam und ihm für Trauerflor, den er einkaufen wollte,
Geld abforderte, er unter stillen Tränen, den Kopf auf einen Tisch gestützt, antwortete: ,Sagts
meiner Frau.'" Nach Hans-Joachim Schulze, *Über die „unvermeidlichen Lücken" in Bachs Lebens-
beschreibung*. In: Bachforschung und Bachinterpretation heute. Wissenschaftler und Praktiker im
Dialog. Bericht über das Bachfest-Symposium 1978 der Philipps-Universität Marburg. Hrsg. von
Reinhold Brinkmann, Kassel etc. 1981, S. 38, „entpuppte" sich diese Anekdote als eine „Benda-
Anekdote".

A 34

ROEBER: BEGEBENHEITEN IM TRAUERHAUSE BACHS –
NACH EINER ERZÄHLUNG VON KITTEL
DRESDEN, 20. JULI 1810

Anekdote.
Daß man dem originellen Künstler, als einem Naturkinde, im konventionellen Leben
Manches zu gut halten müsse, hat man sich schon oft gesagt, und man schenkt ihm

diese Nachsicht gern, weil seine Sonderbarkeiten für Psychologen eben so lehrreich, als für Leute von Welt belustigend sind. In dieser Hinsicht scheint denn auch folgende noch unbekannte Anekdote von dem berühmten Tonkünstler Carl Philipp Emanuel Bach der öffentlichen Mittheilung würdig. Referent hat sie aus dem Munde des verstorbenen, ebenfalls als Tonkünstler berühmten Kittel in Erfurt, der bei der tragisch-komischen Scene selbst die zweite Rolle spielte.

I Die Jahre, welche Kittel in dem Hause des Kapellmeisters Johann Sebastian Bach's, des Vaters, damaligen Cantors an der Thomasschule zu Leipzig, zubrachte, waren zugleich die letzten Lebensjahre dieses großen Mannes und durch manche Leiden getrübt. Besonders versetzte ihn eine in diesen Jahren entstandene und zuletzt beinahe völlige Blindheit oft in eine sehr melancholische Stimmung. In einer dieser düstern Stunden war es, wo er Kitteln jenen fugirten Choral: Wenn wir in höchsten Nöthen etc. in die Feder diktirte – ein für jeden Freund der Bach'schen Muse gewiß ewig theures Denkmal der wehmüthigen, nahe an Verzweiflung gränzenden, nur allein durch Religion in Schranken gehaltenen Gefühle seines Verfassers. Endlich starb dieser musikalische Heros, und seine Söhne, die sämmtlich durch ihn gebildet, schon damals anfingen, der Welt als würdige Erben des väterlichen Namens und der väterlichen Kunst bekannt zu werden, seine zahlreichen Schüler und Alle, die seine Verdienste zu würdigen verstanden, weinten ihm Thränen des bittersten Schmerzes nach.

Tief trauernd und schwermüthig kam Kittel am Begräbnißtage vom frischen Grabe seines entschlummerten väterlichen Freundes und Lehrers zurück. (Kein Denkmal, kein Leichenstein, keine freundliche Erinnerung verkündiget jetzt dem forschenden Wanderer die Ruhestätte des Mannes, der einst eine Zierde Leipzigs war; völlig unbekannt ist sein Grab!) – Langsam, in wehmüthige Erinnerung versunken, steigt Kittel in dem verwaißten und verödeten Hause (der Wohnung des Cantors) die Treppe hinauf. Sein Weg führt ihn vor der Küche vorbei. Die Thüre scheint I zu, ist aber nur angelehnt, und inwendig hört er mit Affekt sprechen. Er stutzt; die Stimme kommt ihm bekannt vor. Neugierig zu erfahren, was hier vorgehe, blickt er hinein.

…

Welch' ein Anblick! Carl Philipp Emanuel Bach, wie er eben von der Leiche kommt, im schwarzen Kleide, mit seidenen Strümpfen, den Degen an der Seite, den Chapeaubashut unterm Arm – kniet mitten in der Küche auf dem Fußboden. Seine Augen, denen heiße Thränen entstürzen, sind zum Himmel gerichtet, sein ganzer Körper ist in heftiger Bewegung – im Tone schmerzlicher Kränkung und bittern Unwillens scheint er Jemanden Vorwürfe zu machen – und Wem? –

„O Gott!" – ruft er aus – „warum hast du das gethan? warum hast du diesen großen Mann sterben lassen, diesen weltberühmten Mann, der auf dem ganzen Erdboden seines Gleichen nicht mehr hatte? Wie? Giebt es denn nicht Stümper, giebt es nicht Bettler und Vagabonden genug – unnütze Lasten der Erde, die gar wohl zu entbehren wären? Und diese lässest du leben und gesund bleiben und alt werden; einen so verdienten Mann aber…"

So wenig Kittel zum Lachen gestimmt war – hier war es ihm unmöglich länger an sich zu halten. Er brach in ein lautes, schal- | lendes Gelächter aus. Kaum merkt Bach, er sey belauscht worden, so springt er auf, sein Zorn gegen Gott geht plötzlich in Wuth gegen den unberufenen Zeugen seiner seltsamen Andacht über. Er zieht den Degen und stürzt zur Küche hinaus, Kitteln nach.

Dieser, durch die neue Metamorphose noch heftiger zum Lachen gereizt, befand sich gleichwohl in nicht geringer Verlegenheit, denn er kannte Bach's aufbrausende Hitze. Er sieht diesen mit von Wuth funkelnden Augen, den bloßen Degen in der Faust, auf sich losstürzen. Nur mit Mühe kann er ihm auf dem engen Saale ausweichen; wirklich stößt Bach einigemal nach ihm, und nur einigen schnellen geschickten Wendungen hat es der Verfolgte zu danken, daß er nicht an die Wand gespießt wird. Endlich gelingt es ihm, durch einen glücklichen Sprung die Treppe zu gewinnen, und spornstreichs rennt er zum Hause hinaus. – Bach, noch immer mit gezucktem Mordgewehr, ihm nach. Erst auf der Straße kommt er zur Besinnung, und alle Vorübergehenden nehmen großes Aergerniß an der Scene, die hier vor einem Trauerhause unter Einigen von den Leidtragenden selbst vorzugehen scheint.

Erst nach einigen Tagen und mit Mühe gelang es Kitteln, seinen Freund zu besänftigen und ihn wieder mit sich auszusöhnen. R – r.

Quelle: *Beiträge zur Belehrung und Unterhaltung für Jedermann auf das Jahr 1810*, Nr. 79, 20. Juli 1810, Sp. 629–632.
Lit.: Schulze, a. a. O., S. 32–42, hier S. 39–42 (→ A 33).

A 35

Anekdote um Bach-Schüler

Wien, 9. Januar 1813

Unter allen den vortrefflichen Schülern, die der große Tonkünstler Johann Sebastian Bach gezogen hat, war er mit keinem mehr zufrieden, als mit Krebs in Altenburg; daher er auch zu sagen pflegte: „Das ist der einzige Krebs in meinem Bache." Doch war auch Friedemann, sein ältester Sohn, den er am fleißigsten und sorgfältigsten im Klavierspielen unterwies, ein besonderer Gegenstand seiner Kenner-Zufriedenheit. Dieser Friedemann ward Organist in Halle. Hier fing er einst zu einem kurzen Liede, welches der auf der Kanzel stehende Pfarrer zwischen der Predigt singen ließ, und dem die Organisten gewöhnlich nur einige Akkorde voran zu schicken pflegen, um den Ton zum Liede anzugeben, eine Fuge zum Vorspiele an, und führte sie mit aller möglichen Kunst aus. Als der Prediger | einige Minuten dieses zeitige Vorspiel abgewartet hatte, und ihm nun die Geduld verging, sandte er den Küster zu ihm, mit der Bitte, das Vorspiel zu schließen, und das Lied anzufangen. Friedemann antwortete dem Küster unwillig überlaut: „Der Herr Pfarrer versteht den Teufel, was zur guten Ausführung einer Fuge gehört; ich bin noch weit vom Schlusse, und werde die Fuge ausführen und schließen, wie sich's gehört."

Eines Tage kommt Friedemann zum Musikdirektor Rust, der damals in Halle studierte, und ihm, zur Erkenntlichkeit für seinen Klavierunterricht, seinen Briefwechsel besorgte. „Sehen Sie", sagt ihm Friedemann, indem er ihm ihn zu lesen giebt, „einen recht hübschen Ruf zur Kapellmeisterstelle in Rudolstadt; antworten Sie nur gelegentlich, daß ich ihn wohl annehmen will." Rust ließt den Brief, und freut sich der ansehnlichen Verbesserung seines Lehrers. Indem wird er des Datums und der Jahreszahl gewahr, und ruft: „Der Brief ist ja schon über ein Jahr alt." „Nun ja", erwiederte Friedemann, „ich habe ihn immer bei mir getragen, und von Tag zu Tag vergessen, Ihnen denselben zur Beantwortung zu geben."

Sein Bruder, Christian Bach, war sehr leichtsinnig. Als ihm einst einer seiner Freunde vorwarf, daß er meistens nur leichte Tonstücke flüchtig hinsetze, und das damit verdiente Geld noch leichtsinniger verthäte, statt daß sein ältester Bruder in Berlin große Werke vollendete, und das dafür erhaltene Geld sehr gut zu Rathe zu halten wüßte, sagte er: „Ey was, mein Bruder lebt, um zu komponiren, und ich komponire, um zu leben; er treibt's für andre, ich für mich selbst."

Quelle: Wiener AMZ, Nr. 2, 9. Januar 1813, Sp. 30–31.
Anm.: Aus „Andekdoten aus dem Künstlerleben berühmter Compositeurs und Virtuosen. – Bach." Zum Wortspiel „Bach-Krebs" → insbes. Dok III, Nrn. 874, 997 und Nr. 998; vgl. auch Forkel, S. 43. Der ungenannte Verfasser übernahm die Passage „Das ist der einzige Krebs in meinem Bache." aus Reichardts *Anekdoten aus dem Leben merkwürdiger Tonkünstler*, in: *Musikalischer Almanach. … Berlin 1796*, Nr. 8 (→ Dok III, Nr. 996 und Nr. 997).

A 36

GROSSER: ANEKDOTEN VON BACH UND SEINEN SÖHNEN
BRESLAU, 1834

J. S. Bach kömmt auf einer Reise nach Altenburg. Da es eben Sontag ist, so geht er in die Kirche, um seinen Schüler Krebs spielen zu hören.

Hier glaubt Bach mitten unter den Bürgern unbemerkt und ungekannt stehen zu können. Krebs kömmt, sieht sich um, und bemerkt sogleich seinen Lehrer. Hierauf setzt er sich an die Orgel, fängt eine Fuge mit dem Thema b a c h | an, und führt sie meisterhaft durch. Bach pflegte nachher zu sagen, er habe nur einen einzigen Krebs in seinem Bache gefangen.

In Dresden war die Kapelle, und die Oper, während Hasse Kapellmeister dort war, sehr glänzend und vortrefflich. Bach hatte schon in frühern Jahren dort viele Bekannte, von welchen allen er sehr geehrt wurde. Auch Hasse nebst seiner Gattin, der berühmten Faustina, waren mehrere Male in Leipzig gewesen, und hatten seine große Kunst bewundert. Er hatte auf diese Weise immer eine ausgezeichnet ehrenvolle Aufnahme in Dresden, und ging oft dahin, um die Oper zu hören. Sein ältester Sohn mußte ihn gewöhnlich begleiten. Er pflegte dann einige Tage vor der Abreise im Scherz zu sagen: „Friedemann, wollen wir nicht die schönen Dresdener Liederchen einmal wieder hören?"

Händeln achtete er sehr hoch, und wünschte oft, ihn persönlich kennen zu lernen. Da Hän- | del ebenfalls ein großer Klavier- und Orgelspieler war, so wünschten auch viele Musikfreunde in Leipzig und in der dortigen Gegend, beide große Männer einmal gegen einander zu hören. Aber Händel konnte nie die Zeit zu einer solchen Zusammenkunft finden. Er war dreimal aus London zum Besuch nach Halle (seiner Vaterstadt) gekommen. Beim ersten Besuch, etwa im Jahr 1719, war Bach noch in Cöthen, nur vier kleine Meilen von Halle entfernt. Er erfuhr Händels Ankunft sogleich, und säumte keinen Augenblick, ihm unverzüglich seinen Besuch abzustatten; aber gerade am Tage seiner Ankunft, reiste Händel wieder von Halle ab. Beim zweiten Händelschen Besuch in Halle (zwischen 1730–1740) war Bach schon in Leipzig, aber krank. Er sandte aber, sobald er Händels Ankunft in Halle erfahren hatte, sogleich seinen ältesten Sohn, Wilhelm Friedemann, dahin und ließ Händeln aufs höflichste zu sich nach Leipzig einladen. Händel bedauerte aber, daß er nicht kommen könne. Beim dritten Händelschen Be- | such, um das Jahr 1752 oder 1753 war Bach schon todt. Sein Wunsch Händeln persönlich kennen zu lernen, wurde ihm also so wenig erfüllt, als der Wunsch vieler Musikfreunde, die ihn und Händel gern neben einander gesehen und gehört hätten.

Er hörte gern fremde Musik. Wenn er nun in einer Kirche eine stark besetzte Fuge hörte, und einer seiner beiden ältesten Söhne stand etwa neben ihm, so sagte er stets vorher, sobald er die ersten Eintritte des Thema gehört hatte, was der Komponist und von Rechtswegen anbringen müsse, und was möglicher Weise angebracht werden könne. Hatte nun der Komponist gut gearbeitet, so trafen seine Vorhersagungen ein; dann freute er sich, und stieß den Sohn an, um ihn aufmerksam darauf zu machen. Man sieht hieraus, daß er auch die Kunst Anderer schätzte.

Ein gewisser Hurlebusch aus Braunschweig, ein eingebildeter und übermüthiger Klavierspieler, | besuchte ihn einst in Leipzig, nicht um ihn zu hören, sondern um sich hören zu lassen. Bach nahm ihn freundlich und höflich auf, hörte sein sehr unbedeutendes Spielen mit Geduld an, und als er beim Abschied den ältesten Söhnen ein Geschenk mit einer gedruckten Sammlung von Sonaten machte, mit der Ermahnung, daß sie sie recht fleißig studiren möchten, (sie die schon ganz andere Sachen studirt hatten) lächelte er doch bloß in sich, und wurde gegen den Fremden nicht im mindesten unfreundlicher.

In musikalischen Gesellschaften, in welchen Quartette oder vollstimmigere Instrumentalstücke aufgeführt wurden, und er sonst nicht dabei beschäftigt war, machte es ihm Vergnügen, die Bratsche mit zu spielen. Er befand sich mit diesem Instrument gleichsam in der Mitte der Harmonie, aus welcher er sie von beiden Seiten am besten hören und genießen konnte. Wenn es in solchen Gesellschaften die Gelegenheit mit sich brachte accompagnirte er auch bisweilen ein | Trio oder sonst etwas mit dem Flügel. War er dann fröhlichen Geistes, und wußte, daß es der etwa anwesende Komponist des Stücks nicht übel nehmen würde, so pflegte er entweder aus dem bezifferten Baß ein neues Trio, oder aus 3 einzelnen Stimmen ein Quartett aus dem Stegreif zu machen.

Friedemann Bach, war, noch im Hause seines Vaters, ein vertrauter Freund von Johann Friedrich Doles, der damals eine Zeitlang in Bach's Hause wohnte, und sodann Kantor an der Thomasschule in Leipzig wurde. Friedemann will einmal seinen Freund auf dessen Stube besuchen; dieser ist weggegangen, jener will ihn erwarten, und setzt sich an den Tisch, wohin man so eben für Doles das Abendessen auf Kohlen gesetzt hatte. Friedemann, versenkt in Musik-Grillen, nimmt, ohne sich seiner bewußt zu seyn, das Essen herunter, verzehrt es sehr gelassen, wird nun zu Tische gerufen, räumt ruhig zusammen, steckt Messer, Ga- | bel und Löffel in die Tasche, spaziert eben so gelassen hinunter, setzt sich still träumend hin und speist nochmals. Doles kömmt, findet den leeren Teller. – „Wer ist auf meiner Stube gewesen?" – Friedemann! – Jener nimmt's für Scherz, geht in's Zimmer, constituirt den Freund – „Bewahre Gott!" sagt er sehr ernsthaft, „keinen Bissen! Du siehst ja, daß ich hier erst esse, und in der That recht hungrig bin."
Doles ließ es drum seyn, und bat nur um sein Gesteck. –
„Was?" rief jener.
Nun du hast's mitgenommen – wo sollte es sonst hin seyn? Gieb's nur wieder heraus! Hier fuhr der handfeste und faustrechte Friedemann gewaltig auf: „Wie? mich zum Diebe zu machen? der andern Leuten auf die Stuben ginge, wenn sie nicht da sind? der einsteckte, u. s. w."
Doles entflieht; er will ihm nach, seine Geschwister halten ihn auf, einer hört dabei das Klimpern in seiner Rocktasche, zieht das Gesteck | heraus, hält's ihm, ihn auslachend, hin. Friedemann stutzt; aber ihm war's nicht zum Lachen. „Fritz! he Fritz!" ruft er jenem nach, und helle Thränen laufen ihm die Backen herab – „komm wieder! du hast recht! Ich bin wieder einmal der alte dumme Teufel gewesen!"
Damit drückte er den Zurückgekommenen an seine Brust; und als man nun über seine Verkehrtheit lachte und sich verwunderte, stand er und sann und sann, bis er endlich ausbrach: „Ach, was ist da zu verwundern und zu lachen; ich sinne nur nach, wo ich den Appetit wieder her hatte!" –

Daß ihm seine Zerstreutheit bei einem Amte (als er in Halle Organist war), dessen Verwaltung durch Thurmuhr und Glockengeläute bestimmt wurde, manchen argen

Streich spielen mußte, konnte gar nicht fehlen. Daß er, von seinen Wirthsleuten erinnert, vom Klavier aufstand, zur Kirche ging; unter Weges sich selbst wunderte,
daß sie schon läuteten; zur einen Thür | hinein, zur andern wieder hinaus ruhig
nach Hause an sein Klavier ging, und die vorhin abgebrochenen Phantasien fort-
setzte – war ihm Kleinigkeit. Dann war es nur gut, wenn er seinem Balgentreter
die Schlüssel zur Orgel gelassen hatte, denn dieser schaffte dann Rath. So klug war
Friedemann aber einesmals (noch dazu zum ersten Pfingsttage) nicht gewesen. Um
heute, zum ersten Feiertage ja nichts zu übersehen, geht er vor der Zeit in die Kirche,
setzt sich, bis die Gemeinde versammelt seyn würde, in die Frauenzimmerstühle;
vergißt sich aber und bleibt, die Schlüssel zur Orgel in der Tasche, auch dann noch
dort sitzen, als die Glocken ausgeläutet haben, und das Präludium angehen soll.
Man drehet die Köpfe nach dem Chor, man winkt, man schüttelt – er schüttelt auch:
„Na, soll mich's doch selbst wundern," sagt er vor sich, „wer heute Orgelspielen
wird."

Ein andermal hat Friedemann Bach sich's vorgenommen, es desto herrlicher her-
gehen zu las- | sen, und, wider seinen sonstigen Gebrauch, hat er sich deshalb ein
äußerst schwieriges Fugenthema aufgeschrieben. Er geht wieder frühzeitig in die
Kirche, schließt die Orgel auf, zieht die Register, setzt sich auf die Bank zurecht,
legt sein Papierschnippselchen vor sich, blickt starr darauf und phantasirt sich
ganz in die kunstreichste Ausführung der darauf befindlichen Thema's hinein.
Die Gemeinde ist versammelt, die Glocken tönen; er glühet, hört nichts! Er soll
anfangen, sein getreuer Balgentreter rüttelt ihn an; er spielt wirklich, aber, immer
begeistert auf das Blättchen blickend, nicht nur keine Note von dem, was da stand,
sondern das verwirrteste Zeug. So hört er auch und sehr bald auf. Unter dem Gesange des Chors ist er mit seiner Fuge fertig, steckt ganz ruhig sein Papierchen ein,
und spielt gleichgültig, was während des Gottesdienstes noch zu spielen ist. Beim
Herausgehen redet er einen Bekannten auf der Treppe an: „Na, was sagen Sie zur
Fuge beim Eingange?" –
„Ei nun ja, eine schöne Fuge – das! Hab' ich in meinem Leben verwirrtes Zeug
gehört! | Ich will meinen Kopf verwetten, Sie wußten selbst keinen Ton." –
„Was? da steht mein Thema! So war mein Kontra-Subjekt u. s. w."
Der Bekannte lachte ihn aus, und jetzt wird's klar vor ihm. Er schlägt sich vor die
Stirn – „Nun so muß ich sie noch spielen!" ruft er, kehrt um, und spielt sie den
Kirchenpfeilern vor, worauf er dann sehr ruhig und mit sich selbst zufrieden nach
Hause wandert.

Kein Wunder, daß seine Vorgesetzten dieser Verkehrtheiten endlich überdrüssig
wurden – Da er sich einmal in ein Präludium auf den Glauben so tief verirrt hatte,
daß man das Ende gar nicht absah, und ihm darüber ein sehr unfeines Kompliment
hinauf sagen ließ, ging er fort, hielt sich in Leipzig, Dresden, Braunschweig,
Göttingen und zuletzt in Berlin, überall ohne festes Engagement und fast immer in

dürftigen Umständen, auf. Ehe er nach Berlin ging, wa- | ren seine ökonomischen Angelegenheiten ganz besonders herabgesunken, und er wanderte, seine ganze Habe in einem kleinen Bündelchen, ärmlich wie ein Handwerksbursche, aber durch seine musikalischen Phantasien glücklich wie ein Gott – auf gut Glück, wohin die breite Landstraße ihn führen wollte. Er traf eine kleine Gesellschaft sogenannter Prager Studenten; machte, als Kunstverwandter, mit ihnen Bekanntschaft. Ihr un-stätes freies Künstlerleben gefiel ihm; er zog eine Zeit mit ihnen umher. Sie wollten jetzt zur Messe nach B…, der Weg führte sie vor dem Rittergute des Herrn v. –, eines wahren Musikliebhabers und guten Freundes des Hamburger Bachs vorbei. – „Bei dem Herrn sprechen wir ein, so oft wir vorüber kommen, sagten sie, und wir werden immer sehr gut aufgenommen." –
Sie ziehen ins Haus, lassen sich melden. –
Sie sollen spielen, aber sich zusammennehmen, weil gerade ein großer Kenner beim Herrn zum Besuch wäre, sagt ihnen der Bediente. Auf dem Saale, wo sie spielen, steht ein Flügel. | Nach dem die Prager einige Sätze gespielt haben setzt sich Friede-mann vor den Flügel, und fängt allein an zu phantasiren. Er war so froh, so glück-lich, so bei Laune! – So gut hatte er lange nicht gespielt! Auf einmal erschallt eine Stimme in dem Zimmer:
„Das ist mein Bruder Friedemann oder der Teufel!"
Und Karl Ph. Em. Bach und mit ihm die ganze Gesellschaft eilt heraus. –
„Sagt' ichs nicht? ruft jener. –
Bruder! Bruder! hast Du mich erkannt? am Spielen erkannt? hast Du? hast Du wirk-lich – ruft Friedemann, reißt den lange nicht gesehenen Bruder an sein Herz und helle Thränen stürzten ihm aus den Augen.

Philipp Emanuel Bach lebte schon lange in Berlin, ohne daß es Friedrich dem Gro-ßen eingefallen wäre, diesen Tonkünstler kennen zu lernen, dessen Ruf bereits halb Europa durch- | flogen hatte. Endlich bestürmte man den König, mit dem Lobe dieses Mannes so sehr, daß er den Befehl gab, Bach solle nach Potsdam kommen und vor ihm spielen. Der Kapellmeister erschien. Nach einer kurzen Unterredung über die Musik fragte Friedrich:
„Kann Er auch über unbezifferten Baß aus dem Stegreif eine Melodie herunter-spielen?" –
Ich will es versuchen, Euer Mäjestät! erwiederte Bach.
Der König legte ihm die Baßstimme einer Graunischen Sinfonie, von der er gewiß wußte, sie sey nie in andere Hände als die seinigen gekommen, vor. Bach setzte sich auf des Monarchen Geheiß an's Klavier stellte die Stimme verkehrt auf das Pult und spielte meisterhaft. Als er geendigt hatte, sagte Friedrich:
„Bravo; nun sehe ich, daß man mir nicht zuviel von Ihm gesagt hat, und Er sein Handwerk versteht!"

Friedemann Bach kommt eines Tages zum Musikdirector Rust, der damals in Halle |

studirte, und ihm, zur Erkenntniß für seinen Klavierunterricht, seinen Briefwechsel besorgte.

„Sehen Sie, sagte ihm Friedemann, indem er ihm einen Brief zu lesen giebt, einen recht hübschen Ruf zur Kapellmeisterstelle in Rudolstadt antworten Sie nur gelegentlich, daß ich ihn wohl annehmen will."

Rust liest den Brief, und freut sich der ansehnlichen Verbesserung seines Lehrers. Indem wird er des Datums und der Jahreszahl gewahr, und ruft:

„Der Brief ist ja schon über ein Jahr alt. –

Nun ja, erwiederte Friedemann, ich habe ihn immer bei mir getragen, und von Tag zu Tag vergessen, Ihnen denselben zur Beantwortung zu geben."

Sein Bruder, Christian Bach, war sehr leichtsinnig. Als ihm einst einer seiner Freunde vorwarf, daß er meistens nur leichte Tonstücke flüchtig hinsetze, und das damit verdiente Geld noch leichtsinniger verthäte, statt, daß sein ältester | Bruder in Berlin große Werke vollendete, und das dafür erhaltene Geld sehr gut zu Rathe zu halten wüßte, sagte er:

„Ei was, mein Bruder lebt, um zu komponiren, und ich komponiere, um zu leben; er treibt's für Andere, ich für mich selbst."

Quelle: *Lebensbeschreibung* | *des* | *Kapellmeister des Fürsten von Köthen, …* | *Herausgegeben* | *von* | *J. E. Großer.* | *…* | *Breslau,* | *bei Eduard Peltz.* | *1834.* (→ A 11), S. 59–74 (*Zum Beschluß noch einige Anekdoten von ihm und seinen Söhnen.*).

Anm.: In Anlehnung an Johann Friedrich Reichardt, *Anekdoten aus dem Leben merkwürdiger Tonkünstler,* in: *Musikalischer Almanach. … Berlin 1796. …* (→ Dok III, Nr. 996–997); siehe auch Dok III, Nr. 998, Forkel, S. 43, sowie A 35.

A 37

TRUHN: KIRNBERGERS UNTERRICHT BEI BACH UND SEINE „ERKENNTLICHKEIT"
GEGEN DEN „MEISTER"

LEIPZIG, 2. OKTOBER 1838

Sebastian Bach.

Als Kirnberger sich nach Leipzig begab, um unter Anweisung dieses tiefsinnigen Harmonikers den Contrapunct zu studiren, griff er sich so sehr an, daß er ein Fieber bekam und achtzehn Wochen lang die Stube hüten mußte. Er fuhr nichts destoweniger fort in den guten Stunden, die ihm das Fieber verstattete, zu arbeiten, und da Bach diesen außerordentlichen Fleiß bemerkte, so erbot er sich, zu ihm auf die Stube zu kommen, weil ihm das Ausgehen nachtheilig sein könnte, und das Hin- und Herschicken der Papiere etwas mühsam war. Als Kirnberger seinem Meister eines Tages zu verstehen gab, daß er nicht im Stande sein würde, ihm für seine

Bemühungen genug erkentlich zu sein, – sagte der vieltheuere Mann, der die künftigen Verdienste seines Schülers um die Erhaltung des echten Satzes ohne Zweifel voraussahe, und die Kunst um ihrer selbst willen, nicht blos der damit verknüpften Vortheile wegen trieb und liebte: „Sprechen Sie, mein lieber Kirnberger, nichts von Erkenntlichkeit. Ich freue mich, daß Sie die Kunst der Töne aus dem Grunde studiren wollen, und es wird nur von Ihnen abhängen, so viel mir davon bekannt geworden, sich ebenfalls zu eigen zu machen. Ich verlange nichts von Ihnen, als die Versicherung, daß Sie dieses Wenige zu seiner Zeit auf andere gute Subjecte fortpflanzen wollen, die sich nicht mit dem gewöhnlichen Lirumlarum begnügen mögen. Das hat denn Kirnberger auch treulich gehalten, wie seine Schüler Schulz, Vierling, Kühnau und andere Meister ausweisen.

(Mitgeth. v. H. T.)

Quelle: NZfM, 5. Jg., 9. Bd., Nr. 27, 2. Oktober 1838, S. 109.
Anm.: →Dok III, Nr. 975.

A 38

BACH, DER HERZOG VON WEIMAR UND DIE UNAUFGELÖSTE DISSONANZ

HAMBURG, JANUAR 1845

Johann Sebastian Bach.
Dieser berühmte Contrapunctist war einst bei dem Herzog Ernst August von Weimar zum Abendessen. Vorher improvisirte er auf dem Claviere; da kam, als er eben mitten im höchsten Schwunge war, der Herzog, klopfte ihm auf die Schulter und sagte lächelnd: „Meister, zum Essen, der Backfisch will heiß genossen sein." Gehorsam, aber unmuthig, erhob sich Bach; kaum aber war der Fisch verzehrt und das Wildpret und Geflügel aufgetragen, als er die Pause benutzte, welche das Herlegen dieser Gerichte erforderte, sich zum Claviere schlich, den C-Accord in seiner ganzen Fülle anschlug und sich dann unbefangen wieder an die Tafel setzte. Verwundert fragte der Herzog um die Ursache dieses sonderbaren Benehmens. Bach erwiederte ruhig: „Eure Hoheit haben mich bei einem Septimen-Accord und bei Arpeggien auf der Dominante unterbrochen und das h, welches sich nach seinem C sehnte, quälte mich durch die ganze Zeit. Nun aber ist alles wieder in Ordnung und mir ist leicht und wohl."

Quelle: *Kleine Musikzeitung. Blätter für Musik und Literatur.* Hrsg. von Julius Schuberth, Hamburg, 6. Jg., Nr. 1, Januar 1845, S. 4.

Belletristisches

A 39

E. T. A. Hoffmann: Johannes Kreisler's, des Kapellmeisters,
musikalische Leiden

Leipzig, 26. September 1810

Sie sind alle fortgegangen. – Ich hätt' es an dem Zischeln, Scharren, Räuspern, Brummen durch alle Tonarten bemerken sollen; es war ja ein wahres Bienennest, das vom Stocke abzieht, um zu schwärmen. Gottlieb hat mir neue Lichter aufgesteckt und eine Flasche Burgunder auf das Fortepiano hingestellt. Spielen kann ich nicht mehr, denn ich bin ganz ermattet; daran ist mein alter herrlicher Freund hier auf dem Notenpulte Schuld, der mich schon wieder einmal, wie Mephistopheles den Faust auf seinem Mantel, durch die Lüfte getragen hat, und so hoch, dass ich die Menschlein unter mir nicht sah und merkte, unerachtet sie tollen Lärm genug gemacht haben mögen. – Ein hundsvöttischer, verlungerter Abend! aber jetzt ist mir wohl und leicht – Hab' ich doch gar während des Spielens meinen Bleystift hervorgezogen und Seite 63 unter dem letzten System ein paar gute Ausweichungen in Ziffern notirt mit der rechten Hand, während die Linke im Strome der Töne fortarbeitete! Hinten auf der leeren Seite fahr' ich schreibend fort. Ich verlasse Ziffern und Tone, und mit wahrer Lust; wie der genesene Kranke, der nun nicht aufhören kann zu erzählen, was er gelitten, notire ich hier umständlich die höllischen Qualen des heutigen Thees. Aber nicht für mich allein, sondern für alle, die sich hier zuweilen an meinem Exemplar der Johann Sebastian Bachschen Variationen für | das Klavier, erschienen bey Naegeli in Zürich, ergötzen und erbauen, bey dem Schluss der 30sten Variation meine Ziffern finden, und, geleitet von dem grossen lateinischen Verte, (ich schreib' es gleich hin, wenn meine Klageschrift zu Ende ist) das Blatt umwenden und lesen. Diese errathen gleich den wahren Zusammenhang; sie wissen, dass der geheime Rath Röderlein hier ein ganz charmantes Haus macht, und zwey Töchter hat, von denen die ganze elegante Welt mit Enthusiasmus behauptet, sie tanzten wie die Göttinnen, sprächen französisch wie die Engel, und spielten und sängen und zeichneten wie die Musen. …
| … Das war die höchste Spitze der heutigen musikalischen Exposition: nun ist's aus! So dacht' ich, schlug das Buch zu und stand auf. Da tritt der Baron, mein antiker Tenorist, auf mich zu und sagt: O bester Hr. Kapellmeister, Sie sollen ganz himmlisch phantasiren: o phantasiren Sie uns doch Eins! nur ein wenig! ich bitte! Ich versetze ganz trocken, die Phantasie sey mir heute rein ausgegangen; und indem wir so darüber sprechen, hat ein Teufel in der Gestalt eines Elegants mit zwey Westen im Nebenzimmer unter meinem Hut die Bachschen Variationen ausge-

wittert; der denkt, es sind so Variatiönchen: *nel cor mi non più sento – Ah vous dirai-je maman etc.* und will haben, ich soll darauf losspielen. Ich weigere mich: da fallen sie alle über mich her. Nun so hört zu und berstet vor Langweile, denk' ich, und arbeite drauf los. Bey No. 3. entfernten sich mehrere Damen, verfolgt von Titusköpfen. Die Röderleins, weil der Lehrer spielte, hielten nicht ohne Qual aus bis No. 12. No. 15. schlug den Zweywesten-Mann in die Flucht. Aus ganz übertriebener Höflichkeit blieb der I Baron bis No. 30 und trank blos viel Punsch aus, den Gottlieb für mich auf den Flügel stellte. Ich hätte glücklich geendet, aber diese No. 30, das Thema:

riss mich fort, unaufhaltsam. Die Quartblätter, dehnten sich plötzlich aus zu einem Riesenfolio, wo tausend Imitationen und Ausführungen jenes Thema's geschrieben standen, die ich abspielen musste. Die Noten wurden lebendig und flimmerten und hüpften um mich her – elektrisches Feuer fuhr durch die Fingerspitzen in die Tasten – der Geist, von dem es ausströmte, überflügelte die Gedanken – der ganze Saal hing voll dichten Dufts, in dem die Kerzen düstrer und düstrer brannten – zuweilen sah eine Nase heraus, zuweilen ein paar Augen: aber sie verschwanden gleich wieder. So kam es, dass ich allein sitzen blieb mit meinem Sebastian Bach, und von Gottlieb, wie von einem *spiritu familiari* bedient wurde! – Ich trinke! – Soll man denn ehrliche Musiker so quälen mit Musik, wie ich heute gequält worden bin und so oft gequält werde? Wahrhaftig, mit keiner Kunst wird so viel verdammter Missbrauch getrieben, als mit der herrlichen, heiligen Musica, die in ihrem zarten Wesen so leicht entweiht wird! …

Quelle: AMZ, 12. Jg., Nr. 52, 26. September 1810, Sp. 825–833; hier Sp. 825–826 und Sp. 829–830.
Anm.: Mit „Johann Sebastian Bachschen Variationen für das Klavier" sind die „Goldberg-Variationen" BWV 988 gemeint.
Lit.: Vgl. zum Abschnitt „Belletristisches" insbes. Pleßke, BJ 1959 (→ A 33).
E. T. A. Hoffmann, *Schriften zur Musik.* Hrsg. von F. Schnapp, München 1963; E. T. A. Hoffmann, *Musikalische Novellen und Schriften nebst Briefen und Tagebuchaufzeichnungen.* Ausgewählt, eingeleitet und mit Anmerkungen versehen von Richard Münnich, Weimar 1960.

A 40

II.

Der Tag neigte sich zu Ende, und vor der Thür seiner Wohnung saß an der Seite seiner Ehefrau Sebastian Bach im Kreise seiner Söhne und Töchter, nur die beiden ältesten Söhne, Friedemann und Philipp, fehlten.

Mutter und Töchter waren emsig mit Nähen und Stricken beschäftigt und flüsterten nur dann und wann leise ein Wörtchen unter einander, die Söhne aber horchten auf das, was der Vater erzählte, von seiner Jugend, seinen Studien, besonders unter dem alten hundertjährigen Organisten Reinecken in Hamburg.

Die untergehende Sonne beleuchtete die stille Gruppe unter der stattlichen blühenden Linde, welche den Eingang der alten Thomasschule beschattete – und schuf so ein Bild, dessen treue Aufbewahrung vielleicht den schönsten Vorwurf für den größten Maler jener Zeit abgegeben hätte.

Aber mitten in der Erzählung des Vaters sprang Caroline (welche schon längere Zeit nach jener Ecke hingeblickt, wo die Klostergasse in den Thomaskirchhof ausläuft) mit einem lauten Schrei auf.

„Was ist Dir?" rief die Mutter erschrocken, während die übrigen Geschwister ebenfalls aufgeregt sich erhoben, so daß nur Vater Bach noch auf der Bank saß.

Doch ehe das Mädchen antworten konnte, eilte aus der Klostergasse eine hohe Mannesgestalt über den Kirchhof, dem Hause zu und nun erhob sich auch Sebastian, denn er erkannte in dem Nahenden seinen Sohn Friedemann.

„Salve!" rief Sebastian, „kommst Du für immer?"

„Ich hielt Dir Wort!" versetzte Friedemann „und ist's Dir recht, so bleib' ich."

Sebastian reichte dem Sohne schweigend, doch mit bejahendem Kopfneigen die Hand und umarmte ihn dann mit Herzlichkeit.

Auch die Mutter und die übrigen Geschwister drängten sich nun um den Angekommenen, nur Caroline blieb an ihrem Platz stehen und blickte von dorther forschend auf den Bruder, der, als er die Begrüßungen der Andern erwiedert, sich ihr nahte und zuerst sie anredete; da überflog das Roth der Freude die zarten Züge des Mädchens, ihr Auge leuchtete in Begeisterung und innig sprach sie: „Auch ich heiße Dich willkommen."

Sebastian aber führte den Sohn alsbald in sein Zimmer und wiederholte hier ernst doch milde: „Wie Du auch kommst, willkommen! doch was trieb Dich so plötzlich, so unerwartet her?"

„Daß es nicht die alte Geschichte allein ist", versetzte Friedemann – „das, mein Vater! wirst Du mir wohl auf's Wort glauben. Ach! in dreizehn Jahren wird ein Schmerz wohl übertäubt, um so sicherer vielleicht, je größer er war! – doch tausend neue Schmerzen kamen mir in dieser Zeit und einer unter ihnen gibt jenem ersten nichts nach." –

„Und der wäre, Friedemann?"

„Ich verzweifle daran, je in meiner Kunst etwas wirklich Großes zu leisten. Ich habe nur Trotz – keine Kraft, die Quälereien zu erdulden, welche Tag für Tag mir wurden! Ich hab' es gut gemeint, wahrlich, ich hab' es gut gemeint – eine neue Bahn wollt' ich mir brechen, | ohne das tüchtige Alte zu mißkennen, hatt' ich mir ein neues Ziel gesteckt, ich konnte irren – wohl! – ich hab' geirrt, der Erfolg bewies es mir, aber die Quelle meines Strebens war rein; was ich erstrebte, war groß und schön – ich aber wurde verlästert, verhöhnt! das Ziel, wonach ich strebte, lächerlich gemacht – mein Streben selbst hämisch bekrittelt – begeifert!" –

„Und von wem, Friedemann?"

Friedemann stutzte bei dieser Frage; endlich begann er: „Ich bin irre an mir selbst, daß das Urtheil – oder vielmehr das alberne Geschwätz eines boshaften Narren, mir die Freude an meinem Streben verleiden konnte und dennoch ist es so. – Da lebt ein gewisser Magister Kniff in Halle, der, obgleich alles, was er selbst setzte, miserables Wasser ist, dennoch sich für ein Lumen am musikalischen Horizont hält, obgleich er nur als Lumpen daran hängt; ich glaub', man nennt's Recensionen, was er macht."

„Ei!" rief Sebastian, „das ist ja nur zum Lachen, und ich bin gewiß, der Herr Magister in Halle darf für Spott nicht sorgen."

Caroline unterbrach das Gespräch, einen Fremden anmeldend, der den Vater zu sprechen wünsche.

…

| Am Morgen des 21. Julius des Jahres 1750 tönten die Kirchenglocken gar feierlich und erhebend, die frommen Bewohner der Stadt zum Hause des Herrn einzuladen. Kein Wölkchen zeigte sich am Himmel, die liebe Sonntagssonne blickte so freundlich herab, daß jedes Herz sich aufs Neue gekräftigt fühlte, im Glauben an Gott und seine unendliche Liebe. Auch in Friedemanns Herz drang heute ein Strahl des Trostes, des Friedens, der Liebe, er hatte einen Theil der verflossenen Nacht darauf verwendet, das Meisterwerk seines Vaters, die große Passions-Musik zu studiren. Noch voll von der Erhabenheit des Werks schritt er jetzt mit heiterm Angesicht in dem Zimmer des geliebten Greises auf und ab, sinnend über die Hauptmotive einer ähnlichen Arbeit, welche er zu unternehmen gedachte.

Sebastian saß in seinem Sorgenstuhl, mit gefalteten Händen, zum Kirchgange angekleidet und verfolgte mit den Augen, gutmüthig lächelnd den Wandelnden. Nach einer Weile sprach er: „Wenn Dir die Passions-Musik so gefallen hat, so freut's mich; ich hab' noch ein Werk, wiewohl andrer Art, vollendet, wozu Deine Fughetten mir die erste Idee gaben und Du bist der Erste nach mir, der es sehen soll."

Er ging an sein Pult, schloß es auf, nahm ein versiegeltes Paquet daraus hervor und überreichte es dem Sohne; das Paquet hatte die Aufschrift: „an meinen Sohn Friedemann."

„Für den Fall, daß ich gestorben wäre, ohne Dich wiederzusehen!" bemerkte Sebastian. – „Nun, dem Herrn sei Dank! es ist anders gekommen und Du magst die Siegel nur in meiner Gegenwart lösen."

Friedemann that nach des Vaters Gebot und als er die Siegel gelöset, lag vor ihm jenes tiefgedachte und großausgeführte Werk, das, vom Tage seines Erscheinens an, bis auf die neueste Zeit, die Bewunderung und die Verehrung aller Geweihten erregte: „Die Kunst der Fuge von Johann Sebastian Bach."

Friedemann betrachtete das Manuscript mit glänzenden Blicken und sprach: „So hätt' ich doch nicht ganz vergebens gelebt! so hätt' ich durch eine geringe Arbeit ein Werk veranlaßt, das – oder alles müßte mich trügen! – den Namen seines Schöpfers verewigen wird. Hab' Dank, Vater! Du hast mir heute viel gegeben."

„Ich weiß, Friedemann, daß Du mindestens meinen guten Willen erkennst und ehrst und somit empfang' ich viel von Dir zurück, denn allerdings von Menschen, die wir lieben, werden wir gern erkannt und halten dies für das höchste Erdenglück."

„Du hast mich erkannt, Vater! nicht?"

„Ja, denn Du thatest dazu – bei mir."

„Wohl auch bei Andern."

„Vielleicht; – vielleicht auch nicht! gewiß nicht, wo Du glaubtest höher zu stehen, als sie. – Der Mensch aber soll sich die Aufgabe stellen: erkannt zu werden von seines Gleichen, wie von Tieferstehenden. Erkennen ihn dann die Bösen nicht, wollen sie ihn nicht erkennen; die Liebe, die Erkenntniß der Guten wird ihm. – Auch Gott, auch die Kunst wollen erkannt sein, sie zeigen sich aller Welt wie sie sind! Will der Mensch sich eines Höhern vermessen und nur den Besten es zeigen, daß er zu den Besten gehöre? – Bist Du brav und tüchtig, so zeige Dich Keinem anders! Du erniedrigst sonst Dich selbst, Du | lästerst den Gott, der Dir die Kraft und den Willen verlieh: brav und tüchtig zu werden."

Auf's Neue begann das Glockengeläute, welches einige Zeit ausgesetzt hatte, die Thüre öffnete sich, Frau Anna Bach, die drei Mädchen, der funfzehnjährige Christian und von Serbitz traten ein, alle festlich zum Kirchgang geschmückt.

Frau Anna Bach überreichte ihrem Eheherrn ein Gebetbuch und einen Blumenstrauß, Caroline holte den Hut herbei.

Sebastian erhob sich, bot seiner Frau den Arm und schritt so, umgeben von seinen Kindern und dem Freunde, der Thüre zu – dort wandte er sich noch einmal, blickte nach dem mit Weinlaub umrankten Fenster zurück, das eben im Sonnenstrahl flammte und rief:

„Welch' schöner Morgen!" –

So wollte er das Zimmer verlassen, doch plötzlich begann er zu sinken, Gebetbuch, Blumenstrauß entfielen seiner Hand – Frau Anna und die Mädchen schrieen entsetzt aus! Friedemann sprang hinzu, ihn zu unterstützen – da zuckte er noch einmal empor und fiel dann todt in die Arme des Sohnes.

So starb Johann Sebastian Bach, vom Schlage getroffen, den 21. Juli des Jahres 1750. …

Burmeister-Lyser.

Quelle: NZfM, 3. Jg., 4. Bd., Nrn. 21–26, 43–46, 49–50, 52, 11., 15., 18., 22., 25., 29. März, 27.,
31. Mai, 3., 7., 17., 21., 28. Juni 1836, S. 87–89, 91–92, 95–97, 99–101, 105–107, 109–111, 177–178,
181–182, 185–187, 189–190, 203–205, 207–208, 215–216; hier S. 181–182 und S. 189–190.
Anm.: Zur „Ersten Abtheilung." den Vermerk: („Vom Verfasser des Vater Doles etc.").
In: Lyser, *Neue Kunstnovellen*, Bd. 2, Frankfurt a. M., 1837 (Palestrina–Bach). Johann Peter Theodor
Lyser, eig.: Ludewig Peter August Burmeister; Pseud: Luca fa presto; Hilarius Paukenschläger.
Lit.: DBE.

A 41

Keferstein: Ein Toast auf Bach mit dem Steinwein „Sebastian"
Gera, 1838

… Von Harpfenbrand wußte nun dieselbe, während er eifrigst über verschiedene
musikalische Gegenstände sprach und dem Studiosus darüber auszuforschen
suchte, mit großer Gewandtheit in steter Bewegung zu erhalten. Jeden Augenblick
hatte er einen neuen Toast in Bereitschaft, der bald in dieser, bald in einer anderen
Sorte getrunken werden mußte.

Sehen Sie Freundchen, sagte er, mit diesem alten Steinweine müssen wir dem alten
Sebastian eine Ehre anthun, dem hoch erhabenen Meister im gothischen Style. Er hat
auch so seine Dome aufgeführt. | Wenigstens mag ich in einem ächten gothischen
Tempelbau keine andere Predigt hören, als etwa ein Bach'sche. Was meinen Sie
Freundchen, hab' ich nicht recht? Sollen wir den gewaltigsten aller Domprediger
nicht leben lassen?

So hatte er nun auch für Mozart, Haydn, Beethoven u. a. m. seine besonderen Sorten
zur Hand und die Flaschen waren zum Theil sogar mit den Namen dieser Componisten bezeichnet. Zu gehöriger Unterscheidung von den übrigen Bachen war aber
der Steinwein „Sebastian" getauft und von Harpfenbrand hielt auf ihn große Stücke.
…

Quelle: *König* | *Mys von Fidibus* | *oder* | *Drei Jahre auf der Universität.* | *Wahrheit und Dichtung* | *aus*
dem | *Leben eines Künstlers* | *von* | *K. Stein.* | *–* | *Erster Band.* | *–* | *Gera,* | *Verlag von C. G. Scher-*
bath. | *1838.*, S. 9–10.
Lit. zu Gustav Adolf Keferstein: NDB, Bd. 11, S. 392.

A 42

JULIUS BECKER: JOH. SEB. BACH'S GRABMAHL AUF DEM ST. JOHANNES-FRIEDHOFE
ZU LEIPZIG. EINE SYLVESTER-NACHT-VISION.

LEIPZIG, 5. FEBRUAR 1841

„Muß immer der Morgen wiederkommen? Endet nie des Irdischen Gewalt? Un-
selige Geschäftigkeit verzehrt den himmlischen Anflug der Nacht!" – Diese Worte
sprach Friedrich seinem geliebten Novalis nach, den wie ihn das alltägliche Leben
gleich einem wundervollen Mährchen umgab, dessen tieferen Sinn ihm des Dichters geheimnißvoller Dante-Gesang enthüllte. Hatte doch auch, wie in Novalis, ein
einziger großer Lebensmoment und ein unendlich tiefer Schmerz in Friedrich die
Poesie gewirkt und seiner Anschauung jene eigenthümliche Richtung gegeben. Wie
die Lotosblume dem Mondstrahle, so entfaltete sich Friedrich's Gemüth der heiligen
Nacht und er blickte trunkenen Auges zu ihr empor unter Wonneschauern des Zer-
fließens in Eins mit dem All.

Nicht so ruhig, wie sonst, schritt er heut in die Nacht hinaus. Der Straßen hohe,
dumpfe Häuser schienen enger und enger gegen ihn zusammen zu rücken, die hellen Lichter, die um Mitternacht noch in den Wohnungen fröhlicher Menschen brannten, dünkten ihm feurige, lauernd auf ihn gerichtete Augen, und das ausgelassene
Lustgeschrei einzelner vom Trinkgelage Heimkehrender, welche so die Sylvester-
nacht zu feiern gewußt, zuckte schneidend durch seine Seele. Wie von geheimer
Pein getrieben, beflügelte er unwillkührlich den Schritt; und als die Uhr der Gottes-
ackerkirche zum ersten der zwölf Glockenschläge knarrend aushob und er den in
den dunkelklaren Nachthimmel emporragenden Thurm wie einen Uhrzeiger auf
Mitternacht deutend regungslos stehen sah, da war's, als ziehe sich die dunkle,
schwere Binde, die um sein Herz lag, fester zusammen, als wolle die Zeit mit stum-
mer Gewalt ihn an der Welt zerdrücken, war's als hange Welt, Zeit und Schicksal
über ihm Vernichtung drohend wie der Felsen über Tantalus Haupte. –

Plötzlich zerschnitt der fallende Hammer der Thurmuhr das drückende Band und
die Glocke erklang, gleich einer Memnonssäule, angestrahlt vom ersten Morgenroth
eines jungen Jahres. Reger klopften die ersten Pulsschläge eines neuen Lebens an
Friedrich's Brust, und als er das Auge wieder aufschlug, erschienen ihm die Sterne,
welche | zitternd durch die schwanken, entblätterten Aeste der Friedhofsbäume
blinkten, wie Lichter am Christbaume und der nachhallende Klang der Thurmuhr-
glocke dehnte sich in ihm zu einem Orgelpuncte aus. Lauter und lauter ward das
Klingen um und in ihm, denn auch ihm war des Sanges Kraft verliehen; und als er
über die Gräber des Friedhofs schritt, da wurden die schwarzen Kreuze auf den
Hügeln zu Noten und jeder halbversunkene, den seit lange nicht mehr die trauern-
de Liebe am Johannistage mit Blumen schmückt, ward eine Pause. Und Friedrich
las und las – die Partitur der Passionsmusik. – Er hörte sie klingen, die gewaltige
Musik des gewaltigen Meisters, dessen Hülle einer der Hügel birgt, zwischen denen

er wandelte. Friedrich dachte daran unter heiligen Schauern und wie von einer geheimen, unergründlichen Sehnsucht getrieben, folgte er den wunderbar verschlungenen Notenfiguren. Enger und enger rückten sie zusammen und sie versteinerten,
wie der in der Sphären-Musik hallende harmonische Klang eines rollenden Sternes
im Rhythmus seiner Krystallbildungen als fixirte Tonbewegung sich abgedrückt. Sie
glichen den Linien des Grund- und Aufrisses eines jener Meisterwerke gothischer
Baukunst, welche das göttlich tiefe Mysterion der Christus-Religion in einer großartigen Grundform durch die kunstreichsten Formen-Verschlingungen gleichsam
umschleiernd zur geistigen Anschauung bringen. Klar und nothwendig erschien
ihm bald, was ihn befremdet, jetzt zum idealen Bild, zu neuer Ordnung sich in ihm
gestaltend; und er meinte, das Ende liege tief unter ihm und er könne die Hand aus-
strecken nach dem ewigen Morgenroth des Jenseits. – Da verstummte plötzlich das
Klingen um und in ihm, und es ward still wie im Grabe. Eine namenlose Angst be-
schlich sein Herz, und in verzweiflungsvoller Hast, wie der Versinkende nach dem
Halme am Ufer, streckte er die Hand nach dem Morgenroth aus – aber es war kalt,
kalt wie Marmor. Sein heißes Antlitz kühlte der Schnee am Hügel, auf den er hinge-
sunken, und als er aufblickte, sah er seine Hand die Randrosette eines im gothischen
Geschmacke erbauten Grabmahls fassen, dessen Inschrift fünf in gleicher Entfernung
von einander gezeichnete Kreislinien und darauf die Noten b, a, c, h, bildeten. –
Freudiges Staunen fesselte lange Friedrichs Blicke. Endlich brach er einen Epheuzweig und legte ihn in frommer Begeisterung auf den Hügel des großen Todten.
Ein schriller Klang durchschnitt zitternd die Luft. Es schlug Eins. – Erschrocken fuhr
Friedrich vom Geräusch der schnarrenden Nachtwächter-Klapper zusammen. Er
stand vor den verschlossenen Friedhofthoren. Guten Morgen, brummte der Nacht-
wächter. – Sein Gruß blieb unerwiedert.
Am andern Morgen ging Friedrich, den Epheuzweig zu suchen – er fand ihn so
wenig, als das stolze Leipzig den Ort kennt, wo sein Stolz begraben! –

Julius Becker.

Quelle: NZfM, 8. Jg., 14. Bd., Nr. 11, 5. Februar 1841, S. 44–45.
Anm.: Julius Becker war ab 1837 Redakteur der NZfM.
Lit.: Franz Brümmer, *Deutsches Dichterlexikon*, Bd. 1, 1876.

A 43

Wildenhahn: Erzählung um den fast blinden Bach

Erfurt, 1845/1846

Der Arzt stand ernst und still vor seinem Kranken, man sah es ihm an, daß ernst
berathende Gedanken durch seine Seele gingen. Endlich ergriff er des Kantors Hand
und sagte: „Habt Ihr noch Vertrauen zu mir?"

„Wie meint Ihr das, lieber Herr?" fragte Bach.

„Wollt Ihr zum zweiten Male Euch mir anvertrauen?" – fuhr der Arzt fort. – „Noch gebe ich nicht die Hoffnung auf. Alles, was Ihr mir sagtet, was ich selbst an Euch wahrnehme, die Erfahrungen, die ich in meiner Kunst gemacht, – Alles läßt mich hoffen, daß es beim zweiten Male gelingen werde. Ich bitte Euch, lieber Herr, habt Vertrauen zu mir." –

„O gern," – antwortete der Kantor. – „Es muß wohl so sein, daß Ihr mich darum bittet. Hat Euch Gott die Macht gegeben, mir für die kurze Spanne Lebenszeit, die ich noch übrig habe, das Licht meiner Augen wieder zu geben, – warum sollte ich es nicht dankbar hinnehmen?" –

| Und wiederum war der verhängnißvolle Stich geschehen und der alte Kantor saß abermals mit verschlossenen Augen mehrere Tage lang ruhig und ergeben in seinem Lehnstuhle, ohne daß auch nur eine Klage seinen Lippen entschlüpfte. …

Und wiederum war die Stunde erschienen, in welcher von des Arztes Hand der Verband von den Augen genommen werden sollte. Auch dies Mal war das Zimmer von theilnehmenden Freunden voll; aber es wollte keine recht frohe Hoffnung unter ihnen aufkommen. Selbst der Arzt blickte gar ernst und gedankenvoll in den Kreis der Versammelten hinein! Endlich war es geschehen, – die Binde war abgenommen, – und der Kantor fuhr sich schnell mit der Hand über die Augen und ließ sie einige Augenblicke darauf ruhen.

„Es ist gelungen," – riefen einige Stimmen, – „es blendet ihn das Licht des Tages." Und der Arzt fragte mit zitternder Stimme: „Könnt Ihr sehen?" –

„Nein," – antwortete Bach ruhig – „es ist nun volle Nacht um mich." –

Ein allgemeiner Schrei des Schmerzes und der Klage ertönte abermals durch das Zimmer; die Hausfrau lag weinend an des Gatten Brust und in den Geberden und Klagelauten der Kinder lag die tiefste Trauer und Wehmuth. „Warum weinet ihr?" – fragte der Kantor. – „Singet mir lieber mein Lieb- | lingslied: „Was mein Gott will, gescheh' allezeit, sein Wille ist stets der beste." –

Der Arzt aber sprach still für sich: „Gott weiß es, ich habe gethan, was ich vermochte," – und verließ ernsten Blickes das Zimmer.

Ein volles Halbjahr nach jener unglücklichen Operation, welche statt des helleren Augenlichtes eine völlige Erblindung herbeiführte, – um die Mitte des Juli 1750 – saß der alte Kantor in seinem Lehnstuhle, neben ihm sein Weib und sein jüngerer Sohn Friedrich. Es herrschte eine fast todtenähnliche Stille im Zimmer, welche Mutter und Sohn nicht zu unterbrechen wagten, denn der Vater hatte seine Hände – wie er zu thun pflegte – über seinen Schooß gefaltet und richtete die blinden Augen aufwärts. Ein leises Zittern bewegte seine Lippen, – es war die stumme Sprache des Gebets, unverstanden von Menschen, aber gnädig angenommen und erhöret von dem, vor dem Finsterniß ist wie das Licht, und der unsere Gedanken von Ferne kennt. Endlich sagte Bach halblaut und mehr für sich hin: „Meine Zeit ist dahin! der

Herr wird mich bald erlösen von allem Uebel und mir aushelfen zu seinem himmlischen Reiche." – …

[S. 120:] | … Mit dem Ausdrucke wehmüthiger Freude schüttelte der Kantor lang-
sam sein müdes Haupt und sagte: „Täuschet euch nicht, ihr Lieben! Meine Zeit ist
gekommen, – Gott hat mir mein Gebet erhöret. Es ist nach langer Nacht der letzte
frei gewordene Blick – Gott hat mich noch einmal wollen sehen lassen, was er | mir
gegeben hat. Ja, Gott hat in dieser Freude nach langer Traurigkeit mir einen Vorge-
schmack gegeben, wie das neuerschaffene Licht seines ewigen Thrones mich beseli-
gen wird, wenn ich aus der Finsterniß des Todes in die ewigen Hütten eingehe, die
mir das Blut meines Erlösers erworben hat. – „Doch" – unterbrach er sich plötzlich
selbst, – wie wird mir! – Haltet mich Kinder, – es drängt sich gewaltig nach meinem
Herzen, – ich kann es nicht mehr fassen, – Herr Jesus Christ – verlaß mich nicht." –
…

Quelle: Urania, 3. Jg., Nr. 7 und Nr. 8, S. 102–104, und S. 120–121 (*Lesefrüchte.*). Mit der Anmerkung am Schluß der Novelle (*Aus dem Friedensboten vom Herrn Pastor Wildenhahn.*)
Anm.: Vgl. hierzu den Brief von Carl August Wildenhahn an Robert Schumann, 22. Februar
1843, mit dem Vermerk Schumanns: „Pastor Wildenhahn, früher in Schönefeld bei Leipzig,
traute uns daselbst am 12ten September 1840." Zit. nach: *Briefe und Gedichte aus dem Album Robert
und Clara Schumanns.* Hrsg. von Wolfgang Boetticher, Leipzig 1979, Brief Nr. 144.
Lit. zu Carl August Wildenhahn: ADB 42, S. 500; ADB 44, S. 575.

A 44

Ein' feste Burg ist unser Gott. – Ein Mährchen.
Leipzig, August 1850

Motto:
Der große Künstler muß in der Stunde, wo er seine
Mosisdecke aufhebt und auf seinem Berge die ewigen
Gesetze der Kunst empfängt, sein tieferes Leben und
Genießen und Leiden vergessen, und indem er gen Him-
mel steigt, muß unter ihm die Erde mit ihren kleinen
Reichen zusammenkriechen und unter der letzten Wolke
verschwinden.
Jean Paul.

Ein Herbstabend voll Winterahnung war einem trüben, kühlen Octobertage gefolgt – Nebelgestalten huschten über die Felder, ein eisiger Wind stand auf und
riß erbarmungslos die schönsten bunten Blätter, die mit matten Kräften sich an die

geliebten Bäume anklammerten, herab, und streute sie unter die eilenden Füße der
Wandernden. – … In der Cantorwohnung der ehrwürdigen Thomasschule, nahe
bei I der stattlichsten Kirche Leipzigs, flackerte aber das Lichtlein an besagten Octo-
berabend ganz besonders hell, viele frohe Menschen- und Kinderstimmen ertönten
da – es war dort eine gar einträchtige Familie versammelt. –
An dem schweren, eichenen Tische, der mitten in der engen, mit großen dunklen
Schränken und wunderbar gestalteten Stühlen geschmückten Stube stand, saß ein
Mann in stattlicher, aber etwas rauher Lockenperrücke und schlichtem schwarzen
Anzug. – Sein Gesicht war voll und blühend – eine ernste Freundlichkeit umspielte
die Winkel des festen Mundes, wunderschön und durchsichtig war die Stirn, und
der Blick der feurigen schwarzen Augen hatte eine ganz unbeschreibliche Gewalt,
eine Macht, deren Einfluß sich nicht leicht eine Menschenseele zu entziehen vermochte. – Man mußte immer und immer wieder in diese Zauberaugen hinein-
schauen, es war, als sollte man dann ganz überirdisch schöne Dinge erfahren, als
sollte man dann gut werden, oder Flügel bekommen; und das Herz hob sich in
der Brust, als zögen es diese dunklen Augen gewaltsam zu sich – von denen man
glauben mußte, daß sie, um nicht zu blenden, einen schwarzen Schleier über das
unergründliche Lichtmeer geworfen, das in ihnen wogte und wallte. –
Es war dieser Mann, von dem wir reden, der Herr Cantor Johann Sebastian Bach,
wohlberühmt in der ganzen Stadt wegen seines gar prächtigen Orgelspiels. …
I … – Nach wenigen Minuten erschien ein Courier – erschöpft und mit Koth be-
spritzt – er kam direct von der königlichen Residenz Dresden – verlangte den Cantor Sebastian Bach zu sprechen und überreichte ihm ein Handbillet des mächtigen
Ministers – des gefürchteten Grafen Brühl. – Der Cantor schob die große Oellampe
näher zu sich heran, beschattete die Augen etwas mit der Hand und las, während
Philipp Emanuel dem Courier höflich einen Stuhl bot. –
„Mein lieber Cantor!
Unser gnädigster Churfürst und Herr, August von Sachsen und Polen, wünscht
Euch, den vielberühmten und bekannten Orgelspieler Sebastian Bach in seiner Resi-
denz zu hören – Ihr sollt Sonntag den 24. October in der Kirche zu Dresden spie-
len. – Zwei Tage nach Empfang dieses Schreibens wird ein königlicher Wagen Euch
von Leipzig abholen und in die Residenz bringen, woselbst wir Euch mit großer
Spannung erwarten. – Bereitet Euch würdig auf diese hohe Ehre vor, mein lieber
Cantor. –
Im Auftrage meines gnädigsten Herrn grüße ich Euch
                                        gezeichnet: Graf Brühl.“
Eine lange Weile stand Bach nachdenklich da, Spott und Unwille kämpften in seinen
Zügen – seine Augen glitten von einem Angesicht seiner Lieben auf das andere. …
I … Am andern Tage begab sich der Cantor zum Rector, den nöthigen Urlaub einzu-
holen zur wichtigen Reise. Das war ein gar lästiger Schritt für ihn – denn er vermied
es so viel er konnte mit diesem seinen Vorgesetzten zusammen zu kommen. – Rector und Cantor waren durchaus keine Freunde – Ersterer klagte stets bitterlich über

seines Untergebenen gröbliches Benehmen und störrisches Wesen, und Bach pflegte
den Rector oft zornig einen gottverlassnen verdorrten Pedanten zu schelten. – …

| … Noch nie hatte in der stolzen, schönen katholischen Kirche des prunkvollen
Dresden's sich eine so auserlesene Schaar vornehmer und glänzender Männer und
Frauen zusammengefunden, als am Nachmittage jenes Sonntags, an welchem der
Cantor Bach aus Leipzig die Orgel in der Residenzstadt zu spielen gelobt. …

| … Da schwoll ein Orgelton empor, und wie ein himmlischer Dufthauch reinigte
er alle Herzen von eitlen Gedanken, – tiefe Stille herrschte – eine unerklärliche
Andacht durchbebte Alle – und Aller Augen blickten aufwärts. – Ein herrliches
Präludium wallte daher wie ein voller, goldner Strom an dessen Rande Himmels-
blumen stehen, und trug die ahnende Seele auf mächtigen Wellen, immer höher
fluthend in den allgewaltig daherbrausenden Choral:
                              „Ein' feste Burg ist unser Gott."
Das stolze Hohelied der evangelischen Kirche schwebte vom Chor herab. – Vater
Bach ließ es niederschallen und begleitete jeden Ton mit einem seligen Lächeln. – Er
feierte ja in diesem Augenblicke in dem katholischen Gotteshause den Triumph
seiner geliebten Kirche. – …
Die Orgeltöne waren verklungen – Johann Sebastian Bach saß noch immer auf der
Orgelbank mit gefalteten Händen, Himmelsverklärung lag auf seinem Angesicht. –
…

| … „Ich lasse Euch nicht eher, – antwortete der Fürst gütig – als bis Ihr Euch eine
Gnade ausgebeten!" –
„Ihr könnt mir Nichts schenken, mein König, – erwiederte hierauf der Cantor frei-
müthig – ich bin reicher als Ihr – ich danke Euch also." – „Aber erinnert Euch doch
Eurer Söhne!" fuhr August mild fort. – „Nun ja – gnädiger Herr – wenn Ihr etwas
mit dem Friedemann da anfangen könnt, – hier zog er den Erröthenden zu sich – so
sollte mir's lieb sein. – Aber durchaus nicht in den nächsten zwei Jahren, da brauche
ich meinen Jungen selbst noch zu nöthig, – denn er ist ein wackerer Kupferste-
cher – und wir arbeiten jetzt an der Passionsmusik. – Mein Philipp – hier nickte er
seinem zweiten Sohne zu – ist schon vom lieben Herrgott versorgt worden – dem
geht es ganz leidlich. – Ich danke Euch also von ganzem Herzen, mein gnädigster
König!" –
Der Churfürst entließ nun den hochwürdigen Meister mit den glänzendsten Verspre-
chungen für die Zukunft Friedemanns, – reichte dem Vater und den Söhnen zum
Abschiede die Hand und versicherte Jeden seiner Gnade. – Die angesehensten
Cavaliere drängten sich, die Scheidenden herunter zu geleiten – und hoben den
schlichten Cantor aus Leipzig mit einer Ehrfurcht und Sorgfalt in den Wagen – als
wäre es der mächtigste Beherrscher der Welt. –

Als am andern Morgen Johann Sebastian Bach mit seinen Söhnen heiter und glück-
selig der lieben Heimath zurollte, als sie an den prachtvollen Riesenbauten des
Zwingers vorüberfuhren, und die herrliche Elbgegend wie eine geschmückte junge
Braut vor ihren frohen Augen sich entschleierte – da rief Philipp Emanuel aufgeregt:
„Herzliebster Vater! – Dresden ist doch wunderschön – aber das Allerschönste hier
ist: Faustina Hasse!" –
„Schweig Junge" – fuhr hier der Meister auf – aber ein schalkhaftes Lächeln zuckte
in seinen Mundwinkeln – davon verstehst Du nichts!"

                                                                                L.

Quelle: Signale, 8. Jg., Nr. 31 und Nr. 32, August 1850, S. 297–304. Signiert mit „L.".

A 45

HULDIGUNGSGEDICHTE

Johann Sebastian Bach.
Kunsterfinder! einz'ger Meister!
Wonne aller edlern Geister!
Schwach mein Lob nach Worten ringt,
Kühn sich doch mein Geist aufschwingt.

Deinem Licht, aus Licht entsprungen,
Bringen Erdenhuldigungen
Kundigster Verehrerschaar
Doch ein stammelnd Lob nur dar.

Deines Geistes Wunderwerke
Zeugen: daß hier Gottesstärke
Mächtig, wie Heroldenruf,
Eine neue Tonwelt schuf.

Harmonieenvolles Leben
Ward durch dich der Welt gegeben,
Als in mächt'gem Schöpfungsdrang
Deine Wunderquelle sprang.

Wunderquelle segenträchtig,
Jubelhymne voll und prächtig,
Wie beschwörend Geisterwort
Reißt sie Alles mit sich fort:

| Hin zu jenen Regionen,
Wo nur Lichtesgeister wohnen,
Weit vom Erdenklang und Tand
In ein neues Wunderland.

Tonglanzwelten giengen unter
Ob dem neuen Gotteswunder:
„Feste Burg ist unser Gott" –
Wie ward Weltgesang zu Spott!

Weicht, gemeine Tonspielschmeichler!
Flieht, ihr niedern Schönheitsheuchler!
Ewig seyd von uns verbannt!
Hier ist heilig, heilig Land.

Hier empfangt die heil'ge Weihe,
Künstlerbrüder, edle, treue!
Würdigstes Erbheiligthum:
Deutscher Tonkunst Preis und Ruhm.

Quelle: *Liederkränze | von | Hans Georg Nägeli. | – | Netto-Preis 2 Fr. 6 Bz. oder 1 Rthlr. | – | Zürich,
bey H.G. Nägeli und in Commission | bey J.D. Sauerländer in Frankfurt a.M., | Friedrich Fleischer in
Leipzig, A. Schlesinger in | Berlin und Perthes und Besser in Hamburg. | 1825., S. 139–140.*

Aus einem Gedicht von Leo Bergmann zum Konzert am 9. März 1843
im Gewandhaus zu Leipzig

…
So sang einst Doles, seinem Meister würdig folgend,
Ihm, dem noch staunend heut die Welt Bewundrung zollt.
Soll ich den Meister nennen, deß gewalt'ger Geist
Der Tonkunst All umfaßt, der mit der Harmonieen
Tonreichem Stab der Wüste Felsen schlug?
Bach war's, und dieses Wort, sein Name schon genügt!
Mit frommen Sinn und von der Muse reich begabt
Griff er in's Saitenspiel, und pries des Höchsten Lob.
Ihm dankt der Kirche Lied der Töne reichen Schmuck
Mit dem sich's aufwärts schwingt, von Andacht tief durchglüht
Wer jauchzet nicht mit ihm: „Singt Gott ein neues Lied!" [1]
Wen faßt die Wehmuth nicht, singt er den tiefen Schmerz
Der einst auf Golgatha durchschnitt des Heilands Herz? [2]

und wenn der Orgel majestätische Accorde
Sich einen mit des Kirchenlehrers Wort,
Und wenn der Harmonieen reiche Fülle
In mächt'gen Wogen durch des Tempels Wölbung rauscht:
Sinkst du in Andacht nicht vor dem Allmächt'gen nieder,
Und sprichst in Demuth fromm: Herr, ich bin Staub!? –
Bach war's deß großer Genius die Töne einte,
Die dich zur Andacht ziehn; der fromm und ernst
In Gottgeweihter Stille schuf, was dich entzückt. –

Doch nicht dem Ernst allein, auch dem gesell'gen Kreise
Weiht manche Schöpfung jener reiche Geist;
Und sind sie auch verklungen, jene Lieder,
Verrauscht im Strudel der Vergänglichkeit,
Ein Zauberstab weckt sie für heute wieder.
Denn heute feiern wir die gute, alte Zeit.
...

[1])   Motette von Bach.
[2])   Passionsmusik von Bach.

Quelle: Signale, Nr. 12 und Nr. 13, 21. März 1843, S. 86–91, hier S. 88. „Zur Erinnerung an das erste Leipziger Abonnement-Concert (den 11. März 1743) und dessen erste Jahresfeier (den 9. März 1744)."

Zu Seb. Bach's hundertjähriger Gedächtnisfeier.

Vollendet seinen Lauf hat das Jahrhundert
Da thun sich eines Grabes Pforten auf,
Daraus ein Held, halb freudig, halb verwundert
Steigt zu des Tages vollem Licht herauf!
Nicht, wie ihn sonst des Grabes Schauer decken –
Nein, Kraft und Glanz, dem Feigen nur ein Schrecken.

Seht, wie vom Haupt die heil'gen Locken wallen,
Seht diese Stirn, erhaben, fest und kühn,
Seht dieses Auge, das der Welt Gefallen
Nicht kennt, aus dem nur Gottes Blitze sprühn!
So öffnet er, wie zu gewalt'ger Fehde,
Klangreich den Mund, so donnert seine Rede:

„Hast Du, o jüngeres Geschlecht, verstanden
„Was einst ich schuf, von Gottes Geist umrauscht?
„Wie, oder liegst Du noch in Schlafes Banden,
„Hast Glaubens Licht mit falschem Wahn vertauscht?
„Vernahmst Du nicht in jenen heil'gen Tönen
„Erhab'nes Leid, mit Gott Dich zu versöhnen?"

Und Heil uns, Heil! Wir dürfen nicht erröthen:
Dein edler Geist, er trat uns wieder nah.
Es deckt kein Grab, was auch kein Tod mag tödten;
Und ihn, den jüngern Meister, kennst Du ja,
Dek, jetzt bei Dir, ein Seraph lichtumflossen,
Zuletzt uns Deine Tiefen aufgeschlossen. *) –

Nun zieht einher im fröhlichen Gedränge,
Gleich wie im Meere Wog' auf Woge schwillt,
Der Töne Flucht, der höhern Einheit Klänge,
Und wunderbar ist uns das Wort enthüllt
Des edelsten von deines Geistes Söhnen:
„Er war kein Bach, er war ein Meer des Schönen." **)

Und horch, ertönt's nicht dort, wie Sturmesbrausen
Hinauf bis zu des Domes hehrem Dach?
Im Wetter naht der Herr, er naht im Sausen,
Doch mildes Säuseln folgt dem Sturme nach:
So tönt Cäciliens Werk, der Engel Spende,
Sobald es rührten unsres Meisters Hände.

Siehst Du die Schaar der Gläubigen versammelt,
Fühlst Du den Drang, der sich für Gott entschied?
Der Andacht Worte, sonst nur leis gestammelt,
Erklingen jetzt im vollen, heil'gen Lied,
Und mächtig wird auf des Chorales Wogen
Ein jedes Herz zu Gott emporgezogen.

Doch Eine Stimm' hör ich vor Andern rufen:
Sie wirft sich hin, mit sehnsuchtsvollem Flehn
Vor Gottes Sohn, an seines Thrones Stufen:
„Ich laß Dich nicht, Du segnetest mich denn!"
Und mächtig wiederholt ein Chor die Worte,
Zu sprengen selbst des Himmelreiches Pforte.

Und der Erlöser spricht: „Wol sollt ihr weilen
„In Herrlichkeit an meines Vaters Thron,
„Doch müßt zuvor mein Leid Ihr mit mir theilen."
Da singt der Meister Jesu Passion:
Die Dornenkrone wird zum Strahlenkranze
Von ewigem, von unverwelkten Glanze.

So flog er auf in jene lichten Sphären,
Ein sel'ger Geist auf seines Gottes Spur.
Nie wird sein Leib auf Erden wiederkehren,
Und die Erscheinung war ein Traumbild nur.
Doch lebt sein Geist, die heil'ge Kraft der Werke,
Die fromme Zuversicht, des Glaubens Stärke.

Drum Ihr, so hoch beglückt, in deren Mauern
Der große Meister schuf und sang sein Lied –
O lasset uns sein Scheiden nicht betrauern
Sagt's Mit- und Nachwelt, daß er nimmer schied,
In Euren Tönen, die zum Himmel schweben:
Der Meister lebt, und ewig wird er leben.

W. L.

*)   Mendelssohn-Bartholdy.
**)   Beethoven sagte so.

Quelle: NZfM, 17. Jg., 33. Bd., Nr. 12, 9. August 1850, S. 63–64 (*Kleine Zeitung.*).
Anm.: Aus einem Bericht über eine vom Leipziger Tonkünstler-Verein veranstaltete Feier „Zur
Erinnerung an Seb. Bach's vor 100 Jahren am 28sten Juli erfolgten Tod" am 29. Juli 1850. Das
Gedicht stammt von Wilhelm Adolf Lampadius und wurde von demselben auch in dieser Ver-
anstaltung vorgetragen.

Tägliche
Denkwürdigkeiten
aus der
Sächsischen Geschichte.

Jedem Freunde des
Vaterlandes,
besonders
der Jugend
von
Karl August Engelhardt,
Mitglied der Königl. Sächs. Oberlausitzischen
Gesellschaft der Wissenschaften.

Zweiter Theil.
Mit einem kolorirten Kupfer.
753

Dresden, beim Verfasser
und
Leipzig, bei J. A. Barth, 1809.

Preis beim Verf. 18 Gr. im Buchh. 22 Gr.

K. A. Engelhardt: Tägliche Denkwürdigkeiten aus der Sächsischen Geschichte.
Dresden und Leipzig, 1809 (A 3)

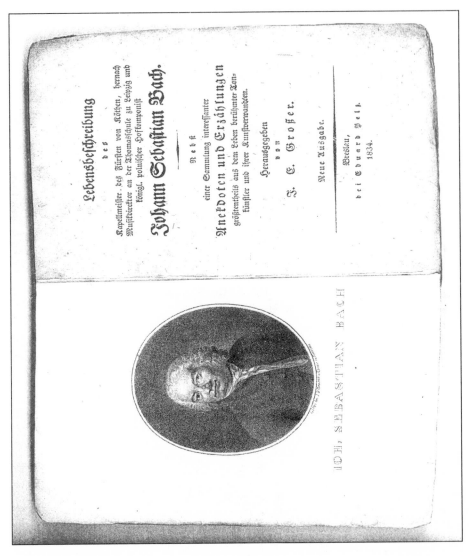

J. E. Großer: Lebensbeschreibung des Kapellmeister des Fürsten von Köthen.
Breslau, 1834 (A 11)

Teil B

Ästhetik und Analyse

Anselm Hartinger

Einleitung

Voraussetzungen

Die Jahrzehnte zwischen 1800 und 1850 bedeuten für das Musikleben im deutsch-sprachigen Raum eine Zeit des Umbruchs und der Neubestimmung. Tiefgreifende Wandlungen des musikalischen Stils und Repertoires gehen einher mit nachhaltigen Veränderungen im Profil und der Struktur der musikalischen Institutionen. Dies findet seinen besonderen Ausdruck in der gesteigerten Intensität sowie den verän-derten Themen und Foren des Diskurses über Musik. Der trotz der Napoleonischen Kriege und der Zensurgesetzgebung unübersehbare allgemeine Aufschwung des Zeitungswesens hat auch Auswirkungen auf die musikalischen Periodika. Begin-nend mit der *Leipziger Allgemeinen Musikalischen Zeitung* (1798) entwickelt sich nach und nach eine vielgestaltige Presselandschaft, die spätestens um 1830 diejenige des 18. Jahrhunderts an Spezialisierung, Kontinuität und überregionaler Verbreitung weit übertrifft. Damit kommt es zur Entstehung eines musikalischen Feuilletons im modernen Sinne. Es bilden sich Strukturen eines organisierten und dabei nach Wissensniveaus und Erkenntnisinteressen ausdifferenzierten Diskurses über die Musik der Gegenwart, Vergangenheit und Zukunft heraus, die einen immer größe-ren Einfluß auf das in der musikalischen Praxis vertretene Repertoire und dessen Wahrnehmung durch das Publikum gewinnen. Neben den professionellen Aus-tausch der Musiker und Experten tritt deshalb ein oft mit pädagogischen Zügen versehener Diskurs durch und für „Freunde der Tonkunst". Im Zusammenhang damit entsteht ein Umschlagplatz nicht nur für Musiker, Notendrucke und Kompo-sitionen, sondern ebenso für die veröffentlichte Meinung über Musik. Ein durchaus kommerzieller Markt, auf dem sich ein so sperriges Thema wie „Bach" erst einmal zu behaupten hat und mit dessen Zwängen sich auch die Protagonisten seiner „Wiederentdeckung" auseinandersetzen müssen.

Mit der Entstehung und Verfestigung eines klassischen „Kanons" meisterhafter Werke und dank der Popularisierung und partiellen „Demokratisierung" sowohl des Feuilletons als auch des Konzertlebens nimmt der Austausch über die Geschichte, den Stellenwert und die ästhetische Bedeutung der Musik generell zu. Im Umgang mit der Musik der Vergangenheit bilden sich mehrere Zugänge und Leitmotive

heraus. Dazu gehören etwa das Interesse an alter (Kirchen-)musik, das Bemühen
um die Bewahrung und Hebung des eigenen kompositions- und spieltechnischen
Niveaus und die Kritik an den geistigen oder stilistischen Grundlagen der gegenwärtigen Musik.

In diesen Debatten spielt Bach – oft gemeinsam mit seinem Antipoden Händel –
eine überraschend wichtige Rolle. Dabei ist das Bachbild im betrachteten Zeitraum
keineswegs „statisch", sondern in steter Veränderung begriffen. Der ästhetische
Diskurs um seine Musik hat wesentlich dazu beigetragen, daß Bach um 1850 sehr
viel weniger ein Unbekannter ist als noch ein halbes Jahrhundert zuvor. Allerdings
tritt dabei an die Stelle des um 1800 zumindest noch schemenhaft erinnerten Menschen und Musikers Bach mehr und mehr die unnahbare musikhistorische Riesengestalt „Bach".

Inhalte und Teilkapitel

Der erste Teil des Kapitels beschäftigt sich mit den Debatten um den historischen
Stellenwert und Ort der Person und Musik Bachs. Im Vordergrund steht dabei zunächst Bachs Verortung als Ahnherr und „Baumeister" deutscher Tonkunst sowie
als Meister der Harmonik und des strengen gebundenen Stils. Bach ist in diesem
Sinne Quelle patriotischen Stolzes, aber auch Anlaß des Nachdenkens über musikhistorische Periodisierung und die Geschichtlichkeit sowie die Grenzen des „modernen" Repertoires.

Mehr noch als an seinen im Einzelnen kaum bekannten Kompositionen scheiden
sich an Bachs Stil sowie an dessen tatsächlich beobachteten oder auch nur unter-
stellten Eigenheiten die Geister. Kaum je bestritten wird Bachs kompositorische
und insbesondere kontrapunktische Meisterschaft. Weithin bezweifelt wird aber
die Aktualität und praktische Relevanz der von ihm gepflegten Kompositionstech-
niken und die Verwendbarkeit und Vorbildlichkeit seiner Musik insbesondere für
Kirche und Konzertsaal sowie für den Unterricht. Besonders heftig umstritten sind
dabei die „Gesangsnatur" seiner Werke und die Vereinbarkeit von gebundenem Stil
und modernem Empfindungsausdruck überhaupt. Die ästhetischen Bewertungen
schwanken zwischen Verdikten der „Zeitbedingtheit" und Postulaten einer absoluten und dauerhaften Qualität. Bach wird aber auch zur Folie, vor deren Hintergrund
Konflikte um die aktuelle Musik, Religiosität, Konfession und Kultur ausgetragen
werden. Er wird als Gegenentwurf historistisch orientierter Kritiker verklärt und
ebenso als Personifizierung des „Veralteten" zum Objekt heftiger Ablehnung. Seine
Musik wird damit immerhin vergleichbar und schneidet dann in der direkten Gegen-
überstellung mit Werken Mendelssohns, Beethovens oder Händels oft erstaunlich
gut ab. In der Diskussion bilden sich allerdings kaum verfestigte Parteien heraus.
Zahlreiche Diskutanten nehmen vermittelnde Positionen ein; auch überzeugte „Bachianer" stehen einer Wiederaufführung der im Detail oft unverstandenen Partituren mit großer Skepsis gegenüber.

Dementsprechend differieren auch die praktischen und persönlichen Erfahrungen mit Bachs Musik ganz erheblich. Während noch um 1800 die Person Bach und die allermeisten seiner Werke eher eine nominale und fast numinose Größe darstellten, werden nun dank der zunehmenden Notendrucke, Aufführungen und „Nachforschungen" immer mehr seiner Kompositionen Gegenstand realer – allerdings keineswegs immer ungeteilt positiver – Hörerlebnisse und Studien. Die Auseinandersetzung mit Bach wird insgesamt kenntnisreicher und vielgestaltiger. An die Stelle zählebiger Stereotype treten mehr und mehr konkrete Erfahrungen und Eindrücke. Bach zu spielen, sich seine kaum bekannten Werke anzueignen, wird für seine Kenner und Liebhaber zur kaum versiegenden Quelle erhebender und trostreicher Erlebnisse. Das Wissen um Bach entwickelt sich innerhalb bestimmter Zirkel zum Medium kultureller Differenzierung und Distanzierung. Für Komponisten und Musikpraktiker wird die Auseinandersetzung mit seinen Partituren zum Auslöser künstlerischer Selbstreflexion und Neubestimmung. Der Bewunderung und Verehrung stehen jedoch weiterhin Skepsis und Unverständnis gegenüber; Kritiker wehren sich – oft zu Recht – gegen den Vorwurf bloßer Unkenntnis.

Gegenüber der verallgemeinernden Stilkritik gewinnt die Auseinandersetzung mit einzelnen Werken und Werkgruppen zunächst nur langsam Raum und Gestalt. Angesichts des „räsonierenden" Charakters der zeitgenössischen Presselandschaft nimmt die Beschäftigung mit einzelnen Kompositionen oft eher Züge erbaulicher „Werkbetrachtungen" an. Das Spektrum der Zugänge reicht dabei von eher „propagandistischen" Ankündigungen und musikalisch-theologischen Populärauslegungen bis hin zu nüchternen kompositionstechnischen und kontrapunktischen Analysen. Je nach Adressatenkreis, Herkunft und diskursivem Interesse legen die Autoren ihren Schwerpunkt auf ganz verschiedene Aspekte – von der Choral- und Instrumentenbehandlung über die Textausdeutung bis hin zur Satztechnik. Bei der für das vorliegende Kapitel getroffenen Auswahl der Texte und Werkausschnitte wurde darauf geachtet, ein möglichst breites Spektrum dieser analytischen Zugänge darzustellen.

In der Auseinandersetzung mit den Überlieferungsproblemen der Musik Bachs sowie im Bemühen um ihre Wiedergewinnung für Notendruck und Musikpraxis entwickeln sich nach 1800 auch erste Anfänge einer historisch-kritischen Musikwissenschaft. Ausgehend von den Kontroversen um die „Echtheit" der Kompositionen bilden sich stilistische und diplomatische Kriterien der Bewertung ihrer Quellen heraus. Es entsteht ein Netzwerk teils konkurrierender, teils jedoch auch kooperierender Handschriftenbesitzer, Wissenschaftler und Aufführungspraktiker, dessen Herausbildung die wichtigste Voraussetzung zur Bewahrung, Verzeichnung und Neuedition der Werke Bachs darstellte. Nach und nach setzt sich die Einsicht durch, daß Bachs Musik und ihre Quellen einem Schatz von nationaler Bedeutung entsprechen, den es in öffentlich zugänglichen Besitz zu überführen, zu bewahren und für die musikalische Praxis auch zu heben gilt.

Die Auseinandersetzung mit den musikalischen Originalquellen und Fassungen öffnet jedoch auch Türen zu einem realistischeren und pluralistischeren Bild von

Bachs kompositorischer Leistung und Arbeitsweise. Immer mehr Werke und Fassungen und damit Facetten von Bachs Komponistenpersönlichkeit werden bekannt. Das eher monolithische, von rein stilistischen Grundlagen geprägte Bach-Verständnis wird ergänzt und schrittweise abgelöst durch die Hinwendung zu einzelnen Kompositionen und zu werkgeschichtlichen Überlegungen.

Um 1850 hat damit der „Obelisk aus grauer Vorzeit" (Friedrich Rochlitz, 1805) deutliche Konturen bekommen. Die Dokumente der Bach-Rezeption zwischen 1800 und 1850 zeichnen keine lineare „Erfolgsgeschichte", lassen aber eine zunehmende und durchgehende Beschäftigung mit Bach erkennen.

Quellenprobleme und Auswahlprinzipien

Nicht nur aufgrund des notwendigerweise begrenzten Umfanges einer solchen Publikation mußte eine erschöpfende Dokumentation sämtlicher relevanter Äußerungen von vornherein unterbleiben. Zwar stellen Beiträge und Zeugnisse der ästhetischen und analytischen Beschäftigung ohne jeden Zweifel ein zentrales Element der Bach-Rezeption des frühen 19. Jahrhunderts dar. Jedoch erweist sich im Gegensatz etwa zu Biographien und Aufführungen bereits die inhaltliche Abgrenzung des Bereiches als äußerst schwierig. Auch existieren kaum verfestigte Quellengattungen oder Textarten, auf die eine systematische Recherche hätte beschränkt werden können. Die Auswahl und Einordnung der Texte mußte vielmehr generell dem „rhapsodischen" und an der Synchronität und Einheit der Künste interessierten Charakter des vormärzlichen Feuilletons Rechnung tragen. Verlags-Rezensionen entpuppen sich als theologische oder kunstgeschichtliche Essays, Notizen über Quellenbesitz sind vermengt mit Debatten über werkgeschichtliche Fragen, scharfsinnige Bemerkungen und Einzelbeobachtungen zu Bachs Stil sind eingestreut in durchaus langatmige kulturpsychologische Argumentationen.

In keinem der Teilkapitel dieses Bandes mußte deshalb derart weitgehend ausgewählt und teilweise auch gekürzt werden wie im Bereich der Ästhetik und Analyse. Ziel dieser Auswahl konnte es nur sein, im Vielen das Typische, aber auch Eigenwillige und Interessante zu finden und zumindest die wichtigsten Debatten und aufschlußreichsten Positionen exemplarisch vorzustellen. Entsprechend der diskursiven Ausrichtung des Kapitels wurden insbesondere Texte aus dem Bereich der veröffentlichten Meinung aufgenommen und dafür vor allem Periodika von überregionaler Verbreitung oder besonderer Spezialisierung einer systematischen Durchsicht unterworfen. Hinzu treten relevante Ausschnitte aus musikhistorischen Überblicksdarstellungen, Lehrwerken und weiteren Einzelveröffentlichungen.

Ergänzend dazu präsentiert das Kapitel auch ästhetische und analytische Überlegungen zu Bach aus Briefen, Selbstzeugnissen und Aktenstücken. Entsprechend des privaten oder dienstlichen Charakters dieser Dokumente handelt es sich dabei in der Regel um Einzelbeobachtungen und nur selten um ausgearbeitete Argumentationen. Bei der Durchsicht dieser in Teilen bereits veröffentlichten Bestände konnte deshalb weitaus selektiver vorgegangen werden; eine strikte Beschränkung auf die signifikantesten Passagen und eine nochmalige kritische Revision der Quellen erwiesen sich dabei als unumgänglich. Auch mußten Kommentierung und Literaturhinweise auf das Notwendigste beschränkt werden.

Während Briefe sowie Bücher und sonstige Einzelpublikationen in der Regel eindeutig datiert und einem Entstehungs- bzw. Veröffentlichungsort zugeordnet werden konnten, bereitete die sinnvolle Zuweisung präziser Daten und Orte bei eingesandten Veröffentlichungen in Periodika gewisse Schwierigkeiten. Im Interesse der Eindeutigkeit werden in diesen Fällen in der Titelzeile des Dokumentes immer dann der Redaktionssitz und das Ausgabedatum der jeweiligen Ausgabe des Periodikums angegeben, soweit nicht im Dokument selbst abweichende Angaben gemacht werden (z. B. vom Autor angegebene Datierungen) oder soweit solche Angaben nicht unmittelbar aus dem Kontext des Dokumentes erschlossen werden können (etwa ein nachträglicher Abdruck einer zuvor andernorts gehaltenen öffentlichen Ansprache).

Die Anordnung der Dokumente erfolgte mit Ausnahme des Teilkapitels 4 jeweils in chronologischer Reihenfolge; die „Werkbetrachtungen" folgen wie im Kapitel „Aufführungen" dem Aufbau des Bach-Werke-Verzeichnisses.

HISTORISCHE EINORDNUNG UND WÜRDIGUNG

B 1

TRIEST: BACH ALS NEWTON DER MUSIK, NATIONALKÜNSTLER UND
MEISTER DES GEBUNDENEN STILS
LEIPZIG, 14. JANUAR 1801

… Und nun – welche Freude für einen patriotischen Bewohner unsers Vaterlandes, zu wissen, dass der grösste, tiefsinnigste Harmonist aller bisherigen Zeiten, der alles, was Italien, Frankreich und England für die *reine* Musik gethan hatte, übertraf, der seine musikalische Mitwelt, die doch an gelehrte Werke gewöhnt war, in Erstaunen sezte und der Nachwelt noch unübertroffne Muster lieferte, welche wie Mysterien (leider sind sie es für viele Komponisten jezt wirklich) angesehen wurden, denen man sich nicht ohne geheimen Schauer, selbst bey nicht gemeinen Vorkenntnissen nahen dürfe, daß dieser Mann, sag ich, ein Deutscher war! – Hoch und hehr strahlt der Name Johann Sebastian Bachs vor allen deutschen Tonkünstlern in der ersten Hälfte des vorigen Jahrhunderts. Er umfasste mit Newtons Geist alles, was man bisher über Harmonie gedacht und als Beyspiel aufgestellt hatte, durchwühlte ihre Tiefen so ganz und glücklich, daß er mit Recht als der Gesetzgeber in der ächten Harmonik, die bis auf den heutigen Tag gilt, anzusehen ist. Noch ist er von keinem Komponisten in der Welt in dem Fache, worinn er glänzte, im gebundenen Style, übertroffen, und alles, was man hie und da in den neuesten Zeiten zu seiner Verkleinerung hat sagen und thun wollen, findet wenig oder gar keinen Eingang, so leicht es sonst auch ist, einen großen Mann herabzusetzen, indem man den Geschmack seines Zeitalters ihm zur Last legt. Schon in seinen früheren Jahren studirte er die Werke berühmter Männer z.B. eines Frohberger, Pachelbel u.a., aber am meisten gewann er durch eine glückliche Wendung seines Schicksals, indem er mit der damaligen französischen Musik und ihrer Energie bekannt wurde *).

*) Ein Beleg zu der Bemerkung, daß wir unsere Instrumentalmusik mehr den Franzosen, wie den Gesang mehr den Italienern zu verdanken haben. d. Verf.

Dort hatte man besonders das Klavier nebst dem Hauptinstrument, der Orgel kultivirt, und vor allem waren es Couperin's Werke, welche unserm Bach Gelegenheit zu neuen Ansichten und Bearbeitungen der Harmonie gaben. Sein forschender Charakter und seine deutsche Beharrlichkeit benutze die genialischen Winke der Franzosen auf eine Art, die ihn über seine Zeitgenossen erhob und wodurch er gewissermaßen der Vollender des Gebäudes der Harmonie ward, dem die meisten nachmaligen guten Komponisten theils geständlich, theils heimlich soviel zu danken hatten. Sein Talent und sein Fleiß machten, daß das, was andern wunderschwer vorkam, von ihm mit großer Leichtigkeit ausgeführt ward. Zu diesem sichern Kennzeichen eines großen Künstlers gesellte sich noch ein andres. Er schrieb nicht um den Beyfall des großen Haufens, arbeitete nicht nach seiner Hand, sondern gewöhnte (oft Nächte hindurch) seine Hände zu seinen Kompositionen (– ein starker Kontrast gegen viele neuere Virtuosen, die nur nach ihrer Hand komponiren –) er verfolgte unablässig sein Kunstideal, legte den Grund zu einer ungezwungeneren Vereinigung des diatonischen und chromatischen Klanggeschlechts, nöthigte dadurch zu einer reineren Temperatur und erfand dabey eine (durch seinen großen Sohn C.P.E. genauer entwickelte) Fingersetzung, welche unstreitig die natürlichste ist, die es geben kann. Schon durch dies alles ward er der große Wohlthäter der musikalischen Welt; und nun noch seine Kompositionen, von denen Gerber so schön sagt: „daß sie dem Bogen des Ulysses gleichen, woran wir unsre Kräfte üben sollen!" – In der That sind sie für die Musik das, was Homers Gesänge für das Epos waren. Aus der *Ilias* und *Odyssee* abstrahirte man die Regeln für die Epopée, und aus J.S. Bachs Fugen u.s.w. die der neueren Harmonie. Wohl uns, daß diese Werke nicht verloren sind! Mag nun immerhin eine Zeit lang Anarchie mit ihren gewöhnlichen Folgen, Verachtung der Solidität und der Mühsamkeit, auch in der Musik herrschen! früh oder spät führt der Ekel vor der losen Speise doch zu unsern verdienstvollen Männern zurück, und wenn denn etwa dieses Jahrhundert ein Genie hervorbrächte, welches das Studium unsers J.S. Bach entbehrlich machte, o so wollen wir uns im Voraus tief, sehr tief vor demselben beugen.

Sollte vielleicht manchem der Enthusiasmus zu gross scheinen, womit ich von diesem Patriarchen der neueren Harmonie gesprochen habe, (denn ohne Enthusiasmus kann wohl kein Freund der Tonkunst, wenn er nicht den Vorwurf der Unwissenheit oder scheelsüchtiger Eitelkeit oder Paradoxiensucht tragen will, von einem solchen Manne reden) der bedenke: daß damit keinesweges gesagt ward: I.S. Bach habe *alles* gethan was für die Musik zu thun war. Seine Verdienste erstrecken sich eigentlich nur auf *reine* Musik, d.h. auf den Mechanismus der Tonkunst, besonders auf Harmonie und gebundenen Styl. Ist aber von angewandter Musik oder vom freyen Styl u.dgl. die Rede, so steht ihm nicht nur sein Zeitgenosse Händel wenigstens zur Seite, sondern seine Nachfolger, sein Sohn C.P.E. Bach, ein Graun, Hasse und später ein J. Haydn, Mozart und andere, fanden eine Bahn, die er nicht betreten hatte. Was er *vielleicht* auch in dieser Hinsicht gethan hätte, wenn er, wie mehrere der genannten Männer (z.B. Graun, Hasse, Haydn) nicht blos Spieler und Kontrapunktist, sondern auch *Sänger* gewesen wäre, darüber lässt sich jetzt nicht urtheilen. Genug, daß er sich um einen der wichtigsten Theile der Musik unsterbliche Verdienste erwarb. …

Quelle: Johann Karl Friedrich Triest, *Bemerkungen über die Ausbildung der Tonkunst in Deutschland im achtzehnten Jahrhundert. Fortsetzung.* (AMZ, 3. Jg., Nr. 16, 14. Januar 1801, Sp. 259–261.)
Anm.: Johann Karl Friedrich Triest (1764–1810) war seit 1787 als evangelischer Pfarrer in seiner Geburtsstadt Stettin tätig. Die ausgedehnte Artikelserie enthält noch verschiedene weitere Bach-Erwähnungen.

Lit.: Carl Dahlhaus, *Zur Entstehung der romantischen Bach-Deutung*, BJ 1978, S. 192–210; Hans-Joachim Hinrichsen: *Johann Nikolaus Forkel und die Anfänge der Bachforschung*, in: Bach und die Nachwelt 1, S.193–253, insbes. S. 221–225.

B 2

MICHAELIS: BACH ALS AHNHERR EINES MELODISCHEN KONTRAPUNKTES
BERLIN, 1805

… Der Geist der Symmetrie oder Mathematik herrschte vor vierzig, funfzig und mehrern Jahren vorzüglich in der deutschen Musik, z. B. in der Periode Joh. Sebast. Bachs, Marpurgs, Kirnbergers. Allmählich nahm der freiere, italiänische Geschmack mehr überhand. K. Ph. Eman. Bach, Jos. Hayden und A.W. Mozart verbanden mit der strengen Schreibart die kühnere Behandlung, mit der Tiefe und Regelmäßigkeit der Harmonie und mit der kontrapunktischen Gründlichkeit die freie Schönheit des Gesanges. Jetzt scheint hier und da der kühne Schwung der Melodie noch mehr über unsrer Musik zu walten, und sich weniger durch mathematische Strenge des harmonischen Berechnungssystems fesseln zu lassen. Doch wissen unsre besten Künstler auf die glücklichste Weise das System des Kontrapunkts mit den ästhetischen Foderungen des freien Geschmacks zu vereinigen, selbst in Fugen und Kanons eine schöne oder erhabene Melodie zu legen, oder dem lieblichsten Gesange durch tiefe harmonische Kunst Energie, Würde, und ein höheres dauerhafteres Interesse zu geben. Mozart betrat vorzüglich diesen Weg, welchen schon Haydn früher verfolgte, und Männer, wie Clementi, Cherubini, Beethoven, mit seltener Originalität betreten. Schon J.S. Bach verkannte den Werth des Melodisch fließenden nicht, so sehr er die harmonische Strenge liebte, und feierlich, edel und lieblich ergoß sich in seinen, wie in Händels, großen Compositionen für den Gesang sehr oft eine Melodie, welche das Herz tief rührt und innig durchdringt. …

Quelle: Christian Friedrich Michaelis, *Vermischte Bemerkungen über Musik. (Beschluß.)* (BMZ, 1. Jg., 1805, Nr. 7, S. 25f.)
Anm.: Christian Friedrich Michaelis (1770–1834), Thomaner unter Johann Friedrich Doles (1715–1797), wirkte seit 1793 als Privatdozent für Philosophie und Publizist in Leipzig. Er verfaßte einen Bericht über Mozarts Orgelspiel in der Thomaskirche am 22. April 1789 (→ Dok III, 1009 K).
Lit.: Christian Friedrich Michaelis, *Ueber den Geist der Tonkunst und andere Schriften*, ausgewählt, herausgegeben und kommentiert von Lothar Schmidt, Chemnitz 1997 (Musikästhetische Schriften nach Kant, Bd. 2).

B 3

NÄGELI: MUSIKHISTORISCHE ENTWICKLUNG ALS FAMILIENGESCHICHTE DER BACHS

SCHAFFHAUSEN, 2. OKTOBER 1811

… Welches sind wol die preiswürdigen deutschen Künstlerindividuen, die hier in der Kulturgeschichte vor allen andern vorleuchten? – Die Muse der Geschichte winkt mir, noch einmal den über alle Vergleichung grossen *Johann Seb. Bach* zu nennen. Ist es nicht der allerschönste Zug der Künstlergeschichte, wenn nachgewiesen werden kann, dass die Individualisierung der Kunst wesentlich von Einer Künstler-Familie, einer Familie im engsten Sinne ausging; dass, so zu sagen, der künstlerische Haushalt dieser einzigen Familie zu einem fortwirkenden Segen für die ganze musikalische Welt wurde? Ist es nicht ein schöner Triumph der Humanität, dass der überschwänglich fruchtbare Künstler auf eine ewig denkwürdige Weise der Kunsterzieher seiner leiblichen Kinder war; dass er einen seiner Söhne zu einem mächtigen Helden der Kunst emporhob, der in ihrem unermesslichen Reiche die neuen Bahnen brach, worauf seine Nachfolger mit so fruchtbarem Erfolg nun fortwandeln?

…

Carl Philipp Emanuel Bach war der erste grosse, ja überlegene Künstler, durch den die Tonkunst auf ihrem eigensten Boden mit unbeschreiblichem Erfolg individualisirt wurde. Bey der durchaus exemplarischen Erziehung, die ihm sein Vater gab, wurde die künstlerische Erziehung in die leibliche ganz und gar verwebt, und das Product dieser Erziehung war ein auch im Fleisch und Blut geadelter Künstler: ein *Virtuose*.

Bekanntlich waren die harmonieführenden Instrumente, Orgel und Klavier, die Instrumente dieser Künstler, zu denen einst die Künstlerwelt von halb Europa wallfahrtete. So wie nun Seb. Bach in seinen individualisirten, durch ein Individuum auszuführenden Solostücken fast immer auf Vollstimmigkeit und Vollgriffigkeit ausging, indem er das möglichste Maximum auch von physischer Kraft der Kunst dargebracht wissen wollte, so dass bey seinen Orgelwerken auch die Füsse Virtuosengewandtheit und fast Fingerschnelligkeit gewinnen mussten, und daher auch Ideenreichthum und Fülle des Ausdrucks alle seine Werke charakterisiert – so ist hingegen bey Emanuel die aufs äusserste getriebene Verfeinerung der herrschende Charakterzug seiner Solostücke. …

Quelle: [Hans Georg Nägeli], *Nägeli's Anrede an die schweizerische Musikgesellschaft. (Fortsetzung aus der 39sten No.)* (AMZ, 13. Jg., Nr. 40, 2. Oktober 1811, Sp. 665 und 666.)
Anm.: Hans Georg Nägeli (1773–1836) war als Verleger, Pädagoge und Musikschriftsteller in Zürich tätig.
Der komplette Text wurde unter dem Titel *Anrede an die schweizerische Musikgesellschaft bey Eröffnung ihrer Sitzung in Schafhausen den 21. August 1811. von H. G. Nägeli.* in den Nummern 39, 40 und 41 des 13. Jahrgangs der AMZ veröffentlicht.

B 4

BACH ALS GRUNDLAGE UND BAUMEISTER DEUTSCHER TONKUNST
LEIPZIG, 8. JUNI 1814

Nur auf solidem, tüchtigem Fundamente lässt sich ein Bau gründen, der dem Strome
der Zeit trotzt. Wohl uns, dass das Gebäude deutscher Tonkunst auf solchem ruht.
Unsre ehrenfesten Altväter hatten schon manchen mächtigen Quader regelrecht be-
hauen, den Seb. Bach seiner Grundlage fest und passend einzufügen verstand. Nun
hatte er es aber dabey nicht etwa auf ein Kirchlein angelegt; nein, ein in die Wolken
ragender Riesen-Dom sollte es werden. Und bald fanden sich rüstige Gewerken, die
mit ihm den Bau aus der Erde förderten. Wie nun der grosse, alte Meister, ermüdet,
sich zum ewigen Feyerabend niederlegte, waren indessen seine Söhne und andere
wackere Gesellen schon Meister geworden und arbeiteten frisch und lustig fort.
Ihnen folgten wieder gleichgesinnte, kunstreiche Genossen, und so wölbten sich die
Bogen immer kühner, stiegen die Säulen immer mächtiger himmelan, wurden die
Ornamente immer schöner und edler gefertiget. – Und noch liegt das grosse Werk
nicht; immer mehr naht es sich der Kuppel. Bauet fort, getrosten Muthes, so kühn
und hoch ihr wollt! Wird nur die Grundlage nicht erschüttert, dann giebt es keinen
Einsturz. Gott sey mit euch, ihr Meister und Gesellen!

Quelle: AMZ, 16. Jg., Nr. 23, 8. Juni 1814, Sp. 394. (*Miscellen. 1.*)

B 5

MARX: ZEITBEDINGTHEIT UND POTENTIAL DER KONTRAPUNKTISCHEN PERIODE
IN DER GESCHICHTE DER TONKUNST
BERLIN, 29. DEZEMBER 1824

… In Sebastian Bach hatte diejenige Periode der Tonkunst, die wir kurzweg die
kontrapunktische nennen wollen, ihren Gipfel und ihre Vollendung erreicht. Empfindung und Fantasie waren in dieser Zeit noch nicht so gereift für die Auffassung
musikalischer Ideen, dass sie in schneller Folge hätten wirksam dargestellt werden
können. Es bedurfte noch langen Verweilens bei einer Idee, um sie dem Gemüthe
des Hörers einzusenken. Diese Schwäche bedingte die Form der Tonstücke in ihren
Grundzügen: Kürze der Themata und öftere Wiederholung. So finden wir, um allgemeinere, bekannte Beispiele zu geben, das Thema der Arie: „ich weiss, dass mein
Erlöser lebt" (in Händels Messias), Vor- Nach- und Zwischenspiele mit gerechnet,
nicht weniger als neunmal wiederholt, ungeachtet es an sich höchst fasslich (nur
vier Takte lang) und die Arie keinesweges übermässig ausgedehnt ist. So wird
in den meisten Händelschen Arien gewöhnlich die Melodie der Singstimme von

den Instrumenten als Zwischensatz Note für Note wiederholt. Wo aber Fantasie und Empfindung noch zu wenig vermochten, da trat der Verstand hülfreich ein und wehrte der Einförmigkeit, indem er die Wiederholungen in mehre Stimmen vertheilte und so zu der Schreibart im doppelten Kontrapunkte, damit aber zu der höchsten Ausbildung der Mehrstimmigkeit und der Harmonik anreizte. So musste die Unmündigkeit jener geistigen Vermögen den Verstand zu der kräftigsten Thätigkeit, zu den kühnsten Kombinationen, zur unbestrittenen Herrschaft bringen. Strenge Regel und ein ansehnlicher Schatz von Erfahrungen war die Ausbeute dieser Richtung. Alles hielt sich fest im Gleise, Lehrer und Schüler pflanzten dies Verfahren zünftig gebunden fort, und Meister war der, welcher in den kühnsten Kombinationen über alle hinausging.

Die Tonkunst hätte ihr Wesen ablegen müssen, wenn sie sich selbst unter der Herrschaft des Verstandes, der Empfindung, der Fantasie ganz hätte entäussern sollen. In allen Werken der bessern Kontrapunktisten regen sich jene – nachweislich leicht in Sebastian Bach; so oft auch Vorurtheil oder die Unfähigkeit ihn zu verstehen, die entgegengesetzte Meinung diktirt haben.

…

Indem wir nach unsern Kräften das Wesen der Tonkunst tiefer zu ergründen streben, wird, wenn es uns gelingt, mehr und mehr Licht auf die Schöpfungen früherer Perioden fallen. Zu häufig und zu lange sind die Werke älterer Meister in dieser Beziehung vernachlässigt und gleich Leichen nur anatomisch, um die Harmonie oder die Lehre vom doppelten Kontrapunkt an ihnen zu bereichern, durchforscht worden. Es ist bald gesagt, Palästrina habe nur (!) Akkorde und Bach nur (!) Fugen geschrieben, es ist leicht erkannt, daß ihre Werke manches nicht enthalten, was in den unsrigen nicht vermisst werden darf. Aber lebt in diesen Akkorden nicht ein grosser Sinn? Hat nicht jeder aus der Natur seine Bedeutung erhalten? Ist nicht schon die Idee der Fugenform: wie verschiedene Individualitäten sich über Einen Gedanken im Dialog vereinen, jede in ihrer Eigenthümlichkeit beharrend und dennoch alle harmonisch geeinigt, wichtig? Und wie geschah es, daß die Kunst sich so entwickelte? Was musste vorangehn, damit sie ihren heutigen Standpunkt erlangen konnte? Vollständig befriedigend wird die Gegenwart nur aus ihrer Vergangenheit begriffen und wenn auch eine Zeitung zunächst der erstern gewidmet ist, so darf doch der Rath und die Lehre der letztern nicht vernachlässigt werden. …

Quelle: Adolph Bernhard Marx, *Andeutung des Standpunktes der Zeitung. (Als Epilog.)* (Berliner AMZ, Nr. 52, 29. Dezember 1824, S. 444f. und 447.)

Anm.: Adolph Bernhard Marx (1795–1866) wirkte als Musikhistoriker, Publizist und Verleger in Berlin. Die von ihm 1830 in zwei Bänden herausgegebenen sechs Kantaten (→ C 37, 39) gehörten zu den zur damaligen Zeit bekanntesten und meistgespielten Vokalwerken Bachs. Marx war maßgeblich beteiligt an der Vorbereitung und publizistischen Begleitung der Berliner Aufführungen der Matthäuspassion von 1829.

Lit.: Geck Matthäuspassion; Christian Ahrens, *Bearbeitung oder Einrichtung? Felix Mendelssohn Bartholdys Fassung der Bachschen Matthäus-Passion und deren Aufführung in Berlin 1829*, BJ 2001, S. 71–99.

B 6

ROCHLITZ: BACH ALS EXEMPLARISCHER MEISTER
DER SCHWER ZUGÄNGLICHEN ÄLTEREN MUSIKRICHTUNG
LEIPZIG, 1825

... wenn die Neuern vor allem durch Erfindung, Zusammenstellung, Verflechtung, Anordnung überhaupt, den Ausdruck des Großen erreichen, so erreichten ihn die Aeltern vor allem durch die tiefe Entwickelung und unerschöpfliche Combination des einfach Erfundenen. Dort, ein entschiedenes Vorherrschen der Phantasie: hier, ein entschiedenes Vorherrschen des Denkvermögens; dort, hinreißende Wirkung auf Jeden, auch auf den nur im Allgemeinen Empfänglichen: hier, vollkommene Befriedigung des, an Denken auch beim Genießen Gewöhnten; das geistreichste Bemühen – dort, um das Subject (das eigene und fremde): hier, um das Object *).

*)   Es ist bekannt, daß Mozart in seiner letzten Zeit, und vor allem in seinem letzten Werke, dem Requiem, sich jenen Aelteren annäherte, ohne jedoch seine Eigenthümlichkeit im Geringsten aufzuopfern, und mit weiser Benutzung aller seitdem entdeckten Vortheile neuerer Tonkunst.

Hier nimmt nun, von aller Welt zugestanden, der Albrecht Dürer deutscher Tonkunst, Vater Sebastian Bach, den ersten Platz ein; ja, er wird allgemein als Repräsentant dieser ganzen Musikart betrachtet und sein Name fast sprichwörtlich zur Bezeichnung derselben gebraucht. Wer seine Werke zu fassen, in all ihrem, gleichsam geheimen Reichthum zu durchdringen vermag, und sich an sie, in ihrer oft höchstsonderbaren Eigenthümlichkeit, gewöhnt hat, der hat in ihnen, für Einsicht und Empfindung, so ziemlich beisammen das Vollendetste, was in dieser Art überhaupt geleistet worden und wohl auch das Entscheidendste, was in ihr irgend geleistet werden kann. Aber sich an sie gewöhnen – das muß man allerdings zuvor; das liegt an ihnen, wie an uns. Sie sind von neuer, vollends neuester Musik nicht nur ganz verschieden, sondern treten meist ihr schroff entgegen: wir aber sind, wo nicht allein, doch bei weitem vorzüglich, an neue und neueste Musik gewöhnt; und dermaßen, daß unsre gesammte Art, Musik aufzunehmen, eine andere geworden ist, so, daß ohne Vergleich die Meisten auch Werke alter Zeit in dieser Art empfangen. Manche dieser Werke, z. B. von Händel, von Durante, lassen dieses allenfalls auch zu, und geben dann für Ohr und Empfindung wenigstens ein nicht falsches Resultat: aber die meisten und eben die größesten von Bach, lassen jenes nicht zu, und ihr Resultat für Ohr und Empfindung, werden sie also vernommen, ist oftmals kaum mehr, als eines gährenden, verwirrenden, übertäubenden Chaos; „Finsternis ruht auf der Tiefe". ...

Quelle: Friedrich Rochlitz, *Vom zweckmäßigen Gebrauch der Mittel der Tonkunst.*, in: *Für Freunde der Tonkunst, Zweiter Band*, Leipzig 1825, S. 173ff.

Anm.: Johann Friedrich Rochlitz (1769–1842) studierte als ehemaliger Thomaner zunächst Theologie, bevor er sich als Schriftsteller, Librettist, Musikhistoriker und Herausgeber der AMZ einen Namen machte. Rochlitz war von 1805 bis 1842 Mitglied des Konzertdirektoriums des Leipziger Gewandhauses.

Die Äußerungen zu Bach sind eingewoben in ein musikhistorisches Räsonnement über das „Große" und „Erhabene". Es handelt sich um eine weitgehende Überarbeitung und Erweiterung des ganzen Passus gegenüber dem unter dem Titel *Über den zweckmäßigen Gebrauch der Mittel der Tonkunst* in der AMZ, 8. Jg., Nr. 13, 25. Dezember 1805 erschienenen Erstdruck. Beginnend mit Sp. 199f. hieß es dort: „Hier wird wohl Niemand dem Albrecht Dürer der Musik, dem unsterblichen Johann Sebastian Bach, die erste Stelle streitig machen – Niemand, der seine Kirchenmusik kennet. Seine grosse zweychörige Messe, die nun jetzt endlich öffentlich bekannt gemacht worden, und in seinen Kantaten die Chöre, meistens nach Chorälen unbeschreiblich gross, reich und kunstvoll bearbeitet, haben, in dieser ihrer Art, nichts neben sich, geschweige über sich." Auffällig in der späteren Fassung ist die Rücknahme des Bezuges auf BWV Anh. III 167.

B 7

NÄGELI: BACH ALS ERSCHÖPFER DER TRADITION UND BEGRÜNDER DER MODERNEN INSTRUMENTALMUSIK
STUTTGART UND TÜBINGEN, 1826

… Die Kunstwelt, in welcher Sie Alle leben, reicht nicht über die Periode des auch Ihnen nicht unbekannten Johann Sebastian Bach hinauf. Ja auch uns Künstlern von Beruf ist alle frühere Instrumentalmusik durch diesen allergrößten, eigenthümlichsten und fruchtbarsten Tonschöpfer antiquirt worden. Dieß kann in Beziehung auf die Tonkunst als selbstständige Kunst, die Instrumentalmusik – wovon hier allein die Rede ist – mit aller Strenge behauptet werden. Vor der Bach'schen Periode waren alle Instrumental-Compositionen entweder technische Kunststücke, oder Cantabilitäts-Musik, in den Sätzen für Bogeninstrumente etwa stellenweise mit Sprüngen und Passagen untermengt. Erst in der ersten Hälfte des vorigen Jahrhunderts erblühete diese Kunst, und zwar auf deutschem Grund und Boden, zu einem selbstständigen Lebensbaum, aus dessen ausgereiften Früchten die Philosophie ihre Erkenntnis, die Theorie ihre Begründung zu schöpfen vermag.
…
Wie nun erscheint uns Johann Sebastian Bach auf dem technischen Standpunkt. – Eben hier erscheint er in seiner historischen Bedeutung, und in seiner bedeutungsvollen Wichtigkeit. Weil Ordnung, Maaß und Zahl jedem ächten Kunstwerk zum Grunde liegen muß, weil jede Kunst ihre hierauf beruhende Technik hat: so wird auch der reichste Kunsterfinder und der kühnste Bahnbrecher seine Erfindungen nach den herkömmlichen Kunstgesetzen technisch zusammenordnen und ausrunden, und wird sich so an die Methodik und Stylistik seiner kunstlehrenden und

kunstschaffenden Zeitgenossen anschließen. Dadurch aber wird er sich von den beschränktern unterscheiden, daß er an jenen Kunstgesetzen mehr eine bloß regulative, als eine absolute, schrankensetzende Autorität anerkennt; dadurch ferner wird er sich von denselben unterscheiden, daß er an jenen Kunstgesetzen das Normale, nach absoluter Kunstnorm unbedingt Gebotene, streng befolgt, hingegen das bloß limitativ Vorgeschriebene zum freyen Spielraum für seine Kunstschöpfungen benutzt.

So trat Johann Sebastian Bach auf; so trat er in die Schranken und Formen der herkömmlichen Tonsetzkunst; er trat hinzu mit dem Kunstvermögen eines unermesslich schöpferischen Geistes. Mit diesem Geiste erschöpfte er durch und durch die bestehenden Formen, das heißt hier: er leistete, im Allgemeinen genommen, in den herkömmlichen Grundformen der Fuge und der Suite Alles in reicherem Maaße und vollständigerer Ausarbeitung als seine Vorgänger und Zeitgenossen. Im Besondern genommen, leistete er wesentlich dieß, daß er, einzelne Aufgaben sondernd, und absonderlich in der Ausführung lösend, jedes seiner Kunstwerke so zu specialisiren vermochte, daß jedes derselben seinen eigenen Zuschnitt gewann, deren mehrere aber, gegeneinander gehalten, immer die auffallendste Verschiedenheit darbieten.

…

Soll ich nun mein historisch-kritisches Urteil über Johann Sebastian Bach, als individuelle Zeiterscheinung in kurze Worte zusammenfassen, so muß ich mich so ausdrücken: Indem derselbe mit seiner Meisterschaft die Leistungen in den vorhandenen Kunstformen erschöpfte, und mit seiner Genialität unermesslich weit darüber hinausreichend neue Bahnen brach, hat er die Periode der „freyen Schreibart" herbeygeführt, wornach unsere seitherige Kunstwelt sich tausendfach gestaltet und bereichert hat; und so viele wunderherrliche Früchte sie, die Instrumentalmusik, seither getragen – wir haben sie alle mittelbar diesem ihrem ersten Begründer zu danken. …

Quelle: Hans Georg Nägeli, *Vorlesungen über Musik mit Berücksichtigung der Dilettanten*, Stuttgart und Tübingen 1826, S. 107f., 122f., 129. (Neuausgabe Darmstadt 1983, mit einem Vorwort von Martin Staehelin.)

Anm.: Nägelis *Vorlesungen* enthalten noch zahlreiche analytische Äußerungen zu einzelnen Kompositionen Bachs. Weiteres Material zu Einzelfragen des Bachschen Werkes enthält Nägelis zu Lebzeiten unveröffentlichtes Manuskript *Johann Sebastian Bach* (CH–Zz, Nachlaß Nägeli, *Ms. Car XV 203*). Dieser Text wurde gedruckt als: *Hundertachtundfünfzigstes Neujahrsblatt der Allgemeinen Musikgesellschaft Zürich auf das Jahr 1974* (hrsg. v. Günter Birkner), Zürich 1974.

Lit.: Bernd Sponheuer, *Das Bach-Bild Hans Georg Nägelis und die Entstehung der modernen Autonomieästhetik*, Mf 39 (1986), S. 107–123.

B 8

Zur Aktualität von Bachs Orgelbehandlung
München, 1827

… Das nördliche Deutschland ist die Heimath der höhern Orgelkunde; Sebastian Bach, anderer frühzeitiger Meister nicht zu gedenken, der grosse Vorgänger und Lehrer. Seine Orgelkompositionen müssen hervorgesucht, müssen studirt werden. Seine Gedanken sind veraltet, aber seine Art, eine grössere Orgel zu behandeln, sinnreich und praktisch aufgefasst. Ihr muß man folgen, und sie in das Moderne übertragen; …

Quelle: AMZ, 29. Jg., Nr. 38, 19. September 1827, Sp. 655. (*Nachrichten. München.*)

B 9

Hegel: Bach als Hauptvertreter der protestantischen Kirchenmusik
Berlin, vor 1829

… Diese gründliche religiöse Musik gehört zum Tiefsten und Wirkungsreichsten, was die Kunst überhaupt hervorbringen kann. Ihre eigentliche Stellung, insoweit sie sich auf die priesterliche Fürbitte für die Gemeinde bezieht, hat sie innerhalb des *katholischen* Kultus gefunden, als Messe, überhaupt als musikalische Erhebung bei den verschiedenartigsten kirchlichen Handlungen und Feiern. Auch die Protestanten haben dergleichen Musiken von größter Tiefe sowohl des religiösen Sinnes als der musikalischen Gediegenheit und Reichhaltigkeit der Erfindung und Ausführung geliefert, wie z. B. vor allen Sebastian Bach, ein Meister, dessen großartige, echt protestantische, kernige und doch gleichsam gelehrte Genialität man erst neuerdings wieder vollständig hat schätzen lernen. Vorzüglich aber entwickelte sich hier im Unterschiede zu der katholischen Richtung zunächst aus den Passionsfeiern die erst im Protestantismus vollendete Form des Oratoriums. …

Quelle: Georg Wilhelm Friedrich Hegel, *Vorlesungen über die Ästhetik. Dritter Teil. Das System der einzelnen Künste*, zit. nach: Georg Wilhelm Friedrich Hegel, *Vorlesungen über die Ästhetik III.* Auf der Grundlage der *Werke* von 1832–1845 neu edierte Ausgabe, Frankfurt / Main 1986, S. 211f. Anm.: Da die posthum gedruckte Fassung der Ästhetik-Vorlesungen auf Vorlesungsmitschriften verschiedener Jahre bis einschließlich des Wintersemesters 1828 / 29 zurückgeht, ist ein näherer Bezug dieser Äußerungen zu den Vorbereitungen der Berliner Aufführungen der Matthäuspassion 1829 wahrscheinlich (zur Quellenproblematik der „Ästhetik-Vorlesungen" vgl. das Nachwort der genannten Ausgabe, Bd. III, S. 575–578). Einen darauf hindeutenden Kommentar zu Hegels Bachauffassung hat Zelter in einem Brief an Goethe vom 22. [?] März 1829 gegeben (→ D 86).

B 10

ROBERT SCHUMANN: BACH ALS ERSTER KOMPONIST VON STUDIENWERKEN UND BEGRÜNDER EINER SCHULE
LEIPZIG, 5. JUNI 1834

… Der hochehrwürdige Bach, der Millionenmal mehr gewußt hat, als wir vermuthen, fing zuerst an für Lernende zu schreiben, aber gleich so gewaltig und riesenübermäßig, daß er erst nach vielen Jahren von den Einzelnen, die indessen auf eignem Weg fortgegangen waren, der Welt als Gründer einer harten, aber kerngesunden Schule vorgestellt wurde. …

Quelle: [Robert Schumann], *Die Davidsbündler. I. Hummel's Pianofortestudien. 2.* (NZfM, 1. Jg., Nr. 19, 5. Juni 1834, S. 74.)
Anm.: Der Text wurde erneut abgedruckt in: Schumann GS, Bd. I, S. 16. Schumann ersetzte dabei in seiner Revision das Wort „hochehrwürdige" durch „hochpreißliche".
Lit.: Janina Klassen, *Eichenwälder und Blumenwiesen. Aspekte der Rezeption von Bachs „Wohltemperiertem Klavier" zur Schumann-Zeit*, AfMw, 53. Jg. (1996), S. 41–64.

B 11

KIESEWETTER: BACH UND HÄNDEL ALS UNERREICHTE MEISTER DER MUSIKGESCHICHTE
LEIPZIG, 1834

… Aus solchen Organisten-Schulen, als wir eben beschrieben haben, sind früh, im XVIII. Jahrh., die deutschen Heroen dieser überall so merkwürdigen Epoche, ein Händel und ein Joh. Sebastian Bach, hervorgegangen, welche – wie es scheint – in Ewigkeit übertroffen, ja unerreichbar bleiben werden; kein Land, keine Schule, keine Zeit hat Etwas aufzuweisen, das den Oratorien des Einen und den Fugenwerken des Andern auch nur angenähert werden könnte. Sie stehen so einzig, darum aber auch isolirt da, dass ich es nicht über mich vermocht hätte, sie an die Spitze einer Epoche zu stellen, deren folgende weder als eine Fortsetzung, noch und viel weniger als eine Vervollkommnung der ihrigen angesehen werden könnte; sie haben eine eigene Periode begonnen und beschlossen. …

Quelle: Raphael Georg Kiesewetter, *Geschichte der europäisch-abendländischen oder unsrer heutigen Musik. Darstellung ihres Ursprunges, ihres Wachsthumes und ihrer stufenweisen Entwickelung: Von dem ersten Jahrhundert des Christenthumes bis auf unsre Zeit. Für jeden Freund der Tonkunst [...]*, Leipzig 1834, S. 90.
Anm.: Zur Biographie Kiesewetters → D 194.

B 12

[MONTAG]: BACH FORMSTRENGE INSTRUMENTALMUSIK – MEHR ALS NUR
AUSDRUCK UND EMPFINDUNG
LEIPZIG, 28. NOVEMBER 1837

Ein Blick auf die neuere Entwickelung der Musik zeigt ein besonders lebhaftes Fortschreiten, und, dem inneren Gehalte nach, ein entschieden hervortretendes Uebergewicht der Instrumentalmusik. Es liegt darin der erfreuende Beweis, wie sehr dieser
Zweig der Tonkunst an Selbstständigkeit gewonnen, wie der Instrumentalcomponist
sich mehr und mehr zum Dichter erhoben hat, der seine eigenen Gestalten schaffen
und mit Bestimmtheit ausprägen und veranschaulichen kann. Wenn wir dieses als
die Hauptaufgabe des Tondichters voranstellen, müssen wir zunächst einer allgemein verbreiteten Meinung über das Wesen der Musik gedenken, wodurch sein
Wirken nicht nur sehr beschränkt, sondern derselbe sogar von der höchsten Stufe
dichterischen Schaffens ausgeschlossen wird. Der Meinung nämlich: Musik sei Sprache des Gefühls, und ihr einziges und höchstes Ziel Ausdruck und Empfindung.
Allerdings liegt schon im Wesen des Tons etwas Weites, Unbegrenztes, wodurch das
Gefühl innig erregt wird. Dies hat man von jeher wohl erkannt, und in der Musik
das erfolgreichste Mittel gefunden, wo es galt, auf das Gefühl der Menge zu wirken,
und so sehen wir dieselbe von ihrer Kindheit an in den Tempeln, um theils durch
erhabene, einfache Klänge, theils durch mystisch-dunkel verschlungene Stimmen
und Harmonieen das Gefühl des Ewigen, Unendlichen, eine Ahnung der Gottheit,
hervorzurufen.
Betrachten wir aber die Art, wie sich die Musik ausbildete, so finden wir dieselbe in
großem Nachtheile gegen andere Künste. Während deren Vorbild die ganze äußere
und innere Natur ist, fand die Musik kein Vorbild außer ihr, und entwickelte sich
so aus abstracten, mathematischen Verhältnissen als eine Kunst der Formen. So finden wir dieselbe bis in's 16. Jahrhundert, und es ist durchaus eine zu subjective
Ansicht Mancher, welche den Werken jener Zeit einen Ausdruck nach unserm Sinne
zuschreiben wollen. Die ergreifende, wunderbare Wirkung derselben liegt eben in
ihren tiefsinnigen Formen.
Die Entstehung freierer Gattungen der Gesangmusik (zum Theil schon mit Instrumentalbegleitung), endlich der Oper, führte bald darauf, dem Text einen entsprechenden musikalischen Ausdruck zu geben. Und so sehen wir die Gesangmusik
in dieser Hinsicht schon weit fortgeschritten, während die Instrumentalmusik erst
schwache Versuche wagt, selbstständig aufzutreten, sich langsam und in steifen Formen auszubilden anfängt, und wenn sie sich bei erlangter größerer Freiheit ja zum
Ausdruck von Empfindungen erhebt, denselben noch keine Ausführung nach ihren
inneren Pulsationen zu geben weiß.
Hier stellen sich, als eine isolirte Erscheinung, Seb. Bach's Werke entgegen, entsprungen aus dem tiefsten Geiste, mit unbegränzter Herrschaft über die strengsten

Formen. Es ist aber nicht Empfindung und Ausdruck, was uns in diesen Werken ergreift – es ist Bach's mächtiger Geist, seine kühnen Ideen und Combinationen, die Leichtigkeit, womit er den widerstrebendsten Stoff überwindet, die zu Staunen und Bewunderung hinreißen, und den Eingeweihten unwiderstehlich in die Labyrinthe dieser harmonischen Verschlingungen fesseln.

Von Bach an beginnt die Instrumentalmusik sich freier und rascher zu entwickeln. …

Quelle: Mtg. [Carl Montag], *Empfinden und Gestalten. Ideen über die nächste musikalische Zukunft* (NZfM, 7. Bd., Nr. 43, 28. November 1837, S. 169–171.)

Anm.: Carl Montag (1817–1864) lebte als Musiker, Publizist und Korrespondent der NZfM in Weimar.

B 13

ROBERT SCHUMANN: BACH ALS URSPRUNG DER BESSEREN NEUEN MUSIK
LEIPZIG, 31. JANUAR 1840

… Sie sprechen an jener Stelle „nach Bach und Kuhnau verstünde man erst, wie Mozart und Haydn zu ihrer Musik gekommen seien, desto weniger aber wie die Neueren zu ihrer." So wenigstens war der Sinn. Doch theile ich Ihre Ansicht nicht ganz. Mozart und Haydn kannten Bach nur seiten- und stellenweise, und es ist gar nicht abzusehen, wie Bach, wenn sie ihn in seiner Größe gekannt, auf ihre Productivität gewirkt haben würde. Das Tiefcombinatorische, Poetische, und Humoristische der neueren Musik hat ihren Ursprung aber zumeist in Bach: Mendelssohn, Bennett, Chopin, Hiller, die gesammten sogenannten Romantiker (die Deutschen mein' ich immer) stehen in ihrer Musik Bach'en weit näher, als Mozart, wie diese denn sämmtlich auch Bach auf das Gründlichste kennen, wie ich selbst im Grund tagtäglich vor diesem Hohen beichte, mich durch ihn zu reinigen und stärken trachte. Dann aber darf man doch Kuhnau, so ehrenvest und ergötzlich er ist, nicht mit Bach auf eine Linie stellen. Hätte Kuhnau nur das wohltemperirte Clavier geschrieben, so wär' er doch immer nur erst ein Hundertheilchen von jenem. Bach'en ist nach meiner Ueberzeugung überhaupt nicht beizukommen; er ist incommensurabel. Niemand (Marx ausgenommen) hat wohl besser über Bach geschrieben, als der alte Zelter; er, der sonst so grob, wird sanft wie ein bittendes Kind, wenn er auf Bach zu sprechen kömmt. …

Quelle: Schumann an Gustav Adolph Keferstein, Leipzig 31. Januar 1840, Original verschollen, zit. nach: Josef W. v. Wasielewski, *Robert Schumann*, Dresden 1858, S. 389f.

B 14

GELBCKE: BACH ALS HEROS DES PREUSSISCH-DEUTSCHEN PROTESTANTISMUS

PETERSBURG, 1841

… In der Zeit, als der Protestantismus unter dem Schutze des preußischen Hauses, mit diesem zugleich seine Macht in Deutschland befestigte, in der eigentlichen Zeit des begeisterten siegreichen Protestantismus sehen wir die Riesengestalt des alten Sebastian Bach und unter seiner Titanenfaust die protestantische Orgel, und die im Geiste der Zeit begründete vollendeteste Ausbildung der Figuralmusik. …

Quelle: Ferdinand Adolph Gelbcke, *Classisch und Romantisch*. (NZfM, 14. Bd., Nr. 48, 14. Juni 1841, S. 191.)
Anm.: Der in Zerbst geborene Ferdinand Adolph Gelbcke (1812–1892) lebte nach musikalischen Studien bei Friedrich Schneider in Dessau seit 1834 als Schriftsteller, Gesangslehrer und Pädagoge in St. Petersburg. Gelbcke war ein bekannter Übersetzer der klassischen englischen und französischen Literatur.

B 15

HAUPTMANN: BACHS FUGEN ALS SPITZENWERKE EINER VERGANGENEN EPOCHE
MELODISCHER POLYPHONIE

LEIPZIG, 1841

… Wie aber die Form sich im Einzelnen den Inhalt unterwirft, so ist sie doch im Ganzen wieder durch den Inhalt gegeben: die musikalische durch den Gesammtinhalt dessen, was in einer Zeit musikalisch überhaupt auszusprechen ist, und so ist sie ebenso sehr ein Bestimmtes als ein Bestimmendes, und nur indem diese beiden Bedeutungen zugleich bestehen, wird sie sich dem Ausdruck im poetischen und künstlerischen Sinne vollkommen angemessen erweisen. Die Fugenform, als ein durch die Natur des Inhaltes gegebener Ausdruck, gehört einer früheren Epoche an. Mit Sebastian Bach, unbestritten dem grössten und tiefsinnigsten Fugencomponisten, scheint auch die historische Periode der Fuge geschlossen, oder wenigstens dem Ende sich zu neigen; bald nach ihm tritt in dieser Kunstart an die Stelle lebendiger Production eine gewisse Herkömmlichkeit, ein blos formales Wesen, dem die nährende Wurzel entzogen ist. In neuerer Zeit aber ist es wieder schwer, das Eigenthümliche der Gattung mit dem veränderten Wesen der modernen Musik in Einklang zu bringen: denn unsere Musik ist mehr harmonischer, der Fugenstyl, wie die ältere Musik überhaupt, ist mehr melodischer Natur. Die Polyphonie dieser letzteren ist wesentlich eine Combination von Melodieen, die unsere ist wesentlich Accordenfolge mit lyrischer Zäsur; der moderne Componist hat daher zur Conception der Fuge etwas zu verleugnen, worin er musikalisch geboren und erzogen ist, er geht von diesem Negativen aus, oder er dichtet in einer fremden Sprache; und wenn es einigen unserer jetzigen Componisten gelungen ist, auch im Fugenstyle Vortreffliches zu leisten, so kann man die kleine Zahl derselben schon als Zeugnis gelten lassen, dass es eine nicht in unserer Zeit liegende, sondern durch vertrauten Umgang mit der älteren erworbene Kunst sei. …

Quelle: Moritz Hauptmann, *Erläuterungen zu Joh. Sebastian Bach's Kunst der Fuge*, Leipzig 1841, S. 14.
Anm.: Hauptmanns „Erläuterungen" erschienen als Begleitband zum dritten Band der Ge-
samtausgabe von C.F. Peters (→ C 24). Der Geiger, Komponist und Musiktheoretiker Moritz
Hauptmann (1792–1868) wirkte ab 1842 als Thomaskantor in Leipzig (zu Hauptmanns Bach-
aufführungen → E 5). Er war ab 1850 Vorsitzender des Directoriums der Bachgesellschaft und
Mitherausgeber der Bach-Gesamtausgabe.
Lit.: Martin Ruhnke, *Moritz Hauptmann und die Wiederbelebung der Musik J. S. Bachs*, in: *Festschrift
Friedrich Blume zum Siebzigsten Geburstag* (hrsg. v. Anna Amalie Abert und Wilhelm Pfannkuch),
Kassel etc. 1963, S. 305–319.

B 16

KRÜGER: BACH UND HÄNDEL ALS VOM LEBENDIGEN GLAUBEN
INSPIRIERTE KIRCHENMUSIKER
EMDEN, 5. MÄRZ 1842

… Wie kindlich heiter, wie paradiesisch selig sind die tiefsinnigsten Schöpfungen unseres Bach und Händel durchhaucht! Die Kirche selbst, die sie nicht als ein Frem-des, Sonntägliches betrachteten, weil sie in ihr geboren und erzogen waren und sie allzeit mit sich im Herzen trugen – die war ihnen Freud und Leid, Himmel und Erde zusammen. Wo ist der moralische Trübsinn des schwachherzigen Pietismus zu finden, wenn zwischen Wolken und Gewitter die ewige Sonne hoch über dem titanischen Sturme leuchtet, wie in Sebastian's Phantasieen? Wo die dürre Resigna-tion engherziger Heuchelei, wenn der überkräftige Jupitersohn, Gottfried Händel, den Heiland in Arbeit, Tod und Seligkeit singt, daß alle Himmel mitjauchzen möch-ten über die Glorie des Verklärten im Gesange der Sterne, dem Messias-Amen? – Und derselbe Sebastian zeigt in seinen weltlichen Melodieen den heitersten Lebens-genuß auf ernstem Hintergrunde, zum Zeichen, daß Welt und Gott in unserer Kirche nicht geschieden sind. Darum kann auch wohl nur ein deutsches Gemüth diese Tiefe der Weisheit, diese Fülle der Seligkeit nachempfinden, die uns aus den besten Stunden jener Seligen übrig geblieben sind. …

Quelle: Eduard Krüger, *Rossini's Stabat mater. (Fortsetzung.)* (NZfM, 16. Bd., Nr. 34, 26. April 1842,
S. 133.)

Anm.: Der Organist und Musikforscher Eduard Krüger (1807–1885) gehörte zu den regelmäßigen Korrespondenten der NZfM. Er wirkte ab 1830 als Schullehrer in Emden und ab 1849 als Bibliothekar und später Professor in Göttingen.

B 17

Hirschbach: Bach als musikhistorischer Epochenabschluss und Anfang der modernen Musik

Leipzig, 17. Juni 1842

… Dagegen findet man bei Vielen eine gänzlich unverständige Ueberschätzung der Jahrhunderte vor Seb. Bach, namentlich der alten italienischen Kirchencomponisten, die ihren Leistungen ganz unangemessen. Wie andere Dinge, so waren auch die Anfänge der Musik klein, und erst von Bach beginnt ihre große Zeit; obgleich ich nicht in Abrede bin, daß Bach und Händel keineswegs als die Beginner einer neuen Epoche, sondern als die letzten, größten Meister einer alten zu betrachten sind. …

Quelle: Hermann Hirschbach, *Baustücke zu einer Vorrede der Geschichte d. Musik.* (NZfM, 16. Bd., Nr. 49, 17. Juni 1842, S. 194.)
Anm.: Der in Berlin geborene Komponist und Musikkritiker Hermann Hirschbach (1812–1888) gehörte zeitweise zu den produktivsten Mitarbeitern der NZfM.

B 18

Sobolewski: Bach als beständiger Klassiker

Leipzig, 14. Oktober 1842

… Denn die Romantik dauert, wie das helle Grün des Frühlingslaubes, mit ihrem süßen verführerischen Dufte nicht über den Mai des Lebens hinaus. Schauen sie auf Händel's, Bach's, ja auf Mozart's Werke und suchen Sie jenen ätherischen Hauch, das Romantische, Sie werden keine Spur mehr davon finden, und wer möchte in Abrede stellen, daß er sie einst belebt habe. Was wir in ihren Werken schön finden, ist etwas Anderes, aber etwas gar Wichtiges, und ich befürchte fast, daß von mehreren unserer Romantiker nicht viel übrig bleiben dürfte, wenn die Zeit den Glanz der Jugend verwischt haben wird. …

Quelle: E. Sobolewski, *Ein neues Kapitel über das alte Wort „schön".* (NZfM, 17. Bd., Nr. 31, 14. Oktober 1842, S. 128.)
Anm.: Eduard Johann Friedrich Sobolewski (1808–1872) war als Komponist und Theaterkapellmeister zunächst in seiner Geburtsstadt Königsberg und später auch in Bremen sowie ab 1859 in

Milwaukee und St. Louis (USA) tätig. Seine Frau war eine bekannte Pianistin und Bachspielerin (→ D 165).

B 19

Jahn: Bachs Passionen als Ausdruck des protestantischen Gemeindeverständnisses

Kiel, 1842

…

Die protestantische Kirche behielt die Aufführung der Passion bei; es wäre ohne Zweifel interessant, soweit es möglich ist, nachzuweisen, wie jene Form sich allmählig umgebildet habe, allein ich muß darauf verzichten. Auch genügt für diesen Zweck die Betrachtung der Passionsmusik von Sebastian Bach, in welcher die großartigste, vollendetste Ausbildung jener Keime, und das protestantische Princip, welches sie ganz und gar durchdrungen hat, klar hervortritt. Wir sehen hier wiederum den betreffenden Abschnitt des Evangelium unverändert zum Grunde gelegt, die Stimme des Evangelisten trägt recitativisch die Erzählung vor, die redend eingeführten Personen, sowie der Chor treten selbstständig ein; allein erstlich ist jene Beschränkung auf drei Sänger gehoben, und alle Personen geschieden, und dann, was ungleich wichtiger, die Fessel jener starren, typischen Form ist gebrochen. Mit tiefem Gemüth sind die Worte des Evangelium aufgefasst, und nicht gebunden durch eine hergebrachte, stets sich wiederholende Form, bestrebt sich der Meister mit einer, durch das große Werk hin nicht ermüdenden, liebevollen Sorgfalt, nicht nur die Individualitäten scharf zu characterisiren, wie dies zumal in den Chören hervortritt, sondern der gesammten Erzählung in ihren Einzelnheiten den treffendsten, bezeichnendsten Ausdruck zu geben, und dieses mit einer Wahrheit und Innigkeit der Empfindung und mit einer Einfachheit, welche die ergreifendste Wirkung hervorbringen. Die Musik, welche dort ein äußeres Mittel war, erscheint hier in ihrer ganzen, wahren Bedeutung; wir haben ein Kunstwerk vor uns, ganz und innerlichst durchdrungen und belebt durch die Musik. Schon hierin sehen wir also die Ausbildung jener Keime; es ist nun aber noch ein neues Element, ein lyrisches hinzugetreten. Der bloße Vortrag des Evangelium wird nämlich an den geeigneten Stellen durch den Ausdruck der durch das Wort des Evangelium hervorgerufenen Empfindung oder Reflexion unterbrochen, entweder so, daß die durch die vernommene Rede erzeugte Stimmung des Gemüthes festgehalten und in längerer Ausführung ausgesprochen werde, oder indem derselben eine weitere Anwendung und Ausführung gegeben wird. Je nachdem es erforderlich, geschieht dies durch den Gesang Einzelner oder den Chor, und zwar, wie es der höhere Schwung der Empfindung verlangt, erhebt sich auch der musikalische Ausdruck in diesen Sätzen über das gewöhnliche Maaß, die Musik wird feuriger, massenhafter, breiter, und in ihnen zeigt sich ganz besonders die Kunst des Meisters. Vorzugsweise aber erscheint hier die Form des Chorals, welches uns vollends über die ächt protestantische Natur dieses neuen Elements aufklärt, wie es sich denn als solches eben auch durch diese Form ankündigt. Denn es ist klar, daß diese Arien und Chöre auf einem ganz anderen Princip beruhen, als jene dramatischen Bestandtheile, daß sie der Ausdruck der Empfindung und Reflexion der Gemeinde sind, deren Theilnahme beim Gottesdienst des Protestantismus verlangt, und welche daher auch auf dem Gebiete der Kunst ihren ideellen Vertreter finden musste. Am deutlichsten ist dies, wie gesagt, da, wo der Choral eintritt, da dieses die Form ist, in welcher die Gemeinde ihre Gefühle und Betrachtungen ausspricht, allein nicht minder klar ist es auch da, wo eine andere Form den Bedingungen der Kunst gemäß war. Es ist dieß etwas dem antiken Chor analoges, der ebenfalls das ausspricht, was im allgemeinen Bewußtseyn lebt, und dasselbe vertritt. Daß aber dieselben Mittel der Darstellung für diese verschiedenen Elemente gewählt werden, liegt nothwendig in der Form dieser musikalischen Kunstwerke, welche das epische, dramatische und lyrische Element neben einander in sich schließen, obgleich dieses die Veranlassung zu manchen Mißverständnissen geworden ist, indem man das Wesen über dem Aeußerlichen nicht beachtete.

Als die Sitte dieser Passionsaufführungen immer mehr vernachlässigt wurde, und der Sinn für die Bedeutung solcher mehr und mehr abnahm, musste auch eine ähnliche Auffassung geistlicher Musik sich verlieren, und die Bach'schen Werke selbst geriethen in Vergessenheit, der sie erst vor nicht gar langer Zeit wieder entzogen sind. Dagegen wurde für die geistliche Musik die Form, welche Händel den Oratorien gegeben hatte, so ziemlich die allgemeine. …

Quelle: Otto Jahn, *Ueber F. Mendelssohn-Bartholdy`s Oratorium Paulus. Eine Gelegenheitsschrift*, Kiel 1842, S. 5–7.
Anm.: Teile von Jahns Aufsatz wurden unter dem Titel *Ueber die geistliche Musik der Deutschen* in den Nummern 59 und 60 des 4. Jahrgangs der AWMZ vom 16. und 18. Mai 1844 wiederveröffentlicht. Die zitierte Passage befindet sich dort in der Nummer 60 auf S. 233.

B 20

HIRSCHBACH: ZEITGEBUNDENHEIT, NATIONALCHARAKTER UND UNTERSCHIEDE
IN DER MUSIK BACHS UND HÄNDELS
LEIPZIG, 27. APRIL 1843

… Erst von 1650, von Lully's und Scarlatti's Zeit an, beginnen die nationalen Eigenthümlichkeiten auch in der Musik hervorzutreten. Italienische, deutsche, französische Kunst treten sich schroff gegenüber. Das zeigt sich, wenn man die besten Werke Scarlatti's mit denen von Bach und Händel vergleicht, den Gipfelpuncten der ganzen musikalischen Periode. Scarlatti fehlt durchaus die Tiefe der deutschen Meister, welche von einander wieder sehr verschieden sind: Bach wurzelt mit seinem fast mystisch und ascetisch frommen Sinne eigentlich in ein früheres Jahrhundert, während Händel weit weltlicher und mehr Zeitkind ist. Charakter und Lebensverhältnisse bedingten solche Verschiedenheit. Der Messias, Samson, Judas Maccabaeus, das Alexanderfest mussten in England geschrieben und zuerst aufgeführt werden, von einem Componisten, der dreißig Jahre lang dem Theater gedient. So sehr nun auch in beiden Männern das nationale deutsche Element hervortritt, so wenig bestimmt und entschieden spiegelt sich in ihren Werken doch eigentlich der Geist der Zeit selbst ab. Diesen kann man wohl nicht eigentlich einen religiösen nennen; eher das Gegenteil. Während die Macht neuer Ideen durch Bayle, Voltaire u. s. w. immer mehr sich Bahn brach, auch in der protestantischen Welt, konnte die Entstehung solcher Werke nur in der Kunstverfassung und in dem Standpuncte der Künstler ihren Grund haben; und so verhält sich's auch. Aber wenn selbst ein Shakespeare seine Zeit nicht verleugnen kann, so erkennt man auch aus Bach's und Händel's Schöpfungen die ihrige, in allem, was das formelle und überhaupt äußerliche Wesen der Musik anbelangt. Das Steife und Ungelenkige der Zeit trifft man auch an ihnen. Erst seit Gluck kam der Gedanke einer fördernden Freiheit in die Musik, wie seit der nordamerikanischen Revolution in das allgemeine politische Leben. …

Quelle: [Hermann Hirschbach], *Vermischte Aufsätze von H. Hirschbach. (Fortsetzung.) 6) Ueber den Einfluß des Geistes des Zeitalters und des Charakters der Nation auf die musikalischen Compositionen.* (NZfM, 18. Bd., Nr. 34, 27. April 1843, S. 135.)

B 21

HIRSCHBACH: GEDANKEN ZUM HISTORISCHEN ORT BACHS IN DER GESCHICHTE DER KUNST

LEIPZIG, 8. MAI 1843

Es ist das Eigene der meisten Künste, dass sie einen Gipfelpunkt gehabt haben, wo mehrere Genies ersten Ranges zugleich oder schnell hinter einander ihre Ausbildung betrieben. So war es der Fall mit der Malerei zu Zeiten da Vinci's, Buonarotti's, Raphael's, Tizian's, so mit der Dichtkunst der Deutschen am Ende des vorigen und am Anfang dieses Jahrhunderts, und mit der Musik zur gleichen Periode. Ist nun eine solche Epoche vorüber, so pflegt die Allgemeinheit zu sagen, die Kunst sei in Verfall gerathen. So kann man noch jetzt hören: die Musik sei seit Mozart gesunken. Wir wollen uns nicht darüber ereifern, dass es manche bejahrte Musikfreunde giebt, die immer noch nicht einräumen, dass Beethoven die Kunst weiter gebracht hat als sie vor ihm war; aber die Engherzigkeit der Jüngern ist zu tadeln, die aus Mangel an Einsicht gleiche Meinung hegen. Jeder Meister war so wie ihn die Zeit gebrauchte:

eine geschichtliche Nothwendigkeit. Will man durchaus Einen den größten Meister nennen, so verdient es nur der unvergleichliche Seb. Bach; mit dem kann kein Nachfolger im eigentlich Musikalischen wetteifern. Man kann eher sagen, die Kunst sei nach ihm oberflächlicher geworden; aber sie musste es werden, in seiner Ansicht konnte er keinen Nachfolger haben; er ist allein Anfang und Ende einer Epoche. Seit ihm war Beethoven der kunstvollste, in Kombinationen tiefste und reichste geniale Componist. Aber die Kunst ist auch nach diesem nicht in Verfall gerathen, denn einzelne seichte Componisten hat es zu allen Zeiten, also auch zu Mozart's, in Menge gegeben; nur der allgemeine Geschmack ist verschlechtert worden.

…

Ein Fortschritt im Ganzen der Composition ist freilich nach Beethoven noch nicht geschehen; ein solcher ist schwierig und erfordert außerordentlich geniale Kräfte; aber im Besondern ist manches weiter ausgebildet worden, als zu seiner Zeit üblich war, und der musikalische Gesichtskreis der heranwachsenden Generation bedeutend erweitert. Es ist wahr, man ergötzt sich am Schlechten; aber man weiß auch, dass es nichts werth ist, und dass eine Reaction gegen das nichtige Treiben der Virtuosität mit ausländischer Musik eingetreten, kann nicht geleugnet werden. Wann ist Seb. Bach, der Stammhalter alter echter Kunst, mehr anerkannt und ergründet worden, als in unserer Zeit? Es hat stets welche gegeben, die über den vermeintlichen Verfall der Kunst klagten, ja die gar schon mit Bach und Händel die gute Periode abgeschlossen hielten; bei jeder neuen Erscheinung werden dieselben Ausstellungen und Vorwürfe wiederholt, nach und nach klären sich die Ansichten auf, und was früher geschmäht worden, wird nun in seinem ganzen Werthe erkannt. So war es stets, und wird es bleiben, denn alles Neue in der Kunst ist ein Auflehnen gegen das Alte. …

Quelle: [Hermann Hirschbach], *Vermischte Aufsätze von H. Hirschbach. (Fortsetzung.) 7) Ueber den vermeintlichen Verfall der Musik.* (NZfM, 18. Bd., Nr. 37, 8. Mai 1843, S. 147f.)

B 22

Constantin Julius Becker: Verfall der Kirchenmusik nach Bach und Händel als Folge des veränderten Zeitgeistes

Leipzig, 15. Februar 1844

Bedenkt man, daß die Kirche ehedem der Mittelpunct war, nach welchem das politische wie sociale Leben der Vorfahren, ihre Wissenschaften, ihre Künste strebten, so ist es leicht erklärlich, daß die Blüthenzeit der Kirchencomposition in jene Zeit fällt, wo die Musik ausschließlich ihre höchste Aufgabe als treue Dienerin der Kirche fand. Der Geist der Gegenwart hat neue Erscheinungen hervorgerufen, und wie Alles, so hat auch die Musik jene Richtung genommen, welche die allgewaltige Zeit nach ewigen Gesetzen verfolgt. Wo sind sie hin, die ehrwürdigen Meister alt-italienischer Kirchenmusik? Wo die großen Vertreter des Protestantismus in unserer Kunst, Bach und Händel? – Es würde ungerecht sein, wollten wir, was einzelne Meister in neuerer Zeit, ja selbst noch in der Gegenwart, als Oratoriencomponisten geleistet, nicht als hochbedeutend anerkennen; doch verschweigen dürfen wir nicht, daß die Kirchenmusik von heute unter ganz anderen Verhältnissen erscheint, ja daß sie in ganz anderer Weise empfunden und aufgenommen wird, wenn wir auch davon absehen, daß sie gegenwärtig, wenn's hoch kommt, nur eine geistvolle Reproduction des Früheren, nicht aber ein unmittelbares Kunstproduct sein kann, dessen innere wie äußere Nothwendigkeit sich aus der Zeit, in der es entstanden, erklärt. …

Quelle: J. B. [Constantin Julius Becker], *Kirchenmusik.* (NZfM, 20. Bd., Nr. 14, 15. Februar 1844, S. 53.)
Anm.: Der in Dresden und Oberlößnitz wirkende Komponist und Musikschriftsteller Constantin Julius Becker (1811–1859) war regelmäßiger Korrespondent der NZfM und weiterer Musikperiodika.

B 23

von Winterfeld: Bach als Vollender der Tradition und ursprüngliche Schöpfernatur

Leipzig, 1847

… Er war eine ursprüngliche Natur, im tieffsten Sinne des Wortes. Kaum ist irgend ein Meister seiner Kunst des Machwerkes gleich mächtig gewesen als er, aber auch keiner hat wohl die Vorschriften der Lehre kühner und mit vollem Bewußtseyn überschritten, wo es galt den in seinem Innern webenden Tonbildern Leben und Gestalt zu verleihen. Er durfte dabei auf ein seinem Bewußtseyn ursprünglich eingepflanztes Gesetz sich keck berufen, denn bei seiner bewundernswerthen Macht über die Kunstmittel hätte Niemand wagen dürfen, ihn des Ungeschicks oder der Nachlässigkeit, geschweige der Unwissenheit zu zeihen. Als Erfinder einer neuen Form dürfen wir ihn nicht rühmen; von allen die wir bei ihm vorfinden, lassen die Keime oder Beispiele einer nahmhaften Entfaltung bei seinen Vorgängern bereits sich nachweisen. Eine jede aber deren er sich bediente, weiß er in allen Fällen ihrer Anwendung mit so eigenthümlicher Vollendung auszugestalten, daß das Einzelgebilde das unter seinen Händen hervorgeht uns auch als Einziges seiner Art, die Form in der es geworden als ursprüngliche, ihm ausschließend eignende erscheinen muß. Mit gleichem Rechte also lässt sich von ihm behaupten, er ruhe auf seiner Vorzeit, und er habe einzig aus dem reichen Borne seines Innern geschöpft. Gelernt hat er ohne Zweifel von den tüchtigsten seiner eigenen Vorfahren, wie er denn als vollste Blüthe seines tonkünstlerisch so hochbegabten Stammes erscheint; gelernt

von den um seine Jugendzeit hervorragenden Tonkünstlern, gelernt von den ausgezeichneten seiner Zeit- und Kunstgenossen, wie er denn Manches, wie wir sahen,
in ihrer Weise geschaffen hat, um seine Kräfte zu prüfen, zu erweitern; und doch
wird man nicht behaupten können, daß er ihren Spuren nachgegangen sei, um ihre
Ausdrucksweise als Organ seiner Schöpfungen sich anzueignen, auf dem von ihnen
betretenen Wege weiter fortzubilden. …

Quelle: Winterfeld 1847, S. 428.
Anm.: Carl Georg Vivicens von Winterfeld (1784–1852) war Jurist und Mitglied der Sing-Aka-
demie zu Berlin. Als Musikschriftsteller trat er neben seinen Choralforschungen vor allem mit
Arbeiten zu Gabrieli und Palestrina in Erscheinung. Winterfelds Werk wurde unmittelbar re-
zensiert u. a. in der AMZ, 49. Jg., Nr. 41– 43, 13., 20. und 27. Oktober 1847, Sp. 697–701, 713–719
sowie 729–737. Diese Rezension wurde auszugsweise nachgedruckt in: Euterpe, 9. Jg., Nr. 9,
September 1849, S. 144f.
Lit.: Bernhard Stockmann, *Bach im Urtheil Carls v. Winterfeld*, in: Mf, 13. Jg. (1960), S. 417– 426.

B 24

HILLER: WÜRDIGUNG BACHS

KÖLN, 30. JULI 1850

Ein Jahrhundert ist verflossen seit dem Tode eines der grössten Männer, welche die
Kunstgeschichte nennt, seit dem Tode des *Johann Sebastian Bach* – Sie sind unserer
Einladung gefolgt, verehrte Anwesende, und haben sich hier versammelt zu einer
harmonischen Feier, dem Andenken des grössten Harmonisten geweiht. Es dürfte
mancher die Frage aufwerfen warum man gerade den Todestag gewählt, warum
nicht den Tag, an welchem die Welt durch den Eintritt eines grossen Genius in's
Leben beglückt worden? Aber erst mit dem Tode fängt das Urtheil der Nachwelt
an – vor dem Ende seiner Laufbahn kann niemand weder glücklich noch gross
genannt werden. Und nicht allein dem gläubigen, – jedem in Thaten oder Werken
schaffenden Menschen gilt das hehre Wort des Evangeliums: „wer aber bis zum
Ende beharrt, der wird selig."
Wir haben es heute mit einem Meister zu thun, welcher mit einigen verwandten
Geistern das Schicksal theilt mehr genannt als gekannt, mehr gepriesen als verstanden zu werden – die Popularität seines Namens ist ungleich grösser als die seiner
Werke. Es ist aber eine eigene Sache um die Popularität bei den Erzeugnissen des
Geistes und der Kunst! Wenn es einige auserwählte Genien gegeben hat, welche,
gleich der Natur, ihren Schöpfungen – neben einer allen eindringlichen Klarheit
und Schönheit – eine unergründliche Tiefe zu verleihen gewusst, so muss man doch
eingestehen, dass die meisten sogenannten populären Werke unendlich schnell der
Vergessenheit anheimfallen. Immer besser wird man uns zurufen, eine, wenn auch

nur kleine Weile für die Masse gelebt und gewirkt haben als für eine unscheinbare Minorität – und in vielen Fällen sind wir hiermit vollkommen einverstanden. Wenn aber Schiller ausspricht, dass, wer den Besten seiner Zeit gelebt, gelebt habe für alle Zeiten, so hat derjenige, welcher den Besten eines Jahrhunderts genug gethan, gewiss den vollgültigsten Anspruch auf Unsterblichkeit. Zu diesen aber gehört unser Meister, gehört unser grosser *Johann Sebastian Bach.*

Einige Worte über das Leben und den Bildungsgang des mächtigen Tonhelden mögen uns vergönnt sein, ehe wir uns zur Betrachtung seines Wirkens und seiner Werke wenden. *Bach* war einer Familie entsprossen, welche aus ihrer ursprünglichen ungarischen Heimath zu Anfang des 16. Jahrhunderts nach Thüringen auswanderte und jenem kunstsinnigen Theile unseres Vaterlandes eine ungemeine Anzahl tüchtiger Musiker schenkte. *Johann Sebastian* um das Jahr 1685 zu Eisenach geboren, bildet die Spitze dieses in seiner Art einzigen musikalischen Geschlechtes, wie er auch die Spitze bildet für die ganze Kunstgattung, der er sich hingegeben. Früh verwaist, im kümmerlichen Verhältnissen lebend, gaben schon dem Knaben seine Liebe und sein Talent zur Musik innern und äussern Halt. Der unermüdlichste Fleiss, die energischste Willenskraft, verbunden mit dem wunderbarsten Genie, machten *Bach* schon früh zum berühmten Virtuosen. Eine Reihe ehrenvoller Anstellungen in den kleinen thüringischen Residenzstädten folgten sich rasch auf einander, bis er in seinem 32. Jahre die Musik-Director- und *Cantorstelle* an der Thomasschule in Leipzig annahm, welche er bis an sein Ende verwaltete. Grössere Kunstreisen hat *Bach* nie gemacht – er führte das einfache stille Familienleben so vieler bedeutenden Deutschen. Nur eines Besuches bei Friedrich dem Grossen erwähnt sein Biograph – der grosse König empfing den grossen Künstler mit auszeichnendem Interesse und dieser hat die kleine Episode durch eine dem Fürsten zugeeignete Composition, musikalisches Opfer genannt, verherrlicht.

Ausgehen von den Werken seiner zum Theil sehr tüchtigen Vorgänger und Zeitgenossen hatte sich *Bach* zuvörderst mit aller Macht seines Genies auf das Klavier und die Orgel geworfen. Es ist hier nicht am Orte nachzuweisen wie er sogar in technischer Hinsicht als wahrhaft grossartiger Reformator aufgetreten, er hat Hand und Instrument auf vor ihm ungekannte Weise zu behandeln erfunden und gelehrt. Wir halten uns an das was, nachdem jene Erfindungen zum Gemeingut geworden, in Bach's Klavier- und Orgelwerken ihm so ureigenthümlich geblieben, dass nichts, was vor oder nachher in dieser Richtung geschaffen worden, auch nur den entferntesten Vergleich damit aushält – nämlich an seine Originalität und Vollendung in Behandlung des mehrstimmigen Stils. Die Musik ist die einzige Kunst in deren Wesen es liegt verschiedene Gedanken gleichzeitig zu einem harmonischen Ganzen zu verschmelzen. Die plastischen Künste reihen ihre Motive im Raume an einander – die Poesie führt ihre Bilder nach einander vor – die Musik thut allerdings das Letztere gleichfalls, aber sie vermag mehrere Gedanken zusammenerklingen zu lassen und sie gleichzeitig zum befriedigenden Abschlusse zu führen. Die Tonkunst in ihrer höchsten Entwicklung, sagen wir, erlaubt dies, aber es ist freilich nur wenig Musikern vergönnt von dieser Erlaubnis Gebrauch zu machen. Denn um sich in dieser Weise nicht allein mit einer gewissen Leichtigkeit zu bewegen, sondern darin sein tiefstes Innere auszusprechen, wie es der lyrische Dichter in seiner Muttersprache zu thun im Stande ist, dazu gehört ein Zusammentreffen so ausserordentlicher geistiger Kraft, so enormer nie endender Studien, dass die Anzahl der Komponisten die sich auf diese Höhe geschwungen eine sehr geringe geblieben ist. Jene trockenen Musikstücke, welche gebildete Laien mit Recht blosse Rechnungsexempel zu nennen pflegen, gehören nicht zu den Werken auf deren Produktion wir hinweisen. Nur wenn mit der Kombination Wahrheit und Schönheit des Ausdruckes sich verbinden, entstehen Kunstwerke ihres Namens würdig, Kunstwerke wie eben *Bach* sie zu schaffen verstanden. Der feinste Geschmack, die grossartigste Anlage und sorgfältigste Ausführung, überraschendste Neuheit und man könnte sagen, logischste Strenge sind da vereinigt, und ein nie zu erschöpfender Reichtum von Ideen entquillt einer Seele voll einsamer Erhabenheit und doch auch wieder voll heiterster Milde. So lange es eine Instrumentalmusik geben wird, so lange werden die Bach'schen Klavier und Orgelkompositionen als unübertreffliche Meisterwerke dastehen.

Dass als Klavierspieler und Organist Bach eine grosse und in ihren Resultaten für die Kunst höchst bedeutende Schule gebildet, dürfen wir hier zu bemerken nicht unterlassen. Berühmte Künstler welche noch in unsere Zeit reichten haben sich mit Stolz Schüler seiner Schüler genannt – unter den letztern befanden sich aber vier seiner Söhne, die letzten bedeutenden Sprösslinge des im schönsten Sinne des Wortes wahrhaft adeligen Geschlechtes. –

Durch die Richtung seines Gemüthes gewiss nicht weniger als durch seine äussere Stellung an die Kirche gewiesen, hat *Bach*, schon in Bezug auf die Anzahl seiner Kompositionen für dieselbe fast Unbegreifliches geleistet. Seine wunderbare Macht der Polyphonie offenbart sich in Vielen derselben, gefördert durch die Verschiedenartigkeit und Selbstständigkeit der zusammen wirkenden Organe, mit noch grösserem Glanze als in seinen Instrumentalwerken. Als Bild eines idealen Staatslebens könnten dieselben dienen, denn jedem sich betheiligenden Individuum ist das grösste Maas von Freiheit und Unabhängigkeit gegeben, und doch trägt jedes nur zur Harmonie des Ganzen bei – und doch bewegen sich alle nach den weisesten Gesetzen, und doch vereinigen sich alle zur Ausführung der erhabendsten beglückendsten Ideen. Was uns aber neben dem rein musikalischen Interesse diese Werke noch so besonders theuer macht, das ist die wahrhaft alttestamentarische Kraft der Ueberzeugung neben der Tiefe des christlich gläubigsten Gemüthes, welche sich darin aussprechen. Schon das Wenige was Ihnen heute Abend vorzutragen uns erlaubt ist, wird Ihnen einen hellen Blick gewähren in jene wahrhaft prophetenhafte Fülle einer Gott begeisterten Seele, welche klagend, hoffend, ermahnend und tröstend die ganze Menschheit heranziehen möchte sich mit ihr zu vereinigen zur Verherrlichung und zur Anbetung ihres Schöpfers und Heilands. Leider entbehrt der protestantische Kultus so sehr allgemein gültiger Anordnungen in Beziehung auf die Art und Weise wie er, abgesehen vom Choral, die Musik zu seinen Zwecken benutzt,

dass der grösste Theil der Bach'schen Kirchenmusiken, deren Ausführung überdies
sehr schwierig ist, sich nicht einmal bei Lebzeiten des Componisten irgend einer
grössern Verbreitung zu erfreuen hatte. Bach selbst hat mit denselben offenbar nur
seinen religiös-künstlerischen Bedürfnissen und zugleich den Pflichten seiner Stellung Genüge leisten wollen, unbekümmert um irgend eine Art äussern Erfolges. So
kommt es denn, dass von mehreren Hunderten dieser Werke, welche zum tiefsten
gehören was je eines Menschen Geist geschaffen, einige ganz verloren gegangen
sind, das Wenigste gestochen ist, der grösste Theil aber sich in mehr oder weniger
unzugänglichen Sammlungen befindet, dem Studium der Künstler, dem Genusse
des Publikums gänzlich entzogen.
In England erscheint jetzt schon die zweite Prachtausgabe der sämmtlichen Werke
Händels, den die stolzen Britten als einen der Ihren betrachten und dessen sterbliche
Reste in *Westminsterabbay* ruhen. Aber Bach war ein Deutscher, blieb ein Deutscher
und so liegt in der Vernachlässigung seiner Landsleute nichts was uns in Verwunderung setzen dürfte. Und doch wiederholen wir es mit freudigem Stolze, er war ein
ächter Deutscher! Er was es in der Tiefe und in dem Fleisse, in der Treue, in der Wahrheit, in der Idealität mit der er schuf und wirkte! Und wenn wir Deutschen dazu bestimmt zu sein scheinen, uns nur in unseren Künsten und Wissenschaften als einheit-
liches Volk zu fühlen und zu erkennen, so wird Bach immer in seiner Weise zu den
lautersten Trägern unserer Nationalität gehören – auf keinem andern als auf deutschem Boden konnte ein derartiger Genius sich entwickeln und sich selber vollenden.
Wir haben zu Anfang dieser Andeutungen uns dahin ausgesprochen, dass Bach's
Werke nicht eigentlich populär werden können, wollen aber hiermit keineswegs
gesagt haben, dass sie nicht viel grössere Verbreitung, viel allgemeinern Anklang
finden könnten als dies bis jetzt der Fall gewesen. Möge der heutige Abend dazu
beitragen bei Ihnen, verehrte Anwesende, das Interesse für den grossen Tondichter
zu steigern und den Wunsch bei Ihnen rege machen, mehr und mehr von ihm kennen zu lernen. Diesem Wunsche zu entsprechen würde für uns eine Aufgabe sein,
der wir uns gewiss mit eben so grossem Ernste als innigster Liebe hinzugeben stets
bereit sein werden.

Mit diesen Worten, vorgetragen von Herrn Roderich Benedix wurde nach dem
Gesang der fünfstimmigen Motette „Es ist nun nichts verdammliches an denen, die
in Christo Jesu sind" die Erinnerungsfeier an Bach eingeleitet, welche der städtische
Gesang-Verein zu Köln auf eine würdige und glänzende Weise im grossem Casino-
saale veranstaltet hatte. Der Vorstand des Vereins hatte an 600 Einladungskarten an-
Einheimische und Fremde ausgetheilt und so hatte sich ein kunstsinniges Publikum
eingefunden, welches mit der gespanntesten Theilnahme den sinnig geordneten
Vorträgen folgte.
Ausser der genannten Motette brachte das Programm in der ersten Abtheilung:
2. Recitativ und Arie für Bass, (aus den bei Simrock erschienenen Kirchenmusiken,
Nr. 2 *G-mol*) gesungen von Herrn M. Dumont-Fier 3. Sonate für Klavier und Violine

Nr. II., vorgetragen von F. Hiller und Concertmeister Hartmann. 4. Recitativ und
Arie für Sopran mit obligatem Violoncell (Fräul. Veit und B. Breuer). 5. Die chroma-
tische Fantasie (F. Hiller).
Die zweite Abtheilung eröffnete eine zweichörige Motette. Hierauf trug Hiller einige
kleinere Klavierstücke vor (aus dem wohl temperirten Klavier und den englischen
Suiten). Es folgte die Alt-Arie aus der Passionsmusik, vorgetragen von Fräul. Sophie
Schloss (die obligate Violine von Hartmann), und den Beschluss machte das Concert
für drei Flügel, ausgeführt durch Fräul. Wilh. Clauss, F. Hiller und Fr. Weber.

Den oben von Hiller angedeuteten Wunsch, dass Deutschland seinen grössten Harmoniker durch eine Gesamtausgabe seiner Compositionen ehren möchte, verwirklicht bereits der folgende Aufruf, den wir als die schönste Idee zu einem Denkmale
Bach's mit Freuden begrüssen. Wir sagen „verwirklicht"; denn es wäre Sünde an
dem Gelingen des Unternehmens zu zweifeln." ...

Quelle: RhMZ, 1. Jg., Nr. 5, August 1850, S. 37–39. (*Erinnerungsfeier an Joh. Seb. Bach. Andeutende
Worte von Ferd. Hiller.*)
Anm.: Der Pianist, Dirigent und Komponist Ferdinand Hiller (1811–1885) wirkte als Musikdirektor u. a. in Dresden, Düsseldorf und Köln. Er trat als Solist und Klavierbegleiter mehrfach
mit Bach-Aufführungen an die Öffentlichkeit. Bei der wiedergegebenen Rede handelt es sich
um die kommentierte Wiedergabe eines bei der Kölner Erinnerungsfeier zu Bachs 100. Todestag
gesprochenen Textes. Anschließend folgt der bekannte Aufruf zur Gründung einer Bachgesellschaft und Bach-Ausgabe (→ C 35).
Franz Weber (1805–1876) wirkte als Dirigent, Komponist und seit 1833 als Domorganist in Köln.
Der Bariton Michael DuMont war bereits in den 1830er Jahren mehrfach als Solist bei den Niederrheinischen Musikfesten aufgetreten. Die Konzertsängerin Sophie Schloß (1821–1903) war
u. a. in Leipzig und Köln engagiert.
Bei den im Konzert gespielten Kompositionen handelte es sich um BWV 1015, 903 und 244/47
sowie höchstwahrscheinlich um das bereits 1843 unter Mitwirkung Hillers in Leipzig gespielte Tripelkonzert d-Moll BWV 1063 (→ D 192). Das erwähnte Baß-Rezitativ mit Arie entspricht
sehr wahrscheinlich den Nummern 2 und 4 der Kantate BWV 102; zumindest für die Sopranarie
könnten eventuell BWV 68 / 2 oder BWV 80 / 4 in Frage kommen. Nicht unwahrscheinlich ist,
daß es sich bei der nicht spezifizierten Motette um die weitverbreitete Komposition BWV Anh.
III 159 handelte. Aus der Motette BWV 227 wurden offenbar nur Auszüge vorgetragen.

B 25

BRENDEL: URSACHEN DER MANGELNDEN POPULARITÄT BACHS IN DER GEGENWART

LEIPZIG, 1850 (1852)

... Im Fortgang der Geschichte geschieht es stets, dass die folgende Epoche, in ihrem
Wesen oft sehr verschieden, ja entgegengesetzt, die unmittelbar vorausgegangene

negirt und es erst einer späteren, abermals erhöhten Stufe vorbehalten bleibt, die
Extreme auszugleichen, jedes derselben als Entwicklungsmoment zu begreifen.
So lange noch im Leben der Völker wie des Einzelnen in rascher Folge der Bewegung ein im Schoosse der Zukunft verhülltes Ziel zu erstreben ist, wird Alles was
dahin führt zurückgesetzt, vergessen; erst bei Erreichung des Zieles, erst da, wo
die geschichtliche Bewegung, wenigstens augenblicklich, Halt macht, erscheint die
Möglichkeit, den durchlaufenen Weg zu überblicken, die einzelnen Stadien ab-
zugrenzen, ihre Bedeutung zu ermessen. Die Gegenwart bezeichnet, was Musik
betrifft, einen solchen Moment, einen solchen Halt- und Wendepunct. So ist jetzt
wenigstens in Bezug auf Bach und Händel das erreicht, dass alle tiefer gebildeten
Musiker und Musikfreunde die Bedeutung derselben im Allgemeinen anerkennen.
Geschieht dies, was den ersteren betrifft, zur Zeit noch bald in überwiegend hohem
Grade, bald wieder in nicht ausreichender demnach immer noch schwankender
Weise, so liegt der Grund davon in der bezeichneten Eigentümlichkeit des Meisters,
und auch die Ursachen einer einseitigen Vertiefung und Ueberschätzung sind schon
angegeben. Ich trete damit den ausserordentlichen Leistungen Bach's nicht entfernt
zu nahe, ich tadle allein jene ausschliessliche Versenkung in die Kunstschöpfungen
dieses Mannes, welche, in dem Streben allen Ruhm auf den Scheitel eines einzigen
zu häufen, den Blick trübt und befangen macht, und die Verdienste anderer gleich-
grosser Meister verkennen lässt. Bach ist gross und unsterblich in der vorhin bezeichneten Stellung, was aber die freie Entfesselung des Genius auf weltlichem Gebiet betrifft, wie sie durch die späteren Meister bezeichnet wird, so ist er nicht über
die ersten Anfänge hinausgekommen und in diesem Sinne, auf weltlichem Gebiet,
ist es richtig, wenn sein Verhältnis zum nachfolgenden Jahrhundert wie schon einmal erwähnt wurde, durch das der ägyptischen zur griechischen Kunst bezeichnet
wird. Eine weitere Ursache solcher Einseitigkeit, dass die Bedeutung des Meisters
wohl in den allgemeinsten Umrissen festgestellt ist, die nähere Bestimmung aber
häufig vermisst wird, liegt in dem Durcheinander der Ansichten auf musikalischem
Gebiet, auf das wir später noch ausführlicher werden zu sprechen kommen, in der
so ganz heterogenen Bildung der Musiker, der alles Gemeinschaftliche so gar sehr
fehlt. Da nirgends Allen gemeinsame Ausgangspuncte existiren, da nirgends noch
die Prinzipien der Beurteilung festgestellt sind, so ist eine natürliche Folge, wenn
die Ansichten über die wichtigsten Kunsterscheinungen so weit auseinander gehen.
Auch die Anerkennung Bach's beim grossen Publicum ist eine noch sehr schwankende, nähere Vertrautheit wird selbst bei den ernsteren Freunden der Kunst vermisst,
und man begnügt sich meistens mit jenem kalten Respect, der die Sache auf sich beruhen lässt. Auch hier liegen die Ursachen zum Teil in der Eigentümlichkeit Bach's,
zum Teil aber in einem Vorurtheil, welches die Musiker immer genährt haben, ohne
zu wissen, wie sehr sie nicht blos Bach, wie sehr sie der Stellung der Tonkunst überhaupt, der Gesammtheit gegenüber, schadeten. Noch immer gilt Bach überwiegend
als gelehrter Contrapunktist, noch immer sprechen die Musiker es aus, dass ohne
nähere Vertrautheit mit jenen künstlichen Formen sowie überhaupt der Tonkunst,

so zumeist Bach nicht nahe getreten werden könne. Ist nun auch dieser Ansicht eine einseitige Wahrheit und Berechtigung durchaus nicht abzustreiten, so beruht dieselbe, in dieser Ausschliesslichkeit gefasst, doch wesentlich auf einem Verkennen des Verhältnisses der Technik eines Tonstücks zum Geist desselben, auf einem Verkennen des Verhältnisses der Form zum Inhalt. Von den Musikern wird leicht die Form mit dem Inhalt verwechselt, wird leicht die Form zur Hauptsache gemacht und der Geist ganz vernachlässigt, das Verständnis der Form als das einzig den Eingang Vermittelnde gefasst. Solcher Einseitigkeit gegenüber ist zu sagen, dass das Verständniss des Musikers durchaus nicht ein specifisch verschiedenes ist, wie die Dilettanten glauben und wie so viele Musiker, um sich in einen gelehrten Nimbus zu hüllen, absichtlich verbreiten; das Verständnis des Musikers ist ein bewussteres durch die Einsicht in die Mittel des Ausdrucks, durch die Einsicht in die Art und Weise, wie ein bestimmter Inhalt zur Darstellung gekommen ist; so wenig aber die Schönheit des menschlichen Körpers für den Empfänglichen eine geringere ist, weil er mit der Knochen- und Muskelstructur, wodurch diese wunderbaren Biegungen und Linien hervorgebracht werden, nicht ganz vertraut, ebensowenig darf das Verständnis des Tonwerkes durch eine nicht ganz specielle Kenntnis seiner Technik leiden. Der Geist ist das Ursprüngliche, den Ausdruck, wodurch er zur Erscheinung kommt, seine Form schaffende; die Form ist das secundäre, und kann erschöpfend eigentlich nur aus dem Inhalt erkannt werden. Jedenfalls hat es demnach seine eben so grosse Berechtigung, wie die hier in ihrer Einseitigkeit bestrittene Ansicht, wenn ich sage, dass es hauptsächlich der Geist Bach's selbst ist, welcher das Verständnis erschwert, dass es sich eben so sehr um eine allgemein geistige Vorbereitung handelt, um ihm nahe zu treten. Es ist diese tiefe, vergangenen Zeiten angehörende Religiosität, welche einem im Weltlichen aufgehenden Geschlecht, bei einem zerstreuten und unruhvollen Leben nur als ein verschlossenes Buch vorliegt; es ist dieser grossartige Ernst, diese Strenge, welche bei so vielen kaum noch ein Organ des Verständnisses findet. Mit demselben Recht, mit dem daher technische Vorbildung bei Bach verlangt wird und verlangt werden muss, darf auch eine allgemein geistige Vorbereitung gefordert werden. Man hat sich mit dem religiösen Leben der Vorzeit vertrauter zu machen, man hat diese Entwicklung des religiösen Bewusstseins in sich zu reproduciren, um Empfänglichkeit entgegenzubringen. Beide Seiten müssen gleich sehr berücksichtigt werden, wenn Vertrautheit erzielt werden soll. So lange man bei Bach nur das contrapunctische Gerüst sieht, wird auch das erwähnte Vorurteil nicht schwinden. Die Musiker aber haben, wie gesagt, ausserordentlich geschadet, indem sie, statt die Leute zur Betrachtung des Bildes einzuladen, dasselbe nur noch mehr in die Ferne rückten. …

Quelle: Franz Brendel, *Geschichte der Musik in Italien, Deutschland und Frankreich. Von den ersten christlichen Zeiten bis auf die Gegenwart. Zweiundzwanzig Vorlesungen gehalten zu Leipzig im Jahre 1850*, Leipzig 1852, S. 251–254 [Neudruck Vaduz / Liechtenstein 1985].
Anm.: Der Philosoph und Musikschriftsteller Karl Franz Brendel (1811–1868) übernahm 1845

die Herausgeberschaft der NZfM. 1859 gehörte er als erster Präsident zu den Mitbegründern des Allgemeinen Deutschen Musikvereins. Seit 1844 lehrte er am Conservatorium der Musik in Leipzig Musikgeschichte. Brendels Buch wurde zwar erst 1852 gedruckt; die zugrunde liegenden vielbeachteten Vorlesungen wurden jedoch bereits seit Anfang der 1840er Jahre in Freiberg, Leipzig und Dresden und 1850 noch einmal in Leipzig gehalten. Zum öffentlichen Echo vgl. die von Albert Schiffner verfaßte Artikelserie *Hrn. F. Brendels musikgeschichtliche Vorlesungen zu Dresden im Winter 1842–43.* (NZfM, 18. Bd. (1843), Nr. 9, 10, 12 sowie 19. Bd. (1843), Nr. 1–4 und 6.) Auf den gegenüber der Vortragsfassung von 1850 unveränderten Abdruck der Vorlesungen hat Brendel im Vorwort der Ausgabe ausdrücklich hingewiesen.

Die im Text auftauchende Referenz auf einen Vergleich der griechischen mit der ägyptischen Kunst bezieht sich offenbar auf eine Bemerkung in Richard Wagners Schmähschrift *Das Judenthum in der Musik,* die 1850 in Brendels NZfM erschien (→ B 61).

Der Bachsche Stil: Beobachtungen, Apologien und Polemiken

B 26

Kittel: Verwendbarkeit der chromatischen Sätze Bachs für Unterricht und Gottesdienst

Erfurt, 1803

… 5) Anfängern sind Uebungen in Sätzen, worin eine, oder mehrere Stimmen chromatisch behandelt sind, sehr zu empfehlen, denn sie schärfen die richtige Beurtheilung der Melodie und Harmonie, und die Genauigkeit im Arbeiten ungemein. In Seb. Bachs Werken findet man die instructivesten Muster dieser Schreibart, nur muß man wohl unterscheiden zwischen dem, was er für das Klavier, und zwischen dem, was er für die Orgel schrieb. Choräle mit durchaus chromatischer Begleitung neben dem Gesange der Gemeinde zu spielen, ist unschicklich, theils darum, weil der Charakter der Orgelmusik während des Gottesdienstes ruhige Würde seyn soll, theils weil ein solches Spiel dem Zweck der harmonischen Orgelbegleitung gerade zuwider seyn würde. …

Quelle: Johann Christian Kittel, *Der angehende praktische Organist, Zweite Abteilung,* Erfurt 1803, S. 31.

B 27

Kittel: „Gelehrtes Chaos" in Bachs Werken
Erfurt, 1808

… Wie sehr übrigens der Rhythmus in Fugen von dem im freyen Stile verschieden sey, das lehren uns warnende Beyspiele in des großen Seb. Bachs Werken. Seine Fugen haben den schönsten Rhythmus, aber in seinen sogenannten galanten Sachen scheint dieser oft gänzlich vernachlässiget. Bach trug nehmlich den Fugenrhythmus zu sehr in die freye Schreibart über. Dadurch werden manche seiner Arbeiten in dieser Gattung für den Ungelehrten ungeniesbar, ermüdend, ein gelehrtes Chaos. …

Quelle: Johann Christian Kittel, *Der angehende praktische Organist, Dritte Abteilung*, Erfurt 1808, S. 16.
Anm.: Zu Kittels Bemerkung vgl. Johann Nikolaus Forkels Brief an Ambrosius Kühnel vom 27. November 1808: „… Den alten Kittel lassen wir in Ruhe. Wollten Sie als Verleger der Sebastianischen Werke etwas thun, so müßten Sie ihn in einem öffentlichen Blatt bitten, diejenigen galanten Compositionen zu nennen, in welchem Seb. B. gegen den Rhyth[mus] so gewaltig gefehlt habe, daß sie wie gelehr[tes] Chaos klängen. Vielleicht antwortet er etwa[s] darauf, und wir lernen dann den Unterschied unter dem Rhythmus der Fugen und dem Rhythmus freyer Compositionen kennen, den bisher noch niemand gekannt hat. …", zit. nach: Stauffer, S. 90.

B 28

Horstig: Bachs überwältigende Polyphonie – Bach als lebendige Antike
Leipzig, 20. Januar 1808

… Diese Strenge in der Schreibart, worin die Alten ewige Muster bleiben werden, erzeugt den Vortheil, dass wir beym Anhören eines Tonstückes solcher Art, ich möchte sagen, mehr als eine Seelenkraft in Thätigkeit versetzt sehen, und gleich dem Cäsar, der sieben Briefe auf einmal dictirte, mit einem drey-, vier- und mehrfachen Ohre vernehmen, was andere nur mit einem einfachen zu ergreifen wissen. Daher der unbegreifliche Schwindel, der uns befällt, wenn wir zum erstenmale eine Sebastianische Fuge von einem seiner Söhne spielen hörten! Daher der namenlose Zauber, mit welchem uns die alten Sarabanden, Giquen, Fantasien und Präludien des unerreichbaren Altmeisters fesseln, wenn wir uns an den Steibelts, Kotzeluchs, etc. satt und lahm gespielt haben. Daher die unwiderstehliche Sucht, jene heiligen Antiken so lange anzuschauen, bis sie lebendig werden, und so lange zu studiren, bis es uns gelingt, mit unserm Auge und Ohre die Noten jeder Stimme so gewiss zu begreifen, dass bey der Ausführung auf irgend einem Saiteninstrumente die Linke niemals wissen möge, was die rechte thue! Auch der Laye in der Tonkunst muss von

der Wirkung ergriffen werden, denn jedes angestimmte Thema, jeder ausgesprochene Gedanke, drückt sich unter allen Modulationen der begleitenden Stimmen,
so rein und so vernehmlich aus, dass der unkundige nur immer die Hauptstimme
zu vernehmen glaubt, während der Geübte von der Harmonie des Ganzen, von
der überschwenglichen Fülle aller konzertirenden Stimmen, in der vollsten Bedeutung des Wortes ganz ausser sich versetzt wird. Eben darin liegt nun aber auch der
Grund, warum die alte Musik nur für so wenige geniessbar ist. …

Quelle: Karl Gottlieb Horstig, *Ueber alte Musik. Beschluss.* (AMZ, 10. Jg., Nr. 17, 20. Januar 1808,
Sp. 262.)
Anm.: Karl Gottlieb Horstig (1763–1835) war lt. Gerber NTL, „seit 1792 Konsistorialrath, Su-
perintendent und Oberpfarrer der evangelisch-lutherischen Stadtkirche zu Bückeburg, vorher
Prediger zu Eulo in der Niederlausitz". Horstig veröffentlichte zahlreiche Aufsätze zu musik-
ästhetischen Fragen. Er war Verfasser des Nekrologes auf Johann Christoph Friedrich Bach (→
Dok III, 994).

B 29

Bachs Fugenkunst als veraltetes Vorbild für neuere Komponisten

Leipzig, 4. März 1824

… Die Ursache des Verfalles, oder des Nichtaufkommens der Vocalmusik in Deutschland, der Vorwurf, dass man deutsche Gesangsmusik nur zu oft gar nicht zu singen
vermöge, liegt zuerst wohl darin, dass man die Lehre der Kunst, Anleitung, Theorie
u. s. w. von einem ganz falschen Gesichtspunkt aufgefasst hat. In den Werken Bach's,
Kirnberger's, Marpurg's und zum Theil auch in dem gegenwärtigen, ist die Lehre
der Harmonie ganz als allein zum Ziele führend aufgestellt, die erklärenden Sätze
und Beyspiele sind beynahe immer ausschließend von dem Instrumentalsatze hergenommen, und häufig genug in blossen trockenen Violinnoten, in praktischer Anwendung ganz unmöglich, hingestellt; so dass alles in der Lehre endlich nur auf
Augenmusik hinausgeht. Singen, für Gesang schreiben, wird als ein Gegenstand behandelt, der sich von selbst giebt: ja, dieser Theil des Satzes meist ganz umgangen.
Wer unter unsern Jünglingen nimmt nicht zuerst Bach'sche Fugen, und derley Dinge
zu Hand, und meint ganz im Ernste damit in die Wesenheit der Kunst einzudrin-
gen? Findet sich auch, doch nur selten, ein älterer Meister, welcher Composition zu
lehren vorgiebt, so läuft gewöhnlich sein Unterricht dahin aus, dass er mit einem
Schwall nicht zu endender Regeln über Intervalle, Akkorde, Fugen, Canons u. dgl.
seine Schüler mystificirt, so dass sie aus dem finstern Irrgange den Ausgang nicht
mehr zu finden wissen. Die Lehre des Generalbasses ist nicht Lehre der Composition. Diese unüberlegte Verwechselung von Beyden hat bey uns mehr Verwirrung
angerichtet, das Reifen ächter Kunst mehr gehemmt, als man gewöhnlich zu glau-

ben geneigt ist. Sind auch aus dieser Art Studien mehr als anderswo vorzügliche Componisten für Instrumente hervorgegangen, so werden Andere uns um diesen Vorzug nicht beneiden, und die Meynung an sich ist auch wenig gegründet; denn Haydn und Mozart, die grössten unserer Instrumentalcomponisten, sind es auch nur deswegen, weil sie bey Gesangmusik erzogen worden. Diese Wege hat man verlassen, Viele, ja die Meisten wagten sich mit ihrem Pianoforte, ihrer Violine sogleich an den Gesang, sie suchten in ihren Generalbasssammlungen künstliche Modulationen, häuften chromatische Sätze auf enharmonische; aber der Sänger hörte auf zu singen, und der Zuhörer war erfreut, als die neuen aus der Fremde gekommenen Gesangesweisen wieder seinem Ohre schmeichelten: er lässt sich dieselben nun so leicht nicht mehr entreissen; wir sind dem Auslande zinsbar geworden. ...

Quelle: AMZ, 26. Jg., Nr. 10, 4. März 1824, Sp. 152f. (*Recension. Theorie der Tonsetzkunst von J. G. Siegmayer. Berlin in Commission bey Wilhelm Logier. 1822. in 4.*)

B 30

Rahel Varnhagen von Ense: Metaphysischer Bach und erhabener Händel

Berlin, 26. November 1824

Schon vorigen Winter hörte ich mehrere Musiken von Händel, und jedesmal war ich gleich erhoben und begriff nicht, wie auch nur drei Töne, für den Gesang von diesem Manne gesetzt, unausbleiblich diese Wirkung hervorbringen! Buchstäblich drei Töne. Er weiß sie anfangen zu lassen, in eine Folge zu bringen, daß sie uns jedes Mal entheben und auf ein Feld der Wehmuth, der Erhabenheit und Ergebung versetzen. Lagrime; möchte man aussprechen! Was ist das? frag' ich mich seit einem Jahre, wodurch bewirkt er dies; mit so kärglichen Mitteln! Welche ungeheure Eingebung, welcher tiefe, reife Witz läßt ihn immer neue einzige Kombinationen für die wenigen Töne, für die sparsame Abweichung finden! Ich begriff und begriff es nicht! besonders nicht, daß kein Komponist, nicht einmal der metaphysische, gottesfürchtige, mit höchstem Witz begabte Sebastian Bach mir diese gewaltsam-sanfte Versetzung und Erhebung unmittelbar bewirke.
...
Glaube nicht, daß ich das Wort: „der metaphysische" Sebastian Bach, nur à tout hazard gebraucht habe; es scheint so und darum will ich mich deßhalb rechtfertigen. Manchmal gebraucht man bei einer Gelegenheit einen exagerirten Ausdruck aus einem heterogenen Gebiet mit Bedacht, um sowohl für sich selbst, als Andere verständlich zu werden; diesmal ist dies nicht der Fall. Metaphysik ist doch: Überphysik; wenn wir die handhaben, so ist das doch nichts andres, als die Natur unsrer Gedanken erwägen, ermessen, mit Gedanken; und die Gesetze, die wir da entdecken,

sind reine Harmonie und am Ende Beziehung auf ein Unbekanntes, Gesetzgebendes, – welches nicht nur allein Gesetzgebendes in dieser Beschränkung sein wird. – So ist es, wenn ein Meister, ohne Gemüthsbeziehung in den Tönen untereinander selbst, wirkt und dichtet: so thut Sebastian Bach oft, und darum nenn' ich ihn den metaphysischen. So ohne Gedanken geschah es nicht. Punctum.

Quelle: Rahel Varnhagen von Ense an Ludwig Robert in Karlsruhe, Berlin 26. November 1824; zit. nach: *Rahel. Ein Buch des Andenkens für ihre Freunde, Dritter Theil*, Berlin 1833, S. 172–174 (Fotomechanischer Nachdruck München 1983.)
Anm.: Die als Saloniére bekannt gewordene Rahel Levin (1771–1833) entstammte einer Berliner jüdischen Kaufmannsfamilie. 1814 heiratete sie den Diplomaten und Schriftsteller Karl August Varnhagen von Ense. Nach Taufe und Heirat führte sie offiziell den Namen Antonie Friederike Varnhagen von Ense. Eine erste nur im Freundeskreis zirkulierende Ausgabe erschien bereits 1833; die zitierte Textpassage befindet sich dort auf den Seiten 454f. Der Text wurde in leicht abgewandelter Form unter dem Titel *Händel zu Bach. (Aus Rahel's Briefen.)* in der NZfM, 5. Bd., Nr. 30, 11. Oktober 1836, S. 121 nachgedruckt.

B 31

Schnyder von Wartensee: Bach als „freier Geist" unter den Kontrapunktikern
Mainz, 1825

… Die alten Theoretiker stellten eine ungeheure Menge von Regeln auf, grösstentheils negative, von denen die Meisten nichts weiter, als willkührliche Annahmen waren, und hielten gleichwohl fester an ihnen, als an den zehen Geboten Gottes. Sie nannten das den strengen Styl, waren aber doch so human noch einen freien anzunehmen, der freilich noch bei weitem nicht so demagogisch war, wie der des musikalischen Freigeists, Rossini. – So erlaubten sie im strengen Styl nicht, dass man in oder aus Noten, die nicht zum Akkord gehören, springe z. B. nach Albrechtsberger:

Von dieser albernen Beschränkung, welcher wir verdanken, dass so viele Fugen mit der Figur:

bis zum Ueberdruss angefüllt sind, weil man nicht wagte so zu schreiben:

machte sich Seb. Bach, der kein Freigeist, aber ein freier Geist war, los, so wie er noch viele Fesseln des musikalischen Aberglaubens sprengte, und ein musikalischer Erlöser ward. …

Quelle: Franz Xaver Schnyder von Wartensee, *Ueber meine contrapunctische Aufgabe*. (Cäcilia, 2. Band (1825), S. XLII–XLIII.)
Anm.: Der in Luzern geborene Franz Xaver Joseph Peter Schnyder von Wartensee (1786–1868) wirkte als Komponist, Pianist, Gesangslehrer und Schriftsteller u. a. in Luzern, Yverdon und Frankfurt / Main.
Der Text entstand im Zuge eines Kompositionswettbewerbes der Cäcilia, dessen Aufgabe darin bestand, „zu einem gegebenen Chorale eine kontrapunktische Begleitung zu setzen".

B 32

[Thibaut]: Bachs Unverständnis gegenüber dem volkstümlichen Choralgesang

Heidelberg, 1826

… Was Luther für den Choral that, wie er für die heilige Musik fast loderte und brannte, mit seinen Chorknaben bis in die Nacht singend, daß er, wie der Augenzeuge Walther von ihm sagt, „nicht matt noch müde werden konnte zu singen, und immer erhitzter ward in seinem Geist," das ist offenkundig; auch sind viel herrliche Aeußerungen Luthers über Musik allgemein bekannt. Dennoch entartete der Gesang in den von ihm gestifteten Kirchen sehr bald. Schon im Jahr 1628 erscheint ein, dem neuen Zeitgeist vielfach angepaßtes Choralbuch des trefflichen Heinrich Schütz. Die Vorrede spricht es gehorsam aus, daß man dem Zeitgeist nachgeben müsse; aber der Vf. setzt doch mit einer Art von Rührung hinzu: „Ich muß jedoch bekennen, daß ich etliche der alten Melodeyen mehr von den himmlischen Seraphinen, als von Menschen erichtet halten thue." Wie nachher Alles in weltliche Tonarten übertragen, und mit schroffen Uebergängen und Ausweichungen überladen ist, weiß auch der Halbkenner. Sebastian Bach, vor dessen Herrlichkeit man niederfallen möchte, wenn er in voller Einfalt einherschreitet, wäre ganz zum Retter geschaffen gewesen. Allein seine Neigung ging mehr dahin, die Kunst im Figurirten zur höchsten Vollendung zu bringen, oder die höchste Stufe der Kunst zu erreichen (wie es auch nach ihm andre achtungswerthe Meister gethan haben), ohne auf das Rücksicht zu nehmen, was dem frommen Sinn des Volkes zusagt; und so mußten freilich seine, an sich unvergleichlichen vierstimmigen Choräle für das Volk, und die Mehrzahl unsrer Organisten ganz unfruchtbar bleiben. …

Quelle: [Anton Friedrich Justus Thibaut], *Ueber Reinheit der Tonkunst. Zweyte vermehrte Auflage*, Heidelberg 1826, S. 18f.
Anm.: Anton Friedrich Justus Thibaut (1772–1840) war als Jurist und Professor für Zivilrecht in Kiel, Jena und ab 1805 in Heidelberg tätig. Hier gründete er 1814 einen Singverein, der sich vor allem der älteren Vokalpolyphonie widmete.

B 33

ZELTER: „VERRUCHTE DEUTSCHE KIRCHENTEXTE" IN BACHS WERKEN
BERLIN, 8. APRIL 1827

… Bei Gelegenheit dieser First edition des Shakespeare fällt mir der Dr. Forkel ein, der in seiner Beurteilung des fruchtreichen Sebastian Bach verlangt: man solle die Jugendversuche solcher Genies lieber beseitigen als zum Schaden eines gereinigten Geschmacks aufbewahren. Vor solchen Reinigungsprinzipe haben mich nun bis daher die Götter gnädig bewahrt da ich endlich, bekannt mit jedem eigenen Federstriche meines Helden der eben zu den Unerforschlichen gehört, sammle was ich nur kann und stets Wichtiges oft um einen Spottpreis erstehe. Denn, was aus *diesem* Quell in die Zeit geflossen dürfte wohl ein langes Geheimnis bleiben da es ganz unvergleichlich ist mit dem was ist. Manchmal ist mirs dabei als ob ich das Universum im Durchschnitte; und an der einen Hälfte den Zusammenhang mit der andern gewahrte und ist alles nichts anderes als Musik; keine deutsche keine italienische, aber Musik.

Um in diesem Sinne mit ihm vertraut zu werden hatte ich mich dabei ohngefähr so benommen wie Du und Schiller mit Shaksp. Macbeth. – Der alte Bach ist mit aller Originalität ein Sohn seines Landes und seiner Zeit und hat dem Einflusse der Franzosen, namentlich des Couperin nicht entgehn können. Man will sich auch wohl gefällig erweisen, und so entsteht – was nicht besteht. Dies Fremde kann man ihm aber abnehmen wie einen dünnen Schaum und der lichte Gehalt liegt unmittelbar darunter. So habe mir für mich alleine, manche seiner Kirchenstücke zugerichtet und das Herz sagt mir, der alte Bach nickt mir zu, wie der gute Haydn: Ja, ja so hab' ichs gewollt!

Da kommen sie denn wohl und sagen man solle seine Hand nicht an so etwas legen und haben nicht ganz unrecht weil es nicht *jeder* darf, aber mir ist es ein Mittel, zur Erkenntnis und Bewunderung des Wahren zu kommen und wenn ich Ihnen Ihr Urteil lasse, was geht Euch das Meine an?

Das größte Hindernis in unserer Zeit liegt freilich in den ganz verruchten deutschen Kirchentexten welche dem polemischen Ernste der Reformation unterliegen indem sie durch einen dicken Glaubensqualm den Unglauben aufstören den niemand verlangt. Daß ein Genie dem der Geschmack angeboren ist aus solchem Boden einen Geist aufgehn lassen der eine tiefe Wurzel haben muß ist nun das Außerordentliche an ihm. Am wunderbarsten ist er wenn er Eile gehabt hat und keine Lust. Ich besitze Handschriften von ihm wo er dreimal angefangen und wieder ausgestrichen hat; Es hat gar nicht gehn wollen aber der nächste Sonntag; eine Trauung; eine Leichenfeier war vor der Türe; auch das schlechteste Konzeptpapier scheint manchmal rar gewesen zu sein, aber es mußte geschehn und nun kommt er in Zug und am Ende ist der große Künstler da wie er leibt und lebt. Dann, ganz hinterher hat er nachgebessert und zwar bei der engen Schreiberei so finster undeutlich und gelehrt indem er sich eigner Zeichen bedient die nicht jeder kennt daß ich mich fast hüten muß an seine Manuscripte zu geraten, weil es mir nicht leicht ist wieder davon zu kommen. …

Quelle: Carl Friedrich Zelter an Goethe, 8. April 1827. D-WRgs, Signatur: *28/1022*, zit. nach: Goethe, Briefwechsel I, S. 992f.
Anm.: Zelter bezieht sich in seinem Brief verschiedentlich auf Stellen aus Johann Nikolaus Forkels Bach-Biographie → Forkel, insbes. S. 23, 37f., 49f.

B 34

ZELTER: EIGENES UND FREMDES IN DER MUSIK BACHS
BERLIN, 8. JUNI 1827

Was ich an Sebastian Bach den französischen Schaum nannte ist freilich nicht so leicht abgehoben um nur zuzugreifen. Er ist wie der Äther, allgegenwärtig aber unergreiflich. Bach gilt für den größten Harmonisten und mit Recht; daß er ein Dichter ist der höchsten Art dürfte man noch kaum aussprechen und doch gehört er zu denen die wie Dein Shakespear hocherhaben sind über kindischem Brettgestelle. Als Kirchendiener hat er nur für die Kirche geschrieben und doch nicht was man Kirchlich nennt. Sein Styl ist Bachisch wie alles was sein ist. Daß er sich der gemeinen Zeichen und Namen Toccata, Sonata, Concerto etc bedienen müssen ist so viel als ob jemand Joseph oder Christoph heißt. Bachs Urelement ist die Einsamkeit, wie Du ihn sogar anerkanntest indem Du einst sagtest: „ich lege mich ins Bett und lasse mir von unserm Bürgermeisterorganisten in Berka Sebastiana spielen." So ist er, er will belauscht sein.
Nun war er doch auch ein Mann, Vater, Gevatter ja Cantor in Leipzig und als solcher nicht mehr als ein Anderer, wo nicht viel weniger als ein Couperin der zwei Könige von Frankreich über 40 Jahre bedient hat.
…
Die Bachsche Art nimmt den Gebrauch der 10 Finger in Anspruch welche bei ihrer verschiedenen Länge und Kraft jeden Dienst lernen sollen und dieser Art hätten wir nun das Unglaubliche zu verdanken was die allerneusten toucheurs leisten. Da nun doch alle Menschen französisch sein müssen wenn sie leben wollen so ließ auch Bach seine Söhne die kleinen feinen niedlichen Couperins mit all den Frisuren der

Notenköpfe üben, ja er selber versuchte sich mit größtem Glücke als Komponist in dieser Manier und so schlich sich das französische Gekräusel bei ihm ein.

Bachs Stücke sind teils Vokal teils Instrumental oder beides zusammen. In den Singstücken kommt oft Anderes heraus als die Worte sagen und er ist genug darüber getadelt worden; auch ist er nicht streng in Beobachtung der harmonischen und melodischen Regeln, die er sich mit größter Keckheit untertan macht.*

* Die Leipziger und Zürcher Ausgabe der Bachschen Werke führt die Aufschrift: im strengen Style; das sind sie jedoch nur weil sie Bachisch sind, d. i. in sofern sie ihm allein angehören.

Wenn nun aber biblische Texte *zu Chören* verarbeitet werden:

„Brich dem Hungrigen sein Brot" etc.

„Ihr werdet weinen und heulen" etc.

„Jesus nahm zu sich die Zwölfe" etc.

„Unser Mund sei voll Lachens" etc etc.

so bin ich oft geneigt ihn gerade hier zu bewundern, mit welcher heiligen Unbefangenheit ja mit apostolischer Ironie ein ganz Unerwartetes heraus tritt das keinen Zweifel gegen Sinn und Geschmack aufkommen läßt. Ein passus et sepultus führt an die letzten Pulse der stillen Mächte; ein resurrexit oder in gloria Dei patris in die ewigen Regionen seligen Schmerzens gegen die Hohlheit des Erdentreibens. Dies Gefühl aber ist wie unzerteilbar und es möchte schwer sein eine Melodie oder sonst ein Materialisches davon mit sich zu nehmen. Es erneut sich nur ja es stärkt sich, verstärkt sich bei Wiederholung des Ganzen immer fort.

Bei dem allen ist er bis daher noch abhängig von irgend einer Aufgabe. Man soll ihm auf die Orgel folgen. Diese ist seine eigentliche Seele der er den lebendigen Hauch unmittelbar eingibt. Sein Thema ist die eben geborne Empfindung welche, wie der Funke aus dem Steine, allenfalls aus dem ersten zufälligen Fußtritt aufs Pedal hervorspringt. So kommt er nach und nach hinein bis er sich isoliert, einsam fühlt und dann ein unerschöpfter Strom in den unendlichen Ozean übergeht.

So ungefähr hat sein ältester Sohn Friedemann (der Hallische) welcher hier gestorben ist die Sache mit seinen Worten angegeben. „Gegen diesen (sprach er) bleiben wir alle Kinder."

Nicht wenige seiner größern Orgelsachen hören endlich wohl auf aber sie sind nicht aus, bei ihm ist kein Ende.

So will ich denn auch hier aufhören so viel noch zu sagen wäre. Alles erwogen was Gegen ihn zeugen könnte, ist dieser Leipziger Cantor eine Erscheinung Gottes: klar doch unerklärbar. Ich könnte ihm zurufen:

Du hast mir Arbeit gemacht

Ich habe dich wieder ans Licht gebracht.

...

Quelle: Carl Friedrich Zelter an Goethe, 8. Juni 1827. D-WRgs, Signatur: *28/1022*, zit. nach: Goethe, Briefwechsel I, S. 1003–1005.

Anm.: Mit dem Zitat „Du hast mir Arbeit gemacht" bezieht sich Zelter wohl auf die fast gleich-namige Estomihi-Kantate „Ja, mir hast Du Arbeit gemacht" von Johann Ludwig Bach, die sich vor 1854 im Besitz der Sing-Akademie zu Berlin befand.

B 35

Hegel: Beschreibung der Bachschen Polyphonie

Berlin, vor 1829

… Ebenso kann sich auch ein und dieselbe Melodie mehrstimmig so verweben, daß diese Verschlingung einen Harmoniegang bildet, oder es können auch selbst verschiedene Melodien in der ähnlichen Weise harmonisch ineinandergearbeitet werden, so daß immer das Zusammentreffen bestimmter Töne dieser Melodien eine Harmonie abgibt, wie dies z. B. häufig in Kompositionen von Sebastian Bach vor-kommt. Der Fortgang zerlegt sich dann in mannigfach voneinander abweichende Gänge, die selbständig neben- und durcheinander hinzuziehen scheinen, doch eine wesentlich harmonische Beziehung aufeinander behalten, die dadurch wieder ein notwendiges Zusammengehören hereinbringt. …

Quelle: Georg Wilhelm Friedrich Hegel, *Vorlesungen über die Ästhetik. Dritter Teil. Das System der einzelnen Künste*, zit. nach: *Vorlesungen über die Ästhetik III*. Auf der Grundlage der Werke von 1832–1845 neu edierte Ausgabe, Frankfurt/Main 1986, S. 188.
Anm.: In Hegels weiter gespannter Argumentation firmieren die beschriebene harmonische Kom-plexität und die Dissonanz als Negation der einfachen Melodie. Eine ausführliche publizistische Auseinandersetzung mit Hegels Musikphilosophie hat Eduard Krüger in den Nummern 7 bis 16 des 17. Bandes (1842) der NZfM vorgelegt.

B 36

Heine: Bachs Fugen als Höllenstrafe für Feinde der italienischen Oper

Hamburg, 1829

… Es war ein ächt italienisches Musikstück, aus irgend einer beliebten Opera Buffa, jener wundersamen Gattung, die dem Humor den freyesten Spielraum gewährt, und worin er sich all seiner springenden Lust, seiner tollen Empfindeley, seiner lachenden Wehmuth, und seiner lebenssüchtigen Todesbegeisterung überlassen kann. Es war ganz Rossinische Weise, wie sie sich im Barbier von Sevilla am lieb-lichsten offenbart. Die Verächter italienischer Musik, die auch dieser Gattung den Stab brechen, werden einst in der Hölle ihrer wohlverdienten Strafe nicht entgehen, und sind vielleicht verdammt, die lange Ewigkeit hindurch nichts anderes zu hören, als Fugen von Sebastian Bach. Leid ist es mir um so manchen meiner Collegen, z. B. um Rellstab, der ebenfalls dieser Verdammnis nicht entgehen wird, wenn er sich nicht vor seinem Tode zu Rossini bekehrt. ...

Quelle: Heinrich Heine, *Reisebilder. Dritter Theil. Italien. 1828. I. Reise von München nach Genua, Capitel XIX.*, zit. nach: Heinrich Heine, *Historisch-kritische Gesamtausgabe seiner Werke, in Verbindung mit dem Heinrich Heine-Institut, herausgegeben von Manfred Windfuhr, Band 7/1, Reisebilder III / IV. Text* (bearbeitet von Alfred Opitz), Hamburg 1986, S. 48.
Anm.: Heines Dictum wird in leicht abgewandelter Form zitiert in der NZfM, 3. Bd., Nr. 39, 13. November 1835, S. 153. Es handelt sich dabei um die Vorveröffentlichung eines unter dem Pseudonym „ J. Feski" erschienenen Aufsatzes von E. Sobolewski (*An das Publikum*).

B 37

Rellstab: Bachs unveränderlicher Stil als ästhetisches Problem
Berlin, 19. November 1830

... Was die Werke Seb. Bach's selbst anlangt, so sind ihrer eine so große Zahl, daß man mit einigem Paradoxismus wohl behaupten dürfte, niemand kenne ihn. Ich kann mich jedoch nicht stark und eifrig genug gegen eine Ansicht dieser Art ausdrücken. Denn es ist nicht die Zahl und Mannichfaltigkeit der Werke, aus der wir den großen Genius vorzüglich erkennen, sondern es ist in den bedeutendsten Werken derselbe stets so ausgeprägt, daß man von seiner Kraft und Tiefe allerdings eine Vorstellung erhalten kann, welche hinreicht, ihm diejenige Stelle zu bezeichnen, die er im Gebiet der Kunstgeschichte einnehmen muß.
...
Aehnlich geht es mit Sebastian Bach. Die ausschließlichen Verehrer dieses Komponisten, die Sammler seiner Werke, sind schnell mit dem Anathema gegen Andere bereit: Ihr kennt den Meister gar nicht; er hat so und so viel hundert Kirchenmusiken komponirt, die niemand mehr hört oder sieht u. s. w. Und doch ist gerade bei Sebastian Bach die Zumuthung, seine Werke in möglichst vollständiger Zahl zu kennen, die unbedeutendste, die man an denjenigen stellen kann, der ihn beurtheilen soll. Ref. glaubt eine große Menge derselben zu kennen, da er seine musikalischen Studien in früherer Zeit unter väterlicher Leitung hauptsächlich mit diesem Meister begonnen, seine Fugen und Klavierconcerte daher als Knabe vielfältig gespielt, eine große Anzahl der Motetten desselben im väterlichen Hause häufig gehört, und endlich auch späterhin aus eigenem Antriebe sich mit den Werken dieses Komponisten noch ferner in Bekanntschaft erhalten hat. Aber gerade dieses Studium hat ihn belehrt, daß man zwar in antiquarischer Beziehung, und zur Ausbildung technischer Fertigkeit in Handhabung der Form, möglichst viele Werke von Sebas-

tian Bach studiren müsse, daß man jedoch, um die Stufe, welche der Komponist einnahm und noch heut behauptet, zu würdigen, an wenigen genug haben dürfte. Denn die nothwendige Abweichung, die ein Klavierconcert von einer Motette haben muß, ausgenommen, finden wir den Meister überall seinem Charakter, seinem Kunstprinzip so getreu, daß er sich nicht nur nirgend verläugnen läßt, sondern wir auch fast nirgend durch ihn überrascht werden, wenn es nicht durch das immer neue Staunen über seine unermeßliche Formengewandtheit (jedoch nur nach einer gewissen, der musikalisch gelehrten Seite) geschieht, eine Erscheinung, die sich aber auch bei der Wiederbetrachtung eines und desselben Kunstwerks ergiebt.

…

Wir lassen es unberührt, was Sebastian Bach der Kunst werth ist; wichtiger scheint es uns, gegen seine Verehrer auszuführen, worin seine Mängel bestehn; etwa wie man gegen Pietisten niemals die Erhabenheit einer frommen Gesinnung, sondern nur die Beschränkung des Geistes, die sich in der dumpfen Frömmigkeit ausspricht, darzuthun hat. Wie nämlich die gothischen Bauwerke auch in einer gewissen Unermeßlichkeit der äußern Gestalt etwas suchten, wie sie, ohne über alle Dimensionen weit hinaus zu greifen, kaum ihre Würde behaupten konnten, und auf der andern Seite wiederum die ungeheuren Räume, durch eine unübersehbare Masse von einzeln sich verlierenden Zierrathen überhäuften: eben so finden wir bei Sebastian Bach das Bestreben, das Gesetz, jede Form bis auf das Aeußerste hinaus zu verfolgen, und alle ihre Wendungen, Umkehrungen, Gegensätze möglichst zu erschöpfen. Daraus erzeugt sich für den studirenden Musiker allerdings der größte Vortheil, indem er von diesem Giganten der praktisch musikalischen Gelehrsamkeit alle Formen gebildet, alle Bahnen gebrochen sieht. Allein viel weniger hat der Meister es in seiner strengen und zugleich kindlichen Absicht für Pflicht gehalten, sich in seiner Arbeit zu beschränken. Er löst jedes Mal die schwierigste, aber nicht immer die schönste Aufgabe. Um aus der allgemeinen Betrachtung in die besondere überzugehen: Sebastian Bach behandelt ein Thema stets so lange, als es irgend möglich ist, er braucht eine Figur in allen Wendungen und Beziehungen; daraus entsteht freilich eine Konsequenz, eine Strenge in der Form, die das Weglassen einer einzigen Note oft unmöglich macht, ohne das Ganze zu zerreißen. Ausschließliche Verehrer dieses Komponisten (unter ihnen mein eigener Vater) zogen daraus den Schluß, daß seine Formen so viel vollkommener seyen, als die eines Haydn oder Mozart, weil ihr Zusammenhang so äußerst streng ist. Allein das künstlichste Gewebe ist nicht in der Wirkung das Schönste, wenn gleich oft in der Anfertigung das schwierigste. Viel höher muß der Kunst die Freiheit der Form stehen; denn der schaffende Genius bekundet sich da stets am sichersten, nicht etwa durch Ungebundenheit und Ausgelassenheit, sondern durch Selbstbegnügung, durch Maaß, Abwägung. Da das Gesetz der freien Form hauptsächlich in dem Gefühl für die Schönheit eines Ganzen beruht, so müssen alle einzelnen Theile aus dem Ganzen entwickelt, beurtheilt, bestimmt werden. Je strenger das Gesetz ist, je mehr Anhaltepunkte findet der Fleiß ohne geniale Kraft. …

Quelle: *I. Überblick der Erzeugnisse. Kirchenmusik von Johann Sebastian Bach, herausgegeben von Adolph Bernhard Marx. I. Heft, enthält: 1) Litanei; 2) Herr deine Augen; 3) Ihr werdet weinen. Bonn bei N. Simrock. Pr. 9 Frcs.* (Iris, 1. Jg., Nr. 41 und 42, 19. November 1830.)
→ C 37, 38.

B 38

[WAGNER]: BACH UND DAS PROBLEM KANTABLER GESANGSKOMPOSITION

LEIPZIG, 10. NOVEMBER 1834

… Der echte Kunstgesang ist durch textgemäße Cantabilität und stimmgemäße Bravour bedingt. Seitdem wir aber wieder dahin gekommen sind, die echte italiänische Gesangschönheit gering zu schätzen, haben wir uns immermehr von dem Weg entfernt, den Mozart zum Theil für unsere dramatische Musik einschlug. Mit dem Wiederaufleben der in vielfacher Rücksicht classischen Musik der Bach'schen Periode wird stimmgemäße Cantabilität viel zu wenig geachtet. S. Bach's Meisterwerke sind alle so erfindungsreich, als sie in der Form der Fuge und überhaupt des doppelten Contrapuncts sein können. Seine unermeßliche Schöpferkraft trieb ihn immer an, das Höchste und Reichste an speciellen Tonformen, Wendungen, Beziehungen in jedes seiner Producte hineinzubringen. Bei diesem Uebermaß von blos musikalischem, eigentlich instrumentalischem, Inhalt mußte das Wort sich sogar oft gezwungen unter den Ton fügen; die Menschenstimme, als besonderes Tonorgan, ward von ihm gar nicht als solches bedacht; ihr eigenthümlicher Effect ward von ihm nie genug gewürdigt und erkannt, er ist als cantabler Gesangcomponist nichts weniger als classisch, so viel auch die blinden Verehrer dieses Tonmeisters Zeter schreien mögen. …

Quelle: [Richard Wagner], *Pasticcio. (Schluß)* (NZfM, 1. Jg., Nr. 64, 10. November 1834, S. 255.)
Anm.: Der Text erschien unter dem Pseudonym „ng".

B 39

BEDENKEN WEGEN DER KOMMERZIELLEN FOLGEN EINER AUFFÜHRUNG BACHSCHER ORCHESTERWERKE

KÖLN, 4. MÄRZ 1835

… Auf Herrn Mendelssohn's Vorschlag, <u>vor</u> dem Oratorium eine Ouvertüre zu geben, fand man keinen Anstand einzugehen, insofern dieselbe dem Charakter des letztern entspricht, indem nicht nur die <u>Dauer</u> des Oratoriums dies wohl gestattet, sondern auch die beiden Abtheilungen des Concerts dadurch in ein passenderes

Verhältnis zueinander gestellt werden, weil die Eigenthümlichkeit des gewählten Oratoriums erfordert, daß die Haupt-Pause zwischen dem ersten und zweiten Theile desselben statt findet. Es wurde hierzu die, schon früher zur Aufführung proponirte, Fest-Ouvertüre von Beethoven (Op. 124.) und von Herrn Mendelssohn eine Ouvertüre von J. S. Bach vorgeschlagen. Die Wahl der letztern schien etwas bedenklich, da Bach'sche Orchester-Compositionen hier ganz unbekannt sind und man vielleicht besorgen dürfte, der Name J. S. Bach, auf dem Programm des Musikfestes erscheinend, möchte von übler Wirkung und jedenfalls dem Besuche des Festes von Seiten des größern Publikums nicht förderlich seyn, was in finanzieller Hinsicht nicht unbeachtet bleiben darf. Die Sache muß daher noch näher überlegt werden und wurde Herr Mendelssohn ersucht, die Bach'sche Ouvertüre recht bald zur vorläufigen Ansicht einzusenden. Sollte sie denn der Mehrheit zur Aufführung nicht geeignet erscheinen: so bleibt die bezeichnete Beethoven'sche Ouvertüre hierzu ausersehen. …

Quelle: *Versammlung des musikalischen Comité für das diesjährige Musikfest, Köln den 4. März 1835.* (Archiv für rheinische Musikgeschichte, Sign.: A / I / 17 / 1.17.)
Anm.: Auf die von Felix Mendelssohn Bartholdy für das Niederrheinische Musikfest in Köln vorgeschlagene Ouvertüre in D-Dur (BWV 1068) wurde tatsächlich zugunsten von Beethovens op. 124 verzichtet.
Lit.: Klaus Wolfgang Niemöller, *Felix Mendelssohn Bartholdy und das Niederrheinische Musikfest 1835 in Köln*, in: Studien zur Musikgeschichte des Rheinlandes, Bd. III (hrsg. v. Ursula Eckart-Bäcker), Köln 1965, S. 46–64; Großmann-Vendrey, S. 76–79.

B 40

VON MILTITZ: BACHS UND HÄNDELS MUSIK NUR KLASSISCH FÜR IHRE ZEIT

LEIPZIG, 23. DEZEMBER 1835

… Wenn also irgend eine Gesellschaft oder Gesangsakademie z. B. eine Reihe von Jahren hinter einander alljährlich eine grosse klassische Musik, z. B. ein Oratorium oder eine Messe, Cantate, oder wie es Namen haben mag, aufzuführen gedächte, so würde sie ihre Aufgabe nur sehr unvollkommen lösen, wenn sie, um sogenannte klassische Stücke zu geben, blos Bach'sche, Graun'sche u. Händelsche Musiken aufführen wollte. Diese Werke sind klassisch, aber nur für ihre Zeit und deren Begriffe. Man soll ihre Trefflichkeit anerkennen und bisweilen eine derselben zu Gehör bringen, allein eine Pietät gegen die Vorfahren, die zur blinden Ungerechtigkeit gegen die Nachfolger wird, ist Impietät, Einseitigkeit. Was jene alten Meister auszeichnete, war ihre contrapunktische Kunst. Allein sie haben sie ja auf ihre Nachkommen übertragen; denn dass Homilius, Weinlig, Naumann, Mozart, Haydn, Spohr und so viele Andere auch Fugen zu machen wussten und noch wissen, wird Niemand läugnen, der etwas von der Sache versteht; ein Solcher wird aber auch nicht in Abrede stellen können, dass die Händel'schen, Bach'schen etc. Arien grösstenteils sehr langweilig u. geschmacklos sind. Alles Exorcisiren der Altgläubigen gegen diese Behauptung wird auch nichts helfen, denn die immer deutlicher hervortretende Gleichgültigkeit des Publikums gegen die Werke der frühern Periode spricht laut genug dagegen. Man sieht auch durchaus nicht ein, warum eine Musik voll Fantasie u. Aufschwung in den Chören, voll Kraft u. Kunst in den fugirten Sätzen, dabei voll Ausdruck u. Geschmack in den Arien, also Werke wie die Schöpfung, die vier letzten Dinge, Christus am Oelberge, Davidde penitente und so viele andere neuere, indem sie die Forderungen der Kunst und des Zeitgeschmacks auf eine würdige Art erfüllen, nicht denen vorzuziehen sein sollten, die durch ihre Entstehung vor siebzig, achtzig u. hundert Jahren diese Vereinigung der Vorzüge für die Jetztwelt nicht haben können. Wenn also die obenerwähnte Gesellschaft in einem Jahre ein Oratorium von Händel oder eine Missa von Bach zu Gehör gebracht hat, so wird sie nicht nur billiger, sondern auch sehr kluger Weise im nächsten Jahre ein ähnliches Werk eines neuern, vielleicht gar eines lebenden Componisten zur Aufführung bringen. …

Quelle: C. B. von Miltitz, *Was heißt klassisch in der Musik? (Beschluß.)* (AMZ, 37. Jg., Nr. 51, 23. Dezember 1835, Sp. 841–843.)
Anm.: Carl Borromäus von Miltitz (1781–1845) war Offizier und ab 1824 Oberhofmeister am Dresdner Hof. Er trat auch als Pianist, Komponist und Schriftsteller in Erscheinung.

B 41

Kritik an der Bevorzugung älterer, vor allem Bachscher Orgelwerke

Breslau, 1835

… Hinsichtlich der Orgelsachen kann nicht zu oft erinnert werden, daß man nicht bloß Compositionen einer frühern Zeit wähle, mögen sie auch an sich noch so tüchtig im Contrapunct sein. Der Geschmack in der Musik ist jetzt einmal ein anderer und wird es bleiben. Wer das nicht einsehen will, der spielt sich – zum Nachgerede, wie dies nun schon mehreren gegangen ist bei den Gesangsfesten. Am Verkehrtesten treibt es eine gewisse Anstalt, welche die Sachen von Rinck und ähnlichen tüchtigen Componisten durchaus verwirft, oder ihre Schüler davon abmahnt, und dagegen etwas sehr Verdienstliches zu thun glaubt, daß sie von denselben nur J S. Bachsche und ähnliche Sachen spielen lässt. Sollen die scandalösen Scenen von dem guten Forkel oder von Gottsched in der deutschen Literatur durchaus in der Musik wieder hervorgerufen werden? Lange kann und wird man das nicht mehr tun, ohne seinen guten musikalischen Ruf aufs Spiel zu setzen. …

Quelle: Eutonia, 9. Bd., Berlin 1835, S. 106 (*Große Musikaufführungen in Breslau.*)

Anm.: Anlaß der Kritik waren zwei von den Organisten Hesse und Freudenberg vorgetragene Orgelfugen Bachs („Orgelfuge in C-moll, von S. Bach", „Orgelfuge von S. Bach"), die am 20. September im Rahmen einer Festaufführung anlässlich des Treffens von Naturforschern in der Bernhardinkirche Breslau erklangen. Die im Text gescholtene „Anstalt" ist vermutlich das „Königliche akademische Institut für Kirchen-Musik" in Breslau, in dem auch Orgelunterricht erteilt wurde (vgl. AMZ, 40. Jg., Nr. 23, 20. Juni 1838, Sp. 407).
Adolph Friedrich Hesse (1809–1863) war Königlich Preußischer Musikdirektor und Oberorganist an der Kirche St. Bernhardin zu Breslau; Carl Gottlieb Freudenberg (1797–1869) amtierte seit 1829 als Oberorganist an der Kirche St. Maria Magdalena in Breslau.
Bei der Orgelfuge in c-moll handelt es sich vermutlich entweder um BWV 574 oder 575; möglicherweise aber auch um BWV 537/2, 546/2 oder 549/2.

B 42

VORZÜGE DER ALTEN VOKALPOLYPHONIE GEGENÜBER DER MUSIK BACHS

DRESDEN, 1835

… Aber alle deine Kinder, Deutschland, sind noch nicht so verblendet; in jeder Stadt gibt es doch wohl unter Tausenden noch einige, deren Sinn und Gefühl für Schönheit der Musik noch nicht gestorben ist. Für alle Diejenigen berichte ich über die genußreichen Stunden, die uns vor einigen Monaten durch eine Aufführung der Dreissigschen Singakademie wurden und wobei alle Verehrer wahrer Tonkunst gegenwärtig waren. Daß die größere Hälfte der Versammlung sich langweilen würde, war vorauszusehen, aber auch für sie war durch Nr. 7. einigermaßen gesorgt. Die Musiken, welche zur Aufführung kamen, waren: 1) Motette von Morelli, 2) Gesang auf Trinitatis von Melch. Bischoff, 3) Ostergesang von Jac. Gallus, 4) „Exultate justi" etc. von Melch. Vulpius, 5) Motette für zwei Chöre »fürchte dich nicht« von Seb. Bach, 6) der 66ste Psalm von Reissiger und 7) der 100ste Psalm für zwei Chöre von Schicht. Wer jemals Kirchenmusik des 16. Jahrhunderts gehört hat, wird den erhebenden Eindruck, den sie hervorbringt, nie vergessen; in ihr liegt eine Aufforderung zur Andacht wie in keiner andern. Sie nur hat die Klänge, welche eines Tempels würdig sind, in denen Christus thront, sie nur kann die Feier der Religion erhöhen. Verbannt von ihr sind die musikalischen Instrumente: alle Töne, die sich zum schönsten Ganzen vereinen, kommen aus der Menschenbrust: deshalb ist ihre Wirkung so groß. Hier hört man nicht, daß Musik berechnet werden kann, daß, weil die Theorie meint, es klänge, dies auch in unserm Herzen Anklang finden müsse, wie das bei Nr. 4. der angezeigten Stücke der Fall ist. Bei jenen alten Musikwerken, in denen auch viel gearbeitet ist, hört man nicht wie bei den Bachschen, daß es schwer ist, solche Musik zu erfinden; auch kann man sich ihrem Genuß weit ruhiger hingeben, denn es dünkt uns, als sei es den Sängern ein Leichtes, sie vorzutragen, während wir bei den Bachschen immer gemahnt werden, welche große Mühe dazu gehört,

sie richtig auszuführen. Bei jener alten Musik ist das Gearbeitete derselben nur deshalb da, um Alles fest an einander zu binden, um eine vollkommne Einheit darzustellen; dem Klange untergeordnet ist seine Wissenschaft. Bei Bach ist aber das Ganze oft nur da, um Gelehrsamkeit zu zeigen und ihr ist der Klang untergeordnet. ...

Quelle: NZfM, 3. Bd., Nr. 27, 2. Oktober 1835, S. 107. *(Aus Dresden.)*

B 43

Hauptmann: Verborgene Schönheiten der Bachschen Augenmusik
Kassel, 29. Juni 1836

... Von so blos materiellen Sachen ist doch bei dem Sebastian nie ein Gedanke, der
setzt im Gegentheil oft Sachen hin, die nie ein Mensch hören wird, wie die gothischen Baumeister ihre äußersten Thürmchen und Spitzen noch mit feinem Blatt-
werk verzieren wo's von unten kein Auge mehr erreicht; sie haben nur ihre Freude
daran. ...

Quelle: Moritz Hauptmann an Franz Hauser, Kassel 29. Juni 1836; zit. nach: Hauptmann Briefe
Hauser I, S. 204.

B 44

Schumann: Bachs Klavierwerke als unerreichte Muster
lebendiger Etüdenkomposition
Leipzig, 6. Februar 1836

Vielen Lernenden würden die Flügel sinken, wenn sie die Massen von Etudencom-
positionen aufgeschichtet sähen. Die folgende Tabelle soll ihnen das Auffinden des
Aehnlichen erleichtern. Wenn wir darin bis auf die über hundert Jahre alten Exer-
cicen von Bach [a]) zurückgehen und zu deren sorgfältigstem Studium rathen, so haben wir Grund dazu; denn nehmen wir das aus, was wir durch Erweiterung des Um-
fangs unseres Instrumentes an Mitteln, wie durch die schönere Ausbildung des Ton-
charakters an Effecten gewonnen haben, so kannte er das Clavier in seinem ganzen
Reichthum. Wenn Unverständige ihn trocken nennen, so bedenken sie nicht, daß dieser tausendzackige Blitz in einem Augenblicke Sternen und Blumen berührte. Und
wie er Alles gleich gigantisch anlegte, so componirte er nicht etwa 24 Etuden für die
bekannten Tonarten, sondern für jede einzelne gleich ein ganzes Heft. Wie viel Clementi [b]) und Cramer [c]) aus ihm schöpften, wird niemand in Abrede stellen wollen. ...

a) Exercices. Oev. 1. 6 Livraisons. (Peters). Sodann Exercices. Oeuv. 2. (Peters).

b) Gradus ad Parnassum ou l'art de jouer le Pianoforte demantrè par des Exercices dans le style severe et dans le style elegante. 3 Volumes. (Breitkopf).

c) Etudes ou 42 exercices doigtés dans le differents Tons. 2 Livraisons. (Bei mehren Verlegern).

Quelle: Robert Schumann, *Die Pianoforte-Etuden, ihren Zwecken nach geordnet*. (NZfM, 4. Bd., Nr. 11, 6. Februar 1836, S. 45.)

Anm.: Die genannten Bach-Werke beziehen sich auf die entsprechenden Ausgaben der „Oeuvres complettes" des Verlages Hoffmeister & Kühnel (Bureau de Musique) von 1801–1804 bzw. auf spätere Titelauflagen des Verlages C. F. Peters. In Schumanns folgender Aufzählung werden noch einzelne Sätze der genannten Ausgaben für verschiedene pädagogische Zwecke vorgeschlagen. Der Text wurde 1854 wieder abgedruckt im Rahmen der Ausgabe Schumann-GS, Zweiter Band, S. 34–41.

Lit.: Lehmann Bach-GA, insbes. S. 128f.

B 45

Schumann: Bachs Wohltemperiertes Klavier als höhere Schule der Komposition

Leipzig, 4. August 1837

… Jedes neue Verdienst muß anerkannt werden, und so springe unser, wir hoffen junger Componist nur lustig weiter und gelegentlich auch einmal in das wohltemperirte Clavier von Bach, damit er mehr Accorde kennen lerne und auch anderweitigen Nutzens halber. …

Quelle: NZfM, 7. Bd., Nr. 10, 4. August 1837, S. 39.

Anm.: Die Passage ist Teil einer Rezension von Alexander Dreyschocks „Acht Bravouretüden in Walzerform" op. 1.

B 46

Verteidigung Bachs gegen den Vorwurf der Vermischung epischer und dramatischer Formen in den Passionen

Leipzig, 21. August 1838

In den beiden Bach'schen Passions-Oratorien sind bekanntlich mehre Kapitel aus den Evangelien Matthäi und Johannis wörtlich durchcomponirt, und zwar durchgehends für einen recitirenden Tenor, jedoch so, daß da, wo die Erzählung, wie nach

einem Colon, fremde Rede mit ihren eigenen Worten anführt, diese, z.B. die des
Heilandes, von einer andern Stimme, namentlich in diesem Falle von einer Baßstimme, gesungen werden, z.B. (Tenor): „brach das Brod, dankte und sprach zu seinen
Jüngern": (Baß) „Nehmet hin, das ist mein Leib etc."
Diese Behandlung des Textes rügt in Nr. 6 dieser Zeitschrift ein Kritiker, von Riga
aus, als eine geschmackwidrige Vermengung der epischen und dramatischen Form.
Allein die Persönlichkeit der Sänger ist bei jenen Evangelien-Texten, eben weil sie,
im Gegensatz gegen die dramatischen Texte des Händel'schen Samson und Maccabäus, rein epischer Natur sind, durchaus unwesentlich; die tiefere Tonlage, die veränderte Klangfarbe, worin der erzählende Componist z.B. die Worte Jesu ertönen
läßt, sind nur als Nuancirungen des Vortrags anzusehen, wie sie auch bei der Vor-
lesung geziemen würden.
Warum aber sollte der Componist die Anwendung der reichern Tonmittel verschmähen, welche ihm, zu demselben Zwecke, in der Verschiedenheit der vier
Singstimmen zu Gebote stehen, – warum nicht den Charakter der Jesustöne durch
Baßtöne hervorheben, warum also nicht, da diese dem Tenor fehlen, eine Baßstimme
zu Hülfe nehmen, sondern, monotoner Weise, zur Ermüdung des Sängers und der
Hörer, das Ganze in hoher Tenorlage singen lassen! –
Scheint doch unser Kritiker keinen Anstoß daran zu nehmen, daß von denselben
Oratorien die von dem Evangelisten ebenfalls nur angeführten Worte des jüdischen
Volks, der Jüngerschaar u.s.w. durch eingelegten Chor recitirt und hervorgeho-
ben werden, z.B. nach den Worten des Recitativs: „und sprachen" (Chor): „Herr!
bin ich's" oder: „sie schrieen (Chor): „Kreuzige ihn!" Und doch ist diese Kühnheit
wesentlich ganz die nämliche, nur die – stärkere!
Oder sollte der Kritiker auch diese Chöre, als dramatische Auswüchse, verwerfen
wollen?
Bei Händel, auf welchen er sich gegen jene mindere Kühnheit Bach's beruft, findet
sich die größere allerdings, gerade so wie bei Bach, – namentlich im Messias, z.B.
(Recitativ): „die himmlischen Heerschaaren lobten Gott und Sprachen (Chor): „Ehre
sei Gott!" ferner (Recitativ): „sie schüttelten das Haupt und sagten (Chor): „Er träu-
ete Gott, der helfe ihm nun aus!" Desgleichen die Haydn'sche Schöpfung, z.B. (Recitativ): „Die himmlischen Heerschaaren verkündeten den vierten Tag, seine Macht
ausrufend also (Chor): die Himmel erzählen die Ehre Gottes;" – ferner (Recitativ):
„sie rührten ihre unsterblichen Harfen und sangen (Chor): „Stimmt an die Saiten!"

Wer hat hierin wohl eine Geschmacklosigkeit und Formenvermengung gefunden! –
Daß die, in Bach's Passionsmusik, auch in die nach Matthäus, eingewebten lyrischen Betrachtungen (von Pikander) mitunter störend an die niedere Stufe erinnern,
auf welcher vor hundert Jahren die deutsche Poesie stand *), und dass namentlich
die Fragen, mit welchen der zweite Sänger-Chor in dem einleitenden Klagegesang
des ersten einfällt („wem? wohin? wie? was?"), an gar zu großer Naivität laboriren,
läßt sich leider nicht in Abrede stellen. Aber steht nicht gleichwohl eben diese tief-

gefühlte zweichörige Wehklage, von zwei Orchestern getragen, mit dem Chorale der Gemeinde („O Lamm Gottes unschuldig") überbaut, so ungeheuer groß da, daß es unserer armen Zeit wohl kaum geziemt, den ehrwürdigen Tondichter (σεβασος) um der poetischen Schwächen seines Textes willen**) zu bespötteln.

Dem aber sei Dank, der uns, mit Pietät und feinem Sinne, die Bach`schen Texte, da wo es Noth thut, veredelt und dadurch unsern Genuß am Ganzen erhöht.

*)   Händel's Originaltexte sind bekanntlich meist englisch oder lateinisch.
**)   Ungegründet ist jedoch die grammatikalische Rüge unsers Kritikers, daß die rührende So-pran-Arie: „Sehet! Jesus hat die Hand" der Präposition „in" auf die Frage: „wohin?" den Dativ, oder auf die Frage: „wo?" den Accusativ beigeselle. Auf die Frage des Chors: „Wohin?" antwor-tet die Solostimme keinesweges: „In Jesu Armen!", sondern singt weiter: „In Jesu Armen sucht Erlösung!"

Quelle: NZfM, 9. Bd., Nr. 15, 21. August 1838, S. 61f. *(Antikritisches.)*
Anm.: Die Autorenkürzel „A–ch" und „St–g" konnten nicht aufgelöst werden. Der Text ist eine Erwiderung auf eine in der NZfM, 9. Bd., Nr. 6, S. 24f. erschienene Rezension Heinrich Dorns, in der dieser die in der Tradition der Bachschen Passionen stehende Vertonung des Evange-lienberichtes in Mendelssohns „Paulus" heftig kritisiert hatte. Dorn hatte sich u. a. an den seiner Meinung nach grammatikalisch unrichtigen Fragekonstruktionen in einigen Choreinwürfen der Matthäuspassion gestört.

B 47

Constantin Julius Becker: Bachs Musik und die Baukunst des Mittelalters
Strassburg, 1838

… Beim längern Anschauen des Gebäudes wurde ich an Bach's Musik erinnert, und ich hörte nicht, sondern sah Musik; und zwar (vergönne mir den Ausdruck) gemau-erte Musik. Ja, wäre es möglich, Bach's Musik in Steinen wieder zu geben, wir wür-den in ihm einen Zunftgenossen jener alten ehrwürdigen Meister mittelalterlicher Baukunst erkennen. …

Quelle: Constantin Julius Becker, *Ideen ueber Baukunst und Musik. (Aus einem Briefe) Straßburg, den* … (NZfM, 8. Bd., Nr. 21, 13. März 1838, S. 81.)
Anm.: Beckers Bemerkung bezieht sich auf das Strassburger Münster. Er nimmt damit einen be-reits 1782 von Johann Friedrich Reichard unter Bezug auf Beschreibungen Goethes geäusserten Gedanken wieder auf (vgl.: Dok III, 864).

B 48

… Wem ist nun wohl die Ausbildung der Applicatur auf dem Clavier zuzuschreiben? –
Keinem Andern, als dem, der nie daran dachte, glänzen zu wollen; der in seinen Kunsterzeugnissen wahrhaft deutschen Tiefsinn bewährte; der auch in dem kleinsten Kunstproducte seine Größe stets offenbarte; für den es keine Schwierigkeit in der Ausführung gab, – ich meine den unsterblichen Johann Sebastian Bach.
Er erzählte wohl noch öfters seinen Schülern, wie er in seiner Jugend große Clavierspieler gehört habe, welche den ersten Finger in der rechten Hand nicht eher gebrauchten, als wenn er zu großen Spannungen nöthig war. Ihm, mit seiner uns unbegreiflichen Organisation, konnte ein solcher unbequemer, kleinlicher Fingersatz nicht genügen, denn er vereinigte Melodie und Harmonie so innig zu einem Ganzen, daß selbst seine Mittelstimmen nicht blos begleiten, oder zur Ausfüllung dienten, sondern ebenfalls singen mußten.
Wandten frühere Künstler nur einige wenige Tonreihen zu ihren Tonspielen an, so erkannte Bach den Werth und die Mannigfaltigkeit aller unserer Tonfolgen und wußte sie sämmtlich als Meister zu beherrschen, wie man schon allein aus seinem köstlichen wohltemperirten Clavier ersehen kann.
Seinem Scharfsinn gelang es, die Lehre des Clavierspiels zu ordnen, beide Hände – besonders auch den ersten Finger – gleichmäßig zu beschäftigen und dadurch das Schwerste in der Ausführung leicht und bequem zu machen. Ihn allein hat man demnach vor allen als Begründer des wahren Clavierspiels zu verehren, dessen Schule der musikalischen Welt durch seinen geistreichen Sohn C. Ph. E. Bach übergeben und durch Mozart bis auf die neueste Zeit fortgepflanzt und erhalten wurde.

Quelle: Carl Ferdinand Becker, *Zur Geschichte der Hausmusik in früheren Jahrhunderten. (Schluß.)* (NZfM, 10. Bd., Nr. 32, 19. April 1839, S. 125f.)
Anm.: Die Artikelserie in der NZfM ist ein Vorabdruck des 1840 erschienenen Buches *Die Hausmusik in Deutschland in dem 16., 17. und 18. Jahrhundert. Materialien zu einer Geschichte derselben, nebst einer Reihe Vocal- und Instrumental-Compositionen von H. Isaac, L. Senfl, W. Heintz, H. L. Hassler, J. H. Schein, H. Albert u. a. zur näheren Erläuterung*, Leipzig 1840 (Nachdruck Hildesheim 1973). Eine vergleichbare Argumentation hatte Becker bereits 1834 in seinem Artikel *Die Applicatur auf Tasteninstrumenten im 16. Jahrhundert* vorgelegt (NZfM, 1. Jg., Nr. 50, 22. September 1834, S. 200).

B 49

SCHUMANN: BACHS „GEHEIME MELODIEN"

1841

… Wie schimmert doch selbst in den kunstvollst verschlungenen Gebilden Sebastian Bach's eine geheime Melodie hindurch, wie in allen Beethoven's. …

Quelle: NZfM, 15. Bd., Nr. 1, 2. Juli 1841, S. 1 (*Kirchenmusik. Eduard Sobolewsky: „der Erlöser". Oratorium nach Worten der heiligen Schrift. Clavierauszug von Bertha Sobolewska, geb. Dorn. – Leipzig, in Commission bei Fr. Hofmeister*).
Anm.: Autor der mit dem Kürzel „12" unterzeichneten Rezension ist Robert Schumann. Der Text wurde erneut veröffentlicht in: Schumann GS, 4. Band, S. 11–16.

B 50

VON ALVENSLEBEN: MUSIKALISCHE DRAMATURGIE UND GEMEINDEREPRÄSENTATION
IN DER MATTHÄUSPASSION

LEIPZIG, 25. FEBRUAR 1842

… Ueberschauen wir die Reihe der bis jetzt vorhandenen Oratorien, so finden wir namentlich unter den älteren viele, die des dramatischen Fortflusses fast ganz entbehren und nur aus einer Reihe von Arien und Chören bestehen, die an dem lockern Faden einer in erzählenden Recitativen fortgeführten Handlung neben einander gereiht sind und meist nur Ergüsse heiliger Freuden und Schmerzen, oder Lobgesänge auf Gottes Macht und Güte enthalten. In dieser Weise ist z. B. Graun in seinem „Tod Jesu" verfahren; aber so trefflich auch die Musik in ihrer Weise genannt werden muß, so möchte doch ein erregteres Gemüth leicht ungeduldig werden, wenn die ersten Theile der an sich schon langen Arien mit schonungsloser Gewissenhaftigkeit wiederholt werden. Hierher zu rechnen sind auch die Jahreszeiten und die Schöpfung von Haydn, die für den gänzlichen Mangel an Handlung und manches etwas trockene Recitativ freilich durch die liebenswürdigste Frische und Kindlichkeit der Naturfreude und die üppigste Fülle musikalischen Schmucks überreich entschädigen. Einen eignen Weg ging Sebastian Bach in seiner Matthäi'schen Passion, der darin seine volle Rechtfertigung findet, daß diese Musik beim Gottesdienste selbst aufgeführt und beide Theile durch eine Predigt getrennt wurden. Nun soll die Leidensgeschichte Jesu, treu den Worten des Evangeliums, in dramatischer Lebendigkeit des Hergangs, doch so gefeiert werden, daß die fromme, innige Theilnahme der Gemeinde, in deren Mitte das längst Geschehene gleichsam noch einmal geschieht, ebenfalls ihren vollen, gerechten Ausdruck finde. Daher giebt er die Rolle des Erzählers (Evangelisten) einer eigenen, durchgehenden Stimme (Tenor), läßt

aber die im Texte wirklich gesprochenen Worte des Christus, Judas, Petrus u. a., so
wie die Ausbrüche des Volks, wie z. B. in den Chören: „Ja nicht auf das Fest", oder
„weissage, weissage", oder „Laß ihn kreuzigen", in einer solchen dramatischen Kraft
und Frische auftreten, daß es uns wahrhaft in Erstaunen setzt. Daneben aber läßt
sich das lebendige Mitgefühl der gegenwärtigen Gemeinde nicht unterdrücken, es
bricht vielmehr bald in bewegteren Klagen, bald in einem frommen, stillen Choral
hervor, oder es übernehmen auch Solostimmen, die Gefühle der ganzen Gemeinde
auszusprechen. …

Quelle: Gebhard von Alvensleben, *Ueber die Idee dramatischen Fortgangs und Zusammenhangs
im Oratorium. Bei Gelegenheit der Aufführung des „Moses" von A. B. Marx. Von G. von Alvensleben.*
(NZfM, 16. Bd., Nr. 17, 25. Februar 1842, S. 65f.)
Anm.: Der aus dem grundbesitzenden Adel stammende Johann Ludwig Gebhard von Alvens-
leben (1816–1895) war u. a. in Leipzig, Berlin und Paris musikalisch und publizistisch tätig. Als
Dirigent leitete er 1843 / 44 die Konzerte der Leipziger Orchestervereinigung „Euterpe".

B 51

KRÜGER: TEXTAUSDEUTENDE FUNKTION DER BACHSCHEN INSTRUMENTALSTIMMEN
EMDEN, DEZEMBER 1842

… Diese Kunst, durch Instrumente die innersten Stimmungen, die die Worte nur an-
deuten, in's kleinste Verborgene hinein auszumalen (in der auch Gluck ein Meister
ist), scheint eine besondere Tendenz vieler Bach'schen Begleitstimmen zu sein. Die
kleinen Nötchen, die wie Spinnengebein zwischendurch wirbeln, eröffnen oft ein
ganz neues Reich musikalischer Anschauungen, und sind so wunderbar tiefsinnig
bald aus den Vocalmelodieen entwickelt, bald selbstständig zwischen sie gestellt,
daß sie ein eignes Studium fordern und reichlich lohnen könnten. Wir erinnern nur
an zwei der merkwürdigsten: das Orchester zu dem ersten Chor des Motett's: „du
Hirte Israel, höre", und zu dem „Gloria" der hohen Messe. Die überdrängte Masse
der zwischenein spielenden Melodieen, die dem erstgenannten Chore beigegeben
ist, die scheinbar ihren eigenen harmonischen Gang gehen, sich herumwinden in
bunter Dissonanz und dann wieder den Gesang schmeichelnd umkosen, spiegelt
das irregehende Volk, das suchende, glaubende, schwankend erreichende Israel ab,
welches in den Worten des Liedes flehet: „erscheine, o Hirt, deine Schafe zu hüten". –
Die Instrumente bei dem „Gloria" gehen noch entlegenere Bahnen: es ist, als wenn
aus jenen funkelnden Wellen, die den Gesang umwogen, ein Heiligenschein wie
Sonnenschimmer sich über der Gemeinde ausgösse, und das Ganze wie in verklär-
tem Glanz erschaut würde, als ein Loblied, das der König der Welten mit Gnaden
und Gefallen aufnähme und gleichsam mit seinem Lichte verklärte. – Doch wer
kann Unsägliches sagen ! …

Quelle: Eduard Krüger, *Die beiden Bachschen Passionen. (Schluß.)* (NZfM, 18. Bd., Nr. 22, 16. März 1843, S. 86.)

Anm.: Die vom Bachschen Original abweichende Textlesart im Eingangschor der Kantate BWV 104 geht nicht auf den Erstdruck von Marx 1830 (→ C 28, 29) zurück, sondern ist offenbar ein Versehen oder eine freie Veränderung Krügers.

B 52

Krüger: Bachs Werke als klassische Muster der guten Vortragsweise
Emden, Mai 1843

… Es gehört nämlich zu den wesentlichen Eigenschaften alles Classischen, daß es durch sich selbst wirke, d. h. daß es auch ohne äußeren Vortheil der Beleuchtung, Darstellung u. a. begleitenden Umstände immer seinen Zauber irgendwie ausübe. Besetzet den Mozart, Beethoven etc. ein- oder hundertfach – die Wirkung ist nicht so weit aus einander, als wenn ein Salonstückchen durch Liszt oder den Dorfcantor ausgeführt wird. Denn was ist endlich Forte, Piano, Crescendo? Wo sitzt es? Doch nicht in dem hart Zustreichen und Zublasen, sondern in den Tönen selbst. Bei Mozart und Bach und Beethoven hörst du – falls du nicht ganz verfallen bist und tonlos – sogleich ohne Inder und Parenthesenpoesie, wo die Kraft sitzt; dagegen freilich bei Pleyel und Hünten das Forte auf dem Papiere stehen muß – weil es nicht in den Tönen liegt. Doch wozu Oftgesagtes wiederholen! Um hiermit nicht weiter zu ermüden, erinnern wir nur an S. Bach, in dessen sämmtlichen Orgelbüchern weder Vorrede, noch Entschuldigung, noch gute Lehren zu finden sind, sondern – so viel ich sie kenne, nichts als f. und p.*) und 1. 2. Clav. Danach mag sich ein Jeder selbst registriren.

*)   an wenigen Hauptstellen, etwa für Ober- und Hauptklavier oder Koppel

S. Bach aber hat freilich das Forte drinnen sitzen und das Crescendo auch: hier hat er denselben einfachen Pfiff wie Mozart, daß er unmerklich eine Stimme nach der andern eintreten oder liegen läßt: das schwillt von Innen weit gewaltiger, als hundert Takte Rossini mit allen ihren Schnalzerchen. Auch scheint S. Bach recht wohl zu wissen, was mancher Gegenwärtige längst vergessen: daß die Dissonanz (fortius) stärker klingt als die Consonanz die enge Harmonie in der Höhe stärker als die weite in der Tiefe u. s. w., lauter technische Hilfsmittel, die in einem Sprunge eine Meile weiter schaffen, als ein ganzes Lexikon voll italienscher *termini technici**). –
Ueben wir uns also lediglich an classischen Compositionen, so ist mehr als die Hälfte jener Fragen nach dem Vortrage erledigt.

*)   Nicht zu vergessen, daß auch Mendelssohn seine trefflichen Orgelfugen auf Bach'sche Weise, d. h. ohne Zick-Zack-Zuck geschrieben, und mit Recht: da sitzt die Kraft inwendig.–

...

Fragt ihr endlich: warum so wenig gute Organisten? so glauben wir den Grund in keinem äußeren Umstande, als Hunger und Kummer und Mißkennung, sondern darin suchen zu müssen, daß sich der große Haufe derselben noch viel zu wenig im Bach umgethan hat. Spielt nur ein einziges Heft seiner Fugen und Präludien wacker durch, ein Jahr lang, bis ihr's auswendig könnt – seid ihr mit aller Gewalt, ja mit Gefahr eures Lebens so weit gekommen, – und dies kann bei übrigens richtigen Vorbedingungen ein guter Wille erreichen – da seid ihr keine schlechten Organisten mehr. Einen anderen Weg weiß ich nicht. Gewinnt man es über sich, ein paar Tacte etwa eine halbe Stunde lang zu üben – ich meine, bei ihm hält man auch dies eher aus, als bei manchem allerneusten Horribiliscribifar – so müssen sie festsitzen und lohnen tausendfach die Mühe. Was die mechanischen Schwierigkeiten betrifft, so ist mir oft aufgefallen, daß sie bei Bach meist schwinden, sobald man ihn zu verstehen anfängt. Die seltsamsten Verschlingungen der Stimmen sind doch, wenn man sie genauer ansieht, durchaus claviermäßig eingerichtet, und ohne übernatürliche Spannung und Verrenkung der Finger auszuführen; man muß nur den Gang der Stimmen tüchtig begriffen, ihn zuerst lesend studirt, dann den Fingersatz weise und sparsam angeordnet haben, – so ist die Ausführung unendlich leichter, als z. B. die Traductions des sonst genialen Liszt. Gott verzeih ihm die Stunde, daß er aus dem Clavier ein Orchester machen will, und möglichst viel 8–10stimmige Akkorde zum Genuß sämmtlicher Finger aufeinander häuft – so daß man behaupten möchte, er habe Manches nur für seine Finger geschrieben. Denn in einigen dieser Traductions sind die mechanischen Schwierigkeiten dauernde, innere, wesentliche: manche Sprünge, Octavenläufe, Doppelgriffe, Doppelmelodieen und Doppeltriller sind so schwierig, daß man nach halbjähriger Uebung nicht weiter ist als im Anfange, während man z. B. Bach's und Beethoven's objectivere Dichtungen durch redliches Arbeiten in kurzer Zeit so weit zwingen kann, daß sie festsitzen. Warum? Weil sie nur das einfältige Clavier gedacht haben, und wo die Idee größerer Massen bedurfte, dem Orchester die Aussprache derselben überließen. ...

Quelle: Eduard Krüger, *Orgelton und Orgelspiel (In Sachen pp. Grobgedakt ca. Höpner.)* (NZfM, 18. Bd., Nr. 49, 19. Juni 1843, S. 197 und Nr. 50, 22. Juni 1843, S. 199.)
Anm.: Der Text entstand im Zuge einer in den Nummern 25 und 33 des 18. Bandes (1843) der NZfM geführten Kontroverse zwischen O. Lorenz (alias Hans Grobgedakt) und C. G. Höpner über Fragen der zeitgemäßen Kompositionsweise für Orgel. Auslöser war Oswalds Rezension der von Höpner als op. 11 veröffentlichten Sammlung *Zehn Adagio im freien Styl für die Orgel.* Mit den im Text erwähnten Orgelfugen Mendelssohns sind höchstwahrscheinlich die Präludien und Fugen op. 37 gemeint.

B 53

KOSSMALY: EMPFINDUNGSAUSDRUCK UND ABSOLUTE QUALITÄT
IN DER MUSIK BACHS UND BEETHOVENS
LEIPZIG, 13. JUNI 1844

… Daß namentlich in der Musik Empfindung und Leidenschaft eine große, ja vielleicht die Hauptrolle spielen, ist längst anerkannt, wie auch, daß hauptsächlich immer sie es sind, die den zur Production entzündenden Strahl der Begeisterung in des Künstlers Seele schleudern. – Gleichwohl erscheint der Ausspruch großer hausbackener Aesthetiker: Musik solle vor allem „Sprache des Gefühls" sein, oder: „die Musik habe hauptsächlich nur immer Empfindungen auszudrücken", immer etwas dürftig, abgeschmackt, ja selbst albern, und aus beschränkter, einseitiger Ansicht entsprungen. Es will uns vielmehr bedünken, Musik habe ein weit größeres, unbeschränktes Territorium, wie sie denn auch im Leben und in der Wirklichkeit einen unendlich mannichfaltigern und ausgedehntern Wirkungskreis einnimmt, als ihr mit obiger Bezeichnung eingeräumt wird.

Glaubt man wirklich, mit dieser kargen und oberflächlichen Definition bei den Werken unserer ersten musikalischen Geister auszureichen, wo oft noch ganz andre Dinge zur Sprache kommen und welche uns weit gewaltigere, in Bewegung und Wirkung gesetzte Hebel und Kräfte voraussetzen lassen, kurz wo uns unendlich mehr und Reicheres geboten wird, als gewisse sich ewig wiederholende, einseitige menschliche Empfindungen. – Vielmehr hören, namentlich bei Seb. Bach und bei Beethoven, alle Anhaltpuncte, Verbindungen und Beziehungen an und zwischen letzterm, überhaupt menschlichem Wesen oft ganz auf: – Bald sind es die Geister göttlichen Tiefsinns, seliger Himmelstrauer, die in wunderbar gewaltigen, unbekannten und doch verständlichen Zungen zu uns sprechen, bald die riesigen Gebilde einer Halbgott-Phantasie, die Feuerströme einer Cherubs-Begeisterung und die Blitze wahrhaft apokalyptischen Humors, die uns umschweben, umrauschen und umleuchten; bald wieder berührt es unser Ohr wie aus einer andern, seligen Welt herübertönende Offenbarung eines, dem Engel der Musik welt- und selbstvergessen lauschenden Genius; mit einem Wort: es ist hier der Geist selbst, der, zu Musik geworden, in Musik aufgegangen, in nie gehörten, erschütternden Accenten seine ewigen Wunder kündet. Wer bis ins Allerheiligste dieser wunderbarsten aller Künste vorgedrungen, wer vor Allen Bach und Beethoven gründlichst kennen gelernt und in ihrer ganzen Tiefe erfaßt hat, der wird bald von selbst inne, daß Natur und Wesen der Musik so universell, so allumfassend, die ihr zu Gebote stehenden Mittel und Kräfte: Melodie, Harmonie, Modulation, Rhythmus, Vocale und Instrumentale ec. so unbegrenzt und unendlich mannichfaltig sind, daß nicht daran zu denken, sondern es eine reine Absurdität wäre, sie lediglich blos auf den Ausdruck menschlicher Empfindungen und Gefühle anweisen zu wollen. …

Quelle: Carl Koßmaly, *Musikalische Tageblätter. (Schluß.)* (NZfM, 20. Bd., Nr. 48, 13. Juni 1844, S. 189f.)
Anm.: Carl Koßmaly (1812–1893) war als Komponist, Musikschriftsteller und Theaterkapellmeister tätig; ab 1846 in Stettin.

B 54

Bach als kenntnisreicher Ausleger der Bibel
Erfurt, 1844

Ohne Bibel würde es keinen Bach gegeben haben. Deßwegen wird in einem noch ungedruckten Werke über J. S. Bach behauptet: „So wie Bach haben seit Paulus, dem Apostel, äußerst, äußerst wenige Theologen und Philosophen Bibel verstanden!!"

Quelle: Urania, 1. Jg., Nr. 2, 1844, S. 30. *(Mannichfaltiges.)*
Anm.: Die Identität des „ungedruckten Werkes" konnte nicht ermittelt werden.

B 55

Mosewius: Bedeutung und Eigenart von Bachs Kirchenkantaten
Leipzig, 5. Juni 1844

Die Kirchencantaten *Seb. Bach's* sind ein Schatz von unermesslichem Werthe. Ungeachtet ihrer oft seltsamen, in veralteter Ausdrucksweise sich ergehenden Textesworte werden sie in Beziehung auf die Wahrheit und Innigkeit ihrer aus der innersten Tiefe eines frommen, gläubigen Gemüthes entquollenen Musik für ewige Zeiten als Muster dastehen. Wem sie sich erschlossen, den stört die Form ihrer Sprache nicht. Bach liefert keine Musik neben dem Texte, keine Melodien zum Texte, die ohne diesen durch sich selbst völlig befriedigen, etwa durch ihn nur Erklärung, vor falscher Auffassung sichernde bestimmtere Bedeutung erhalten. Nein, er durchdringt das Wort in seiner geistigen Tiefe, hebt durch die Tonkunst seinen Sinn hervor, erklärt es in Tönen zur Offenbarung seines ganzen Inhaltes, wiederholt es, seine Bedeutung verstärkend, erweiternd, betrachtet es in verschiedenem Sinne, mit einem Worte: *Bach's* Kirchenmusik ist eine vollständige Exegese des ihm zum Grunde gelegten Textes. – Für alle seine Schöpfungen scheint Bach wie mit einem Schlage die passendste Form gefunden zu haben. Wie kunstreich und mannichfaltig auch immer ihre Ausstattung erscheinen mag, nichts desto weniger ist Alles leicht und mit der grössten Gewandtheit, obwohl deshalb nicht mit geringerer Sorgfalt ausgeführt, und in den Arbeiten seiner späteren Lebensperiode herrscht eine Freiheit im Fluge des Gedankens, dass auch selbst da, wo er in den allerkunstreichsten Formen hervortritt, sich nirgends ein ihn beengender Zwang bemerken lässt. – Mit bewundernswürdiger Lebhaftigkeit wusste er sich stets für die tiefste Auffassung seiner in Musik zu setzenden Texte zu stimmen, und immer stand sogleich das ganze Tonstück in voller Gestaltung vor seinem Geiste. Da ist nirgends etwas Gestückeltes, Gedrechseltes zu entdecken; jeder Ausdrucksweise im vollsten Maasse Herr, hielt er sie unwandelbar fest, wenn er sie einmal als die ihm für seinen Zweck passendste erfasst hatte. Und wie mannichfaltig, wie vielseitig erscheint er, und eben in seinen Gesangcompositionen mit am Allermeisten. Für jedes Gefühl, für jede Empfindung, für jede Anschauung stand ihm der Ausdruck zu Gebote, und er giebt ihn eben so tiefsinnig, als innig und wahr. Jede erneute Veranlassung ihres wiederholten Erwachens führt ihm auch den neuen Ausdruck dafür zu, und diesen immer wieder eben so kunstreich als ungekünstelt. Man könnte fast behaupten, wer seine Schöpfungen in ihrem ganzen Umfange erkannt hat und zu geniessen im Stande ist, der findet bei einiger Beobachtungsgabe nach ihm nichts wesentlich Neues mehr in der Musik. Mindestens ist so viel gewiss, einen grösseren musikalischen Gedankenreichthum hat kein Tondichter, weder vor, noch nach ihm, bekundet, und wenn die grössten Meister unter seinen Nachkommen an dem Style ihrer Werke erkennbar sind, so finden wir auch diesen schon in einzelnen seiner Werke wie eine Verkündigung angedeutet. Er unterscheidet sich von den nach ihm durch die Individualität der Meister ausgeprägten nur dadurch, dass auch in allen seinen Prophetien der *Bach*'sche Geist vorherrschend durchweht. – Doch lässt sich in der mir vorliegenden Sammlung von Cantaten ein sich entwickelnder Bildungsgang des Meisters wohl herausfinden. Obschon aus allen derselbe fromme Sinn, ich möchte sagen dieselbe christliche Einfalt hervorleuchtet, so klebt doch den in einer früheren Periode geschaffenen mitunter etwas Veraltetes, so in der Form, wie im Ausdrucke an. Die späteren zeichnen sich durch jene, in nie veraltender Form ausgeprägte Kraft des Gedankens, durch jene Sicherheit und Klarheit der Auffassung, durch jene eiserne Consequenz der Ausführung aus, welche dem grössten Theile der Werke unseres Meisters eigen sind, und Alle, denen sie sich einmal erschlossen haben, mit nie zu lösenden Fesseln an sich ketten. *Bach* verstand es, wie gesagt, allen Regungen des Gemüthes den *wahrsten* Ausdruck zu geben; dadurch tritt in seinen religiösen Werken seine Subjectivität in den Hintergrund, und er wird der Verkündiger christlicher Gesinnung und Anschauung aller Bekenner des Evangeliums. Er lässt uns aber nicht allein die Regungen des religiösen Gemüthes erkennen, mit ihnen macht er uns auch die Veranlassung dazu anschaulich; er zeichnet alle Zustände, innere und äussere, mit minutiöser Beachtung auch der kleinsten Merkmale, wie sie sich seinem Seherblicke aus den vorliegenden Texteaworten ergeben, er sucht sie nicht hervor, sie dringen sich ihm auf, seiner Auslegungskunst wie natürlich entgegenströmend. Und dies ist der Punct, worin sich seine neueren Kirchencompositionen hauptsächlich von den älteren unterscheiden. – *Sebast. Bach* legt nicht allein Befriedigung, Freude, Wonne und Jubel, Sehnsucht und Wehmuth, Traurigkeit und Schmerz in

den Character seiner Tonstücke, er malt sie auch im Einzelnen aus. Jedes Wort belebt
und bezeichnet sein musikalischer Ausdruck. – In der Cantate: „Jesus schläft, was
darf ich hoffen," sieht der bekümmerte, verlassene, schwankende Christ den Heiland wirklich schlafen, die Schaar der Andächtigen sich dem Schlummernden be-
hutsam nahen. Wir sehen anderen Ortes das sturmbewegte Meer, so wie die sich
thürmenden Wogen; wir schauen den heitern Himmel, wie die wetterschwangeren
Wolken sich erheben, sehen am Auferstehungstage des Herrn die im Triumphe sich
kreisenden Sterne; *Bach* durchzieht in seinen Gesängen mit uns die ganze Welt, lebt
alle Zustände und Verhältnisse mit uns durch, und begleitet uns bis an den Rand
unseres offen stehenden Grabes, welches er uns in freudiger Hoffnung und Erwartung eines künftigen, seligen, verklärten Lebens zeigt. – Indem er den bedrängten
Christen tröstet, ihn stärkt und ihn auffordert, sich in Gottes Fügungen zu schicken,
zeigt er uns wie verstohlen dabei auch das Murren des unzufriedenen Bedrängten
mit; er bezeichnet daneben Stehen und Gehen, Ruhen und Eilen, das Sicherheben
wie Gebeugtwerden in einer fast den ersten Anfängen der Kunst eigenen Naivität. –
Und hierin, ohne irgend ein Aufgeben der kleinen Detailmalerei, haben sich seine
späteren Arbeiten vor den früheren verklärt. – Sein Denken, Schauen und Fühlen
ist sich stets unveränderlich gleich geblieben, doch steht später diese Malerei nicht
mehr so vereinzelt da, sie bewegt sich fest eingeschlossen in der melodischen Form,
die er seinen Stücken zum Grunde legt, und der Genius lehrte ihn seine Motive so
glücklich finden, dass sie in ihrem Kerne schon die Ausdrucksfähigkeit für alles
Das enthielten, was er im Verlaufe des Tonstückes in ihm auszusprechen hatte. Es
kann ganz dahin gestellt bleiben, ob und welchen Antheil *Seb. Bach* an dem Textes-
entwurfe der Kirchencantaten, an ihrer äusseren Anordnung genommen hat; die
Auffassung, die Gliederung, die poetische Verbindung und Beziehung der Theile
zu einander, die Verarbeitung ihres Inhaltes ist sein Werk, und in welcher Weise! …

Quelle: Johann Theodor Mosewius, *Seb. Bach's Choral-Gesänge und Cantaten. (Fortsetzung zu No. 7
u. 8.) (AMZ., 46. Jg., Nr. 23, 5. Juni 1844, Sp. 377–380.)*
Anm.: Der Breslauer Musikdirektor Johann Theodor Mosewius (1788–1858) gehörte zu den bedeutenden Bach-Kennern und Bach-Aufführenden der Zeit (→ D 4, 10, 13, 14, 18, 20, 21, 24, 27,
41, 44, 49, 74, 76, 94, 98, 105, 111 und 200). Sein Aufsatz erschien in den Nummern 7, 8, 23, 24, 25
und 28 des 46. Jahrgangs (1844) der AMZ. Der Darstellung und der abschließenden Werkliste
„Verzeichnis mir bekannt gewordener Cantaten von Joh. Seb. Bach" lagen lt. Mosewius' eigener
Angabe umfangreiche Quellenstudien zugrunde, die er dank der Vermittlung Franz Hausers,
Felix Mendelssohn Bartholdys und weiterer Musikkenner unternommen hatte. Eine überarbei-
tete Fassung des gesamten Textes erschien 1845 unter dem Titel *Johann Sebastian Bach in seinen
Kirchen-Cantaten und Choralgesängen. Dargestellt von Johann Theodor Mosewius, Musikdirektor und
Lehrer an der Königl. Universität und am Königl. Akademischen Institute für Kirchen-Musik, Direktor
der Sing-Akademie, und Secretair der musikalischen Section der vaterländischen Gesellschaft zu Breslau*
im Verlag der Trautwein'schen Buch- und Musikalien-Handlung zu Berlin.

B 56

[Siebeck]: Bachs Kunst thematischer Entwicklung
Erfurt, 1845

… Sebastian Bach hatte seiner „Kunst der Fuge" eine ähnliche Tendenz zum Grunde gelegt. Allen Denjenigen, welchen die Gelegenheit und die rechte Vorbereitung abgeht, die nach Inhalt und Form so überaus kunst- und wunderreichen Schöpfungen, welche der unsterbliche Meister in jenem Werke aus einem unscheinbaren und ziemlich geringen Thema von 4 Takten hervor zauberte, kennen zu lernen, dürfte mit dieser Kunst des Vorspiels ein ihren Kräften angemessener, bequemer und wohlfeiler Ersatz geboten sein. …

Quelle: [Gustav Heinrich Gottfried Siebeck], *Die Kunst des Vorspiels, oder die Kunst der Entwickelung eines musikal. Motivs zu einem musikal. Satzganzen, für Orgel und Pianoforte componirt und angehenden Componisten und Organisten gewidmet von Fr. Kühmstedt, Musikdirekt. zu Eisenach. Op. 6. 1 r Thlr. Mainz, Antwerpen und Brüssel bei B. Schott's Söhnen. Preis: 1 Thlr. = 1 fl. 48 Fr.* (Urania, 2. Jg., Nr. 5, 1845, S. 69.)

Anm.: Gustav Heinrich Gottfried Siebeck (1815–1851), Schüler von August Wilhelm Bach und Adolph Bernhard Marx, war als Komponist, Musiklehrer und Musikdirektor in Eisleben und Gotha tätig. Friedrich Karl Kühmstedt (1809–1858) wirkte als Musikdirektor und Komponist in Eisenach.

B 57

Carl Philipp Emanuel Bachs Instrumentalstil gemessen an der Musik seines Vaters
Leipzig, März 1847

… Den Reihen eröffnete diesmal Sebastian Bach's talentvollster Sohn *),

*)   Joseph Haydn's Vorläufer und Lehrer.

Carl Philipp Emanuel (geboren 1714, gestorben 1788) mit einer Symphonietta, bestehend in einem Allegro molto, Largo und Presto in einem Satze. In der Instrumentirung erblicken wir hier schon einen Fortschritt, denn wir sehen auch die übrigen Blasinstrumente, wenn auch in einer noch etwas unbehülflichen Anwendung, mit eingeführt; in der kernigen und consequenten Durchführung eines musikalischen Hauptgedankens scheint der Sohn dem Vater zu gleichen; aber er erreicht nicht seine Originalität, Kraft und Frische. …

Quelle: Signale, 5. Jg., Nr. 13, März 1847, S. 97. (*Achtzehntes Abonnementconcert im Saale des Gewandhauses zu Leipzig (Am 25. Februar 1847).*)

Anm.: Die im Historischen Konzert vom 25. Februar 1847 aufgeführte Komposition Carl Philipp
Emanuel Bachs war wahrscheinlich die Sinfonie D-Dur Wq. 183/1.

B 58

VON WINTERFELD: BESONDERHEITEN DER TEXTWAHL UND CHORALBEHANDLUNG
IN BACHS KIRCHENKANTATEN
LEIPZIG, 1847

… Vergleichen wir dieselben mit den uns überbliebenen Jahrgängen Telemanns,
Stölzels und anderer unter Bachs ausgezeichneten Zeitgenossen, von denen ich jene
beiden Meister deshalb vorzugsweise nenne, weil die von ihnen uns hinterlassenen
Jahrgänge die vollständigsten sind, in beiden auch Dichter und Tonkünstler sich vereinigten: so bemerken wir gleich Anfangs die viel größere Mannichfaltigkeit der Anlage in den Bachschen. Schriftwort, Kirchenlied, fromme Betrachtung, gefaßt in die
dem Singspiel entlehnten modernen Formen, stehen hier nicht in herkömmlicher,
selten veränderter Reihe nebeneinander; in Bachs Cantaten erscheinen zwar dieselben Bestandtheile, allein in stets neuer, aus der eigenthümlichsten Auffassung hervor-
gegangener Anordnung. Die vorangehende Betrachtung hat uns vielfältig Gelegenheit gewährt, zu bemerken, wie selbstthätig unser Meister in Behandlung seiner
Texte verfuhr, wie es fast als gewiß angesehen werden dürfe, daß sie ihm oft theilweise, auch wohl in ihrem ganzen Umfange angehörten. Da sie ihm nun allezeit
Veranlassung wurden zu geistreichen Schöpfungen, nicht als Musiker in beschränk-
terem Sinne allein, sondern auch als Tondichter, so werden wir ihn nicht beklagen
dürfen um seiner schlechten Vorwürfe willen. Mit geringen Ausnahmen, wo vielleicht schlechthin Aufgegebenes zu bearbeiten war, – was doch wohl nur bei seinen
Gelegenheitsmusiken der Fall gewesen seyn wird – oder wo ihm nur trockene, moralische Reimereien geboten waren, **)

**)   Vgl. die Cantate: „Nimm was dein ist und gehe hin" etc.

die weder umgangen werden konnten, noch eine Besserung anders, als durch eingeschaltete Choräle zuließen, werden wie die Anlagen seiner Texte meist bedeutsam finden, wenn wir von der Weitschweifigkeit und Steifheit des Ausdruckes im
Einzelnen abzusehen wissen; Mängel, die ihn nicht in dem Maaße störend berühren konnten als uns, die wir mit fortgeschrittener Ausbildung unserer Sprache und
Dichtkunst ihnen entwachsen sind. Daher ist es auch gewiß nicht richtig, daß (wie
von Zelter behauptet wird) ***)

***)   Vgl. Mosevius an dem oft erwähnten Orte, S. 12, in der Anmerkung.

Bach aus mehren Theilen seiner Cantaten um deswillen Meßgesänge zusammengesetzt habe, weil es ihm geschienen, als verdienten seine Töne bessere Worte, als

die von ihm „bemusikten" geistlichen Reimereien angesehener Kirchenhäupter. Sein offenbarer Antheil an demjenigen, was die Unbeholfenheit der Dichtung uns allerdings jetzt als „Reimerei" erscheinen läßt, widerlegt diese Annahme, und erwägen wir namentlich das Verhältniß in welchem der größeste Theil des Gloria seiner A dur-Messe zu der letzten Hälfte seiner Cantate: „Halt im Gedächtniß Jesum Christ" steht, so werden wir sie um so minder wahrscheinlich finden. Am glücklichsten freilich ist er da gewesen, wo nur Schriftwort und Kirchenlied, einander gegenseitig ergänzend, seine Aufgabe bildeten, wie in der Mehrzahl seiner Motetten, und der herrlichen Cantate: „Gottes Zeit ist die allerbeste Zeit" durch die, in Anklängen und ausgesprochen, Weisen geistlicher Lieder neben Sprüchen der Schrift bedeutsam hintönen, während zwei Flöten und Gamben durch helle und weiche, dunkle und sanfte Klänge den Gesang mit einem Dämmerlichte umweben, wohlgeeignet für jene Mahnung an die dunkle Pforte des Jenseits die er uns entgegenbringt. In solchen Werken, deren Grundlage nur Erhebendes für uns hat und nichts unsrer Zeit Widerstrebendes, können wir ihn am reinsten genießen, eben wie in jenen andern, wo die Umschreibungen des Schriftworts die sie uns bieten doch nicht an der wäßrigen Breite kranken, die uns andere unerträglich macht; von ihm aber dürfen wir nicht voraussetzen, daß sein Verhältniß zu den Urhebern seiner Texte ein gleiches gewesen als das unsrige.

Ein Zweites, das bei der Vergleichung der Bachschen Jahrgänge mit denen jener mitlebenden Meister sich uns darbietet, ist das große Gewicht, das überall auf die Kirchenweise gelegt wird, die, mit wenigen Ausnahmen, bei Jenen als untergeordnet betrachtet wird, ohne doch einmal die Möglichkeit des Einstimmens der Gemeine in dieselbe zu sichern und so deren thätige Theilnahme, selbst an dem Kunstgesange, zu begründen. Eben in Behandlung der Choräle spiegelt sich uns aber das reiche Innere unseres edlen Meisters ab. Wir sind ihm durch solche Cantaten gefolgt, die sich nur auf Kirchenlieder und deren Melodieen gründeten, durchwoben oder nicht mit Fremdem; wir sahen ihn diese Weisen, wie in einfacher Harmonie, so durch das mannichfachste, reichste, auf sie gegründete, oder von ihnen unabhängige Tongewebe entfalten, zuweilen in liebender Verschmelzung der Stimmen, öfter noch in jener Selbständigkeit des Einzelnen, die das klangreiche Aufgehn in einander ablehnt; ein so bedeutungsvolles Bild aber nicht selten noch eingefaßt durch den schmückenden Rahmen einer gleich selbständigen, aus Klängen der verschiedenartigsten Farbe zusammengewobenen Begleitung. Dann wiederum flocht der Gesang sich zusammen aus den einzelnen, bedeutsam in einander geschlungenen Gliedern einer kirchlichen Melodie, während diese in ihrer Ganzheit, ernsten Schrittes, nicht nur über diesem wundersamen Reigen der Töne schwebte, sondern selbst als stützende Grundlage unter ihm sich hervorhob; oder in mächtigen Einklängen durchschritt siegend die heilige Weise das lebendige Gewimmel neben ihr rauschend erklingender Instrumente. Allein nicht willkührlich stellt sich der Meister so schwierige und verwickelte Aufgaben, ihre Fassung hängt stets mit dem Wesen des gebotenen Gegenstandes seiner Kunst innig zusammen, der ihm, weil er mit

ganzer Seele sich in ihn versenkt, einem frei gewählten gleich, ein reiner Spiegel
der ihm verliehenen Schöpfungskraft wie seines tief bewegten Gemüthes wird. In
seinen Fest-Cantaten, wo das Schriftwort, die fromme Betrachtung, in ihrem größeren Umfange die unbedingte Herrschaft der Kirchenweise nicht zuließen, erscheint
sie doch meist in jenem reichen festlichen Schmucke, wie wir ihn beschrieben, und
stets als Gipfel des Ganzen; wo sie mangelt, da hat der Meister entweder einmal mit
Absicht auf fremdem Gebiete, im Sinne anderer, neben ihm Schaffender sich ergangen, oder dem Tone, den er anzuschlagen gedachte, fand er keine Kirchenmelodie
anklingend, der ihm vorgeschriebenen Liedstrophe keine anpassend; dann schuf
er eine neue, die er nicht minder bedeutsam und geheimnißvoll zu entfalten wußte,
als die von der Kirche auf seine Zeit vererbten. Und wie sicher weiß er den Ton auch
äußerlich laut werden zu lassen, der in seinem Innern anklingt bei jedem der Feste,
die seine Kunst verherrlichen soll! bei der Verkündigung geht ihm der Morgenstern
einer neuen Zeit auf in jenem frommen Liede Philipp Nicolai's, bei der Heimsu-
chung erklingen zu dem frühesten der christlichen Lobgsänge die demüthig ernsten
Laute des uralten Pilgertons; in den Gesängen mit denen er die Geburt des Erlösers
begrüßt, wird nicht allein kindliche Freude, heller Jubel laut, sondern ahnungsvoll
mahnen die von ihm gewählten Weisen, wie er sie entfaltet, auch an die Selbstent-
äußerung, an das künftige Opfer des ewigen Sohnes. Als er uns den Herrn zeigt wie
er seinen erlösenden Leidensweg antritt, vernehmen wir neben der ernst mahnen-
den Stimme der aus seinem Blute entsprossenen Kirche der Zukunft, auch die Klage
der engeren, unsichtbaren Gemeine, die während seines irdischen Lebens sich still,
ohne äußeres Hervortreten, um ihn gesammelt: bei der Auferstehung wird ihm das
Sterbelied zum Triumphgesange! Wie mannichfach führt er endlich die Kirchenweise
ein, sie als Stimme der Gemeine dem einzelnen Gliede derselben gegenüberstellend,
lehrend, tröstend, strafend; wie weiß er, mit Betrachtungen sie durchwebend, auch
bei stets weiterem Abweichen von ihrem ursprünglichen Grundtone, dennoch aus
dem Eingewobenen sie als Ganzes hervorleuchten zu lassen! In Allem diesem aber,
ruht auch seine Kunst allerdings auf Andeutungen in seiner Vorzeit, müssen wir ihn
neu, ursprünglich nennen, aber auch unerschöpflich, unergründlich. Ihm gegenüber
finden wir uns zu immer neuem Forschen angereizt; das Auge spürt dem sichern
Faden nach der ihm den Pfad bahne durch das Labyrinth von Tönen, das bei Anschauen der Tonschrift mit verwirrendem Staunen uns befängt; das Ohr, von dem
Auge geleitet, strebt jedes Einzelne dieser kleinen Welt, das in eigenthümlichster
Ausgestaltung ihm entgegengebracht wird, dem Verschmelzen widerstrebend, wodurch es als Gesammtheit erfaßt zu werden vermöchte, festzuhalten für sich und
in dem andern Einzelnen, das Gemeinsame, wie es der forschende Verstand als
vorhanden weiß, auch mit geschärftem Sinne zu erforschen, das Bild des Ganzen
mit allen Kräften der Seele selbstthätig aufzunehmen, und wesenhaft wieder hervorzubringen. Darin besteht der unaussprechliche Reiz, der Jeden in diese geheimnißvollen Werke sich vertiefenden mit stets erneutem Zauber befängt. Alles Wissen
und Können seines hingegebenen Verehrers nimmt Bach in Anspruch, in einen Kreis

nie endender Thätigkeit reißt er ihn hin, und so erbleichen diesem allgemach die
Schöpfungen anderer Tonmeister, sie erscheinen ihm leicht und geringhaltig, weil
sie leicht und anschaulich ihm entgegentreten, weil er um ihr völliges Verständniß
nicht unaufhörlich ringen darf. …

Quelle: Winterfeld 1847, S. 396ff.

B 59

VON WINTERFELD: ZUR MANGELNDEN KIRCHLICHKEIT DER BACHSCHEN KANTATEN UND PASSIONEN

LEIPZIG, 1847

… Aber sollten wir Bachs größere Werke für die Kirche, die in vollendeter Ausführung hinzustellen ihm selber nicht gelingen konnte, nicht betrachten als ihrer Zeit
vorangeeilt, hindeutend auf eine Zukunft, die, völlig in sie eingedrungen, durch
würdige Darstellung ihnen erst Gerechtigkeit widerfahren lassen werde? als Weis-
sagung einer Kirche, die in der geheimnißvollen Kunst jener bedeutsamen Schöpfungen ihr Innerstes erschlossen, eine lebendige Stimme ihrer Anbetung sich gewährt erkennen solle? Hat in unseren Tagen die Liebe für diese Werke sich nicht
gemehrt, haben wir nicht treffliche Aufführungen einzelner erlebt, und sollten wir
dieses nicht betrachten dürfen als Vorboten nahender Erfüllung?

Allerdings dürfen wir heilbringende Vorzeichen für die Kunst erkennen in Allem
diesem und uns ihrer freuen; gewißlich sollen wir die würdigste Aufgabe darin
finden, diese köstlichen Werke mit reicheren Mitteln und besser vorbereiteten Kräften in das Leben zu rufen, als dem Meister selbst gewährt waren; ob sie aber, bei
aller kirchlichen Frömmigkeit ihres Urhebers, die hell aus ihnen hervorleuchtet, in
einer gereinigten, neu gekräftigten und erstarkten evangelischen Kirche unserer
Tage eine dauernde Stelle finden könnten, müssen wir bezweifeln.

Zunächst spiegelt in dem gewaltigen Geiste des Meisters und demjenigen, was dieser schuf, seine Gegenwart zu lebendig sich ab, seine Werke gewähren ein zu treues
Bild derselben, als daß sie in vielen ihrer Theile uns nicht fremd erscheinen, einer
gemischten Kirchfahrt namentlich es nicht bleiben sollten. Blicken wir auf ihre Texte,
so wird es zwar nicht eben schwer seyn, einzelne Unebenheiten des Ausdruckes in
diesen zu tilgen, sie jedoch mit anderen da zu vertauschen, wo sie uns nicht mehr
zusagen können, wird man bei ihrem festen Verwachsenseyn mit den Tönen des
Meisters, der in diesen, wie wir gesehen haben, dem Worte im Einzelnen nachgeht,
meist unmöglich finden. Es sind aber auch diese Töne selbst, die des Fremden für
uns nur zu viel enthalten.

...

Hier nun sind freilich die Zierlichkeiten Couperins, das damals Modische, für die
Gegenwart jener Tage nicht ohne Einfluß geblieben, sie haben ihn nicht allein auf
das Clavier geübt, sondern auch auf die Orgel und den geistlichen Kunstgesang.
Das förmlich abgemessene, das höfisch glatte, schmuckhafte Wesen jener Zeit, ein
Widerschein des bestaunten, von Frankreich gegebenen Vorbildes in Leben, Tracht
und Sitte, thut sich auch auf diesem Felde des Tonsatzes durch sie kund, wie es
endlich aber jede Lebensäußerung bedingt, so beherrscht es von dort aus, selbst
unbewußt, allgemach alles Empfinden und Denken, auch eines Künstlers von
solcher Ursprünglichkeit und Selbständigkeit, wie wir unseren Meister gefunden
haben. Es tönt hervor aus der Art, wie er die alten Weisen des kirchlichen Gemeine-
gesanges auffaßt, wie er neue schafft, wie er deren für den kirchlichen Kunstgesang
schmuckhaft ausgestaltet und durchbildet, überall empfinden wir es als ein Vor-
handenes, ohne es im Einzelnen nachweisen zu können. Es entstellt die herrlichen
Werke des Meisters nicht, ja, es ist für diejenigen, denen sie lieb geworden sind,
selbst eine Würze ihres Gefallens an denselben, wie der schönen, der bedeutenden
Gestalt, auch die veraltete Zierlichkeit der Tracht vergangener Tage wohl anstehen,
sie mit neuem, fremdem Reize schmücken kann; aber in seiner eigensten Besonderheit bleibt es stets nicht ein Fernes allein, sondern auch Fremdes, dem allgemeinen
Anklange sich Entziehendes. Wer könnte wagen, es entfernen zu wollen, um ihm
diesen zu sichern? durchdringt es doch alle Lebenspulse jener Werke, flicht sich
hin durch ihr innerstes Gewebe, so daß es nicht von ihnen getrennt werden kann
oder soll, weil damit ihr Eigenstes zugleich zerstört werden würde. Ich kenne die
Versuche nicht, die jener Meister, der sich ihrer rühmt, im Abschäumen Bachscher
Werke gemacht hat, kann also über sie nicht urtheilen, allein ich fürchte sehr, sie
möchten uns erscheinen gleich jenen neueren Bearbeitungen alter geistlicher Kern-
lieder, die durch sie oft ihre frischeste Kraft eingebüßt haben. Denn ein nicht geringer Theil derselben beruht in dem Abglanze der starken, wahrhaften Empfindung einer glaubensreichen und kräftigen Zeit, die in neuerwachter, jugendlicher
Begeisterung das heilige Lebenswort wieder ergriff, ein Abglanz, eben so allgegenwärtig und unergreiflich als jener Bachsche Schaum, wenn wir einmal bei diesem
Bilde bleiben wollen, wiewohl dasselbe des edlen Meisters nicht würdig ist. Jener
Abglanz, in den Worten des Liedes über die oft mangelhafte Form des Ausdruckes
hinweghebend, die neuen Gebilde der in köstlicher Blüthe sich entfaltenden heiligen
Tonkunst jener früheren Tage verklärend, so daß sie, die fernen, uns durch ihn näher
gerückt, nimmer zu fremden für uns werden können – jener Abglanz ist es, der dem
Kirchenliede des Reformationsjahrhunderts, sofern es nicht völlig an seiner Zeit haf-
tet, eine dauernde Stelle in der Gemeine gesichert hat, der den Tonsätzen aus den
letzten Jahren jenes Zeitraumes, hat Ohr und Sinn der Gegenwart für die aus langem Schlafe nunmehr Erwachenden sich erst wieder geöffnet, ein gleiches Bürger-
recht in unserem kirchlichen Kunstgesange erwerben wird. Wir wagen es, ihnen
ein Vorrecht vor Bachs Schöpfungen im Voraus zu verkünden; nicht weil wir diese

geringer achteten, was ein aufmerksamer Leser der vorangehenden Blätter wohl kaum voraussetzen dürfte, sondern weil dasjenige, was in ihnen der Zeit angehört, ein Anderes ist als in jenen.

Es ist aber nicht die Eigenschaft jener Werke als lebendiger Spiegel ihrer Gegenwart allein, welche sie von dauernder, kirchlicher Gültigkeit ausschließt, so unvergänglich ihre Bedeutung für die Tonkunst im Allgemeinen auch bleiben wird. Ein Zweites ist fast wichtiger noch und entscheidender; sie bringen uns, gleich jenen Schöpfungen des beginnenden sechzehnten Jahrhunderts, auf höherer Stufe wiederum eine Kunst entgegen nur für die Kundigen, eine in evangelischem Sinne also nicht kirchliche; eine Kunst, in der, weil das eine Einzelne neben dem andern in fast ablehnender Selbständigkeit hergeht, nicht Alles zu einem klingenden Körper verschmilzt, so daß der Ausführende, der Regel nach, an ihnen überall größere Freude haben wird als der Zuhörer, die Mehrzahl aber, auch bei vollendeter Ausführung, ihnen jederzeit als einem verschlossenen Buche gegenüberstehen wird. Ja, auch dem Kundigen machen die meisten unter ihnen eine Selbstthätigkeit im Aufnehmen zur Pflicht, hinausgehend über das Maaß derjenigen, die an heiliger Stätte einem Kunstwerke gegenüber gefordert werden darf, weil sie seine Aufmerksamkeit von dem Inhalte ablenkt auf die Form, dadurch aber eine zerstreuende wird. Es giebt Ausnahmen unter ihnen, und man wird deren manche unter den zuvor besprochenen erkennen; eine der glänzendsten wohl in jener viel bewunderten Passionsmusik nach dem Evangelisten Matthäus. Wir lassen dahingestellt seyn, wiefern es zulässig sei, aus der einfachen Erzählung des Geschehenen dieses selbst mit unmittelbarer, ergreifender Gegenwart hervortreten zu lassen, wie es hier geschehen ist, Episches und Dramatisches vermischend. Was Bach gethan, ist durch das vollständigste Gelingen künstlerisch gerechtfertigt, und der Beifall der Mehrzahl hat diesem in unseren Tagen wiederbelebten Werke eben um deswillen gehuldigt. Allein auch Zweifel haben sich vernehmen lassen; sie haben, das künstlerisch Geleistete anerkennend, in kirchlichem Sinne es doch nicht billigen wollen, weil der darstellende Theil des Werkes die Grenze des Dramatischen zu nahe berühre, ja, sie überschreite; ältere Werke ähnlicher Art auch, bei dem Wechsel zwischen den Sängern und dem Chore, nur Belebung des Vortrages einer längeren Erzählung sich als Aufgabe gestellt hätten, nicht die Darstellung des Erzählten als eines Gegenwärtigen. Mit diesen Zweifeln und Bedenken treten wir wiederum in einen anderen Gesichtspunkt, den Bachschen Werken gegenüber. Es ist bei ihnen die Rede nicht mehr von einer zu eng an eine bestimmte Zeit geknüpften Besonderheit der Form, die der kirchlichen Erbauung Eintrag thue, von einer Überfülle der Kunst, durch die dem Hörer das Werk in weite Ferne gerückt werde; es wird ein Übergreifen auf ein fremdes Gebiet gerügt, wodurch das Gepräge des Kirchlichen zerstört werde. Daß die Gestalt, in der die Passionsmusik bei unserem Meister auftritt, an dem musikalischen Drama sich herausgebildet habe, wird Niemand leugnen wollen; doch hat Bach das seiner Tage an Kraft und Anschaulichkeit der Darstellung bei weitem übertroffen, es auch durch andere Mittel geleistet; denn in dem eigentlichen Kerne des Ganzen – der biblischen Erzählung und den ihr eingeflochtenen geistlichen Weisen – sind die damals gangbaren Formen jenes Schauspiels nicht anzutreffen, sondern den darum hergehenden geistlichen Betrachtungen aufgespart geblieben. Hätte man diese bei der nun fast zwanzigjährigen Erneuerung des Werkes ohne Ausnahme beibehalten, wie es sie bietet, so würde sein Eindruck unzweifelhaft um Vieles geringer gewesen seyn; man hätte in der Mitte hinreißender Darstellung sich unerwartet, oft lange unterbrochen gesehen, und in der That durch Formen aus fremdem Gebiete heimisch. So aber haben die Erneuernden, an den Kern des Werkes sich haltend, nur das diesem Entsprechende zur Aufführung gebracht, mit dem feinsten Sinne auf die Stellen achtend, wo das Verweilen den raschen Fortgang der Erzählung nicht störend unterbreche, sondern vielmehr ihre Bedeutung erhöhe, und solches Eingeschaltete allein gewählt, in dessen Form die Ursprünglichkeit der schaffenden Kraft des Meisters hervortrat, nicht ein Lehnen an das herkömmlich Gefällige.

Sollte nun die großartige Schöpfung Bachs, aller dieser fremdartigen, aus dem Geschmacke seiner Zeit hervorgegangenen Theile entledigt, des mächtigsten, ja, überwältigenden Eindruckes sicher, an heiliger Stätte nicht ihre wahrhafte Heimath finden? Ich wage es, diese Frage mit Nein zu beantworten, so überzeugt ich seyn darf, daß die Mehrheit der Verehrer des unsterblichen Meisters mir nicht beistimmen wird. Eben seine außerordentliche Einwirkung auf das Gemüth der Hörer, eben die Mittel, wodurch es diese erreicht, schließen das wunderwürdige Werk von der Kirche, der Stätte der Anbetung aus. Es bringt uns nicht etwa allein das ewige, heilige versöhnende Opfer des eingeborenen Sohnes Gottes für die Sünde der Welt entgegen, sondern mit aller Kraft lebendigster Wahrheit und Gegenwart zugleich den ganzen Abgrund verwerflicher Leidenschaften, welche, menschlich betrachtet, das Kreuz des Heilandes aufrichteten, und ihre Wuth gegen den Leidenden kehrten: Bosheit, Ingrimm, Gleißnerei, Lästerung, frechen Spott; es stellt die Aufgabe an die Ausführenden, die Äußerungen des Gehässigsten mit der vollen Macht des Ausdruckes, die der Meister in seine Töne gelegt hat, wiederzugeben, sich künstlerisch hineinlebend in die Gemüther derjenigen, aus denen der unreine Strom solcher inneren Bewegungen hervordrang. Nun soll aber bei dem Gottesdienste keiner der daran Theilnehmenden irgendwie außerhalb desselben gestellt, vielmehr ein Jeder aufgenommen seyn in den Kreis der Andacht, der Anbetung, worin dessen Wesen besteht; er sei nun Glied der Gemeine oder ein Fremder, gedungen mit seinen Gaben zum Schmucke der kirchlichen Feier zu wirken, ein Miethling, nach dem herben Ausdrucke der strenger Gesinnten, die, wenn auch den Kunstgesang in der Kirche endlich zulassend, ihn doch nur aus der Gemeine selbst hervorgegangen wissen wollten. Die Theilnehmer an der Ausführung eines in dem Sinne des Bachschen geschaffenen Werkes sind aber durch die ihnen angemuthete Aufgabe nothwendig außerhalb des heiligen Kreises gestellt; sie müssen sich versetzen in eine fremde, widerstrebende Natur; was sie darstellen, ist nicht dasjenige, was, in dem

Innersten aller Andächtigen lebend, durch das in ihrem Gesange neu erschaffene
Kunstwerk, entbunden werden soll, sondern es hat die Bestimmung auf die Gemeine zu wirken, Schauder, Abscheu, Entsetzen zu erregen, sie haben, um dieses zu
erreichen, ihre eigene Andacht aufzuopfern. Es war ein Anderes mit der älteren
Form des Vertrages der Leidensgeschichte, auch im Kunstgesange. Der Wechsel
der Vortragenden, der Eintritt des Chores hatte nur die Absicht die Hauptstellen
jener langen Erzählung nachdrücklicher zu bezeichnen, sie eindringlich hervorzuheben. Von der Darstellung des heiligen Ereignisses als eines eben Geschehenen,
Gegenwärtigen, war dabei nicht die Rede, und die an geeignetem Orte gesteigerte
Lebendigkeit des Vortrages überschritt niemals die Grenzen des Ausdruckes, der
dem theilnehmenden Erzähler geziemt, oder hier den gemeinschaftlich Erzählenden; denn durch ihren Vortrag konnte das von ihnen zu Verkündende schon deshalb
niemals zu wirklicher Darstellung in engerem Sinne werden, weil das ihnen Vorgeschriebene, sei es durch alte Überlieferung, sei es durch mitlebende Tonmeister,
dahin zu führen nirgend geeignet war. Die hier ausgesprochene Ansicht wird niemand dahin ausdehnen wollen, daß der darstellende Theil der Tonkunst in engerem
Sinne überall von der Kirche auszuschließen, daß Tonbildern, in solchem Verstande,
der Eingang in dieselbe zu wehren sei. Man würde dadurch die heilige Feier ihres
schönsten Schmuckes berauben. Die Bedingungen des Ausschlusses sind deutlich
in dem Vorhergehenden ausgesprochen, ihr Nichtvorhandenseyn hebt das Verbot
unmittelbar auf, es bedarf also deswegen keiner näheren Erläuterung.

In der alten Kirche bildete der Vortrag der Leidensgeschichte an bestimmten Tagen
der Chorwoche einen Theil des Hauptgottesdienstes; von Bachs Passion wissen
wir, daß sie am Charfreitage des Jahres 1729 um die Vesperzeit aufgeführt sei, und
eben so ist uns von früheren wie späteren jener historisch-allegorischen Oratorien
berichtet, daß ihre Aufführung bei dem Nachmittagsgottesdienste stattgefunden
habe. Ohne Zweifel geschahe dieses aus dem richtigen Gefühle, daß Werke solcher
Art, und vor allen wohl eines von der Bedeutung und dem Umfange der Bachschen
Passion, zumal in ihrer ursprünglichen Gestalt, mit zu großem Gewichte aufträten,
daß sie alles neben ihnen Stehende unterdrückten, keiner anderen Art der Andacht
neben sich Raum gäben, daß ihnen also ihre Stelle nicht in dem Hauptgottesdien-
ste, weil mit dessen Bestimmung unverträglich, gebühren könne. Freilich würden,
von dem zuvor aufgestellten Gesichtspunkte aus, auch bei den Vespern gegen ihre
Anwendung Bedenken stattfinden, die wir, sofern von kirchlicher Feier die Rede
ist, nicht zu lösen wüßten. Wollen wir also das unvergleichliche Werk unseres Meisters nicht missen, so können wir es nur in die Vorhöfe der Kirche verweisen, soweit wir deren besitzen; an einen Ort, in eine Zeit, wo seine Darstellung alleiniger
Zweck ist, wo wir durch dasselbe fruchtbar vorbereitet werden auf die Betrachtung
der höchsten That der Geschichte, die es uns lebendig vergegenwärtigt, oder wo
uns die Bedeutung der fromm erwogenen nachdrücklich und bleibend dadurch
eingeprägt wird.

Einen Dichter höchster Art, eine Erscheinung Gottes, klar, doch unerklärbar, nennt
Zelter unsern Meister, und darin stimmen wir ein aus ganzer Seele; ein lebendiges
Zeugniß davon wird man in demjenigen finden, was in die vorausgehenden Blätter
über eben das Werk niedergelegt ist, dem wir, unserer Überzeugung zufolge, seine
Stelle nicht in der Kirche einräumen dürfen. Das höchste Vorbild evangelischer
Kirchenmusik nennen ihn Andere, und in dieses Wort vermögen wir nicht einzu-
stimmen, bei aller Verehrung, ja, Begeisterung für ihn. Nicht die besprochenen
Gründe allein waren es, die ihn hinderten, ein solches Muster zu werden; auch
deshalb war es ihm versagt, weil er selbst mittelbar der Richtung seiner Zeit auf die
Schaubühne unterliegen mußte, weil es nicht in seiner Macht war, die stehend gewordene Form der Kirchenmusiken seiner Tage völlig zu durchbrechen, eine neue
seiner würdige zu schaffen, so eifrig wir auch ihn bemüht gesehen haben, von ihren
Banden sich frei zu machen. Eben der erwägende, betrachtende, wir dürfen wohl
sagen predigende Theil der damals für den kirchlichen Kunstgesang bestimmten
Gedichte, in den auch er von frühe an zu sehr sich hineingelebt hatte, mußte ihn
hindern, das Höchste zu erreichen. Sein Daseyn verdankte dieser Theil der Kirchen-
musiktexte neben der Neigung, über jeden Gegenstand mit gemächlicher Breite
sich zu ergehen, vornehmlich auch der damit gewährten günstigen Gelegenheit zur
Einführung der durch das Singspiel allgemach ausgebildeten, beliebten Gesangsformen. War nun schon jenes Predigen im Gesange vor und nach der Predigt, wo
damals die Musik ihre Stelle fand, offenbar ein Übergreifen in ein fremdes Gebiet,
zu Beeinträchtigung beider, des Gesanges wie der Predigt, die Kraft beider lähmend,
statt die Bedeutung der einen und des andern durch die ihnen eigenthümlichen
Kräfte zu erhöhen; so gab noch überdies die Einführung solcher fremden Formen,
durch welche Einzelnen Gelegenheit geboten war, mit ihren Gaben und Fertigkei-
ten zu glänzen, Veranlassung zu jenem Gefälligseyn, dessen der edle Meister nur
zu oft bedurft haben wird, um bei beschränkten Kräften für die Ausführung seiner
höheren Schöpfungen sich Theilnehmer daran durch Gegendienste zu gewinnen;
damit aber veranlaßte sie das Entstehen dessen, was nicht bestehen konnte, wie wir
Zelter zuvor mit Recht sagen hörten.
…
Der wichtigste Grund, der die meisten der so wunderwürdigen Werke Bachs von
dem Gebiete des Kirchlichen ausschließt, bleibt aber der, daß sie ein zu treuer Spiegel ihrer Gegenwart sind; nicht in dem Sinne allein, wie wir es zuvor entwickelten,
sondern auch als Abglanz einer Zeit, der das Kirchliche bereits in den Hintergrund
getreten, die mit Vorliebe auf das musikalische Drama gerichtet war, dessen Formen,
dessen Vorzüge sie nunmehr überall, auch auf die ihm fremdesten Gebiete zu ver-
pflanzen strebte. Matheson war sicherlich im Irrthume, wenn er den Satz als einen
allgemein gültigen aufstellte: die Tonkunst in der Kirche müsse theatralisch seyn,
weil alle Welt es sei; sie gehorche einem in den heiligen Liedern des königlichen
Sängers von Juda oft eingeschärften göttlichen Gebote, wenn sie diese Richtung
nehme. Allein Recht hätte er gehabt, ihn so zu fassen: die Zeit habe vorzugsweise

die Richtung auf das Theatralische genommen, deshalb erscheine ihr auch Alles unter diesem Gesichtspunkte, darum vermöge selbst die Tonkunst in der Kirche nicht demselben fremd zu bleiben, und es werde leicht, die Berechtigung dafür, ja, ein dahin gerichtetes göttliches Gebot, in den heiligen Schriften zu finden. So darf es denn auch nicht Wunder nehmen, selbst den Mann, der die einseitige Gering-schätzung seiner Zeit gegen den kirchlichen Gemeinegesang nicht theilte, der die in der Kunstübung der Vorzeit, die doch wohl in beschränktem Maaße nur ihm bekannt geworden, offenbarte Bedeutung der kirchlichen Typen erkannt hatte, des Kernes dieser Grundformen mächtig geworden war, während seine Zeitgenossen entweder an der Schale einer dürftigen Lehre nagten, oder diese mit Widerwillen wegwarfen – selbst diesen Mann, den schon seine amtliche Stellung an Kirche und Schule der Bühne fern hielt, während bei der Mehrheit seiner Zeit- und Kunstge-nossen ihre beiden gewidmete Thätigkeit eine Annäherung beider Gebiete vermit-telte, dem Einflusse jener damals so mächtigen Kunstanstalt hingegeben zu sehen. Seinen Zeitgenossen gegenüber mag er als der streng Kirchliche uns erscheinen, er wird es nur durch den Gegensatz, in welchem er zu ihnen steht. Sicherlich hat er das Höchste geleistet, was auf kirchlichem Gebiete damals zu erreichen war, und mit so außerordentlichem Geiste, so erstaunlicher Kunst, so innig durchdrungen von der Würde seiner Aufgaben, daß, bei seiner dadurch auf immer gesicherten hohen Bedeutung für die Kunst im Allgemeinen, ja, seiner Unerreichbarkeit, die auf eigen-thümlichster, vollendetster Ausbildung der ihm verliehenen großen Gaben beruhte, die Voraussetzung leicht sich bilden durfte, er stehe auch auf dem höchsten Gipfel kirchlicher Kunst.

Quelle: Winterfeld 1847, S. 408, 409–413 und 427–428.
Anm.: Von Winterfeld bezieht sich in seinen Erörterungen auf Äußerungen und aufführungs-praktische Empfehlungen Carl Friedrich Zelters (→ B 33).

B 60

BRENDEL: VERGLEICH BACHS UND HÄNDELS

LEIPZIG, 1848

… § 40.

Diejenigen Männer, welche die Kunstgeschichte auf den Wendepunct der alten und neuen Zeit stellt, welche als die Vollendung der gesammten vorausgegangenen Kunst, und zugleich als die Grundlage für die spätere Entwicklung derselben zu betrachten sind, sind Johann Sebastian Bach, geb. zu Eisenach im Jahre 1685 gest. zu Leipzig 1750, und Georg Friedrich Händel, geb. zu Halle 1684 gest. zu London 1759, diejenigen zugleich, in welchen die alte contrapunctische Kunst ihre Vollendung erreichte, jene Vielstimmigkeit, welche wesentlich dem Ausdruck grosser, allgemeiner Seelenstimmungen entsprechend ist, während die nun bald sich geltend machende freiere Schreibart, das Uebergewicht *einer* Melodie, die angemessene Form für den Ausdruck persönlicher Zustände des Einzelnen genannt werden muss.

Händel lebte anfangs in Halle, später in Hamburg, wendete sich dann nach Italien, erhielt bei seiner Rückkehr eine Anstellung in Hannover, und ging von hier aus nach London. Erst hier schrieb er seine Oratorien, und London war demnach der Schauplatz seiner grössten Thätigkeit. Bach ist nie sehr über die Grenzen seines Vaterlandes hinaus gekommen, und zeigt uns in seinen äusseren Verhältnissen, im Gegensatz zu den mannichfach bewegten Lebensschicksalen Händels, ein patriarchalisches Stillleben.

§ 41.

Der bezeichneten äusseren Eigenthümlichkeit, beider Männer entsprechend gestaltet sich auch die innere. Bachs Geist erwachte unter dem Tongewebe contrapunctisch verbundener Stimmen, eine Richtung, welche er von der vorangegangenen niederländischen und altdeutschen Kunst übernommen hatte. Bachs Richtung war eine überwiegend innerliche. Händel war es nicht gegeben, die ganze Kraft des Geistes nach innen zu kehren, und überwiegend in wunderbar kunstreicher Ausarbeitung zu offenbaren. Händel musste sich tragen lassen von einem reich bewegten Volksleben, und in fortwährender Verbindung mit der Welt seine Kraft bethätigen. Wir erblicken daher bei Händel hervorstechend eine grosse, edle Popularität; Bach dagegen schreibt mehr für die Eingeweihten. Händel wirkt mehr augenblicklich, Bach erst nach längerer Beschäftigung mit seinen Werken. Bach ist ein rein deutscher Componist, während Händel, lange Jahre in Italien lebend, zugleich italienische Einflüsse in seine Entwicklung aufnahm. Bach ist rein kirchlich, während Händels Richtung in Folge jener Einflüsse mehr nur eine religiöse im weiteren Sinne genannt werden kann. Der italienische Einfluss ist es auch gewesen, welcher bei Ersterem eine grössere Singbarkeit hervorrief, während der letztere, rein deutsch und zugleich dem instrumentalen Element sehr zugeneigt, diese vernachlässigte. Händel ist mehr dramatisch, Bach mehr lyrisch, beide aber stehen entschieden auf dem Boden des Protestantismus, und sind für dieses Bekenntnis die musikalischen Höhepuncte jenes Jahrhunderts. …

Quelle: [Franz Brendel], *Grundzüge der Geschichte der Musik. Als Leitfaden für den Cursus über Geschichte der Musik am Conservatorium zu Leipzig.*, Leipzig 1848, S. 31f.

Anm.: Die Entstehung des Werkes steht im Zusammenhang mit Brendels 1844 begonnener Lehrtätigkeit am Conservatorium der Musik in Leipzig. Der Wortlaut beider Paragraphen wurde unverändert in die „Zweyte vermehrte Auflage" (Leipzig 1850) übernommen. Eine deutlich erweiterte und inhaltlich vertiefte Fassung der Passage zu Bach und Händel hat Brendel in seinem Werk *Geschichte der Musik in Italien, Deutschland und Frankreich. Von den ersten christlichen Zeiten bis auf die Gegenwart. Zweiundzwanzig Vorlesungen gehalten zu Leipzig im Jahre 1850*, Leipzig 1852, S. 247–250, vorgelegt.

B 61

[Wagner]: Kritik an Bachs ausdrucksarmer Musiksprache

Leipzig, 6. September 1850

… Bach's musikalische Sprache bildete sich in einer Periode unserer Musikgeschichte, in welcher die allgemeine musikalische Sprache eben noch nach der Fähigkeit individuelleren, höheren und sichereren Ausdruckes rang: das rein Formelle, Pedantische haftete noch so an ihr, daß der wahre menschliche Ausdruck in ihr bei Bach, durch die ungeheure Kraft seines Genie's, eben erst zum Durchbruche kommt. Die Sprache Bach's steht zur Sprache Mozart's und Beethoven's in dem Verhältnisse, wie die ägyptische Sphinx zur griechischen Menschenstatue: wie die Sphinx mit dem menschlichen Gesichte aus dem Thierleibe, so strebt Bach's menschlicher Kopf aus der Perrücke hervor. Es liegt eine unbegreiflich rohe Verwirrung des luxuriösen Musikgeschmackes unserer Zeit darin, daß wir die Sprache Bach's neben der Beethoven's ganz zu gleicher Zeit uns vorsprechen lassen, und uns weis machen können, in den Sprachen Beider liege nur ein individuell formeller, keineswegs aber ein kulturgeschichtlich wirklicher Unterschied! Der Grund hiervon ist aber leicht einzusehen: die Sprache Beethoven's kann nur von einem vollkommenen, ganzen warmen Menschen gesprochen werden, weil sie eben die Sprache eines so vollendeten Musikmenschen war, daß dieser mit Nothwendigkeit sich sogar über die absolute Musik hinaus zum Aufgehen in der Vereinigung mit ihren menschlichen Schwesterkünsten sehnte, wie es den fertigen, vollen Menschen zum Aufgehen in der Menschheit verlangt; die Sprache Bach's hingegen kann zur Noth von jedem tüchtigen Musiker nachgesprochen werden, weil das Formelle in ihr noch das Ueberwiegende, und der rein menschliche Ausdruck noch nicht das so bestimmt Vorherrschende ist, daß in ihr bereits unbedingt das Was ausgesagt werden könnte oder müßte, da sie eben noch in der Gestaltung das Wie begriffen ist. …

Quelle: K. Freigedank [Richard Wagner], *Das Judenthum in der Musik. (Schluß.)* (NZfM, 33. Jg., Nr. 20, 6. September 1850, S. 109.)

Anm.: Wagners Kritik an der gleichberechtigten Behandlung Bachs und Beethovens ist Teil der insgesamt gegen die Musikauffassung und Persönlichkeit Felix Mendelssohn Bartholdys gerichteten Schmähschrift. Mendelssohns Bachbeschäftigung wird in diesem Sinne als Beispiel von dessen Abwendung von der vermeintlich lebenskräftigeren Musik Beethovens denunziert. Über die persönliche Motivation hinaus ist Wagners Äußerung zu Bach aber typisch für eine sehr kritische Unterströmung im Diskurs über die Wiederaneignung Bachs.

Wagners Argumentation und Begrifflichkeit fand unmittelbaren Eingang in die 1850 gehaltenen und 1852 gedruckten musikgeschichtlichen Vorlesungen des Verlegers der NZfM, Franz Brendel (→ B 25).

Lit.: Christian Thorau, *Richard Wagners Bach*, in: Bach und die Nachwelt 2, S. 163–199; Donald Mintz, *1848, anti-Semitism and the Mendelssohn reception*, in: Mendelssohn Studies (edited by R. Larry Todd), Cambridge University Press 1992, S. 126–148.

B 62

BACH ALS MEISTER DER FORM UND DES AUSDRUCKS
BERLIN, 29. MÄRZ 1852

… Die Passion selbst wirkt alljährlich mächtiger auf uns, – ein Ciclopenwerk, das wir als ein grossartiges Monument früherer kraftvoller Zeiten anstaunen müssen. Bach beweist, was die Modernen leugnen möchten, dass es möglich ist, höchste Wahrheit des Ausdrucks und innigste Hingebung an die Gedanken des Stoffs mit strengster musikalischer Form und Körperhaftigkeit zu verbinden; aber Bach war eben ein Musiker und kein dilettantischer Schöngeist. Wäre Bach blos ein frommer Christ und nicht auch ein Musiker von Schrot und Korn gewesen, nun dann wäre auch nur ein skizzenhaftes Nebelgebilde, unstät und unsicher, aus seinen Händen hervorgegangen. Zu jeder grossen Leistung aber gehört zweierlei: erstens, dass man mit der allgemeinen Bildung der Zeit gleichen Schritt halte; zweitens, dass man das bestimmte Einzelne, was man treibt, ganz durchdrungen habe. Die blossen Aesthetiker nützen der Kunst eben so wenig, als die Handwerker.

Quelle: *Berliner Briefe. Den 29. März* (RhMZ, Nr. 93 [2. Jg., Nr. 41], 10. April 1852, S. 740.)
Anm.: Der Text ist Teil eines Berichtes über eine Aufführung der Matthäus-Passion durch die Sing-Akademie zu Berlin unter Leitung von E. Grell, Berlin 1852. Das Dokument wurde aufgrund seines – bezogen auf die jährlichen Passionsaufführungen – retrospektiven Charakters trotz des Publikationsjahres 1852 aufgenommen. Das verwendete Autorenkürzel „G. E." konnte nicht aufgelöst werden.

ERFAHRUNGEN MIT BACHS MUSIK

B 63

[THIBAUT]: BACH ALS WIRKSAMES MITTEL MUSIKALISCHER GESCHMACKSBILDUNG
HEIDELBERG, 1825

… Allein dem Freunde der veredelten Musik bleibt doch immer ein großes Hülfsmittel, welches überall den ersten Platz einnimmt, wo auf den Geschmack und das Gefühl gewirkt werden soll, nämlich die Belehrung und Bildung durch classische Muster. Wie auch jetzt die Menschen im Ganzen verbildet, und durch sogenannte Cultur eingeengt seyn mögen, so kann man doch sicher darauf rechnen, daß in denen, welche nicht zu verdorbenen Ständen gehören, das Bessere nicht untergegangen ist, sondern höchstens nur schlummert; und in der Regel wird man finden, daß das Studium großer Muster am Ende zur Erkenntniß führt.

…

Mehrmals fand ich Einseitige, welche von geistlich-verliebten Sachen einiger neuer Meister eine gewaltige Vorstellung hatten. Ich ließ solche Stücke singen, aber vorher ausgewählte Sachen aus Messen von Lasso, Palestrina, Lotti und S. Bach. Der Sieg war auf der Stelle entschieden, und nie sind mir ähnliche Versuche misslungen. …

Quelle: [Anton Friedrich Justus Thibaut], *Ueber Reinheit der Tonkunst*, Heidelberg 1824 (Titelblatt 1825), S. 32–34.

Anm.: In der zweiten Ausgabe des ebenfalls ohne Autorenangabe erschienenen Werkes *Ueber Reinheit der Tonkunst, Zweyte vermehrte Ausgabe*, Heidelberg 1826, S. 102, lautet der auf Bach bezogene Satz folgendermaßen: „Ich ließ solche Stücke singen, aber vorher auserwählte, nicht grade ganz tiefsinnige, aber doch reine und würdige Sachen von Lasso, Palestrina, Lotti und S. Bach." Trotz der von Thibaut für sich reklamierten Erfahrungen mit Bach dürfte seine tatsächliche Bach-Kenntnis eher gering gewesen sein. Laut eines Berichtes in der NZfM, 15. Bd., Nr. 32, 19. Oktober 1841, S. 125f., der eine eigene Veröffentlichung des Thibaut-Kreises rezensierte, wurden dort zwischen 1825 und 1835 überhaupt nur sehr wenige, meist nicht näher spezifizierte Werke Bachs gesungen. Thibauts eigene Musikaliensammlung enthielt offenbar ebenfalls nur sehr wenige Bach-Kompositionen.
Lit.: Bodo Bischoff, Das Bach-Bild Robert Schumanns, in: Bach und die Nachwelt 1, hier S. 422–426.

B 64

Rochlitz: Geschmack an Sebastian Bachs Kompositionen, besonders für das Klavier
Leipzig, 1825

Die letzte Periode der Geschichte Europa's stellt uns, alles Einzelne in ein Allgemeines zusammengefaßt, folgende Erscheinungen auf: Was zu Anfang derselben bestand, schien Vielen nicht mehr ausreichen und fortdauern zu können; es wurde, so weit die Macht der Wort- oder Faustführenden reichte, umgestürzt; man suchte und versuchte Anderes – wie man glaubte, Besseres und Haltbareres; man suchte dies auch in dem Vorzüglichern längst vergangener Zeit, und versuchte sich auch mit diesem; noch jetzt sucht und versucht man, auch dies Letzte. – Das allgemeine Streben irgend einer Zeit theilt sich nothwendig, mehr oder weniger, auch jedem Besondern mit und spiegelt sich ab in ihm. Mithin auch den Künsten, und in ihnen. Z. B. Malerei. Wer ihren Stand vor ohngefähr vierzig Jahren und den jetzigen kennt, wird leicht alle obigen Sätze auf sie anwenden und bestätigt finden. Nicht anders mit der Musik. Auch hier, um nur beim Letzten stehen zu bleiben, suchen wir und versuchen; auch das Vorzüglichere längst vergangener Zeit. So hatte denn das rollende Rad des Geschicks auch die Speiche des ehrwürdigen Vaters, Sebastian Bach, die eine Weile weit unten gewesen, wieder hinauf, ja, wiewohl nur einen kurzen Moment, auf den höchsten Punkt gebracht. Dieser Moment trat um das Jahr 1800 ein. Wie, um ein weniges später, die Meisten von denen, die zur Malerei einigen Ernst brachten, das Heil von den ältesten Italienern und Deutschen erwarteten, so damals die Meisten von denen, die ein Gleiches hinsichtlich der Tonkunst thaten, von Denselben; und unter Letztern vorzüglich auch von Sebastian Bach. Der Moment ist vorüber und Vater Sebastian nicht mehr obenauf: aber noch weniger, wie vorher, höchstungerechter Weise tief unten, sondern vielleicht eben da, wo, für unsre Zeit, sein angemessenster Punkt ist. Diesen ihm, sofern und so lange man's vermag, zu erhalten, ist wohl der Wunsch eines Jeden. Dazu auch mein Scherflein beizutragen, nehme ich folgendes Schreiben auf, das von mir in jener Zeit der erneuten Culmination des Meisters abgefaßt wurde. Ich ändere wenig Wesentliches darin, damit, wenn man es nicht seines Gegenstandes wegen hinnehmen möchte, es zur Bezeichnung jenes Zeitpunkts dienen könne.

…

Ich will Dir beschreiben, wie ich zum Verständniß und zur Verehrung der Bachschen Werke gekommen, und nun gewiß geworden bin, ich werde ihnen mein Lebelang nicht minder treu bleiben, als den, wenn auch ganz heterogenen Werken anderer wahrhaft großer Künstler vergangener oder unsrer Zeit. Magst du mir dann folgen, oder von meinem Pfade hin und wieder ausbeugen: nur fange nicht an, was Du nicht wirklich enden willst.

Ich hatte zwar schon als Knabe auf der Schule die Bachschen achtstimmigen Motetten ausführen helfen müssen: dies nahm mich aber mehr gegen den Meister ein; ich war verschüchtert gegen ihn und seine Werke. Der Himmel weiß, daß ich nur aus Furcht vor harter Strafe diese fest vortragen lernte; darum an nichts dachte, als richtig herauszubringen, was dastand; nichts Wohlthuendes empfand, als Freude, wenn es richtig heraus war, und oft nach einem neuen Liede, oder zum Geiste seufzte, mir aufzuhelfen in meiner Schwachheit. Nur als ich in die Jahre kam, wo sich mir eine andere Welt allmählich auf-, und mein Organ für den Sopran zuschloß: da riß mich das, Wie sich ein Vater erbarmet, und das, Sey Lob und Preis mit Ehren, zuweilen hin, jenes, zu frommer Rührung, dieses zu lebhafter Begeisterung *).

*) „Singet dem Herrn ein neues Lied," und, „der Geist hilf unsrer Schwachheit auf," sind zwei der schwersten Bachschen Motetten. „Wie sich ein Vater erbarmet," ist einer der demüthig-frömmsten, und, „Sey Lob und Preis mit Ehren," einer der erhabensten Sätze in Bachs Werken dieser Gattung.

Aber genauer ansehen, was dies vermochte, oder wohl gar nachdenken, wodurch es dies vermochte – dazu trieb es mich nicht. Mir genügte, wie fast Allen in den Jugendjahren, (und den Meisten ihr Lebelang) der Totaleindruck; Veranlassung von außem, Bach'n näher zu treten, hatte ich nicht: ich ließ es bei einer scheuen Ehrfurcht gegen ihn bewenden.

Da kam Mozart nach Leipzig. Ich war oft um ihn, und Augenzeuge von seinem Benehmen gegen Bachs Werke, wie ich dies Dir und hernach auch öffentlich erzählt habe **)

**)   Im ersten Jahrgange der Leipziger musikal. Zeitung : Anekdoten aus Mozarts Leben. Folgende sind die zunächst hieher gehörenden Worte. Auf Veranstaltung des damaligen Cantors an der Thomasschule zu Leipzig, des nun verstorbenen Doles, überraschte Mozarten das Singchor mit der Ausführung der achtstimmigen Motette, Singet dem Herrn ein neues Lied, von Sebastian Bach. Mozart kannte diesen Meister mehr vom Hörensagen, als aus seinen Werken; wenigstens waren seine Motetten, da sie nie gedruckt waren, ihm noch ganz unbekannt. Kaum hatte das Chor einige Takte gesungen, so stutzte Mozart; noch einige Takte – da rief er: Was ist das? Und nun schien seine ganze Seele in seinen Ohren zu seyn. Als der Gesang zu Ende war, rief er voll Freude: Das ist wieder einmal etwas, woraus sich 'was lernen läßt! Man erzählte ihm, daß diese Schule, an der Seb. Bach Cantor gewesen, die vollständige Sammlung seiner Motetten besitze und als Heiligthum aufbewahre. Das ist recht! das ist brav! rief er. Zeigen Sie her! – Man besaß aber keine Partitur dieser Gesänge: er ließ sich daher die ausgeschriebenen Stimmen reichen; und nun war es für den stillen Beobachter eine Freude, zu sehen, wie eifrig Mozart sich setzte, die Stimmen um sich herum, in beide Hände, auf die Kniee, auf die nächsten Stühle vertheilte, und, alles Andere vergessend, nicht eher aufstand, bis er Alles, was von Seb. Bach da war, sorgsam durchgesehen hatte. Er erbat sich eine Copie, hielt diese sehr hoch etc

– – Das entzündete mich. Ich trug von Bachs Compositionen zusammen, was sich auftreiben ließ. Mit Eifer fiel ich drüber her. Es sollte Alles sogleich gehen – wie man denn im neunzehnten Jahre denkt; es ging aber Nichts – wie man denn im neunzehnten Jahre erfährt. Ich nahm Bachs Motetten, auch einige seiner Cantaten vor mich: bei weitem das Meiste darin erschien mir wie ein gährendes Chaos, und ich sahe, in meiner Eil, Nichts daran, als was man im Guckkasten des Leiermanns zu Plundersweilen sieht:
                        Wie sie durch einander gehn,
                        Die Element' alle vier –
Das war verdrüßlich. Ich wollte dem Verstande durch das Ohr aufhelfen, und nahm die Klaviersachen her: ich war nicht glücklicher. Moderne Klavierconcerte konnt' ich vortragen, und solche Handstücke nicht: das war noch verdrüßlicher; und was ich leidlich herausbrachte, wollte mir durchaus nicht klingen: das war das allerverdrüßlichste. Ich warf die ganze Sammlung hin, und rief, wie der heilige Hieronymus, da es ihm mit Lykophrons Kassandra erging, wie mir mit Bach: Si non vis intelligi, non debes legi ! – Nur erst als ich mehrere Jahre hernach aufgefordert wurde, für die Tonkunst durch Verwaltung einer ihr eigens gewidmeten Zeitung öffentlich mitzuwirken, kehrte ich zu meiner Sammlung zurück, weniger aus Neigung, als weil ich es für Pflicht hielt, das Vorzüglichste jeder Gattung zu kennen, ehe ich mitsprechen dürfe. Um aber nicht wieder vergebliche Anläufe zu nehmen, sann ich mir einen Plan aus, sowohl für mein Studieren, als für mein Ausführen der Werke jenes Meisters. Was war Bachs Hauptzweck bei seinen Arbeiten? Darüber glaubte ich vor Allem einig werden zu müssen. Sein Hauptzweck ist nicht schwer zu entdecken, da kaum

je ein Tonkünstler den seinigen so streng und mit Beseitigung alles Andern verfolgt hat. Ich fand Folgendes:
1) Betrachtet man Bachs Werke an sich und nach ihrer innern Structur, so zeigt sich: der Künstler will nicht nur die größte Einheit mit der möglichsten Manchfaltigkeit verbinden, was jeder sollte; sondern Er will lieber der letztern, als der ersten etwas aufopfern. Siehe die besten seiner Werke an, liebster A.: denn nur nach dem Besten, was Einer geleistet; nur nach dem, worin sich sein Wollen am deutlichsten ausspricht, und worin er dem, was er gewollt, am nächsten kommt, dürfen wir urtheilen – siehe diese Werke Bachs an: er wählt zu jedem seiner Stücke nur Einen Hauptgedanken, dem er dann eine oder einige Nebenideen zugesellet, die aber jenem in irgend einem Betracht so vollkommen correspondieren und sich an ihn so natürlich anschmiegen, daß jener erst mit diesen ganz hervorzutreten und vollständig ausgesprochen scheint. Diese Ideen bringt er nun mit unerschöpflicher Tiefe in immer neue und äußerst manchfaltige Beziehungen gegen einander; trennet, verbindet, dreht und wendet sie auf alle ersinnliche Weise und bis zu ihrer Erschöpfung; so daß man von gar vielen seiner Werke, wie von denen altdeutscher Kirchenbaumeister, behaupten kann, es sey auch dem geübtesten Auge des Kunstgenossen unmöglich, Alles zu bemerken, bis er jeden Theil forschend durchwandert und sich damit vertraut gemacht hat. Dadurch erscheint in Bachs vollendetsten Werken Alles nothwendig (als könne es nicht anders gemacht werden, ohne Nachtheil des Ganzen), und doch zugleich Alles frei (jeder Theil als nur durch sich selbst bedingt). *)

*)   Und dieses Beides – es ist zum Erstaunen – vermochte und leistete der Meister in den allerverschiedensten Gattungen seiner Kunst, von dem (real-) Vollstimmigsten, was je ein Tonkünstler ersonnen, bis herab zu den Stücken für eine einzige Violin, zu welchen auch nur einen Baß zu setzen, geradehin unmöglich ist; ja, er vermochte, er leistete es nicht nur mit selbsterfundenen, sondern auch mit den schwierigsten gegebenen Melodieen, wie mit denen der alten Kirchenchoräle in seinen Cantaten, mit der ihm vom Könige Friedrich II. von Preußen vorgelegten, in den Variationen für Denselben u. dgl. m.

Die hartnäckige Oekonomie und zähe, allerdings weit getriebene Sparsamkeit mit der Materie muß nun aber denen, die sich an die innere Form nicht zu halten vermögen, sondern durch viele Masse und manchfaltige äußere Formen und Ausdrucksarten interesirt seyn wollen, wie Armuth, Magerheit, Einförmigkeit und Trockenheit vorkommen.
2) Betrachtet man Bachs Werke in Hinsicht auf Die, welche sie hören und ihre Wirkung empfinden sollen, so zeigt sich: unser Künstler nimmt, wie jeder wahre, den ganzen Menschen in Anspruch, kehrt aber die Ordnung um, die sich die meisten vorzeichnen, oder, ihrer Individualität instinktartig folgend, unvorgezeichnet annehmen. Er ist sehr selten, was man gefällig zu nennen pflegt: dem äußern Sinne, und was aus diesem von selbst in die Empfingung übergeht, schmeichelnd. Er ist dies am wenigsten eben in seinen bekanntesten Compositionen, in denen für Klavier und Orgel, wie auch in denen, für den Gesang allein: in den Werken für Gesang

und Orchester benutzt er jedoch zu jenem Zweck nicht selten die eigenthümlichen Reize dieses oder jenes Instruments, und wird darin zuweilen so zart, so eigen, so sonderbar und pikant, wie er es, nach Hillers Zeugniß*),

*)   Hiller: Lebensbeschreibungen berühmter Tonkünstler etc. Man findet dies aber jetzt weiter aus einander gesetzt und anschaulicher gemacht in Forkels lehrreicher und anziehender Schrift über Sebastian Bachs Leben etc., welche später erschien, als obiger Brief geschrieben wurde.

im Registerziehen zu seinem Orgelspiel gewesen seyn soll. – Bach giebt also, die Sinnlichkeit zu reizen und zu ergötzen, wenig. Der Phantasie bietet er zwar reichen, aber selten unmittelbar sie ergreifenden, vielmehr erst durch das Denken zu vermittelnden Stoff. Das Gefühl faßt er oft, aber meist von einer Seite, wo die Meisten sich nicht gern, noch weniger oft, fassen lassen, und auch die Fähigsten und Besten nicht in jeder Stunde zu folgen vermögen: von Seiten des Erhabenen und Großen. Hat er es aber einmal erfaßt, so hält er es kräftig und unwandelbar auf seinem Höhenpunkte fest. Am meisten hingegen regt er an und beschäftigt den Verstand; nicht den kalten, trocknen, sondern den lebendigen, entzündbaren, durchdringenden. Wer daher bei seinem Kunstgenusse nicht denken mag, für den sind seine Werke sehr wenig, und nie wird er ihr Wesentliches und Vorzüglichstes sich zu eigen machen, ja auch nur es auffinden können.

3) Betrachtet man Bachs Werke in Hinsicht auf die Mittel, womit er seinen Zweck erreichte – die abgerechnet, die er mit Andern gemein hat – so zeigt sich: der Künstler leistet das Angegebene zuvörderst dadurch, daß bei ihm (selbst Händel stehet in diesem Betracht ihm nach) jede Stimme frei (wie man sich ausdrückt: real) und melodiös behandelt ist, jede gleichsam ihr eigenes Lied singt, und doch alle nur Ein engverschlungenes Ganze bilden. Darum muß man bei ihnen, äußerst aufmerksam, nicht das Ganze allein, sondern alle Theile in dem Ganzen, und dieses als solches zugleich mit, hören; ich meine: darum muß man sich selbst so zusammenhalten, daß man den Theilen (dem Gange der einzelnen Stimmen u. s. w.) für sich folgt, und doch das Ganze nie aus dem Ohre, und auch nicht aus dem Geiste und Herzen läßt – –

Das waren die beträchtlichsten der Folgerungen, die ich mir aus jenen Sätzen, auf Bach'n angewendet, abzog. Du magst nun die Sätze und die Folgerungen selbst prüfen. – Mit weniger Ereifern, aber mit mehr Ernst, als vormals, ging ich nun von Neuem an Bachs Werke. Jetzt weißt du, was du zu erwarten hast, dachte ich; nun liegt es an dir nicht, wenn deine Erwartung nicht befriedigt werden sollte. Meine Erwartung wurde wirklich nicht befriedigt, und es lag doch an mir, daß dies nicht geschahe. Ich sahe und hörte nun freilich vielfaches Große und Schöne, von dem mir bei meinen Jünglingsversuchen keine Ahnung beigekommen war; aber ich sahe und hörte zu Vieles – ich konnte es im Ganzen nicht übersehen und überhören, nicht beherrschen und zusammengefaßt mir zu eigen machen. Die Werke entfalteten nicht nur ihre Theile vor mir, sondern legten sie ganz auseinander; und ich hatte eine recht nützliche und lehrreiche Verstandesübung: weiter aber auch nichts. Doch

war von mir hier schon zu Vieles erkannt, und noch mehr dunkel geahnet worden,
als daß ich nun hätte ablassen sollen. Auf diesem Wege durfte ich aber nicht bleiben,
wenn nicht am Ende einige Fähigkeit zu gelehrt scheinender Kritik meine ganze
Ausbeute seyn sollte. Du mußt weiter, sagte ich: aber zurück!

Ich nahm nun zuerst Bachs, auch Dir bekannte Choräle vor. Auch hier ist Bach Er
selbst; aber die gegebene Kirchenmelodie hält ihn zurück. Hier konnt' ich den Gang
seiner Stimmen, jeder für sich und zugleich aller zusammen, leicht übersehen; was
dadurch noch bequemer wurde, daß mir die Hauptmelodieen aus der Kirche bekannt genug waren. Indem ich dem Meister hier folgte, mir von dem, was auf den
ersten Anblick nur seltsam, wo nicht fehlerhaft schien, Rechenschaft geben lernte –
(wie z. B. von seinen öftern Ueberschreiten der Stimmen gegen einander, von seinen
vielen durchgehenden und Wechsel-Noten u. s. w.) aber Alles nur auf das Ganze
bezog und als solches im Geiste gesungen hörte: so bekam ich als Ein Bild in die
Phantasie, als Eine Bestimmung meines Zustandes in das Gefühl, was vorher nur
als Reflexion in mir gewesen war. Um dieses fester zu halten und es mir tiefer einzuprägen, bemühete ich mich, die Choräle ganz gut, d. h. so auf dem Instrumente vorzutragen, daß alles ihnen Eigene und Schöne ausgedrückt würde. Da zeigte sich's
denn auch, wie der Vortrag der andern Bachschen Werke beschaffen seyn müsse,
warum er schwer sey und mir nicht habe gelingen wollen. Ich gewöhnte mich nach
und nach mehr an diesen Vortrag. Darüber muß ich Dir nun allerdings etwas sagen.
Um nicht in der Folge darauf zurückkommen zu müssen, nehme ich voraus, was ich
erst später, beim Vortrage der freiern Werke Bachs, mir abstrahieren lernte.*)

*)   Ich streiche diese Stelle aus, da der Leser, was ich schrieb, jetzt vollständiger und sehr deut-
lich von Forkel in der angeführten Schrift angegeben finden kann. Nur was einige Einzelheiten
betrifft, mit welchen dieser Schriftsteller sich wenig oder nicht befaßt hat, lasse ich oben stehen.

Der durchaus melodische Gang aller Stimmen ist, wie wir sahen, ein Hauptzug des
Charakters der Bachschen Werke. Er muß demnach auch beim Vortrage deutlich vor
das Ohr und eindringlich vor das Gemüth gebracht werden. Besonders muß, wie es
sich von selbst verstehet, das Hauptthema, wo es auch liege, immer hervorstechen
und sein jedesmaliger Eintritt scharf bezeichnet werden – indeß man die andern
Stimmen in ihrem fließendem Gange auch nicht stört. Um das Letztere zu Stande
zu bringen, hat man besonders auch die vielen Bindungen genau zu beobachten;
und da die Mittelstimmen oft in Einem Fluße der Melodie von einer Hand zur andern übergehen, müssen besonders die Daumen in sehr engem und zartem Freund-
schaftsbündniß stehen. Das Alles ist nun doppelt nothwendig bei den Fugen, oder
doch fugierten Stücken Bachs. Die ungebundnern, die er Phantasieen, Präludien
u. s. w. nennet, erleichtern jenes, verlangen aber noch besonders, daß man auf die
Grundharmonie die strengste Aufmerksamkeit richte; denn was läßt Bach nicht öfters zu Einem und demselben Grundtone anschlagen, und wohin fliegen nicht seine
Figuren, die sich auf ihn beziehen! Nun muß der Vortrag der Figuren so, durch Zu-
und Abnehmen der Stärke u. dgl. gerundet werden, daß der Zuhörer jene Grund-

harmonie nicht nur nie verliert, sondern daß er auch den Gang der allmählichen Entfernung, so wie hernach den Gang der allmählichen Annäherung zum Hauptaccord deutlich, ohne rechnen zu müssen, vernimmt.

Das Alles ist nun freilich sehr schwer auszuführen, theils der Natur der Sache nach, theils weil wir, besonders was die Mittelstimmen betrifft, jetzt gar nicht daran gewöhnt sind: aber gebiete Du nur Dir selbst und beharre bei Deinem Gebot, so gelingt es zuverlässig. – Jetzt zurück zu meinem Cursus.

Ich ging von den Chorälen zum „Wohltemperierten Klavier" über. Ich konnte mir hier, auch nun, noch lange nicht genügen; und daran war wohl zum Theil, aber nicht allein das Schuld, daß es mir mit dem eben bezeichneten Vortrag noch bei weitem nicht ganz gelingen wollte. Liege es in der Sache selbst, oder in der Gewöhnung an Musik ganz andrer Art, oder in der Beschränktheit meiner Fähigkeiten: ich verlor noch oft den Faden, und ehe ich's mir versahe, saß ich da und rechnete. Du bedarfst noch einer Vorbereitung, sagte ich. Ich fiel auf Händel.*)

*) Die kleinen Uebungen, die Bach für seine Schüler schrieb, und die jetzt in der Leipziger Sammlung neu gedruckt sind, kannte ich nicht. Sie können jenen Dienst leisten, wenn man dessen bedarf, werden aber zum Theil etwas trocken erscheinen. Mehr glaube ich daher zu jenem Behufe die kurzen Handstücke empfehlen zu dürfen, die unter dem Titel Symphonieen (es sind deren 15) in derselben Sammlung zu finden sind. Diese sind leicht und haben doch sehr schöne Sätze. Die Händelschen Compositionen für das Clavier waren lange in Deutschland fast gar nicht bekannt. Es ist ein Verdienst, daß Hr. Nägeli in Zürich einen schönen Abdruck verschiedener derselben veranstaltet hat. Das zweite Heft der in seinem Verlage herausgekommenen „Werke im strengen Styl" enthält so schöne Händelsche Claviersuiten, daß man dem Musiker durchaus nichts zu sagen haben kann, der sie, als veralteten Plunder, wegwirft. Auch wer es mit der Tonkunst nicht gar ernstlich meint, nur aber Sinn für ihr Besseres in verschiedenen Gattungen und Schreibarten hat, geht hier nicht leer aus. Ich habe öfters versucht, Stücke daraus – wie die Variationen in C dur oder D moll, das Largo mit der sich anschließenden Fuge in Fis moll, die Fuge in F moll – Personen vorzuspielen, die, ohne eigentliche Schule, nur innere Musik in ihrer Seele und ein nicht ungeübtes Gehör besaßen; habe absichtlich verborgen, daß die Stücke von einem großen Meister wären: und noch hat sie Niemand ohne Wohlgefallen gehört.

Er schreibt ja ebenfalls streng, war meine Meinung; aber weniger künstlich und schwierig. Wenn manche von Bachs Klaviersachen mehr Tiefe des Geistes haben, so haben die seinigen mehr Fülle der Seele. Da er sich mehr dem Populairen (im besten Sinne des Worts) nähert, so kann man ihm leichter folgen; und auch der Vortrag seiner Werke ist weit leichter. Ich suchte deshalb die bestäubten sogenannten Orgelconcerte und Klaviersuiten Händels hervor; und ich vermag Dir's nicht zu sagen, mit welcher, bei jeder Wiederholung verstärkten Freude ich die meisten von ihnen durchging. Auch gewöhnte sich, fast unvermerkt, meine Hand an ihren sichern und genauen Vortrag.

Nun kehrte ich zum „Wohltemperierten Klavier" zurück. Da ich durchaus an Bachs Werken nicht blos den Verstand und die Hände üben wollte, strich ich mir die Stücke an, die mir, ohne besondere Rücksichten (auf ihre Gelehrsamkeit, Künstlichkeit u. dgl.) zusagten, mit dem Vorsatz, mich nur an sie zu halten. Sie gewährten mir nun sehr viel Freude, wenn ich, aber immer mit gesammletem Gemüth, nicht um in leerer Stunde die Langweile zu vertreiben – zu ihnen zurückkehrte. Aufrichtig gestanden: es waren unter der beträchtlichen Menge nicht viele Stücke, die ich mir aushob. Ich ließ mich das nicht anfechten, da es mir nicht um das Scheinen, auch vor mir selbst, zu thun war. Bei einer Wiederholung des ganzen Werks nach einiger Zeit mußte ich aber die Zahl der ausgezeichneten ansehnlich vermehren. Ich war weiter gekommen und in der Gattung heimischer geworden. In der Folge habe ich mich nicht enthalten können immer mehrere auszuheben, so daß jetzt im ersten Theile ohngefähr die Hälfte, im zweiten vielleicht zwei Drittheile ihre Striche am Rande haben. Zu Deinem Nutz und Frommen will ich Dir die Stücke angeben, mit denen ich mich gleich beim ersten und zweiten Cursus befreunden konnte, besonders da ich sie auch jetzt noch unter die vorzüglichern zähle, ohne jedoch mehrere der andern ihnen nachzusetzen. Ich benenne sie nach den Tonarten, damit Du Dich zurechtfindest, welche Ausgabe Du auch besitzen magst.

Erster Theil. Präludium C dur (auf dem Pianoforte größtentheils mit aufgehobenen Dämpfern vorzutragen), Fuge Cis moll, Fuge D dur, Präludium D moll (wieder zum Theil ohne Dämpfer), Präludium Es moll, Präludium und Fuge Fis moll, Fuge A dur, Präludium und Fuge B moll, Fuge H dur, Präludium H moll.

Zweiter Theil. Fuge C dur, Fuge C moll, Fuge Cis moll, Fuge D dur, Fuge D moll, Fuge Es dur, Präludium und Fuge Fis moll, Fuge G moll, Fuge As dur, Fuge B moll, Fuge H dur, Präludium und Fuge H moll.

Nun durfte ich auch mit Zutrauen zu den vollstimmigen Compositionen Bachs für Gesang und Orchester fortschreiten. Ich ging mit Ernst und Neigung, nicht ohne Fleiß daran, und da ich in Leipzig Gelegenheit hatte, hörte ich mehrere wiederholt aufführen; aber nie nahete ich mich ihnen ohne Sammlung des Gemüths. Ich bemerkte bald, daß es nun keiner umständlichen Zurüstungen mehr bedürfe, um die meisten von diesen Werken zu verstehen und zu genießen: aber ohne diese Sammlung des Gemüths, mein lieber A., ist man für sie dahin – wie man ja auch im Grunde für alle edlere Kunstwerke dahin ist. Ich rathe Dir sogar: wenn Dich auf Deinem Wege eine gewisse Ermattung oder auch Ungeduld anwandeln will, so laß Dir aus beiliegenden Bachschen Motetten*)

*)   Sie sind nun gedruckt herausgekommen; Leipzig, b. Breitkopf u. Härtel.

Sätze, wie die schon oben genannten: Wie sich ein Vater u. s. w. Sei Lob und Preis u. s. w. Ich lasse dich nicht, du segnest mich denn – vorsingen. Euer Chor wird das können, da sie nicht schwer auszuführen sind. Dann fühlst Du Dich gestärkt – deß bin ich gewiß, und kannst es nun nicht lassen, mit Eifer und Beharrlichkeit weiter zu wandern. Daß mir aber Bachs Werke jetzt einen hohen Genuß gewähren, magst Du schon daraus abnehmen, daß ich einen so langen Brief schreibe, um auch Dir dazu zu verhelfen. …

Quelle: Friedrich Rochlitz, *Geschmack an Sebastian Bachs Compositionen, besonders für das Clavier. Brief an einen Freund*, in: *Für Freunde der Tonkunst*, II. Band, Leipzig 1825, S. 205–207 und 210–229. Anm.: Eine erste Fassung des Aufsatzes erschien unter dem Titel *Ueber den Geschmack an Sebastian Bachs Kompositionen, besonders für das Klavier* in der AMZ, 5. Jg., Nr. 31, 27. April 1803, Sp. 509–522. Wesentlicher Zusatz der späteren Fassung ist die Herausstellung und Historisierung einer vermeintlichen Periode der Bach-Begeisterung um 1800.

B 65

Zelter: Empfindungen bei der Aufführung Bachscher Motetten
Berlin, 7. September 1827

… Könnte ich Dir an einem glücklichen Tage (denn das gehört auch dazu) eine von S. Bachs Motetten zu hören geben, im Mittelpunkte der Welt solltest Du Dich fühlen, denn einer wie Du gehört dazu. Ich höre die Stücke zum wievielhundertsten Male und bin lange noch nicht damit fertig und werde es nie werden. *Gegen Den sind wir alle Kinder* hat sein Sohn Philipp Emanuel gesagt. Ja, ja: Kinder; ich fühle mich erhoben und vernichtet; er ist grausam, aber göttlich. Da nun die meisten von uns auch keine Kernbeißer sind so ist es spaßhaft wie sie sich anfänglich dabei anstellen und nicht eher zu sich selber kommen bis sie den Rossini ausgepißt haben. …

Quelle: Carl Friedrich Zelter an Goethe, 7. September 1827. D-WRgs, Signatur: *28/1022*, zit. nach: Goethe Briefwechsel I, S. 1038f.

B 66

Mendelssohn Bartholdy: Bach-Spiel bei Goethe und
in der Stadtkirche zu Weimar
München, 22. Juni 1830

… Oft habe ich des Vormittags dem Goethe vorspielen müssen; … Ueber die Ouvertüre von Seb. Bach aus d dur mit den Trompeten, die ich ihm auf dem Clavier spielte, so gut ich konnte und wußte, hatte er eine große Freude; „im Anfange gehe es so pompös und vornehm zu, man sehe ordentlich die Reihe geputzter Leute, die von einer großen Treppe heruntersteigen," – auch die Inventionen und vieles aus dem wohltemperirten Clavier habe ich ihm gespielt. Eines Mittags meinte er, ob ich nicht das Handwerk grüßen wolle und zu dem Organisten Töpfer gehen, damit er mich die Orgel in der Stadtkirche sehen und hören ließe. Das that ich dann, und habe mich recht über das Instrument gefreut. Man sagte mir, daß auch Sie ein Gutachten über die Reparatur abgegeben hätten und es ist damit besser geglückt, als mit irgend einer andern reparirten Orgel, die ich kenne. […] der Organist, nachdem er mir gesagt hatte, ich möge wählen, ob er mir was Gelehrtes oder was für die Leute vorspielen sollte; (denn für die Leute müsse man nur schlechte, leichte Sachen componiren), gab denn auf mein Bitten was Gelehrtes; es war aber nicht viel an dem Dinge: er modulierte hin und her bis man schwindlig wurde und es wollte nicht neu werden, er machte eine Menge Eintritte und es wollte keine Fuge werden. Als ich ihm was spielen sollte, ließ ich die d moll Toccata von Sebastian los, und meinte das sey gelehrt und zugleich auch für die Leute d. h. für gewisse; aber siehe kaum hatte ich angefangen, so schickte der Superintendent seinen Bedienten; und ließ sagen: man möchte gleich mit dem Orgelspiel aufhören, da es Wochentag sey und da der Lärm ihn im Studiren störe. Über die Geschichte hat sich Goethe sehr erbaut. …

Quelle: Felix Mendelssohn Bartholdy an Carl Friedrich Zelter, München 22. Juni 1830. (Goethe-Museum Düsseldorf, Signatur: NW 373 / 1960 Zelter.)
Anm.: Mendelssohn weilte vom 21. Mai bis 3. Juni 1730 bei Goethe in Weimar. Johann Gottlob Töpfer (1791–1870) war seit 1830 Stadtorganist in Weimar. Der Text ist mit Auslassungen veröffentlicht in der Ausgabe: P. Mendelssohn Bartholdy und C. Mendelssohn Bartholdy (Hrsg.), *Briefe aus den Jahren 1830 bis 1847 von Felix Mendelssohn Bartholdy*, Leipzig 1875, S. 13.
Lit.: Russell Stinson, *Mendelssohns große Reise. Ein Beitrag zur Rezeption von Bachs Orgelwerken*, BJ 2002, S. 119–137, insbes. S. 121f.

B 67

Mendelssohn Bartholdy: Über die Registrierung des Chorals „Schmücke dich, o liebe Seele"

München, 16. September 1831

… morgens spiele ich täglich eine Stunde Orgel, kann aber leider nicht üben, wie ich wollte, weil das Pedal um 5 hohe Töne zu kurz ist, so daß man keine Seb. Bachsche Passage drauf machen kann. Aber es sind wunderschöne Register darin, mit denen man Choräle figuriren kann, da erbaue ich mich denn täglich am himmlischen strömenden Ton des Instruments; namentlich, Fanny, habe ich hier die Register gefunden, mit denen man Seb. Bachs „Schmücke dich, o liebe Seele" spielen muß; das ist, als wären sie dazu gemacht, und klingt so rührend, daß es mich alle Tage wieder durchschauert, wenn ich es wieder anfange. Zu den gehenden Stimmen habe ich eine Flöte 8 Fuß und eine ganz sanfte 4 Fuß, die nun immer über dem Choral schwebt, du kennst das schon von Berlin her; Aber zum Choral ist ein Clavier da, das lauter Zungenregister hat, und da nehme ich dann eine sanfte Hoboe, ein Clairon sehr leise 4', und eine Viola; das zieht den Choral so still und durchdringend, als wären es ferne Menschenstimmen, die ihn aus tiefstem Herzensgrunde sängen. …

Quelle: Felix Mendelssohn Bartholdy an seine Familie in Berlin, München 16. September 1831. (New York Public Library, *Mendelssohn Letters*.)

Anm.: Die Registrierungen beziehen sich höchstwahrscheinlich auf die Orgel der Peterskirche in München. Der Brief wird in allen auf der Ausgabe *Reisebriefe aus den Jahren 1830 bis 1832 von Felix Mendelssohn Bartholdy. Herausgegeben von Paul Mendelssohn Bartholdy* (Leipzig 1861) fußenden Publikationen fälschlich auf den 6. Oktober 1831 datiert. Die Fehldatierung der dort auf S. 277f. befindliche Passage geht auf eine vom Herausgeber Paul Mendelssohn Bartholdy unter teilweiser Veränderung des Textes vorgenommene Vereinigung mehrerer Briefe zu einem einheitlich auf den 6. Oktober datierten „Brief" zurück.

Lit.: Russell Stinson, *Mendelssohns große Reise. Ein Beitrag zur Rezeption von Bachs Orgelwerken*, BJ 2002, S. 119–137, insbes. S. 127.

B 68

Schumann: In der Schule des Wohltemperierten Klaviers

Leipzig, 27. Juli 1832

… Den theoretischen Cursus hab' ich vor etlichen Monaten bis zum Canon bey Dorn vollendet; den ich nach Marpurg für mich durchstudirt habe. Marpurg ist ein hoch achtungswerther Theoretiker. Sonst ist Sebastian Bach's wohltemperirtes Clavier meine Grammatik, u. die beste ohnehin. Die Fugen selbst hab' ich der Reihe nach bis in ihre feinsten Zweige zergliedert: der Nutzen davon ist groß u. wie von einer moralisch-stärkenden Wirkung auf den ganzen Menschen. denn Bach war ein Mann – durch und durch; bei ihm giebt's nichts Halbes, krankes, ist Alles wie für ewige Zeiten geschrieben. …

Quelle: Robert Schumann an Johann Gottfried Kuntsch, Briefkonzept vom 27. Juli 1832. (Robert Schumann, Briefkonzeptbuch, Robert-Schumann-Haus Zwickau, Archiv-Nr.: 4871, VII, C9.)

Anm.: Im Briefkonzeptbuch sind neben der Endfassung zahlreiche Korrekturen und Streichungen Schumanns erkennbar. So bezeichnete Schumann das Wohltemperierte Klavier zunächst als die „lebendigste" und nicht als die „beste" Grammatik.

Hintergrund des Textes ist der Kompositionsunterricht, den Schumann 1831/32 bei dem Komponisten und damaligen Leipziger Theaterkapellmeister Heinrich Dorn (1804–1892) erhielt. Johann Gottfried Kuntsch (1775–1855) war Organist an der Zwickauer Marienkirche und der erste Klavierlehrer Schumanns. Schumanns fortgesetzte Kompositionsstudien am Wohltemperierten Klavier, die er ab 1840 auch gemeinsam mit seiner Frau Clara betrieb, werden u. a. belegt durch sein mit zahlreichen Einzeichnungen versehenes Handexemplar der Ausgabe des Verlages C. F. Peters 1837 (Robert-Schumann-Haus Zwickau, Archiv-Nr.: 10552, 1-D1/A4) → C 10, 11, 13.

Ebenfalls erhalten ist Schumanns Exemplar von Marpurgs *Abhandlung von der Fuge nach den Grundsätzen und Exempeln der besten deutschen und ausländischen Meister. Neue Ausgabe*, Leipzig 1806. (Robert Schumann-Haus Zwickau, Archiv-Nr.: 203-C1/A4.)

Lit.: Bodo Bischoff, *Das Bach-Bild Robert Schumanns*, in: Bach und die Nachwelt 1, S. 421–499.

B 69

RELLSTAB: WERTSCHÄTZUNG DER BACHSCHEN KLAVIERWERKE
TROTZ IHRER SCHWIERIGKEIT

BERLIN, 23. JANUAR 1835

Tartini hat bekanntlich eine Sonate du Diable componirt, nach Ideen, die ihm Beelze-
bub eines Nachts auf der Violine vorspielte; diese ist nicht mit den obigen Sonatinen von Diabelli zu verwechseln, welche ganz sanft und anspruchslos, ohngefähr
wie die Spree bei Berlin hinfließen. Es wäre auch Unrecht gewesen, sie einem brausenden Strome gleich einzurichten, da die Jugend ja darin schwimmen lernen soll,
d. h. Clavier spielen. Ich meinestheils wäre recht froh gewesen, wenn Diabelli diese
Sonatinen schon vor dreißig Jahren componirt hätte, weil ich dann gewiß weniger
Ohrfeigen bekommen haben würde, welche mir Carl Philipp Emanuel Bachs Handstücke und seines Vaters Giguen, Präludien und Fugen zu Wege brachten. Curios
aber, dass ich deshalb doch keinen Haß auf diese Marterwerkzeuge geworfen habe,
sondern sie mir noch heute lieber sind, als die Sonaten von Diabelli, die ich eben
durchblättere, wiewohl ich ihnen nur Gutes nachrühmen kann, zumal den vierhän-
digen welche darunter befindlich sind. Nur eines möchte ich Herrn Diabelli rathen;
er muß bei Sonaten anders verfahren wie bei Heirathen, nämlich sich dieselben nicht
blos an die rechte, sondern auch an die linke Hand antrauen lassen, weil eine Sonate
durchaus mit beiden Händen umarmt sein will; bei der Frau wird einem bisweilen
eine schon zu viel. Also, Herr Diabelli, richten sie künftig ihre Sonatinen so ein, dass
man mit allen zehn Fingern zugreife.

Quelle: [Ludwig Rellstab], *Musikalische Jugend-Bibliothek. Sonatinen für das Pianoforte von A. Diabelli. 1stes, 2tes, 3tes, 4tes, 5tes Heft. Wien, bei Haslinger. Pr. 12 gGr. á Heft.* (Iris, 6. Jg., Nr. 4, 23. Januar 1835. S. 14f.)
Anm.: Ludwig Rellstab (1799–1860) war Dichter, Musikkritiker und einflußreicher Journalist im
Berlin des Vormärz und Herausgeber der Zeitschrift Iris. Die Anekdote bezieht sich auf Rellstabs
musikalische Erziehung bei seinem Vater, dem Komponisten, Musikverleger und Konzertver-
anstalter Johann Carl Friedrich Rellstab (1759–1813). Als Schüler Johann Friedrich Agricolas war
der ältere Rellstab ein Enkelschüler Bachs. Er besaß zahlreiche Bachiana (→ Dok III, 931, 955, 965).

B 70

HENSEL: ÜBER BACHS ACTUS TRAGICUS

BERLIN, 10. DEZEMBER [1834]

… heut Nachmittag spielte ich 2 Trios durch, die ich mir, in Bezug, auf meine, Sonntag
wieder anfangensollenden Musiken hatte geben lassen, von Reißiger u. Onslow. Ich

wollte doch gar zu gern einmal etwas Neues bringen, u. das eine Onslowsche Thema hatte mir im Laden gefallen. Es war aber so mattes, lahmes, grundlangweiliges Zeug, daß ich im Durchspielen fast verschimmelte, u. nachher zur Erholung, die Litaney u. meine Lieblingsmotette: Gottes Zeit, spielte. Ah!! Dabei wird einem wieder wohl. Ich kenne keinen eindringlicheren Prediger als den alten Bach. Wenn er so in einer Arie die Kanzel besteigt, u. sein Thema nicht eher verläßt, bis er seine Gemeinde durch u. durch erschüttert oder erbaut u. überzeugt hat. Schöneres kenn ich fast nicht, als das Furchtbare es ist der alte Bund, wozu die Soprane so rührend einstimmen: ja komm Herr Jesu komm. Sebastian nicht Bach nimmt mir die Feder aus der Hand. …

Quelle: Fanny Hensel an Felix Mendelssohn Bartholdy, Berlin 30. November bis 25. Dezember [1834]; Eintrag vom 10. Dezember. Bodleian Library, University of Oxford, Signatur: *MS. M. Deneke Mendelssohn d. 29, Green Books III – 309.*
Anm.: Besprochen und zitiert wird die Kantate BWV 106 „Gottes Zeit ist die allerbeste Zeit" (Actus tragicus). Mit der „Litaney" ist die Kantate „Nimm von uns, Herr, du treuer Gott" (BWV 101) gemeint. Eine von Fanny Hensel 1845 aus dem Gedächtnis notierte Klavierbearbeitung der Sinfonia zu BWV 106 wird in der Staatsbibliothek zu Berlin unter der Signatur *MA Ms. 50* verwahrt. Der Schlußsatz des Textes bezieht sich auf Fanny Hensels 1830 geborenen Sohn Felix Ludwig Sebastian Hensel.
Lit.: Fanny Hensel Letters, S. 479f.

B 71

ABRAHAM MENDELSSOHN BARTHOLDY: AUSEINANDERSETZUNG MIT BACHS KIRCHENMUSIK – ERLEBNIS DES ACTUS TRAGICUS – ZELTERS VERDIENSTE UM BACH

BERLIN, 10. MÄRZ 1835

… Dein Wort, daß Sebastian Bach jedes Zimmer, wo er gesungen wird, zur Kirche umwandele, finde ich ganz besonders treffend, und so hat auch beim einmaligen Hören der Schluß des erwähnten Stücks denselben Eindruck auf mich gemacht; sonst gestehe ich, von meiner Abneigung gegen figurirte Choräle im allgemeinen nicht zurückkommen zu können, weil ich die eigentlich zu Grunde liegende Idee nicht verstehe, besonders da nicht, wo die beiden certirenden Massen im Gleichgewicht der Kraft gehalten sind. Wo, wie z. B. im ersten Chor der Passion, der Choral nur einen wichtigern und consistenteren Theil des Grundes ausmacht, oder wo, wie in dem oben erwähnten Stück der Cantate, wenn ich mich nach dem einmaligen Hören recht erinnere, der Choral das Hauptgebäude ist, und die einzelne Stimme nur eine Verzierung, kann ich mir eher den Begriff und Zweck denken, – gar nicht aber da, wo die Figur gewissermaßen Variationen auf's Thema ausführt. Ueberhaupt ist mit dem Choral nicht zu spaßen. Das höchste Ziel dabei ist, daß das Volk ihn unter Begleitung der Orgel rein singe, – alles andere erscheint mir eitel und unkirchlich.

Am letzten Musikmorgen bei Fanny wurde die Motette von Bach: Gottes Zeit ist die allerbeste Zeit, und Dein *Ave Maria* von gewählten Stimmen gesungen.

…

Was nun Bach betrifft, so scheint mir das genannte Stück ein ganz bewunderungswürdiges. Schon die Einleitung, welche Fanny besonders schön spielte, hat mich überrascht und ergriffen, wie lange Nichts, und ich mußte wieder an Bach's Einsamkeit denken, an seinen ganz isolirten Stand in Umgebung und Mitwelt, an die reine, milde, ungeheure Kraft, und die Klarheit der Tiefe. Von den einzelnen Stücken hat sich mir „Bestelle dein Haus", und „Es ist der alte Bund" – augenblicklich und dauernd eingeprägt; weniger die Baß-Arie mit den Alt-Soli. Was mir zuerst bei der Passion klar wurde, daß Bach der musikalische Repräsentant des Protestantismus sei, wird mir bei jedem neuen Stück, das ich von ihm höre, positiv oder negativ evident, – so neulich durch die Messe, die ich in der Akademie hörte, und die mir auf's entschiedenste antikatholisch vorkömmt, daher denn auch alle ihre großen Schönheiten mir den innern Widerspruch eben so wenig lösen zu können schienen, als dies möglich wäre, wenn ein protestantischer Geistlicher in einer protestantischen Kirche Messe läse. Nebenbei wurde mir aber auf's Neue klar, welch' großes Verdienst es von Zelter war und bleibt, Bach den Deutschen wiedergegeben zu haben, denn zwischen Forkel und ihm war von Bach wenig die Rede, und dann auch fast nur vom wohltemperirten Clavier. Ihm ist zuerst das wahre Licht über Bach aufgegangen, durch den Besitz anderer seiner Werke, die er als Sammler kennen lernte, und als wahrer Künstler Andre kennen lehrte. Seine musikalischen Aufführungen am Freitag sind abermals ein Beleg, daß nichts, was mit Ernst angefangen und in der Stille ununterbrochen fortgesetzt wird, ohne Erfolg bleiben kann. Ausgemacht ist es wenigstens, daß Deine musikalische Richtung ohne Zelter eine ganz andere geworden wäre. …

Quelle: Abraham Mendelssohn Bartholdy an Felix Mendelssohn Bartholdy, 10. März 1835 (derzeit nicht nachweisbar), zit. nach: P. Mendelssohn Bartholdy und C. Mendelssohn Bartholdy (Hrsg.), *Briefe aus den Jahren 1833 bis 1847 von Felix Mendelssohn Bartholdy*, Leipzig 1863 (Erstausgabe), S. 83–85.
Anm.: Die im Text erwähnten Bach-Kompositionen sind BWV 106 sowie möglicherweise BWV 101 (→ B 70); die genannte Komposition Felix Mendelssohn Bartholdys ist das *Ave Maria* op. 23/2. Daß Abraham Mendelssohn Bartholdy im Text seines Briefes auf eine Bemerkung Felix' aus einem Schreiben vom 23. März Bezug nimmt, deutet darauf hin, dass es sich bei der auf den 10. März datierten Druckfassung um eine der für die frühen Briefausgaben typischen Kompilationen aus mehreren Briefen handelt. Die Auslassung der entsprechenden originalen Passage in der Druckfassung des Briefes von Felix vom 23. März stellt ein Indiz für eine solche „redaktionelle" Überarbeitung dar.

B 72

MENDELSSOHN BARTHOLDY: ÜBER BACHS ACTUS TRAGICUS
DÜSSELDORF, 23. MÄRZ 1835

… Ich möchte aber, Du hörtest den Bach noch einmal, weil ein Stück, das Du weniger hervorhebst mir darin am meisten gefällt; es ist die Alt und Baßarie; nur muß der Choral von vielen Altstimmen, und der Baß sehr schön gesungen werden. So sehr die Stücke bestelle dein Haus und es ist der alte Bund herrlich sind, so liegt allein in dem Plane von dem folgenden Stück, wie das Alt solo anfängt, der Baß darauf ganz frisch und neu unterbricht und bei seinen Worten bleibt, während der Choral als Drittes eintritt, und wie dann der Baß freudig schließt, und der Choral noch lange nicht, sondern immer stiller und ernsthafter fort singt etwas sehr Erhabenes und Tiefsinniges. Die Worte „sanft und stille" und der letzte Schluß vom Worte Schlaf an klingen so daß jedes Zimmer eine Kirche wird, wo sie gesungen werden. Uebrigens ist es eigen mit dieser Musik; sie muß sehr früh, oder sehr spät fallen, denn sie weicht ganz von seiner mittleren gewöhnlichen Schreibart ab, und die ersten Chorsätze und der Schlußchor sind so, daß ich sie gar nicht für Seb. Bach sondern für irgend einen andern aus der Zeit gehalten hätte, während doch kein andrer Mensch einen Tact aus den mittleren Stücken gemacht haben kann. …

Quelle: Felix Mendelssohn Bartholdy an Abraham Mendelssohn Bartholdy, Düsseldorf 23. März 1835 (New York Public Library, *Mendelssohn Letters.*)
Anm.: Die Kantate BWV 106 „Gottes Zeit ist die allerbeste Zeit" (Actus tragicus) gehörte zu den Favoritstücken der Familie Mendelssohn (→ B 70, 71). Mendelssohns Äußerungen stehen wohl in Zusammenhang mit seiner Aufführung des Stückes sowie der Kantate BWV 104 am 29. Juni 1834 in Düsseldorf.
Lit.: P. Mendelssohn Bartholdy und C. Mendelssohn Bartholdy (Hrsg.), *Briefe aus den Jahren 1833 bis 1847 von Felix Mendelssohn Bartholdy*, Leipzig 1863 (Erstausgabe), S. 90 (Text dort nur mit Auslassungen wiedergegeben); Großmann-Vendrey, S. 61–63; Wolfgang Dinglinger, Mendelssohn und Bachs Kantate „Gottes Zeit ist die allerbeste Zeit" BWV 106, in: Bericht Konferenz Leipzig 2005, S. 151–160.

B 73

VON KEUDELL: NACHKLÄNGE DES ACTUS TRAGICUS
DRESDEN UND LEIPZIG, 1848

…

Den … April.
Gestern, auf einer matinée musicale, hörte ich noch einmal das Requiem von Mozart, vorher aber eine Cantate von Bach. Diese ist eine wunderbare, höchst eigenthüm-

liche Komposition von ergreifender Wirkung. Nach einer ganz ungewöhnlichen elementarischen Cadence, mit welcher der Sopran allein einen Satz schließt, erscheint eine einzelne Baßstimme, in figurirtem Gesange wie ein auf und niederflatternder Botenvogel aus dem Himmel zur Erde hinabwirbelnd, mit Jubel verkündend: „Heute noch wirst du mit mir im Paradiese sein." Nachdem derselbe eine Weile mit der Begleitung allein um die Wette gesungen, beginnt der Alt-Chor ihn mit einem Ripieno-Choral zu begleiten, und verhallt dann, wenn jener Bote seine Sendung vollendet hat, allein in einer langsamen Melodie der innigsten Andacht. Ja, das ist eben die Kunst der alten Meister, daß sie mit den einfachsten Mitteln so unendlich tiefe Wirkung hervorzubringen im Stande waren. Und wodurch hatten sie diese herrliche Macht? Wahrhaftig nicht durch eine kluge Berechnung des Effectes, sondern nur durch die unfehlbare Unmittelbarkeit des Gefühls! …

Quelle: Robert von Keudell, *I. Lindenharfe. Aus dem Skizzenbuch eines Enthusiasten von H. v. T.*, in: *Bergan! Novellensammlung von R. W. L. C. v. Keudell*, Erster Band, Dresden und Leipzig 1848, S. 161f. Anm.: Der Jurist, Diplomat und Pianist Robert von Keudell (1824–1903) verkehrte 1846/47 regelmäßig im Salon Fanny Hensels. Eine Beziehung des Textes zu Programmen der dortigen Sonntagsmusiken ist deshalb denkbar.
Lit.: Fanny Hensel, *Tagebücher*, hrsg. v. Hans-Günter Klein und Rudolf Elvers, Wiesbaden etc. 2002.

B 74

Widerstände gegen das Proben Bachscher Vokalwerke
Bremen, 21. Dezember 1835 bis 18. Januar 1836

Dec. 21 [1835]
2te Abth. Missa I von *Bach*, a Dur; übermäßig schwer. *Riem* brachte die Bassisten dadurch, daß er sie ein sehr schwieriges, figurirtes und in den höchsten, vielen unerreichbaren Tönen sich bewegendes *Solo* Chor singen ließ, fast zur Verzweiflung. – Es äußert sich überhaupt mehr und mehr Unwille über zu viel von *Bach*.   [S. 210]

1835. Dec. 28.
Ungeachtet der in der letzten Versammlung von mehreren Seiten vernommenen antibachischen Aeußerungen hatte *Riem* doch wieder für die erste Abtheilung die *Missa* 1 in a Dur von Bach aufgelegt, und die Gesellschaft übte sie eifrig ein. Doch erklärten mehrere Herren, sie würden sich nicht dazu verstehen, auch in der 2ten Abtheilung dieselbe Musik zu singen, und entfernten sich, da es den Anschein gewann, auch in der zweiten Abtheilung werde nichts anderes vorkommen. Daher kam es, daß, als nun im 2ten Theile einige Chöre aus *Saul* vorgenommen wurden, Tenor und Baß nur sehr schwach waren.

In der Regel hat die Academie am Sylvesterabend vor Zuhörern gesungen, und auch in diesem Jahr war die Rede davon, ob sie es wieder thun wolle. Es erklärten sich indeß Manche ihres anderweitigen Engagements wegen dagegen; und überdieß hatten wir über das Studiren des Bach nichts gelernt, was wir hätten vortragen können. So unterblieb die Sache für dieses Mal. [S. 210]

1836. Jan. 4.
Der allzubeharrliche *Riem* hatte wieder Missa 1., a Dur, von Bach aufgelegt, und ließ sie, sowie einen Theil der *Missa II*, cursorisch durchsingen, was schlecht genug ausfiel. Nun aber brach auch die Revolution los. In der Pause wurde Riem durch Sen. *Post* mitgetheilt, die Gesellschaft wolle nicht länger nichts als Bach singen. Viele seien aus Ueberdruß weggeblieben aus den Versammlungen und von Anderen stehe dasselbe zu besorgen. Er möge wenigstens einen Theil des Abends zu anderer Sache verwenden. So milde dieß *Riem* aber auch beigebracht wurde, so war es ihm doch nicht wenig hart, seinen Bach zurücklegen zu müssen; man sah ihm vielmehr den heftigen Aerger an, mit dem er in der zweiten Abtheilung das herliche *Tedeum* von *Händel* großentheils durchsingen ließ. Die Sänger waren nichts desto weniger eifrig dabei, die Chöre gingen meist gut, und so konnte es nicht fehlen, daß *Riem* am Ende auch wieder zufriedener wurde.

Referent kann übrigens nicht umhin zu bekennen, daß auch ihm, wiewohl er kein Verächter der Bach'schen Compositionen ist, doch des Guten nachgerade zu viel wurde. Namentlich aber mißfiel ihm aber das fortwährende cursorische durchsingen der schweren Musik, die kein einziges Mal so gut ging, daß man ihre Schönheiten nur hätte ahnen, geschweige denn genießen können. Will *Riem* Bach'sche Musiken singen lassen, so muß er sie höchstens einmal cursorisch durchnehmen, dann aber von Satz zu Satz einüben, damit die Academie inne werde, daß die Musik nicht blos schwer sei, und nicht blos, um sich die Zähne daran auszubeißen, vorgenommen werde. [S. 210–211]

Jan. 18. [1836]
Ungeachtet des wahrhaft fürchterlichen Wetters war die Versammlung ziemlich zahlreich, (auch die, die vor Bach Reißaus genommen hatten, fanden sich wieder ein) und sang in der ersten Abtheilung die Empfindungen etc. von Händel, in der zweiten zu allgemeiner Freude die ersten Chöre des Requiem von Mozart.

Quelle: Staats- und Universitätsbibliothek Bremen, Signatur: brem. a. 1152. Protokollbuch B der Singakademie (1826–1837), S. 209–211.
Anm.: Zur Biographie Friedrich Wilhelm Riems → D 5.

B 75

STIMMEN-MEHRHEIT FÜR BACHS JOHANNES-PASSION
BREMEN, 30. JANUAR 1837

Jan. 30 [1837]
Heute wurde mit dem Einsammeln der Stimmen über das am *Charfreitage* Auf-
zuführende begonnen. Die gegenwärtige Versammlung bestand aus 44 Mitgliedern,
wovon:

30 für die *Passions*-Musik von *Bach*, im *Dom* aufzuführen
6 für *Saul* und den *Unions*-Saal
3 für Messias und Kirche
3 für den *Tod Jesu* und Kirche und
2 blos für Kirche, ohne Angabe des Aufzuführenden
44 Stimmen

In Folge dieser Stimmen-Mehrheit für *Bach* wurden mit wahrer Begeisterung die
Uebungen angefangen, und in der ersten Abth. das Schwerste, die Chöre nämlich,
studirt; in der zweiten Abth. wurden mehrere Choräle gesungen, und bezeigte unser
verehrter Meister, Herr *Riem*, seine volle Zufriedenheit mit der heutigen Leistung.

Quelle: Staats- und Universitätsbibliothek Bremen, Signatur: brem. a. 1152. Protokollbuch B der
Singakademie (1826–1837), S. 230.
Anm.: Die Bremer Singakademie brachte Bachs Johannes-Passion am Karfreitag (24. März) 1837
im Bremer Dom zur Aufführung → D 128.

B 76

CLARA SCHUMANN: VERSTÄNDNIS FÜR BACH UND BEETHOVEN ALS PRÜFSTEIN
FÜR WAHRHAFTE MUSIKER

LEIPZIG, AUGUST 1841

… Ich spielte Sonntag Nachmittag einige Sonaten von Beethoven, doch fanden weder Becker noch Kraegen den Genuß daran, den uns so eine Beethovensche Sonate
verschafft. Ihre Bildung ist mehr auf das Virtuosenthum gerichtet, als auf die wahre
Musik. Eine Fuge von Bach z. B. langweilt sie; sie sind nicht fähig die Schönheit zu
empfinden, die in dem verschiedenen Eintreten der Stimmen mit dem Thema liegt,
sie können dem gar nicht folgen! ich bedaure den Musiker, dem der Sinn für diese
herrliche Kunst abgeht. …

Quelle: Clara Schumann, Eintrag in das Ehetagebuch II (*48* und *49*ste Woche. Vom *8* bis *22* August), zit. nach: Schumann TB II, S. 181.
Anm.: Philipp Heinrich Carl Krägen (1797–1879) lebte als Pianist und Komponist seit 1817 in Dresden. Der als Bergbeamter in Freiberg und Dresden tätige Ernst Adolph Becker (1798–1874) war ein Freund der Familie Schumann.

B 77

Bach, Beethoven und die kontrapunktischen Künste im Probespiel zweier Organisten

Lüneburg, 24. Januar 1842

Bei den von den Herren Stade aus Arnstadt und Anger aus Leipzig abgehaltenen Proben zu der vacanten Organistenstelle bei der St. Johanniskirche ergaben sich folgende Resultate:

Herr Stade zeigte sich in jeder Hinsicht als ein ausgezeichneter Orgelspieler; er trug die ihm vorgelegten Choräle mit Sicherheit und Geschmack vor; einige selbstgewählte Orgelstücke von Bach und von seiner eigenen Composition geben Beweise von großer Fertigkeit, namentlich auf dem Pedal; in Behandlung und Ausführung des ihm vorgelegten Themas zu einer Fuge und Phantasie entwickelte er eine reiche Fülle von contrapunctischen Kenntnissen und Wendungen, die allen seinen Leistungen die Krone aufsetzten. Als Klavierspieler leistete er nur Gewöhnliches und Mittelmäßiges, auch spielte er ein ihm vorgelegtes Adagio von Beethoven nicht ganz fehlerfrei. –

Auch Herr Anger legte mannigfache Beweise von Tüchtigkeit auf der Orgel ab. Wenn man im Vortrage das Kühne und Feurige des Herrn Stade vermissen musste, so sprach dagegen das ruhige sanfte Spiel Angers auch fast mehr durch Gemüthlichkeit und Innigkeit den Zuhörer an. Die Choräle spielte er ebenfalls mit Sicherheit und Geschmack, und bei einem selbstgewählten Vorspiel von Bach gab er auch Beweise von Fertigkeit auf dem Pedal.
Dem Thema zu einer Fuge und Phantasie wusste Anger zwar nicht die mancherlei Wendungen und Ideen, die die Lehre des doppelten Contrapuncts an die Hand giebt, abzugewinnen, und das Charakteristische einer solchen Aufgabe festzuhalten; allein ich muß zu seiner Rechtfertigung gestehen, daß ich ihm die Behandlung des Themas von vorn herein dadurch erschwert hatte, daß er nicht wie Herr Stade beim Baß, sondern beim Alt anfangen musste.
Ferner muß ich die Bemerkung hinzufügen, daß es Herrn Anger weder an Fertigkeit, noch an Fähigkeit und contrapunktischen Kenntnissen, von denen ich mich bei

mündlicher Unterredung hinlänglich überzeugt habe, fehlt, bei weniger Befangenheit einer ähnlichen Anforderung Genüge zu leisten.

Als Clavierspieler ist Herr Anger ausgezeichnet. Er überrascht nicht nur durch eine eminente Fertigkeit, sondern auch reißt auch durch seinen äußerst geschmackvollen Vortrag zur Bewunderung hin. Nicht nur beim Vortrage eingeübter und auswendig gelernter Stücke, sondern auch beim Primavistaspiel des obenerwähnten Adagio's von Beethoven, welches er ganz fehlerfrei vortrug, beurkundete Anger die gerühmten Eigenschaften als ausgezeichneter Clavierspieler.

Hochlöblichen Magistrats

gehorsamster G. Anding

Lüneburg am 24 Januar
1842

Quelle: *Gehorsamster Bericht des Cantors Anding an hochlöblichen Magistrat betreffend die von Herrn Stade aus Arnstadt und Herrn Anger aus Leipzig abgehaltenen Proben zu der vacanten Organistenstelle bei der Johanniskirche* (Stadtarchiv Lüneburg, E 1b Nr. 56 Vol. II *Acta betr. die Bestellung des Organisten bei der St. Johanniskirche Vol II.*)

Anm.: Johann Gottfried Anding (1789–1866) war seit 1824 als Stadtkantor, Oberküster und Schullehrer in Lüneburg tätig. Heinrich Bernhard Stade (1816–1882) wirkte als Stadtkantor und Organist in Arnstadt. Louis Anger (1813–1870), Schüler Hummels und Töpfers in Weimar und seit 1836 als Musiklehrer in Leipzig tätig, bekam 1842 die Stelle als Organist an der Johanniskirche Lüneburg.

Lit.: Joachim Kremer, Zur Mobilität und Repertoireverbreitung im 19. Jahrhundert. Der Lüneburger Organist Louis Anger (1813–1870) im Urteil Mendelssohn-Bartholdys, Schumanns und Hummels, in: Niedersachsen in der Musikgeschichte. Zur Methodologie und Organisation musikalischer Regionalforschung. Internationales Symposion Wolfenbüttel 1997, hrsg. von A. Edler und J. Kremer (Publikationen der Hochschule für Musik und Theater Hannover, 9.), Augsburg 2000, S. 161–183.

B 78

KRÜGER: BEIM BETRACHTEN VON „SEBASTIANS ZAUBERBÜCHERN"

EMDEN, DEZEMBER 1842

Sebastian's Zauberbücher geben bei jeder neuen Betrachtung eine neue Ansicht. Wie seine geistlichen und weltlichen Tondichtungen, seine Vocal- und Instrumentalsätze jedes für sich eine eigene Welt darstellen und jedesmal durch tiefsinnige Originalität anregen, so sind sie zugleich für den Gedanken ein unerschöpflicher Born nie abgeschlossener Studien, und die unentbehrlichste Grundlage einer musikalischen Aesthetik, da nirgend wie hier Arbeit und Genius, Bewußtsein und Gotteskraft vereinigt walten. Wenn die Hüter des Gedankens sich an diese Quelle zu begeben

Talent und Willen besäßen, so würde es um die musikalische Kritik überhaupt besser stehen, und alle jene Verunglimpfungen unterblieben sein, mit denen die Philosophen seit langer Zeit unsere edle Kunst verfolgt haben. – Keine Arbeit ist zu groß, wenn es gilt, ihn zu gewinnen, der Sonne und Leben der ganzen deutschen Musik ist; jede vollbrachte Arbeit reizt zu neuem Vordringen, denn niemals kehrt man zurück, ohne bereichert zu sein an Erkenntniß und Wonne; und solches Streben in seiner Erkenntniß wächst, nie ermattend, in's Unendliche fort. – Wenn sonst eine unausgesetzte Beschäftigung mit einem Dichter, und sei es ein Liebling, einer der höchsten im Zeitalter, am Ende ermüden und abstumpfen kann – wer möchte ein Jahr lang nichts weiter als Haydn singen? – so ist selbst diese sehr natürliche Herabstimmung bei Sebastian unmöglich: sobald man ihn ergriffen, so ergreift er immer fester mit unauflöslichem Bande. Die Ursache dieser allmächtigen Anziehung ist schwer zu entwickeln, wie es uns bei so mystischen Dingen, wie Musik und Liebe, meistens ergeht. Vielleicht ist einer der Hauptgründe dieses unbegreiflichen Zaubers seine Allseitigkeit und Einseitigkeit; jenes, weil er in keinem Gebiete seiner weiten Kunst unerfahren, in allen Schöpfer und Förderer war; dieses, indem er jedesmal im einzelnen Kunstwerke ganz ist, was er ist, und nicht rastet, bis er vollkommen erfüllt hat, was in dem Inhalte verborgen liegt. – Aber auch der größte Künstler hat sein eignes Feld, das er mit Vorliebe bearbeitet: so Mozart die Oper, Beethoven die große Instrumentalmusik, Bach die kirchliche. Die Kirche ist seine Heimath, in der er geboren und erzogen ist: daher stammt seine Begeisterung und dahin kehrt sie immer zurück. …

Quelle: Eduard Krüger, *Die beiden Bach'schen Passionen*. (NZfM, 18. Bd., Nr. 15, 20. Februar 1843, S. 57.)

Anm.: Krügers vergleichende Analyse der beiden Passionen wird in den Nummern 16–20 sowie 22 des 18. Bandes der NZfM fortgesetzt.

B 79

KRÜGER: BEGEISTERUNG ÜBER NEU ERWORBENE ORGELWERKE

EMDEN, 1.–13. NOVEMBER 1843

… Herzlichen Dank für die ersehnte Sendung des Bachschen Heftes, das ihn in aller Herrlichkeit zeigt. Das gibt ein wüthendes Orgeln ab: wenn irgendwo, so ist in Sebastian Quelle, Fleiß und Mündung oder Idee, Arbeit und Genuß zu finden. Wozu das Alte wiederholen, worin wir beide übereinstimmen? Nur ein paar Nebenbemerkungen. Zuerst: sorgen Sie doch, daß auch dieß bald gedruckt werde. Zwar kitzelt mich, daß ich vielleicht mit wenigen oder Ihnen allein das Glück theile, ein Manuscr. des Alten zu besitzen. Aber ich bin nicht so meinem eignen Princip entfremdet daß ich den Schatz, der uns erleuchtet, Anderen missgönnen möchte. …

Quelle: Eduard Krüger an Robert Schumann. Emden 1.–13. November 1843 (PL-Kj, Korrespondencja Schumanna, Bd. 16, Nr. 2761).
Lit.: Zur Beziehung Robert Schumanns und Eduard Krügers vgl.: Uwe Martin, *Ein unbekanntes Schumann-Autograph aus dem Nachlaß Eduard Krügers*, Mf, 2. Jg. (1959), S. 405–415.

B 80

Schumann: Besondere Wertschätzung der Johannes-Passion
Dresden, 2. April 1849

… Von ihrem regen Wirken für die gute Musik, namentlich durch Ihren Concert Verein hatte ich schon längst Kunde. Etwas Tüchtiges wird ja auch ohne Zeitungsartikel bekannt – das tragen schon gute unsichtbare Geister durch die Lüfte. Auch ich habe seit etwa Jahresfrist viel Freude an einem solchen Verein. Da erhole ich mich an Palestrina und Bach und andern Sachen, die man sonst nicht zu hören bekömmt.
Kennen Sie die Bach'sche Johannis-Passion, die sogenannte kleine? Gewiß! Aber finden Sie sie nicht um Vieles kühner, gewaltiger, poetischer, als die nach d. Evang. Matthäus. Mir scheint die letztere um 5–6 Jahre früher geschrieben, nicht frei von Breiten, und dann überhaupt über das Maaß lang- die andere dagegen wie gedrängt. wie durchaus genial, namentlich in den Chören, und von welcher Kunst! – Käme doch über solche Sachen die Welt in's Klare! Aber davon schreibt Niemand, nur die mus. Zeitungen nehmen vielleicht manchmal einen Anlauf, lassen aber wieder nach, eben weil es denen, die danach schreiben, an der rechten Kenntnis, an der rechten Ueberzeugung fehlt. So geht's, so wird's immer Bleiben. Aber den einzeln verstreuten wahren Kunstmenschen muß ja auch etwas aufbewahrt bleiben. So ist's mit Palestrina, Bach, mit den letzten Beethoven'schen Quartetten etc. …

Quelle: Robert Schumann an D. G. Otten, Dresden 2. April 1849, zit. nach: *Robert Schumann's Leben. Aus seinen Briefen geschildert von Hermann Erler. Zweiter Band. Verlag von Ries & Erler.* Berlin, 1887. S. 74.
Anm.: Der Text nimmt Bezug auf Schumanns Arbeit an der Johannes-Passion mit dem von ihm gegründeten „Verein für Chorgesang" 1848/49 in Dresden. Georg Dietrich Otten (1806–1890) wirkte nach Studien bei Friedrich Schneider in Dessau seit 1832 als Musiklehrer und Leiter verschiedener musikalischer Vereinigungen in seiner Geburtsstadt Hamburg.
Lit.: Bodo Bischof, *Das Bach-Bild Robert Schumanns*, in: Bach und die Nachwelt 1, S. 421–499, insbes. S. 472–475.

WERKBETRACHTUNGEN

B 81

MOSEWIUS: ANALYSE DER KANTATE „DER HIMMEL LACHT, DIE ERDE JUBILIERET"
LEIPZIG, 5. JUNI 1844

… Wir wählen zuerst die Cantate: *„Der Himmel lacht, die Erde triumphiret."* Der Meister führt uns, vom Triumphgesange über die Auferstehung des Herrn ausgehend, durch darüber angestellte Betrachtungen, dem Inhalte des Textes gemäss, in seiner gewohnten tiefsinnigen Weise, bis zu Tod und Grab des eigenen Leibes und lehrt uns, nach erweckter Hoffnung und Erwartung eines künftigen beseligten Lebens in Christo, Beides mit Ruhe und Ergebung betrachten und in Sehnsucht erwarten. – Das Tonstück ist fünfstimmig für zwei Soprane, Alt, Tenor und Bass behandelt und ausser dem Quartett mit drei Oboen, drei Trompeten und Pauken begleitet. – Eine „Sonata" benannte Einleitung für das Orchester allein eröffnet feurig und brillant die Festcantate. – Nur das Thema, im Unisono von allen Instrumenten angestimmt, möge hier Platz finden:

und, mit Uebergehung des Nachweises der kunstreichen und sinnigen Anordnung des Stückes, bemerkt werden, dass in die Durchführung des zweiten und dessen Gegenthema's der Hauptsatz in kurzen Gliederungen von den Trompeten vorgetragen hineintritt und zum Schlusse die bis dahin in freierem Spiele bewegten Stimmen zur Aussprache desselben einmüthigen Gedankens anzieht, mit welchem das Stück begann. Unmittelbar daran erhebt sich, ebenfalls vom ganzen Orchester begleitet, der erste Chor der Cantate, fünfstimmig:

Der Satz tritt im ersten Theile förmlich fugirt auf; nach kurzem Zwischenspiele nimmt der Sopran nachstehendes, sogleich vom Alt imitirtes Thema auf:

welches regelmässig in allen fünf Stimmen erscheint, doch nicht weiter durchgeführt wird, sondern nach kurzer Verarbeitung der letzten melismatischen Gänge kräftig abschliesst. Ein Nachspiel nimmt das Thema des ersten Theiles wieder auf. – Hierauf beschreibt ein Recitativ für die Bassstimme die Festlichkeit des Tages näher, und leitet in eine pathetische, vom Fundament allein begleitete Arie ein. Sie ist trefflich declamirt, überhaupt sehr originell; die characteristisch pomphaft majestätische Begleitung hebt den Gesang noch ungemein hervor. – Aehnliches findet sich in *Marcello's* Psalmen.

Die Gesänge zum Preise des Siegesfürsten sind hier beendigt. Ein vom Fundamente begleitetes Recitativ des Tenors schildert nun die durch Christi Auferstehung beglaubigte Erwartung eines Lebens mit dem Herrn nach dem Tode; ihm folgt eine Tenorarie: „Adam muss in uns verwesen, soll der neue Mensch genesen, der nach Gott geschaffen ist." Mit vorerwähntem Recitative nimmt die Musik einen ruhigern Character an. Die Melodie zu obigem Texte der Arie ist angenehm, ohne jedoch besonders das Gefühl anzuregen; sie giebt allein den didactischen Inhalt wieder. – Dagegen übernimmt die fünfstimmige Begleitung der Saiteninstrumente den bewegteren Ausdruck der freudigen Hoffnung, des beseligend ruhigen Erwartens. – Deshalb hat *Bach* auch nicht das Motiv der Singstimmen zum Ritornelle gewählt, sondern mit guter Absicht die Motive der Begleitung dazu benutzt, und dadurch den Character des Tonstückes schon mit Bezugnahme auf den ferneren Gang der Cantate vollkommen angedeutet:

Ein kurzes Recitativ ohne Begleitung, von der Sopranstimme vorgetragen, spricht nun das Bewusstsein des Lebens in Christo aus, und die freudige Zuversicht der Auferstehung mit Christo zur Ehre und Herrlichkeit nach dieser Zeit, wie die Anschauung Gottes in eigenem Fleische. – Wie prophetisch und im Triumphe erhebt sich die Stimme im Schauer dieses freudenvollen Jenseits, der Continuo beendet rhythmisch geordnet das Recitativ. – So gestärkt uud erhoben sieht der Christ ruhig dem Tode entgegen, jede Furcht ist entschwunden und hat der *Sehnsucht* nach Auflösung, nach der Verwirklichung des Geschauten Raum gegeben. – Die folgende Arie: „Letzte Stunde brich herein" – schildert dieses freudige Sehnen, malt die fröhliche und getroste Erwartung der endlichen Verwandlung und Erfüllung der durch Christi Auferstehung gewordenen Verheissung. – Und wie vortrefflich hat *Bach* Das wieder ausgedrückt! – Das Hauptmotiv, wie es Sopran und Oboe einander imitirend in den ersten vier Tacten geben, ist zu einem Ritornelle von sechzehn Tacten zusammengestellt, hierauf beginnt der Gesang:

Höchst sinnig und bedeutungsvoll lässt *Bach* im achten Tacte, bei den Worten: „Brich herein, mir die Augen zuzudrücken," den Cantus firmus des Chorals: „*Wenn mein Stündlein vorhanden ist,*" durch Geigen und Bratschen vorgetragen, eintreten, und im Verfolge des Stückes den ganzen Choral neben der im angenommenen Character fortgehenden Singstimme und deren imitirender Begleitung durch die Oboe ausführen. So wird die folgende, die Cantate abschliessende, letzte Strophe desselben Chorals vorbereitet und kann nun als ein Lied im höheren Chore erklingen; der Grabgesang wird so ohne alle äussere Veränderung in einen Triumphgesang verwandelt, und wie das Tonwerk mit dem *weltlichen* Ausdrucke des Jubels über den Triumph der Erstandenen begonnen, schliesst es jetzt mit Darlegung der Freude und der Zuversicht des Christen in ernstester *kirchlicher* Form:

So erklärt sich die Versetzung des Choralschlussverses aus dem tieferen G ins hellere C, die volle dazu erklingende Instrumentation und die über dem Choral in getragenen Tönen schwebende Melodie der Siegestrompete, als Gegensatz ihres irdisch pomphaften Ausdrucks in der Einleitung. – Zur ersten Choralstrophe und ohne diese Vorbereitung bliebe diese Behandlung des Chorals unbegreiflich. ...

Quelle: Mosewius, *Seb. Bach's Choral-Gesänge und Cantaten. (Fortsetzung zu No. 7 u. 8.)* (AMZ, 46. Jg., Nr. 23, 5. Juni 1844, Sp. 380–384.)
Anm.: Eine Partiturabschrift der Kantate BWV 31 aus dem Nachlaß Mosewius' befindet sich heute in der Biblioteka Universitecka w Warszawie (Polen).
Lit.: NBA I/9, Krit. Bericht (A. Dürr, 1986), S. 42.

B 82

ROCHLITZ: ANALYSE DER KANTATE „EIN FESTE BURG IST UNSER GOTT"
LEIPZIG, 24. JULI 1822

Ist die Rede von tiefsinnigen, ganz originellen, man darf sagen: sonst wahrhaft unerhörten Combinationen im Reiche der Harmonie, vorzüglich zu Gunsten der aller-
reichsten Vollstimmigkeit, diess Wort im höchsten und strengsten Sinne genommen;
ist die Rede von Erfindung ganz eigenthümlicher Mittel, diese Combinationen zu
Stande zu bringen und zu Tage zu legen; von erstaunenswürdiger Geschicklichkeit
und Sicherheit, diese Mittel zu handhaben; und von einer Grösse und Strenge des
Sinnes, welche nichts, gar nichts will, als die Sache, und auch alles verschmäht in
dem Streben zu dieser, ausser, was auf dem Wege, für den man sich einmal entschieden hat, weil man ihn für den besten hielt, vorliegt: ist davon die Rede, und man
spricht über Tonkunst und Tonkünstler: so ist und bleibt Joh. Sebastian Bach, nicht
nur, wie sich das bey jedem so durchaus originellen Geiste von selbst versteht, einzig in seiner Art; sondern er ist und bleibt auch der Erste, der Höchste, in dieser
ganzen Gattung, von keinem seiner Vorfahren und Zeitgenossen erreicht, von allen
Spätern weit geschieden. Jedes seiner grössern Werke, das – endlich dem Publikum
aus dem Ueberreste seiner Handschriften vorgelegt wird, ist ein neuer, evidenter
Beweiss dafür. Das vorliegende gleichfalls; und zwar ein sehr merkwürdiger, sehr
dankenswerther. Mag es seyn, dass alle diese Werke für die öffentliche Aufführung
in Kirchen oder Concerten unserer Tage nicht mehr sich eignen; sie eignen sich hiezu
nicht mehr, vornämlich, weil die Zeitgenossen durch die ganz entgegengesetzte
Richtung, die die Tonkunst zuletzt genommen, so weit von ihnen und ihrer ganzen
Art abgekommen sind, dass selbst die in dieser Kunst leben und zwischendurch
sich auch mit jenen alten Werken bekannt machen, dennoch, sind sie aufrichtig,
werden gestehen müssen: auf einmaliges Hören, wie es dem gewöhnlichen Anwesenden in der Kirche oder in dem Concerte zu Theil wird, können wir selbst dem
wundervollen Meister oftmals gar nicht, und selten wie es seyn soll, nämlich mit
Geist und Herz zugleich, folgen –; mag es also darum seyn, dass diese Werke für
die öffentliche Aufführung sich nicht mehr eignen: sie müssen wahrlich dennoch,
so weit sie noch vorhanden sind – denn bey weitem das Meiste ist ohnehin schon
verloren – vom Untergang gerettet und durch den Druck vervielfältigt werden;
und wo es geschieht, da hat man es mit Erkenntlichkeit aufzunehmen: zumal da
der Verleger davon keinen Gewinn hat, besonders wenn er, wie hier geschehen,
bey anständigem Aeussern der Ausgabe einen so mässigen Preis setzt. Es muss
aber jenes geschehen, nicht nur, wie man gewöhnlich anführt, um dem erhabenen
Stammhalter deutscher Harmoniker einigermaassen sein Recht zu thun, dem
ernsthaft Studierenden Stoff und Reiz auch zu Studien dieser Art darzubringen,
dem Kenner und geübten Kunstfreunde eine Freude zu machen, indem man seine
ausgewählten Sammlungen vermehrt u. dgl.; es muss geschehen, aber ehe es noch

zu diesen Ursachen kömmt, ganz im Allgemeinen schon darum, weil diese Werke höchst merkwürdige Proben dieser ganz eigenthümlichen Richtung des musikalischen Geistes überhaupt, und weil sie das Vollendetste sind, was in dieser ihrer Art überhaupt vorhanden ist: alles aber, was eine ganz eigenthümliche Richtung des musikalischen Geistes beurkundet und zugleich in seiner Art unter das Vollkommenste gehört, muss gewissermaassen als ein Heiligthum, das der gesammten gebildeten Menschenwelt angehört, betrachtet, und, kann man nichts weiter dafür thun, wenigstens erhalten und den Theilnehmenden zugänglich gemacht werden. Wir durchwühlen die Erde und graben nach Denkmalen vergangener Zeiten, nach, wenn auch noch so kleinen, Proben des Sinnes und Thuns der Väter; wenn wir da etwas finden, so freuen wir uns, wäre auch der Fund in derselben Art schon vielfältig vorhanden; wir lassen das Erlangte in Kupfer stechen und commentiren es oft weitläufig genug, auch wenn wir, so wie die ganze Welt, nichts daran haben können, als eben solche kleine Denkmale, solche kleine Proben; es ist wohlgethan: aber wir dürfen doch da nicht zurückbleiben, wo wir, so wie die ganze Welt, ausserdem noch viel mehr, etwas an und für sich selbst Wichtiges, Geistvolles, oft Erhebendes, stets Bildendes und Erfreuendes haben; und etwas, was wir so fast um gar nichts dem Untergange entrücken, verbreiten und uns zu eigen machen können.

In wie weit über ein solches, ohngefähr hundertjähriges Werk jetzt noch eine Recension verstattet seyn könnte, in so weit steht sie im Obigen, wenn wir nicht irren. Aber einer genauen Anzeige bedarf etwas so ganz Neues, (der Sache nach,) und so ganz Besonderes: und diese möge hier folgen. Kleine Bemerkungen, die wir einstreuen, möge man als Randglossen geneigt mit hinnehmen.

Wann das Werk geschrieben worden ist, das gehet aus ihm selbst nicht entschieden hervor, und historische Nachricht hat wenigstens der Rec. in allem, was über Bach gedruckt worden ist, nicht finden können. Einiges in der Arie No. 2., und in dem Duett, No. 7, scheint uns aber auf die oben angegebene Zeit, mithin die frühere Bachs in Leipzig, hinzudeuten. Auch findet man ganze Arien von der Anordnung, wie No. 4, aus seiner spätern Zeit schwerlich.
Der erste, und Hauptsatz ist in seiner Art gewiss einer der bewundernswürdigsten Chöre, die es giebt. Der Tenor, unterstützt von der Viola, fängt mit einem Fugenthema über die freyer dargestellte Choralmelodie: *Ein' feste Burg ist unser Gott* – und mit diesen Worten an; der Alt, unterstützt von der zweyten Violin, folgt – und so fort nach den Gesetzen der Fuge. Der Satz ist aus D dur, im Vierviertaltakt geschrieben und die Hauptnoten des Thema sind halbe. Gleich vom Anfang an tritt der Instrumentalbass mit ein und macht in freyen und mannichfaltigen Bewegungen die Begleitung, bis der Singbass eintritt, wo er sich, und dann immer, zwar in den Hauptnoten an diesen hält, aber in Nebendingen figurirter sich hervorthut. Diesen Instrumentalbass führen aber die Violoncelle ganz allein, und zwar durch das ganze Stück aus: Violone und Orgel (auf welche letzte hier, wie in Werken jener Zeit über-

haupt, sehr gerechnet ist) schweigen. Das scheint, eben bey diesem Styl, und bey einem Satze so kräftigen Ausdrucks, sonderbar. Jetzt gehe man weiter, und man findet im zwölften dieser Doppeltakte Folgendes. Jener fugirte Chor gehet ganz ungestört, in seinen vier Sing- und Instrumentalstimmen, fort: hier aber – wer hat erhabener, erschütternder überrascht? – hier tritt die Orgel (es versteht sich, Manual und Pedal) mit den Violons ein und brausset in ganzen Noten der tiefsten Octave dazu: Ein' feste Burg ist unser Gott – die Choralmelodie, ganz, wie sie stehet, als eine Art Grundbass des Grundbasses! Und so bleibt alles durch das ganze Stück hindurch, so dass jenes Fugirte zwischen diesen Choralzeilen gleichsam die Zwischenspiele und zu ihnen die figurirte Begleitung macht; es bleibt so, bis, nicht etwa jene erste Zeile des Chorals mehrmals wiederholt angegeben, sondern die ganze Choralmelodie, wie sie die Gemeine singt, zu Ende geführt worden ist: unermüdet, ungestört das Eine durch das Andere, ohne Wiederholung, ohngefähr hundert und zwanzig Doppeltakte hindurch. Welch ein Entwurf; und welch eine Ausführung desselben! Aber – wir sind noch nicht am Ende! Alles das ist dem alten Tausendkünstler noch nicht genug; sondern, wie die altdeutschen Steinmetzen vielfache Verzierungen aller Art aufs köstlichste auch da anbrachten und mit grösstem Fleiss ausarbeiteten, wo sie eigentlich Niemand sehen kann, der nicht mühsam, wo nicht gefahrvoll, hinaufklettert; oder wie die altdeutschen Maler Figürchen bis in die fernste Ferne hinaus hinstelleten und aufs sorgsamste ausarbeiteten, obschon sie kaum Jemand ohne das Mikroskop erkennen kann: eben so, sich selbst Genüge zu leisten, indem man alles macht, was man als thunlich irgend ersinnen kann, sich selbst zu ergötzen an seiner Arbeit, und allenfalls einen Freund, der sich genau damit befassen mag – hat Vater Bach dem oben geschilderten gewaltigen Grundbasschoral (wahrscheinlich hat er sich diesen als Gesang der Völker gedacht) noch einen zarten Gesang (wahrscheinlich der Engel) an die Seite gesetzt, der wieder zugleich mit ertönt, und – wieder der Choral selbst ist, und wieder ihn ganz, wie er ist, hören lässt! Diesen letzten führen die Hoboen aus; und da kommen denn diese beyden, indess, wie gesagt, der Chor über dasselbe Thema vierstimmig immer fort fugirt, in solche und in der Folge noch schwierigere, doch aber einfach und natürlich scheinende Beziehungen:

Diess sey genug zur Andeutung dessen, was man in diesem ersten Chore zu finden hat.

Der zweyte Satz ist eine Arie für eine tüchtige Bassstimme, und also angeordnet: die Geigen und Violen gehen mit einander und führen durch das ganze Stück eine lebhafte, kräftig rauschende Figur in Sechszehntheilen aus. Die Singstimme gehet gänzlich ihren eignen Weg, rasch und feurig, ja man darf sagen, stolz und trotzig. (Sie hat es auch Ursache; denn sie spricht Worte aus, wie: Alles, was aus Gott geboren, ist zum Siegen auserkoren etc.) Die Instrumentalbässe machen, fast immer in einander ähnlich gebildeten Achteln, den herkömmlich stattlichen Continuo. Das alles ist denn gut und wäre für andere genug: aber nicht für unsern Meister. So wie der Singbass kaum begonnen hat, in laufender Figur sich der Bestimmung, zu siegen, hell zu erfreuen, tritt eine Sopranstimme dazu, unterstützt von der Hoboe, und singt – nicht etwa dazwischen, sondern dazu: Mit un'srer Macht ist nichts gethan: wir sind gar bald verloren etc. So singt der Sopran die ganze Strophe, und wer es will, kann sonach die Ansicht auch umkehren und sagen: der Satz enthält die Choralmelodie, wie sie ist, vom Sopran vorgetragen, wozu aber, ausser einem fortlaufenden Bass, zwey höchst verschiedene, figurirte Variationen, jede selbstständig ausgearbeitet, von den hohen Saiteninstrumenten und dem Singbass zugleich mit gehört werden, und so, dass alles Ein abgeschlossenes, vollkommen zusammenstimmendes und auch nicht schwer zu verstehendes Ganze ausmacht. Die Choralmelodie wird übrigens hier hin und wieder mit kleinen Verzierungen ausgeschmückt, (Agrémens nannte man sie damals,) als worin die Singstimme mit ihrer Gefährtin, der Hoboe, alternirt. Es ist, wie man schon nach dieser wörtlichen Angabe siehet, etwas sehr Sinniges und sanft Rührendes, selbst in dem Grundgedanken und Entwurf zu diesem Stücke; und dass die Ausführung desselben in ihrer Art vollkommen sey, brauchen wir nicht erst zu versichern. Sie stellt das Bild eines kühnen Christenhelden, dem ein himmlisches Kind, mit freundlicher, liebender Warnung sanft nach oben deutend, entgegenschwebt, fast malerisch ausgeführt vor das Auge hin. Und zu alle dem bedarf unser Meister gar keiner Mittel, als der von uns angegebenen; wie man vom Guercino erzählt, er habe einige reiche Compositionen effektvoll und in jeder Hinsicht befriedigend nur mit drey Farben gemalt.

No. 3. ist ein kurzes Recitativ ohne Begleitung für die Bassstimme, das a tempo ausgehet; No. 4, eine Arie für den Sopran, in jener Art, wie ihrer damals noch viele geschrieben und da hingestellt wurden, wo sie nur als anständige Zwischensätze dienen und den Zuhörer gewissermaassen zu Odem kommen lassen sollten. Sie ist nämlich (in H moll, Zwölfachteltakt) bloss für die ziemlich figurirte Singstimme und den gleichfalls figurirten Bass, zu dem nun in jener Zeit der Begleiter auf dem Kielenflügel oder der Orgel nicht etwa bloss die Accorde anschlug, sondern zugleich melodische Gänge in den Füllungen und kunstreiche Verbindungen in den Mittelstimmen auf der Stelle selbst erfand und frey ausführte; in welcher, jetzt wohl ziemlich verlornen, Kunst und Geschicklichkeit diese Männer ihre Meisterschaft im Begleiten gern bewährten und sich eben darauf, gewiss nicht mit Unrecht, wohl etwas zu Gute thaten. (Bekanntlich sollen hierin die grossen Geister, Sebast. Bach und sein Lieblingsschüler, Krebs, in Leipzig hernach, etwas später Händel in London und Durante in Neapel, das Möglichste geleistet haben.)

In No. 4 war denn der Choral ausgesetzt und der Zuhörer ist durch diess leichte Zwischenspiel – dürften wir so sagen – wieder zu Kräften gekommen, um etwas Kunstvolleres und überaus Kräftiges gehörig aufnehmen zu können. Dass es nun wieder auf Fortsetzung des Chorals abgesehen sey und dass man auf dessen Wiedererscheinen zu merken habe: daran wird gleich durch den Anfang des Ritornells erinnert; denn dieser ist eben der Choral selbst wieder, nur ganz anders, in kurzen Noten und als freye Figur aufgestellt und von allen Saiteninstrumenten im Einklange stark angegeben:

Im 13ten Takte tritt nun, nach sehr lebhafter Bewegung der Instrumente, der Gesang mit Luthers dritter Strophe ein: Und wenn die Welt voll Teufel wär' – der Choral wird ohne alle Abänderung, wie er steht, gesungen, und zwar – denn zum Ausdruck dieser Worte gilt's widerstämmiger Kraft – von allen vier Stimmen des Chors im Einklange aufs Stärkste; indess das Orchester voller Leben und Energie, unablässig fortsetzt, was es begonnen und wie es begonnen, so dass es sich auch, und nicht selten, begiebt, dass dieselbe Zeile des Chorals (in kürzern Noten) zu derselben Zeile des Chorals (in längern) die Begleitung abgiebt – wie gleich beym Eintritt; oder, wie noch öfter, die eine zur andern, u. s. w. Und diess alles ist schlechterdings nicht Künsteley – Erzeugniss kalt grübelnden Scharfsinnes, verbunden mit grösster Geschicklichkeit: vielmehr ist es ganz offenbar aus voller, tiefbewegter Brust entsprungen, und wie es nun da vor uns stehet, nimmt es sich auch so natürlich aus, und ist eben darum von so wahrhaft grosser, erschütternder Wirkung, selbst auf jede gemischte Kirchengemeine, wenn sie nur überhaupt nicht geradezu roh und für alles Geistige unzugänglich ist, dass man hier, wie in technischer, so auch in dieser Hinsicht der Humanität, den erhabenen Meister zu bewundern nicht aufhören kann. Ein kurzes Recitativ für den Tenor, das, wie das erste, wieder als Arioso ausgehet, bildet die Einleitung zu No. 7 – einem sanftrührenden, herrlichen Duett für den Alt und Tenor. Diese Sänger, so wie alle begleitenden Stimmen, deren jede durchaus obligat und selbstständig ist, bewegen sich in leicht fasslichen, fliessenden, trefflich verschlungenen Melodieen; so dass dieser Satz fast mehr in Händels, als in Bachs sonstiger Art, geschrieben erscheint. Besetzt ist das Duett von einer Oboe di Caccia oder Solo-Viola, einer Solo-Violin und dem Bass, die ersten beyden gegen einander concertirend. Statt jener Hoboe würde sich, wünschte man etwas Abstechenderes, als die Viola, das Bassethorn, zart geblasen, sehr gut anwenden lassen; denn die Oboe di Caccia möchte wohl nirgends mehr zu finden, ja vielleicht kaum einigen unserer Leser noch vom Hörensagen bekannt seyn. (Sie ging ehedem auch unter dem Namen, Althoboe, tiefe Hoboe etc. stand eine Quinte, manche auch nur eine Terz, tiefer, wurde meist in den mittlern Tönen angewendet, und gewährte den Vortheil, diese ohne Schärfe, mild und zart, und doch kräftig zu erhalten; wesshalb man sie auch eigentlich bloss für das sanfte, doch ernste Cantabile gebrauchte. Auch aus diesem gehet hervor, dass unser, weit später erfundenes und weit vollkommneres Bassethorn an ihre Stelle zu setzten ist.) Der Satz ist übrigens ziemlich lang ausgeführt. Den Schluss des Ganzen, als No. 8, macht die vierte Strophe des Chorals: Das Wort sie sollen etc. als Kirchenchoral, in welchen die Gemeine mit einstimmen soll, bloss vierstimmig ausgesetzt.

Es stehet einem Beurtheiler nicht wohl, in Enthusiasmus zu gerathen, und erregt, wenn es geschieht, eher das Gegentheil von dem, was es erregen soll. Wir haben uns desshalb möglichst davor gehütet, ohngeachtet es hier an Gelegenheit und Aufreizung nicht fehlte. Wir haben nichts gethan, als erst unsere Meynung von der Gattung, dem Autor, dem Werke überhaupt kurz angedeutet: hernach diess letzte in seiner Eigenheiten und Gliedern, für die eigene Betrachtung, Erwägung und Beurtheilung der Leser, beschrieben; so weit das nämlich in unsern Kräften, und ohne grosse Weitläufigkeit und häufige Notenbeyspiele möglich war. Möge uns damit gelingen – wenn nichts Weiteres, doch, dass diejenigen, für welche solch ein Werk überhaupt eigentlich bestimmt ist, sich dieses bestens anempfohlen seyn lassen, Andere aber, und wäre es nur aus einer Art Neugierde, es sich, nach unserer Handleitung, näher ansehen; was sich an ihnen sicherlich belohnen, übrigens aber beytragen wird, dass nach und nach mehrere dieser jetzt noch verborgenen Kunstschätze zu Tage gefördert und Allen leicht zugänglich gemacht werden.   *Rochlitz.*

Quelle: Friedrich Rochlitz, *Recension. Ein feste Burg ist unser Gott. Cantate für vier Singstimmen mit Begleitung des Orchesters, in Musik gesetzt von Joh. Seb. Bach. Partitur. Nach Joh. Seb. Bachs Original-Handschrift. Leipzig, bey Breitkopf und Härtel. (Pr. 1 Thlr. 8 gr.)* (AMZ, 24. Jg., Nr. 30, 24. Juli 1822, Sp. 485–493.)
→ C 36.
Anm.: Der Text wurde erneut abgedruckt in: Friedrich Rochlitz, Für *Freunde der Tonkunst, Dritter Band*, Leipzig 1830. Unter aufführungspraktischem Blickwinkel beachtenswert ist der Hinweis auf den Ersatz der Oboe di Caccia durch eine Solo-Viola oder nach Rochlitz' Auffassung besser noch ein Bassetthorn.

B 83

Marx: Bachs Rezitativbehandlung in der Kantate „Ein feste Burg ist unser Gott"
Leipzig, 1845

… Der letzte Gegenstand unsrer Betrachtung sei ein Rezitativ aus der Kirchenmusik, die Sebastian Bach zu Luthers Choral „Ein feste Burg" geschrieben hat *).

*) In Partitur herausgegeben bei Breitkopf u. Härtel.

In tiefsinniger Weise wird das Kirchenlied mit anderswoher genommenen Betrachtungen durchflochten und so wird schon der zweite Vers,

> Mit unsrer Macht ist nichts gethan,

in Verbindung mit einem andern Texte,

> Alles, was von Gott geboren,
> Ist zum Siegen auserkohren u. s. f.,

in streitfertigster protestantischer Freudigkeit durchgeführt. Darauf folgt unser Rezitativ:

> Erwäge doch, Kind Gottes, die so grosse Liebe, da Jesus sich mit seinem Blute dir verschriebe, womit er dich zum Siege wider Satans Heer und wider Welt und Sünde geworben hat. Gieb nicht in deiner Seele dem Satan und den Lastern statt, lass nicht dein Herz den Himmel Gottes auf der Erden zur Wüste werden, bereue deine Schuld mit Schmerz, dass Christi Geist mit dir sich fest verbinde.

Die letzten Worte,

> dass Christi Geist mit dir sich fest verbinde,

sind als Schluss und Resultat des Ganzen Arioso geworden, mithin von unsrer musikalischen Betrachtung jetzt ausgeschlossen.

Dieser Text, eine religiös-moralische Ermahnung, fordert für sich nicht musikalische Behandlung. Nur der hohe Eifer des Predigers – so darf gewiss der Redende hier heissen – und die Stellung innerhalb eines durchaus musikalischen Ganzen gestatten die Uebertragung in Musik. Hiermit (und mit Rücksicht auf die Stellung im Zusammenhange des Werkes) war rezitativische Form bedingt.

Bach hat hier und anderswo den Karakter und die That eines Predigers mit solcher innerlichen Hingebung und Macht ergriffen, dass man von ihm sagen darf: er predigte gewaltig, und nicht wie die Schriftgelehrten, – und dass in einer an Schwächeres und Herkömmliches oder Nachgeahmtes gewöhnten Zeit auch jenes andre Wort (Matthäus 7,28) bisweilen in Erfüllung gehen mag: es entsetzte sich das Volk über seine Lehre. Wir haben in unserm Rezitativ einen ganz von seinem Beruf und von dem was der Augenblick, was sein Vorhaben im Ganzen und jedes Wort dabei will, erfüllten Mann Gottes, einen Eiferer um den Herrn – wie man in religiös-erhobner Zeit sagen würde – vor uns, der gewaltig unwiderstehlich, glaubens- und zuversichtsvoll seine ganze Kraft in jedes Wort legt. So ist denn die Rede von einer Heftigkeit, ist das einzelne Wort bald von einer Uebermacht des Andringens, bald von einer Zuversicht oder verklärten Freudigkeit erfüllt, die uns befremden, ja die uns als Uebertreibung ansprechen können, so lange wir uns nicht ganz erfüllt haben mit dem Bild und Gefühl einer glaubensvollen Zeit und eines Eiferers um den Glauben. Dann erst verstehen wir Bach und erfahren zugleich an seinem Werke die hohe Macht der Kunst und der Kunstform, die wir uns jetzt angewinnen möchten.

Es versteht sich, dass Bach für diese Aufgabe keine andre Stimme, als den männlich-kräftigen und würdevollen Bass erwählen konnte. Dies ist das Rezitativ, bis zu dem Arioso.

Die entscheidensten Betrachtungen knüpfen sich an dieses Meisterwerk. Möge sich erst ein Jeder hineinsingen und hineinfühlen, und dann dem Wenigen, was wir uns zu bemerken erlauben, sein weiteres Nachforschen folgen lassen.

Zuvörderst, ehe wir auf die Komposition selbst eingehen, sprechen wir zweierlei aus, das Jeder, der es nicht schon in sich erfahren oder von ächten Künstlern vernommen, am vorliegenden Meisterwerk und sonst sich zurecht zu stellen suche.

Erstens. In dem rechten Kunstwerke giebt es keine nur einseitig lebendige oder einseitig wahre, sondern nur eine voll-lebendige und ganz-wahre Auffassung. Der rechte Komponist giebt nicht blos den Sinn der Worte (wenn auch tief aufgefasst oder ausgelegt) und nicht blos die allgemeine Stimmung der Rede, – und nicht blos dies Beides zusammen. Sondern vor ihm, vor dem emporgehobnen Auge seines Geistes steht der Redende selber, wie er leibt und lebt, wie er fühlt und gestimmt ist, wie er redet und jedes Wort empfindet und denkt – mit alle dem unausgesprochen bei den Worten Empfundnen und Gedachten seines Geistes. So hat Bach hier und anderwärts den Redenden mit dem Geredeten geschaut und vernommen, – gleichviel ob er sich dessen so klar bewusst geworden, dass er es mit besondern Worten hätte bezeugen können.

Zweitens. In einem solchen Werke des begeisterten – denn dies Schauen, in dem ein neuer Geist gleichsam *) in uns tritt, ist Begeisterung – und durchgebildeten Künstlers erfüllen sich dann alle jene Bedingungen, die jedes Kunstwerk und die namentlich die besondre Aufgabe eben dieses Werkes als inbegriffen in seine Aufgabe anerkennen muss, wie von selbst, und jede so vollbefriedigend, als wär' es nur um sie zu thun gewesen.

So zeigt uns nun der erste Anblick des Bachschen Rezitativs eine Entfaltung und Darlegung der Stimme, die nichts zu wünschen lässt. Dem bedeutenden Inhalt und der hohen Stimmung des Textes gemäss entfaltet auch die Stimme des Redenden ihr ganzes Vermögen. Sie wird von der Tiefe (A) bis zur äussersten Höhe (eingestrichen e) in Bewegung gesetzt; dies geschieht durchaus in schwungvoller Weise, in mannigfach wechselnden besonders mächtigen Schritten, auf das günstigste für den Basskarakter; zu den äussersten Punkten, namentlich zu dem hohen e wird die Stimme stufenweis vorbereitend und mit tiefern zur Erholung dienenden Zwischentönen emporgeleitet; selbst die weitesten Schritte, z. B. gleich der Anfang Ais–g–

---

*)   Vgl. die alte Musiklehre im Streit mit unsrer Zeit, S. 51.

e – cis, sind durchaus sangbar, ja leicht und sicher zu treffen, da sie innerhalb eines einzigen und fasslichen Akkordes liegen. Das alles – ganz abgesehen von seiner tiefern Bedeutung – lässt nichts zu wünschen übrig.

Lassen wir noch immer den nähern Inhalt bei Seite und bleiben nur dabei stehen, dass die Stimmung eine hoch und ernst bewegte ist: so müssen wir anerkennen, dass die allgemein-musikalische Gestaltung (das Abstrakt-Musikalische) jener Stimmung auf das Eigenste entspricht. Die Modulation – von H moll nach Fis moll, D moll, A moll, D dur, E moll, H moll, Cis dur, Fis – ist reich und, nicht abschweifend aber energisch geführt. Die Akkorde sind fest aneinander geschlossen, doch aber gelegentlich auch mit starker Eigenwilligkeit gewendet; man beachte (mit Rückblick auf Seite 380) die ausbiegende Auflösung in Takt 2 und 10 zu 11; dabei sind sie von der Singstimme reich ausgelegt. Die Kantilene der letztern aber ist mannigfaltig und vorherrschend in grossen Richtungen bewegt; schon vor dem Arioso, das den Schluss des Ganzen macht, nähert sie sich im dritten Takt (und einen Augenblick lang auch im drittletzten) dem festern Gesang des Arioso. Die Stimmung des ganzen war so entschieden und andringend, dass nur der Gedankenreichthum des Textes, das Gewicht das jedes Wort für den Redner hat und in seinem Munde für uns haben soll, festere Gestaltung statt Rezitativform *) ausschliessen

*)   In der That hat Bach einen ähnlichen Text (in der bei Simrock in Bonn herausgegebnen Kirchenmusik „Herr, deine Augen sehen nach dem Glauben") in eigenthümlicher und wunderwürdiger Weise als Arie behandelt.

Und nun gehe man erst auf den Inhalt ernstlicher ein. Der Hauptton der ganzen Kirchenmusik und namentlich des dem Rezitativ vorausgehenden Satzes war das feurige kriegsfertige D dur. In der Parallele, in dem trübheissen H moll tritt der eifernde, dringliche Bussredner des Rezitativs auf und zwar innerhalb des verminderten Septimenakkordes, des schwankend beweglichen Rests aus dem weitgetriebnen bangen kleinen Nonenakkorde. Hier fällt das „Erwäge doch" auf Grundton und Septime, die aber eigentlich Terz und None sind, das „Kind Gottes" auf die ursprüngliche Septime und Quinte, jeder Ton aus dem innersten Gefühl des Worts, das Ganze in mächtigen Schritten rasch andringend, das „Kind Gottes" hocherhoben, wie ein weckender Namenruf, der dir deine höhere, wahre, einzige Bedeutung und Bestimmung als Abwehr „wider Welt und Sünde" vorhält, – und doch wieder liebreich gemildert durch den Aufschritt der sanften Sexte. Der folgende Textabschnitt wendet sich in das schwülere Fis moll, dann aber mit heller Zuversicht des Sieges nach D dur, wobei wir die zelotische Eiferung bei den Worten „wider Satans Heer und wider Welt und Sünde" nicht übersehen wollen.

Es ist nicht unsre Absicht, dem mit uns Gehenden die Unbefangenheit und erhöhte Freude eignen Versenkens und Forschens durch eine erschöpfende Zergliederung zu beeinträchtigen. Die wenigen Andeutungen genügen, um zu bezeichnen, wie tief und durchdringend hier der Geist gewaltet hat; es ist in der That auch nicht eine

Note anders, als nach dem innerlichsten Gebot der Wahrheit gesetzt. Wer sich erst in dieses Meisterwerk hineingesungen und mit Gefühl und Ueberlegung hineinversetzt hat, der prüfe nur – ohne Furcht vor dem Namen des Tondichters, durch den es uns gegeben worden – ob er irgendwo eine Note ohne offenbare Beeinträchtigung des Inhalts ändern könnte.

Zum Schluss noch eine allgemeinere Bemerkung. – Wer dieses Rezitativ und andre Bachsche mit derjenigen Weise des Rezitativs, die wir durch die Mehrzahl der Kompositionen (selbst der vorzüglichsten) gewohnt worden, vergleicht: dem kann im ersten Augenblick die Bachsche Weise übertrieben erscheinen. Und ferner, was im Grunde dasselbe ist, – wer die Bachsche Redeweise, wie sie sich in seinem Rezitativ ausprägt, mit der Redeweise zusammenhält, die wir in den gewöhnlichen Lebensverhältnissen an uns und andern gewahr werden: der kann zweifelhaft werden, ob jene Bachsche Redeweise natürlich, ob sie mit der Weise der natürlichen Sprache übereinstimmend, ob sie nicht vielmehr baare Uebertreibung und Unnatur ist? Dieser doppelte Zweifel beseitigt sich aber, sobald man nur beherzigt, wie unendlich weit der Inhalt und Eifer des Bachschen Rezitativs über dem in den meisten rezitativischen Aufgaben und in der überwiegenden Masse alles dessen, was im gewöhnlichen Leben zur Sprache kommt erhaben und überlegen ist. Die felsenstarke Ueberzeugung des gläubigen – und der Feuereifer des pflichtgetreuen Seelsorgers, dem jedes Wort, das er ja nicht aus sich, sondern aus dem geheiligten Schatz des Evangeliums und der auf ihm festgegründeten Kirche spendet, dem also jedes Wort eine That, ein Schlag ist im Kampfe gegen das Böse, oder ein Siegesruf zur Weckung und Aufrichtung der Schwachen und Verzagenden: das lebte in Bach so stark und glühend und freudig, wie je in Luther oder einem andern der vorangeschrittnen Glaubenshelden. Von jedem Worte ganz erfüllt, legt er die ganze Macht seines Gemüths in jedes Wort und so spricht es uns allerdings unendlich Tieferes und Reicheres aus, als die Werkeltagsstunde der gewöhnlichen lauen Stimmungen, die sonst unsern Reden und Rezitativen wohl schlägt. Hier ist nichts blosses Wort oder Gleichniss, es ist alles baarer wörtlicher Ernst. So ungestüm mit vorbewegten Armen und Händen und weitoffnen den ganzen Menschen in sich aufnehmenden Augen dringt der Prediger mit seinem Anruf zu Anfang auf das Beichtkind ein, wie jene ersten Noten, die wir oben erwogen. So beweglich ist ihm selber bei der Erwähnung Jesu, als seine Stimm- und Bassmelodie (Takt 3) es zeigt. So muthig und stark ist ihm bei dem verheissnen Siege und so ereifert er sich mit geflügelten übereilt stürzenden Worten bei der Erwähnung des Feinds; ihm (und seiner Zeit) ist „Satans Heer" kein blosses Gleichnisswort, er lässt das, was das Gleichniss (wenn es ihm eins wäre) uns bedeuten könnte, das „Welt und Sünde" gewichtvoll nachfolgen und gönnt sich hier keinen Ruhepunkt, so sorglich genau (aber auch bedeutungsvoll) sonst, z. B. Takt 1 und 9 für die Athemmomente gesorgt ist. Und ebenso gewiss hob sich ihm, wie er „dein Herz den Himmel Gottes auf Erden" nannte, Seele Blick und Haupt und beide Arme mit offnen Händen wie zum Anschaun und Empfangen empor. – Hat man zuerst das Rezitativ so geprüft, dass man sich den Text vorgelesen und danach die Komposition beurtheilt: so kehre man nun die Probe um. Man versuche – ohne absichtliche Uebertreibung oder Steifigkeit aber mit Muth und Hingebung die Worte nach der Andeutung der Noten zu lesen, – ohne Scheu vor den durch sie gebotenen weiten Aufschwüngen u.s.w.: und man wird überrascht auf eine eifervolle und durchaus dem Inhalt und der Stimmung des Moments getreue Redeweise geführt sein, die man – allerdings nicht für seine alltägliche, wohl aber für eine dem hohen Standpunkte jenes Moments ganz natürlich eigne erkennen wird.

Umgekehrt folgt aber hieraus, dass es noch keineswegs ein Vorwurf ist, wenn die meisten Rezitative, besonders in Opern, nicht auf der Höhe des Bachschen Rezitativs stehen. Denn wie ungleich leichter und geringer ist bei jenen meistens der Inhalt der Rede und die Bedeutung des Moments! Meistens sind sie im grössern Ganzen nur Uebergänge von einem bedeutenden Punkte zum andern, die als solche gewissermassen Augenblicke der Erholung nach einem vorangehenden und der Sammlung zu einem neuen Hauptmomente bieten. Sie mit solcher Tiefe und Gewalt aussprechen, wie Bachs Rezitative, wär' Uebertreibung und Unwahrheit und zugleich eine Zerrüttung im wohlbedachten Bau des ganzen Kunstwerkes, in dem sich wie überall die Nebenmomente den Hauptmomenten unterordnen müssen. Ein Grund mehr, das Studium des Rezitativs bei leichtern und gleichgültigern Aufgaben zu beginnen (S. 380) und lange festzuhalten. ...

Quelle: Adolph Bernhard Marx, *Die Lehre von der musikalischen Komposition praktisch theoretisch, Dritter Theil*, Leipzig 1845, S. 386–392.
Lit.: Kurt-Erich Eicke, *Der Streit zwischen A.B. Marx und G.W. Fink um die Kompositionslehre*, Regensburg 1966 (Kölner Beiträge zur Musikforschung, 42.)

B 84

von Winterfeld: Theologie, Choralbehandlung und Parodieverfahren in der Kantate „Jauchzet, frohlocket, auf, preiset die Tage"

Leipzig, 1847

... Unter den Bachschen Weihnachtsmusiken gehört zu den wichtigsten eine Reihe von sechs Cantaten, die er selber unter die gemeinschaftliche Benennung: „Oratorium nativitatis Christi" zusammengefaßt, und sie insgesammt an die von den Evangelisten vorgetragenen kirchlichen Abschnitte für die Feste geknüpft hat, denen sie geweiht sind, wie dieses sonst allgemeiner nur in den Oratorien über die Leidensgeschichte zu geschehen pflegt. Drei dieser Cantaten gehören hienach den drei Festtagen der Weihnachtsfeier, eine dem Neujahrsfest, eine fünfte dem folgenden Sonntage, die letzte dem Feste der Erscheinung Christi, oder der heiligen drei Könige. Alle sind, der dabei gesetzten Jahreszahl zufolge, 1734 entstanden, haben also ihren Ursprung in der reifsten, bildungskräftigsten Zeit des Meisters, während seines Aufenthalts in Leipzig, wo er damals schon über zehn Jahre eingebürgert war.

Die erste der dem Weihnachtsfeste bestimmten Cantaten ist neben den gewöhnlichen vier Bogen-Instrumenten, noch durch zwei Flöten, zwei Hoboen, drei Trompeten und Pauken begleitet. Ihr erster Chor:

> Jauchzet, frohlocket, auf, preiset die Tage,
> Rühmet, was heute der Höchste gethan;
> Lasset das Zagen, verbannet die Klagen,
> Stimmet voll Jauchzen und Fröhlichkeit an!

in seinen Worten mahnend an jenes Oster- und Himmelfahrtlied von Johann Georg Ahle, Vorgänger Bachs im Organistenamt zu S. Blasien in Mühlhausen, die wir uns im zweiten Buche unseres zweiten Theiles vorüberführten *), befremdet beim ersten Anblicke durch den Ton, den er anstimmt; ein galantes Wesen, dessen wir, in vollstimmigen Gesängen zumal, nicht gewohnt sind bei des Meisters geistlichen Musiken. Die Pauken heben allein an, Flöten, dann Hoboen, antworten ihnen, zu herabbrausenden Gängen der Bogeninstrumente; zu dem Rollen der Pauke schmettern die Trompeten, dann treten sie wieder, singend, als ein Chor von Blechinstrumenten, den Flöten und Hoboen gegenüber; das Vorspiel, in diesem Sinne begonnen, geht in solcher Weise fort, und ihm folgt dann der arienhaft gehaltene vierstimmige Chor in zwei Theilen, meist in gleichem Fortschritte der Stimmen, wovon nur wenige Stellen im ersten Theile, und der Anfang des zweiten eine Ausnahme machen, nach dessen Schlusse der erste, wie in den meisten Arien jener Zeit, wiederholt wird. Alles dieses läßt uns einen weltlichen Ursprung ahnen, und wir täuschen uns darin nicht; dieser Chor ist entlehnt aus einem sogenannten „Dramma per musica" das jedoch nur eine Reihe meist knechtisch gehaltener Lobpreisungen im Munde allegorischer Figuren ohne alle Handlung darstellt, und zum 7ten December 1733 als Festmusik für die damalige Königin von Polen und Churfürstin von Sachsen durch Bach gesetzt war. Das Gedicht, dort beginnend mit den Worten: „Tönet ihr Pauken, erschallet Trompeten" etc. was wir denn in der Musik auch wirklich hören, hat Bach beseitigt, und dieser den mitgetheilten neuen Text anbequemt, den er wohl selber in Erinnerung jener älteren Reime seines Amtsvorgängers zusammengesetzt haben mag, auf die wir verwiesen, und die aus früherer Zeit her ihm noch im Gedächtniß waren. Nach diesem Eingange erhebt der Evangelist seine Stimme, zu der bloßen Begleitung des Basses den 1sten bis 6ten Vers im zweiten Capitel von Lucas' Evangelium recitativisch vortragend: die Erzählung

---

*)   S. 331. 339. Th. II.

des der Geburt des Herren unmittelbar Vorhergegangenen. Ein Arioso des Alt, von
zwei Oboi d'amore begleitet, unterbricht ihn mit dem Ausdrucke lebhafter Freude
über die bevorstehende Geburt des Erlösers; in einer zweistimmig begleiteten Arie
(durch ein Oboe d'amore und den Baß, ³/₈, A moll) setzt diese Stimmung sich fort;
wir vernehmen den Aufruf:

> Bereite dich, Zion, mit zärtlichen Trieben
> Den Schönsten, den Liebsten, bald bei dir zu sehn etc.

und nun schließt sich in vierstimmigem Gesange die erste Strophe des schönen
Adventliedes an von Paul Gerhard: „Wie soll ich dich empfangen" etc. doch nicht
mit der gewöhnlich dafür angewendeten Melodie Melchior Teschners zu dem Liede
von Valerius Herberger: „Valet will ich dir geben" sondern der des Passionsliedes
gleicher Strophe: „O Haupt voll Blut und Wunden" *). Und doch dürfen wir uns
nicht wundern, die Töne eines Passionsliedes hier, in einem Weihnachtsgesange,
angeschlagen zu hören. Ist nicht dem ersten Sonntage der Rüstzeit auf das Fest der
Geburt des Herrn, und dem Palmsonntage, der Pforte durch die wir eingehen zu
der Betrachtung seines erlösenden Leidens, ein und derselbe Abschnitt aus dem
Evangelium des Matthäus gemeinschaftlich, die Erzählung von seinem Einzuge in
Jerusalem, die mit dem Rufe endet: „Gebenedeiet sei, der da kommt in dem Namen
des Herrn?" singen wir nicht um die eine und die andere heilige Zeit jenes Lied Ger-
hards mit gleicher Erbauung? Die innere Beziehung beider Feste hat man von jeher
lebhaft empfunden, und auch in Werken bildender christlicher Kunst sie anschaulich
geltend zu machen gestrebt. Auf vielen Bildern aus der besten Zeit der Malerei im
sechzehnten Jahrhundert, sehen wir den kindlichen Erlöser auf dem Schooße seiner
Mutter, und zwei Engel zu seiner Seite; oft ist er schlafend, seltener wachend dargestellt. Ihm gegenüber, oder zum Hauptende, steht der Engel der Kindheit, der
frischen Entwickelung des jugendlichen Lebens, der Hoffnung; fröhlichen Antlitzes,
gelockten Hauptes, ein Flötlein blasend, oder eine Geige spielend; hinter ihm, oder
am Fußende, der Engel des Leidens und des Todes, ernsten, oft auch tief trauernden
Antlitzes, in die Saiten einer Lyra greifend, und schnell verklingende Töne ihr ent-
lockend, nicht hell forthallende, wie jener. Beide Engel finden wir aber auch wieder
neben dem Leichname des vom Kreuze Abgenommenen, er ruhe nun im Schooße
der trauernden Mutter, oder werde von ihnen allein gehalten. Der Engel der Kindheit erscheint uns dann mit klagendem Antlitze und in bittern Thränen, aus den
Augen des Leidens- und Todesengels bricht aber ein seeliges verklärtes Lächeln hervor; trauert jener über das erloschene Leben, so durchdringt diesen das erhebende
Gefühl des heilig vollbrachten, und die Ahnung des glorreichen Auferstehens.

In ähnlichem Sinne hat nun Bach zwei Weihnachtsmelodieen in Verbindung gebracht mit der schönen Weise des erwähnten Passionsliedes, und auch diese einander eigenthümlich entgegengesetzt; aus einer übereinstimmenden Empfindung, so

wenig er irgend ein Verhältniß gehabt haben mag zu der bildenden Kunst früherer
Zeiten, oder wenn er es gehabt, mit Darstellungen bekannt gewesen seyn wird, wie
die vorübergeführten. Es sind die Weisen der Lieder: „Gelobet seist du, Jesu Christ"
und: „Vom Himmel hoch da komm ich her", die ich meine. Unmittelbar darauf,
nachdem wir das: „Wie soll ich dich empfangen" vernommen haben in den Tönen
des: „O Haupt voll Blut und Wunden" erhebt der Evangelist seine Stimme, mit dem
7ten Verse an der bezeichneten Stelle der Erzählung von des Herrn Geburt: „und sie
gebar ihren ersten Sohn, und wickelte ihn in Windeln, und legte ihn in eine Krippe,
denn sie hatten sonst keinen Raum in der Herberge." Nun beginnt ein sanftes, ge-
sangreiches Vorspiel zweier Hoboen und des Basses (G dur, $^3/_4$), und wir hören
dann, von der Oberstimme vorgetragen, aus Luthers Liede: „Gelobet seist du Jesu
Christ" die erste Zeile der sechsten Strophe:

    „Er ist auf Erden kommen arm" **)

die den letzten Worten des Evangelisten so nahe sich anschließt. Der Baß ruft dazwischen: „Wer will die Liebe nicht erhöhen, die unser Heiland zu uns trägt?" In ganz
gleicher Behandlung folgt die 2te Zeile:

    „Daß er unser sich erbarm'"

und abermals unterbricht der Baß mit folgenden Worten: „ja, wer vermag es einzusehen, wie ihn der Menschen Leid bewegt?" So gehen nun in gleicher Art Lied und
Betrachtung neben einander fort:

    „Und in dem Himmel mache reich,"
   Des Höchsten Sohn kommt in die Welt;
   Weil ihm ihr Heil so wohl gefällt
    „Und seinen lieben Engeln gleich"
   So will er selbst als Mensch geboren werden.
   Kyrieeleis.

Die Behandlung der schönen, alten Singweise unseres Liedes, nicht als Chor- sondern Einzelgesang, eingeleitet und unterbrochen durch sanftes, selbständiges,
meist nach der weichen Tonart gewendetes Instrumentenspiel – wie denn auch die
Modulationen der Weise selbst durch die begleitende Harmonie meist als solcher
Tonart angehörig gedeutet werden; – das Verstummen des Tones von einem Lob-
liede, an dessen Stelle der Ausdruck rührender, liebreicher Demuth gesetzt wird;
alles dieses läßt uns deutlich erkennen, daß die Geburt des Herrn dem Meister jenes
Wort des Apostels in das Gedächtniß gerufen: „er äußerte sich selbst, und nahm
Knechtsgestalt an," und daß er in ihr bereits den Beginn seines Leidens geschaut
habe. Zweifelloser und eindringlicher wird dieses noch durch die Behandlung der
vorangehenden Passionsmelodie, denn diese erscheint hier nicht als eine ionische,

*)   Choral-G. 344. Becker 21, G.
**) S. Beispiel 104a.

wie bei ihrem Sänger und Setzer Hans Leo Haßler, und in vielen anderen Sätzen Bachs über dieselbe, sondern in der geheimnißvollen Herbheit der phrygischen Tonart. Wir können also in beiden, dicht neben einander gestellten Melodieen, den ernsten, trauernden Engel unserer alten Bilder wiederfinden; den kindlich-fröhlichen aber erkennen wir in der am Schlusse dieser Cantate uns begegnenden des lutherischen Weihnachtsliedes: „Vom Himmel hoch da komm ich her," zu dessen 13ter Strophe sie erklingt:

Ach mein herzliebes Jesulein
Mach dir ein rein sanft Bettelein
Zu ruhn in meines Herzens Schrein,
Daß ich nimmer vergesse dein etc. *)

und in diesem Sinne ist sie auch in der That 4stimmig gesetzt; nur hat, nach der Absicht des Meisters, der Festjubel des Beginnes seiner Musik auch in sie, als Krone des Ganzen, wieder hineintönen sollen, darum hat er Zwischensätze und ein Nachspiel dreier Trompeten und der Pauken ihr eingewoben und angehängt. Unmittelbar aber folgen diese Melodieen in ihrer so eigenthümlich unterschiedenen Behandlung nicht aufeinander. Zwischen der letzten, und der ihr vorangehenden steht eine Arie von zwei Theilen (D dur, $^2/_4$) durch die 4 Geigeninstrumente und eine wesentlich mitwirkende Trompete begleitet:

Großer Herr und starker König,
Liebster Heiland, o wie wenig
Achtest du der Erden Pracht etc.

eine Arie von pomphaftem Ausdrucke, und dadurch im Widerspruche mit dem Bilde, das die vorangehenden Gesänge uns darstellen. Wir finden auch bald, daß sie eine entlehnte ist; sie gehört, gleich dem Anfangschore unserer Cantate, jenem sogenannten Drama an zur Ehre der Königin von Polen, wo sie ganz an ihrer Stelle ist, indem die Gefeierte dort als „Cron' und Preiß gecrönter Damen" völlig angemessen mit Trompetenklange angeredet wird *). Irre ich nicht, so dürfte Folgendes die Veranlassung ihrer Aufnahme in unsere Weihnachts-Cantate seyn. Jene zwischen die Zeilen der 6ten Strophe des Liedes: „Gelobet seist du, Jesu Christ" eingewobenen Reime stellen den Text einer Arie vollkommen selbständig dar, und wahrscheinlich hatte Bachs unbekannter Dichter sie auch für eine solche bestimmt. Der Meister zog jedoch vor, wie er in früheren Cantaten, namentlich den auf Choräle gegründeten gethan hatte, sie der so eigenthümlich von ihm aufgefaßten Melodie einzuverleiben, entbehrte aber dadurch nun einer Arie, womit er den Schlußgesang einzuleiten wünschte, der in festlichem Tone dem Anfangschore anklingen sollte. Wie er nun

---

*)   Choralgesänge, 45; Becker 45 A.

diesen bereits aus einer früheren Arbeit entlehnt hatte, griff er auch jene dort heraus, die Worte ihres Textes eben nur umdichtend, und so gelangte sie hieher, wohin sie uns nicht zu gehören scheint.

*)   Cron' und Preis gecrönter Damen,
Königin, mit deinem Namen
Füll' ich diesen Creiß der Welt;
Was der Tugend stets gefällt,
Und was nur die Helden haben,
Seyn dir angeborne Gaben.

Quelle: Winterfeld 1847, S. 343–347.
Anm.: Die in von Winterfelds Fußnoten erwähnten Quellenverweise beziehen sich auf folgende Ausgaben: Johann Sebastian Bachs vierstimmige Choralgesänge, Leipzig 1784–1787 (→ Dok III, 897); Johann Sebastian Bach, Vierstimmige Kirchengesänge, herausgegeben von Carl Ferdinand Becker, Leipzig, Friese 1841 (→ C 88). Im Notenanhang zu Winterfelds Buch befindet sich als Musikbeispiel 104a ein zusätzlicher Partiturabdruck des im Text analysierten siebenten Satzes der Kantate, auf dessen Wiedergabe hier verzichtet werden konnte.

B 85

Von Weber: Vergleichende Analyse eines Choralsatzes von Bach und seiner Umarbeitung durch Vogler

Leipzig, [1810]

…

Choral IV
Es ist das Heil uns kommen her.
Vergleichungsplan der Schlussfälle.
Bach.   A. H. A. H. H. Cis. E.
Vogler.   – – D. E. – – –

Ref. kann hier nicht unbemerkt lassen, wie Takt 3 und 7 in den 3 Oberstimmen eine ganz andere Harmonie, als die dem Basse nach zu erwartende sich befindet, welches Bach offenbar dem Gange des Basses zu Liebe getan hat. Da sich dergleichen noch öfters vorfindet, so drängt sich die Bemerkung auf, daß Bach oft um den Gang einzelner Stimmen zu erhalten, die Harmonie opferte.
Die Begleitung Vogler's zu diesem Choral ist ein Meisterstück, das durch seine vortreffliche edle Haltung jeden entzücken muß. Die durchaus analoge Fortschreitung des Tenors und Basses, gleich der erste Eintritt des letztern im 4ten Viertel des ersten Taktes (und die Anwendung hievon im Takte 6–7) ist ungemein reizend. …

Quelle: Carl Maria von Weber, *Zwölf Choräle von Sebastian Bach, umgearbeitet von Vogler, zergliedert von Carl Maria von Weber*, Leipzig, bei C. F. Peters. (Bureau de Musique.), o. J. [1810], Sp. 5.
Anm.: Der von Weber analysierte und von Vogler bearbeitete Bach-Choral entspricht BWV 86/6.
Die Publikation setzt die bereits 1800 in Kopenhagen erschienene Ausgabe „Abt Vogler's Choral-System" fort (→ Dok III, 1039).

B 86

[Hirschbach]: Vergleichende Analyse von Beethovens Missa solemnis
und Bachs h-Moll-Messe

Leipzig, 17. April 1843

Keine Schaar der Bewunderer eines Componisten ist bunter und seltsamer, als die der Bewunderer Beethoven's. Manche verstehen ihn bis zu seinem 40sten, Manche bis zum 100sten, wieder Andere, aber die Wenigsten, vermögen ihm bis zu seinen letzten Werken zu folgen. Unter diesen zeichnet sich seine große Messe in D-Dur (Op. 123.) als eine Vielen unbekannte, von dem Autor selbst aber vorgezogene Schöpfung besonders aus. Es ist bekannt, daß er sie als sein vollendetstes Werk bezeichnet hat, über dessen Ausarbeitung er über drei Jahre (1818–22) zugebracht. Nichtsdestoweniger hat er selbst wohl keine vollständige Aufführung davon erlebt, und eine solche hat bis jetzt, unserm Wissen nach, nur äußerst selten, – zuletzt in Dresden – stattgefunden. Die Ursache davon liegt wohl in dem Genre selbst und zugleich auch in den großen Schwierigkeiten, welche der Meister darin den Sing-stimmen zugemuthet. Und doch ist außer der Bach'schen h-Moll-Messe im ganzen Reiche der Tonkunst keine andere derartige, ebenbürtige Leistung vorhanden, auch wohl, außer noch von Händel, von keinem andern Heroen denkbar. Beide Werke sind aber von einander gänzlich verschieden, wie der Charakter der Jahrhunderte ihrer Entstehung. Bach ist ein durch und durch kirchlicher Meister; seine Composi-tionen erfassen uns mit einem leisen Schauer, ähnlich dem, wenn man in die tiefen, geheimnisvollen Räume mancher großen, alterthümlichen Kirchen tritt; Beethoven kann auch in seinen geistlichen Compositionen den Sohn der neuen Zeit nicht ver-leugnen, und seine Messe ist wohl eine Anbetung, aber eine Anbetung des Gottes der Natur, nicht allein des Gottes der Christenheit, wozu schon der theatralische

Charakter des katholischen Ritus, in dessen Formen sie gehalten, Veranlassung
giebt. Diese große Verschiedenheit lässt sich, hört man von beiden Meistern auch
nur ein einziges Stück, ja nur ein einzelne Themen über dieselben Worte, nicht verkennen.

…

Das Kyrie eleison, nach einer kurzen Instrumentaleinleitung abwechselnd vom Chor
und den drei obersten Solostimmen intonirt und von ersterem zu Ende geführt,
wirkt bei vollständiger Instrumentation durch Einfachheit und schöne Melodie. Ver-
webter und in dunklerer Färbung gehalten tritt das Christe eleison (H-Moll) auf,
zwei in freier, imitatorischer Behandlung geführte Themen; das schließende Kyrie
ist wieder ganz freier Satz. Viel strenger verfährt Seb. Bach in seiner H-Moll-Messe.
Schon im Kyrie sticht der selbständige Gang seines sechsstimmigen Orchesters
(2 Flöten und Oboen nebst dem Streichinstrumente) und seiner fünf Singstimmen
hervor. Das Kyrie eleison ist bei ihm ein Fugensatz. Das Christe singen zwei Soprane
mit Begleitung von Violine und Continuo. Darauf erscheint das Kyrie in einem
neuen Fugensatze zum Unisono aller Instrumente wieder.
In dem Gloria Beethoven's liegt eine Erhabenheit, die bei der Aufführung die außer-
ordentlichste Wirkung auf uns machte. Es ertönt wie eine Prachtfeier des großen
Weltenschöpfers, und trägt durch Einzelausführung, durch Instrumentationsfülle,
durch die so mannichfaltige Malerei den Charakter einer erhabenen, einsamen
Wildniß an sich. Nach dem jubelnden Gloria in excelsis deo, Allegro viv. 3/4 (in der
unisonen Begleitungsfigur liegt das Gegenthema zum Trio der neunten Symphonie
verborgen), folgt im leisen Zusammenklange das pax hominibus, bis im laudamus
te die Stimmen sich in lebhaften Ausrufungen wieder voneinander trennen. Nun tritt
ein Gratias (B-Dur, Meno allegro) das Soloquartett imitirend ein, das aber nach ein-
maliger Durchführung der Chor bald wieder mit demselben Gedanken ablöst, und
mit ihm abwechselnd bis zum Qui tollis (Larghetto 2/4 F-Dur) bewegt weiter führt.
Wie der Tondichter den folgenden Text bald bittend und zerknirscht wie im Miserere, bald feiernd und anbetend, wie im Quoniam tu solus behandelt, kann hier, wo
nur ein Inhaltsverzeichniß gleichsam gegeben werden soll, nicht weiter ausgeführt
werden. Nur auf die Schlussfuge, mit der Vergrößerung einmal in der Oberstimme,
und zuletzt mit der Verkehrung, müssen wir, als auf ein Werk Beethoven'scher
Kunst, deren Wesen immer Einfachheit ist, aufmerksam machen.
Noch weiter aber führt Bach sein Gloria in der H-Moll-Messe aus. Es beginnt unter
Begleitung von drei Trompeten, Pauken, 2 Oboen und Streichinstrumenten, mit einem fugirten Satze bei möglichster Selbstständigkeit aller Stimmen, wie man es von
Bach gewohnt ist. Der aufrichtige Jubel eines Christen über seinen Gott, spricht aus
diesem glänzenden Stücke. Das Laudamus te singt der Sopran mit Begleitung einer
Solovioline und der Streichinstrumente. Das Gratias ist wieder mit dem vorigen vollen Orchester, ein Fugensatz mit gewichtvollem Thema. Domine Deus singen Sopran und Tenor begleitet von obligater Flöte und Streichinstrumenten. Im Qui tollis
ist wieder fünfstimmiger imitatorischer Gesang mit zwei Flöten und Streichinstru-

menten. Qui sedes singt der Alt begleitet von obligater Oboe d'Amour und Saiteninstrumenten. Zum vom Baß vorgetragenen Quoniam tu solus erklingen ein Corno,
zwei Fagotti und Continuo, bis bei'm Cum sancto spiritu alle Stimmen mit allen
genannten Instrumenten zur glänzenden Prachtfeier sich vereinigen. Bach mit seiner
innerlichen, religiösen Erfülltheit, ist offenbar mehr Ausleger, Beethoven nur Maler
des Textes.

Vor allem bot diesem Meister das Credo Stoff zum mannichfaltigsten, dramatischen
Ausdrucke; namentlich vom incarnatus (mit obligater Flöte) bis zum ascendit in
coelis, wo er seine Kunst in schildernder Instrumentation und Erfindung geltend
macht. Die erschütterndere Behandlung des Crucifixus von Bach, der entblößt von
den Mitteln der Neuzeit seine Wirkung in die Erfindung des Thema's legen musste,
ist bekannt.

Das schönste Stück der Beethovenschen Messe aber ist vielleicht das Sanctus. Das
Sanctus dominus Sabaoth singen die Solostimmen begleitet von den tiefern Saiten-
und Blasinstrumenten nebst Posaunen, zuletzt unter dem Tremulando der Begleitung auf dem Dominanten-Nonenakkorde pp verhallend. Prachtvoll erhebt sich
nun im Allegro pesante das Pleni sunt coeli gleichfalls vom Solo gesungen. Eben so
das Osanna. Nun folgt, dem katholischen Ritus gemäß, ein kurzes Präludium von
Flöten, Fagotten, Bratschen und Bässen, und leitet in das Benedictus (Sostenuto $^{12}/_8$
G-Dur) über, das der Chorbaß beginnt, begleitet von den leisen Klagen einiger Blasinstrumente und einer obligaten Violine, die das ganze weit ausgeführte Benedictus
hindurch ihren einsamen, nur von der Clarinette in der tiefern Octave manchmal
begleiteten Weg geht. Ein wunderbar instrumentirtes Stück, wie es eben nur Beethoven gemacht haben mag. Die leisen Klänge der Posaunen, das abwechselnde pizz.
und arco der Saiteninstrumente geben dem Ganzen eine romantische, geheimnis-
volle Färbung, die dem Charakter des Katholicismus am meisten entspricht.

In dem Agnus zeigt sich ohne Zweifel neben Großartigem auch vielleicht minder
Ansprechendes, vorzüglich in der weitläufigen Ausführung des dona nobis pacem.
Der Meister hatte allerdings damals vielleicht mehr als jeder Andere Veranlassung,
um äußern und innern Frieden zu bitten! Seinen Reichthum in allem Künstlerischen
beweist er freilich und eben recht hier, und des theatralisch Ergreifenden findet man
auch darin genug.

So mögen dem Beispiele Dresdens bald auch andere Städte in vollständiger Aufführung dieser Messe folgen. Man wird sich davon belohnt fühlen. Ihre Kunst gehört ja nicht bloß einer Glaubenspartei, sondern der musikalischen Gesammtheit an,
und es ist eine Schmach und Schande, daß so viele der spätern Werke Beethovens
unaufgeführt bleiben, gleichsam als fürchtete man eine Erscheinung, die schon dagewesen ist. Was hilft alles Verstecken unter Vorwänden. Man gehe also muthig an's
Werk, damit unsere Nachkommen nicht mit Fingern auf uns weisen.

Quelle: [Hermann Hirschbach], *Die Beethoven'sche grosse Messe.* (NZfM, 18. Bd., Nr. 31, 17. April
1843, S. 123–125.)

Lit.: Martin Geck, Als Praeceptor Germaniae schlägt Bach Beethoven. Zur politischen Instrumen-
talisierung der Musikgeschichte im Vormärz, in: Bericht Konferenz Leipzig 2005, S. 31–38.

B 87

ROCHLITZ: ANALYSE DER MESSE IN A-DUR
LEIPZIG, 3. MÄRZ 1819

… Diese Missa, aus Vater Sebastian Bachs eigenhändigem Manuscript zum erstenmal herausgegeben, ist nun allerdings so eine gute Gabe; wenn gleich eine von
denen, die den grossen Mann mehr in seiner Zeit, als über derselben darstellen.
Denn gestehen wollen wir doch, bey aller Ehrfurcht für Vater Sebastian: er war zwar
in Deutschland, wenigstens im nördlichen, allerdings Herrscher seiner Zeit, doch
zugleich auch ihr Geschöpf; wie das ja mit allen Herrschern nicht anders der Fall
ist. Und wenn gar Manches in seinen Werken, was damals nur herkömmlich und
gebräuchlich war, uns jetzt ganz eigenthümlich und ursprünglich vorkömmt: so
liegt das an *uns*, die wir an ein, nicht nur verschiedenes, sondern entgegengesetztes
Herkömmliche und Gebräuchliche gewöhnt sind. Doch ist dabey allerdings nicht
zu vergessen, dass Heroen, wie Sebastian Bach, auch das zu ihrer Zeit Gewöhnliche
nicht ohne Geist, und meistens auch nicht ohne Spuren *ihres* Geistes in seiner Besonderheit, geleistet haben, und zu allen Zeiten leisten werden; woraus sich eben
bildet, was man *ihren* Styl (dies Wort in der engern Bedeutung genommen) zu nennen pflegt. Das ist es denn auch zunächst, däucht mich, warum die Werke solcher
Meister, selbst die kleineren und minder ausgezeichneten, stets interessant, stets
lehrreich, und auch, wenigstens als den Geist spannend und die Empfindung erweiternd, stets erfreulich seyn und bleiben werden.
Es scheint, das hier genannte Werk Seb. Bachs war zunächst für ein kleineres
Locale und Personale, auch für künstlerisch weniger ausgebildete Zuhörer und
Musiker geschrieben, als die meisten seiner andern Kirchencompositionen. Das
macht es für unsre Zeit nur um so leichter verständlich und um so ausführbarer;
und wenn manche der Vorzüge dieses Meisters, namentlich seine unermessliche
Combinationsgabe, und seine unwiderstehlich imponirende Kraft, wo er diese einmal hell auslässt, hier weniger glänzend hervortreten: so fehlt es doch auch hier
nicht ganz an Beweisen von beydem; dagegen ist es ein Vortheil, dass mehre sehr
einfache, milde Sätze vorkommen, und auch die anderen nicht stark besetzt zu seyn
brauchen, so dass also selbst kleinere Dilettantengesellschaften, wenn sie denn doch
auch einmal etwas von dem hochberühmten Meister hören und versuchen wollen,
sich getrost an diese Missa wagen können.
Ein Besonderes in der Anordnung dieses Werks müssen wir gleich hier erwähnen,
da es fast durch das Ganze hindurch geht; und das sind zwey überall obligate, oder

vielmehr durchgängig *selbstständige* Flöten. Es ist ganz eigen und zuweilen gar wunderbar, wie der Meister es möglich gemacht hat, dass diese Instrumente überall ihre besonderen Wege gehen, selbst in den fugirten Sätzen, – z. B. dem letzten – wo doch jede Singstimme auch ihren eigenen Weg geht, und die anderen Instrumente die ihrigen gleichfalls, und, allerdings bey sehr mässiger Besetzung des Ganzen, doch auch wirklich überall zu Gehör kommen und im richtigen Verhältnis bleiben. –

Das *Kyrie* – aus A dur, Adagio, Dreyvierteltakt – fängt einfach an, ist mehr auf Melodie, als kunstreiche Harmonie berechnet, und schreitet nicht über das damals Gewöhnliche hinaus. – Wunderbar aber und ganz originell, für Geist und Gefühl gleichaufregend, ist das *Christe*, das sich in demselben Tempo, nach gänzlichem Schluss in A dur, anschliesst; wunderbar und originell wird man's finden von der ersten bis zur letzten Note. Man sehe hier den Anfang: (die Föten schweigen:)

Nun – wird der Leser sagen – das ist recitativisch *a tempo!* Aber nein; nichts weniger, als dies: es ist ein fugirtes Thema, das, unter stets also fortgehaltenen Accorden der Saiteninstrumente, von den vier Singstimmen im Chor mit grösster Consequenz und Strenge durchgeführt wird; ja wozu, nachdem es den ersten Kreislauf durch diese genommen, immer unter gleichem Accompagnement der Saiteninstrumente, auch die Flöten, *unisono*, als fünfte fugirende Stimme hinzutreten und dasselbe Thema ausführen; so dass die Verhältnisse also sich bestimmen: (wir lassen, den Raum zu sparen, die Accorde der Violinen und Viola weg:)

Wenn das nicht edel und würdevoll, neu, kunstreich und durchaus meisterhaft ist: was ist es denn? – Der Satz schliesst auf der Dominante von H moll mit grosser Terz, und darauf tritt – wieder ganz eigenthümlich – ein neues Fugenthema ein, mit *Kyrie eleison*, welches, wiewol es im Tempo nicht schnell zu nehmen, doch durch Ausdruck und Figurirung lebhafter hervortritt. Es ist weiter und breiter, als das *Christe*, dabey eben so kunstvoll, doch mehr in (damals) gebräuchlicher Form, und mit mehr Licenzen (in Hinsicht der einander übersteigenden Stimmen, geschärften Harmonien, rauh durchgehenden Noten u. dgl.) ausgeführt; auch ist es viel schwerer, als jenes, in allen seinen Stimmen zu verfolgen; mithin viel schwerer zu verstehen und zu geniessen. Gern beschrieb ich diesen Satz mit seinen wunderbaren Eigenheiten näher; gern auch die ausgezeichneteren unter den folgenden: es ist aber nicht möglich ohne häufige Notenbeyspiele, und diese darf ich mir nicht verstatten. Es habe also mit einer kurzen Uebersicht sein Bewenden; wird doch, schon nach dem Angeführten, jeder Kenner und ernste Musikfreund ohnehin sich selbst mit dem Werke bekannt machen wollen! –

Das *Gloria* ist wieder gleich im ersten Entwurf originell. Es besteht aus zwey kurzen, ganz verschiedenen Sätzen in freyem Styl: einem *Vivace* im Viervierteltakt, und einem *Adagio* im Dreyvierteltakt; welche Sätze einander mehrmals unterbrechen, mit einander wechseln, in den Hauptsachen, aber stets verändert und gesteigert, wiederkehren, und ernst und höchstvollstimmig enden. Zum ersten dieser Sätze sind die Worte gebraucht: *Gloria in excelsis – Laudamus – Glorificamus –* zum zweyten: *Et in terra pax – Adoramus – Gratias agimus –* Der erste hat etwas sehr Frisches und Lebendiges im Gesang und auch in der Begleitung: der zweyte ist ernst und zum Theil seltsam. Man muss es – wie eigentlich solche Musik überhaupt – hören, dann sehen, und nun wieder und öfter hören.

Domine Deus – ist ein ganz eigentliches Trio aus Fis moll, wie man dergleichen ehemals, noch mehr auf der Orgel, als im Gesange, so vorzüglich liebte, und in die unsre Väter wahre Schätze von Kunst niederzulegen pflegten. Auch dieses ist nicht arm daran; übrigens aber lang, für unsre Zeit wol gar zu lang. Es ist geschrieben für Eine Violin, einen Basssänger und den Instrumentalbass. Der Sänger, der es gehörig vortragen will, mag sich aber nur darauf gefasst machen, seiner Sache gewiss zu seyn, obschon seine Stimme nicht schwer scheint.

Qui tollis – ein Sopransolo aus H moll, ist nun wieder gleich in der Anordnung ganz eigen, in der Ausführung aber, sowol dem Ausdruck, als der Kunst nach, ein bewunderswerthes, köstliches Meisterstück. Es ist geschrieben – nur für den, nirgends durch ein Instrument unterstützten Solosopran und die zwey Flöten, wozu Violinen und Viola in *unisono* den Bass machen. Die Singstimme hat eine sehr einfache, mildfliessende, wehmuthige Melodie, nach Art eines Arioso; die Flöten, im Ausdruck mit ihr einstimmig, in den Figuren ganz abweichend, aber einander selbst gleich, bewegen sich immerfort um jene Melodie in strengen canonischen oder sonst contrapunktischen Wendungen, gleichfalls mildfliessend, und an sich auch sehr einfach; jener hohe Bass endlich giebt meistens zu den drey Stimmen blos die Grundnoten an. Nichts ist hier gekünstelt, und alles doch so kunstreich; nichts schwer zu fassen, und alles doch so tief; nichts ohne innigen Ausdruck, und alles doch so ruhig und eng begränzt: noch einmal: es ist ein bewundernswerthes, köstliches Meisterstück; und es möchte Einen fast traurig machen, denkt man daran, was alles jetzt an Mitteln aufgeboten wird, um – wenn's ja gelingt – allerhöchstens dasselbe zu wirken; und, wie's nun ist, wol auch aufbieten muss. –

Quoniam – für eine Altstimme, (D dur, Sechsachteltakt,) ist nicht mehr und nicht weniger, als eines der ehemals so gewöhnlichen Duos mit in Achteln fortlaufendem *Continuo*. Die zweyte Stimme haben die Geigen *unisono*. Wer es etwas trocken und zu lang findet, dem kann ich nicht widersprechen.

Cum sancto spiritu – fängt mit einer kurzen, feyerlichen Einleitung an, welche unmittelbar in ein *Vivace* (A dur, Zwölfachteltakt,) übergeht. Hier hat Vater Bach denn wieder sein erstaunliches Talent für Vollstimmigkeit losgelassen, so weit nämlich, als es die hier beschränkten Mittel zuliessen. Die vier Singstimmen machen ihr Thema:

für sich unter einander aus; die vier Saiteninstrumente das ihrige in Achteln, aber freyer und nur einander imitirend, gleichfalls; und die Flöten, die hier, um gehört zu werden, freylich mit einander gehen mussten, spielen, wieder mit eigener Figur, in laufenden Sechzehntheilen, heiter um beydes herum. Wie sich nun dies alles immer

enger in einander flicht, das Ganze damit immer höher getrieben wird, jeder Einzelne fest und frey einhertritt, und doch auf der scharf vorgezeichneten Linie bleibt, so
dass Einem dies, wie manches ähnliche Kunstgebäude Bachs an den Staat erinnern
möchte, dessen herrliche Schilderung dort Göthe seinem Antonio in den Mund legt;
an den Staat,

Wo jeder stolz gehorcht,
Wo jeder sich nur selbst zu dienen glaubt,
Weil ihm das Rechte nur befohlen wird –

das muss man im Werke selbst nachsehen. –
Die Partitur ist so schön und so correct gestochen, wie man es von dieser Verlagshandlung gewohnt ist. Auch ist der Preis sehr mässig.   *Rochlitz.*

Quelle: Friedrich Rochlitz, *Recension. Missa a 4 Voci, 2 Flauti, 2 Violini, Viola ed Organo, di Giov.*
Sebast. Bach. No. 1, dopo Partitura autografa dell' autore. Bonna e Colonia, presso N. Simrock. (AMZ,
21. Jg., Nr. 9, 3. März 1819, Sp. 133–140.)
→ C 64.

B 88

Mendelssohns Paulus und die Bachschen Passionen
Wien, März 1839

(Wien.) Freytag, 1. März brachte die Gesellschaft der Musikfreunde in ihrem Concertsaale das beynahe in allen Gegenden Deutschlands wie auch in England mit
ausgezeichnetem Beyfalle aufgenommene Oratorium: „Paulus," von Felix Mendelssohn-Bartholdy zur Darstellung. Es wäre wohl nichts leichter, als über diese großartige Tondichtung Jubellieder ins Blaue zu quacken, es wäre nichts leichter, als in
die tausendstimmige Posaune zu stoßen, und Mendelssohn's „Paulus" in Bausch
und Bogen der S. Bach'schen Passionsmusik oder Händel's „Messias" an die Seite
zu stellen. Enthusiasmus ist aber kein Urtheil und Verzückung schließt die Einsicht
aus. Auch haben dergleichen Preisgesänge selbst bey der großen Masse bereits
ihren Credit verloren. Die Marktschreyer der Tageskritik würfeln ja täglich das
Triviale mit dem Erhabenen, das Winzige mit dem Gigantischen in einen Haufen
zusammen, zerschnitzeln mit frechen Vergleichen die Titanen der Kunst, blasen die
Knäblein derselben mit pauspackigem Lobe auf, und ihrem Lobe wie ihrem Tadel
muß somit das gerechteste Mißtrauen werden. Wenn aller Größenunterschied auf-
hört, dann paßt ja ihr zwerghafter Maßstab, dann ist ihre Herrschaft gesichert. Wie
leicht ist es aber, einen großen Nahmen auszusprechen, wie schwer, ihn zu begreifen! Wie viele sind denn eigentlich in unserer erschlafften und ins Grubenwasser
fauler Lust getauchten Zeit der Tiefe jenes vornehmen Geistes gewachsen, der, ein

Fürst im Reiche der Combinationen, Diamantenschachte beherbergt, die nur dem strengsten Sinne, dem beharrlichsten Eifer zugänglich sind? Wer mit dem großen Sebastian in geistigen Rapport treten will, muß den ganzen Menschen energisch in sich durchgebildet haben, muß nicht bloß hören, muß auch denken, muß nicht bloß empfindeln, muß auch fühlen, muß mit scharfem Blicke das Gemeine in der Maske des Arioso, das Seichte in der Maske der Grazie, das Weibische in der Maske des Empfindungstiefen zu unterscheiden wissen, damit Hohes und Mannhaftes, Edles und musikalisch Würdiges sein Inneres durchzittere, seine geheimsten Fibern beseele! Ja, leichter ist dieser große Nahme ausgesprochen, als begriffen! Wie viele haben ferner in dem versumpften Leben der Gegenwart die Solidität des Urtheils, die Frische der Auffassung zu bewahren gewußt, um mitten durch die Fremdartigkeit mancher Formen den Weltinhalt jenes Geistesriesen zu durchdringen, über den sein grösster Zeitgenosse, derselbe Sebastian ausgesagt hat: „Das ist der Einzige, den ich sehen möchte, ehe ich sterbe, und der ich seyn möchte, wenn ich nicht der Bach wäre," den Beethoven für „den unerreichten Meister aller Meister" erklärte? Wer mit Georg Friedrich Händel in wahrhaft substantielle Bezüge treten will, der muß – wenigstens nicht zur Fahne Donizetti's schwören? Auch dieser Georg Friedrich Händel ist leichter ausgesprochen, als begriffen. Wer also mit solchen Nahmen willkührlich umspringt, der drückt höchst leichtsinnig jene nieder, die er durch einen Vergleich mit ihnen heben wollte. Auf so Großes kann nun zwar Mendelssohn's „Paulus" nicht Anspruch machen, um neben jene Heroen gestellt zu werden, aber er glänzt durch so viele ungewöhnliche Vorzüge, daß er den Beyfallssturm verdient, mit dem er hier, wie überall, aufgenommen worden ist. Der Tondichter desselben, noch Jüngling als er ihn schrieb, muß als das wahre Vorgebirge der guten Hoffnung angesehen werden, das in den jetzigen Wellenbruch der Kunst mit ruhiger Hoheit hineinragt. Ich habe dieß herrliche Werk nur einmahl gehört, kann auch daher für jetzt mich nur auf Allgemeines beschränken.

Geist und Form des Ganzen deuten auf ein Studium, auf eine ins tiefste Leben gedrungene Aneignung Bach's, wie sie vielleicht keinem der Jetztlebenden in solcher Fülle geworden. Keineswegs ist aber dieser „Paulus" eine bloße Nachahmung Bach's. Höchst geistreiche Benützung Bach'schen Sinnes, lebendig gewordene, in Mark und Blut übergegangene Bach'sche Kunstprincipien sind weit, sehr weit von einer bloßen Nachahmung verschieden. Dabey ist die Gestaltung des Erfaßten eine durchweg veredelte, populäre, der Zeit angepaßte.

…

Der unvergleichliche Choral 16 mit dem Einfallen der Blechinstrumente (Wachet auf), so wie der Choral 29: „Jesu Christe, wahres Licht," gehören zu den merkwürdigsten Stücken. Man kann zwar den Chorälen überhaupt nicht ohne Grund eine zu reiche Pracht des Vocale sowohl als der Instrumentale vorwerfen, man sollte aber bedenken, daß Mendelssohn nicht wie Bach ein Passionsoratorium schrieb, also auf die Mitwirkung der singenden Gemeinde im Chorale keine Rücksicht zu nehmen hatte. Auch ist der Charakter mancher von ihnen ein aufregender, daher mehr Fülle gestattend. Der Meisterchor 15: „Mache dich auf, es werde Licht!" so wie Pauli Arie 18, wären allein hinreichend, von höherer Weihe, vom wahren Genius des Dichters ein sehr vortheilhaftes Zeugniß zu geben. Die herrlichste Frucht des Studiums der Bach'schen Werke dürfte aber die seltene Geschicklichkeit seyn, mit der er jede Einzelstimme in solcher Realität behandelt, daß sie ein selbstständig fortsingender Theil ist, und doch mit den andern sich in ein charaktervolles Ganzes zusammenschlingt. …

Quelle: AMAnz, 11. Jg., Nr. 10, 7. März 1839, S. 67f. und 69 *(Heimathliches und Fremdes.)*
Anm.: Der mit „C. T." gekennzeichnete Autor konnte nicht ermittelt werden.

B 89

HENTSCHEL: UEBER SEBASTIAN BACH'S GROSSE PASSIONSMUSIK
NACH DEM EVANGELIUM MATTHÄI
ERFURT, JUNI UND JULI 1841

Nachdem nun auch in Leipzig die große Bach'sche Passionsmusik aufgeführt worden ist [*] und die öffentlichen Blätter Manches darüber mitgetheilt haben, so bin ich von Mehreren, die weder jener Aufführung beiwohnen noch die Partitur oder den Klavierauszug erlangen konnten, gefragt worden, was es denn eigentlich mit dieser hochgerühmten Passion für eine Bewandtniß habe.

[*]   am vergangenen Palmsonntage

Es wird daher nicht überflüssig sein, Einiges zur Antwort auf die erwähnte Frage hier beizubringen, wenn auch zumeist nur in Betreff der äußerlichen Gestaltung des gefeierten Tonwerkes. Ich halte mich dabei an die Partitur, wie sie im Jahre 1830 bei Schlesinger in Berlin erschienen ist. [*]

[*]   Diese Partitur enthält 324 eng gestochene Seiten in gr. Folio und kostet 18 Thlr. Der von Hrn. Prof. Marx gearbeitete Klavierauszug kostet 7 1/2 Thlr.

Die Grundlage des Ganzen bilden das 26. und 27. Capitel aus dem Evangelium Matthäi, welche vollständig durchcomponirt sind. Alle Stellen, worin Matthäus den Verlauf der Begebenheiten erzählt, werden von einem Tenor, welcher als „Evangelist" in der Partitur aufgeführt ist, recitativisch vorgetragen; wo aber einzelne oder mehrere Personen redend eingeführt werden, da treten in der Musik diese Personen selbst auf, also namentlich der Heiland, Petrus, Judas, die Magd, der Hohepriester, Pilatus, die Schriftgelehrten und Pharisäer, die falschen Zeugen, die Kriegsknechte, das jüdische Volk. Alle Reden Einzelner sind als Recitative componirt; nur die Einsetzungsworte des Herrn machen ein Ausnahme, indem Bach sie in der Form eines Arioso gehalten hat. Gegenüber den Recitativen stehen dann die Chöre der Jünger, des Volks u.s.w. Während nun in dieser Zusammenstellung der Erzählung des Evangelisten mit den unmittelbaren Aeußerungen der handelnden Personen eine Form gewählt ist, welche das große Ereigniß in dramatischer Anschaulichkeit an dem Zuhörer vorüber führt, so ist zugleich auch darauf Bedacht genommen, daß der Zuhörer für die Empfindungen, welche in ihm angeregt werden, Worte finde und sich zwischen den einzelnen Acten der Passion dem Geschäfte gottseliger Betrachtung und demüthiger Anbetung hingeben könne. Zu diesem Zwecke tritt der Chor der Sioniten und der der Gläubigen auf. Die Sioniten sind versammelt, um das Leiden ihres Gerechten zu begleiten und fordern die Gläubigen zu der gleichen, frommen Verrichtung auf. Die Einen wie die Andern sprechen die Gedanken und Empfindungen, womit sie dem Heilande durch alle Stationen seines Leidens folgen, in Recitativen, Chören, Arien und Chorälen aus. Dies erinnert lebhaft an den Chor in der griechischen Tragödie, und es ist gewiß merkwürdig, daß dieselbe Kunstform, welchen den erhabensten Werken des klassischen Alterthums eigen ist, in einer Tonschöpfung, die in dem Mittelpunkte des Christenthums wurzelt, der Hauptsache nach wiederkehrt. Die den Chorälen der Passion untergelegten Worte sind alten, bekannten Kirchenliedern entnommen. Die Texte der Chöre und Arien dagegen sind besonders hinzu gedichtet und rühren von einem Zeitgenossen Bach's, Picander, oder wie er eigentlich heißt, Henrici, her. Sie können den Erzeugnissen moderner Dichtkunst nicht an die Seite gestellt werden, allein die tiefe Innigkeit, mit welcher der Dichter seinen Gegenstand erfaßt hat, läßt uns bald den Umstand übersehen, daß seine Leistung einer Periode angehört, welche vorüber ist. Ueberdies hat, um mit Zelter zu reden, Johann Sebastian Bach „durch seine Zuthat das Wort seines Dichters geheiligt; der Geist, das Wesen lebt, ja was kein Wort sagt, ist in Tönen der tiefen Kunst dem religiösen Herzen dargelegt, von dem allein es gefühlt und errathen werden kann." *)

*)   Einleitungsworte zu dem Texte der Passion. Berlin, 1838.

Aus dem Bisherigen erkennt man leicht die reiche Mannichfaltigkeit in der äußern Gestaltung der Passionsmusik. In der That wechseln auch die verschiedenen Recitative, Arien, Choräle und Chöre so ab, daß trotz der großen Länge des Ganzen keine Einförmigkeit sichtbar wird. Wenn aber ungeachtet der sinnvollen Verbindung von zwei ganz verschiedenen Elementen – der dramatisch lebendigen Darstellung der evangelischen Geschichte und den lyrischen Ergießungen der Sioniten und Gläubigen – und der daraus hervorgehenden Mannichfaltigkeit der Kunstformen sich bei den neueren Aufführungen der Passion nicht alle Zuhörer das lebendige Interesse bis zu Ende hin erhalten haben, so ist zu bedenken, daß wir in unserer Zeit überhaupt wohl weniger an das Aushalten bei religiösen Productionen gewöhnt sind, als die Zeitgenossen von Sebastian Bach es wahrscheinlich waren. *)

*)   August Hermann Franke's Predigten dauerten zuweilen sieben Viertelstunden; welcher Gemeinde dürfte das in unseren Tagen geboten werden? –

Eine andere, tieferliegende Ursache der Ermüdung bei dem Anhören des großen
Werkes möchte freilich in jener Glaubenslosigkeit mancher Zuhörer zu suchen sein,
welche es ihnen unmöglich macht, die Passion in der innersten Tiefe ihres eigenen
Gemüthes wahrhaft mitzufeiern. Solche Leute suchen blos den Kunstgenuß, wie
sie ihn im Oberon und der Iphigenia suchen; da müssen sie denn freilich durch den
tiefen Ernst der Bach'schen Musik, der eine subjective Ergreifung des Gegenstandes
fordert, am Ende gelangweilt, abgestoßen werden. Wer nicht im Glauben verwandt
ist mit Bach, der kann es auch in der Kunst nicht recht innig sein. Was Bach gab,
ging aus der Fülle eines christlich-gottseligen Gemüthes hervor; treten wir anders
als mit solch einem Gemüthe an die Werke des frommen Meisters, so kann sich ihre
innerste Herrlichkeit uns nimmer ganz erschließen.

Die Passion enthält 78 Nummern, nämlich: 42 theils reine, theils mit Chören in Verbindung stehende Recitative, 8 andere, nicht mit Recitativen verbundene Chöre,
16 Arien, worunter wieder einige mit Chor, endlich 12 Choräle.

Was zunächst die Recitative betrifft, so sind die des Evangelisten, wie schon erwähnt,
für den Tenor, die des Heilands für den Baß geschrieben; desgleichen stehen auch
die recitativischen Stellen, welche von dem Hohenpriester, von Pilatus, Judas und
Petrus gesungen werden, im Baß, die der Magd im Sopran, die der falschen Zeugen
im Alt und Tenor. Zwei oder drei Recitative sind auch einzelnen Stimmen aus den
Chören der Sioniten und der Gläubigen zugetheilt. Diese letzteren Nummern, sowie
alle Recitative des Herrn, werden vom Quartett der Streicherinstrumente begleitet;
zu denen des Evangelisten und der übrigen Personen ist blos eine sehr einfache Baßstimme gesetzt. Daß in sämmtlichen Recitativen eine unübertreffliche Wahrheit des
Ausdrucks ist, sei hier nur angedeutet.

Unter den Arien sind 4 für den Sopran, 5 für den Alt, 3 für den Tenor, 4 für den Baß.
Von süßlichen Melodien ist hier nicht die Rede, wohl aber ist überall die Empfindung mit solcher Treue in den Tönen wiedergegeben, daß diese denn auch sogleich
zum Herzen dringen. Die Form dieser Arien möchte von Manchen in dieser oder
jener Beziehung veraltet genannt werden; ihr Inhalt ist ewig frisch und lebensvoll.
Die Begleitung beschränkt sich durchgehends nur auf einige wenige Instrumente,
die aber so mannichfach zusammengestellt sind, daß unter den vielen Arien kaum
zwei Fälle ganz gleichen Accompagnements vorkommen. Man sieht ein, wie sehr
solches das Interesse des ganzen Werkes vermehren muß und wie feinsinnig der
Meister jedes Mittel zu benutzen gewußt hat, um bei der höchsten Einheit im
Geiste und Gehalte seiner Schöpfung zugleich den Reiz großer Mannichfaltigkeit
im Aeußerlichen zu gewinnen. Freilich ist auch diese Mannichfaltigkeit nicht blos
um der Mannichfaltigkeit willen da. Ich werde weiter unten wenigstens an einem
Beispiele nachweisen, wie auch wieder eine innere Nothwendigkeit den Componisten bestimmt haben mag, hier diese, dort jene Instrumentirung zu wählen. Uebrigens sind sämmtliche Instrumental-Parthien schwer, zum Theil sehr schwer; der
Meister, der selbst so Großes vermochte, muthete auch jedem Andern nicht wenig
zu. Nur sehr wackere Sänger und Instrumentalisten werden im Stande sein, diese

Arien würdig auszuführen, zumal da von einem bequemen Miteinandergehen der
Stimmen nicht die Rede ist, sondern jede einzelne sich so frei und selbstständig bewegt, als wären die übrigen gar nicht vorhanden.

Um nun über die Chöre im Allgemeinen etwas zu sagen, so bemerke ich zuerst, daß
Bach nicht nur zwei getrennte Chormassen einander gegenüber gestellt, sondern
auch jedem Chore ein besonderes Orchester zugetheilt hat. Welchen gewaltigen,
riesigen Tonbau hat er aus diesen Elementen aufzuführen gewußt! Nicht nur
wechseln die beiden Chöre äußerlich mit einander ab, sondern sie sind auch häufig
auf die kunstvollste Weise in einander hineingearbeitet. Das steigt riesengroß vor
Einem auf, wenn man in die Partitur hineinschaut – wie ein mittelalterlicher Dom,
wogegen gar manche Kirchencomposition neuerer Tonsetzer wie dürftiges Lattenwerk erscheint. Der Zahl nach fallen von den Chören 8 den Sioniten und Gläubigen,
2 den Jüngern, 14 theils den Hohenpriestern und Schriftgelehrten, theils dem Volke
zu. Die Chöre der Sioniten und Gläubigen sind meist vom ziemlich bedeutendem
Umfange, die der Uebrigen dagegen kurz, zum Theil auf wenige Takte beschränkt.
Wie weise diese Einrichtung des Meisters ist, werden wir weiter unten sehen. Dem
Ausdrucke nach sind die Chöre der Sioniten und Gläubigen im Allgemeinen voll
tiefen Gefühls, demüthig, mild und sanft, die der Verfolger Jesu rauh, hart, kalt,
eifernd, zuletzt selbst fanatisch. Nur an einer einzigen Stelle bricht ein mächtiger
Gefühlssturm aus den Gemüthern der Freunde des Herrn gewaltsam hervor; ich
werde diese Stelle noch näher bezeichnen. Bemerkenswerth in Hinsicht der Form ist
noch, daß in der ganzen Passion keine eigentliche Fuge vorkommt. Herr Professor
Marx in seiner vortrefflichen Biographie Bach's, in Schilling's Universallexicon der
Tonkunst, führt dies mit Recht als Beweis dafür an, daß Bach seine Größe keinesweges, wie Manche meinen, in der contrapunctischen Arbeit gesucht, sondern daß
er jede Kunstform eben da, und nur da, gebraucht, wo sie dem Geiste und Inhalte
des Gedankens angemessen gewesen. – Die Begleitung der Chöre beschränkt sich
überall auf Streichinstrumente, Oboen und Flöten; selbst die Hörner fehlen. Man
hat jedoch bei neueren Aufführungen mehrere Blasinstrumente hinzugefügt, und
das mit Recht, wie man denn auch in der Begleitung der Arien hat Aenderungen
machen müssen, weil die ursprünglich dazu vorgeschriebenen Instrumente zum
Theil außer Gebrauch gekommen sind.

Die Choräle der Passion sind sämmtlich für vier Stimmen gesetzt, nicht für mehrere,
obschon die Veranlassung so nahe lag. Dies mag beiläufig Denjenigen zur Lehre
dienen, die am blos vierstimmigen Choral nicht genug haben. Wie übrigens Bach
seine vierstimmigen Choräle gearbeitet hat, das ist wohl den meisten Lehrern nicht
ganz unbekannt; ich bemerke hier nur, daß die Harmonie stets vollkräftig und be-
deutungsschwer ist, während jede einzelne Stimme unübertrefflich schön, aber auch
mit einer Rücksichtslosigkeit in Hinsicht etwaniger Härten gegen die übrigen Stimmen geführt ist, die eben nur dem großen Meister zustehen mag, sonst Keinem. Zur
Begleitung gehen mit dem Sopran die Oboen und Flöten nebst den ersten Violinen,

mit dem Alt die zweiten Violinen, mit dem Tenor die Violen, mit dem Basse die Celli und Contrabässe. Herr Dr. Mendelssohn-Bartholdy hat in Leipzig diese Begleitung durch die Orgel ersetzt, was von großer Wirkung gewesen ist.

Es gefalle nach diesen allgemeinen Andeutungen dem Leser, einen raschen Gang mit mir vom Anfange bis zum Ende der ganzen Passion zu machen. Wir verzichten darauf, bei allen Schönheiten des unsterblichen Werkes zu verweilen; nur hier und da wollen wir es uns vergönnen, bei recht hervorragend herrlichen Gestaltungen einen Augenblick zu verweilen. Zu diesen gehört nun sogleich Nro. 1., Doppelchor der Sioniten und Gläubigen.

> Kommt, ihr Töchter, helft mir klagen,
> Sehet – „wen?" – den Bräutigam,
> Seht ihn – „wie?" – als wie ein Lamm.
> Sehet – „was?" – seht die Geduld,
> Seht – „wohin?" – auf unsre Schuld!
> Sehet ihn aus Lieb' und Huld
> Holz zum Kreuze selber tragen.

Der Chor der Sioniten (I) macht den Anfang, wobei sogleich zwei selbstständige Motive in kunstvollster Verschlingung über dem einfachen Basso continuo erscheinen. Wo dann in den folgenden Zeilen die Fragen kommen, da übernimmt diese letzteren stets der Chor der Gläubigen (II) und die Sioniten geben wieder die Antwort darauf. So geht es mit mehreren Wiederholungen fort, bis endlich bei den Worten: „Sehet ihn aus Lieb' und Huld Holz zum Kreuze selber tragen" beide Chöre zusammentreten, was von ergreifender Wirkung ist. Doch die Hauptsache ist noch nicht erwähnt. Zu diesen beiden Chören mit ihren Fragen und Antworten, mit ihren konsequent festgehaltenen und kunstvoll verwebten Motiven wird noch ganz besonders von Sopranstimmen der Choral: „O Lamm Gottes unschuldig" gesungen, dessen Worte das Geheimniß der Erlösung enthalten. – – – Welche Macht und Herrschaft über das Tonreich musste dem Manne eigen sein, der solche Combination bewirken konnte! Aber so wunderwerth hierbei die harmonische Kunst ist, so rührend und hinreißend ist auch der Eindruck, den das Hineinklingen der einfachen, sanft wehmüthigen Choralmelodie in die wechselnden, bewegteren und herberen Tonverschlingungen der beiden Chöre macht. Es ist eine herrliche Schöpfung, dieser große Eröffnungssatz der Passion; hätte Bach außerdem auch weiter gar nichts geschrieben, er würde schon durch dieses eine Tonwerk unsterblich geworden sein. – (Die Fortsetzung folgt.)

(Fortsetzung und Schluß.)
Wir nehmen nun die Bibel zur Hand, schlagen das 26ste Kapitel Matthäi auf und verfolgen den ganzen Gang der Leidensgeschichte. V. 1 und 2. Recitativ. – Dann Choral: „Herzliebster Jesu, was hast du verbrochen," H-moll. V. 4., 5 und Anfang von V. 6. Recitativ. – Doppelchor: „Ja nicht auf das Fest" etc. kurz und bündig.

Chor I. beginnt, und Chor II. folgt Schritt vor Schritt in der Quinte nach, bis beide am Schlusse zusammentreten. Wie dadurch die einzelnen Theile dieses Satzes unter sich verbunden sind zur künstlerischen Einheit, so ist auch damit zugleich die Einheit der Ueberzeugung, welche in der Versammlung der Hohenpriester und Schriftgelehrten war, mit großer Wahrheit ausgedrückt. V. 6, 7 und V. 8 bis zur Rede der Jünger, Recitativ. – Chor der Jünger: „Wozu dienet dieser Unrath?" etc. (I.) *)

*)   I. bezeichnet den ersten, II. den zweiten Chor

Hastig scheltend, in thörichter Entrüstung; ganz kurz. V. 10–13. Recitativ. – Altarie (aus I.):

> Du lieber Heiland du,
> Wenn deine Jünger thöricht streiten,
> Daß dieses fromme Weib
> Mit Salben deinen Leib
> Zum Grabe will bereiten;
> So lasse mir inzwischen zu,
> Von meiner Augen Thränenflüssen
> Ein Wasser auf dein Haupt zu gießen. u. s. w.

Begleitung: zwei Flöten und Baß. V. 14–16. Recitativ. – Sopranarie (aus II.):

> Blute nur, du liebes Herz,
> Ach, ein Kind, das du erzogen,
> Das an deiner Brust gesogen,
> Droht den Pfleger zu ermorden,
> Denn es ist zur Schlange worden.

Begleitung: Flöten und Streichquartett. – V. 17. Recitativ und Chor der Jünger. V. 18–22. Recitativ. – Chor der Jünger: „Herr, bin ich's?" Nur 5 Takte lang. Choral: „Ich bin's, ich sollte büßen," Mel.: Nun ruhen alle Wälder, As-dur. V. 23–29. Recitativ und Arioso, letzteres bei den Einsetzungsworten. – Recitativ und Arie für den Sopran:

> Wiewohl mein Herz in Thränen schwimmt,
> Daß Jesus von mir Abschied nimmt,
> So macht mich doch sein Testament erfreut. u. s. w.

Begleitung: zwei Oboi d'amore und Baß. – Die Oboen haben im Recitativ eine Figur aus zwei geschleiften Sechzehntheil-Triolen, von denen die erste in Secunden aufsteigt und die zweite auf dieselbe Weise wieder zurückgeht, meist in verminderten Septimen-Accorden, durchgängig piano. Dies drückt die Stimmung des „in Thränen schwimmenden" Herzens vortrefflich aus. Die Arie:

> Ich will dir mein Herze schenken,
> Senke dich, mein Heil, hinein. u. s. w.

G-dur, ⁶/₈, schildert dagegen mit ihrem getrost in Terzen aufsteigenden und doch innigen, frommen Thema sehr schön die Heiterkeit der Seele, welche in Christo ihr Heil gefunden hat und in der Hingabe an ihn sich erhebt und kräftigt. Ganz passend ist aber zu dieser besonders gemüthreichen Arie und dem vorhergehenden Recitativ die Begleitung der Oboi d'amore gewählt, welche, da sie länger gebaut waren und eine Terz tiefer standen, als die gewöhnlichen Oboen, einen volleren und doch weicheren Ton hatten, als diese. – Es folgen nun V. 30–32 als Recitativ. – Dann der Choral „Erkenne mich, mein Hüter," Mel.: Befiehl du deine Wege, – E-dur, wo es bemerkenswerth ist, daß der Schluß:

> Dein Geist hat mich begabet
> Mit mancher Himmelslust.

nicht phrygisch gesetzt ist, sondern heiter in der Durtonart ausgeht. – V. 33–35. Recitativ. – Choral „Ich will hier bei dir stehen", die vorige Melodie, jedoch in Es-dur. V. 36–38. Recitativ. – Darauf ein recitativisches Tenor-Solo (aus I.) F-moll, mit Flöte, Oboen und Baß:

> O Schmerz! hier zittert das gequälte Herz,
> Wie sinkt es hin, wie bleicht sein Angesicht! u. s. w.

wozu der zweite Chor vierstimmig den Choral „Was ist die Ursach aller solcher Plagen?" in Begleitung des Streichquartetts singt. Die Blasinstrumente gehen über dem Tenor in einer, tiefe Wehmuth ausdrückenden Achtel-Figur, während der Baß ganz in der Tiefe in Sechzehntheilen tremulirt und dadurch ein schauerliches Dunkel über das Ganze verbreitet. Nun denke man sich den mit den Tenor-Stellen abwechselnden Choral der Gläubigen hinzu, und man wird es glauben, daß die Wirkung herzergreifend ist. – Es folgt alsdann eine Arie desselbigen Tenors, begleitet von einer Solo-Oboe, zwei Flöten und Baß:

> Ich will bei meinem Jesu wachen,
> Meinen Tod
> Büßet seine Seelennoth. u. s. w.

und die Gläubigen singen, begleitet vom Streichquartett, dazwischen:

> So schlafen unsre Sünden ein,
> Drum muß uns sein verdienstlich Leiden
> Recht bitter und doch süße sein.

Das weiche, milde Thema des Chores mit seinen gezogenen Achtel-Figuren, die fast nur in Secunden steigen und fallen, schildert den sanften Frieden des Christenherzens im Gefühle der Erlösung von Sünde und Tod. Alle vier Stimmen gehen von Anfang bis Ende zusammen; nicht bedarf es wechselnder, die Empfindung steigernder Eintritte: es ist eben volle, selige Genüge da. – V. 39. Recitativ. – Bassarie mit vorangehendem Recitativ (aus II.):

> Der Heiland fällt vor seinem Vater nieder,
> Dadurch erhebt er mich, u. s. w.

begleitet von Violinen und Baß. V. 40–42. Recitativ. – Choral: „Was mein Gott will, gescheh' allzeit," H-moll. V. 43–50. Recitativ. – Arie aus Zion für Sopran und Alt, begleitet von Flöten, Oboen und Streichquartett:

> So ist mein Jesus nun gefangen, u. s. w.

Tiefe, schmerzliche Klage in langsam dahinsterbenden Tönen, dazwischen das abgebrochene, immer dringender wiederholte Rufen der Gläubigen:

> Laßt ihn! haltet! bindet nicht!

Doch der Verrath hat gesiegt, und die gerechte Entrüstung der Sioniten sowohl als der
Gläubigen macht sich Luft in einem großen, gewaltigen Doppel-Chore, $^3/_8$, Vivace:

> Sind Blitze, sind Donner in Wolken verschwunden?
> Eröffne den feurigen Abgrund der Hölle,
> Zertrümmre, verderbe, verschlinge, zerschelle
> Mit plötzlicher Wuth
> Den falschen Verräther, das mördrische Blut.

Die Instrumentalbässe stürmen in einer herausfordernden Sechzehntheilfigur zornig bis zum letzten Tone hin. Die Singbässe theilen entweder diese Bewegung, oder
sie nehmen das Motiv der übrigen Singstimmen auf, welches fast ganz aus springenden, scharf herauszustoßenden Achteln besteht. Es ist klar, daß dieses Motiv die
zertrümmernden und verderbenden Blitze malt, während man in dem Rollen der
Bässe den Donner des Himmels und das Getöse erkennt, womit sich die Abgründe
der Tiefe öffnen. Das wäre denn Tonmalerei, aber welche Tonmalerei! Eine solche
ist es, die nicht mit dem Worte spielt, sondern indem sie das Wort malt, dadurch
den Gedanken zur unmittelbarsten Anschauung bringt. Möchten alle Tonsetzer so
malen! – V. 51–56. Recitativ. Figurirter Choral: „O Mensch, bewein' dein' Sünde
groß," mit beiden Orchestern. Die Soprane führen den Cantus firmus, die Instrumente gehen dazu in einer Figur aus geschleiften Sechzehntheilen, und malen das
leise Niederrinnen der Sünderzähren; die übrigen Singstimmen bewegen sich in
Achtelfiguren mit dem Cantus firmus fort, ein Motiv festhaltend, welches zwar dem
der Instrumente nicht gleich, jedoch innerlich mit ihm verwandt ist. Dieser Choral
füllt 25 Seiten der Partitur, weil die Textzeilen durch Zwischensätze der Instrumente
unterbrochen sind; das Motiv der Instrumente ist jedoch bis zur letzten Note festgehalten, immer dasselbe und immer ein neues! – Der ganze Satz ist einer der zartesten und sinnvollsten der Passion, und schließt auf die würdigste Weise den ersten
Theil des großen Tonwerkes.

Hier folgte nun bei der Aufführung in Leipzig am Charfreitage 1729 die Nachmit-
tagspredigt, woran sich dann der zweite Theil schloß.

Dieser beginnt mit einer Altarie aus Zion, H-moll, $^3/_8$, begleitet von einer Oboe und
Flöte im Einklange nebst dem Streichquartett:

> Ach, nun ist mein Jesus hin!

Der Chor der Gläubigen, blos vom Streichquartett begleitet, frägt:

> Wo ist denn dein Freund hingegangen? u. s. w.

und später setzt er tröstend hinzu:

> So wollen wir mit dir ihn suchen.

Es ist etwas ungemein Rührendes in diesem Stücke, welches auch wieder in rein musikalischer Hinsicht einen Reichtum der schönsten Züge hat. V. 57. Recit. – Choral:
„Mich hat die Welt trüglich gericht't," Mel.: In dich hab' ich gehoffet, Herr, – B-dur.
V. 60–62. desgleichen die Worte von V. 63.: „Aber Jesus schwieg stille," Recit. – Hierauf Recit. eines Tenors aus II.

> Mein Jesus schweigt zu falschen Lügen stille, u. s. w.

begleitet von zwei Oboen, Viola da Gamba und Baß. Dann Tenorarie:

> Geduld, Geduld!
> Wenn mich falsche Zungen stechen. u. s. w.

blos von einer sehr schwierigen, in charakteristischer Figurirung das Stechen der falschen Zungen bezeichnenden Baßstimme begleitet. V. 63–66. Recit. – Doppelchor:
„Er ist des Todes schuldig!" wild und fanatisch. Die acht Stimmen folgen einander
von Viertel zu Viertel mit demselben Motiv! – V. 67. Recit. – Doppelchor: „Weissage
uns" etc., frech und voll grausamen Hohns. – Choral: „Wer hat dich so geschlagen?"
Mel.: Befiehl du deine Wege, F-dur. V. 69.–75. Recit. mit Einschluß eines kurzen
Chores: „Wahrlich, du bist auch einer von denen" etc. etc. – Altarie (aus I.) H-moll,
$^{12}/_8$, mit ganz leiser Begleitung des Streichquartetts und einer Solo-Violine:

> Erbarme dich, mein Gott, um meiner Zähren willen u. s. w.

Tief in das Herz schneidend, wenn ein Meister die Sologeige spielt! – Choral: „Bin
ich gleich von dir gewichen, stell' ich mich doch wieder ein," Mel.: Werde munter
mein Gemüthe, H-dur. Nun folgt Cap. 27. des Evangeliums. V. 1– 4. Recit. – Doppelchor: „Was gehet uns das an" etc., nur fünf Takte enthaltend, aber gerade in dieser
Kürze das ungeheure Elend des Judas bezeichnend, der länger keiner Beachtung
werth gehalten wird; sie wollten den Verrath, aber das Werkzeug des Verrathes werfen sie weg. V. 5. u. 6. Recit. – Baßarie, G-dur, $^4/_4$, mit Begleitung des Streichquartetts
und einer Solo-Violine:

> Gebt mir meinen Jesum wieder;
> Sehr, das Geld, den Mörderlohn,
> Wirft euch der verlorne Sohn
> Zu den Füßen nieder.

V. 7–14. Recit. Choral: „Befiehl du deine Wege" D-dur. V. 15–21. Rec. Dann Chorstelle: „Barrabam!" achtstimmig im verminderten Septimenaccorde auf dis! Blos
dies eine Wort, ohne Wiederholung, aber von furchtbarer Wirkung! – V. 22 u.
23. Recit., dazwischen aber Doppelchor: „Laß ihn kreuzigen!" Sämmtliche Bässe
fangen mit einem wilden, wüsten Thema an, welches in grauenvoller Hast von den
übrigen Stimmen aufgenommen und fortgeführt wird. Je schrecklicher jedoch dieser
Ausbruch der Wuth eines wahnsinnigen Pöbels ist, desto schneller führt ihn Bach an
dem Zuhörer vorüber, während die frommen Chöre der Gläubigen alle weit ausgeführt sind. Dies zeigt, wie sorglich der Meister darauf Bedacht genommen hat, das
religiöse Moment überall vorwalten zu lassen. Er will den Zuhörer weder amüsiren
noch durch Häufung des Schreckenerregenden martern: Erbauung ist der Zweck,
dem er alles Uebrige unterordnet. Was hätte ein Mann von seiner contrapunktischen
Gewalt aus diesem Kreuzigungsthema noch herausarbeiten können! – er hat es nicht
gethan: er hat in freiwilliger Selbstbeschränkung das Ganze in den Raum von neun
Takten zusammengedrängt. – Erkennen wir nun, wie der Meister, geleitet von
seinem wahrhaft künstlerischen Bewußtsein, überall das Höchste unverwandt im
Auge behält, so wird es uns keinesweges stören, sondern im Gegentheil ein, wenn
auch untergeordnetes Interesse gewähren, wenn wir ihn an manchen Eigenheiten

seiner Zeit unbefangen Theil nehmen und mit Aeußerlichem ein harmloses Spiel treiben sehen. Ein solcher Fall findet bei dem erwähnten Chore statt, indem nämlich die Worte: „Laß ihn kreuzigen!" Veranlassung gegeben haben, Tonart und Modulation so zu wählen, daß in allen Stimmen das Erhöhungszeichen sehr häufig vorkommt und namentlich die letzten Takte der Partitur mit Kreuzen gleichsam übersät sind. Nach diesem Chore folgt der Choral: „Wie wunderbarlich ist doch diese Strafe!" H-moll. V. 23. Recitativ. – Dann Recitativ und Arie für den Sopran, jenes von zwei Oboen und Baß, diese blos von den Oboen und einer Flöte begleitet.

Recitativ.

> Er hat uns allen wohlgethan.
> Den Blinden gab er das Gesicht, u. s. w.

Arie.

> Aus Liebe will mein Heiland sterben,
> Von einer Sünder weiß er nichts, u. s. w.

Diese Arie ist so wahr als eigenthümlich componirt. Während die Oboen wenig mehr thun, als daß sie in Vierteln die Harmonie bestimmen, führt die Flöte die kunstvollsten Weisen aus, ganz unabhängig von der Singstimme, welche ihrerseits ebenfalls in vollkommener Selbstständigkeit bald in anmuthigen Gängen die Liebesfülle des Erlösers, bald in herberen Tongestalten den Schmerz um seinen Tod zur Anschauung bringt. Das Zusammenwirken der drei Blasinstrumente mit der Singstimme in so eigenthümlicher Weise ist unbeschreiblich schön. – Nun folgt noch einmal das „Laß ihn kreuzigen!" aber um einen Ton höher, was die gesteigerte Wuth des Volkes bezeichnet und beiläufig die Zahl der Kreuze noch vermehrt. V. 24 und 25. Recit. bis: „Sein Blut komme über uns" etc., Doppelchor, düster und unheimlich, den herausfordernden, blutgierigen Trotz des Volkes schildernd, der sein Opfer um jedes Preis verderben will. V. 26. Recit. – Dann Recit. und Arie für den Alt (aus II.), jenes vom Streichquartett, diese blos von einer Violine nebst Baß begleitet.

Recitativ.

> Erbarm' es Gott!
> Hier steht der Heiland angebunden u. s. w.

Die Begleitung hat eine, das Zurückbeben der Gläubigen von dem jammervollen Anblicke des gegeißelten Erlösers versinnlichende Figur.

Arie.

> Können Thränen meiner Wangen
> Nichts erlangen,
> O so nehmt mein Herz hinein! u. s. w.

V. 27–30. Recit. mit Einschluß des frechspottenden Doppelchores: „Gegrüßet seist du, Judenkönig!" wo die Triller in der Begleitung bezeichnend für die herzlose

Ironie des Vorganges sind. Choral: „O Haupt voll Blut und Wunden," F-dur. V. 31
und 32. Recit. – Dann Recit. (aus I.) für den Baß:

> Ja freilich will in uns das Fleisch und Blut
> Zum Kreuz gezwungen sein, u. s. w.

begleitet von Flöten, Viola da Gamba *)

*) 	Kniegeige; wie das Violoncell, von welchem sie sich durch einen weniger scharfen, aber
mehr näselnden Ton unterscheidet.

und Baß. Bei der unmittelbar folgenden Arie:

> Komm, liebes Kreuz, so will ich sagen u. s. w.

treten die Flöten zurück, dafür aber erscheint die zu Bach's Zeit noch übliche Laute *)

*) 	Ein guitarrenartiges Instrument mit 24, in 13 Chöre abgetheilten Darmsaiten.

und übernimmt mit der Viola da Gamba die sehr kunstreiche Begleitung. Es folgt
nun V. 33–44. Recit. mit den hineinfallenden Doppelchören der Juden: „Der du den
Tempel Gottes zerbrichst" etc. und „Andern hat er geholfen" etc., welche in ihrer
Gattung zu den schönsten des Werkes gehören. – Dann Recit. für den Alt (aus I.):

> Ach Golgatha, unsel'ges Golgatha!
> Der Herr der Herrlichkeit muß schimpflich hier verderben.
> 		u. s. w.

blos begleitet von zwei Oboen und Baß. Darauf: Altarie aus Zion und Chor der Gläubigen:

> Sehet, Jesus hat die Hand
> Uns zu fassen ausgespannt.
> Kommt – wohin? – u. s. w.

Die Gläubigen sprechen, nach Art der Eröffnungsmusik, die Fragen aus, und die
Stimme aus Zion giebt die Antwort. Es ist nicht zu verkennen, daß jemehr das Ende
naht, die eigenthümliche Anschauungs- und Empfindungsweise aller bei dem großen Ereignisse betheiligten Personen in immer sprechenderen Zügen von unserm
großen Meister dargethan wird. Die Feinde des Herrn treten uns in ihrem Hasse,
ihrer Bitterkeit und allen ihren furchtbaren Leidenschaften immer schrecklicher
entgegen. Das Mitgefühl Zions und der Gläubigen bei dem Leiden ihres Gerechten
wird schmerzlicher, die Zuversicht auf ihn aber zugleich fester, gewisser und freudiger. Deutlich zeigt sich solches in den beiden zuletzt erwähnten Sätzen. – Es folgt
nun V. 45–50, Recitat., mit zwei Chorstellen: „Der rufet den Elias!" und „Halt, laß
sehen, ob Elias komme und ihm helfe!" welche beide ganz heiter gehalten sind und
eben dadurch die Rohheit und Wildheit des Volkshaufens (turba) in das grellste
Licht stellen. Die Stelle des Recitativs: „Eli, eli, lama asabtani?" Adagio, B-moll, trägt
ganz besonders den Stempel von der hohen Genialität des unsterblichen Tonsetzers.
Und wie schön ist es, wenn dann der Evangelist, indem er fortfährt: „Das ist: Mein
Gott, mein Gott, warum hast du mich verlassen?" die Verdeutschung genau in
den Tönen giebt, welcher der Herr gesungen, nur eine Quarte höher, nämlich in
Es-moll! – Nach V. 50 folgt: Choral: „Wenn ich einmal soll scheiden" etc., E phry-

gisch. V. 51–58. Recit. mit Einschluß der Chorstelle (I. in II. unisono): „Wahrlich, dieser ist Gottes Sohn gewesen!" – Baßrecitativ und Arie (aus I.):

Recitativ.

> Am Abend, da es kühle war,
> Ward Adams Fallen offenbar.
> ....
> Der Friedensschluß ist nun mit Gott gemacht,
> Denn Jesus hat sein Kreuz vollbracht u. s. w.

Arie.

> Mach dich, mein Herze, rein,
> Ich will Jesum selbst begraben, u. s. w.

Zwei Oboen und Streichquartett begleiten diese Arie. V. 59–62. Recit. – Doppelchor: „Herr, wir haben gedacht" u. s. w., der letzte der Juden. V. 65. u. 66., Recit. – Der Gekreuzigte ist nun begraben und der Stein versiegelt. Seinen Feinden bleibt nichts mehr übrig, sie sind zu Ende. Aber die Sioniten und Gläubigen, wie könnten sie scheiden von der Gruft ihres Gerechten, ohne ihm ihre letzten Liebesworte nachgerufen zu haben? Einzelne Stimmen aus Zion singen:

> Nun ist der Herr zur Ruh gebracht,
> Die Müh ist aus, die unsre Sünden ihm gemacht u. s. w.

und aus dem Munde der Gläubigen tönt es leise dazwischen:

> Mein Jesu, Jesu, gute Nacht!

bis dann im Schlußchor sich alle in diesen Worten vereinigen:

> Wir setzen uns mit Thränen nieder
> Und rufen dir im Grabe zu:
> Ruhe sanft! sanfte ruh!
> > Ruht ihr ausgesognen Glieder,
> > Euer Grab und Leichenstein
> > Soll dem ängstlichen Gewissen
> > Ein bequemes Ruhekissen
> > Und der Seele Ruhstatt sein.
> Wir rufen dir im Grabe zu:
> Ruhe sanft! sanfte ruh!

Sehen wir von der Form der Dichtung auch bei diesen Schlußstellen ab, so erfreuen wir uns der Feinsinnigkeit, womit der Verfasser die Freunde des Herrn so rein-menschlich ihren theuren Todten beweinen lässt, ohne doch das Ganze in den Kreis des blos Menschlichen hineinzuziehen. Während die Gläubigen um Jesum als um Einen unseres Geschlechtes trauern, schauen sie zugleich auf ihn als den göttlichen Erlöser hin. Dies giebt ihren Empfindungen eine hohe, religiöse Weihe und verwandelt den Grabgesang der Freunde des Gekreuzigten in den Glaubenshymnus der ersten Christengemeinde. – Und was hat Johann Sebastian Bach zu den Worten des Dichters gethan? Vielleicht das Zarteste und Rührendste, was dem reichen Borne seines frommen Gemüthes jemals entquollen ist. Viele Thränen sind in Leipzig mit den Thränen Zions und der Gläubigen geflossen, zum Zeichen und Beweise, daß im Bunde christlicher Geschichte mit christlicher Kunst die Momente der tiefsten und mächtigsten Ergreifung des Menschenherzens liegen. – Ein Aufwand contrapunctischer Arbeit findet bei dem Schlußchore gar nicht statt. Die beiden Chöre gehen entweder im Einklange, oder sie wechseln ungesucht mit einander ab. Ebenso fließen die einzelnen Stimmen sanft neben einander hin, keine tritt besonders heraus: es würde den heiligen Frieden des Grabes stören, wenn irgend Jemand aus dem Kreise der Trauernden seine Empfindung als ein Einzelner mit hervorstechender individueller Beimischung äußern wollte. –

Doch es ist nun wohl Zeit, unsere Betrachtung der Passionsmusik abzubrechen. Im Allgemeinen noch etwas zum Preise der Werkes zu sagen, scheint überflüssig. Dagegen kann ich den Wusch nicht verhehlen, daß es mir gelungen sein möchte, in diesem oder jenem Leser ein lebendiges Interesse an dieser herrlichen Tonschöpfung Johann Sebastian Bach's erweckt zu haben. Ich dürfte dann hoffen, daß denn doch Mancher Mittel und Wege suchen werde, sich die Partitur oder den Klavierauszug wenigstens zur Ansicht zu verschaffen und so desselben Genusses theilhaftig zu werden, den ich wie immer, so auch während der Abfassung dieses Aufsatzes in dem Beschauen und Durchdenken des unsterblichen Werkes gefunden habe.

Quelle: Ernst Hentschel, *Ueber Sebastian Bach's große Passionsmusik nach dem Evangelium Matthäi.*
(Euterpe, 1. Jg., Nr. 6, Juni 1841, S. 81–89 und Nr. 7, Juli 1841, S. 97–109.)
Anm.: Ernst Hentschel (1804–1875) wirkte seit 1822 am Weißenfelser Lehrerseminar. Neben seiner Tätigkeit als Herausgeber der Euterpe und Verfasser zahlreicher Schulbücher war er auch als Chorleiter und Musikveranstalter aktiv. Eine ebenfalls von Hentschel stammende Darstellung der Johannespassion erschien in den Nummern 1 und 2 des 7. Jahrgangs der Euterpe (1847).

B 90

ROCHLITZ: SEBASTIAN BACHS GROSSE PASSIONSMUSIK,
NACH DEM EVANGELISTEN JOHANNES
LEIPZIG, 1832

… Wenn ich das Werk nach seiner Gattung, seinem Zwecke, seiner Organisation betrachte und es aus sich selbst erkläre: so erscheint mir das eigentlich Biblische und Historische, mithin das Darstellende, nicht blos Ausdrückende – es erscheinen mir die Recitative und die zahlreich in sie verflochtenen, kleineren oder größeren Chöre, als sein Gipfel und als nicht genug zu preisen. Diese Wahrheit, diese Treue, diese Veranschaulichung der Charactere und Dinge blos durch Töne und Rhythmen, diese scheinbare einfache und verborgene, dennoch so reiche, so tiefe und offenbare

Kunst: wer hat dies – eben dies – jemals vollkommener dargelegt? wer vermag es, vollkommener dargelegt, sich auch nur zu denken?

Die Einleitung wird gebildet durch einen großen Chor in zwei Abtheilungen. Er ist ein sonderbares, sehr künstliches, doch, begleitet von den Orchesterinstrumenten, zugleich ein sehr wirksames Musikstück. Aus ihm selbst geht hervor: Bach hatte sich folgende Aufgabe gestellt. Die Textesworte sind nach jener bekannten, feierlich-ernsten, starken, erhebenden Stelle des Psalms: Herr, unser Herrscher, wie herrlich ist dein Name in allen Landen u. s. w.: so müssen sie auch feierlich-ernst, stark, erhebend ausgedrückt werden. Nun dienen sie aber hier zur Vorbereitung auf die niederbeugende, Wehmuth und Trauer erregende Leidensgeschichte unsers Herrn; sie sollen die Gemüther zu dieser Wehmuth und Traurigkeit stimmen: das muß auch durch die Töne geschehen. Ließ man Beides wechseln, so würde Eins das Andere stören, wo nicht aufheben: Beides muß durchgehends zusammengehen, Jedes selbstständig, Jedes von dem Andern ganz unabhängig, aber Beides zu enggeschlossener Einheit verbunden. Da gab der Meister nun das Erste groß und frei auszuführen den vier Singstimmen – wo jede aber nichts desto weniger obligat, und alle stets kontrapunctisch, oft kanonisch verflochten sind: das Zweite trug er den Saiteninstrumenten auf, die das Ihrige in einer gleich Anfangs ergriffenen, wie heimlich-unruhigen Figur, düster, schmerzvoll bewegt, nur als ein leises, fernes Rauschen, durch das ganze Stück unabweichlich durchführen. Was der ehrwürdige Vater Bach hierbei, wie so oft, für eine Tiefe der Kombination, was für ein, um höherer Zwecke willen, unbesorgtes, kühnes Hinausgreifen über die Buchstaben seiner eigenen Harmonielehre, was für eine Ausdauer in der überaus schwierigen Ausarbeitung – und ohne daß dem Ausdruck Eintrag geschähe – er bewiesen hat: das muß, wer dafür Auge besitzt, bei ihm selbst nachsehen. – Nach dieser Vorbereitung tritt die Handlung ein. Man kann sie füglich in vier Hauptscenen abtheilen. Wir wollen es.
Erste Scene: Christi Gefangennehmung zu Gethsemane und Ueberlieferung an den hohen Rath, mit den dabei vorgehenden Ereignissen. Diese Abtheilung besteht aus drei Recitativen mit kurzen Chorsätzen, drei eingeschalteten Chorälen (ein jeder, wie überall, in Einer Strophe), einer Alt- und einer Sopranarie. Die Recitative und Chöre glaube ich, nach dem oben voraus Bemerkten, übergehen zu können, und werde es auch in der Folge, wo mir nicht eine ganz besondere Aufforderung zur Abweichung entgegentritt. Nur die zweite jener Arien entfernt sich einigermaßen von der damals gewöhnlichen Form und dem damals gewöhnlichen Gange dieser Gesangsart, indem der Componist zur Begleitung der Melodie das Bild des Textes aufnimmt; nämlich „den Lauf", in welchem der Freund des Herrn diesem „mit freudigen Schritten" nachfolgt. Der nicht kurze Satz bekömmt dadurch mehr Mannichfaltigkeit und Belebtheit. Im Gedanken selbst liegt etwas Spielendes: aber wie ein freundliches, emsiges und beharrliches Kind spielt. Niemand wird ihm leicht ohne Lächeln des Wohlgefallens und der Neigung zusehen.

Zweite Scene: Christi Verhör und Petri Verleugnung. Drei Recitative mit eingewebten kurzen Chören, zwei Choräle und eine Tenorarie. Die letzte ist zwar nur in der
damals gebräuchlichen Form und die Begleitung sehr künstlich: der melodische
Gesang aber einfach und von wahrer Innigkeit. In jenen Chören wird man vielleicht
am meisten bewundern, mit welcher Wahrheit und Freiheit Bach die Frage: Bist du
nicht seiner Jünger Einer? („nicht? nicht? bist du nicht?" und dgl.) als wär' es in
einem Recitative, ausgesprochen, dabei das Hastige, Zudringliche und Spöttische,
was in der Frage und Situation liegt, ausgedrückt hat: und doch ist der ganze Chor
streng und kunstreich fugirt!

Dritte Scene: Vieles und Entscheidendes umfassend in den Ereignissen – nämlich
alle Verhandlungen vor und mit Pilato, von der Anklage bis zum Todesurtheil. In
gleichem Verhältnisse wie die historischen Momente, wird nun Alles in der Musik
gesteigert. Sie wird nicht nur in der Haltung überhaupt großartiger, reicher, sondern
auch (so zu sagen) immer mehr innerlich bewegt; sie wird durch Alles dies eingrei-
fender. Sechs, zum Theil kurze Recitative, unterbrochen von, meist weiter als bisher
ausgeführten Chören; drei Choräle; ein Arioso und zwei Arien, die letzte mit Chor.
Hier wäre viel zu sagen und am meisten über jene, den Recitativen eingeflochtenen
Chöre. Ich glaube mich auf Folgendes beschränken zu müssen. Es sind diese Chöre
ein Triumph ganz eigentlicher Bachischer Kunst, und ich wüßte nicht, was in dieser
höher stünde; höher nämlich, nicht nur in dem, was man von ihr zunächst erwartet –
in Eigenthümlichkeit, Reichthum, Fülle der Harmonie und gelehrter Ausarbeitung
– sondern auch in sprechender Declamation und Akzentuation, in Wahrheit, Lebendigkeit und Kraft des Ausdrucks, somit, in anschaulicher Darstellung, wie der
Charaktere und Stimmungen, so der Situationen und der historischen Momente
überhaupt. Da viele Leser eben dies, eben bei diesem Meister, nicht suchen, so möge
beispielsweise – nicht sowohl einer dieser Chöre, als nur die Anlage und Zurüstung
zu einem derselben, hier angeführt werden. Der hier erwählte wird es, nicht als ob
er allen anderen vorzuziehen wäre, sondern weil sich, was nachzuweisen, auch
durch bloße Worte einigermaßen vor das Auge führen läßt. Pilatus hatte gesagt: So
nehmet ihn hin und kreuziget ihn: ich finde keine Schuld an ihm. Da fällt das auf-
gereizte Volk ein: „Wir haben ein Gesetz, und nach dem Gesetz (nicht nach eurem
römischen) soll er sterben; denn er hat sich selbst zu Gottes Sohn gemacht." Jedermann sieht: also gesprochen und akzentuirt, können Worte kaum unrhythmischer
gestellt werden, und mithin, hat man sie nicht recitativisch in Musik zu setzen, sondern sollen sie sich in unsere eigentlichen Gesangsformen fügen, oder vielmehr diese
sich in sie, und will man zugleich, wie man muß, das Kecke, hochfahrend-Trotzige,
das hartnäckig-Störrige, was in den Worten liegt, möglich bestimmt und deutlichst
ausdrücken: so fällt das wohl schwer genug. Indeß: mancher unserer Komponisten
von Einsicht, Sorgfalt und Gewandtheit würde das befriedigend zu leisten wissen
im – Einstimmigen Gesange, mit freier, mehr oder weniger nachhelfender, die Wirkung näher bestimmender und verstärkender Begleitung, möchte diese Begleitung
nun blos den Instrumenten oder zugleich den anderen Singstimmen gegeben, und

im letzten Falle Etwas daraus geworden sein, was wir freilich auch einen Chor nennen. Hier galt es aber einen eigentlichen Chor, und einen Chor eigentlichen Kirchenstyls, wo mithin in jeder Singstimme für sich dieselbe Melodie herrschend bliebe und alle verbunden erst die Einheit gäben: wo mithin in dieser Melodie allein schon alles vorhin Angeführte liegen, wenigstens angedeutet sein musste. Damit versuche sich, wer der Mann ist! Es gelingt ihm? Wir wollen ihn preisen: aber unserm Meister war das bei weitem noch nicht genug. Er macht aus diesem Chor eine strenge, ziemlich lange Fuge, und eine Fuge, die, ungeachtet ihrer Strenge, (scheinbar) ganz frei und ganz bestimmt das ausdrückt, was, wie gesagt, hier auszudrücken war. Das war ihm noch nicht genug. Er giebt der Fuge noch eine drängende, treibende Instrumentalbegleitung, die zwar zum Theil die Singstimmen blos unterstützt – besonders bei den Eintritten des Thema, um dies mehr hervorzuheben: zum Theil aber auch für sich allein, wieder obligat, das Ihrige ausspricht; und dies Ihrige ist dasselbe, was die Sänger aussprechen, nicht nur dem Ausdrucke, sondern auch dem Thema nach: sie läuft hin in abgebrochenen Stücken aus ihm und in kanonischen Nachahmungen darauf. Wie nun? wer versucht sich daran? „Und wenn man's thäte, und wenn man's auch zu Stande brächte: wer verstünd' es denn, außer der Hand voll, die es studirten oder fast bis zum Auswendiglernen hörten? wer würd' es schätzen? wer belohnen, wenn auch nur mit Beifall?" Das ist der Punct! Glaubt man denn, daß es damals, außer von jener Hand voll, verstanden, geschätzt, belohnt worden? Von Bach und Händel, wenigstens in ihren späteren Lebensjahren und gerade in ihren größten Werken, weiß man sogar historisch, daß es nicht geschehen. Aber daran lag ihnen wenig oder nichts. Dem Publikum zu geben, was es mit Grund zuerst erwarten, was es verlangen kann: den richtigen und lebendigen Ausdruck; doch zugleich der Kunst und sich selbst nach größter Möglichkeit zu genügen – auch im Technischen: daran lag ihnen! Am treuen Arbeiten um des Arbeitens und der Treue, am sorgsamen Vollenden um des Vollendens willen: daran lag ihnen! und, galt es religiöse Werke, ihre allerbesten Kräfte dem zuzuwenden, was ihnen wahrhaft heilig war; durch diese Verwendung ihrer allerbesten Kräfte dem Gott zu dienen, den sie als Urquell derselben verehrten: daran lag ihnen! Noch einmal: das ist der Punct! Und das hatten wir im Sinne, als wir im ersten Abschnitt dieses Aufsatzes die besten neuen Kirchenstücke mit den besten alten verglichen und diesen vor jenen noch ein gewisses großes und herrliches Etwas beimaßen, das dort nicht genannt werden, sondern später aus dem Werke selbst sich kundgeben sollte. –

Das oben angeführte Arioso wandelt in sehr einfacher, ausdrucksvoller Melodie seinen Gang für sich. Begleitet wird es – außer vom Basse – von einer Viole d'amour, die ihre eigene Melodie in schönen Bindungen ganz gleichmäßig fortführt, und von einer Laute, welche dazu arpeggirt und die Akkorde füllt, da hier die Orgel schweigt. Das kleine Ganze ist ungemein zart und dringt an's Herz. – Die erste Arie dieses Abschnitts ist lang und sehr künstlich: sie kann schwerlich uns ansprechen. Aber die zweite (für einen Baßsänger und Chor) ist jenes Beides zwar gleichfalls, doch weit leichter zu fassen, durch das Besondere ihrer Anordnung anziehend und bei ihrer Ausführung auch zum Herzen dringend. Ihre Anordnung einigermaßen zu bezeichnen, müssen wir den Text *) zu Hülfe nehmen. Der Sänger spricht:

*) Der Text – hier und überall, wo er nicht aus dem Evangelio genommen – ist freilich nicht anders, als wie damals (besonders in beiden sächsischen Kreisen Deutschlands, in der Lausitz und in Schlesien) bei weitem die Meisten geistlich dichteten, oder vielmehr zu dichten sich einbildeten und blos reimten; eine Weise, die bald darauf Zinzendorf mit den Seinigen auf die äußerste Spitze trieb, damit Anstoß gab, den Spott reizte, den Verfall herbeiführte, und so, ohne es zu wissen, Besseres, das früher dagewesen, wieder vorbereiten half.

> Eilt, ihr angefochtnen Seelen,
> Geht aus euren Marterhöhlen …

„Wohin? wohin?" läßt Bach den Chor ängstlich und drängend einfallen, ohne daß der Ermahner und Tröster dadurch sich irren ließe. Es trifft vielmehr im gleichmäßigen Fortgange seines ermunternden Gesanges wie von selbst die sanfte Antwort ein, und paßt zu, als könne es gar nicht anders sein: „Nach Golgatha!" Dies Beides und was ihm verwandt spinnt sich nun durch das ganze Stück hin und mit jener ganz einfachen Antwort schließt es auch. Was oben von einer Arie in der ersten Hauptscene gesagt worden, das gilt auch von dieser; und gilt von ihr noch mehr: ist etwas Spielendes darin, so ist es das Spiel eines guten, frommen Kindes.
Die vierte Scene enthält Kreuzigung, Tod, Grablegung Christi, und einen Schlußgesang. Sieben zum Theil ganz kurze Recitative, unterbrochen von beträchtlich lang ausgeführten Chören; fünf Choräle, ein kleines Arioso, zwei große Arien, und jener Schlußchor. Es ist auf alle diese Stücke anzuwenden, was wir von denen der vorhergegangenen Abtheilung gesagt haben: nur folgende unterscheiden sich von ihnen. Das Arioso, mit dem, was es umgiebt, bezieht sich auf die besonderen Naturerscheinungen beim Verscheiden des Herrn und es ist ihm deshalb eine reiche Instrumentalbegleitung gegeben worden, welche diese Erscheinungen bezeichnen soll. Dergleichen ist allerdings weit mehr die Stärke unserer, als jener Zeit. – Die zweite große Arie ist ganz eigener Struktur, durch welche sie nicht nur sehr kunstreich, sondern gewiß auch sehr wirksam hervortritt; wirksam auf die, für welche dergleichen Musik überhaupt Etwas sein kann. Die Arie ist der Baßstimme gegeben. Diese geht ihren freien Weg (im Zwölfachteltakt) gleichmäßig von Anfang bis zu Ende. Die Begleitung geht in jeder der äußeren Stimmen gleichfalls ihren eigenen, freien Weg. Niemand würde Etwas vermissen, wenn es damit sein Bewenden hätte. Aber der Text enthält lauter beunruhigende Fragen an den verscheidenden Heiland; und da ist es unserm Meister nicht genug. Er bedarf auch der Antwort darauf; der beruhigenden Antwort. Er sucht und findet sie in einer Strophe eines sehr alten Kirchenliedes. Diese Strophe läßt er nun, ganz wie sie nach Melodie und Harmonie ist – nicht etwa zeilenweise zwischen den Einschnitten der Arie, sondern, ohne daß diese die geringste Unterbrechung oder sonstige Abänderung erführe, vierstimmig dazu singen, und diese Melodie und Harmonie ist die von allen gewöhnlichen Gän-

gen Beider so beträchtlich abweichende: Christus, der uns selig macht! – Kann man anders, als den Umfang und die Tiefe der Kombinationsgabe des großen Mannes bewundern, und in der ganzen Idee seinen frommen Kindersinn lieben? – Schlußchor. Wäre es dem Meister um irgend Etwas zu thun gewesen, außer um die Sache, und besonders hier um deren bleibende Nachwirkung in den Gemüthern der Hörer: gewiß, er hätte noch einmal all' seine Kraft aufgeboten, zu guter Letzt sein Werk und damit sich selbst zu verherrlichen. Aber nein; er schrieb einen höchst einfachen, so kunstlosen Gesang, wie keinen im ganzen Werke; einen Gesang, wie er von Jedermann sogleich zu fassen, ja, nach dem oft wiederkehrenden Thema, im Geiste mitzusingen ist: aber einen andächtigen, tief rührenden Gesang. Doch wie es bei allen wahrhaft guten, jede Nebenabsicht verschmähenden, jede Selbstigkeit opfernden Handlungen zu geschehen pflegt: was Bach hier am allerwenigsten gesucht, was er durchaus vermeiden wollen, das, meine ich, findet er doch auch nebenbei; nämlich, eben eine Verherrlichung seines Werks und seiner selbst.

Mit diesen einfachen Worten über den einfachen Gesang möge unsere Anzeige enden. –

Quelle: Friedrich Rochlitz, *Sebastian Bachs große Passionsmusik, nach dem Evangelisten Johannes* *).
*)   *In Partitur, und auch in vollständigem Clavierauszuge: Berlin, bei Trautwein; in: Friedrich Rochlitz, Für Freunde der Tonkunst, Vierter Band,* Leipzig 1832, S. 436–448.
Anm.: Rochlitz' Text beginnt mit einer langen Erörterung der theologischen Grundlagen und der Geschichte der oratorischen Passion ohne engeren Bezug zu Bachs Komposition. Eine erste, mit Notenbeispielen versehene und generell stärker als Rezension gehaltene Fassung des Textes erschien in den Nummern 17, 18 und 19 des 33. Jahrgangs der AMZ vom 27. April, 4. Mai und 11. Mai 1831, Sp. 265–271, 285–298 und 301–311.

B 91

Rellstab: Die Johannes-passion als Parallelkomposition der Matthäus-Passion
Berlin, 14. Januar 1831

Wir haben uns jetzt noch mit einigen Einzelheiten des großen Werkes zu beschäftigen. Von den Chören ist es, wie in der mehrerwähnten Parallelmusik des Meisters, namentlich der erste, der Einleitungschor, dem er die größte Aufmerksamkeit gewidmet hat. Dort ist es ein Choral, der als cantus firmus sich durch das Ganze zieht, und über welchen der Komponist ein schwindelndes Gebäude der verwickeltsten Harmonien gethürmt hat. Dem vorliegenden Chor fehlt ein solches Fundament; auf den ersten Anblick scheint er nur durch eine figurirte Begleitung, die meist in Sextenakkorden sich über einem Orgelpunkt hin und her bewegt, ausgezeichnet zu seyn. Aber wie erstaunt man, wenn man den Bau der Stimmen näher betrachtet, und erstlich die hohe Selbständigkeit jeder einzelnen, dann aber auch ein fast

ganz durchgehends canonisches Gefüge derselben entdeckt, welches sich auf das
wunderbarste verschlingt und sich wechselnd in halben, ganzen oder Vierteltakten
folgt. – Der Form des Canons scheint er überhaupt für dieses Werk eine besondere
Vorliebe geschenkt zu haben, denn wir treffen sie noch in mehrern andern Stücken
wieder. Um übrigens nur einigen der vielen Chöre, die höchst ausgezeichnet sind
(man könnte eigentlich sagen alle) die Aufmerksamkeit nicht zu versagen, nennen
wir nur noch den ganz kurzen aber höchst charakteristischen Volkschor: „Nicht dieser, dieser nicht," der in allen Stimmen so meisterhaft deklamirt ist, daß man jede
zur Oberstimme machen könnte, und den höchst gelehrt fugirten: „Wir haben ein
Gesetz und nach dem Gesetz soll er sterben," wo das Thema neben der Schönheit,
der Fähigkeit canonisch behandelt zu werden (welches gleich im Anfange durch
die begleitenden Stimmen geschieht) auch noch den trefflichsten, deklamatorischen
Ausdruck in sich vereinigt. – Das meiste Veraltete, Eigenthümliche der Zeit und
Mode von damals findet sich offenbar in den Arien. Sie sind zum Theil sehr melodisch, oft äußerst kunstreich begleitet, im durchgehenden Canon mit dem Accompagnement gehalten, oder wenigstens durch andre gelehrte Zutaten gewürzt; aber
dennoch dürften sie selten an sich gültigen Kunstwerth haben. Man muß sie, wie
manches Alterthümliche, rein im Sinne des Damals zu betrachten wissen, und wird
sich dann der redlichen Offenheit, der oft rührenden Naivetät der Empfindungen,
die darin herrscht, freuen. Namentlich ist es aber, (wie wir schon bei der Zwillings-
musik bemerkten) wiederum sehr erfreulich zu sehn, wie harmlos sich der Musiker
an schönen Klängen ergötzt, wie er Instrumental-Soli für Violine, Flöte, Laute, Viola
d'Amour u. s. w. schreibt, und den heitren unschuldigen Schmuck der Kunst durchaus nicht verachtet. Als nachträgliche Bemerkung mag es gelten, daß in manchen
Arien der Text ebenfalls nur mit dem Gefühl der Ehrfurcht vor der redlichen Frömmigkeit unsrer Väter, die die Sache, nicht die Form beachteten, betrachtet werden
kann, wenn er nicht ins Komische fallen soll. So z. B. in der Arie No. 7, wo es von
dem fortdauernden Streben der Selbstbesserung heißt:

> Ich höre nicht auf
> An mir zu ziehen, zu schieben, zu bitten ec.

und wo der Komponist dem schieben eine recht nachdrückliche, malende Figur
untergeschoben hat, die der fromme Sänger von damals gewiß mit dem größten
Kunst und Religionseifer vortrug. Die Recitative endlich, sind durchgehends ganz
in demselben Stil gehalten, wie in der Schwestermusik. Ernst, würdig, bisweilen mit
großer Genauigkeit in der Nachahmung der rhetorischen Betonung und an bezie-
henden Stellen durch passend gewählte Mittel der Instrumentalbegleitung unterstützt. An einigen Stellen bleibt der Komponist ganz der Absicht getreu, welche er
in der mehrerwähnten Ostermusik von der Nothwendigkeit der Auffassung hatte,
und wie wir dies auch schon in dem ersten Abschnitt dieser Beurtheilung bemerkt
haben. So z. B. ist die Stelle, wo es von Petrus heißt: „Und weinte bitterlich" noch
fast stärker durch Singstimmen und Begleitung hervorgehoben, als dort. Eine andre
Stelle, wo es von Pilatus und Christus heißt,: „Und geißelten ihn," ist höchst eigen-

thümlich aufgefasst; es möchte schwer seyn, die Wirkung davon zu bestimmen. Sie wird, je nachdem man die Sache unter diesem oder jenem Gesichtspunkt betrachtet, vielleicht ganz entgegengesetzt ausfallen. Bei dem Eintritt der großen Wunderbegebenheiten, dem Erdbeben, dem Zerreissen des großen Tempelvorhangs, bedient sich der Musiker fast genau derselben Mittel, wie in dem mehrgedachten analogen Werk. – – Möchte nun dieses, das nach jenem aus dem Dunkel der Vergessenheit ans Licht gezogen wurde, auch ferner eifrige Verehrer finden, die es wie jenes zu einer Aufführung in seiner Vollgestalt beförderten, wozu die bevorstehende Osterzeit die passendste seyn dürfte.

Es darf nicht unbemerkt bleiben, daß die Ausgabe mit großer Sorgfalt und einer seltenen Korrektheit (bei einem Sebastian Bachschen Werke keine leichte Aufgabe) veranstaltet ist.

Quelle: [Ludwig Rellstab], *Grosse Passions-Musik nach dem Evangelium Johannis von Johann Sebastian Bach, vollständiger Kl. A. von L. Hellwig. Berlin, bei Trautwein. Preis 4 ½ Thlr. Schluss der Beurtheilung.* (Iris, 2. Jg., Nr. 2, 14. Januar 1831, S. 5–7.)
Anm.: Der erste Teil der Rezension, der eine sehr allgemein gehaltene Einführung in die Passion darstellt, erschien in der vorhergehenden Nr. 2, vom 7. Januar 1831, S. 1–3. Die im Text mehrfach erwähnte Rezension der Matthäuspassion anläßlich des Erscheinens des Klavierauszuges von A. B. Marx (Berlin Schlesinger 1830 → C 68–73) wurde veröffentlicht in der Iris, 1. Jg., Nr. 3, 16. April 1830.

B 92

[Rochlitz]: Analyse einiger Choralvorspiele für Orgel
Leipzig, 9. Oktober 1805

Es ist eine lobenswürdige Bemühung der Verlagshandlung, diese für die Orgelspielkunst so wichtigen Nachlässe des mit vollem Rechte zum klassischen Schriftsteller erhobenen J. S. Bach in Umlauf zu bringen. Der Geschmack hat sich zwar seit jenen Zeiten ziemlich verändert – inwiefern nämlich überhaupt von Veränderung des Geschmacks zu sprechen ist; jedoch was die Behandlung dieses königlichen Instruments betrifft, so werden die Bachschen Arbeiten jederzeit Muster seyn und bleiben, und jeder Organist, der so viel Achtung und Gefühl für die Kunst hat, sich über das gemeine, blos mechanische Spiel zu erheben, wird ihnen die sorgfältigste Aufmerksamkeit widmen, die sie, wahrlich! verdienen. Zugegeben, dass nur ein fertiger und in den Bachischen Stil eingeweihter Spieler, nur auf einem guten Instrumente, und nur vor einem kunstverständigen Auditorium davon Gebrauch machen könne, und dennoch theils die Länge mehrerer Vorspiele, theils die Materie, oft die Absicht, in welcher man gewöhnlich Choräle vorspielt, verrückten: so behält dennoch die Behauptung ihren festen Grund, dass diese Kunstproducte, sowohl in Hinsicht auf

Kulturgeschichte der Musik für diese Gattung Epoche machende Denkmäler seyen, als auch in Hinsicht auf die Behandlung der Orgel, und insbesondere in Hinsicht auf des Verf. eigenthümliche Schöpfungskraft der melodischen und harmonischen Formen auf derselben – so lange Muster der Kunst bleiben und die lehrreichste Schule für alle sich vollendende Organisten seyn werden, als die Kunst und ihr Studium bestehen und ihre richtige Würdigung behalten werden. – Sämtliche Vorspiele sind in gebundenem Stile geschrieben, bald mehr, bald weniger streng. Es sey uns erlaubt, bey der Anzeige dieser ersten beyden Hefte etwas weitläufig zu seyn, und jedes Präludium wenigstens näher nachweisend, besonders zu betrachten. No. 1. ist der ausgeführte Choral: *Wachet auf, ruft uns die Stimme* – im Tenor. Die ermahnende und warnende Stimme eines Freundes. In der Oberstimme ist eine liebliche, einfache, auf wenige Figuren gebaute Altpartie. – No. 2. ein kleines, kunstvolles, dreystimmiges Gewebe, wozu der Choral: *Meine Seele erhebt den Herrn*, als vierte Stimme im Sopran eintritt. – No. 3. ist ein Duett im gebundenen Stile, wo die Oberstimme 8 Fusston und die Unterstimme 16 Fusston einen einzigen Takt zum Thema haben, und darüber 32 Takte lang mit einander concertieren, indess der Choral: *Wo soll ich fliehen hin* – auf dem Pedale 4 Fusston in Absätzen eintritt. Das ängstliche Suchen der Ruhe ist meisterhaft gemalt, und der Effekt ganz wunderbar und einzig. – No. 4. ist ein Terzett auf dem Manual über den Choral: *Wer nur den lieben Gott lässt walten* – welcher vom Pedal dazu gespielt wird. Wiederum wahrhaft meisterlich behandelt! Die einzelnen Gedanken der Choralmelodie geben variirt den beyden Oberstimmen Stoff zu ihren mannichfaltigen Nachahmungen. – No. 5 mit der Choralmelodie: *Ach bleib bey uns, Herr Jesu Christ* – in der Oberstimme, hat in der einfachen Tenorpartie mancherley lehrreiche Stellen und ist ein gutes Übungsstück, obgleich in Rücksicht auf Länge und Zweck etwas dagegen zu erinnern wäre. – No. 6. mit dem Choral: *Kommst du nun Jesu vom Himmel* etc. in der Altstimme $^3/_4$ Takt, verlangt guten Vortrag, da die Oberpartie mit dem Basse $^2/_8$ Takt spielt. Ist etwas zu lang jedoch unterhaltend und lehrreich. – No. 7. hat die Melodie *Allein Gott in der Höh' sey Ehr* – in der Mitte zweyer meisterhaft concertirenden Stimmen. Man vergisst über dieser schönen, gebundenen Arbeit die Länge. Jedoch scheint dem Rec. der Choral zu sehr im Hintergrunde zu stehen. – No. 8. ein prächtiges, 124 Takte langes Trio über den vorigen Choral , worin die beyden Oberstimmen, neben dem, sich auf die Choralmelodie stützenden und brillanten Thema, noch den Choral wechselweise vortragen. Ein starkes Uebungsstück! No. 9. ist eine niedliche Fughette über ebendemselben Choral; wozu der Anfang der ersten und dann der zweyten Zeile der Melodie den Grundstoff geben muss. No. 10. ist ein Meisterstück der Kunst über die alte Melodie: *Wir glauben all an einen Gott* – für das volle Werk. Das Thema, aus der Melodie genommen, führen die drey obern Stimmen im Fugenstile durch, wozu das Pedal sein eignes Contrathema ebenfalls durcharbeitet. Ein einzigsmal ergreift der Tenor dies Gegenthema. – No. 11. eine artige Fughette über die vorige Melodie im sogenannten französischen Stile. – No. 12. eine dreistimmige niedliche Fughette über die Melodie *Lob sey dem allmächtigen Gott.* – No. 13. Hier sind drey Stimmen auf dem Manual geschäftig, die Melodie: *Ach Gott und Herr* – auf mannigfaltige Art vorzutragen, bald im Canto fermo, bald variiert, bald canonisch. – No. 14. enthält eine Menge von Kunstäusserungen über den vorigen Choral, welcher in der Oberstimme als Cantus firmus erscheint und von den untern Stimmen in verkleinerten Noten so vorgetragen wird, dass man durchaus nichts anders hört, als die einzelnen Theile der Melodie. No. 15. ein kleines Vorspiel mit figurirtem Canto fermo: *Wer nur den lieben Gott* etc. No. 16. ist der ganze Choral: *Durch Adams Fall ist* etc im Stilo alla capella vierstimmig fugirt. – No. 17. ist eine freundliche Ausführung des Chorals: *Schmücke dich, o liebe Seele*. –

No. 18. ist eine vierfache Behandlungsart der Melodie: *Liebster Jesu wir sind hier*. – wovon die beyden letzten fünf stimmig den Choral in den beyden Oberstimmen canonisch alla Quinta vortragen mit kleinen unbedeutenden Veränderungen in den übrigen beyden Mittelstimmen. – No. 19. der Choral: *Allein Gott in der Höh* etc. mit einem einfachen Unter-Contrapunkte der dritten Gattung, ist etwas steif und wegen der Länge ermüdend. – No. 20. ist ein herrliches, lehrreiches Trio über die vorige Melodie. Die Länge von 96 Takten übersieht man gern bey Betrachtung eines so kunstvoll behandelten Stoffs. – No. 21. und 22. enthält den Choral: *Ich hab mein Sach Gott* etc. mit dreymaliger Veränderung der Harmonie, nebst einem Vorspiel, worin dieser Choral, fugirt, 140 Takte so durchgeführt wird, dass auch diese Melodie in der Oberstimme per augmentationem erscheint, und von einem andern Instrumente dazu vorgetragen werden kann. Mit den durchgehenden Noten geht's aber hier ziemlich herbe zu. – No. 23. ist wiederum ein treffliches Vorspiel im gebundenen Stile mit zwey sich immer nachahmenden Oberstimmen und dem Canto fermo im Pedale. – No. 24. ist eine niedliche Fughette über den Choral: *Gelobet seyst du Jesu Christ*. – Rec. erlaubt sich nach dieser gedrängten und in vielem Betracht zu kurzen Anzeige, noch folgende Aeusserungen für diejenigen, welche die Bachischen Werke dieser Gattung studiren und sich danach bilden wollen. Man wage sich nicht an die Bachischen Arbeiten, ohne Fertigkeit und hinlängliche Einsichten in die Harmonie zu haben, weil man sonst Gefahr läuft, entweder den Vortrag zu verfehlen, oder gar durch die Härten der durchgehenden Noten davon abgeschreckt zu werden. Man lerne aus diesen originellen Produkten des grossen Kunstgenies die feine Verarbeitung des Stoffs, ohne sich auf den Irrweg der affektierten Künsteley zu verlieren, welche der gute Geschmack in Anspruch nimmt. Insbesondere beherzige man, dass ein Stück im strengen, gebundenen Stile den besten Effekt machen kann, wenn es auf verschiedenen Instrumenten vorgetragen wird, und hingegen, wenn es auf der Orgel oder dem Pianoforte gespielt wird, in den Stellen, wo die einzelnen Stimmen einander überspringen, oder in einander eingreifen, oder die durchgehenden Noten theils widrige Querstände machen, theils sich unter einander zerreiben, wegen der gleichen Tonfarbe zur blossen Augenmusik wird.

Quelle: [Friedrich Rochlitz], *J. S. Bachs Choralvorspiele für die Orgel, mit einem und zwey Klavieren und Pedal. Leipzig, bey Breitkopf und Härtel. Erstes und zweytes Heft. (Jedes 16 Gr.)* (AMZ, 7. Jg., Nr. 2,

9. Oktober 1805, Sp. 29–32.) Zur Edition und zum Nachweis der einzelnen Kompositionen: →
C 120.
Anm.: Autor des Textes ist wahrscheinlich Friedrich Rochlitz.

B 93

Nägeli: Das Wohltemperirte Klavier

1825

„Das wohltemperirte Klavier."

Das conterbunte Vielerley,
Der Kunstseiltänzer Gauckeley,
Ein tolles wildes Tongewühl
Der Prunkkunst erst und letztes Ziel,
Ja Harmonie und Melodie
Gleichwie Geschrey und Federvieh,
Stets Uebermaaß ohn' Unterlaß,
Ein Kunstgelag wie Sauff und Fraß:

Das ärgerte den alten Bach;
Entrüstet sann er ernstlich nach,
Wie dem Unfug zu steuern sey
Mit Künstlerkräften kühn und frey.

Stets mehr sein Aerger sich ergoß,
Je mehr er sah den ganzen Troß,
Sich tummeln, taumeln, dort und hie –
„Klavierhusaren" nannt' er sie –
Wie der in tollem Künstlertrug
Das Instrument mit Fäusten schlug,
Jagt stets mit dem verstimmten Ton
Die Herzensstimmung auch davon.

Mit Macht schlägt er die Saiten an,
Bricht neu sich Künstlerheldenbahn;
Und doch, so kühn und voll er schlug,
So weit der Genius ihn trug,
Fügt' er des Tones Schwung und Fall
Doch stets in Ordnung, Maaß und Zahl.

So hat er auf die schönste Art
Die Ruhe mit der Kraft gepaart;
Er temperirte Ohr und Hand
Und somit auch den Kunstverstand,
Gab zum Geleit Besonnenheit
Durch Kunstgefilde weit und breit,
Stellt mitten in das Kunstrevier
Uns sein „wohltemperirt Klavier."

Quelle: Hans Georg Nägeli, *„Das Wohltemperirte Klavier"*, in: *Liederkränze von Hans-Georg Nägeli,*
Zürich, bey H. G. Nägeli und in Commission bey J. D. Sauerländer in Frankfurt a. M., Friedrich Fleischer
in Leipzig, A. Schlesinger in Berlin und Perthes und Besser in Hamburg. 1825, S. 160f.

B 94

Krüger: Substanzielles und Akzidentielles in den Präludien und Fugen Bachs
Emden, Oktober 1843

… Als die größten Genien in unserer Kunst, d. h. solche, die ihre Zeit begriffen, mit-
erschaffen und fortgebildet und in wahrer künstlerischer Weise erhoben haben, sind
zu nennen: Palästrina, Bach, Mozart, Beethoven, jeder in seinem Gebiete urkräftig,
göttlich groß im Wollen und unermeßlich schön im Vollbringen. Wir erkennen nun
zwar alsobald, daß es ihnen allen um das Substantielle gründlich zu thun war: die
katholische Weihe, die evangelische Tiefe, die weltliche Herrlichkeit und die über-
weltliche Ahnung sind diese Substanzen, denen sich diese Gewaltigen gänzlich
geweihet; und doch – welche Verschiedenheit in der Darstellung dieses substantiellen Geistes! sei sie nun aus ihrem persönlichen Bildungsgange oder aus dem Geiste
der Zeit erklärt! Denn Palästrina ist fast lediglich substantiell, und alle Accidenzen
scheinen zermalmt unter der Wucht der urgewaltigen Kerngedanken, die er verkündet; bei Bach und Mozart ist Substanz und Accidenz auf's sinnigste verschmolzen,
obwohl in sehr verschiedener Weise; Beethoven neigt in seinen späteren Werken
(nach Op. 100?) immer mehr zur substantiellen Aussprache seiner Ideen. Diesem-
nach sind Bach und Mozart als Künstler die vollendetsten, während Palästrina als
Anfangspunct einer neuen Kunstperiode mit dem Substantiellen zu tief verflochten
war, als daß er dasselbe in jeder Richtung hätte vollenden mögen, und Beethoven
eben so in der Fülle des Seins webte, eine neue, letzte (?) Zukunft ahnend, so daß
ihm später das Accidentielle gleichgiltiger ward.
…
Von der weiteren Entwickelung der italienischen Kunst absehend, wenden wir uns
zu der Blüthezeit der früheren deutschen Musik, wo Sebastian als ewiger Polarstern

leuchtet, Licht gebend und Licht empfangend von Allen. Er und seine Zeit hatten
es auch mit der Aussprache des Substantiellen mehr zu thun, als die nächsten vor
und nach ihm erscheinenden Künstler; in ihm selbst aber ist, wie nirgend außer
bei Mozart, das Seiende und Werdende auf's Innigste durchdrungen, und alle die
kernhaften (substantiellen) Ideen, mit denen uns der Urgewaltige überschüttet, in
der lebendigsten und klarsten Weise gegliedert, und mit den festesten und doch zugleich mildesten Bändern zusammengewebt; an dieser Vereinigung der Haupt- und
Nebentheile ist fühlbar, wie irdische Mühen die himmlischen Gaben vervollkommnen, wie Arbeit und Genius sich wechselseitig steigern, um die herrlichsten Gebilde
des Menschengeistes zu erzeugen. Doch ist bei Bach allerdings das Substantielle
mehr überwiegend als bei Mozart. Mit diesem Vorwiegen ist an sich kein Lob und
Tadel, überhaupt kein sittliches Urtheil ausgesprochen.

…

Abgesehen also von der sittlich lobenden Schätzung, finden wir in Bach die Vereinigung der Elemente meist in schönstem Maße; dagegen bei Händel zuweilen das
Substantielle, manchmal auch wohl das Accidentielle überwiegt, zum Schaden der
Schönheit des Ganzen, wo er eilig gearbeitet. Um hier mit Beispielen anschaulich zu
sein, nehmen wir von den bekannteren einige der herrlichsten und der schwächsten
heraus. Im temp. Clavier gehören unter die gediegensten die beiden E-Dur-Fugen
und die Präludien in B-Dur, H-Dur, A-Moll des zweiten Theils. Die E-Dur-Fuge

gestaltet aus diesem einfachen Thema und dem gangartigen Melisma am Schlusse
des Thema's

ohne fremde Zuthat den ganzen Reichthum dieses überreichen frommglühenden
Gesanges, in dem man fast Menschentöne vernimmt, wie: „O daß ich tausend Zungen hätte!" – Die erste Durchführung kann, zumal bei Bach, als die nothwendige
natürliche Entfaltung der Substanz gelten, wo weniger accidentielle Seiten erscheinen; doch sind schon hier die übergehenden, begleitenden Töne durch blasseren
Schein von den starkgefärbten Glanzstellen unterschieden; so der Gang im 4ten bis
5ten Tacte:

Hierauf tritt sogleich nach der ersten Durchführung mit der Engführung des 9ten
Tactes eine substantielle Ueberfülle ein, deren gewaltige Wirkung den milden Ge-

gensatz von 4 accidentiellen Tacten (12–15) hervorruft, in denen das Suchen und
Streben sich ausspricht, das sein Ziel findet in dem großartigen Mittelsatze Tact 16–
27, in dem die Erscheinung des Thema's zu Anfang und die verkleinerte Wiederholung am Schlusse (16–17. 26–27.) sich substantiell verhalten zu den übrigen ver-
knüpfenden Tacten, von denen besonders Tact 21, 22, 23, 26 accidentiellen Charakter
haben. Von diesem Mittelsatze leiten die Tacte 29–34 zum dritten Haupttheile, dem
Schlußsatze hinüber; hier sind besonders belehrend T. 29 und 34, wie jener schwel-
lend, emporgeflügelt den kleinen Ruhepunct nach sich zieht, dieser völlig hinab-
gesenkt die Ruhe des Gemüthes hervorruft, welche den stillen Einsatz des ersten
Thema's (zum Schlußsatze T. 35.) vorbereitet. Dieser bewegt sich schön gegliedert
in stolzer Einfalt zum Ende; T. 38 und 39 sind übergehende; sie verrathen das letzte
Aufflammen des Thema's, welches im 40sten T. erscheint; die nachfolgenden Tacte
sind als freier Schluß accidentiell. – In dem naiv spielenden Thema der anderen
E-Dur-Fuge liegt der Reiz des übergehenden Ausschweifens schon ursprünglich
verborgen; die wogende Figur

giebt, wie sie selbst accidentiell ist, den übrigen Accidenzen ihren Ursprung, und
so geht die ganze Fuge, ohne tiefere Erregung doch das holdseligste Spiel reizender
schlankgewundener Gestalten darbietend, in einem Fliehen und Suchen zwischen
Substanz und Accidenz dahin. Wie jener accidentielle Gang dem Ganzen einen
freien flüchtigen Charakter giebt, so scheint er auch die Ursache der übervollständi-
gen Durchführung im Anfange (wo sich der Führer in der Mitte, T. 3 und 6, verdop-
pelt), und des lang abwesenden Mittelsatzes zu sein, der von T. 11–19 nur einmal an
untergeordneter Stelle (T. 16), wo kein rhythmischer Abschnitt ist, das Thema bringt.
Der Schlußsatz zerfällt sonderbar in zwei Theile, die vom 19ten und 25sten T. an zu
rechnen sind, immerfort von den Nebensätzen durchschlungen und unterbrochen,
und selbst am völligen Ende den Hörer im Ungewissen lassend, wie das eigentlich gemeint sei, wo der substantielle Theil hingerathen – und ehe die bestimmte
Antwort noch ertönt, ist der Schluß da, fast ungemischt substantieller Natur. Diese
Fuge, so wenig günstig das Thema an sich zur Fugirung ist, kann man darum ein
Meisterstück nennen, weil sie bei aller Unbändigkeit und Keckheit ihres Wesens
doch so scharfgeprägt das Accidentielle und sein Gegentheil kennen lehrt: und dazu
der reizende humoristische Inhalt! – Was ist nicht überhaupt aus diesem Wald von
Herrlichkeiten zu erlernen, wenn es auf Studium ankommt, ganz abgesehen vom
Genusse, so weit sich der überhaupt trennen lässt! –
…

Von den Präludien genauer zu reden, würde hier zu weit führen; unter den Fugen,
die dem Studium wie der Empfindung den größten Stoff bieten, heben wir nur noch
hervor: die in Cis-Dur und Moll des ersten Theils:

und die in F-Moll des ersten:

mit ihrer tiefen göttlichen Schwermuth. – Während Bach in dem temp. Clav. seine schönste Kraft dargelegt in edelster Weise, hat die: „Kunst der Fuge" einen Theil ihrer bekannten Herbigkeit in dem Umstande, daß sie zuweilen übermäßig substantiell ist, und diese immerfort hervorbrechende Substanz, das Grundthema, an sich keine Schönheit hat: denn in dem letzteren Falle wäre der Ueberfluß leicht zu tragen. In diesem merkwürdigen Werke sind deshalb die freieren mit vielen Melismen durchwürzten Fugen nicht blos genießbarer, sondern voll hoher schwungvoller Schönheit, als: Nr. 6. 7. 8. …

Quelle: Eduard Krüger, *Von den Übergängen. (Fortsetzung.)* (NZfM, 19. Bd., Nr. 42, 23. November 1843, S. 165, 166–168 und Nr. 43, 27. November 1843, S. 169.)
Anm.: Die im Text analysierten bzw. mit Incipits dargestellten Fugen sind BWV 878 / 2, 854 / 2, 849 / 2 und 857 / 2.

B 95

Marx: Seb. Bach's chromatische Fantasie
Leipzig, 19. Januar 1848

Darf man wohl für diesen Gegenstand in unserer Zeit, die jeden Tag ein neues Genie und jede Stunde ein neues Originalwerk bringt, ein wenig Aufmerksamkeit hoffen? – Wird nicht schon rechts von den Klassischen ein blasirtes: Connu! und links von den Modernen ein spöttelndes: Rokoko! gerufen? – Werden nicht die musikalischen Nachzügler der einstmaligen Tieck-Schlegel'schen Romantikasterei, die just von ihrem eignen Geburtstage her die Erfindung der Romantik in der Musik datiren, etwas von Zopf- und Perückenstyl murmeln und jedenfalls die Tendenzphilosophen demonstriren: dass in der chromatischen Fantasie nicht die Idee der Achtzehnhundertsiebenvierzigerzeit ausgesprochen sei und es daher nicht der Mühe lohne, von ihr zu reden?
Ich kann nicht ableugnen, dass mein Thema ein veraltetes ist. Aber – warum denn veraltet, wenn das Werk nicht veraltet ist? Kann denn ein Kunstwerk, ein wahres mein' ich, veralten? Ist nicht jedes ein ewiges Zeugniss für den Kunstgeist und eine ewige

Lehre? Kein Thema ist veraltet, über das noch etwas Erspriessliches zu sagen bleibt. Also das wäre die Frage, der hier Stand zu halten ist. Wozu erst noch ein Langes und Breites über das allbekannte Werk? Bach – nun das ist unser kunstfester, ernsthaft gediegen unerbittlich einherschreitender Altmeister mit dem grimmlächelnden Gesicht und den brennenden Augen und der Stutzperücke (wie er im berliner Joachimsthale zu sehen), bei dem jeder Takt eine Fuge und jede Fuge eine Kanonik und jeder Satz eine Polymorphie wird (das ist die ärgste aller Hexenkünste) und ein Akkord an den andern, eine Stimme an die andere ehern geschmiedet ist, dass kein Hauch fessellosen Gemüths hindurchwehen kann. Und dergleichen muss „klassisch" vorgetragen werden: rein, sauber, fest, strenggemessen, jede Note nach Vorschrift und vor Allem ruhig, ganz ruhig! Wer da „moderne Sentimentalität" und „romantische Schwärmerei und Phantasterei" einrühren wollte, oder nur so ungebunden agiren, wie ein Beethoven vielleicht erlaubt oder fordert, der würde den Meister und „seinen Styl" missverstehen, ja entstellen und profaniren.

So ungefähr lautet der Spruch der strengen Bachianer seit hundert Jahren. Von diesem Punkt angesehen erscheint er als der Hexenmeister im Satze, der schon bei Lebzeiten durch seine Kunst den armen Marchand vom Orgelchor gejagt, unter dem Geschrei: „Das hat der Teufel oder Bach gethan". Höchstens thront er, wie ein musikalischer Gott-Jehovah in strengunabänderlicher Gestaltungskraft – und hat wirklich schon viele Kinder „bis in's dritte und vierte Glied" zu fürchten und zu weinen gemacht.

Ein solcher ist ja aber unser Bach nimmer gewesen. Er war ein wirklicher Künstler, trug in seinem Herzen das wirkliche volle allseitige Menschenleben und strömte dies in seinen Werken aus. Schon in den Kirchenmusiken ist nicht jene hausbackene, stillhaltende, armwerfende Andachtsgrimasse, die wir in den stehenbleibenden Redensarten und Augenverdrehungen so vieler Kirchenredner und Hallelujasänger angähnen gelernt haben; auch nicht die ascetische Dürre unserer gestrengen Dogmatiker und Contrapunctisten. Jedes Gefühl der Andacht, der Busse, Trauer, Freudigkeit, der Glaubensseeligkeit in heiligem Frieden und des streitfertigsten Glaubenseifers, dem „das Schwert" gebracht ist, – Alles was im lebendigen Evangelium lebt und waltet (allerdings nicht die Süsslichkeiten neuester Pietistenheuchelei, die jetzt in und ausser der Musik aufgetischt werden), kommt da zum vollsten, unverhaltenen ungeheuchelten Ausdruck. In seinen Oratorien (namentlich in der matthäischen Passion) ist jeder Lebensmoment, – von der Verzückung des Heilands, der Legionen von Engeln schaut, bis zu der verzerrten Gewissensangst des Verräthers und dem Wuthschrei des Volks, – Alles in gleicher, ungeschminkter und ununterdrückter Fülle der Wahrheit hingestellt. So weit entfernt war der Künstler von dem herkömmlichen kirchenmusiklichen Abmarkten und Abschwächen und Abheucheln von der Wahrheit, dass ein volles Jahrhundert dazu gehört hat, sein lebensglutvolles Licht zu ertragen; und noch jetzt, – wie Wenige vermögen es! wie viel Wenigere wagen sich auf seinen „Weg der Wahrheit" durch die Dornen der Verkennung! – –

So aber ist der Meister überall. So scherzt und spielt er in seiner „Hochzeitskantate" gleich einem Vaudevillisten mit Liedern (nur die Rezitative schlagen bisweilen in jenen gewohnteren hohen Ton über) und der potpourri-artigen Ouverture. So tummelt er sich in Tänzen und Divertissements für das Klavier (er nennt sie Exercices, Préludes u. s. w.), die zum Theil allerdings schwach und veraltet sein mögen, zum andern Theil aber Ausbrüche, Darstellungen des vollsten, mannigfachst gestimmten Lebens sind. Ihnen schliessen sich die Einleitungen zu den Fugen an für Orgel, Klavier und Orchester, reich an Stimmungen des reichsten, bald kindlich dahinscherzenden, bald inniger und süsser oder leidenschaftlich, ja herb erregten Seelenlebens. Und das geht in die Fugen selbst über, zum sprechenden Zeugniss, dass diese Form ihn nicht gefangengenommen zu irgend einem stetischen Ausdruck (etwa der Würde u. s. w.), sondern dass er in ihr behaglich eingewohnt war – wie Beethoven in der Sonatenform – und in ihr die mannigfachsten Stimmungen, soweit sie irgend der Idee der Form entsprachen, durchlebte und austönte. Man darf nur eine Reihe von Thematen neben einander halten, um sich davon zu überzeugen; schon das temperirte Klavier gibt genügende Beweise, die sich aus den grossen Klavierfugen *)

*)   Ich denke an die im vierten Bande der Peters'schen Gesammtausgabe mitgetheilten, besonders an die sieben ersten, mit Ausnahme der vierten, die wahrscheinlich nicht von Seb. Bach ist, so wenig wie der unter Nr. 10 mitgetheilte platte Spass. – Dass Bach von Vielen gemieden, von Vielen nicht wahrhaft, nämlich mit vollem Hineinleben in seine Idee, verstanden und in aufrichtiger Liebe angenommen wird, scheint mir hauptsächlich in der Weise zu liegen, in der man sich mit ihm bekannt zu machen pflegt. Man knüpft zuerst mit dem temperirten Klavier an, – einer allerdings überreichen, ja unschätzbaren Sammlung von Kunstwerken, aber nach Form und Inhalt ferner stehend der Sinnesrichtung unserer Zeit. Da wollen sich denn Lust und Verständniss des Wesentlichen nicht so leicht bei Jedermann, der mit Fähigkeit und gutem Willen herantrat, einstellen – und man schiebt das Unverstandene bei Seite oder heuchelt dem grossen Namen gegenüber Theilnahme und Bewunderung, die lebens- und fruchtlos bleiben wie taube Nüsse. Und doch finden sich so glückliche Anknüpfungen in den mehr oder ganz homophonen und liedförmigen Sätzen und in der Spielfülle der oben bezeichneten Werke!
Zur Beförderung dieser Anknüpfung, und namentlich zum Gebrauche bei jedem auf edlere Bildung gerichteten Klavierunterricht, habe ich die „Auswahl aus Seb. Bach's Klaviercompositionen" bei Challier in Berlin herausgegeben.

und Orgelstücken noch schlagend verstärken. Sogar der heiter spielende Humor sollte nicht von der Orgelbank fern bleiben; das Orgelfugato zu „Dies sind die heil'gen zehn Gebot" könnte man in alttestamentarischer Sprache „Gesetzfreude" nennen. Ja – es sei nur kühn gesagt – selbst die edlere und aufrichtige „Sentimentalität" war dem alten Sänger nicht fremd. In jenem wunderbaren Abendlied am Kreuzesfusse (in der matthäischen Passion) wird das
Ach, liebe Seele, bitte du, geh!
so hingegeben, so auf- und losgelöset, mehr hingeseufzet als gesungen, wie es nur je in der Stunde schwärmerischen Seelenergusses einem Beethoven oder noch Jüngeren hätte gegeben werden können – aber nicht gegeben worden ist. Und dieser Zug steht nicht allein.

Nun wolle man noch mit einer allgemeinen Würdigkeitsphrase diesen umfassend-
sten Geist abfertigen, – nur den flüchtigen Erinnerungen gegenüber! die doch nicht
mehr sind, als ein Paar Hälmchen, auf breitem üppigem Wiesenplan im Vorbeigehn
spielend abgerupft zum Andenken! Nun wage man, mit ein Paar allgemeinen Sprüchen den Vortrag der bach'schen Compositionen leiten zu wollen! – Es wird nicht
anders gehn, als dass man den Sinn jeder einzelnen besonders ergründet und diesen
zur Sprache bringt. Mögen sich auch deren finden, die keinen eigenthümlichen Charakter und Sinn in sich tragen, die also nur allgemeine Ansprüche an den Vortrag
machen, – Bach war eben auch nur ein Mensch und hatte auch schwächere Stunden,
wie jeder Künstler: so wird man darum noch nicht berechtigt sein, die glücklicheren
und tieferen Werke zu jenen herabzuziehen; man wird sich niemals der Forschung
nach dem tieferen und eigenthümlichen Gehalt entziehen dürfen.
Wenden wir uns nun mit so guten Vorsätzen endlich an die Chromatika, so stellt
sich ein letztes Vorurtheil in den Weg. Viele (und recht schätzbare Musiker liessen
sich zum Beweise nennen) fassen die Fuge als einen achtunggebietenden Satz auf,
wissen sich aber weniger mit der Fantasie zu verständigen und erklären kurzweg:
die Fuge sei einer von den Meistersätzen Bach's, die Fantasie aber, das sei „der
Zopf", den er nicht habe los werden können und seiner Zeit zur Ehre oder zum
Opfer habe stehen lassen müssen. Seltsam! Zopf und Genius – in Einem Werke, ein
Werk, das oberhalb Zeitschwäche und unterhalb unsterblicher Geist sein soll! das
wäre so wunderbar, aber nicht so reizend, wie die hellenische Sirene, die oberhalb
holdverführerisches Mädchen und nur unterhalb garstiger Fischleib war.
Oder hat Bach etwa die Fuge als eigentliches Werk aufgefasst und in der Fantasie
nur präludiren wollen, nur durch die Saiten rauschen, um Aufmerksamkeit und
Sinn der Hörer zu wecken? – Mit dieser Annahme liesse sich vielleicht eine alte Tradition über den Vortrag der Fantasie in Verbindung bringen. Von Bach selber – wie
es heisst! – auf seine Schüler, und von diesen bis auf uns, ist die Weisung überliefert
worden, man solle jene sinnschweren Akkorde, die sich in drei immer mächtigeren
Massen in der Fantasie aufstellen, in ein auf- und ablaufendes (oder zwei Mal auf-
und ablaufendes) Arpeggio verwandeln. Nun ist bekanntlich die ganze Fantasie,
besonders bis zu den Arpeggien, voll unruhig und schnell bewegten Spiels. Kommt
man jener Weisung nach, so ist die Folge, dass das Ganze zerflattert und zerstäubt
in eine fast haltlose Tonflucht, während doch – selbst ehe man auf den näheren Sinn
eingeht – jene Akkorde gleich Felsen in der bewegten Meerflut feststehen möchten,
als Anhalte, wo das Gefühl sich sammeln, beruhigen, erheben könnte aus dem un-
steten Gewühl zu festerem folgesicherem Dasein *).

*)   An der Aufrichtigkeit der Ueberlieferung ist kein Grund zu zweifeln; wohl aber dürfte sie
auf einem Missverständnisse beruhen. Schon auf unseren klangvollen Instrumenten geben wir
Akkorde, die mächtig hervortreten sollen, nicht mit genau gleichzeitigem Anschlag an, sondern
in reissend schneller Brechung, unter Festhalten aller Töne, etwa wie hier –

bei a an; bei den klangarmen Instrumenten der bach'schen Zeit muss diese Spielweise – und vielleicht langsamere Brechung, vielleicht selbst ein theilweises Zurückgehen, um die verklungenen Töne wieder anzufrischen – noch viel nothwendiger gewesen sein. Hierauf wird sich wohl die überlieferte Anweisung Bach's bezogen und beschränkt haben; sie kann mithin uns nicht bestimmen, jene herrlichen Tonmassen zu verkrümeln (wie oben bei b, oder gar mit zweimaligem Arpeggio jedes Akkords) und damit alle Ruhepunkte und die entscheidenden Schläge des Spiels zu verscherzen.

Für jene Spielweise könnte man noch anführen, dass der erste Takt, in dem die Akkorde auftreten, schon mit einem Arpeggio

anhebt, die verlangte Brechung also nur der consequente Fortgang des Anfangs sei. Allein jener Anfang ist vielmehr der Ausgang des Vorhergehenden und namentlich des letzten Takts und spielt uns den ersten Ton der nun erst festwerdenden Melodie – d....e, f, fis, g, gis, a....b – zu, die im fortlaufenden breiteren Arpeggio verloren gehen würde. Diese Melodie leitet weiter – und die folgenden Akkordmassen werden keineswegs durch ausgesetztes Arpeggio eingeführt. Im Gegentheil, es widerstrebt ihr Eintritt, so wie häufig die Akkordlage und ungleiche Tonzahl der einzelnen Harmonieen, einer ebenmässigen Ein- und Durchführung des Arpeggiospiels.

Wenn man auch einstweilen nur die Fuge in das Auge fasst, die sich zu immer festerem pathetischem Einherschritt in Fülle und Macht emporschwingt, so müsste, wie mich dünkt, eine so durchweg aufgelöste Einleitung durchaus unangemessen erscheinen; sie könnte dann kaum eine andere Wirksamkeit haben, als ein stille und aufmerksam machendes Vorspiel, dergleichen nicht erst aufgeschrieben, sondern vom Spieler im Nothfall extemporirt wird. Es hiesse aber, den Componisten ungehört verurtheilen, wenn man im stummen Respekt vor einer Tradition nicht wenigstens vorher untersuchen wollte, ob sich denn in seiner Fantasie nicht ein tieferer Sinn regte, der aus jenem Zerflattern herausgerettet werden könnte. Und dieser Sinn scheint mir so klar und fasslich, dass ich nicht wagen würde, mich über ihn auszusprechen, hätte ich nicht öfters selbst von bedeutenden Spielern einen so entschieden abweichenden Vortrag vernommen. Ich will nur einen nennen, Franz Liszt, der in seiner dämonischen Spielgewalt zu hochgestellt ist, als dass es für ihn von Gewicht wäre, ein einzelnes Werk mehr oder weniger treffend aufgefasst zu haben. Er durchstürmte Fantasie und Fuge wie in bacchantischem Rausch (die Fuge etwa doppelt so schnell, als man sie zu hören gewohnt und – im Stande ist), verdoppelte

in der Fuge den Bass fast durchgängig mit Octaven und warf in diesen Tonsturm die
unerwartetsten Sforzato-Töne (z. B. die halben Noten, Takt 39, 40, 62, 64 u. s. w.), die
bald in dieser, bald in jener Stimme, wie jähe Blitze am Nachthimmel, um so schärfer hervorzuckten, je weniger sie im Gange der Fuge bedingt waren. Andere Spieler
haben letzteres unterlassen, weniger reissend schnell gespielt, in der Fantasie Einzelnes bald mehr, bald weniger fein als Liszt hervorgehoben; bei Allen schien namentlich
der feste Eintritt der Fuge nach der mehr flatternd aufgelösten Fantasie unmotivirt.
Bach hat nicht glücklich componirt, wenn nicht sein ganzes Werk – Fantasie und
Fuge, und erstere in allen Theilen – ein einheitvoller Erguss ist, von einer einigen
Idee oder Stimmung getragen. Wir dürfen aber nicht voraussetzen, dass ihm dies
Höchste und Letzte nicht gegeben oder gelungen, sondern sind umgekehrt verpflichtet, diese Einheit zu suchen und hervorzuheben. Dies scheint mir aber hier um so
anziehender und fruchtbarer, da das Werk nicht eine jener plastisch ausgeprägten
Ideen offenbart, wie etwa die Helden- oder Pastoral-Symphonie von Beethoven,
sondern einen rein musikalischen Inhalt hat.
Das rein musikalische Element, die Stimmung, wie sie einstweilen noch unfest und
nicht klar ausgesprochen im Gemüthe erwacht, – wie sie das erregbare Gemüth
des Tonkünstlers heftiger fasst und durchschüttert, das scheint mir der Quell dieser
bach'schen Schöpfung; gewiss (oder wahrscheinlich) ihm selber unbewusst, wenigstens während des Schaffens, aber im Werke selber in deutlichen Zügen niedergeschrieben. Wir schauen gleichsam in das Werden eines Tonwerks; aber wie es nur in
einem künstlerisch erregten Gemüth vor sich gehen konnte, so gestattet es auch uns
nicht etwa einen neugierig kalten Forscherblick, sondern reizt uns gleich vom ersten
Moment an und zieht mit der Gewalt künstlerischer Sympathie immer tiefer und
angeregter in sein immer beseelteres, bestimmteres, machtvoll und heiss vordrin-
gendes Wesen. Gerade hiermit scheint der ganz eigenthümliche – durchaus in keinem anderen bekannt gewordenen Werk ausgeprägte Inhalt der Chromatika – und
damit das höchste, nämlich ihr ausschliesslich eigene Interesse ausgesprochen. Vor
Allem musste es daher dem Klavier, dem Vertrauten einsamer Künstlerstunden, angehörig werden und in der düstern Weise von D moll entbrennen. Eine ferne Ideen-
verwandtschaft bringt uns Beethoven's neunte Symphonie vor die Seele.
Daher wird – ganz gegen alle sonstige Weise Bach's – das erste Motiv (Takt 1) wild
hinaufstürmend hingeworfen und zögernd abgebrochen, dann wiederholt – und verlassen. Ein neues Motiv (Takt 3) tritt, wieder hastig hin und her suchend, vor, wiederholt sich in umgekehrter Weise, wird (Takt 5) wie zu ängstlicher Frage aufgelöst,
drängt und wühlt sich unruhvoll, schwingt sich (mit Erinnerung an das erste Motiv)
auf und ab und findet aus all' dieser Hast endlich (Takt 20) einen herb bezeichneten Halt auf der Dominante. All' dieses Suchen und Irren hat kein Ziel gefunden;
das erste Motiv stürmt in weit umfassendem Schwunge gewaltsamer hinein – und
endlich gebietet ein fester Wille in jenen ersten breiten Akkorden (Takt 27) ein Zusammenfassen, das (ich wiederhole das Vorausgesagte) zu nothwendig in diesem
Ton-Gestrudel ist, um einer zweideutigen Tradition zum Opfer gebracht zu werden.

Hier tritt nun auch der erste haltbarere Ansatz einer Melodie (e, f, fis, g, gis, a) hervor, führt uns mit Nachdruck auf die Dominante – und über ihrem Dreiklange von der figurirten Oktave in die None. Es ist hiermit fester Fuss gefasst, aber noch kein bestimmter fesselnder Inhalt. Noch einmal entreisst sich uns der Faden der Melodie und wirrt sich in das erste Motiv hinein; aber schon im dritten Takte steigt, wie sicheres Gestade aus dem Meerschwall, jene Masse feststehender Akkorde breiter und mächtiger hervor; – andringend, schmerzlich, befremdend treffen sie uns; nach einem letzten flüchtigen Abschweifen der Oberstimme senken sie sich, immer zusammengefasster, in beruhigter Kraft zu einem letzten pathetischen Schluss auf die Dominante. – Zum letzten Male sei hier gegen das unseelige Auflösen dieser Prachtklänge (die endlich sogar Mittelstimmen und Bass aussondern und sich rhythmisch charaktervoll gestalten) in würdelos flatterndes Arpeggio Einspruch gethan. Nimmt man diesem ersten Theile der Fantasie die Felsenmassen seiner Akkorde, so zerstäubt er in eine Tonflucht, die höchstens geeignet wäre, die Rapidität und Leichtigkeit des Spielers (und vielleicht einige feine kleine Betonungen im Einzelnen) zu zeigen. Bach hätte dann ein Bravourstück geliefert, aber ein schlechtes, denn jene Eigenschaften lassen sich weit reicher und reizvoller darlegen. –
Haltung – eines freilich innerlich erregten, scharf bis zum Schmerze geweckten Gemüths ist gewonnen. Dieses Gefühl oder Vorgefühl schöpferischen Ringens (das jeder Schaffende wohl in sich erfahren hat, dem erst später das Entzücken schöpferischen Vollendens vielleicht anschliesst) ist bis hierher der einzige gewonnene Inhalt. Hier knüpft nun wunderwürdig ein Rezitativ an, – natürlich nicht etwa dem Gesang äusserlich nachgeäfft, sondern dem Wesen des Klaviers in Spielfülle stets ausdrucksvoller Melismen angeeignet. Dieses Rezitativ mit seinen Zwischenspielen, mit einem späten Abirren in die früheren Flattermotive, ist der Inhalt des ganzen zweiten Theils der Fantasie und schliesst in sinnigem Versinken über einem grossgefühlten Orgelpunkt auf der Tonika des Haupttons. Erhaben und doch wieder zartbewegt, ja in einzelnen Momenten hinschmelzend in edler Sentimentalität, scheint in diesem Gesang ein tief-innigst bewegtes Gemüth, sich selber zum Räthsel geworden (denn ist nicht jede schöpferische Stunde ein Räthsel und ein Wunder?), im Selbstgespräch sich Fragen vorzulegen, die keine Antwort finden können, so wenig wie der Künstler Befriedigung, – den Augenblick, zu dem Faust hätte: Verweile! sprechen mögen.
Nun folgt die Fuge. Nothwendig, denn das Rezitativ fand und gewährte keine Befriedigung; es fordert noch den zusammenfassenden, die Stimmung festenden und erhebenden Schlussgesang, der ein Höheres geben muss, als jener Monolog des Rezitativ's, und somit den Einzelgesang gleich zu einem allgemeineren oder gemeinsameren erhebt. Diese höhere Kraft und Festigkeit muss sich aus der Zerstreuung und dem Versinken des Rezitativs erst sammeln. Das Hauptmotiv des Fugenthema's (Takt l und 2) tritt noch unbestimmt chromatisch (wie jener erste Melodieansatz) in fremde Tonart gewendet auf, bricht ab und wiederholt sich in tieferer Lage, abermals in neue Tonart gewendet; dann erst führen vier neue Takte das Thema zu Ende und

es bedarf eines Zwischensatzes, um zum Eintritte des Gefährten zu gelangen. Dieser Sinn scheint mir im Zusammenhange des Ganzen eben so nothwendig begründet, als in den Noten ausgesprochen; der Vortrag wird dieses Zögern und Stocken (nach Takt 2) ausdrücken müssen, wird sich erst allmälig zu festem Einherschritt, zu höherer Energie und so auch zu belebterem Tempo hervorarbeiten können. Es ist dafür bezeichnend, dass nicht das Thema, sondern der ganz freigebildete Zwischensatz (Takt 8) das Element lebendigerer Bewegung bringt und der höhere Aufschwung erst nach vollendeter Durchführung entschieden vortritt. In keiner Fuge sonst hat Bach den ersten Theil in solcher Ausbreitung und Erhebung geschlossen. Der ganze fernere Verlauf der Fuge folgt diesem Sinne. Ueber alle stillerwerdenden oder eigensinnig widerstrebenden oder in Ruheklängen aufathmend sich wiegenden Momente (letzteres die freien akkordischen Zwischensätze) hinweggesehen, ist die Fuge eine eben so machtvolle Erhebung, als die Fantasie ein schmerzgereiztes Sinnen und Fragen, – bis zuerst in E moll, dann aber gegen das Ende die Schranke der Dreistimmigkeit durchbrochen wird und der Hymnus im Klange voller Akkorde mit donnernden Oktavengängen des Basses zum Schlusse dringt – und stilldemüthig verstummt.

Es würde überflüssig sein, diese Andeutungen bis in die Einzelheiten des Vortrags zu erstrecken. Erkennt man die Auffassung des Ganzen und der Hauptmomente (Einleitung, Rezitativ und Fuge) für richtig, überzeugt man sich besonders: dass diese Auffassung keine schönrednerische Fantasie neben der Composition ist, sondern durchaus auf dieser letzteren fusst und nur danach trachtet, Zug um Zug das in ihr wirklich Erkannte mit den einfachsten Worten auszusprechen, – Worte, die freilich einen dichterischen, aber nicht vom Redenden, sondern vom Tondichter gegebenen Inhalt haben, so ergibt sich alles Einzelne von selber. Ist es aber nicht gelungen, zu der Idee eines Werkes durchzudringen und es von ihr aus als ein einiges Ganze, jeden Theil, jede Einzelheit in ihrer Bedeutung für das Ganze zu begreifen, so kann Einzelnes instinktartig gefasst werden, das Ganze aber muss scheitern. Bedürfte diese alte Wahrheit noch eines Beweises, so könnte sie an hundert Beispielen Ausübender – und an Hunderten unserer Rezensionen (die gelegentlich auch einmal beleuchtet werden können) erläutert werden.

Noch weniger möchte ich mich auf formale Erörterung einlassen, zu der ohnehin das vorliegende Werk weniger Stoff bietet, als viele andere, z. B. als die grossen B moll- und H moll-Fugen des temperirten Klaviers und die Inversionen der Fugenkunst. Lieber wollt' ich (wenn es nur ginge) den gespannten Blick Vieler von der Form ablenken, damit sie sich nur vor Allem unbefangen dem Tondichter hingäben und ihn auffassten nicht als grimmvollen Rechner und Kabbalisten, sondern als Menschen, der menschlich lebte, fühlte, seufzte, schwärmte wie wir; der dämonisch-stark war, wie wir – sein möchten, und romantisch träumte vor hundert Jahren, wie wir heute und die Künstler der letzten zehn oder zwölf Jahrhunderte vor uns. Denn so zeigt uns ihren Schöpfer die chromatische Fantasie.

Quelle: Adolf Bernhard Marx, *Seb. Bach's chromatische Fantasie. Einige Bemerkungen von A. B. Marx.*
(AMZ, 50. Jg., Nr. 3, 19. Januar 1848, Sp. 33–41.)
Anm.: Im Anschluß an Marx' Aufsatz entspann sich eine Polemik mit F. K. Griepenkerl über die
angemessene Vortragsweise der Chromatischen Fantasie. Griepenkerls Antwort erschien unter
dem Titel *Noch einmal: J. S. Bach's chromatische Phantasie* in der AMZ, 50. Jg., Nr. 7, 16. Februar
1848, Sp. 97–100; Marx' nochmalige Replik *Tradition und Prüfung* in der AMZ, 50. Jg., Nr. 10,
8. März 1848, Sp. 153–160. Zu Griepenkerls Auffassung der richtigen Vortragsweise des Werkes
→ E 9.
Lit.: Karen Lehmann, „Eines der vortrefflichsten Kunstwerke, die uns deutschem Geist entsprossen sind" – Zur Rezeption von Bachs Chromatischer Fantasie und Fuge im Zeitalter Mendelssohn und Schumanns, in: Bericht Konferenz Leipzig 2005, S. 357–366.

B 96

Krüger: Analyse der sechs Sonaten für Clavier und Violine

Emden, August 1841

Wie soll man Worte finden, den Genius würdig zu preisen, der bei jeder neuen Thatäußerung aufs Neue zu ehrfurchtsvoller Verwunderung auffordert! Wie eines antiken Torso zerfallene Glieder, die die liebevolle Sorgfalt der Enkel zum Ganzen zu
fügen mit ungewisser Aussicht arbeitet, so kommen uns die Werke des himmlischen
Sehers, dem vor Allen die Gabe gewährt war, Gottes Kraft in Tönen zu offenbaren,
leider nur stückweise in die Hand, und wir wissen nicht, ob mehr als ein Nägeli
noch ein abgehauenes Riesenglied mit kümmerlichen Neide bewahrt. Doch fühlen
wir uns nicht eher beruhigt, bis wir den ganzen ewigen Sänger wieder vor Augen
haben. Aufrichtigen Dank also der Verlagshandlung, welche zu solchem Unternehmen wenigstens den Grund zu legen verspricht, und die langersehnten Denkmäler
dieses Genius auch in würdiger Gestalt dem Volke zurück giebt, das ein vaterländi-
sches Recht an ihn hat. Der Preis (4 $\frac{1}{2}$ Thlr.) scheint hoch, da kein Autoren-Honorar
zu bezahlen war; doch ist er, genau erwogen, für 130 Seiten Hochfolio Kupferstich
(90 S. Clavier, 30 S. Violine) nicht unbillig, zumal für eine so musterhaft correcte
Ausgabe – ein Lob, das wenigen Bachianis in diesem Maße zukommt. Wir haben
beim Durchspielen jener 130 S. nur einen Fehler bemerkt, nämlich S. 20 der Violine,
System 8, Tact 3, wo eine Viertelpause statt der Achtelpause im Anfang steht.
Sollen wir über den Inhalt berichten, so setzt uns sein ungeheurer Reichthum in
Verlegenheit, da die rechte Weise des Lobes zu finden eben so schwierig ist, wie
ein einzelnes Kunstwerk aus jener bilderreichen Gallerie als vorzüglich heraus-
zuheben Mühe macht. Doch versuchen wir, um recht viele wahre Freunde der
Musik zum Mitgenusse anzureizen, einen flüchtigen Abriß des Erlebten zu geben,
was jene köstlichen Tongedichte vor unsere Seele gezaubert haben. – Der allgemeinste Eindruck, den wir beim ersten frischen Genusse jener Sonaten empfanden, war

die Anschauung ewiger Jugend, der unvergänglichen, über Zeit und Augenblick dauernden Schönheit. Keine Spur der bei den Fashionablen gefürchteten Austerität des gelehrten Eigensinnes, der steiffaltigen Reifröcke, die jener Zeit eigenthümlich waren und die, sonderbar genug! auch dem großen Sebastian von manchem Kinde unserer Zeit angedichtet werden; nur das geübte Ohr hört sogleich die wunderbaren canonischen Verschlingungen, fugirten Bearbeitungen, contrapunctischen Künste alle heraus. Die nächste Beobachtung allgemeinerer Art schließt sich an die vorige an. Es ist nämlich eine auffallende, den oberflächlichen Beobachter beinahe an Charakterlosigkeit mahnende Erscheinung, daß so mannichfaltige Stylgattungen in diesem kleinen Raume vereinigt sind. Wir haben hierin nur einen neuen Beweis jener künstlerischen Vollendung, jener unbegreiflichen Allseitigkeit gesehen, die unsern göttlichen Sebastian zum Meister aller Meister, zum Typus eines vollkommenen Künstlers stempelt, in dem die Gabe der himmlischen Gnade durch menschliches, willenskräftiges Arbeiten zum Höchsten durchgebildet auftritt, wie nirgend sonst in der Welt. Mozart's süße Liebestöne, Beethoven's ahnungsvolle Tiefe, Haydn's gutmüthiger Humor treten uns in diesem Werke entgegen, das wie wenig andere Bachiana Zeugniß giebt, wie aus seinem Samen das ganze jüngere Geschlecht entsprossen ist.

Als eine neue Seite kann auch dieses gelten, daß hier keine Spur seiner religiösen Tondichtungen zu erkennen, daß derselbe Genius, dessen höchster Beruf es war, den himmlischen Gesandten verkündend unsere Tempelhallen mit frommen Liedern wonnig und schmerzlich zu erfüllen, hier sich jenes Tiefsinns völlig entäußert hat, um sich in heiterer Genüge der grünen, blühenden Welt mit ihrer Lust zu überlassen, indem nichts als der heilige Ernst des Künstlers, dessen Aufgabe es ist, dem unbekannten Inneren Gestalt zu geben, an den heiligen Sänger des Evangeliums erinnert. –

Gehen wir zur besonderen Betrachtung über, so fällt bei der Formbehandlung zunächst auf, daß die Sonaten ganz anders construirt sind, als die uns seit Mozart's Zeiten bekannten. Sie sind meist viertheilig, nur die letzte fünftheilig; die einzelnen Sätze entweder eintheilig oder zweitheilig, mit doppelten Reprisen jedes der zwei Theile; die Folge der Sätze regelmäßig abwechselnd Adagio's und Allegro's. Wenn diese Einrichtung, so äußerlich genommen, den Charakter steifer Regelmäßigkeit zu haben scheint, so ist dagegen der Inhalt jedes Satzes für sich von so unendlichem Reichthum in Melodie und Behandlung, daß man diese Regelmäßigkeit gänzlich vergißt. Zum zweiten ist, wenn man den Inhalt einer ganzen Sonate näher betrachten will, die Einheit der vier Sätze zum größeren Ganzen nicht so ersichtlich oder rasch in die Augen springend, wie etwa in Beethoven'schen Sonaten und Symphonieen; hier dagegen liegen die einzelnen Sätze weiter von einander ab, und scheinen zwar eine Kette von Edelsteinen, doch nicht in eine einzige Hauptfigur zusammengefaßt. Doch schien uns beim ersten frischen Genusse jene im Lesen vermißte Einheit unvermerkt heranzuschleichen; sie zeigt sich am hellsten, wenn man die einzelnen Sonaten gegeneinander hält. Vorzüglich maßgebend für das Verständniß ist die

Charakteristik der Tonarten. Es ist, als wenn das rührende liebeselig schwelgende E-Dur (Son. 3.) sich nur aus sich selbst heraussänge, und alle Farben und Gestalten wie auf einen unendlichen Orgelpunct erbaut, sich neben- und nacheinander erhüben, um diesen einzigen Ton bis auf den Grund auszukosten. Wir fühlen, wie schwer es ist, solchen Anschauungen Worte zu geben, und ziehen deshalb zur Vergleichung herbei das bekanntere wohltemperirte Clavier. In diesem herrlichen Denkmal unseres Sebastian sind nämlich mehrere Präludien, z. B. in G-Dur, C-Dur, Cis-Dur – auf den ersten Blick nichts als Entfaltungen der Tonart ohne bestimmteren Inhalt; nach moderner Anschauungsweise kann man sagen, daß ihnen das Pathos fehlt. So auch die beiden G-Dur-Fugen mit ihrer holden Lieblichkeit, mit dem feuchten Lächeln, das durch sie hindurchzittert, die Cis-Dur-Fugen in phantastisch schillerndem Glanze, die Cis-Moll-Fugen voll düstern schauerlichen Lichtes wie aus ahnungsvoller Ferne schimmernd, die gesunde Genügsamkeit der kräftigen B-Dur-Fugen, denen doch ein sanfter sentimentaler Beischmack würzig zugemischt ist – in allen diesen Sätzen, deren Gleichen man bei Bach auf jeder Seite findet, tritt weit weniger das, was die heutige Romantik bedeutsam nennen würde, was man mit einem Worte als effectvoll drastisch oder dramatisch zu bezeichnen pflegt, in Wirksamkeit, als die unsichtbare Thatäußerung der reinen Musik an sich, die ursprüngliche Gewalt und Thatkraft gottgeborner Melodieen, innerhalb des Bodens, auf dem sie erwachsen, in der Heimath ihrer Tonart. Dieses Verschmähen alles opernartigen Effectes, die Beschränkung auf die reinmusikalische Schöpfung, Gliederung und Entfaltung der Tongebilde scheint mir eine Eigenthümlichkeit vorzüglich der Instrumentalien unseres Meisters zu sein, die an dem vorliegenden Werke wieder vor Augen tritt, und recht begriffen vielleicht das Verständniß derselben fördert. Wir brauchen wohl kaum besonders zu bemerken, daß mit jenen Vergleichen der Neuzeit und der Erwähnung von Effect und Tonart an sich weder Lob noch Tadel auf eine Seite geworfen werden soll: so wenig Bach eine heroische Symphonie, so wenig konnte Beethoven ein temperirtes Clavier schreiben. Alle jene Vergleiche sollen nur dienen, auf dem Wege der Erinnerung das Verständniß anzubahnen, und die dunkelsten Partieen der musikalischen Aesthetik dem Dämmerlichte des Wortes zu nähern.

(Fortsetzung folgt.)

(Fortsetzung.)

Diese Betrachtungen weisen uns den Weg zu den einzelnen Sonaten, deren besonderen Kunstwerth zu erläutern die Bedeutung der Tonarten den ersten Gesichtspunct bildet. Die erste Sonate, in H-Moll beginnend und schließend, hat zum Grundtone das räthselhafte grünschillernde Licht, das z. B. Händel im „Samson" so treffend zum Ausdruck von Delila's falscher Liebe gebraucht hat. Das einleitende Adagio windet sich in klagenden, zerreißenden Harmonieengängen um eine wehmüthig beschränkte, fast bewegungslose Melodie, um sogleich im ersten Allegro voll derben Uebermuthes in einer humoristischen, gleichsam täppisch-kecken Melodie verspottet zu werden. Diese aber schreitet mit einer wunderbaren Sicherheit und

Geschlossenheit energisch fort: mitten in aller Ausgelassenheit die Ruhe des Weisen, in der tollsten Ausschweifung humoristischer Launen das heitere Bewußtsein des Denkers. – Das Andante, das diesem neckischen Spuk folgt, geht in der Paralleltonart, eine Wendung, die in diesen Sonaten gewöhnlich gebraucht ist, und das vorher Ausgesprochene über die Bedeutung der Tonarten indirect bestätigt. Das Verhältnis dieses Andante zum vorigen Satze und zur ganzen Sonate ist dunkel; der erste Eindruck aber ergiebt die Absicht des Gegensatzes, nämlich der liebesseligen Sentimentalität, deren gänzlich in sich versenkte Schwelgerei von dem tiefsten Humor nicht so weit entfernt ist, wie man oberflächlich meint: Shakespeare und Jean Paul zeigen, wie nahe sie oft zusammengränzen. Das vorliegende ist die süßeste idyllische Schwärmerei: ein liebevolles, schmeichelndes Durchschlingen von Terzen und Sexten, ein rührender, sehnsüchtiger Gesang erinnert an Mozart's Liebeselegieen; die äußere Form könnte einem Mendelsohn'schen „Lied ohne Worte" angehören. Diesem edlen Gesange folgt ein keck andringendes Finale in der ursprünglichen Tonart, doch mit gemildertem Humor, wie aus Schonung gegen das vorhergehende liebliche Duett in gemäßigter Ueppigkeit schließend.

Die zweite Sonate, in A-Dur, beginnt mit einem sentimental-klagenden Gesange, der frei-canonisch mit hoher Kunst, und doch so unbegreiflich natürlich componirt ist. Auch hier tritt jenes schmeichelnde Kosen der Terzen und Sexten ein, den unerschöpflichen Selbstgenuß entzückter Herzen malend; ihren Gipfel erreicht diese Darstellung im 25. Tacte (Clavierstimme S. 15, System 2, Tact 2), wo die rastlos einander umschlingenden Stimmen in einer Trillerkette wie Nachtigallen wetteifernd emporsteigen. Den Freunden Bach's brauchen wir es nicht ausdrücklich zu sagen, daß, so oft hier von Sentimentalität die Rede ist, nicht jenes Zerwimmern und jene selbstschänderische Verzweiflung krankender Schwäche gemeint sein kann, welche in neuerer Zeit so oft als Sentimentalität verspottet worden ist. In jenen seligen Tagen, wo diese Heroen auf Erden wandelten, war der Weltschmerz noch nicht erfunden: auch die Klage und der Schmerz der Liebe strebte sich gestaltend nach höchster Schönheit, und wenn man auch des Griechen Wort anerkannte: ἀριδάκρυες ἄνερες ἐσθλοί – – oder: εὐδαίμονες οἱ πολυδάκρυτοι – – so paßte eben sowohl das Kraftlied unseres gesundesten Dichters für die gesunde Zeit:

> Die Fluth der Leidenschaft, sie stürmt vergebens
> An's unbezwung'ne feste Land –
> Sie wirft poetische Perlen an den Strand,
> Und das ist schon Gewinn des Lebens.

Das erste Allegro bringt uns ganz andere Situationen, als die der vorigen Sonate eigenthümlich waren. Heitere Genügsamkeit, sorgloses Kinderspiel, unschuldige ländliche Freuden bis zum burlesken Uebermuthe (im zweiten Allegro) möchten an Haydn's immergrüne Landluft erinnern, wenn nicht die reellen melodischen Bässe mit ihren zentnerschweren Schlägen das Gemüth am Zügel hielten und uns in der Athmosphäre des königlichen Tondichters festbannten. – Das Andante ist ein Meisterwerk der strengsten canonischen Durchführung, die sich doch nirgend mit gelehrter Nüchternheit störend aufdrängt, sondern – als fugirte Arbeit dem ungeübten Ohre kaum vernehmbar – wie das zärtlichste Duett zweier Liebenden erklingt, etwa des Inhalts : „So willst du ewig von mir scheiden? – Nein, du vermagst es nicht" – so daß auch hier der Grundton der Sonate, nur mit gesteigertem, mehr pathetischem Inhalt, als auffordernde Fragen, naive Geständnisse, schelmische Zweifel, die sich doch des Zweifels schon überhoben wissen – nachdrücklich hindurchklingt. Köstlich ist das Final-Allegro, voll gesunder, tapferer Lebenslust: obstinate Neckereien, schelmisches Verfolgen und Fliehen, Bejahen und Verneinen in heiterem Streite, munteres Hin- und Herzerren ohne Bösheit, – das sind wohl die allgemeinsten Grundlagen, die hier in goldnen Tönen lebendig verkörpert erscheinen.

Es würde ermüden, wollten wir hier eine nur einigermaßen vollständige Skizze von jenen herrlichen Seelengemälden versuchen, die uns so bis in's Innerste entzückt haben, und dem Kundigen doch nichts anderes bringen, als ein gelungener Kupferstich, nämlich: die Sehnsucht nach dem Original. Deshalb fassen wir uns im Folgenden kürzer, so gern wir auch dem philosophischen Genusse nachgingen, jene vollendeten Kunstwerke in die bewußten Formeln des Wortes zu übersetzen. Auch das will uns nicht gelingen, einem einzelnen Satze unter diesen 25 den absoluten Vorzug einzuräumen – ist auch nichts dran gelegen, so sehr auch der Denkend-Genießende zu Vergleichen geneigt ist. Beim ersten Durchspielen haben wir jedes nachfolgende Stück mit steigendem Entzücken aufgefaßt und bildeten uns sogar ein, daß diese Steigerung Bach's künstlerische Absicht gewesen: doch mag dies ein Irrthum sein, der bei so überwältigenden Genüssen sich verzeihlich einschleicht. Wir begnügen uns also von hier an mit rascheren Abrissen, um nur die nächsten Augenpuncte zu bezeichnen, die Unbekannten zum Mitgenusse aufzufordern und den Kenner wo möglich ein Einverständniß abzugewinnen, gleichsam eine Parole auszusprechen, an der sich die Freunde erkennen.

Die dritte Sonate, in E-Dur, beginnt mit Mozartischen Schwanengesängen von himmlischer Süßigkeit; das Allegro nähert sich der Anlage nach dem Finalpresto der vorigen Sonate, ist aber im Charakter einer idyllischen Ballade gehalten und so seinem Vorgänger, dem schmelzenden Adagio völlig verwandt. Das zweite Adagio ist liedartig, sanfterregend; das Final-Allegro, feurig bewegt und so gänzlich modern dem Ton und der Haltung nach, das wir dieses vor Allen den Zweiflern an der Ewigkeit des Künstlers, den kein Rost der Zeit berührt, zur Bekehrung empfehlen würden.

Die vierte Sonate, deren Grundton C-Moll ist, beginnt mit dem Ausdrucke elegischen Sinnens, einsamer Verschlossenheit, ungesehener Thränen. Gegen dieses Siciliano ermannt sich der folgende Allegro-Satz voll kräftigen, thatlustigen Trotzes, der den Schmerz zertritt; aber noch einmal tritt in dem himmlisch-schönen zweiten Adagio (Es-Dur) die sehnende Klage hervor, doch als mildere Thräne, gesättigter Schmerz, ohne zwiespältiges Widerstreben, was durch die einsame Violinstimme, der sich das Clavier begleitend (nicht, wie früher, canonisch –) anschließt, künstlerisch bedeutsam ausgedrückt wird. Mit verdoppelter Kraft, ja bis zur Wuth ge-

steigert, tritt nun hiergegen das unübertreffliche Final-Allegro voll schäumenden
Jugendmuthes hervor. – Soll ich ein eignes Urtheil des Herzens verrathen, so sind
die C-Moll-Sonate und die vorangehende in E-Dur die vollendetsten an Inhalt, Form
und Tiefsinn überhaupt.

Die fünfte Sonate, in F-Moll, trägt in ihren zwei Adagio's den Charakter von Todten-
klage und Leichengesang. Die Allegro's hiermit in innere Verbindung zu bringen,
ist schwierig, und das Verständniß derselben wohl von allen das späteste. Der allgemeinste Eindruck könnte als düstrer, unwilliger Trotz, als grollendes Widerstreben
bezeichnet werden; vorzüglich gilt dies von dem Final-Allegro mit seinen sonderbaren rhythmischen Einschnitten und chromatischem Thema. Hierdurch wäre allerdings eine Verbindung der Ideen angedeutet, doch müssen wir uns freilich, als bei
der dunkelsten Partie, bescheiden, den Sinn des Meisters enträthselt zu haben.

Die sechste Sonate, in G-Dur, ist eine Königsblume in jenem ewig duftenden Kranze
von Geistesblüthen. Der genügsame Charakter dieser Tonart, der nur ein leiser Anklang an feuchte Sehnsucht wie durchzitternd ein bestimmteres Gepräge hinzufügt
(vergl. die G-Dur-Fugen des wohltemperirten Claviers), ist hier mit neuer Meisterschaft gründlich ausgedeutet, als Hintergrund eines reichen Gemäldes, wie von
einer bewegten Menschenmasse voll lärmenden Humors und jagender, weltlicher
Interessen. Diesem Eingange steht gegenüber das einsame, eigensinnige Largo,
welches nur eben seinen grillenhaften Selbstgeständnissen nachhängen kann, und
sogleich unterbrochen wird von einer sonderbaren Marktscene, dem Allegro für
Cembalo solo, in dem sich der Bänkelsängermuth mit hahnebüchener Derbheit auch
einmal Luft machen will; eine der köstlichsten Charakteristiken in vollkommen
sicherer Form und bei aller übermüthigen Wildheit künstlerisch ernst und reich.
Das zweite Adagio in H-Moll ist im Charakter von jenem ersten weit ab und doch
verwandt; als wenn eine reifere Schwester der jüngeren, ungeberdigen entgegen
klagte, und der liebevolle Zwiespalt mit Ermahnungen und allerlei Widerhaarig-
keit gemischt vor unsere Augen träte. Aber dergleichen darf sich hier nicht breit
machen: ein rascher, unerwarteter Abschluß jenes Zankduetts wird seltsamer Weise
in das parallele D-Dur ohne alle Vorbereitung gemacht, gleichsam ein: taisez vous!
on vient! – Und nun bricht das Finale dieser Sonate und des ganzen Opus mit einer
Schalkhaftigkeit, Spaßhaftigkeit, launigem Gelächter und gutmüthigem Spott hervor, die ohne Gleichen sind – im eigentlichsten Sinne; denn dies unvergleichliche
Finale erinnert nicht an Beethoven, Haydn oder irgend einen Humoristen, sondern
ist der alte Sebastian ipsissimus.

(Schluß folgt.)

(Schluß.)

Es ist eine eigene Aufgabe, die geheimsten Erlebnisse des Herzens, die nirgend als
in der himmlischen Tonkunst offenbar werden, in gemessene Worte und bestimmte
Gedanken zu fassen, klingt auch jederzeit fremdartig wie in ausländischen Zungen
geredet, so daß mancher redliche Jünger unserer Kunst es gerathen findet, sich aller

der Versuche zu enthalten, welche das Unbeschreibliche beschreiben wollen. Ohne uns hier in eine Rechtfertigung jener ästhetischen Kritik, die so viele Feinde unter den Künstlern, so unzuverlässige Freunde unter den Philosophen besitzt, einzulassen, sprechen wir doch hier als an geeigneter Stelle den Wunsch aus, es möge einmal unter den denkenden Kunstfreunden ein gehörig gerüsteter auftreten, der uns den Lebenspunct nachwiese, wo das geheime Wirken unbegreiflicher Kräfte an's Tageslicht tritt. Zwar hat der größte aller Denker diese Frage: „wo, wie, wann tritt die Idee in's Leben?" – „wie wird das Allgemeine ein Einzelnes?" – mit ziemlichem Spotte zurückgewiesen, doch ist sie damit freilich nicht erledigt. Wir wünschten uns eine Aesthetik, die diesen Lebenspuncten nachspürte – zu welchem Nutzen? nach welchem Ziele hin? fraget ihr – um die Kunst, die Schönheit zu wissen, um den realen letzten Gewinn, den wir aus allen reinmenschlichen Bestrebungen zu entnehmen unwiderstehlich getrieben werden, auch in diesem Gebiete zu erobern; sodann um für den Fall des Streites siegfähige Waffen zu bereiten. Uns ist kein vollständigeres System als das der „musikalischen Aesthetik" von Hand bekannt; und er hat einen lobenswerthen Grund gelegt in der Betrachtung der Leidenschaften und Stimmungen, welche in der Musik darstellbar und wie sie dargestellt sind, doch wird jeder Weiterstrebende wissen, daß jenes Buch nur als Anfang und Einleitung behülflich sein kann, als erster Versuch, die Schleier vor dem Allerheiligsten zu lüften.

Diese Betrachtungen drängen sich immer von Neuem auf, so oft wir versuchen, ein wahres Kunstwerk zu beschreiben und das Begriffene in der gewöhnlichen Mittheilungsweise des Lebens der ganzen Welt zugänglich zu machen. Keiner ist eben hierzu geeigneter, als der Höchste unter allen, eben weil das Höchste auch ewig das Allgemeinste und Allgemeinverständlichste ist. An J.S. Bach kann man eine ganze Aesthetik entwickeln, weil seine Schöpfungen mitten in ihrem unbegreiflichen Tiefsinn eine göttliche Klarheit zeigen, den unzweideutigen Ausspruch des begabtesten und zugleich durchgebildetsten Dichters. Deshalb darf man hier sogar weniger fürchten, mißverstanden zu werden, obgleich er selbst nirgend Fingerzeige von dem, was er gewollt, hinterlassen, außer seine Wunderwerke selbst. Die ungeheuerste Orgelphantasie, in der die Glorie der alten Dome wie in Tönen daherwogend, triumphirend, voll Kampf und Siegeswonne einherfährt, ist mit dem bescheidenen Namen versehen: Praeludium pro Organo *pleno*, und versteckt sich hinter dem nüchternen Titel: Exercices pour le Clavecin.

Man könnte ihm darüber zürnen, daß er uns so über den eigentlichen poetischen Kern im Ungewissen läßt, wenn nicht ähnliche Erscheinungen in anderen Künsten wegen dieser Forderung getrösteten. So wenig Phidias unter den olympischen Zeus eine fingerzeigende Inschrift meißelte, oder Raphael seine Himmelskönigin mit einem Paß in die Welt sandte: „dies ist die Jungfrau Maria" – eben so wenig verargen wir es dem Tondichter, wenn er sein tönendes Bild auf sich selbst beruhen läßt, dem Hörer seine Reflexionen freistellend und still begnügt mit der unwiderstehlichen Wirkung seiner besten Gottesgedanken. Darum sind die Benamsungen derjenigen Empfindung, welche in einem speciellen Tonstücke herrschen soll, jedes-

mal zweideutig oder lächerlich, sobald diese Bestimmtheit weiter dringen will und
ein Mehreres bezeichnen, als die allgemeinste Farbe. So gut wie „Siciliano" kann
man freilich sagen: „Idylle" – oder auch: „Erwachen heiterer Empfindungen auf
dem Lande" – aber nun noch dazu zu setzen, welche Empfindung und wie motivirt
sie auftrete, das gränzt an's Aschgraue und verläuft in Parenthesenpoesie, wie die
langen Büchertitel im Vorredenstyl oder die gedruckten Geschichtstexte der Ballette.
Wenn Beethoven zur Einleitung seiner C-Moll-Symphonie die Worte spricht: „das
Schicksal klopft an die Pforten" – so ist das ein trefflicher, ächtkünstlerischer Finger-
zeig, doch auch sehr angemessen, daß er es nicht mit Buchstaben daneben geschrieben hat. Denn hier würde sich die Armuth des Wortes der Musik gegenüber recht
auffallend gezeigt haben, da kein Wort in der Welt alle den Tiefsinn umspannen
kann, den solche Poesien verbergen. – Ich danke es Mozart von Herzen, daß er dem
unschuldigen, doch warm-sinnlichen Gesange seiner naiven Jungfrauen nirgend
ein: innocente oder: colla estrema delicatezza beigepinselt hat, eben weil dieser Gehalt sich von selbst dem Hörenden darbot und der Dichter kein bös Gewissen hatte,
mißverstanden zu werden.

So glaube ich, können wir auch in dem vorliegenden Werke unseres Meisters die
Empfindungen, Situationen, Ideen und Absichten gar wohl erkennen, ohne daß er
uns anders als mit seinem eigensten Worte auf den Weg hülfe. Die letzte Sonate des
hier erwähnten Opus zeigt dies auffallend. Das Herumwühlen in dem einfachen
Grundakkord der Tonica, womit sie beginnt, ist mit solcher Mannichfaltigkeit und
geistreicher Beweglichkeit durchgeführt, dazu mit seiner unnachahmlichen Kunst
aus zwei Instrumenten solche Vielstimmigkeit entwickelt, und über Alles der
schimmernde Reiz behaglicher Weltlichkeit mit so gesättigten Farben hingegossen,
daß uns das nächste Wort eben: „Marktscene" schien; mag man nun ein anderes
zehnmal treffenderes an die Stelle setzen, immer wird der Eindruck eines heiteren,
bewegten Lebens ohne bestimmtere Interessen, ein liebliches, nicht tief erregtes
Wogen leichter, leidenschaftsloser Stimmungen den allgemeinen Gesichtspunct
bezeichnen müssen.

Und so wäre noch unendlich viel Entzücktes und Gedankenvolles über dieses Opus
zu sagen, wenn man darauf ausgehen wollte, alle Seiten seiner Eigenthümlichkeit
zu beleuchten oder über jede einzelne Schönheit zu berichten. Dies würde in's Unendliche führen – wie alles Vollkommene dahin führt und die herrlichste Wirkung
des Genius eben diese ist, den verwandten Genius aufzuwecken und den Geist
aller Menschen zu verkünden, so daß aus den größten Kunstwerken sich auch die
mannichfaltigsten Wirkungen erzeugen. Wir begnügen uns mit dem Gesagten, und
knüpfen nur die ernste Mahnung an die künstlerische Jugend an, daß sie hier, an solchen Mustern lernen möge, mit Kleinem Großes zu wirken; daß sie sich überzeuge,
wie wesentlich die Kunstschöpfung durch gelehrtes Studium gestützt und belebt
werde, und jene noch immer hier und da für obströs gehaltenen Künste des Contrapunctes, der Imitation, Figurirung, der Fuge und des Canons nicht Hemmschuhe,
sondern Erlösungen des Genius sind.

Auch die Beobachtung könnte dem schaffenden Tonkünstler instructiv sein, wie hier in ewigen, lebendig beredten Stimmen der Satz anschaulich gelehrt wird, daß Harmonie und Melodie in der Wurzel eins sind und aus einem Borne stammen, daß die Melodie auf harmonischen Gründen beruht und die Harmonie unwillkührlich in das melodiöse Element hineinstrebt, dagegen jedes gesondert, oder auch nur einseitig vor dem anderen hervortretend, wie ein Baum ohne Blätter oder verstreute Blüthen ohne Stamm anzusehen sind. Obgleich diese herrlichen Blätter zum Genusse, nicht zum Studium geschrieben sind von dem gewaltigen Manne, in dessen Hand Alles, was er berührt, sogleich zu Gold ward: so können sie doch ebensowohl von diesem Gesichtspuncte der Belehrung aufgefaßt zwiefach segenvoll wirken. Denn ich möchte nicht Göthe's Wort unterschreiben, der einmal über Shakespeare äußerte, ein productiver Künstler dürfe ihn nicht zu viel lesen, um nicht von ihm überwältigt und gar verschlungen zu werden; eher möchte man durch solche Meister, wie Sebastian es ist, zum freudigen Selbstgefühl und zur kühnsten Freiheit des: „anch' io son pittore!" – hingeleitet werden, wenn irgend eigne Schöpferkraft den Busen belebt.

Dieser ewige Bach, von dem die Ströme lebendigen Wassers ausgehen, die da rauschen werden bis an's Ende aller Tage – – wie soll man ihn preisen. – Ein Denkmal möchte man ihm setzen, das bis an den Himmel reichte, wenn's damit gethan wäre! – Was braucht's dir Denkmal! Du hast dir selbst ein unvergängliches gesetzt, und ein Epitaphium, wie es kein König dieser Welt jemals besessen:

Emden im August 1841.
Dr. Eduard Krüger.

Quelle: Eduard Krüger, *J. S. Bach: 6 Sonaten für Clavier und Violine**). (NZfM, 15. Bd., Nr. 19–21, 3., 7. und 10. September 1841, S. 73–74, 77–79 und 81–83.)
*) 10 te Lieferung der bei C. F. Peters erscheinenden neuen Ausgabe d. sämmtlichen Werke v. Bach. (Über die früheren Lieferungen vgl. d. Artikel v. A. B. Marx, Bd. XIII, S. 137.)
Anm: Bei der im Klavierauszug wiedergegebenen Komposition handelt es sich um den Chor „Wahrlich, dieser ins Gottes Sohn gewesen" aus der Matthäus-Passion BWV 244.

B 97

FINK: ERLÄUTERUNGEN ZUR ORCHESTERSUITE D-DUR
LEIPZIG, 25. APRIL 1838

… Eine solche Orchester-Suite kann füglich die Stelle der Symphonie jener Zeiten
vertreten. Ist auch Form und Folge der Sätze ganz anders beschaffen, als in der nachfolgenden grossen Symphonie, so ist doch die Hauptsache, eine charakteristische
Reihe zusammenhangender Gefühlsentwickelungen darin, so dass der Uebergang
nicht gar zu abgerissen erscheint. Je mehr man in allen Dingen mit dem geschicht-
lichen Gange vertraut wird, desto mehr ergibt sich auch, dass die Sprünge im Fortschreiten der Bildung des menschlichen Geistes überall so selten sind, als im Leben
und Weben der uns umgebenden grossen Natur selbst. – Den ersten Satz des Werkes
nennt Bach Ouverture, welcher Name durch Lully herrschend geworden war, den
Mann, den selbst Mattheson für den Meister aller Ouverturenschreiber erklärt. Wir
haben schon einmal die Geschichte der Ouverture auseinander gesetzt, wollen
deshalb hier nichts davon wiederholen. Welcher Unterschied zwischen Bachs und
Lully's Ouverturen! Das Ganze ist viel ausgeführter, reicher und besonders geist-
voller. Der erste Theil der Bachschen Ouverture besteht aus 24 Takten $^4/_4$, der zweite
Theil hat deren 82 bis zum Adagio von 16 Takten, mit welchem sie nach Wiederholung des zweiten Theiles schliesst. Die benutzten Instrumente sind ausser dem
Streichquartett eine Solo-Violine, Hoboen, drei Trompeten in D und Pauken. Der Anfang soll in Noten hier stehen, damit Jeder das Werk desto sicherer wieder erkenne,
kommt es ihm einmal zu Gesicht, oder besitzt er es etwa selbst, denn zu selten ist es
nicht; irren wir nicht, so ist es sogar in Amsterdam im Drucke erschienen:

u. s. w.

Darauf folgt ein kurzer Satz, Air genannt, ein Modeausdruck jener Zeit für allerlei
kleine melodische Instrumentalstückchen. Man trifft nicht wenige dergleichen, nicht
allein für Violinen, sondern auch für Blasinstrumente, so viele deren im Gebrauche
waren, absonderlich für Hoboen und Flöten in vielen Opern Lully's. Die französische Besetzung hatte sich damals, in den grossen Respektzeiten der Franzosen und
in dem Nachsprechungseifer der Teutschen, überall Eingang verschafft; am besten
könnte man Air mit dem Cantabile vertauschen. Bach fand diese Benennung im Gebrauche, behielt den Namen, wie andere desgleichen, ohne Weiteres bei und machte
sein Eigenes daraus, das Hergebrachte der Form ehrend. Es ist in dieser Reihenfolge
der Sätze der einzige, in welchem die Prinzipal-Violine mit ihrer Melodie über dem
Streichquartette schwebt, während die andern genannten Instrumente schweigen.
Der erste Theil, der sogleich folgt, enthält 6 Takte, der zweite das doppelte, 12. In
welcher Art, beweisen die Noten:

Der dritte Satz, die Gavotte, nimmt wieder alle Instrumente in Beschlag, die für die Ouverture genannt worden sind; sie werden ebenso für die noch zu nennenden Sätze beibehalten. Diese für eine Suite, nicht für den Theatertanz verfasste Gavotte gehört also zu den freieren, fängt aber wie in der Regel im Auftakte an, nur dass sie die sonst gebräuchlichen 8 Takte des ersten Theiles in 10 verwandelt; ihr zweiter Theil hat 16 Takte. Ward nun ein Tanzgavotte mit zwei Wiederholungstheilen beschlossen, so setzt diese noch zwei andere Reprisen, die erste mit 16, die andere mit eben so vielen Takten dazu, in Art und Weise eines sogenannten Trio, worauf die Gavotte selbst da Capo gespielt wird. Da man den Rhythmus solcher Dinge besser und leichter durch Noten als durch Beschreibungen kennen lernt (und es gibt zu jeder Zeit solche, die keinen genauen Begriff davon haben), so setzen wir den ersten Theil dieser mit 2 Takten verlängerten Bachschen Gavotte her:

Bourrée, wieder der Name eines leicht heitern, aber nicht zu schnellen französischen Tanzes, hat hier im ersten Theile ganz den gewöhnlichen Zuschnitt, so dass das Beispiel das Wesentliche desselben sehr anschaulich macht. Der zweite Theil dagegen ist, wie es in Partieen zu geschehen pflegte, in 24 Takte verlängert, aber äusserst gefällig gehalten, wie es das Wesen dieses Tanzes mit sich brachte. Dass Bach Bourré, anstatt Bourrée schrieb, wird keinem auffallen.

Der Schlusssatz, Gique, steht in seiner geregelten Taktart $^6/_8$, welche in Partieen sich zuweilen in $^{12}/_8$ verlängert oder in $^3/_8$ verkürzt vorfindet, und ist bei aller Ausarbeitung so frisch und fröhlich gehalten, als es diese sonst überall geliebte Tanzgattung nur verlangt. Der erste Theil enthält hier, anstatt der 8 Takte zum Behufe des Tanzes, 24 und der andere 48 Takte.

Man sieht, kein einziger Satz dieser Partien entfernt sich von der Haupttonart D dur; immer auch sind dieselben Instrumente, nur den zweiten Satz (Air) ausgenommen, auf eine und dieselbe Weise, freilich dem wechselnden Charakter jeder Nummer gemäss, beschäftigt. Die Hoboen gehen grösstentheils mit den Violinen, selten anders; die Trompeten spielen eine eigenthümlichere und wichtige Rolle, gehen bis in's zweimal gestrichene d, also in eine Höhe, die jetzt selten einer zu schreiben wagt, und bringen einen lebhaften Glanz in das sehr anziehende Ganze.

Quelle: Gottfried Wilhelm Fink, *Ueber einiges besonders Merkwürdige in den diesjährigen 4 geschicht-lichen Abonnement-Concerten in Leipzig.* (AMZ, 40. Jg. (1838), Nr. 17, 25. April 1838, Sp. 265–268.)
Anm.: Gottfried Wilhelm Fink (1783–1846) war als Theologe, Pädagoge und Musikschriftsteller in Leipzig tätig. Er war langjähriger Mitarbeiter der AMZ und von 1827–1841 deren Redaktions-leiter. Der Text rezensiert das erste der „Historischen Konzerte" des Leipziger Gewandhauses vom 15. Februar 1838. Im Konzert erklang neben BWV 1068 auch die Sonate E-Dur (BWV 1016) für Klavier und Violine, ausgeführt von Ferdinand David und Felix Mendelssohn Bartholdy (→ D 170, E 18).
Lit.: Finks Analyse ist abgedruckt bei Großmann-Vendrey, S. 226–228.

B 98

HAUPTMANN: STIMMKOMBINATIONEN UND KONTRAPUNKTGATTUNGEN,
DEMONSTRIERT ANHAND EINES BEISPIELS AUS BACHS „KUNST DER FUGE"

LEIPZIG, 1841

… *Fuga XI*, a 4 voci. (S. 34.)

Ausser der Reihenfolge ist vor den Nummern IX und X die Fuge XI hier zu betrachten. Sie enthält dieselben Themen der vorhergehenden Fuge in die Gegenbewegung versetzt, und gehört noch in anderer Beziehung an diese Stelle. Durch die vierte Stimme tritt ein neues, für den Character der Fuge sehr bedeutendes Ingredienz hinzu, ohne dass man diese neue Figur ein viertes Thema nennen dürfte, da sie mit dem Hauptthema keine durchgeführte Verbindung eingeht; sie ist mehr Farbe als Form gebend, schliesst sich hauptsächlich dem ersten Thema aus der vorigen Fuge in der geraden und Gegenbewegung an und steigert den chromatischen Charakter der gegenwärtigen zum höchsten Grade:

Von den sechs verschiedenen Lagen der drei Themen, wovon das dritte hier nicht ganz vollständig, auch nicht streng in der Gegenbewegung angewendet wird, ist die 1ste, 2te und 3te in der Fuge aufgenommen. Die mangelhafte Harmonie wird durch die vierte Stimme ergänzt:

Bei den contrapunctischen Umkehrungen, welche schon in der 5ten, 6ten und 7ten
Fuge mit ein und demselben Thema, hauptsächlich aber in der 8ten und 11ten mit
mehreren Themen stattgefunden haben, bleibt die Harmonie, so weit sie in den
contrapunctischen Stimmen enthalten ist, jederzeit dieselbe; denn es sind dieselben
Töne, welche nur der äusseren Lage nach in ein anderes Verhältnis zu einander
treten. In den folgenden zwei Fugen ist dies anders: der versetzte Contrapunct
kommt in ein innerlich anderes Verhältnis zu der festen Stimme zu stehen; die aus
der Umkehrung resultirenden Intervalle gehören anderen Accorden an, oder sind
andere Intervalle derselben Accorde. Ausser dem Contrapunct der *Octave*, welchen
namentlich die 8te und 11te Fuge zur Aufgabe haben, sind noch zwei Gattungen:
der der Contrapunct der *Quint*, oder *Duodecime*, und der *Terz*, oder *Decime*, zu künstlerischer Anwendung geeignet. Aber nicht allein, dass in Beiden aus den Grundcon-
sonanzen der einen Lage auch consonirende Intervalle in der andern hervorgehen, –
das ist zunächst nur eine Bedingung für die technische Ausführbarkeit –, es ist vielmehr auch eine innere Beziehung und Verwandtschaft vorhanden, worin diese drei
Gattungen des Contrapunctes sich als dem Begriffe nach zusammen gehörend und
ein Ganzes bildend erweisen. Nur ist es nöthig, die beiden Lagen, wozu eine jede
derselben bestimmt ist, in ihrem Verhältnis zu einander zu denken; denn eben dieses
macht das Wesen der verschiedenen Gattungen aus. Wollte man jede Lage nur für
sich betrachten, so fällt alle besondere Bedeutung solcher Sätze, und eben das Cha-
racteristische ihrer doppelgängerischen Natur sogleich hinweg, und was übrig
bleibt, würde mit dem Zwange, dem diese mehr oder weniger unterworfen sind, in
den meisten Fällen zu theuer erkauft erscheinen. Allerdings gehört auch eine gewisse Kunst des Hörens dazu, in das musikalisch Eigenthümliche solcher Productionen
einzugehen; wer wird aber leugnen wollen, dass jede Kunstproduction in ihrer Art
auch verstanden sein will. – Wenn der Contrapunct der Octave in seinen beiden
Lagen melodisch und harmonisch nur dasselbe wiederholt, so zeigt sich der Contrapunct der Duodecime als sein entschiedenes Gegenbild. Dort ist es der Mangel an
Verschiedenheit, das völlige Einssein der Octavparallelen, hier der Mangel an Einheit, das völlige Getrenntsein der Quintparallelen, die aus dem Zugleichsetzen beider Lagen entstehen würden, was eine wirkliche Verbindung derselben unzulässig
macht. In beiden Gattungen ist nur abwechselnd die eine oder andere Lage anwend-
bar. Im Contrapunct der Decime sind die negativen Eigenschaften der vorigen auf-
gehoben: seine beiden Lagen enthalten Verschiedenes, und sind vereinbar. In diesem

Sinne lassen sich diese drei Gattungen des Contrapunctes als eine harmonische Trias höherer Ordnung betrachten, so dass man dem Contrapunct der Octave, der hier die Bedeutung des Grundtons hat, den Character der Einheit, dem der Duodecime, welcher der Quint entspricht, den Character der Trennung, und dem Contrapunct der Decime, als Terz, den Character der Verbindung zusprechen kann. Wie viel die erste dieser drei Gattungen auch ausser der Fuge vorkommt, ist bekannt; allein auch die letzte Gattung, der Contrapunct der Decime, ist in alltäglichster Anwendung; denn wo zwei Stimmen in Terzparallele sich zu einer dritten bewegen, da werden, wenn diese dritte nicht Orgelpunct ist, die wesentlichsten Bedingungen desselben erfüllt sein, wenn auch nicht in der Strenge, wie der zur Umkehrung bestimmte Satz sie nothwendig macht. Der Contrapunct der Duodecime wird in neuerer Musik wenig angetroffen werden, wie er schon in der älteren seltener ist. Sätze, wo eine Stimme mit derselben Melodie sich abwechselnd eine Terz unter, und eine Terz über der andern sich gleich bleibenden bewegen kann, sind hieher zu rechnen, wie z. B. die erste Fuge des Mozart'schen Requiems. ...

Quelle: Moritz Hauptmann, *Erläuterungen zu Joh. Sebastian Bach's Kunst der Fuge*, Leipzig 1841, S. 7–8 → B 14.

Auseinandersetzung mit den Quellen

Quellenbeschaffung, Handschriftenbesitz und Katalogisierungsbemühungen

B 99

Beethoven: Bitte um Abschriften von der Messe in h-Moll und vom Wohltemperierten Klavier
Wien, 15. Oktober 1810

... nebstbey mögte ich alle Werke von Karl Philip *Emanuel* Bach, die ja alle bey ihnen verlegt worden – nebstbey von J. *Sebastian* Bach eine *missa*, worin sich folgendes *Crucifixux* mit einem *Basso ostinato*, der ihnen gleichen soll, befinden soll nemlich:

nebstbey sollen sie die Beste Abschrift haben von Bachs *temperirten* Klawier diese
bitte ich mich auch anheim kommen zu lassen – …

Quelle: Ludwig van Beethoven an das Verlagshaus Breitkopf & Härtel in Leipzig, 15. Oktober
1810. Bonn, Beethoven-Haus (Sammlung H. C. Bodmer *Br 92* und *Br 91*, Nachschrift).
Lit.: *Ludwig van Beethoven. Briefwechsel. Gesamtausgabe, Bd. 2 (1808–1813).* Im Auftrag des Beet-
hoven-Hauses Bonn herausgegeben von Sieghard Brandenburg, München 1996, S. 163f. Siehe
auch Martin Zenck, *Die Bach-Rezeption des späten Beethoven,* Stuttgart 1986, S. 234f.

B 100

Zelter: Von der Schwierigkeit des Abschreibens Bachscher Werke

1811

Mit dem Abschreiben einer Partitur von S. Bach ist es eine eigene Sache; ich kenne
hier keinen Notenschreiber dem ich ein solches Werk mit Sicherheit anzuvertrauen
wüsste und so sende ich Ihnen l. [lieber] Freund meine Partitur indem ich Sie ersuche, die Abschrift selber zu machen, wobey zugleich etwas zu lernen ist das nicht in
andern Büchern steht. Dabey muß ich aber die Bedingung machen, daß die Partitur
den letzten August dieses Jahres wieder in meinen Händen ist weil ich meine akademischen Übungen damit anfange. Meines erachtens ist meine Partitur so richtig wie
das Original selber das ich in Zürch bey Herrn Nägeli gesehen habe und da ich sie
zum öftern aufgeführt habe so bin ich vielleicht glücklicher als der alte Bach selber der
diese Musik vielleicht niemals ganz gehört hat, denn wo hätte er solche Waldhorni-
sten und Flötisten hergenommen? Zu jener Zeit als die Flöte nur bis d ging u. s. w. …

Quelle: Carl Friedrich Zelter an Friedrich Conrad Griepenkerl, „b. Mamertus" [11. Mai] 1811.
(D-Wa, Signatur: 298 N 514.)
Anm.: Zelter bezieht sich wahrscheinlich auf das im Besitz Nägelis befindliche Autograph der
h-Moll-Messe.

B 101

Zelter: Bach-Handschriften von Abraham Mendelssohn für die Sing-Akademie

Berlin, 28. Juni 1811

Ihre Prophezeiung, mein verehrter Freund ist eingetroffen: H. Mendelssohn hat
die schönen bachschen Reste der Singakad. geschenkt und sich damit ein Denkmal gesetzt. Mit den Handschriften von Seb. Bach und C P. E. Bach so wie mit der
Telemannschen Musik und dem Magnificat von Seb. B. haben Sie mich sehr erfreut.

Haben Sie Stücke von Reinhart Kaiser? Schicken Sie mir doch von diesem etwas.
Ich besitze nichts von ihm als ein einziges *Kyrie* und *Gloria*. Ich habe schöne Dubletten die ich dagegen eintauschen kann. Die Anzeige des *Magnificat* will ich gern
mach[en] doch muß es vor der Hand bleiben weil ich ich morgen nach Schlesien
gehe wo ich noch 3 Monath bleiben könnte. Leben Sie wohl mein werther Freund
und denken an Ihren

B. d 28. Juny 1811   Zelter.

Quelle: Carl Friedrich Zelter an Georg Poelchau, 28. Juni 1811. (D-B *Mus. ep. C. F. Zelter 59.*)
Anm.: Es handelt sich um die Ankündigung der Erstausgabe vom Magnificat Es-Dur
(BWV 243a). Sie erschien 1811 bei Simrock (Bonn) → C 47.
Lit.: Schünemann 1941, S. 69; Die Bach-Quellen der Sing-Akademie zu Berlin. Katalog, bearbeitet
v. Wolfram Enßlin, Hildesheim 2006 (LBB 8); Die Bach-Sammlung aus dem Archiv der Sing-
Akademie zu Berlin. Die Bach-Sammlung. Supplement II, hrsg. von der *Sing-Akademie zu Berlin,
bearbeitet v. Axel Fischer u. Matthias Kornemann, Katalog und Einführung zur Mikrofiche-Edition,
München 2003* (Musikhandschriften der Staatsbibliothek zu Berlin – Preußischer Kulturbesitz,
hrsg. von der Staatsbibliothek zu Berlin, Teil 1).

B 102

Zelter: Suche nach Bachs Passionen und lateinischen Messen

Berlin, 29. Juni 1811

Sie haben mein trefflicher Freund sich einen großen und langen Dank verdient für
die herrlichen Schätze, welche die Singakademie zu Ihrer Ehre aufbewahren wird.
Ihre Frage kann ich nicht ganz befriedigen, da kein Verzeichnis bey den Sachen war.
Durchgesehen habe ich schon alles doch die Catalogirung muß anstehn bis nach
meiner Zurückkunft, dann soll auch Ihnen ein Verzeichnis eingehändigt werden.
Das gedr. Verzeichnis lege ich einstweilen bey, von Bachs Verlaßenschaft. Hieraus
können Sie sehn, was ich empfangen habe: es sind die roth angestrichnen Sachen.
Viele Stücke sind incomplett und von 13 Stücken fehlen die Partituren. Wäre es möglich noch manches zu retten, besonders <u>die Passionsmusiken</u> von Seb. Bach, von
denen keine einzige vorhanden ist und die <u>latein. Messen</u>. Dies sind eigentlich seine
vorzügl. Stücke. Freilich würde ein Kenner dazu gehören um diese auszuspüren;
Freund Pölchau ist vielleicht der Einzige der hierzu hinreichende Kenntniß hat,
denn wer soll in unsern Zeiten so was verstehn?
Das Paket habe ich richtig erhalten. Es enthält schöne Sachen die mir Pölchau ge-
sandt hat. Auch ihm habe ich heute schriftlich gedankt. Morgen reise ich leben Sie
fein wohl. Den Catalog bitte ich mir zurück, weil er in die Bibliothek gehört.
B. den 29 Juny 1811

                                                                     Zelter.

Quelle: Carl Friedrich Zelter an Abraham Mendelssohn, Berlin 29. Juni 1811, D-B *Mus. ep. C.F. Zelter 42*, Faksimile des Briefes bei Schünemann 1941, S. 68 / 69.
Anm.: Der von Zelter erwähnte Katalog im Besitz der Sing-Akademie ist verschollen.

B 103

Zelter: Dank für erhaltene Musikalien

Berlin, 13. Dezember 1811

Sie haben mich, mein würdiger Freund, durch Ihren letzten Brief Hamburg 9 Xbr 1811, auf einen besondern Gedanken gebracht und ich bitte Sie inständig mir sogleich (wenn es Ihnen möglich ist) die in D# transponierte Partitur des Seb. Bachschen Magnificat auf meine Kosten abschreiben zu lassen und mit der Post anhero zu schicken. Doch bitte ich, diesen Auftrag einem ordentlichen Notenschreiber zu geben denn die mir gütigst gesandten 3 Stücke, (wofür ich innigst danke), besonders aber das Zelenkasche Stück sind kaum zu gebrauchen vor allen Fehlern, die ich nur im ersten Augenblicke gewahr worden bin, denn vor einer halben Stunde habe ich erst Ihren lieben Brief mit den Sachen erhalten.

Ich vermuthe nehmlich aus mehr als einem Grunde, daß die gestochene Partitur, die transponierte ist und was die Fuge betrifft, so mag sie seyn von wem sie will vom Sebastian ist sie nicht, darauf wollte ich wetten. Unter uns gesagt: sie taugt nichts und ist so wenig vom Sebastian als sie von Ihnen ist.

Ihr Postskript verstehe ich nicht: Ich soll den Bachschen Catalog nicht verlieren? Der ist ja gedruckt; ja der meinige ist vielleicht schon verloren denn ich habe ihn an Mendelssohn geben müßen es weis in diesem Augenblick wahrlich nicht, wer am Ende gewonnen hat. Doch darüber bin ich nicht bange, da ich den Sebastian im Herzen habe und bis an mein Ende tragen werde. Auch habe ich bald genug gesehen daß es nicht der gesamte Bachsche Nachlaß war, was ich von Mendelssohn erhalten habe, denn die großen Werke fehlen alle; so auch alle Orgelsachen, das Wohltemperierte Clavier, die Concerti grossi. Vieles besitze ich schon längst und heute habe ich die erste Probe mit Instrumenten gehalten, von der großen Messe (*Kyrie* und *Credo* aus H mol) welches wahrscheinlich das größte musikal. Kunstwerk ist, das die Welt gesehen hat. Kennen Sie denn dies bachsche Werk?

Was für Originale sind es denn vom seel. Fasch, die Sie aus Em. Bachs Nachlaß dem Untergange entzogen haben? Lassen Sie mich doch dies wissen. Wahrscheinl. sind es Stücke von Faschens Vater, welcher Capellmeister in Zerbst gewesen ist; wären sie aber von Carl Fasch, so möchte ich doch wissen welche es sind.

Ihr Herr Schwager hat mich besucht und nicht angetroffen. Morgen werde ich ihn aufsuchen und was ich ihm Liebes erweisen kann soll gern geschehen. Zu Ihrer Heirath wünsche ich von Herzen Glück. Bis dahin empfehlen Sie mich Ihrer liebenswürdigen Braut aufs Beste.

Ist Gelegenheit von Hamburg hierher und Sie können mir das *Magnificat* aus D# zu bloßen Ansicht mit her schicken; so sollen Sie es in Zeit von 8 Tagen wieder zurück haben; Bitten Sie allenfalls Schwenke in meinem Namen darum. Und nun: Wohl zu leben, mein Freund! Und nochmaligen Dank für die schöne Sendung. Haben Sie denn kein Verzeichniß Ihrer Sachen? Ich möchte doch gern wissen was Sie besitzen

Ihr
Zelter.

Quelle: Carl Friedrich Zelter an Georg Poelchau, 13. Dezember 1811. D-B *Mus. ep. C. F. Zelter 60.*
Anm.: Zu dem an Abraham Mendelssohn verliehenen Katalog der Sing-Akademie → B 101. Mit der gestochenen Partitur ist die bei Simrock in Bonn 1811 erschienene Partitur des Magnificat Es-Dur (BWV 243a) gemeint → C 37, C 47.

B 104

GOETHE: WERKE VON BACH IN BERKA VERBRANNT
WEIMAR, 3. MAI 1816

… Denke Dir nun erst, das hübsche Wiener Klavier des Organisten Schütz, seine Sebastian, Philipp Emanuel Bache u. s. w. dieses Berka ist vom 25n auf den 26n April. von der Erde weggebrannt. Mit ungeheurer Geistesgegenwart und mit Hülfe von Wohlwollenden ist das Klavier gerettet und noch manches vom Haushalt, worüber man erstaunt, höchstens in 7 Minuten: denn ein gewaltsames bei einem Bäcker aufgetriebenes Feuer, warf um halb zwölf in der Nacht die Flammen rings umher. Alle des Organisten alte von Kittel in Erfurt noch erworbene Bache und Händel sind verbrannt, und bloß durch einen närrischen Zufall oder Zurichtung, daß er sie aus der bisherigen Unordnung in Ordnung in eine etwas abgelegene Kammer gebracht. Alle diese Dinge sind gewiß schon gestochen und gedruckt, zeige mir an wie ich sie bei Hertels in Leipzig oder sonst zu finden habe, denn ich möchte ihm gern von dieser Seite etwas Erfreuliches entgegen bringen. Gott segne Kupfer, Druck und jedes andere vervielfältigende Mittel, so daß das Gute was einmal da war, nicht wieder zu Grunde gehen kann. …

Quelle: Goethe an Carl Friedrich Zelter, 3. Mai 1816. D-WRgs, Signatur: *29/564, I, 3*, zit. nach: Goethe, Briefwechsel I, S. 421.
Anm.: Die Rede ist von Johann Heinrich Friedrich Schütz (1779–1829), dem Badinspektor und Organisten in Berka. Bei ihm hatte Goethe gewohnt und sich auf der Orgel und dem Klavier Werke von Bach und dessen Söhnen vorspielen lassen. Schütz hatte 1809 und 1810 aus dem Nachlaß Johann Christian Kittels zahlreiche Bachiana erworben.

Lit.: Ulrich Leisinger, *Johann Christian Kittel und die Anfänge der sogenannten späteren thüringischen Bach-Überlieferung*, in: *Bach und seine mitteldeutschen Zeitgenossen. Konferenzbericht Erfurt und Arnstadt 2000*, Eisenach 2001 (Schriften zur mitteldeutschen Musikgeschichte. 4), S. 235–251.

B 105

Forkel: Sorge um die Erhaltung handschriftlich überlieferter Bachwerke

Göttingen, 1. September 1816

Ew. Wohlgebohren liebes Schreiben vom 20. Aug. kann ich zwar heute noch nicht ausführlich beantworten; aber ich gebe Ihnen doch eine kleine Notiz, die Ihnen vielleicht angenehm und gewiß zugleich bequem seyn wird.

Es hat ehedem ein Hof= und Cammermus. Hartung in Braunschweig gelebt, von dem ich die Seb. Bach. Trios für 2 Cl. u. Ped. nebst noch vielen anderen Sachen bekommen habe. Er war ein vortrefflicher Notenschreiber und er wusste außerdem gar guten Bescheid in solchen Dingen, so daß er mir gar manches verschafft hat, was ich ohne seine Hülfe vielleicht nicht hätte finden können. Wenn er selbst nicht mehr lebt, so lebt doch, wie ich gehört habe, ein Sohn noch von ihm, und der wird wahrscheinlich die guten Kunstwerke nicht verschleudert haben. Sehen Sie also zu, ob in dieser ehemaligen Quelle noch etwas zu finden ist. Was nicht da zu finden ist, können Sie von mir haben. Dahin werden wohl die mehrfachen Concerte gehören. Zu den großen Orgelfugen rathe ich Ihnen gar nicht. Sie sind zu groß, u. Sie können gewiß keinen Gebrauch davon machen. Ich sähe sie zwar gerne wieder durch eine neue Abschrift vervielfältigt u. dadurch ihrem Untergange wenigstens etwas mehr entzogen; allein unser Zeitalter hat Stärke genug gehabt, Deutschlands Freyheit zu retten, hat aber bey weitem nicht Geistesstärke genug, um so große, so einzige, nie gehörte und gesehene Kunstwerke zu erhalten. Von diesen Werken können Sie auch keinen Bogen unter 6 ggr. geschrieben erhalten. Ich habe 8 ggr. für den Bogen gegeben.

Ihre anderen Angelegenheiten und fragen erfordern, wenn ich sie Ihnen gründlich beantworten will, ausführlichere Abhandlungen, wofür ich nur gelegentlich Zeit gewinnen kann. Halten Sie sich aber für's erste an einfache Kunstwerke, so wird manche meine Beantwortung von selbst unnöthig werden.

Ich bin mit großer Achtung u. herzlicher Ergebenheit

Der Ihrige

Forkel.

Quelle: Johann Nikolaus Forkel vermutlich an Friedrich Konrad Griepenkerl, Göttingen 1. September 1816. (D-Wa, Signatur: 298 N 820.)

Anm.: Der im Text erwähnte A. L. Hartung, für den 1794 der Handel mit Musikalien nachweisbar ist, war Violinist in der Braunschweiger Hofkapelle.

B 106

HENSEL: 14 NEUE KANTATEN VON BACH
[BERLIN] 22. MAI [1830]

… Auf eine Bachsche Cantate freue ich mich besonders, es ist die: Es erhub sich ein Streit, da mag der alte Herr gewüthet haben. Mit einem Mal 14 neue Cantaten, von denen unsre Seelen sich nichts haben träumen lassen, fruchtbar ist der alte Bär gewesen, wenn auch sonst nichts. Kannst Du Dir Sebastian Bach jung denken? Ich habe mir übrigens zu dieser Cantate ein Thema in Kopf gesetzt, u. werde sehr aufs Maul geschlagen seyn, wenn es, wie natürlich, nicht paßt. …

Quelle: Fanny Hensel an Felix Mendelssohn Bartholdy, 22. Mai 1830. Bodleian Library, University of Oxford, Signatur: *MS. M. Deneke Mendelssohn d. 28, Green Books II – 19.*
Anm.: Fanny Hensels Bemerkung bezieht sich auf eine Reihe Bachscher Werke, die Felix Mendelssohn Bartholdy offenbar auf Vermittlung des Verlages Breitkopf & Härtel im Zusammenhang mit seinem Besuch im Leipziger Verlagshaus am 19. Mai 1830 kennengelernt hatte.
Lit.: Fanny Hensel Letters, S. 436 (Kommentar S. 101); Ralf Wehner, *Mendelssohns Sammlung von „Kirchen-Cantaten" Johann Sebastian Bachs,* in: Bericht Konferenz Leipzig 2005, S. 415 – 461.

B 107

POELCHAU: REGELUNG DES ZELTERSCHEN MUSIKALIEN-NACHLASSES
BERLIN, 17. FEBRUAR 1833

… Die unglückliche Regulirung des Eigenthums unserer Singacademie mit den Zelterschen Erben, raubt mir schon seit langer Zeit allen Humor, so daß ich mich seit dem ganzen Winter nicht habe in meinem Elemente bewegen können und mögen. Zelter verkaufte schon vor 15 Jahren seine Musikalien der Academie, lieferte sie aber nicht ab. Jetzt sagen die Erben, der Vorsteherschaft, euch gehört nichts, uns alles. Nun ist guter Rath theuer. Um das geistige Eigenthum d. A. [Academie] hat sich niemand bekümmert. Nun soll ich, der ich nur contemplativer Zuschauer dieses Treibens gewesen bin, Auskunft geben und es jedem recht machen. Es handelt sich hauptsächlich um 100 Autographa von Joh. Sebast. Bach, die ich noch obendrein in früher Zeit besaß und unter der ausdrücklichen Bedingung abließ, daß sie Eigenthum der Academie, würden. – Möge Ihre Gesellschaft in den Angelegenheiten der Rudolphiana glücklicher seyn, als die Vorsteherschaft unserer Academie! – …
Eine angenehme Hoffnung machen Sie mir durch den Besitz der Fortsetzung Ihres Catalogs, die nicht anders als lehrreich für mich seyn wird. Die mitgeteilten Nachrichten von Ihren Forschungen und Arbeiten, betrachte ich als einen besonderen Beweis Ihrer Güte gegen mich. …

Meiner junge <u>Tochter</u>, die mich immer vergnügt sieht wenn ein Brief aus Wien ankömmt, möchte ich gerne die Freude gönnen die herrliche <u>Kaiserstadt zu sehen</u> und
dort <u>Clavier spielen zu hören</u>; fürs Haus spielt sie Bachische Fugen auch die Fantasia
chromatica, recht gut. …

Quelle: Georg Poelchau an Raphael Georg Kiesewetter, Wien 17. Februar 1833. Musikarchiv Stift
Göttweig, Signatur: *Brief 410.*
Anm.: Poelchaus Bemerkung steht im Zusammenhang mit Erbstreitigkeiten zwischen Zelters
Erben und der Sing-Akademie. Es hat den Anschein, daß Poelchaus Angabe „um 100 Autogra-
pha" sich nicht allein auf Partituren, sondern auch auf der Sing-Akademie übereignete Original-
stimmen bezieht.
Mit den von Poelchau erwähnten Rudolphiana ist wahrscheinlich die Handschriftensammlung
des Erzherzogs Rudolph (1788–1831) gemeint, dessen Nachlaß in die Bibliothek der Gesellschaft
für Musikfreunde gelangte.
Lit.: K. Engler, *Georg Poelchau und seine Musikaliensammlung. Ein Beitrag zur Überlieferung Bachscher
Musik in der ersten Hälfte des 19. Jahrhunderts*, Tübingen 1984, S. 56; Thomas Richter, *Bibliotheca
Zelteriana. Rekonstruktion der Bibliothek Carl Friedrich Zelters. Alphabetischer Katalog*, Stuttgart und
Weimar 2000.

B 108

Hensel: Bitte um Abschriften von Bach-Kantaten

Berlin, 16. Januar 1838

… Von den Cantaten von Bach, deren Du erwähnst, bitte ich Dich mir einige nach
eigner Wahl abschreiben zu lassen, u. baldigst herzuschicken. Ich bin diesen Winter
sehr in den Mozart hineingerathen, als Gegengewicht könnte einiger neue Bach
nicht schaden. …

Quelle: Fanny Hensel an Felix Mendelssohn Bartholdy, 16. Januar 1838. Bodleian Library, University of Oxford, Signatur: *MS. M. Deneke Mendelssohn d. 33, Green Books VII–17.*
Anm.: Fanny Hensels Anfrage bezieht sich auf eine Sendung mit Bach-Kantaten, die Franz Hauser Felix Mendelssohn Bartholdy auf dessen Wunsch hin für das Niederrheinische Musikfestival
in Köln 1838 übersandt hatte (→ D 15, 16, 17). Von einigen bestellte Mendelssohn Kopien für
seine Schwester. Dazu gehörte u. a. eine Abschrift des doppelchörigen Kantatenchores „Nun ist
das Heil und die Kraft" (BWV 50), um deren Rückgabe dann wiederum Mendelssohn 1843 seine
Schwester ersuchte (Felix Mendelssohn Bartholdy an Fanny Hensel, Leipzig 16. April 1843, D-B
MA Ep. 125).
Lit.: Fanny Hensel Letters, S. 540 (Kommentar S. 250).

B 109

MENDELSSOHN BARTHOLDY: ZWEI „AUTOGRAPHE" VON BACH ZUR AUSWAHL
FRANKFURT AM MAIN, 18. JUNI 1839

… Zweitens gieb mir mal einen guten Rath; der tolle Kapellmeister Guhr ist mein Specialfreund geworden; wir vertragen uns wie die Kaninchen, und neulich als wir ganz vergnügt und cordial waren und ich ihn so sehnsüchtig nach seinem großen Haufen Bachischer Raritäten frage, worunter er zwei Autographen hat nämlich die Sammlung Choralvorspiele für die Orgel, und die Passecaille mit einer großen Fuge hinten dran

sagt er mit einem Male: wissen Sie was? Nehmen Sie sich eins von den beiden Autographen mit; ich wills Ihnen schenken, Sie haben doch ebenso viel Freude dran, wie ich; wählen Sie sich welches Sie wollen, die passecaille, oder die Präludien. Das ist übrigens gar kein Spaß, denn ich weiß daß ihm ein gut Stück Geld für die Sachen geboten ist, und daß er sie nicht verkauft hat, und ich selbst hätte sie ihm gut bezahlt wenn sie ihm feil gewesen wären – und nun schenkt er mir es gar. Aber nun ist die Frage, was nehm ich? Ich hab viel größere Lust zu den Choralvorspielen weil sie mit dem „alten Jahr" anfangen, weil andre große Lieblinge drin sind, und weil die Passec. und die Fuge schon gedruckt sind – aber Du sollst auch mitsprechen, weil du auch aparte Freude daran hast, also votiere einmal, Cantor. …

Quelle: Felix Mendelssohn Bartholdy am 18. Juni 1839 an Fanny Hensel. D-B *Depos. Berlin 7.*
Anm.: Gemeint ist der seit 1821 in Frankfurt am Main tätige Kapellmeister Karl Wilhelm Ferdinand Guhr (1787–1848). Mendelssohn entschied sich für die Sammlung von „Choralvorspielen". Es handelt sich um das „Orgelbüchlein" (BWV 599–644) in einer Abschrift von der Hand Christian Gottlob Meißners (1707–1760). Die inzwischen nur noch in der Gestalt dreier Fragmente erhaltene Quelle befindet sich in: *PL Kj Mus. ms. Bach P 1216; GB Lbl Zweig MS. 3* [früher Privatbesitz Alberman, London]; Bodleian Library, University of Oxford *MS. M. Deneke Mendelssohn c. 21.* Das vermeintliche zweite Autograph der Passacaglia (BWV 582) ist verschollen (vgl. NBA IV/7, Krit. Bericht, S. 124ff., 129ff.). Das im Brief befindliche Incipit gehört zu BWV 574.
Lit.: P. Mendelssohn Bartholdy und C. Mendelssohn Bartholdy (Hrsg.), *Briefe aus den Jahren 1833 bis 1847 von Felix Mendelssohn Bartholdy*, Leipzig 1865, S. 191f.; Wm. A. Little, Mendelssohns Dilemma: Die Sammlung Choralvorspiele oder die Passecaile?, in: Bericht Konferenz Leipzig 2005, S. 381–393.

B 110

Fuchs: Bericht über Franz Hausers Bach-Katalog
Mainz, Brüssel und Antwerpen, 1844

… Herr Franz Hauser, Tonkünstler und Gesanglehrer in Wien (bei allen Musikfreunden gewiß noch aus der Zeit seiner Leistungen als Opernsänger im besten Andenken) sammelt mit großer Mühe und nicht geringen Kosten die sämmtlichen Werke des Großmeisters Johann Sebastian Bach, und besitzt bereits unter einer großen Anzahl derselben auch sehr wertvolle Originalhandschriften J. S. Bach's.
Wenn man nun erwägt, dass kaum ein Drittheil der Werke von Sebastian Bach in Stich oder Druck erschienen sind, die Mehrzahl also nur im Manuscript, und diese äußerst selten vorkommen, so muß man das verdienstliche Unternehmen dieses warmen Kunstfreundes um so dankbarer anerkennen, als er gewiß manches werthvolle Stück der gänzlichen Vergessenheit dadurch entrissen hat.
Herr Hauser ist so eben mit der Herausgabe eines thematischen Catalogs sämmtlicher ihm bekannt gewordener Werke Johann Sebastian Bach's beschäftigt; ein Handbuch, zu dessen Zusammenstellung wohl Niemand bessere Mittel und mehr Material zu Gebote stehen dürften, als gerade ihm, und welches als eine wahre Bereicherung der musikalischen Literatur von allen Kunstfreunden sehnlichst erwartet wird. …

Quelle: Aloys Fuchs, *Die musikalischen Kunstsammlungen in Wien. VIII.* (Cäcilia, 23. Bd., Heft 89, 1843, S. 51f.)
Anm.: Aloys Fuchs (1799–1853) trug neben seiner Beamtentätigkeit im österreichischen Hofkriegsrat eine bedeutende Musikaliensammlung zusammen. Der Opernsänger Franz Hauser (1794–1870) begann neben seiner umfangreichen Tätigkeit als Sammler von Musikhandschriften (einschließlich zahlreicher Bachiana) bereits Anfang der 1830er Jahre mit der Arbeit an einem vollständigen thematischen Katalog aller Bachkompositionen. In enger Zusammenarbeit mit Felix Mendelssohn Bartholdy legte er mehrere Verzeichnisse an; besondere Beachtung verdient der erhaltene Hauptkatalog (D-B Mus. ms. theor. K 419). In einem Brief vom 19. Januar 1833 schrieb Felix Mendelssohn Bartholdy an Hauser: „Das freut mich sehr, daß Du einen ordentlichen Catalog anfertigen willst vom alten Sebastian, es ist ein sehr verdienstliches Unternehmen, aber es wird viel Mühe kosten. Spare die nur aber ja nicht, damit es möglichst vollständig werde …" (Original verschollen, zit. nach: Abschrift D-B *MA Nachl. 7, 30/1*). Trotz mehrfacher Anläufe wurden die Pläne für eine Drucklegung nicht realisiert. Den verbliebenen Bestand der Sammlung übergab Hausers Sohn Joseph im Jahre 1900 der Königlichen Bibliothek zu Berlin.
Fuchs' Text wurde unter Verweis auf die Cäcilia vorabgedruckt in: Signale, 1. Jg., Nr. 51, Dezember 1843, S. 404f.
Lit.: Kobayashi FH; Dale A. Jorgenson, *The Life and Legacy of Franz Xaver Hauser: a forgotten Leader in the Nineteenth-Century Bach Movement*, Carbondale / Illinois 1996; Karl Anton, *Neue Erkenntnisse zur Geschichte der Bachbewegung*, BJ 1955, S. 7–44.

HAUPTMANN: VORHANDENSEIN VON „43 KIRCHENSTÜCKEN" BACHS
AUF DER THOMASSCHULE – SUCHE NACH AUSGESCHRIEBENEN PARTITUREN
ZUR AUFFÜHRUNGSVORBEREITUNG

LEIPZIG, 30. JULI 1844

→ E 5

QUELLENKRITIK, ECHTHEITSFRAGEN UND
WERKGESCHICHTLICHE ÜBERLEGUNGEN

B 111

ZELTER: GUTACHTEN ZUR PARTITUR DER KANTATE „KOMM, DU SÜSSE TODESSTUNDE"
BERLIN, VOR 1819

Dieses kleine, anmuthige Meisterstück ist, von Liebhabern, auch als bloße Hand-
schrift zu beachten, da es ein Autographum und auch keins ist, wie die derben
Schreibfehler in den Noten zu erkennen geben.
Die Aufschrift, wie das Motto α//ω, so auch der ganze Text, sind ohne Zweifel von
des unsterblichen Verfassers Hand.
Hiervon ausgenommen sind die latein. Worte <u>Domin: Festo purific. Mariae</u>, welche
C. P. E. Bach (der Hamburger) höchst wahrscheinl. geschrieben hat.
Die Noten mögen wohl von einem, nicht ganz ungeübten Choristen, nach einem
unleserlichen Concepte abgeschrieben seyn und enthalten Fehler die Menge, wie
auch die Partitur nicht wohl untereinander gesetzt ist. Einige Fehler sind verbessert
aber bey weitem nicht alle.
Mehrere Ziffern über dem Basse sind von Bachs Hand wie auch die wenigen Piano
und Forte.
Unter allen Partituren von Bachs Hand die ich besitze und gesehen habe, (mehr als
Hundert an der Zal) ist dies die erste auf welcher das erste Blatt gleich vorn mit dem
Motto α//ω bezeichnet ist auf allen übrigen steht ein J. J. (Jehova juva). Das Werk-
chen selbst gehört zu den Angenehmsten des Verfassers; Es trägt alle seine Eigen-
heiten der Melodie, Harmonie u des Ausdrucks und verlangt eine sichere, präzise
Ausführung.
Am besten wird sichs von dem beurtheilen lassen der seine Meinung über den
Genius des Componisten schon befestigt hat, wie denn überhaupt einzelne Werke

fruchtreicher Meister zugleich von der historischen Seite wollen betrachtet werden, wobey es auf ein Da, Vor oder Nach, kurz auf Gelegenheit ankomt.

Das Merkwürdigste an diesem Werke aber ist die freye Empfindsamkeit, das Wohlseyn eines seligen Zustandes, die Heiterkeit u der Ernst welches alles die Musik über einen Text verbreitet der in trübseligen, verschwollnen Grabes- u Todesansichten bald sumpft bald sprudelt. Der letzte Chor ist unschätzbar.

Zelter in Berlin

Quelle: D-B *Mus. ms. Bach P 124*.
Anm.: Carl Friedrich Zelters Bemerkungen befinden sich auf einem vorgehefteten Beiblatt der Partiturabschrift *P 124* von der Kantate „Komm, du süße Todesstunde" (BWV 161). Zelters Bemerkungen stammen mit Sicherheit aus der Zeit vor 1819, denn aus einem Brief Friedrich Conrad Griepenkerls an Hermann Nägeli vom 6. Januar 1819 geht hervor, daß Zelter Griepenkerl die Handschrift kürzlich geschenkt hatte.
Lit.: NBA I/23, Krit. Bericht (H. Osthoff / R. Hallmark, 1984), S. 13; Gojowy HGN, S. 93.

B 112

Zelter: Quintparallelen bei Bach – Versehen oder Lizenz?

Berlin, 25. bis 27. Mai 1826

… In der Partitur eines prachtvollen Konzerts von Sebast. Bach gewahrte mein Felix als er 10 Jahr alt war mit seinen Luchsaugen 6 reine Quinten nacheinander, die ich vielleicht niemals gefunden hätte, da ich in größern Werken darauf nicht achte und die Stelle sechsstimmig ist. Die Handschrift aber ist autographisch schön und deutlich geschrieben und die Stelle kommt zweimal vor. Ist es nun ein Versehn oder eine Lizenz?

Entweder der Komponist hat Eine Stimme verändert und die andere wegzustreichen vergessen oder ein Vorfall der mir selbst widerfahren ist kann die Ursache sein: Bei Gelegenheit eines harmonischen Streits hatte ich behauptet *Ein halbes Dutzend* reine Quinten nach einander hören zu lassen ohne daß es bemerkt werden solle und hatte meinen Satz gewonnen. Das kann der Fall sein mit dem alten Bach, dem reinsten dem feinsten dem kühnsten aller Künstler Quo nihil sol majus optet. …

Quelle: Carl Friedrich Zelter an Goethe, 25.–27. Mai 1826. D-WRgs, Signatur: *28/1021*, zit. nach: Goethe, Briefwechsel I, S. 923f.
Anm.: Gemeint ist eine von Bach unglücklich korrigierte Stelle im 11. Takt der Violastimme des Partiturautographs des ersten Satzes des 5. Brandenburgischen Konzertes BWV 1050.
Lit.: Vorwort zu BG XIX, S. 17 (Wilhelm Rust); Albert Schweitzer, *J. S. Bach*, Leipzig 1954, S. 355; *Johann Sebastian Bach, Brandenburgisches Konzert Nr. 5 D-Dur BWV 1050. Faksimile des Originalstimmensatzes nach dem Autograph der Deutschen Staatsbibliothek zu Berlin*, hrsg. v. Hans-Joachim Schulze, Leipzig 1975, S. 7; NBA VII/2, Krit. Ber. (H. Besseler, 1956), S. 111.

B 113

FINK: ÜBERLEGUNGEN ZUR WERK- UND ÜBERLIEFERUNGSGESCHICHTE
DER BACHSCHEN PASSIONEN
LEIPZIG, 18. AUGUST 1830

… Ich habe schon früher angezeigt, dass Seb. Bach fünf Passionen geschrieben hat.
Man wird diese Angabe in Gerber's altem Lexicon der Tonkünstler und in Bach's
Leben von Forkel bestätigt finden. Der letzte ist aber bekanntlich einer der ersten,
wenn von einer Aufzählung Sebastian Bach'scher Werke die Rede ist. Sein Fleiss,
mit Allem bekannt zu werden, was B. schrieb, war so ausserordentlich, wie seine Vorliebe. Vier Passionen sind nach den Worten der vier Evangelien componirt: über den
fünften Text habe ich nirgend auch nur die geringste Andeutung gelesen.
Alle diese Passionswerke hat Sebastian in Leipzig geschrieben, wo er, wie Jeder
weiss, seit 1723 bis zu seinem Tode 1750 Cantor an der Thomasschule war. Alle diese
und eine grosse Menge anderer kirchlicher Werke sind damals von ihm selbst mit
einem vortrefflich geübten Chore aufgeführt worden, die meisten blieben im öffentlichen Gebrauche bis auf Doles, und nach dem Tode desselben ist bis heute nur eine
Zahl Motetten u. dergl. (etwa 12) alljährlich zu Gehör gebracht worden.
Es ist gewiss, daß mehre Jahrgänge von Sebastian's Kichencompositionen der Sammlung der hiesigen Thomasschule eigenthümlich blieben: ich zweifle aber, ob diess
auch von allen fünf Passionenswerken mit Grund behauptet werden kann. Eine
dieser Pssionen wenigstens (über den Johannes) ist in dem Nachlasse eines seiner
Söhne nach Hamburg gekommen. Dass aber leider schon vor dem Amtsantritte
des sel. Schicht alle Partituren Seb. Bach's bis auf drey, eine Festcantate und zwey
Kirchenstücke, mit Bach bezeichnet, aus der hiesigen Thomaner Schulbibliothek
verschwunden sind, ist eine beklagenswerthe Gewissheit. Gar nichts ist weiter vorhanden, als ein unvollständiger Jahrgang von 44 Nummern, aber ohne Partitur, nur
in ausgeschriebenen Stimmen. So unverzeihlich damit umgegangen worden ist, so
wenig nutzt jetzt eine Untersuchung, auf wessen Rechnung das meiste zu schreiben
wäre. Besser, wenn wir erfahren, wo jetzt namentlich Sebastians Passionen aufbewahrt werden.
Solche Passionsmusiken nach dem Texte der Evangelisten gehörten damals und
schon seit der Reformation zur Liturgie der lutherischen Kirche. An allen Charfrey-
tagen wurde beynahe in allen, selbst in Dorfkirchen die Leidensgeschichte unsers
Herrn nach irgend einer Musik dramatisch-oratorisch abgesungen, d. h., die Rollen
der in der heil. Schrift dabey vorkommenden Personen waren vertheilt. So liest man
in der ältesten grossen Kirchenagende der Protestanten S. 186: „Volget die Historia
von dem Leiden und Sterben unsers Herrn und Seligmachers Jhesu Christi, aus
dem Evangelio S. Matthäi kurtz gezogen vnd nach den Personen ausgetheilet, Wie
man sie in christlichen Versammlungen pfleget die Marterwochen vber zu singen."
Später wurden zu den Worten der Evangelisten noch Kirchenliederverse eingewebt,

damit auch die Gemeinde an der Musik thätigen Antheil nehme. So war es zu Seb. Bachs Zeiten und in manchen Gegenden, namentlich Thüringens, hat sich dieser Gebrauch bis gegen das Ende des vorigen Jahrhunderts erhalten. – Bach schloss sich mit dem Dichter Picander diesem Gebrauche an und gab ihm eine Kunstform, wie wir sie in gegenwärtigem Werke vor Augen haben.

Den Text zu dieser Passion lieferte ihm also Picander, dessen wahrer Name Christian Friedrich Henrici ist. Auch die Choräle, bis auf wenige, die Bach beyfügte, sind die Wahl des Dichters. Man liest das Gedicht im zweyten Theile der Werke P.s. S. 101–112 der zweyten Auflage, Leipzig 1734. Die Dedication des Dichters ist aber in der Ostermesse 1729 geschrieben: folglich muss das Werk spätestens 1728 am Charfreytage bey der Vesper in der Kirche zu St. Thomä zum ersten Male aufgeführt worden seyn, was (ohne Angabe des Jahres) über dem Gedichte zu lesen ist. Die Originalpartitur besitzt jetzt Hr. Pölchau in Berlin, eine Zier seiner merkwürdigen musikalischen Bibliothek.

Im dritten Theile der ersten Auflage der Picanderschen Gedichte steht S. 49–67 der Text zur Passionsmusik nach dem Evangelisten Marco, mit dem Zusatze „am Charfreytage 1731." Der erste Theil vor der Predigt, der andere nach derselben, wie bey jenem Texte. Der Chor hebt hier mit den Worten an: „Geh, Jesu, geh zu deiner Pein" etc. Wo jetzt die Bachsche Musik dazu liegen mag, weiss ich nicht. Dagegen ist Sebastians Passionsmusik nach dem Evangelisten Lucas in der Notensammlung des sel. Schicht, die jetzt verkauft werden soll, einzusehen und zu haben. Die Bachssche Passion nach dem Evangelisten Johannes ist jetzt in den Händen des Hrn. Musikdir. der Singakademie zu Berlin, des *Dr.* Zelter. Von der fünften kenne ich keine Spur. G. W. Fink.

Quelle: Gottfried Wilhelm Fink, *Passionsmusik nach dem Evangelium Matthäi von J. Seb. Bach. Berlin, bey Schlesinger. Partitur: 18 Thlr.; Klavierauszug: 7 Thlr. 12 Gr.* (AMZ, 32. Jg. (1830), Nr. 33, 18. August 1830, Sp. 529–532.)
→ C 77.

B 114

MENDELSSOHN BARTHOLDY: HANDSCHRIFT VERSUS STILBEFUND – ZWEIFEL AN DER ECHTHEIT DER LUKASPASSION

BERLIN, 20. FEBRUAR 1833

… Du fragst aus welchem Grunde der Lucas nicht von Sebastian sein sollte? Aus inneren. Es ist zwar fatal, daß ichs behaupten muß, denn sie gehört dir, aber kuck einmal den Choral oder wie es sonst heißt „Tröste mich und mach mich satt" an, wenn das von Seb. ist, so laß ich mich hängen, und doch ist's unläugbar seine

Handschrift. Aber es ist zu reinlich, er hat es abgeschrieben. Von wem sonst, frägst Du. Von Telemann, oder M. Bach, oder Locatelli od. Altnickel oder Jungnickel, oder Nickel schlechtweg, was weiß ich? Aber nicht von dem. Schon im ersten Chor ist's zu sehen. Nun schreibe mir aber, <u>wie</u> ich dir sonst im Katalog helfen kann. …

Quelle: Felix Mendelssohn Bartholdy an Franz Hauser, 20. Februar 1833; Original verschollen; Abschrift: D-B *MA Nachl. 7, 30, 1.*

Anm.: Der Text bezieht sich auf die apokryphe Lukaspassion (BWV 246), die Hauser bei der Versteigerung des Nachlasses von Thomaskantor Johann Gottfried Schicht 1832 in Leipzig erworben hatte. Ein mit den Namen der Käufer und den gezahlten Preisen versehenes Exemplar des Versteigerungskataloges Schicht ist in der Staatsbibliothek zu Berlin unter der Signatur *Mus. Ac. 931* erhalten. In einem weiteren Brief Mendelssohns an Hauser vom 19. Januar 1833 (D-B *MA Nachl. 7, 30, 1*) heißt es dazu: „Aber es thut mir leid, daß du für die Passion St. Luc. so viel Geld gegeben hast; zwar als unbezweifeltes Manuscript ist es nicht zu theuer bezahlt, aber ebenso gewiß ist die Musik auch nicht von ihm."

Lit.: BG 45/2, Vorwort (Alfred Dörffel); Kobayashi FH, S. 24; Großmann-Vendrey, S. 210; Manfred Langer, *Franz Hauser und die Lukas-Passion*, BJ 1986, S. 131–134.

B 115

Schumann: Ueber einige muthmasslich corrumpirte Stellen in Bach'schen, Mozart'schen und Beethoven'schen Werken

Leipzig, 9. November 1841

Wüßte man alle, so ließen sich vielleicht Folianten darüber schreiben; ja ich glaube, die Meister müssen jenseits manchmal lächeln, wenn von ihren Werken einige mit allen den Fehlern hinüberklingen, wie sie Zeit und Gewohnheit, wohl auch ängstliche Pietät hat stehen lassen. Es war längst mein Vorsatz, einige in bekannteren Werken der obengenannten Meister zur Sprache zu bringen, mit der Bitte an alle Künstler und Kunstfreunde, sie zu prüfen, womöglich durch Vergleichung mit den Originalhandschriften festzustellen. Oft irren freilich auch diese, kein Componist kann darauf schwören, daß sein Manuscript ganz fehlerfrei wäre. Wie natürlich auch, daß sich unter den hunderttausend hüpfenden Puncten, wie er sie oft in unglaublich kurzer Zeit schreibt, ein Dutzend zu hoch oder zu tief gekommener einschleichen müssen: ja die tollsten Harmonieen schreibt ein Componist zuweilen. Immerhin bleibt die Originalhandschrift die Autorität, die am ersten gefragt werden muß. Möchten daher alle, die die zu besprechenden verdächtigen Stellen in den Handschriften der Componisten besitzen, das Gedruckte mit dem Geschriebenen vergleichen und das Resultat mitzutheilen so freundlich sein. Zur Feststellung einiger davon bedarf es wohl nicht einmal der Herbeischaffung des Originals, so deutlich springt der Irrthum in die Augen.

Die meisten Fehler finden sich wohl in den Ausgaben Bach'scher Werke, namentlich in den älteren. Es wäre eine verdienstliche, aber freilich sehr zeitraubende Arbeit, übernähme es ein mit Bach völlig vertrauter Musikkenner, alles bisher irrig Gedruckte zu berichtigen. Einen schönen Anfang hat die Peters'sche Musikhandlung in Leipzig gemacht; er beschränkt sich aber zunächst auf die Claviercompositionen. Eine Kritik allein des wohltemperirten Claviers mit Angabe der verschiedenen Lesarten (Bach soll selbst viel geändert haben) würde ein ganzes Buch füllen können. Seien zuerst hier einige andere Fälle erwähnt.

In der großen herrlichen Toccata mit Fuge für Orgel *) bewegen sich die beiden Stimmen im Manual über den Orgelpunct in streng canonischer Folge. Sollte man für möglich halten, daß dies vom Corrector übersehen werden konnte? er hat eine Menge Noten stehen lassen, die sich aus dem Canon als falsch erklären. Im Verlaufe des Stückes bei der Parallelstelle auf S. 4 und 5 kommen ähnliche Versehen vor. Wenn sich dies mit leichter Mühe corrigiren ließ, so möchte die Aufklärung einer andern Stelle in demselben Stücke von größerer Schwierigkeit sein. Man erinnert sich wohl des grandiosen Pedalsolo's; bei einer Vergleichung mit der Parallelstelle in der Unterquart ergiebt sich indeß, daß sich hier eine Menge Fehler eingeschlichen. S. 4 zwischen Tact 3 und 4 fehlen zwei Tacte gänzlich, die bei der Transposition S. 5 Syst. 6 im 2ten und 3ten Tacte stehen ec. Hier könnte nur die Originalhandschrift den Ausschlag geben. Besitzt sie vielleicht Hr. Hauser in Wien, so sei er um eine Vergleichung gebeten. Daß man aber ein so außerordentliches Stück, wie diese Composition, in seiner ächtesten Gestalt zu besitzen wünscht, möge doch Niemand als gering achten. Es wäre wie ein Riß in einem Bilde, wie ein fehlendes Blatt in einem Lieblingsbuche, wenn wir's hingehen ließen.

*)   Toccate et Fugue p. l'Orgue (Leipzig, Peters) mit dem Anfange:

Ped.

Ein anderer sonderbarer Fall, über den ebenfalls nur Bach's Handschrift Aufschluß geben könnte, findet sich in der Kunst der Fuge. Die ganze XIVte vier Seiten lange Fuge kommt nämlich schon in der Xten einmal vor; vergl. die Peters'sche Ausgabe S. 30 Syst. 5, vom 2ten Tact an. Wie ging dies nun zu? Bach wird doch ohnmöglich, in einem und demselben Werke vier Seiten lang Note für Note abgeschrieben haben. In der Nägeli'schen Partitur stehen die beiden Fugen übrigens ebenfalls so abgedruckt, und es ist nur aus der Gleichheit der Tonart und des Thema's, die durch das ganze Werk geht, zu erklären, daß die Wiederholung so lange unbemerkt bleiben konnte.

Wer aber, wenn er in Bach'schen Harmonieen schwelgt, denkt auch immer an alles und an Fehler? So habe ich einen Jahrelang nicht gemerkt in einer mir sehr bekannten Bach'schen Fuge, bis mich ein Meister, der freilich auch ein Adlerauge hat, darauf aufmerksam machte. Die Fuge ist in E-Moll über ein wundervolles Thema und steht in der Haslinger'schen Ausgabe *)

*)   6 Präludien und Fugen f. Orgel.

als sechste. Man schalte dort zwischen dem 3ten und 4ten Tact die einzige Note

 ein, alsdann wird's richtig. Hier ist wohl kein Zweifel. …

Quelle: Robert Schumann, *Ueber einige muthmaßlich corrumpirte Stellen in Bach'schen, Mozart'schen und Beethoven'schen Werken.* (NZfM, 15. Bd., Nr. 38, 9. November 1841, S. 149f.)
Anm.: Die Bemerkung über den „Meister" mit dem „Adlerauge" bezieht sich auf Felix Mendelssohn Bartholdy; das betreffende Stück ist die Orgelfuge e-Moll BWV 548/2.

B 116

KRÜGER: LEHRDIALOG ZUR FRAGE VON ECHTHEITSKRITERIEN DER MUSIK BACHS
EMDEN, OKTOBER 1843

Ächt und unächt. (Gespräch.)
Künstler.   Was Neues vom Alten! Wissen Sie's schon? Wünschen Sie mir Glück zum Funde!
Recensent. Was denn? Sie sehen aus so verklärt, als wenn Sie ein Oratorium componirt hätten.
K.   Mag wenig fehlen! Wie sollte man nicht jubeln, so oft ein neuer Baustein zu Tage kommt zu Ehren des Einzigen, der uns auf Jahrhunderte lang Licht und Leben gegeben.
Professor der Aesthetik.   Nun, College, Sie kennen unseren Freund mit all' seinen schwärmerischen Ungeberdigkeiten –– wie er heute flucht und morgen segnet, diesmal in desperater Tadelwuth die ganze Kunstwelt in den Ocean schmeißen möchte, und ein andermal hüpfet und tanzet wie ein Kind um ein simples Volkslied. Seine schlimmsten Extravaganzen sind freilich, qua phantastisch und nebulos, unschädlicher Natur: aber sie alteriren Einen zuweilen über die Maaßen. Vorliegender Paroxismus wird, in ehrlich Deutsch übersetzt, nichts Anderes bedeuten, als einen Fetzen Bachisch Manuscript. Rath' ich recht, Johannes?
K.   Wie solltest Du nicht! Sieh, ein Stück Unsterblichkeit! Nur eine spielende Fughetta, und doch in jeder Zeile – jeder Zoll ein Sebastian!

R.   Gemach, Freundchen! Sie überrumpeln uns mit Thesen, ehe wir die Hypo-
thesis concedirt haben. Sind Sie auch gewiß, daß Ihr Freudenfund Ihnen gewiß, daß
er ächt ist?

K.   Aecht – hm! ich hoffe es. Sehen Sie's selbst an, oder besser, hören Sie! |

R.   Das kann irren. Wie sollte ich mein Bischen Judicium für maßgebend hin-
stellen, wo es diplomatische Urkundlichkeit gilt!

Pr.   Stören Sie ihn nicht in seiner Lust. Wenn ich froh bin, so frag' ich nicht warum.

K.   Nein, Adalbert! So leichtbegnügt sind wir doch nicht. Wenn mir einer nach-
weist, daß dies Stück falsch ist, so ist die Freude aus.

R.   Penes affirmantem est demonstratio. Auf jeden Fall ist die Frage erlaubt, und
mein subjectives Gehör, meine Freude und Erbauung kein Maßstab für die Aechtheit.

Pr.   Gut. Das giebt Ihnen, denk' ich, unser Freund von selbst zu.

K.   Natürlich! Und wollen Sie Beweise – ich glaube, es sind hinreichende für die
Aechtheit. Das Stück ist in dem Archiv gefunden unter bestaubten Pergamenten,
und trägt deutlich seine Handschrift als Siegel an der Stirn. Die Handschrift kennen
Sie: sie ist in ihrer Originalität wohl leichter anzuerkennen als nachzumachen. Das
Hauptzeugniß bleibt der Geist, der drinnen waltet; den macht keiner nach.

R.   Es könnte sein, daß ein minder Begeisterter denselben Geist nicht darin er-
kennte. Lassen Sie uns jedoch nicht abschweifen. Zuvörderst untersuchen wir die
diplomatische Gewißheit. Die sogenannte authentische Handschrift, für sich betrachtet, ist nichts als eine probabilis lectio. Sie wissen, daß Handschriften nachge-
macht sind, und schwierigere als diese. Ferner ist Ihnen nicht unbekannt, daß sich
auch ein und der andere Jünger eines Meisters so sehr in seine Manier hineingearbeitet – denken Sie an Raphael's und Phidias' Schüler! – so sehr, daß auch die gründlichsten Kenner den Unterschied nicht sehen. Alle diese Möglichkeiten, mit wirklichen Thatsachen des Betruges zusammengehalten, machen Einen mißtrauisch.

Pr.   Doch nicht zaghaft! Für's Erste haben wir so viel Zeugniß an Handschrift, Papier, Fundort und Inhalt, daß wir uns einstweilen begnügen mögen. Wollte man so
argwöhnisch zu Werke gehen, so käme man nirgend aus der Untersuchung heraus,
und nach jahrelanger Kritik bliebe Einem kaum das Greisenalter zum Genusse.

K.   Du nimmst die Sache doch, dünkt mich, zu leicht. Ich mag meine Begeisterung nicht auf Sand bauen.

Pr.   Dabei aber kommt ein anderes Gefühl zur Sprache, als das ästhetische. Deinem sittlichen Sinne ist es zuwider, einem Lügner deinen Genuß zu verdanken.

K.   Nun, ist denn das unrecht? Du meinst doch nicht, wie Gevatter Schneider
und Handschuhmacher, daß wir Künstler sammt und sonders leichtsinnige Subjecte
sind, denen es auf ein bischen mehr und minder in der Moral nicht ankomme? Ich
meine, wir sind, als corpus genommen, nicht sittlicher und unsittlicher als andre
Menschenkinder auch. Umgekehrt fordre ich, daß der hohe Künstler auch im Sittlichen hoch sei; wer sein ganzes Sein und Leben dem Idealen hingiebt, der findet auf
seinem Pfade auch die Sittlichkeit.

Pr.   Dein Eifer reißt Dich weiter als unsre Frage fordert. Ich behaupte nur, daß dieser sittliche Scrupel, an dem Erlogenen sich erfreut zu haben, dem eigentlichen Kunstgefühle fremd sei. Du magst als sittlicher Mensch hinterher, nachdem du enttäuscht bist, dich auf's äußerste verstimmt und gedemüthigt fühlen – den Genuß hast du doch weg und den demonstrirst du dir nicht aus dem Herzen, auch nicht mit ganzen Fudern voll Recensionen.

R.   Ganz richtig, mein Lieber! aber was ist ein gewesener Genuß? Er ist verwest, und die Kritik hat ihn – in diesem Falle zu Grabe getragen. Was hilft's, wenn ich eigensinnig dabei beharre: hab' ich doch mein Herz erlabet – der Wurm nagt doch am Herzen. Wenn mich die Geliebte betrogen, ist's dann ein Trost, zu sagen: es waren doch glückliche Tage?

Pr.   Der Vergleich trifft nicht ganz, denn in diesem Falle ist die Existenz des Wesens, das Geliebt-Sein selbst, in Frage gestellt. Bei unserer Aechtheits-Frage dagegen bleibt die Existenz des Wesens ungefährdet; z. B. die vorliegende Fughetta bleibt ganz dieselbe mit und ohne die Gewißheit, Sebastianisch zu sein. Wir zweifeln hier an der Identität der Person, an dem Namen, nicht an dem Wesen; wie wenn einer glaubt eine Prinzessin zu lieben, und es ist ein Bauermädchen: die Liebe kann dieselbe bleiben, die rechnet die Identität der Person nicht nach dem Namen. – Was schlagen wir uns mit Vergleichen herum! Das schlagendste Beispiel liegt vor in der Ossians-Lüge.

…

K.   Du hilfst dir bequem aus der Schlinge. Auf deine Verantwortung nehme ich nächstens meinen Ossian wieder zur Hand, und will einmal zuhorchen, ob noch die alten Wunder mich fassen, wie da ich ein Knabe war. Für unsern Fall genügt mir's noch nicht ganz. Du sagst: wer so etwas schreiben kann, verschweigt seinen Namen nicht – oder lügt wenigstens nicht.

R.   Und wir böses kritisches Gezüchte queruliren dagegen: wer sagt, daß es ein „So-Etwas", ein Vorzügliches nämlich, sei? Und steht auch dieses fest, so kommen wir nur wieder zum Anfange oder zum Cirkel.

Pr.   Wie das? Ich bin auf dem Wege, unachtsam zu werden.

R.   In unserem Falle z. B. heißt es: der innere Werth ist Bürge, daß es ein ächtes Bachianum, weil Bach's ächte Werke alle voll inneren Werthes sind.

K.   Ganz so doch nicht: sondern wir meinen auch gewisse Spuren seines eigenen Geistes, seiner persönlichen Kunst, darin zu finden; denn „innerer Werth", allgemein gesagt, kommt auch anderen zu.

R.   So verstand ich's. Nun aber diese persönliche Eigenthümlichkeit, woraus haben Sie dieselbe kennen gelernt, als eben aus anderen Bach'schen Werken, d. h. solchen, die Sie dafür hielten? Hier aber laufen schon bezweifelte mit unter, als die Bach-Fuge, die Ihnen einmal unächt vorkam und in unserer Zeit noch von Mehreren angefochten ist. Warum? weil sein Geist nicht darin sei, und nicht blos die Kunsthöhe fehlte, sondern auch die Kunstpersönlichkeit des alten Helden.

Pr.   Das scheint meine Ansicht zu begünstigen, indem ich ja eben das ästhetische Interesse, unabhängig von Namen und Person, allein an das Kunstwerk knüpfen will.

K.   Gewiß, das Kunstwerk ist das Wesentliche; aber ich möchte mich auch sittlich ungestört seinem Genusse hingeben, und dies ist nur möglich, indem ich dabei die feste Person mit Achtung und Bewunderung mir vor's Seelenauge stellen kann.

R.   Wie aber, wenn das Bild dieser Person oder Persönlichkeit selbst bei Ihnen nicht fest stünde? Das eben ist der Cirkel, den ich vorher zu finden behauptete.

Pr.   Sie nehmen dies für einen Cirkel – nun verstehe ich's –, daß wir uns aus den vorhandenen uns früher bekannten Kunstwerken uns ein Bild der Persönlichkeit abziehen, und hinterher dieses gewordene Bild zum ursprünglichen Maßstabe gleichsam erheben, um das später Bekannte zu beurtheilen.

K.   Ob die strenge Universitätslogik damit zufrieden ist, weiß ich nicht; aber mir scheint diese Weise, sich das Urtheil zu bilden, nicht so ganz verkehrt, da ich nicht einsehe, wie sonst überhaupt irgend ein Urtheil über einen Künstler möglich ist. Ich habe den alten Sebastian ziemlich studirt und denke, ich kann ihn nöthigenfalls wiedererkennen.

R.   Wobei Ihnen doch ein fatales Mißverständniß passirte, wie Sie vor'm Jahre ein Bachianum gefunden zu haben mir Freuden verkündeten, und hinterher erwies sich's, daß es „Einer von den Neuesten", Ihr Felix, war, und jener Name vielleicht absichtslos von fremder Hand untergeschoben.

Pr.   Hier muß ich unsern jungen Freund in Schutz nehmen, um ihm die Verlegenheit zu ersparen. Es ist keine Frage, daß jenes vermeintliche Bachianum manche Spuren des Löwen an sich trug, wie es auch der Jugendzeit des begeisterten Schülers, der damals ganz dem alten Bach hingegeben war, angehört; solche Spuren können den flüchtigen Blick irre führen. Es sind auch größere Kritiker als unser Bruder Künstler durch ähnliche absichtliche oder absichtlose Unterschiebungen auf's Glatteis geführt. Hat man doch sogar griechische und altdeutsche Handschriften, den tüchtigsten Philologen zum Possen, angefertigt, und sie haben sich eine Weile täuschen lassen. Was folgt daraus? Nichts als die Trüglichkeit menschlichen Urtheils überhaupt.

R.   Auf welche ich eben provocire, auch um Sie vorsichtig zu machen.

Pr.   Aber ist darum alles Urtheil zu verbannen, weil ich fühle, daß ich irren kann? Oder giebt es überhaupt eine diplomatische Gewißheit? Ich könnte weiter gehen und alle historische Sicherheit in Frage stellen. Welche Urkunde ist so unzweifelhaft festgestellt als ächt, daß alle Zweifler überzeugt wären? Und wenn Sie mir – was unmöglich ist – für jedes kleinste Bachianum Fundort und Auffindung beglaubigten, so muß ich vorher Ihnen selbst trauen, wenn ich nicht jede Untersuchung für mich noch einmal anstellen will. Und endlich könnte ich durch alle erdenklichen Zeugnisse von der Aechtheit eines Bach'schen Autographs überzeugt sein, und es erwiese sich hintennach, das Bach selbst das Stück aus einem alten Buche copirt hätte! Denn bekanntlich hat er in der Jugend viel abgeschrieben zu seinem Studium und Genuß.

R.   Sie führen alle Möglichkeiten der Täuschung an, und verbauen sich fast selbst den Weg zur Rettung. In der That ist auch mir, in hyperkritischen Stunden, das Gewicht dieser Zwischengründe mit Centnerschwere auf's Herz gefallen, und

ich gestand mir, daß endlich der Verstand gegen sich selbst anrennt, wenn er allzu
weise sein will. Da ließ ich's denn gehen wie's ging, und erholte mich in zweifel-
losem Genusse – am liebsten freilich im Faust, – der für Recensenten nicht minder
als für Poeten geschrieben ist.

K.   Nun fangt ihr an so gelehrt zu werden, daß mir wehe um's Herz wird.

Pr.   Ja wohl wird's Einem weh um's Herz im Uebermaß des Denkens. Aber das
Herz läßt sich nicht abweisen auch bei allem kritischen Bestreben, und beschleicht
uns ehe wir's wissen.

R.   Gott sei's geklagt! Daß alle Kritik sich endlich im Kreise herum dreht, hat
mir oft das Handwerk verleidet. Aber was drehet sich denn nicht in menschlichen
Dingen? Veredelte Turbiniten sind wir, weiter nichts.

Pr.   Nun sind wir auf dem Puncte, melancholisch zu werden, wenn nicht einiger
Humor dahinter steckt. Ich gehöre nun einmal nicht zu denen, die Alles schwarz
sehen um einer logischen Formel willen. Wie kommen wir durch's Leben? Wir
schauen die Dinge an, lassen sie auf uns wirken und stellen unsere Wirkung dagegen, und geben mehr oder weniger dem süßen Hange nach, ihnen in die Seele
zu gucken. Wie das geschieht, das auszusagen ist noch Niemanden ganz gelungen;
aber es ist die Aufgabe der Philosophie, sich dieser Erkenntnis zu nähern.

K.   Der erste Philosoph, den ich bescheiden finde!

Pr.   Bei jener Seelenschau umwindet sich immerfort Erlerntes und Inwohnendes,
oder vornehmer gesagt : Erfahrung und ideae congenitae oder praestabilitae. Beides
zusammen bildet die Grundlage aller Erkenntniß, den Schluß. Denn die verständige
Erkenntniß ist ein Schließen; weil a und b ist, so muß c sein.

K.   Ueber deine algebristische Rechnung verlieren wir den edlen Sebastian ganz
aus den Augen.

Pr.   Wir kommen schon zur Anwendung. Du hast eine ziemliche Zeit hindurch
den alten Bach studirt; du hast dir ein Bild gemacht sowohl aus dem Vorzüglichsten,
was er nachgelassen, als aus den schwächeren Werken, und bist, wie wir voraussetzen dürfen, mit seiner künstlerischen, idealen und technischen Weise bekannt.
Dies Urbild Bach's, das du in deiner Seele hast, ist auf die genannte Weise aus Erfahrung und inwohnender Idee erbaut. Historisch und kritisch steht ungefähr so viel
fest, daß Sebastian einmal gelebt, daß er berühmt gewesen und bei den Besten seiner Zeit anerkannt, bewundert ; ferner daß eine große Anzahl Werke unter seinem
Namen gehen. Daß viele dieser Werke einen verwandten Geist auf's deutlichste zeigen, ist dem mit ihm Vertrauten unzweifelhaft. Wo du diesen Geist in verwandten
Tönen anklingen fühlst, da erkennst du ihn selbst. Die diplomatische Gewißheit ist
dir dann nur ein Corollarium; gleich wie ein Ordensband den Werth des Mannes um
gar nichts erhöht, so bringt dir der Beweis der Aechtheit, von künstlerischer Seite
betrachtet, gar nichts Neues hinzu; denn diese äußere Gewißheit berührt die Kunst-
seite nicht.

R.   Sie wiederholen Ihre früheren Argumente mit einigen Verzierungen. Wie aber,
wenn nun ein grimmiger Kritikus, z. B. ich, nach Ihrer nun eignen vorhin gegebenen

Anleitung bei jedem Schritte zu zweifeln beliebte, und für jedes kleine Stückchen, als die Excercices pour le Clavecin, die Inventions, die Sinfonies etc. die Beischaffung sämmtlicher Urkunden verlangte, und es zeigte sich, daß diese meistens unmöglich sei? Und ein Anderer schlösse weiter, es könne, da die Mehrheit der Werke nicht diplomatisch vindicirt wäre, überhaupt in dem Namen häufig ein Irrthum obwalten, als bei der Bach-Fuge –– –– ––

Pr.   Halt! Sie überschütten mich so mit Fragen und Bedingungen, daß ich Ihnen in´s Wort fallen muß. Zuvörderst gestehe ich, daß es mir auf den Namen an sich nicht ankommt; heiße er Bach oder Wasser, Hinz oder Kunz; ich habe den gemeinsam waltenden Geist nach meiner Weise erkannt, und nehme den überlieferten Namen ohne Scrupel in den Kauf, so lange bis mir das Gegentheil erwiesen wird. Allerdings muß mich die Stimmenmehrheit leiten.

R.   Aber selbst um diese zum erkennen, muß in Ihrer Seele schon die Urtheilsfähigkeit dazu vorliegen.

Pr.   Richtig! Ich glaube gern, daß unser Hofpaukist und die Schöppenstädtsche Prima donna sich dieses Urtheils bescheiden, oder wenn sie nach Aehnlichkeit oder Unähnlichkeit befragt werden, die Sache höchstens lächerlich finden. Hatte nicht unser primo uomo einsmals aus einem Beethoven´schen Scherzo den alten Bach herausgehört, blos weil es „ein bischen durcheinander ging"? – Gestehen wir uns nur beiderseits, daß mit dem ewigen Spintisiren nichts herauskommt, oder daß es wenigstens dem Künstler und Kunstphilosophen minder wichtig ist, sich von dieser Seite jeden Schritt zu sichern. Diese Pflicht liegt dem Kritiker und Historiker ob.

R.   Als wenn sich in den höheren Studien die Thätigkeiten so ängstlich sondern ließen! Sie wollen also die schlimmste Arbeit an eine andere Instanz abgeben. Diese zweite Instanz möchte Sie aber im Stich lassen, wenn ihr die technischen und ästhetischen Kenntnisse fehlten. Kann denn Einer die Vulgate kritisch bearbeiten, ohne was von Theologie zu wissen?

Pr.   Die blos diplomatische Kritik kann auch ein Nichttheologe ausüben, wie das auch schon geschehen ist, und nicht zum Nachtheil des unbefangenen Studiums. – Kurz, ich halte dafür, wer nicht mit allen kritischen Waffen ausgerüstet ist, der halte die Hand fern von dem gefährlichen Instrumente, das den Unkundigen verwundet. Ich wenigstens habe wenig Talent dazu. Genießen, leben und denken, daß ist mein Fach. So oft ich dagegen in die kritischen Regionen gerathe, um etwas Historisches zu constatiren, da fällt mir Voltaire´s boshaftes Wort ein : l'histoire n'est qu'une fable convenue. Und in der That, welcher Historiker hat denn alle Facta, die er erzählt, bewiesen – oder vielmehr, welche Beweise reichen aus, um die evidente Gewißheit, die mathematische Untrüglichkeit irgend einer Thatsache, und sei sie vor unsern Augen geschehen, zu gewinnen! Zeugen können irren, Papiere verfälscht und Handschriften erdichtet sein ––

R.   –– und so bliebe denn nichts übrig als wir selbst. Sie führen die Behauptung von der Trüglichkeit der Menschen mit ungewöhnlicher Fülle aus, und wir kommen nicht weiter ––

K   — und vergessen unsern Sebastian darüber ganz. Ich weiß nicht, was ich sagen soll. Ist denn die Gelehrsamkeit nur um zu verdunkeln da? Was ist nun von diesem herrlichen Opus zu halten? Das möcht' ich wissen.

Pr.   Du nennst es herrlich; das sei dir genug. Permitte divis caetera.

R.   Wir haben, scheint's, über die vernichtenden Kräfte der Kritik uns hinläng-lich verständigt. Sollte kein Heilkraut in der Nähe des Giftbaumes wachsen? – Ich denke, für die gewöhnlichen fälle, als z. B. die schon früher bekannten und längst anerkannten Bachiana, genügt die humane Regel: quisque praesumitur bonus, do-nec probatur contrarium.

Pr.   Die Polizei sagt's umgekehrt. Und die Bach-Fuge?

R.   Sobald ein ernster gegründeter Zweifel erwacht, so untersuche man auf's Neue ihre Aechtheit. Im Uebrigen verhalte man sich ruhig und genügsam, und lerne und studire, wenn man nicht geneigt und befähigt ist, kritisch zu lehren.

Pr.   Dank für den feinen guten Rath! Der übrigens mit meiner Maxime vollkom-men übereinstimmt.

K.   Ich möchte auch für gütige Belehrung danken, wen ich nur irgend ein Gewis-ses mit nach Hause nehmen könnte. Bis jetzt weiß ich weder was an diesem meinem Funde ist, noch wie ich mich in Zukunft in ähnlichem Falle zu verhalten habe.

Pr.   Folge deinem Genius! horche ihm ab, was der sagt.

R.   Und im zweifelhaften Falle fragen Sie die Weisen, die Historiker, die Studirten.

K.   Ich glaube, ihr habt mich beide zum Besten. Einstweilen nehme ich das cor-pus delicti hier für ächt, donec probatur contrarium.

Emden, im Oktober 1843

Dr. Eduard Krüger

Quelle: Eduard Krüger, *Ächt und unächt. (Gespräch.)* (NZfM, 19. Bd., Nr. 45, 4. Dezember 1843, S. 177–178 sowie Nr. 46, 7. Dezember 1843, S. 181–184.)

Anm.: Ob Krügers Lehrdialog ein konkretes Stück zugrunde liegt, konnte nicht ermittelt wer-den. Zur erwähnten Verwechslung einer Komposition Mendelssohns mit einem vermeintlichen Bachianum heißt es in einem Brief Robert Schumanns an Eduard Krüger: „Ueber das 4te Stück „O Haupt voll Blut" muß ich Ihnen eine Entdeckung machen. Mendelssohn war gerade bei mir, als ich es von Ihnen erhielt umd ihm als einem Bachianer vorlegte. Es gab einen drolligen Auf-tritt. Mit einem Worte, die Composition ist von ihm selbst aus seiner Jugendzeit. Er begriff nicht, wie sie dazu gekommen sein konnten …" (Robert Schumann an Eduard Krüger, 26. September 1841, zit. nach: Schumann, Briefe *NF*, S. 207). Die Äußerung bezieht sich auf Mendelssohns zu Lebzeiten unveröffentlichte Choralkantate „O Haupt voll Blut und Wunden" (1830).

B 117

MENDELSSOHN BARTHOLDY: STUDIUM DER ORIGINALSTIMMEN
VON BACHS H-MOLL-MESSE
LEIPZIG, 6. DEZEMBER 1846

… Ich hatte mir aus Dresden die Stimmen der Bach'schen H moll Messe verschafft
(erinnerst Du Dich ihrer von Zelter's Freitagen her?) und aus diesen, die er größtentheils eigenhändig geschrieben und dem damaligen Churfürsten dedicirt hat
(„Gegen Sr. Königl. Hoheit und Churfürstliche Durchlaucht zu Sachsen bezeigte
mit inliegender Missa seine unterthänigste Devotion der Autor J. S. Bach" steht auf
dem Umschlag) habe ich meine Partitur nach und nach von den Fehlern befreit, die
in Unzahl drin stecken, und die ich wohl oft bemerkt, aber niemals richtig zu corrigiren Gelegenheit hatte. Die mechanische, und doch ab und zu interessante Arbeit
war mir recht willkommen; …

Quelle: Felix Mendelssohn Bartholdy an Carl Klingemann, Leipzig, 6. Dezember 1846. Aufbe-
wahrungsort nicht bekannt, zit. nach: P. Mendelssohn Bartholdy und C. Mendelssohn Bartholdy
(Hrsg.): *Briefe aus den Jahren 1833 bis 1847 von Felix Mendelssohn Bartholdy*, Leipzig 1863 (Erstausgabe), S. 471. vgl. auch K. Klingemann, *Felix Mendelssohn-Bartholdys Briefwechsel mit Legationsrat
Karl Klingemann*, Essen 1909, S. 316.

Iris
im Gebiete der Tonkunst.

Redakteur L. Rellstab.

Zweiter Jahrgang.
№ 2.

Berlin, Freitag den 14. Januar 1831.

Im Verlag von T. Trautwein, breite Straße Nr. 8.

Wöchentlich, an jedem Freitage, erscheint eine Nummer der Iris, welche für den Pränumerations-Preis von 1½ Rthlr. für den Jahrgang von 52 Nummern durch alle
Buch- und Musikhandlungen, mit geringer Preiserhöhung aber auch durch die
königl. Preuß. Postämter, zu beziehen ist.

I. Ueberblick der Erzeugnisse.

Grofse Passions-Musik nach dem Evangelium Johannis von Johann Sebastian Bach, vollständiger Kl. A. von L. Hellwig.
Berlin, bei Trautwein. Preis 4½ Thlr. Schluss der Beurtheilung.

Wir haben uns jetzt noch mit einigen Einzelheiten des großen Werkes zu
beschäftigen. Von den Chören ist es, wie in der mehrerwähnten Parallelmusik des Meisters, namentlich der erste, der Einleitungschor, dem er die größte
Aufmerksamkeit gewidmet hat. Dort ist es ein Choral, der als cantus firmus sich durch das Ganze zieht, und über welchen der Komponist ein schwindelndes Gebäude der verwickeltsten Harmonien gethürmt hat. Dem vorliegenden Chor fehlt ein solches Fundament; auf den ersten Anblick scheint er nur
durch eine figurirte Begleitung, die meist in Sextenakkorden sich über einem
Orgelpunkt hin und her bewegt, ausgezeichnet zu seyn. Aber wie erstaunt
man, wenn man den Bau der Stimmen näher betrachtet, und erstlich die
hohe Selbstständigkeit jeder einzelnen, dann aber auch ein fast ganz durchgehends canonisches Gefüge derselben entdeckt, welches sich auf das wunderbarste
verschlingt und sich wechselnd in halben, ganzen oder Vierteltakten folgt. — Der
Form des Canons scheint er überhaupt für dieses Werk eine besondere Vorliebe geschenkt zu haben, denn wir treffen sie noch in mehrern andern Stücken
wieder. Um übrigens nur einigen der vielen Chöre, die höchst ausgezeichnet
sind, (man könnte eigentlich sagen alle) die Aufmerksamkeit nicht zu versagen,
nennen wir nur noch den ganz kurzen aber höchst charakteristischen Volkschor:
„Nicht dieser, dieser nicht," der in allen Stimmen so meisterhaft deklamirt ist,
daß man jede zur Oberstimme machen könnte, und den höchst gelehrt fugir-

L. Rellstab: Rezension der Johannes-Passion (BWV 245)
Berlin, 14. Januar 1831 (B 91)

C. F. Zelter: Brief an A. Mendelssohn
Berlin, 29. Juni 1811 (B 102)

Teil C

Werkausgaben

Karen Lehmann

Einleitung

Die Verlage spielten bei der Verbreitung von Bachs Œuvre eine entscheidende Rolle. Auch wenn die Werke in zahlreichen Abschriften kursierten, konnte doch erst mit der Druckausgabe eine breitere Öffentlichkeit erreicht werden. An der Wende zum 19. Jahrhundert setzte sich der gefälligere und für den Spieler übersichtlichere Plattendruck gegenüber dem Typendruck in zunehmendem Maße durch. Während Breitkopf & Härtel seine Motetten-Ausgabe von 1802/03 noch im Typendruck herstellte, wählten Verleger, wie Hoffmeister und Kühnel, Hans Geog Nägeli und Nicolaus Simrock, bereits 1801/02 für ihre Ausgaben des Wohltemperierten Klaviers den Plattendruck als das wesentlich modernere Tiefdruckverfahren.

Zu Beginn des Jahres 1801, wenige Wochen nach der Gründung ihres Verlages, gaben Franz Anton Hoffmeister und Ambrosius Kühnel in der *Zeitung für die elegante Welt* und in der *Wiener Zeitung* einen Pränumerationsplan auf „J. Seb. Bach's sämmtliche theoretische und praktische Klavier- und Orgelwerke" bekannt. Es sind damit die „Oeuvres complettes de Jean Sebastien Bach" gemeint, erschienen von 1801 bis 1804 in 16 Heften. Wenn auch die in der Pränumerationsanzeige hochgesteckten Ziele letzten Endes nicht erreicht wurden, war doch das Leipziger Bureau de Musique schließlich der einzige Verlag, der sich an ein derartig aufwendiges Unternehmen gewagt und eine erste sogenannte Gesamtausgabe der Klavierwerke Bachs ins Leben gerufen hatte.

Wie bei der ersten Bach-Gesamtausgabe wurden auch die „Oeuvres complets", erschienen 1837–1865 in 24 Bänden, mit dem Wohltemperierten Klavier eröffnet. Da zunächst vom Verlag C. F. Peters keine Edition einer Gesamtausgabe geplant war, erhielt diese zweite Gesamtausgabe erst ab Band 3 den Reihentitel „Oeuvres complets" mit der entsprechenden Numerierung. Der Verlagsinhaber Carl Gotthelf Siegmund Böhme hatte den berühmten Pianisten und Beethoven-Schüler Carl Czerny als Herausgeber gewonnen. Doch wurde das anfänglich gute Verhältnis zwischen Verlag und Herausgeber bald getrübt, als Czerny die Kunst der Fuge in einer eigenwilligen Zusammenstellung mit dem Musikalischen Opfer in Band 3 herausbrachte, und der Verlag dafür heftige Kritik einstecken mußte. C. F. Peters war nun bestrebt, zusätzliche Berater und Herausgeber zu verpflichten: Moritz Hauptmann, August Stephan Alexander Klengel, Karol Lipiński und Friedrich Konrad Griepenkerl. Mit

Griepenkerl, der zusammen mit seinem Lehrer Forkel zu den herausragenden Persönlichkeiten in der Bach-Edition der ersten Hälfte des 19. Jahrhunderts gehört, begann ein neues Kapitel der Bach-Gesamtausgabe von 1837. Insgesamt gab Griepenkerl sieben Bände heraus und stellte aus seiner reichen Sammlung Quellen für die Edition zur Verfügung.

Am 31. Juli 1850, zum 100. Todestag Bachs, wurde in der *Neuen Berliner Musikzeitung* von Gustav Bock zur „Stiftung einer Bach-Gesellschaft" aufgerufen, verbunden mit dem eindringlichen Appell, „dem grossen Manne ein Denkmal zu setzen, das seiner und der Nation würdig sei." Es war die Geburtsstunde der ersten „vollständigen kritischen Ausgabe aller Werke Johann Sebastian Bachs", herausgegeben von der Bach-Gesellschaft zu Leipzig, verlegt bei Breitkopf & Härtel 1851–1899.

Während Hoffmeister und Kühnel und sein Nachfolgeverlag C. F. Peters in ihren Gesamtausgaben ausschließlich die Instrumentalmusik Bachs berücksichtigt hatten, befaßte sich Breitkopf & Härtel mit der Vokalmusik und ließ bereits 1802 und 1803 in zwei Heften Bachs Motetten erscheinen. Herausgegeben wurden die Motetten von Johann Gottfried Schicht, in zeitüblicher Praxis ohne Nennung des Editors. Dieser Erstdruck – mit deutlichen Abweichungen im Notentext und in der Textunterlegung von den Quellen – blieb für geraume Zeit die einzige Edition Bachscher Motetten.

Neben Breitkopf & Härtel ist für die Herausgabe von Bachs Vokalmusik vor allem Nicolaus Simrock in Bonn zu nennen. Im Sommer 1830 brachte Simrock ein handschriftliches Rundschreiben in Umlauf, in dem er seine Editionen, die bereits „die Preße verlaßen" haben, bekanntgab: die beiden sogenannten kurzen Messen in A-Dur (1818) und G-Dur (1828), das Magnificat in Es-Dur (1811), 1830 die beiden Bände der „Kirchenmusik zu 4 Singst." mit der „Litanei", „Herr, deine Augen" und „Ihr werdet weinen", „Du Hirte Israel", „Herr, gehe nicht ins Gericht" und „Gottes Zeit ist die allerbeste Zeit". Herausgeber dieser „Kirchenmusik" war Adolph Bernhard Marx, der dann auch diese im September und Dezember 1830 in seiner *Berliner Allgemeinen Musikalischen Zeitung* anzeigte.

Ein weiteres Vokal-Projekt, das sich Simrock dieses Mal allerdings mit Nägeli in Zürich teilen mußte, war die Herausgabe der Messe in h-Moll. Anhand der hier vorgelegten Dokumente kann man mit Spannung ihre Editionsgeschichte verfolgen: Von Nägelis leidenschaftlichem, schließlich erfolglosen Subskriptionsaufruf mit der „Ankündigung des grössten musikalischen Kunstwerks aller Zeiten und Völker" aus dem Jahre 1818, über Simrocks Zweifel an Nägelis Autographen-Besitz und dessen Verteidigung als „rechtmäßiger Eigenthümer" bis hin zu den Herausgaben von Kyrie und Gloria 1833 in Lieferung 1 und 1845 Credo bis Dona nobis pacem in Lieferung 2 – unter gemeinsamer Nennung beider Verleger.

Fast zeitgleich mit der 1. Folge der H-Moll-Messe erschienen in Berlin zwei weitere grosse Vokalwerke Bachs: 1830 bei Adolph Schlesinger die Matthäus-Passion und 1831 bei Traugott Trautwein die Johannes-Passion. Noch vor Felix Mendelssohn Bartholdys denkwürdiger Aufführung der Matthäus-Passion am 11. März 1829 in

der Berliner Sing-Akademie konnte in der *Berliner Allgemeinen Musikalischen Zeitung*
bereits ein Jahr zuvor, am 23. April 1828, bekanntgegeben werden, daß die Schlesingersche Verlagshandlung „im Laufe dieses Sommers" das „grösste Werk unsers
grössten Meisters, das grösste und heiligste Werk der Tonkunst aller Völker" herausgeben werde, und „der Stich schon begonnen" habe.

1844 wurde von Griepenkerl und Ferdinand August Roitzsch der erste Band von
insgesamt 8 Bänden der „Compositionen für die Orgel" vorgelegt – eine Ausgabe,
die auch heute noch Beachtung und Anerkennung erhält. Aus den hier vorgelegten
Dokumenten erfahren wir, daß bereits 1820 eine Orgel-Ausgabe von C. F. Peters
geplant war. Griepenkerl hatte sein Interesse angemeldet und bekräftigte in einem
Schreiben vom 17. April 1820 an den Verlag, daß er „viele dieser Werke in der eigenen Handschrift des Komponisten besitze, und sie alle durch Forkels kritische Hand
gegangen sind."
    Der Leipziger Verlag war nicht der einzige, der sich mit Bachs Orgelwerken be-
faßt hatte. Eine wahre Flut von Ausgaben mit oft ähnlichen und damit unübersicht-
lichen Titelangaben, wie „Museum für Orgelspieler", „Neues vollständiges Museum
für die Orgel", „Neues Orgel-Journal", „Orgelfreund", „Der vollkommene Organist",
„Der Cantor und Organist" oder „Der Orgel-Virtuos", hatte den Musikalien-Markt
erfaßt. Hier ist vor allem der engagierte Erfurter Buch- und Musikalienhändler
Gotthilf Wilhelm Körner mit seinen instruktiven Orgelsammlungen zu nennen, der
zum Beispiel auf dem Titelblatt seiner „Sämmtlichen Orgel-Compositionen von Joh.
Sebastian Bach" 90 bis 100 Hefte anzeigte, von denen dann schließlich 23 Hefte erschienen sind.
    Die hier aufgezeigten Orgel-Ausgaben reichen oft weit bis in die 2. Hälfte des
19. Jahrhunderts hinein. Diese dann dokumentarisch zu erschließen, wenn auch nur
in Auswahl, ist nicht mehr Aufgabe unseres Dokumentenbandes.

Gesamtausgaben

Oeuvres complettes, Hoffmeister und Kühnel 1801–1804

C 1

Beethoven: Begeisterung über die geplante Herausgabe der Werke Bachs
Wien, 15. Januar 1801

… – daß sie *Sebastian* Bach's Werke herausgeben wollen, ist etwas, was meinem Herzen, das ganz für die Hohe Große Kunst dieses Urvaters der Harmonie schlägt, recht wohl thut, und ich bald im vollen Laufe zu sehen wünsche, ich hoffe von hier aus, sobald wir den goldnen Frieden verkündigt werden hören, selbst manches dazu Beyzutragen, sobald sie darauf *prenumeration* nehmen. …

Quelle: Beethoven an Hoffmeister, 15. Januar 1801. Zit. nach: Beethoven Briefe 1, Brief Nr. 54.
Anm.: Es handelt sich um die „Oeuvres complettes", erschienen bei Hoffmeister und Kühnel, Leipzig und Wien 1801–1804, Cahier I–XVI.
Lit.: *Briefe von Beethoven, den Verkauf einiger seiner Compositionen an die Musikhandlung C. F. Peters betreffend.*, NZfM, 4. Jg., 6. Bd., Nr. 19, 7. März 1837, S. 75–78, hier S. 76.

C 2

Hoffmeister und Kühnel: Pränumerationsaufruf zur
ersten Bach-Gesamtausgabe
Leipzig und Wien, 24. Januar und 7. Februar 1801

Plan zur Pränumeration auf J. Seb. Bach's sämmtliche theoretische und praktische Klavier- und Orgelwerke.
Der Ruhm unsers großen J. S. Bach ist nicht nur in Deutschland, sondern in ganz Europa anerkannt. Er war es, der nach Marpurgs Zeugniß die Gaben und Vollkommenheiten mehrerer großen Männer in sich allein vereinigte. Er war es, der, wie sein würdiger Nachfolger Hiller sagt, die | verborgensten Geheimnisse der Harmonie in der künstlichsten Ausübung, und die Vollstimmigkeit in der größten Stärke und Reinheit darstellte. Mozart suchte bei seinem Aufenthalte in Leipzig alle Werke Bach's mit einem Eifer auf, welcher deutlich von seiner Verehrung desselben zeugte. Leider sind nur wenige dieser Werke, und zwar in sehr mangelhaften Auflagen gestochen; und so cirkuliren größtentheils incorrekte Abschriften.
Dürfen wir Unterzeichnete uns des Beifalls unserer Nation schmeicheln, wenn wir die sämmtlichen theoretischen und praktischen Klavier- und Orgelwerke Joh. Seb.

Bach's als wahre Denkmähler deutscher Kunst in einer vollständigen, correkten und schönen Sammlung gestochen liefern, und der Nachwelt zur Uibung und zum Nachdenken aufbewahren? -- In dieser Hoffnung legen wir hierüber folgenden Plan zur Pränumeration vor, nach welchem wir uns verbindlich machen, alle Monate ein Heft von 8 Bogen zu liefern, und so bis zur Vollendung dieser Werke fortzufahren. Die ganze Sammlung erhält einen Haupttitel sammt dem wohlgetroffenen schön gestochenen Portrait J.S. Bach's; jedes darin enthaltene Werk aber einen eigenen in Kupfer gestochenen Titel, so zwar, daß es auch einzeln ein Ganzes für sich bleibt. Diejenigen größern Werke, welche in einem Hefte nicht können geendigt werden, sollen in den folgenden theilweise erscheinen. Die Zeit, welche der Redakteur, die Stecher und der Correktor wegen der zu diesen wichtigen Werken eigens nöthigen Pünktlichkeit verwenden müssen, gestattet uns nicht, diese Sammlung, unserm Wunsche gemäß, durch stärkere Hefte mehr zu beschleunigen; um so weniger, als unser Bestreben einzig dahin geht, eine ächte, schöne und fehlerfreie Auflage zu liefern.

Die ganze Sammlung soll im gewöhnlichen breiten Format und zwar mit Violin- und Baß-Schlüssel gestochen, und auf schönes Schweizerpapier gut abgedruckt werden.

Hiermit hoffen wir, überzeugt von der thätigsten Theilnahme großer Meister in der Tonkunst, auch insbesondere angehenden und gebildeten Klavierspielern, Organisten und Compositeurs auf eine Art nützlich zu werden, die ihnen überaus angenehm seyn muß.

Jeder, dem es um gründliche Kenntnisse in der Musik zu thun ist, wird ohnedies Bach's Werke als ein wahres Compendium der Tonkunst, als ein Archiv der höchsten Kunstschätze verehren, aus welchem er in zweifelhaften Fällen Lehre und Rath schöpfen kann. Ja wir vermuthen, daß die Seltenheit dieser Werke und die bisherige kostspielige Anschaffung derselben größtentheils zu der schalen und oberflächlichen Musik -- dem Modeübel unsers Zeitalters, dem nur allein durch Werke solcher Männer, wie S. Bach, gesteuert werden kann -- beigetragen habe.

Der Haupttitel, so wie das Portrait wird den Pränumeranten gratis nachgeliefert. Der Pränumerationspreiß für jedes Heft von 8 Bogen ist 16 gr. sächs. oder ein Conv. Gulden. Außer der Pränumeration ist kein Heft einzeln zu haben, sondern jedes Werk wird dann nach dem festzusetzenden Ladenpreiß verkauft.

I Alle Buch- Musik- und Kunsthandlungen, Postämter &c. werden ersucht, Pränumeration anzunehmen, und uns hiervon zu benachrichtigen. Jeder, der Pränumeration sammelt, erhält das 6te Exemplar frei. Das 1ste Heft erscheint im März, den Pränumerationstermin auf dasselbe wollen wir jedoch der entfernten Musikfreunde wegen bis zum 1sten April dieses Jahres festsetzen.

Das 1ste Heft enthält: 1) *Toccata in Db. in honorem dilect. Fratris Christ. Bachii.* 2) *XV. Inventiones.* 3) Das wohltemperirte Klavier, oder Präludien und Fugen, durch alle Töne und *Semitonia,* sowohl *tertiam majorem* oder *ut, re, mi* anlangend, als auch *tertiam minorem,* oder *re, mi, fa* betreffend, zum Nutzen und Gebrauch der lehrbegierigen musikalischen Jugend, als auch der in diesem *Studio* schon *habil* seyenden, zum besondern Zeitvertreib aufgesetzt und verfertiget von J. S. Bach, königl. Polnischen Churfürstl. Sächs. Hofcompositeur, wirklichen Kapellmeister zu Weißenfels und Cöthen, und *Director Musices Chori Lipsiensis*.

Das 2te Heft enthält: 1) *XV. Sinfoniae tribus vocibus obligatis,* bestehend a) in einer Anweisung, wie man mit dreien obligaten Stimmen spielen soll; b) worin auch einem Lehrbegierigen der Composition eine regulaire Ausarbeitung an die Hand gegeben wird, von Joh. Seb. Bach &c. 2) Fortsetzung des wohltemperirten Klaviers.

Schlüßlich ersuchen wir alle diejenigen Verehrer Bach's, welche an dieser schönen und äusserst wohlfeilen Ausgabe durch Pränumeration Antheil nehmen wollen, uns bald ihren Nahmen, Charakter und Wohnort anzuzeigen.

Leipzig, den 1. Jan. 1801.

Bureau de Musique.
Hoffmeister und Kühnel.

Quelle: ZfdeW, 1. Jg., Nr. 12, Intell.bl. Nr. 4, 24. Januar 1801; WZ, Nr. 10, 7. Februar 1801, S. 430–431; Nr. 12, 11. Februar 1801, S. 474–475.

Nachweis: *OUVRES COMPLETTES | DE | JEAN SEBASTIEN BACH. | – | Cahier I. [–XVI.] | contenant: … | à Vienne, | chez Hoffmeister et Comp. | à Leipsic, | au Bureau de Musique.* [ab Cahier X: *à Leipsic, | au Bureau de Musique de Hoffmeister et Kühnel. | à Vienne, chez Hoffmeister et Comp.*] (vgl. Lehmann Bach-GA, S. 125ff.).

Anm.: Für die Toccata d-Moll (BWV 913a), das WK (BWV 846) und die 15 Sinfonien (BWV 787–801) Angabe der Quellen, die dem Verlag vorgelegen haben könnten. BWV 913a: Verschollene Quelle [NBA: Quelle L], Autograph der früheren Fassung; WK: verschollene, unbekannte Abschrift aus der Zeit nach 1736; BWV 787–801: Abschrift von Johann Christian Kittel (D-B, *Mus. ms. Bach P 1068*) oder Abschrift von unbekannter Hand aus der Sammlung Becker (D-LEm, *III.8.12).* Rezension der „Oeuvres complettes": BMZ, 2. Jg., 1806, Nr. 17, S. 65–66 (Reichardt). Lit.: Lehmann Bach-GA, S. 80–91, sowie Dk. I/4; NBA V/9.1 Krit. Bericht (P. Wollny, 1999), S. 78; NBA V/6.1 Krit. Bericht (A. Dürr, 1989), S. 185–186.

C 3

WÜRDIGUNG DES ENGAGEMENTS VON SIMROCK UND HOFFMEISTER UND KÜHNEL
FÜR DIE BACH-AUSGABE

LEIPZIG, 4. FEBRUAR 1801

Berlin. … – Es ist vielleicht ein, den Grad der musikalischen Kultur und die neueste Richtung des Geschmacks charakterisirendes Phänomen, dass *zwey* Musikverleger zugleich es vortheilhaft gefunden haben, J. Sebastian Bachs Werke herauszugeben – Hr. Simrock in Bonn die berühmten Präludien, und das *Bureau de musique* (die Herren Hoffmeister und Kühnel) in Leipzig die *vollständigen* Werke dieses Vaters deutscher Harmonie. –

Quelle: AMZ, 3. Jg., Nr. 19, 4. Februar 1801, Sp. 333–336, hier Sp. 336 (*Kurze Nachrichten.*).
Anm.: Zu Simrocks Ausgabe des WK I und II → C 124.

C 4

ANKÜNDIGUNG DER „SEB. BACHISCHEN WERKE" BEI HOFFMEISTER UND KÜHNEL

LEIPZIG, 7. FEBRUAR 1801

Musik.

Niemand von allen Komponisten hat je das große Gebäude der Harmonie so befestigt und wohl gewiß vollendet, als Joh. Sebastian Bach, dessen Name in der ersten Hälfte des vorigen Jahrhunderts als ein Stern der ersten Größe hoch und her hervorglänzte, und der von wahren Künstlern noch immer mit Ehrfurcht genannt wird. Was bis auf | ihn über Harmonie gedacht und als Beispiel aufgestellt worden war, umfaßte er mit dem Geiste eines Newton und drang so tief in ihre innersten Geheimnisse ein, daß er mit Recht als der Gesetzgeber in der ächten, reinen Harmonik, die für alle Zeiten gilt, angesehen werden muß. Noch ist er in dem Fache, worin er glänzte, im gebundenen Stile, von keinem Komponisten in der Welt übertroffen worden und wird es schwerlich je. Seine Meisterwerke werden immerdar zu Studien dienen, woran der Kunstfleiß sich üben muß, wenn er frei mit harmonischen Massen umgehen und das Genie bei Hervorbringung untadelicher Schönheit architektonisch leiten soll. Diese Werke sind aber so selten, so sehr das Eigenthum einiger Wenigen, größtentheils Sammler von alten Kunstschätzen, sie gehen meistens nur in Abschriften, die selten fehlerfrei sind, umher, daß es ein höchst verdienstliches, patriotisches Unternehmen genannt werden muß, wenn eine Musikhandlung, in jetzigen Zeiten des Leichtsinns und – der schaalen Seichtigkeit in der Komponirkunst, den Muth hat, eine vollständige Ausgabe dieser Kunstschätze im Vertrauen auf eine Nation zu wagen, die, selber ernst, doch so selten für den Ernst und Fleiß sich regt und oft das vielbedeutendste Unternehmen, aus Kälte gleichgültig wieder untergehen läßt.

Einem solchen preiswürdigen Wagstück unterzieht sich so eben das *Bureau de Musique* in Leipzig, welchem der berühmte Komponist Hoffmeister und sein wackerer, talentvoller Kompagnon Herr Kühnel vorstehen und das, sowohl des saubern Stichs als der großen und bedeutenden Menge seiner Werke wegen, eine ehrenvolle Auszeichnung unter den Musikhandlungen Deutschlands verdient. Es sollen nehmlich die Seb. Bachischen Werke allmählig in Heften zu 8 Bogen, für den geringen Pränumerationspreis von einem Konventions-Gulden herauskommen, aber billigerweise so, daß künftig kein einzelnes mehr anders, als für den erhöhtern Ladenpreis, zu haben seyn wird. Möge diese Ausgabe der Werke unsers unsterblichen Vaters der Harmonie, welche Deutschland zum Stolz gegen das Ausland berechtigen, eine lebhafte Unterstützung finden!

Quelle: ZfdeW, 1. Jg., Nr. 17, 7. Februar 1801, Sp. 131–132.
Lit.: Lehmann Bach-GA, Dk. I/5, sowie S. 35.

C 5

Nägeli: Plan einer Bach-Gesamtausgabe
Zürich, 1. April 1801

… Ich bin zwar in der That kein Freund vom merkantilischen Concurriren, und
füge niemandem gern Schaden zu, am allerwenigsten einem Mann wie Herrn Hoffmeister, den ich als Künstler ehre. Allein die Umstände haben es hier so mit sich
gebracht, und ich glaube auch vermöge meiner musikalischen Kenntniße zu diesem
Unternehmen einen besondern Beruf zu haben. Ueberdies versichre ich Sie auf Ehre
und Gewißen, ja ich könnte es Ihnen nöthigen Falles beweisen; daß ich an einem
solchen Plane schon seit Jahr und Tag gearbeitet habe. …

Quelle: Nägeli an Hoffmeister und Kühnel, 1. April 1801. Autograph (CH-Zz, Signatur: *Mus Ms.
L 346*).
Lit.: Auktionskatalog Musikantiquariat Hans Schneider. Musikerautographen. Katalog Nr. 386,
Tutzing 2002, Nr. 384.

C 6

Hoffmeister und Kühnel: Mitteilung an die Pränumeranten
der Bach- und Mozart-Ausgabe
Leipzig, 8. April 1801

Musikalische Nachricht. Das erste Heft der Prachtausgaben von Seb. Bachs Werken,
so wie von Mozarts Quartetten und Quintetten, können die resp. Pränumeranten
gegen Vorausbezahlung auf das folgende Heft erhalten. Dieß zur Nachricht für jene,
welche uns die Art nicht angezeigt haben, wie sie die Hefte zu erhalten wünschen.
Zur Beruhigung der Verehrer Seb. Bachs und Mozarts bemerken wir hiermit, daß
Deutschland mit Dank die Verdienste dieser großen Deutschen würdigt, und uns
noch eine kräftigere Beförderung unsers kostspieligen Unternehmens hoffen läßt.
Diesem Gemeinsinn setzen wir die Versicherung entgegen, daß wir mit allen Kräften und den in unserm Lokale liegenden Mitteln diese Werke mit Eleganz und der
größten Correctheit (die bey Seb. Bachs Ausgabe seltene Schwierigkeiten findet)
liefern werden. Wegen der Anfragen entfernter Musikfreunde wollen wir den Prän.
Termin auf Bachs Werke bis zum 1. May erweitern. Leipzig, den 8. April 1801.
              Bureau de Musique.   Hoffmeister und Kühnel.

Quelle: LZ, Beylage, 18. April 1801, S. 653; WZ Nr. 42 und Nr. 43, 27. und 30. Mai 1801, S. 1976 und S. 2026 (mit geringfügigen Abweichungen).
Anm.: Inhalt von Heft I: Toccata d-Moll BWV 913a, 15 Inventionen BWV 772–786, Präludium und Fuge C-Dur BWV 846.
Lit.: Lehmann Bach-GA, Dk. I/6.

C 7

BEETHOVEN: PRÄNUMERANT DER BACH-AUSGABE
WIEN, 22. APRIL 1801

… – auf die Johan Sebastian Bac'schen Werke sezen sie mich als *prenumerant* an, so wie auch den Fürsten Lichnowski – …

Quelle: Beethoven an Hoffmeister, 22. April 1801. Zit. nach: Beethoven Briefe 1, Brief Nr. 60.
Lit.: Martin Zenck, *Die Bach-Rezeption des späten Beethoven*, Stuttgart 1986, S. 235.

C 8

FORKEL: KRITIK AN CAHIER I DER OEUVRES COMPLETTES
GÖTTINGEN, 4. MAI 1801

Göttingen, am 4 Maÿ, 1801.

Wohlgebohrne,
Hochzuehrende Herren,
Es wäre meine Schuldigkeit gewesen, Ihnen schon längst auf Ihr geehrtes Schreiben, die Herausgabe der J. Seb. Bachischen Werke betreffend, zu antworten; allein ich glaubte beym Empfang desselben auf Ostern selbst nach Leipzig zu kommen, und Ihnen sodann mein Vergnügen über Ihre Unternehmung mündlich zu bezeugen. Diese Reise hat zwar aufgeschoben werden müssen, so daß sie erst um Pfingsten herum vor sich gehen wird. Da ich aber nun das erste Heft Ihrer Ausgabe erhalten habe, und daraus urtheilen kann, wie Sie die [Sache] behandeln[, so kann] ich doch nicht umhin, Ihnen noch vor meiner persönlichen Erscheinung meine offenherzige Meynung darüber schriftlich zu erkennen zu geben, in der Hofnung, daß Sie eine wirklich gutgemeinte Freymüthigkeit nicht übel aufnehmen werden. So sehr ich mich anfänglich über Ihr Unternehmen gefreut habe, so sehr bedaure ich jetzt, daß Sie dabey an einen Redacteur gerathen sind, der unglücklicherweise
1, keine zweckmäßige Auswahl zu machen gewußt hat.
Die *Toccata* ist eine der frühesten Arbeiten J. S. Bachs, und auf keine Weise ein Meisterwerk. Bach mußte, wie jeder andere Mensch erst ein Stümper seyn, ehe er ein

Meister werden konnte, und seine Schülerarbeiten, wodurch er sich erst nach und nach zu dem großen Meister bildete, der er hernach geworden ist, verdienen eben so wenig in einer Ausgabe seiner Werke aufgenommen zu werden, als man die Schul-Exercitia eines nachher groß gewordenen Gelehrten unter seine *Opera* auf-[zu]nehmen pflegt.

2, [Sich schlechter] u. [sehr] alter Abschriften bedient hat.

Seb. Bach gab vielen seiner Werke, so wie er selbst nach und nach vollkommener wurde, ebenfalls immer mehrere Vollkommenheit. Dieß ist besonders der Fall mit den Inventionen und mit dem wohltemperirten Clavier. Er warf alles Ueberflüßige, alles Geschmacklose, was ihnen aus den frühern Jahren noch anhieng, nach und nach völlig weg, und machte sie so geschmackvoll und so rein sangbar, daß sie in ihrer nachherigen Gestalt Meisterwerke wurden, es aber vorher noch nicht waren. Mit Bedauern habe ich gesehen, daß die Inventionen sowol als das erste Präludium aus dem wohltemper. Clav. gerade nach einer der allerältesten Abschriften gestochen sind. Ein Gelehrter, der einen alten Classiker herausgeben will, bemüht sich, mehrere Handschriften zu bekommen, sie unter einander zu vergleichen, und sodann, wenn er Kenntniß und Urtheil genug dazu hat, nur die beßten Lesearten in seine Ausgabe aufzunehmen. Warum that dieß Ihr Redacteur nicht ebenfalls?

3, Der keinen Unterschied unter den [sog]enannten Manieren zu machen [ge]wußt [hat.]

Seb. Bach war darin so gewissenhaft, daß in seinen verbesserten Werken jede Art von Manier genau unterschieden und durch ihr besonderes Zeichen bestimmt ist. Ihr Redacteur scheint aber von der Nothwendigkeit solcher Unterschiede kaum etwas zu ahnden, und kennt offenbar weder die Beschaffenheit noch die Zeichen der in der Bachischen Schule üblichen und eingeführten Zeichen. Wie kann ein solcher Mann übernehmen, die Herausgabe so klassischer Werke zu besorgen, wie die S. Bachischen sind? Endlich

4, Der gar wenig von der Harmonie verstehen muß.

Ich bin erstaunt über die Unrichtigkeiten, welche in den Inventionen vorkommen, die ein musikal. Schulknabe kaum würde haben stehen lassen. Und dieß soll die Ausgabe der Werke des klassischsten Componisten der Deutschen seyn?

Wollen Sie, meine Hochgeehrtesten Herren, den Rath eines ehrlichen und kunstliebenden Mannes hören[,] so unterdrücken Sie dieses erste Heft, [und wenden] Sie [sich an] einen Ma[nn], der der Sache gewachsen ist, und liefern ein richtigeres nach. Thun Sie dieß nicht, so muß nothwendig Ihr ganzes Unternehmen scheitern, und weder Sie noch die deutsche Nation hat Ehre davon. Welcher Kenner von Musik muß nicht Eckel empfinden, wenn er statt gehofter Meisterwerke nun solche Schülerwaare zu Gesicht bekommt?

Sie werden mir es daher als einem ächten musikalischen Patrioten nicht verargen können, wenn ich nächstens diese Ihnen jetzt freymüthig geäußerte Meynung auch öffentlich in verschiedenen Blättern bekannt mache. Ein Meister wie Seb. Bach muß nicht durch Verhunzung seiner Werke, oder durch Unterschieben seiner Schülerarbeiten zum öffentlichen Scandal gemacht werden, und kein wahrer Kunstkenner wird zu einem solchen Benehmen schweigen können.

Verzeihen Sie meine Aufrichtigkeit. Mündlich sollen Sie mehr über diese Sache von mir hören. Ich [ver]harre [... mit]

Hochachtung und Ergebenheit

Hochzuehrende Herren

Ihr

gehorsamer Diener

Forkel.

Quelle: Forkel an Hoffmeister und Kühnel, 4. Mai 1801. Zit. nach: Stauffer, Brief Nr. 1.

Anm.: Auf Veranlassung Forkels kam es zu einer Revision der 15 Inventionen und des C-Dur-Präludiums aus WK I (Cahier I). „Gemäss unserer Anzeige vom 10ten Juny 1801" wurde der revidierte Bogen des Präludiums in Cahier IX „den Pränumeranten gratis geliefert", die „neue Auflage" der 15 Inventionen in Cahier XIV auf Wunsch „unentgeldlich" beigelegt (nach den Anzeigen in Cahier IX und XIV). Zur Anzeige vom 10. Juni 1801 vgl. Lehmann Bach-GA, Dk. I/9.

Lit.: Heinrich Bellermann, *Zwei Briefe von Joh. Nic. Forkel an das Bureau de musique zu Leipzig*, Leipziger AMZ, VIII. Jg., Nr. 43, 22. Oktober 1873, Sp. 674–676.

C 9

NÄGELI: ÜBERLEGUNG EINER FUSION SEINER BACH-AUSGABE MIT DER
VON HOFFMEISTER UND KÜHNEL

ZÜRICH, 10. SEPTEMBER 1801

... Ich frage Sie, – und bitte Sie, in ernstliche Ueberlegung zu nehmen – ob es nicht möglich wäre, unsre Unternehmung mit *Bach* etc. zu vereinigen. Wie wäre es z. B. wenn ich Ihnen den Bogen von 20 Seiten à 1 Groschen liefern würde? Sie behielten Ihre Pränumeranten, und ich die meinigen. Sie hätten Ihre Titel, und ich die meinigen. Ich gäbe Ihnen mein Ehrenwort, von keinem Hefte ein Exemplar auszugeben bis die für Sie bestimmten in Ihren Händen wäre. Ich bitte Sie, dabeÿ folgendes zu erwägen:

Erstens und hauptsächlich: Sie würden zuverläßig sehr große Vortheile auf den anderer *Autoren* der strengen Schreibart – *Händel* ist jezt in Arbeit – sich zueignen. Sonach hätte Ihr Unternehmen, ohne vermehrte Auslagen | oder *risico* eine weitere Ausdehnung erhalten.

2do Sie könnten vielleicht Ihre andern Unternehmungen mit Mozart, Haydn etc. durch Ihre Arbeiten schneller fördern.

3^{io} Würde die Fracht nach *Wien*, wegen der Communication durch die Donau beträchtlich verringert, dahingegen die nach Leipzig nicht in Betracht kömmen, weil Sie ohnehin Ihr Papier aus der Schweiz beziehen. ...

Quelle: Nägeli an Hoffmeister und Kühnel, 10. September 1801. Autograph (D-LEsta, Signatur: *Musikverlag C. F. Peters Nr. 1910*).
Anm.: Abschlägige Antwort von Hoffmeister und Kühnel im Brief vom 30. Juni 1802.
Lit.: Gojowy HGN, Briefe Nr. 10 und 11.

Oeuvres complets, C. F. Peters 1837–1865

C 10

C. F. Peters: Anzeige des Wohltemperierten Klaviers I und II
Leipzig, August 1837

Bach, J. S., Le Clavecin bien tempéré ou Préludes et fugues dans
    tous les tons et demi-tons sur les modes majeurs et mineurs. Edition
    nouvelle, soigneusement revue, corrigée et doigtée, ainsi que
    pourvue de notifications sur l'exécution et sur les mésures de temps
    (d'après le Métronome de Maelzel) et accompagnée d'une préface
    par Charles Czerny. Partie 1.2. à 3 Thaler.
Der Verleger übergibt hiermit der musikalischen Welt ein berühmtes Werk in neuer Gestalt, deren Zweckmässigkeit den längst anerkannten Werth desselben in ein noch vortheilhafteres Licht setzen wird, als es bei den bisherigen Ausgaben der Fall sein konnte.
Zwar bedürfen die, von dem Genie eines Joh. Sebastian Bach componirten Tonstücke keiner besonderen Empfehlung oder glänzenden Ausstattung, um bei den Liebhabern klassischer Musik den gebührenden Eingang zu finden; denn vermöge der Grösse des Geistes, von dem diese Compositonen Zeugniss geben, würden dieselben auch in dem dürftigsten Gewande bei gründlichen Kennern den verdienten Ruhm behaupten. Aber ungeachtet der gewaltigen Fortschritte musikalischer Ausbildung in neuerer Zeit, worin das Gediegene, ohne Rücksicht auf Schwierigkeit, eifrig gesucht wird, da die vollkommnere Lehrmethode alle Hindernisse zu besiegen weiss, wurde es dennoch wünschenswerth, dass der Verleger eine neue, des Gegenstandes vollkommen würdige Ausgabe von Bachs wohltemperirtem Clavier veranstaltete, weil dieses Werk, in seiner hohen Eigenthümlichkeit, der geläuterten Darstellung jetzt nicht mehr entbehren durfte, wenn es allen gerechten Ansprüchen genügen und hauptsächlich durch bequemere Auffassung noch gemeinnütziger werden sollte.
Zudem schien es auch nothwendig, besonders diejenigen Studirenden vor fernern Missgriffen zu bewahren, denen die Gelegenheit fehlt, durch den Rath gründlicher

Kenner der Bach'schen Compositionen, bei zweifelhaft gebliebenen Stellen der frühern Ausgaben, sich belehren zu lassen.

Herr Carl Czerny in Wien, befähigt durch aussergewöhnliche Einsicht und Hülfsmittel, hat mit dem rühmlichsten Eifer und besonderer Vorliebe den wichtigen Auftrag vollzogen, die Verständlichkeit und den angenehmern Gebrauch dieses klassischen Werkes nach der besten praktischen und theoretischen Erfahrung zu befördern. Diesen Zweck zu erreichen, hat Herr Czerny die neue Auflage, nach ältern und seltnen Handschriften, sorgfältig vergleichend, berichtigt; das für jedes Stück passende Zeitmaas nach Maelzels Metronom gehörig bestimmt; den bequemsten Fingersatz überall beigefügt und endlich auch den Vortrag angedeutet, wie solcher dem Charakter jedes einzelnen Abschnittes entspricht.

Der Verleger hofft daher, dass eine so ungemein schwierige Arbeit bei den Freunden jenes Werkes die gerechte Anerkennung finden und zugleich beitragen werde, dem unvergänglichen Werthe desselben eine noch grössere Anzahl von Kennern zu verschaffen und somit der ächten musikalischen Ausbildung durch diese neue Ausgabe einen wirklichen Dienst zu erweisen.

Quelle: AMZ, 39. Jg., Intell.-Bl. Nr. 5, August 1837, Sp. 24 (*Neue Musikalien im Verlage des Bureau de Musique von C. F. Peters in Leipzig. Zu haben in allen Buch- und Musik-Handlungen.*); NZfM, Musikalischer Anzeiger, Nr. 2, August 1837 (*Neue Musikalien … *).

Nachweis: *LE CLAVECIN BIEN TEMPÉRÉ* | *ou* | *Préludes et Fugues* | *dans tous les tons et demi-tons* | *sur les Modes majeurs et mineurs* | *PAR* | [Brustbild J.S. Bachs, gezeichnet links: *Steindr. v. A. Kneisel*, rechts: *C. Brand*] | *JEAN SEBASTIEN BACH.* | *Edition nouvelle, soigneusement revue, corrigée et doigtée,* | *ainsi que pourvue de notifications sur l'exécution* | *et sur les mesures des temps (d'après le Métronome de Maelzel)* | *et accompagnée d'une préface* | *par* | *CHARLES CZERNY.* | [links:] *Partie* I [Mitte:] *Propriété de l'Editeur.* | *(dans cet arrangement)* [rechts:] *Pr. 3 Rthlr.* | *Enregistré aux archives de l'union.* | *LEIPZIG,* | *au Bureau de Musique de C. F. Peters.* | *2635. 2636.* (1837).

Anm.: Zunächst nicht als Gesamtausgabe vorgesehen, erschien die Ausgabe der beiden Teile des WK ohne den Reihentitel *Oeuvres complets*. Erst ab Band 3 wurde die Gesamtausgabe als solche mit der entsprechenden Numerierung ausgewiesen. Rezensionen: AMZ, 40. Jg., Nr. 19, 9. Mai 1838, Sp. 297–299 (vgl. Lehmann Bach-GA, Dk. II/12, sowie C 13); AMAnz, 11. Jg., Nr. 37, 12. September 1839, S. 201–202.

Eine ausführliche Anzeige bis Livre XIV mit dem Hinweis „Wird fortgesetzt." erschien in: NZfM, 17. Jg., 33. Bd., Nr. 17, 27. August 1850, S. 95.

Lit.: Lehmann Bach-GA, Dk. II/5–7, sowie S. 155ff.; Krause II, Nr. 1–3.

C 11

Czerny: Dank für Belegexemplare des Wohltemperierten Klaviers
Wien, 6. November 1837

Geehrtester Herr u Freund

Ein sehr großes Vergnügen hat mir die schöne Auflage des, vor 2 Wochen empfangenen wohltemp: *Clav*: gemacht, u ich habe nach aufmerksamer Durchsicht nur sehr wenige Unrichtigkeiten entdeckt, wovon nur ein paar versetzte Noten wichtig sind. Das andre sind unbedeutende Änderungen u Zusätze im Fingersatz, Vortrag, wovon mehrere von mir wohl schon im *Manuspt* übersehen worden seyn mögen. Indem ich die Ehre habe Ihnen alles deßhalb angemerkt hiermit zu übersenden u zugleich bemerke daß die <u>Kunst der Fuge</u>, vereint mit mehreren einzelnen, Ihnen noch zu Geboth stehenden Fugen *Seb: Bachs*, wohl einen würdigen 3ten Theil zu dieser Ausgabe bilden würde, verharre mich Ihrer fernerenFreundschaft empfehlend

etcergebenster
CarlCzerny

Quelle: Czerny an Böhme, 6. November 1837. Autograph (D-LEsta, Signatur: *Musikverlag C.F. Peters Nr. 435*).
Lit.: Lehmann Bach-GA, Dk. II/6.

C 12

Böhme: Überlegungen über eine mögliche Bach-Gesamtausgabe
Leipzig, 7. November 1837

Am 5 *Sept* hatte ich die Ehre, Ihnen zu schreiben und Ihnen zugleich beide Theile des *Bachschen Clavesin bien tempéré*, durch H. *Diabelli* & *Comp.*, zur letzten *Correctur* zu übersenden.

| Nun wünsche ich sehnlichst, zu erfahren, ob Sie noch wesentliche Fehler in dem Werke entdeckt haben. Einstweilen ließ ich nur eine kleine Parthie davon abdrucken um etwaige Irthümer nicht zu vervielfältigen, dem[nn] ungeachtet der angestrengtesten Sorgfalt die bei der hiesigen Correctur verwandt worden, kann ich doch nicht eher darüber beruhigt seyn, bis Ihr *competentes* Urtheil eingetreten ist. Weil inzwischen mehrere andre Stücke aus meiner Sammlung von *Bachs* Werken einer neuen Auflage bedürfen, so wäre ich fast geneigt, eine vollständige neue Ausgabe aller übrigen zugleich vorzunehmen und das an der Collection noch fehlende mir zu verschaffen. Wollten Sie daher die Güte haben, mich durch Ihren umfassenden Künstler-Geist bei dieser Unternehmung gefälligst zu unterstützen so daß jedes einzelne Stück eben so mit Fingersatz und Angabe des Characters versehen wird, wie es bei

dem *Clavesin bien tempéré* geschehen, so würden Sie mich dadurch herzlich erfreuen und verbinden, wie auch ihren eignen Künstlerruhm ein ganz besondres Denkmal setzen. Ich weiß recht gut, daß meine *Collection* der *Bach'schen* Werke nicht ganz vollständig ist, aber kenne keinen Freund der Tonkunst, welcher die reichste Sammlung der *Bachschen Compositionen* ächt besitzt, und der mir das Fehlende gewiß gern dazu liefern, wird, sobald er von mir erfährt, daß ich eine solche Absicht hege. Auch würde sich dann eine zweckmäßige Ordnung herstellen lassen, wenn das Ganze in verschiedenen *Livraisons* abgetheilt, eine Reihenfolge, das Leichtere zum Schweren beobachtet alle Irrthümer ausgeschieden und überall das hohe *Format*, wie bei den *Clavisins* gewählt wird. Sagen Sie mir, werthester Herr und Freund, Ihre geneigten Ansichten und Entschlüsse hierüber. Sie wissen, Ihr Rath ist mir wichtig und lieb und ich bin auch überzeugt, daß ich eine so umfassende Arbeit keinen erfahrneren Künstler vertrauen kann, als eben Ihnen. Da die Anzeige wegen *Bachs Clavesin*, wohl in 15 verschiedenen Zeitschriften abgedruckt ist, so werden Sie dieselbe vermuthlich auch gelesen haben und hoffentlich mit dem geziemenden Ruhm befriedigt gewesen seyn, welchen ich Ihnen wegen Ihrer talentvollen Bearbeitung jenes Werkes gebührenderweise dargebracht habe. Erfreuen Sie mich nun baldigst mit Ihren angenehmen Berichten in deren Erwartung ich. pp.

Quelle: Böhme an Czerny, 7. November 1837. Kopierbuch 1836–1841, S. 160–161.
Lit.: Lehmann Bach-GA, Dk. II/7.

C 13

(Fink): Rezension der Ausgabe des Wohltemperierten Klaviers
Leipzig, 9. Mai 1838

> *Joh. Sebastian Bach's Klavierwerke.*
> *Le Clavecin bien tempéré, ou Préludes et Fugues dans*
>   *tous les tons et demitons sur les Modes majeurs et mi-*
>   *neurs par Jean Sebastian Bach. Edition nouvelle, soig-*
>   *neusement revue, corrigée et doigtée, ainsi que pourvue*
>   *de notifications sur l'execution et sur les mesures des*
>   *temps (d'après le Metronome de Mälzel) et accompa-*
>   *gnée d'une préface par Charles Czerny. Leipzig, au*
>   *Bureau de Musique de C. F. Peters. Partie I. et II.*
> Preis jedes Theiles 3 Thlr.
> …
> Hr. Karl Czerny, dem das Werk zur Revision und Vergleichung theils aller früheren Ausgaben unter einander, theils mit den wichtigsten ältern Handschriften, fer- | ner

zur Angabe des Fingersatzes und zur Bestimmung des Zeitmaasses anvertraut worden ist, hat seine gar nicht leichten Aufgaben mit grossem Fleiss und liebender Sorgfalt als ein Mann von Erfahrung und von Kenntnissen rühmlich und zum reichen Gewinn für die neue Ausgabe gelöst. Durch die Vergleichung aller Druckausgaben und mehrer Handschriften konnte einzig und allein die so wünschenswerthe Korrektheit und Vollständigkeit erreicht werden, die nun den neuen Druck vor allen früheren auszeichnet. Dass der beste Fingersatz in so vollstimmigen und gebundenen Tonstücken, die genaues Herausheben der Hauptsätze und fliessend leichtes Umspielen derselben von den Nebenstimmen zur Erreichung angemessener Wirkung nothwendig erfordern, keine Kleinigkeit ist, weiss Jeder, der diese oder ähnliche Fugensätze spielte, aus eigener Erfahrung, oder kann es aus der Zeit abnehmen, die Field darauf beim Einüben Bachscher Fugen verwendete. Der weniger Erfahrene, der keinen rathenden Freund an der Seite haben kann, der darin Meister ist, wird auf mancherlei Schwierigkeiten stossen, die er sich durch leicht möglich falsche Wahlen nur noch vergrössert, statt dass sie ihm nun, so weit es geht, durch den trefflich angegebenen Fingersatz gehoben sind. Dadurch sind diese herrlichen grossartigen Stücke wirklich erst recht gemeinnützlich für Alle geworden, die Lust haben, sich erst bis auf die Höhe des Vortrags strenger Werke zu erheben. Die beiden Rücksichten, die hier beachtet worden sind: „die Hände auch in den verwickeltsten Fällen möglichst ruhig zu halten; 2) jede einzelne Stimme von der andern unabhängig, streng gebunden und folgerecht ausführen zu können", sind so offenbar die rechten, dass gar nichts dagegen erinnert werden kann. Wenn der Meister des Fugenspiels zuweilen seiner Eigenthümlichkeit oder Bequemlichkeit wegen einen andern Finger nimmt, oder manche Stelle mit einer andern Hand einsetzt, so hat das nichts zu bedeuten, er wird nichts Ungeschicktes unternehmen: dem weniger Geübten ist aber zu rathen, dass er sich genau an die sehr guten und zweckdienlichen Vorschriften halte; es wird sich lohnen. Das Zeit- | maass, in dem nicht selten Missgriffe sehr störender und zerstörender Art vorfallen, ist eben so wie der Vortrag zuvörderst nach dem unbezweifelten Charakter eines jeden Satzes, dann nach wohlbewahrter Erinnerung, wie Beethoven eine grosse Anzahl dieser Fugen vortrug, endlich nach der Ueberzeugung aufgezeichnet worden, welche sich Czerny durch mehr als 30jähriges Studium dieses Werkes erwarb. Die Bezeichnung muss dem Gehalte der Sätze und dem Genusse der meisten Spieler und Hörer die schönsten Vortheile bringen. Nur rathen wir bei manchen schwierigen Fugen, auch nach gehörigem Einüben doch ein etwas gemässigteres Tempo, wenigstens eine Zeit lang, beizubehalten, so wie von dem Bezeichner selbst zugestanden wird, dass diese Stücke, auf der Orgel vorgetragen, wohl ein langsameres Tempo erfordern. Es ist demnach für das Beste dieser Ausgabe von Seiten Hrn. Cz.'s Alles geschehen, was nur zu erwarten ist, aber auch von der Verlagshandlung, die sich dadurch wahrhaft um die Kunstwelt verdient gemacht hat. Die Korrektheit ist, so viel wir nur bis jetzt sahen, und es ist nicht wenig, höchst rühmenswerth, nicht minder die Deutlichkeit, bequeme Lesbarkeit und Schönheit des Stiches, worauf die grösste Mühe und Aufmerksamkeit verwendet worden ist. Kurz, das preiswürdige Unternehmen und die vortreffliche Ausführung verdient die Beachtung der ganzen Musikwelt. Da die Vorrede und Einleitungs-Anmerkung des Herausgebers teutsch und französisch neben einander stehen, ist die Ausgabe beiden Völkern gleich vortheilhaft. Die Engländer haben bekanntlich eine andere Fingerbezeichnung eingeführt. Deshalb wird in London nach genommener Uebereinkunft mit der teutschen Verlagshandlung eine besondere, ganz nach dieser gestochene, nur in der Zahlenangabe für die Finger verschiedene Auflage nächstens erscheinen, wozu Hr. Czerny eine ausführliche, sehr zweckmässige Vorrede schrieb. So werden denn Bach's unvergängliche Werke auch den Engländern zugänglich, und zwar nicht mehr, wie bisher, nur den Meistern, sondern auch einer grossen Zahl jüngerer Talente und gebildeter Dilettanten aller Völker, die auf Bildung in der Tonkunst Anspruch machen dürften. Mit Vergnügen sehen wir dem Fortgange dieses einflussreichen Unternehmens entgegen und hoffen auf zahlreiche Theilnahme der Musikfreunde, vorzugsweise der teutschen, die alle Ursache haben, sowohl dem Hrn. Herausgeber als der Verlagshandlung für überaus gelungene, schwierige Arbeit dankbare Anerkennung nicht zu versagen. Es ist der höhern Tonkunst mit dieser Ausgabe ein guter Dienst geleistet worden.

Quelle: AMZ, 40. Jg., Nr. 19, 9. Mai 1838, Sp. 297–299.
Anm.: Große Teile dieser Rezension beruhen auf dem Vorwort von Czerny zur Ausgabe des WK. Vgl. auch die Rezension von C. F. Becker, Euterpe, 2. Jg., Nr. 1, Januar 1842, Sp. 8–10 (→ C 27).
Lit.: Lehmann Bach-GA, Dk. II/12.

C 14

C. F. Peters: Anzeige der Kunst der Fuge

Leipzig, 5. September 1838

Bach, J. S., Kunst der Fuge. (J. S. Bach Oeuvres compl. Liv.
    III.) Neue, geordnete und genau berichtigte Ausgabe, mit Fingersatz, Zeitmaas und den entsprechenden Vortrags-Zeichen versehen von Carl Czerny.
    Als geeigneter Anhang erscheint in demselben Bande zugleich:
– – Fuge, auf ein, von dem König von Preussen Friedrich II. gegebenes Thema.
– – Ricercata a 6 Voci, über dasselbe Thema. compl. Band 4 Thlr.
Die beifällige Anerkennung, womit mehre der würdigsten Theoretiker die vor einem Jahre erschienene neue Ausgabe von J. S. Bach's Clavecin bien tempéré Liv. I et II. beurtheilt und aufgenommen haben, wurde von dem Verleger als eine Aufforderung betrachtet, auch das obige Werk einer neuen Gestaltung zu unterwerfen.

Dass die Kunst der Fuge seit einigen Jahren im Musikalien-Handel gänzlich fehlte, war ein Beweggrund mehr zu dieser Unternehmung.

Mit demselben Eifer und mit gleicher Sorgfalt hat Herr Carl Czerny auch dieses Werk für alle Freunde der Bach'schen Tonstücke verständlicher und in bequemer Brauchbarkeit dargestellt. Der Anhang, bestehend in einer Fuge und der berühmten Ricercata, beide entnommen aus dem Musikalischen Opfer, (dessen übrige Theile, ihrer Form wegen, einem spätern Bande vorbehalten sind) entspricht völlig der Gattung aller übrigen Tonstücke dieses dritten Bandes.

Je weiter die Verlagshandlung in dem Unternehmen vorschritt, desto mehr leuchtete die Nothwendigkeit ein, um der Kunst willen lieber ein Opfer zu wagen, als es dem Zufalle zu überlassen, ob die J.S. Bach'schen Solo-Werke für Pianoforte oder Orgel in einer vollständigen, wohlgeordneten Ausgabe anderswo erscheinen, oder diese klassischen Tonstücke in Zukunft, aus Mangel an Zusammenhang der einzelnen Sammlungen, ganz zerstreut und theilweise sogar dem Untergange ausgesetzt sein würden. Demnach kündigt hiermit der Verleger die, vor der Hand bis zum 6ten Bande beschlossene, Fortsetzung an.

Unterstützt von der freundlichsten Bereitwilligkeit eines biedern Künstlers, Herrn Fr. Hauser, welcher die vollständigste und authentisch berichtigte Sammlung aller gedruckten und ungedruckten Compositionen von J.S. Bach besitzt; begünstigt durch den sehr schätzbaren Beistand des Herrn Carl Czerny, ist nun diese Unternehmung so weit gediehen, dass, ausser dem oben erwähnten Liv. III. noch ein 4r, 5r und 6r Band vorbereitet sind, deren Inhalt, systematisch geordnet, auf einander folgen und hiermit ohne Ausnahme Alles dargeboten wird, was J.S. Bach an Solo-Stücken für Pianoforte oder Orgel componirt hat.

Zu vorläufiger Nachricht für die Besitzer der ersten drei Bände diene die Bemerkung, dass der vierte Band nachstehende Compositionen umfassen wird:

1) Chromatische Fantasie und Fuge in F dur.
2) Fuge in A moll
3) Fuge in E moll
4) Präludium und Fuge in B dur.
*5) Toccata und Fuge in Fis moll.
*6) Toccata und Fuge in C moll.
*7) Fantasie und Fuge in A moll.
*8) Fantasie und Fuge in B dur.
*9) Fantasie und Fuge in D dur.
*10) Capriccio und Fuge (auf die Entfernung eines Freundes) in B dur.
11) Toccata und Fuge in D moll.
12) Toccata und Fuge in E moll.
13) Allemande in E moll.
14) Courante in E moll.
15) Arie in E moll.
16) Gavotte in E moll.

| 17) Sarabande in E moll.

18) Gigue in E moll.

NB. Die mit * bezeichneten Werke waren bis jetzt nur in Manuscripten vorhanden.

Quelle: AMZ, 40. Jg., Intell.-Bl. Nr. 10, September 1838, Sp. 39–40.
Nachweis: *L'ART DE LA FUGUE* | *y jointes du* | *„Sacrifice musicale"* | *la Fugue sur un Thême de Fréderic II.* | *la Ricercata à 6 Voix sur le même Thême* | *PAR* | … [weiter wie C 10] | [links:] *No 2690.* [Mitte:] *Propriété de l'Editeur.* | *(dans cet arrangement)* [rechts:] *Pr. 3 Rthlr. 12 Gr.* | *Enregistré aux archives de l'union.* | *LEIPZIG,* | *au Bureau de Musique de C.F. Peters.* | [in Schild:] *Oeuvres complets Liv. III.* (1838). Inhalt: Die Kunst der Fuge BWV 1080 (ohne Nr. 18), Musikalisches Opfer BWV 1079, 1 und 5.
Anm.: Zum Inhalt von Livre 4 → C 18.
Lit.: Krause II, S. 6, sowie Nr. 4.

C 15

Czerny: Vorwort zur Kunst der Fuge

Leipzig, 1838

Vorwort.

Bei Beendigung der kritischen Durchsicht des vorliegenden Bandes wurde, im Bezug auf die nun beschlossene, vollständige Ausgabe sämmtlicher *Clavier* und *Orgel Compositionen* von *J. S. Bach*, der Grundsatz angenommen, dass jeder Heft nur eine Gattung von Tonstücken enthalten solle, um den Kunstfreunden für die ganze Sammlung eine bequeme Übersicht des Inhalts zu verschaffen, was nur auf dem Wege dieser streng systematischen Ordnung zu erreichen war.

Deshalb sind in dieser neuen Ausgabe von *J. S. Bach's Kunst der Fuge* die beiden Fugen für zwei *Claviere* weggelassen, die in einem spätern, die *Compositionen* für zwei *Piano's* enthaltenden, Bande erscheinen.

Dagegen wurden, in Übereinstimmung mit der Form der Tonstücke des gegenwärtigen Heftes:

Die *Fuge auf ein, von dem König von Preussen*
            Friedrich II. gegebenes Thema,
–   , *Ricercata à 6 Voci* über *dasselbe Thema*

beigefügt, die aus *J. S. Bach's musikalischem Opfer* gewählt sind.

In den nächsten Heften folgen zuerst alle noch übrige *Solo-Compositionen,* (wovon viele bis jetzt nur im Manuscript vorhanden waren) sodann die mit *obligatem Pedale* und endlich die, mit Begleitung anderer Instrumente.

Im Betreff des Fingersatzes und alles Übrigen beziehe ich mich auf das Vorwort und die darauffolgende Anmerkung pag: 4 des ersten Bandes.

                                                                    Carl Czerny.

Quelle: Vorwort zu Livre III der *Oeuvres complets*.
Anm.: → C 14, C 16, C 20.

C 16

FINK: WÜRDIGUNG DES ENGAGEMENTS DER VERLAGE
UM DIE HERAUSGABE DER WERKE BACHS
LEIPZIG, 2. JANUAR 1839

Johann Sebastian Bach
L'art de la Fugue, y jointes du „Sacrifice musicale,"
la Fugue sur un thême de Fréderic II., la Ricer-
cata à 6 voix sur le même thême. Edition nou-
velle, soigneusement revue, corrigée et doigtée etc.
par Charles Czerny. Oeuvres complets, Liv. III.
Leipzig, au Bureau de musique de C. F. Peters.
Preis 3 Thlr. 12 Gr.

J. N. Forkel schrieb schon in seinem in derselben Verlagshandlung, damals Kühnel,
1802 herausgekommenen Buche „Ueber J. Seb. Bachs Leben, Kunst und Kunstwerke": „Die Erhaltung des Andenkens an diesen grossen Mann ist nicht blos Kunst-
Angelegenheit, sie ist Nazional-Angelegenheit." Schon damals hatte die genannte
Verlagshandlung, wie wir aus derselben Schrift wissen, den Entschluss gefasst, eine
vollständige und kritisch-korrekte Ausgabe sämmtlicher Seb. Bach'schen Werke
zu veranstalten. War man auch gewiss, dass ein solches Unternehmen nicht nur der
Kunst selbst in jedem Betrachte äusserst vortheilhaft sein, sondern auch noch mehr
als jedes andere der Art zur Ehre des teutschen Namens gereichen würde, da kein
anderes Volk „ein so unschätzbares Erbgut entgegenzusetzen habe": so kam doch
die wirkliche Ausführung erst jetzt zu Stand und Wesen, wozu wir unserer Zeit
ganz vorzüglich Glück zu wünschen haben. Lassen wir die betrübenden Gründe,
warum unser Vaterland sich die Ehre der Verbreitung einer solchen Meistersamm-
lung nicht früher sicherte, dahingestellt, freuen wir uns vielmehr, dass die Teutschen
und die Verehrer teutscher Tonkunst so | weit herangereift sind, dass es dem löblich-
sten Unternehmungsgeiste einer unserer solidesten und um des sorglichst korrekten
und bei aller Schwierigkeit sehr gut zu lesenden und deutlich schönen Druckes willen überaus preiswürdigen Verlagshandlung möglich geworden ist, nicht nur ohne
Gefahr eines zu grossen Verlustes, sondern sogar zu ihrem äussern Vortheile der
Musikwelt eine vollständige Sammlung aller Instrumentalwerke unseres durchaus unvergleichlichen Altmeisters zu überreichen, eine Sammlung, die unter dem
Würdigsten aller Klassizität in dieser Art unbestritten die oberste Stelle einnimmt,
die unserm Volke nicht minder als den mit Danke zu begrüssenden geehrten Herausgebern den verdientesten Ruhm bringen muss. Ganz wahr bemerkte unser

treufleissiger Forkel: „Wer diese Werke der Gefahr entreisst, duch fehlerhafte Abschriften entstellt zu werden und so allmählig der Vergessenheit und dem Untergange entgegen zu gehen, errichtet dem Künstler ein unvergessliches Denkmal und erwirbt sich ein Verdienst um's Vaterland; und jeder, dem die Ehre des teutschen Namens etwas gilt, ist verpflichtet, ein solches patriotisches Unternehmen zu unterstützen und, so viel an ihm ist, zu befördern." Welch einen Schritt nicht, welch eine Strecke vorwärts sind wir gekommen, dass wir unser gegenwärtiges Musikpublikum nicht mehr, wie sonst, an diese Pflicht zu erinnern, nicht mehr den edeln Enthusiasmus in der Brust jedes teutschen Mannes erst zu wecken haben, wie es damals Forkel für seine Schuldigkeit zu erachten sich genöthigt sah! Wie freuen wir uns, dass es jetzt jeder teutsche Musikfreund echten Schlages begreift, es von selbst ohne wortreiche Aufmunterung versteht, welchen gar nicht hoch genug zu achtenden Schatz wir dadurch in unsere Hände bekommen zum höchsten Nutzen jedes einzelnen Sohnes erhabener Musen und zum Preis des Volkes, dem das unsterbliche Vorbild alles tiefgeistig Musterhaften angehört. Gross ist Alles, was wir von den Tonsätzen dieses ersten Heros der Musik im Drucke empfangen haben; keinem tüchtigen sind diese Werke entgangen; Keiner ist, der sich nicht an ihnen erhebt. Um mancher weniger Aufmerksamen willen erinnern wir an die bei Breitkopf und Härtel erschienenen Choräle, Choralvorspiele und mancher Fugen, an die ebendaselbst erschienene Sammlung von seinen ausserordentlichen Motetten, Messen, Magnificat, Kantaten; an die Passionswerke nach dem Matthäus und Johannes bei Schlesinger und Trautwein; an die H moll-Messe bei Nägeli u. s. w. Es wäre an der Zeit, auch Bach's Gesangwerke fortzusetzen. Doch begnügen wir uns für jetzt mit den reichen Gaben, die wir hier vor uns sehen; es wird immer mehr folgen, denn Bach muss zunehmen, wärend Viele abnehmen. Die Tage der ersten Auflage dieser mit Worten nicht genug zu rühmenden Kunst der Fuge sind vorüber. Man kennt die Geschichte der ersten Ausgabe dieses ungeheuren Werkes teutsch harmonischen Scharfsinnes. Sebastian liess es selbst durch einen seiner Söhne in Kupfer stechen. Beinahe vollendet war der Stich, als der ehrwürdige Meister die Welt gesegnete. Im zweiten Jahre nach seinem Tode, 1751, erschien es mit einer Vorrede vom berühmten Marpurg: I allein der Absatz war damals so gering, dass des grossen Bachs Erben bald darauf die köstlichen Platten als altes Kupfer verkauften, nachdem nur wenige Abdrücke für die damals kleine Zahl der Kenner gemacht worden waren. „Das Werk," schreibt Forkel, „besteht aus (Fugen-) Variationen im Grossen. Die Absicht des Verfassers war nehmlich, (darin) anschaulich zu machen, was möglicher Weise über ein Fugenthema gemacht werden könne. Die Variationen, welche sämmtlich vollständige Fugen über ein Thema sind, werden hier Kontrapunkte genannt. Die vorletzte Fuge hat 3 Themata; im dritten gibt sich der Komponist durch *bach* zu erkennen. (Es ist in dieser neuen Ausgabe die 15. Fuge.) Diese Fuge wurde aber durch die Augenkrankheit des Verfassers unterbrochen und konnte, da seine Operation unglücklich ausfiel, nicht vollendet werden. Sonst soll er Willens gewesen sein, in der allerletzten Fuge 4 Themata zu nehmen, sie in allen 4 Stimmen umzukehren und sein grosses Werk damit zu beschliessen. Alle in diesem Werke vorkommenden verschiedenen Gattungen von Fugen über einerlei Hauptsatz haben übrigens das gemeinschaftliche Verdienst, dass alle Stimmen darin gehörig singen, und keine weniger als die andere." – Zum Ersatz des Fehlenden an der letzten Fuge ist dem Werke am Schluss der 4stimmig ausgearbeitet Choral: Wenn wir in höchsten Nöthen sind u. s. w. beigefügt worden (welcher hier fehlt). Der Herausgeber, Herr C. Czerny, bemerkt in seiner Vorrede selbst, es seien der streng systematischen Ordnung wegen die beiden Fugen für 2 Klavier weggelassen worden, die in einem spätern, die Kompositionen für 2 Piano's enthaltenden Bande folgen sollen. Dasselbe wird wiederholt nach dem vierten 2stimmigen Kanon S. 67 angezeigt. In allem Uebrigen haben wir uns nur auf das zu beziehen, was wir bei Gelegenheit der Anzeige der beiden ersten Hefte dieser vortrefflichen Ausgabe gesagt haben; es braucht nichts weiter, als das Anerkannte: Sebastian steht, wenn auch nicht ganz allein, wie Forkel übertreibend behauptet (Niemand steht ganz allein), doch unbestritten in der Kunst der Fuge als der Erste unter den Ersten so gross da, dass sich Keiner mit ihm misst. – Wer solche Werke, die höchsten ihrer Art, nicht des fleissigsten Studiums würdigen wollte, wäre des Namens eines echten Künstlers kaum werth. Ich könnte von dem Teutschen keine hohe Meinung hegen, der nicht mit Sebastians Werken seine Notenbibliothek verherrlichte.

G. W. Fink.

Quelle: AMZ, 41. Jg., Nr. 1, 2. Januar 1839, Sp. 3–5.
Anm.: Vgl. auch den Beitrag von A. B. Marx, *Sebastian Bach's Claviercompositionen.*, NZfM, 7. Jg., 13. Bd., Nr. 35–36, 28. und 31. Oktober 1840, S. 137–138 und S. 142–144, hier S. 138: „… Für alle in jener Richtung eingelernte und eingewohnte Spieler ist eine Nachhilfe, eine Anleitung zur Bach'schen Spielart fast unentbehrlich zu nennen, und es soll das, was von Herrn Czerny vielleicht zuviel, vielleicht in einigen Einzelheiten irrig geschehen ist, den Dank nicht schmälern, der ihm für das Ganze gebührt. …"
Lit.: Siegfried Wilhelm Dehn, *Ueber einige theils noch ungedruckte, theils durch den Druck bereits veröffentlichte musikalische Manuscripte von Johann Sebastian Bach, welche sich in der musikalischen Abtheilung der Königl. Bibliothek zu Berlin befinden,* Cäcilia, Bd. XXIV, 1845, S. 17–27.

C 17

SCHUMANN: KRITIK AN DER KONZEPTION DER PETERS-AUSGABE –
AUFRUF ZUR UNTERSTÜTZUNG DES „NATIONALUNTERNEHMENS"
DURCH BEREITSTELLUNG UNGEDRUCKTER BACHIANA

LEIPZIG, 14. MAI 1839

Aeltere Claviermusik.
Domenico Scarlatti. – J. Seb. Bach. –

... | Von Sebastian Bach lacht uns mehres an. Der schon früher in der Zeitschrift ausgesprochene Wunsch, man möchte bald an eine Gesammtausgabe seiner Werke denken, scheint wenigstens für seine Claviercompositionen Frucht getragen zu haben. Wir müssen es der Firma C. F. Peters danken, daß sie das große Unternehmen rüstig betreibt. Den schon in der Zeitschrift erwähnten zwei ersten Theilen, die einen neuen Abdruck des wohltemperirten Claviers enthielten, sind bis jetzt zwei neue | gefolgt. Der eine enthält die bekannte „Kunst der Fuge" *) bis auf zwei Fugen für zwei Claviere vollständig, und zum Schluß zwei Fugen aus dem „musikalischen Opfer". Einer Einrichtung des Hrn. Czerny nach soll nämlich ein Heft immer aus Stücken derselben Gattung bestehen, also eines nur aus Stücken für ein Clavier, das andere aus welchen für zwei etc. Die Eintheilung scheint uns aber nicht sehr tiefsinnig, und überdieß weder für Käufer, noch für Verleger vortheilhaft, für jenen nicht, da er etwas Lückenhaftes bekömmt, für diesen nicht, weil er eben deshalb nur wenig einzelne Hefte absetzen wird. Im Uebrigen verdient die Ausgabe des sorgfältigen Stiches und der guten Correctur halber vollkommenste Empfehlung. Fehler bleiben leider immer stehen. Was nun den Inhalt der „Kunst der Fuge" anlangt, so ist bekannt, daß sie aus einer Reihe Fugen, auch einigen Canons über ein und dasselbe Thema besteht. Das Thema selbst scheint für vielseitige Verarbeitung nicht geschickt, und namentlich in sich selber keine Engführungen zu enthalten; Bach benutzte es daher auf andere Weise zu Verkehrungen, übereinander gestellten Verengungen und Erweiterungen etc. Oft droht es fast Künstelei zu werden, was er unternimmt; so erhalten wir zwei in allen vier Stimmen zu verkehrende Fugen: eine äußerst schwierige Aufgabe, wo einem die Augen übergehen. Das Erstaunliche hat er aus dem Thema herausgebildet, und wer weiß, ob das Werk nicht mehr als erst der Anfang des Riesengebäudes war, da der göttliche Meister, wie man wissen will, darüber zu Grabe gegangen; es hat mich die letzte Fuge, die unvollendet, unvermuthet abbricht, immer ergreifen wollen; es ist als wär' er, der immer schaffende Riese, mitten in seiner Arbeit gestorben.

Der vierte Theil dieser neuen Ausgabe bringt eine Sammlung **) einzelner kostbarer Stücke, darunter sechs bis jetzt ungedruckte, die die Verlagshandlung, wie wir vermuthen, der Güte des Hrn. F. Hauser zu verdanken hat. Nr. 12–18 sind dem E-Moll-Hefte der unter dem Titel *„Exercices"* schon früherhin bei Peters erschienenen „Suiten" entlehnt. Von besonderem Interesse, den gemüthlichen Meister ganz bezeichnend, ist das Stück Nr. 10 „Auf die Entfernung eines sehr theuren Bruders" mit verschiedenen Ueberschriften, wie z. B. „Abschied der Freunde, da es nun einmal nicht anders sein kann". Die andern der ungedruckten mitgetheilten Stücke sind sehr bedeutend und scheinen mir ganz echt.

Wir wünschen dem Unternehmen raschen Fortgang. Ein reichlicher Gewinn kann nicht ausbleiben. Bach's Werke sind ein Capital für alle Zeiten. Sicher im

*) *L'art de la Fugue etc. (Oeuvres complets. Livr. 3.) Pr. 3 Thlr. 12 Gr.*
**) *Compositions pour le Pianoforte etc. (Oeuvres complets Livr. IV.) 3 Thlr. 12 Gr.*

I Sinne der Verlagshandlung sprechen wir hier die Bitte aus, daß alle, die im Besitz von noch ungedruckten Bachianis sind, durch Zusendung an die Verlagshandlung dem Nationalunternehmen förderlich sein möchten. Noch manches mag hier und da vergraben liegen. Vielleicht daß sich ein Verleger auch zu einer gleichförmigen Ausgabe der Gesang- und Kirchencompositionen von Bach entschließt, damit wir endlich eine Uebersicht über diese Schätze bekommen, wie sie kein Volk der Erde aufzuweisen.

Einen Anfang mit Herausgabe der Clavierconcerte *) von Bach hat Hr. Kistner mit dem hochberühmten in D-Moll [BWV 1052] gemacht; es ist dasselbe, das Mendelssohn vor einigen Jahren in Leipzig öffentlich hören ließ, zum großen Entzücken der Einzelnen, an dem jedoch die Masse keinen Theil zu nehmen schien. Das Concert ist der größten Meisterstücke eines, namentlich der Schluß des ersten Satzes von einem Schwung, wie er etwa Beethoven zum Schluß des ersten der D-Moll-Symphonie geglückt. Es bleibt wahr, was Zelter gesagt: „Dieser Leipziger Cantor ist eine unbegreifliche Erscheinung der Gottheit".

Am herrlichsten, am kühnsten, in seinem Urelemente erscheint er aber nun ein für allemal an seiner Orgel. Hier kennt er weder Maß noch Ziel und arbeitet auf Jahrhunderte hinaus. Wir haben hier einer neuen Ausgabe von 6 früher bei Riedel in Wien schon erschienenen Präludien und Fugen zu erwähnen, die Haslinger neu aufgelegt **). Den Organisten werden sie bekannt sein: Nr. IV ist das wundervolle Präludium in C-Moll [BWV 546].

Außer in Deutschland wird nur noch in England für Verbreitung Bach'scher Werke etwas gethan; es lagen uns neulich mehre bei Coventry und Hollier sehr gut gedruckte Hefte vor, die wir der Beachtung deutscher Verlagshandlungen zur Vergleichnahme empfehlen. In Deutschland ist es wohl Hr. Hauser, der die vollständigste Sammlung von Bach's Werken aufzuweisen. Seit lange beschäftigt er sich mit Ordnung eines systematischen Kataloges sämmtlicher gedruckter, wie ihm bekannter in Manuscript vorhandener Werke. Der immer wachsenden Zahl der Verehrer Bach's würde es gewiß willkommen sein, wenn der Katalog veröffentlicht würde. Vielleicht zeigt sich die Handlung C. F. Peters dazu bereit.

R. S.

*) *Concerto per il Cembalo etc. Partitura Nro. 1. 2 Thlr.* – Es mögen, mit Einschluß von einigen für zwei und drei Claviere, etwa 12 vorhanden sein. Hr. Hauser besitzt sie sämmtlich.
**) Präludien u. Fugen f. Orgel od. Pianoforte mit Pedal. [BWV 543–548] 2 Thlr. 16 Gr. –

Quelle: NZfM, 6. Jg., 10. Bd., Nr. 39, 14. Mai 1839, S. 153–154.
Anm.: Zum Inhalt von Livre 4 → C 18. Mit der Ausgabe von BWV 1052 bei Kistner ist gemeint: *CONCERTO PER IL | Cembalo con Acc. Due Violini, Viola, Violoncello & Violone | composta da J. S. Bach. Partitura. Lipsia. ...* (nach 1836), PN 33. Mit der Ausgabe bei Riedel ist gemeint: *Sechs Praeludien | und | SECHS FUGEN | für Orgel oder Pianoforte mit Pedal | von | Johann Sebastian Bach. Wien und Pesth | Im Kunst- und Industrie Comptoir.* (1812), PN 724 – Nachdruck dieser Ausgabe bei Johann Riedel, Wien (nach 1814), PN 724. Zur Ausgabe bei Haslinger → C 114.

C 18

C. F. Peters: Anzeige von Band 4

Leipzig, 21. August 1839

Für Pianoforte mit und ohne Begleitung.
Bach, J. S., Compositions pour le Pianoforte, Oevres compl. Liv. 4. Neue, geordnete und genau berichtigte Ausgabe, mit Fingersatz, Zeitmaas und den entsprechenden Vortragszeichen versehen von Carl Czerny. enthält: Fant. chrom. et Fugue. Dm. Fugue. Am. Em. Prel. et Fuge sur le nom de Bach. B. *Toccata et Fugue. Fism. Cm. *Fant. et Fugue. Am. B. D. *Capriccio et Fugue sur le départ d'un ami. B. Toccata et Fugue. Dm. Em. Allemande, Courante, Aria, Gavotte, Sarabande, Gigue, Em.
NB: Die mit * bezeichneten Werke waren bis jetzt nur in Manuscripten vorhanden. Die Bände 5, 6, 7 u. 8. sind zum Druck vorbereitet.
…

Quelle: AMZ, 41. Jg., Nr. 34, 21. August 1839, Sp. 673 (*Ankündigungen. Neue Musikalien im Verlage des Bureau de Musique von C. F. Peters in Leipzig.* …).
Nachweis: *COMPOSITIONS | pour le | Piano-Forte | sans et avec accompagnement | PAR |* … [weiter wie C 10] … | [links:] *No 2696.* … | [in Schild:] *Oeuvres complets Liv.* [hs.:] *4. | La table des matières de cette livraison se trouve | indiquée au revers de ce titre.* (1839). Herausgeber: C. Czerny. Inhalt: BWV 903, 944/2, 914/3, 898, 910, 911, 904, 907, 908, 992, 913 (frühere Fass.), 830.

C 19

Böhme: Kritik an Czernys Redaktion

Leipzig, 29. September 1839

Wien Charles Czerny.   d. 29 *Sept.* 1839.
…
Mit nächster Gelegenheit sende ich Ihnen ein Exemplar von *Bach's Kunst der Fuge*, worin Sie eine andere Einrichtung finden werden, als früher. Die beiden Stücke aus dem musikalischen *Opfer* sind heraus geworfen und dafür die 2 Fugen für *Clavecine* [sic!] in Partitur und Stimmen eingeschaltet worden, weil dies Werk in Form und Gedanken, mit allen Theilen ungetrennt erscheinen muß, wenn eine Verlagshandlung sich – dem Kenner gegenüber, nicht in hohem Grade *compromittiren* will. Denn die gründlichsten Kenner und größten Freunde der *Bach*schen *Compositionen* sind in Erstaunen gerathen, als Sie fanden daß die beiden Fugen für 2 *Clavecine* in der Kunst der Fuge fehlten. Ja! man hat – im eigentlichen Sinne – die Hände über dem Kopfe zusammen geschlagen, vor Verwunderung, wie es möglich gewesen, nur die Idee einer solchen Trennung der Theile zu fassen, die durch Ihre Veranstal-

tung in der ersten Auflage geschehen ist, blos um den Grundsatz fest zu halten,
zuerst lauter *Solo* Sachen zu bringen.

Da das Thema der *Kunst der Fuge* auch in den beiden Fugen der 2 *Clavecine* bearbeitet ist und dieselben mit also dem Zweckes des ganzen Werkes genauestens in
Verbindung stehen, so war es allerdings ein sehr unglücklicher Gedanke, jene 2 Fugen davon abzutrennen, daß aber dafür die 2 Stücke aus dem Musikalischen Opfer
gleichsam eingeschwärzt wurden macht das Unglück doppelt, denn hierdurch sind
2 Gedanken, die nicht zusammen gehören, gewaltsam | vereinigt, und zugleich
zwei Stücke von ihren eigenthümlichen Platze entfernt, der ihnen niemals genommen werden durfte.

Es würde zu weitläufig sein, Ihnen zu erzählen welche Verdrüßlichkeiten mir dadurch bereitet sind, ausser dem Schaden, daß ich die ganze erste Auflage des *Liv.* III
wieder einziehen und vertilgen muß. Die Unternehmung kann sich nur mit großen
Aufopferungen des unvermeidlichen Miscredits erwehren und ich werde nach
vielen Jahren noch verdrießliche Folgen davon erleben.

Zwar erinnere ich mich recht gut, daß Sie mich um jene Zerstückelung befragten,
aber ich mußte [mich] im unbedingten Vertrauen auf Sie verlassen, weil ich damals
den Inhalt des Werkes nicht genau kannte. Hätten Sie mir die ganze Beschaffenheit
der Sache so dargestellt, wie sie es verdiente, dann würde ich mich sofort dahin
entschieden haben:

> *Alle Werke die in S. Bachs Händen schon ein Ganzes*
> *bildeten, jedenfalls beisammen zu lassen,*

anstatt die natürliche Ordnung der Stücke einer bloßen Caprice zu opfern, welche,
ohne Rücksicht auf die eigenthümliche Abgeschlossenheit mehrer *Compositionen*
(gemischten Inhalts, in Bezug auf die Ausführung) nur vorerst alle *Solo* Stücke zusammen würfelte.

Leider ist das Unglück mit *Liv.* III nicht das Einzige. Sie haben im 4ⁿ *Bande* eine abermalige Zerstückelung vorgenommen, indem Sie just die 6ᵗᵉ [BWV 830] von den bekannten *Exercices* [BWV 825–830] am Ende noch angefügt haben. Diese 6 *Exercices*
würden zusammen einen recht hübschen Band formirt haben. Warum Sie nun aber
nicht die 1ᵗᵉ, sondern *No* 6 gewählt, ist schwer zu begreifen. Hierdurch ist es auch
nur eine unvollkommene Abhülfe, wenn ich im 5ⁿ Bande die übrigen *Exercices*
No 1–5 gleich nachfolgen lasse, denn die Reihenfolge ist in der Meinung des Publikums doch für immer unterbrochen, was hierin auch ganz Recht zu haben scheint,
weil nach *No* 5 die *No* 6 weit besser paßt, als nach *No* 6 die *No* 1.

Unsere beiderseitige Meinung: die zerstreuten *Piecen* der *Bach*schen Compositionen
in systematische Ordnung zu stellen, ist an und für sich nicht zu tadeln, aber deswegen durften wir uns doch niemals mit unserer Absicht so weit verirren, daß wir
Dinge trennten, deren Reihenfolge von *S. Bach* selbst gegeben war, denn die Ge-
dankenverbindung eines so großen Geistes durften wir nicht antasten, | um sie zu
zerreißen. Es giebt keinen Beweggrund mit welchem sich diese Kühnheit entschuldigen ließe, am allerwenigsten würde derjenige gültig sein: daß man alle *Solo-Sachen*

zuerst bringen wollte, eine solche Rechtfertigung dürfte die unglücklichen Folgen der That nur verdoppeln.

Ferner muß ich noch im Allgemeinen bemerken, daß Ihre Durchsicht größtentheils nicht sorgfältig vergleichend gewesen ist, weil sich eine Menge Fehler der alten Druck-Ausgaben noch in Ihren *Concepten* befanden, die ich hier durch besondre Gefälligkeit von drei theoretisch gebildeten Kennern des *S. Bach* nachträglich berichtigt ertheilt.

Auch sind durch Ihren Schreiber die *Noten Systeme* oft ohne Grund in einander gemengt und die Sätze nicht in der Art geschrieben wie die Stimmenführung sich darstellen muß.

Daher kann ich die mir gelieferten Hefte dem Stecher nicht sofort übergeben, sondern bin genöthigt eine genaue Durchsicht derselben vorher zu veranstalten, weil ich mit großer Betrübniß bemerke, daß ich mich auf den werthen Freund H.C. *Czerny* nicht sehr verlassen kann.

Für diesen Mangel an Sorgfalt habe ich jedenfalls zu viel bezahlen müssen, und meine Annoncen enthielten einige Lobsprüche, welche nicht Glück hatten, die Wahrheit zu erreichen mithin das Produkt eines unbeschränkten Vertrauens gewesen sind.

Es soll mir nicht darauf ankommen, einen Theil der falschen Zusammenstellung von *Liv* III & IV auf mich zu nehmen, aber aussprechen mußte ich mein Leidwesen, und die Ursachen desselben, weil ich Ihnen den größten Theil der Schuld beimessen muß.

Ich ersuche Sie nun, mir Alles schnell zu senden, was Sie noch vom *Musikal*ischen *Opfer* dort besitzen. Auch dieses Werk muß nun mit allen seinen Theilen vollständig beisammen gegeben werden, daß einige Stücke davon mit Begleitung anderer Instrumente *componirt* sind ist mir jetzt ganz gleichgültig, denn das willkürliche Zerreißen zusammenhängender Ideen muß um jeden Preis vermieden werden, es giebt der Kenner mehr, als man glauben sollte und ich mag meine Firma und meine Unternehmung nicht wieder einen so grimmigen Tadel preisgeben, als ich schon bei *Liv.* III & IV erfahren habe.

Senden Sie mir auch bald die 6 *Sonaten für Pfte & Vln.* [BWV 1014–1019], denn ich werde fast gezwungen, diese auch nächstens folgen zu lassen.

Ich bitte Sie inständig, H. *F. Hauser* zu fragen, ob derselbe, außer den uns eingesandten 5 *Solo* Stücke[n], noch einige *Solo's* besitze. Ferner wünsche ich zu wissen, ob H. *Hauser's Catalog* der *Bach'*schen Werke nun zum Druck vollendet sei, ich würde diesen *Catalog* recht schleunig herausgeben.

In der Unternehmung der *Bach*schen Werke bin ich seit 6 Monaten sehr durch die Ergänzung meiner Ausgabe der sämmtlichen *Quartetten* von *Haydn* aufgehalten worden. Diese sind aber nun in ca 4 Wochen vollendet und dann will ich mit dem größten Eifer die Fertigung der übrigen *Cahiers* von *Bach* vorschreiten lassen.

Ihren gefäll. Berichten hierüber entgegen sehend. pp.

Quelle: Böhme an Czerny, 29. September 1839. Kopierbuch 1836–1841, S. 421–424.

Anm.: Eine revidierte Ausgabe (A. S. A. Klengel) – mit Nr. 18 – kam 1839 heraus. *L'ART DE LA FUGUE | Kunst der Fuge | PAR | …* [weiter wie → C 14] … | [in Schild:] *Oeuvres complets Liv. III.* Vgl. hierzu Czernys Verteidigung seiner redaktionellen Arbeit und Werkeinteilung im Brief an Böhme vom 6. Oktober 1839 (Lehmann Bach-GA, Dk. II/15).

Lit.: Krause II, Nr. 4 und Nr. 5; NBA Krit. Bericht VIII/2 (K. Hofmann, 1996), S. 76; Lehmann Bach-GA, Dk. II/14.

C 20

REZENSION VON BAND 4 MIT ANGABEN ZUM REVIDIERTEN BAND 3

LEIPZIG, 18. DEZEMBER 1839

J. Seb. Bach
Oeuvres complets. Liv. 4. Compositions pour le Pia-
    noforte sans et avec accomp. – Edition nouvelle etc.
    par *Charles Czerny.* Leipzig, au Bureau de Musi-
    que de C. F. Peters. Preis 3 Thlr. 12 Gr.

…

Man muss sagen, dass die thätige Verlagshandlung für das Beste dieser wichtigen Ausgabe Alles thut, was nur in ihren Kräften steht; keine Erinnerung und keinen ausführbaren Wunsch lässt sie unberücksichtigt, um das Ganze zum möglichst vollkommenen Ziele zu führen. Folgendes wird zum Belege dienen: Herr Czerny hatte die Sätze für 2 Instrumente u. s. w. von denen für eins getrennt. So natürlich diese Eintheilung scheint, so brachte sie doch im dritten Bande, welcher die Kunst der Fuge enthält, den Nachtheil, dass die beiden durchaus dazu gehörigen Fugen für zwei Klaviere weggelassen und dafür zwei Sätze aus dem „Musikalischen Opfer" gegeben wurden. Dadurch war also Bach's Werk in seiner Urgestalt zerrissen worden, was Vielen nicht lieb sein konnte und mit Recht. Sogleich liess die verehrliche Verlagshandlung die beiden Fugen für zwei Klaviere sowohl in Partitur als für jedes Instrument einzeln drucken, änderte den Titel des dritten Bandes dahin um, dass er nun „Kunst der Fuge" heisst, und liefert Allen, welche die erste Ausgabe dieses Theiles besitzen und sich als Besitzer desselben der Verlagshandlung dokumentiren, die früher weggelassenen beiden Fugen unentgeltlich nach. Ein neuer Vorbericht zum dritten Bande, der gleichfalls nachgeliefert wird, setzt Alles deutlich und recht aus einander. – Auch zum Besten der folgenden Bände sind die erwünschtesten Einrichtungen bereits getroffen worden, so dass wir auf die tüchtigste Ausgabe aller Bach'schen Werke, als auf das würdigste Ehrendenkmal, die gegründetste Hoffnung haben.

Quelle: AMZ, 41. Jg., Nr. 51, 18. Dezember 1839, Sp. 1016–1017.
Anm.: → C 22.

Eine neu gestochene und revidierte Ausgabe von Livre 4 erschien nach 1847, herausgegeben von Griepenkerl.
Lit.: Krause II, Nr. 4–8.

C 21

BÖHME: BITTE AN HAUPTMANN UM MITARBEIT AN DEN SECHS SONATEN FÜR VIOLINE
UND KLAVIER – HINWEIS AUF EINE UNBEKANNTE HANDSCHRIFT / QUELLE
LEIPZIG, 15. JULI 1840

… Ihre Güte, womit Sie mir Ihre fernere Mitwirkung ebenfalls zusagen bringt mich zu dem Entschlusse, Ihnen hierbei einen sehr wichtigen Band der *Bach*'schen Werke zu geneigter Prüfung zu überreichen. Es sind nemlich die 6 *Sonaten für Pfte. & Vln.*. Nachdem H. *Czerny* dieselben durch gesehen, H. *Hoforganist A. Klengel* und H. *Concertmeister Lipinski* solche ebenfalls durchgespielt hatten, damit Letzterer | die zweckmäßige Bogenführung angeben konnte, – kam mir noch das beiligende *Manuscript* in die Hände. Mein *Corrector*, dem ich kurz vor dem Stiche, die Vergleichung auftrug, findet aber so viel Abweichungen des *Manu*scriptes mit dem gedruckten *Ex-emplare* der *Pariser Nägeli*schen Ausgabe, daß er sich in so zahlreichen Fällen keine Entscheidung erlauben mag. Leider ist die nächste *Autorität* für die Erklärung jener Differenzen – H. A. *Klengel* nämlich, jetzt auf einer Reise ins Bad begriffen. Ich muß also meine Zuflucht zu denenentfernteren Gönner meiner Sache nehmen und sende daher Ihnen jene *Exemplare*.
Ich wünsche sehnlichst, daß Ihre Zeit erlauben möge, den vollständigen Vergleich nächstens zu bewirken, von der Gründlichkeit Ihrer Aufschlüsse bin ich im Voraus um so stärker überzeugt, als Sie zugleich ein Meister des Violinspiels sind und mithin beide Partien zugleich in ihrem inneren Zusammenhange überschauen. …

Quelle: Böhme an Hauptmann, 15. Juli 1840. Kopierbuch 1836–1841, S. 536–537.
Anm.: → C 23. Mit dem „beiligenden Manuscript" ist ganz sicher die heute verschollene Penzel-Abschrift A 34 (nach Kat Schuster) gemeint, die der Verlag auf der Auktion von 1839 (vgl. Lehmann Bach-GA, Dk. II/17) erstanden hatte. Diese Abschrift erwähnt Böhme auch in den Briefen an Lipiński vom 27. Oktober, 16. und 18. November 1840 (Kopierbuch 1836–1841, S. 606–607, 623–624 und S. 625–626). Vgl. auch den Brief Böhmes an Fischhof vom 22. Juli 1841: „… Mit Hülfe eines sehr guten handschriftlichen *Expl.* und mit dem Beistande des H. K. *Musikus Hauptmann, Concertmeister Lipiński* und H. Hoforganist *Klengel* sind dann diese *Sonaten* | nach neunmaliger *Correctur* und Prüfung in einer Weise vollendet, womit jeder Kenner der *Bach*'schen Musikstücke befriedigt sein dürfte. …" (Kopierbuch 1841–1844, S. 41–44).

C 22

J. S. Bach
Compositions pour le Pianoforte sans et avec accom-
pagnement. Edition nouvelle etc. par *Charles Czerny.*
Leipzig, au Bureau de Musique de C. F. Peters.
Oeuvres complets Liv. 5, 6 et 7. Preis jedes Ban-
des: 3 Thlr. 12 Gr.

Wir haben über diese in jeder Hinsicht vortreffliche Ausgabe der allberühmten
Klavierwerke unsers Sebastian, als über ein würdiges Ehrendenkmal sowohl des
Meisters selbst wie unsers gesammten Vaterlandes, zu verschiedenen Zeiten, mit
gerechter Empfehlung des höchst wichtigen Unternehmens gesprochen. Dabei ist
die grosse Sorgfalt auf Korrektheit und möglichste Treue nach Verdienst hervorgehoben worden. Weder Mühe noch Kosten sind gescheut worden, immer das Beste
und Echteste zu liefern, weshalb denn auch immer mehrere der tüchtigsten und
bewährtesten Kenner Bach'scher Meisterschaft zur Mithilfe gezogen worden sind.
Es ist dieses sorgsame Verfahren um so nothwendiger, je höher der Werth dieser
Musterkomposizionen im Allgemeinen anzuschlagen ist, je schwieriger es ist, unter
den mancherlei im Manuskripte sich vorfindenden Bearbeitungen einer und derselben Komposizion von dem grossen Manne selbst überall die möglichst beste Wahl
zu treffen, und je zahlreicher die Manuskripte des unermüdlichen Heros mitten in
der Beschäftigung damit durch neue Auffindungen sich vermehren. Hat es sich
nun ergeben, dass selbst die reichhaltige Sammlung Seb. Bach'scher Manuskripte,
welche des Herrn Hauser anhaltende und eifrigste Betriebsamkeit glücklich zu-
sammenbrachte, dennoch keine vollständige, abgesehen von den verschiedenen
Umänderungen vieler einzelnen Sätze Bach's, nur allein in Hinsicht auf ganz ver-
schiedene Werke, genannt werden kann; so | muss uns jene gepriesene Sorgsamkeit
der Herausgeber und der Verlagshandlung in jeder Rücksicht, namentlich in ver-
mehrter Zuziehung der achtungswerthesten Beistandsmänner, nicht nur überaus
löblich, sondern auch, als das Beste fördernd, höchst dankenswerth erscheinen.
In der That gereicht es der Verlagshandlung zum grossen Ruhme, dass sie gleich
vom Beginne des Druckes an jede Bemerkung irgend eines Stimmfähigen durch ein-
geholte Urtheile der Sachkundigsten reiflich erwog, um das würdigste Ziel in einer
nicht leichten Aufgabe immer schöner zu erreichen. Was sie für den Band that,
welcher die Kunst der Fuge enthält, haben wir berichtet, und das Publikum hat
die uneigennützige Bereitwilligkeit der Verlagshandlung, jeden wenn auch nur auf
kurze Zeit begründeten Nachtheil der Besitzer der neuen Ausgabe zu entfernen,
gebührend anerkannt. Was in den neuen Bänden geleistet worden ist, werden wir
sogleich sehen. Auf der Hinzufügung der nothwendigsten Applikaturangabe wie

der Vortragszeichen, welche die Kosten und die Schwierigkeit der Ausstattung nur vermehren, hat sie nach dem weit überstimmten Urtheile der Erfahrensten fortwährend bestanden. Und wir gehören unter diejenigen, die dieses Verfahren, sobald es, wie es wirklich geschieht, mit gebührenden Mässigung und Umsicht betrieben wird, für einen höchst bedeutenden Vorzug der Ausgabe erklären. Wer es weiss, welche Mühe es auch sonst tüchtigen Spielern macht, in vielen Bach'schen Werken die rechte Applikatur zu finden, der wird auch über den Werth solcher Fingerzeige mit uns einverstanden sein. Die Ausgabe soll ja nicht allein den gewiegtesten und mit solchem Spiele vollkommen vertrauten Meistern zugänglich sein, sondern Allen, die sich am Hohen heranbilden und erheben wollen. Wir sind daher für diese Zuthat, die ja Jeder beachten kann, wie er will, im Namen der grössten Mehrzahl sehr dankbar und müssen sie für einen Gewinn erachten. Uebrigens hat jeder dieser vorliegenden Bände, einer mehr als der andere, auch sogar für manchen Kenner Bach'scher Werke, und deren gibt es doch in Wahrheit so sehr viele nicht, Manches aufzuweisen, was ihm noch ganz unbekannt geblieben ist. Der Mehrzahl hingegen wird das Allermeiste, wenn nicht geradehin Alles, völlig neu sein.

… | … Für die genaueste Richtigkeit des Abdrucks ist das Möglichste gethan worden. Namentlich hat sich Herr M. Hauptmann in Kassel um die zwei- und dreistimmigen Invenzionen dadurch sehr verdient gemacht, dass er dieselbe nach den Autografieen, im Besitze des Herrn Kapellmeister L. Spohr, mit der grössten Sorgfalt verglich und berichtigte. – Von einer langen Empfehlung eines solchen Werkes kann ohne Beleidigung des bessern Publikums nicht die Rede sein. Wir sind lebhaft erfreut, das eben so einflussreiche als mühsam in solcher Genauigkeit und Schönheit herzustellende Werke so rasch vorwärts schreiten zu sehen. Mit grösstem Vergnügen sehen wir der Erscheinung des nächsten Bandes entgegen, der Bach's grosse Sonaten für Pianoforte und Violine enthalten wird, die berühmten.

G. W. Fink.

Quelle: AMZ, 42. Jg., Nr. 42, 14. Oktober 1840, Sp. 856–858.
Anm.: Zu Hauptmann und seinem Vergleich der Inventionen und Sinfonien mit dem Autograph im Besitz von Louis Spohr (D-B *P 610*) → Lehmann Bach-GA, Dk. II/18.
Anzeige: AMZ, 42. Jg., Nr. 44, 14. Oktober 1840, Sp. 919 (*Neue Musikalien im Verlage des Bureau de Musique von C. F. Peters in Leipzig.* …).

C 23

Johann Sebastian Bach.
Six grandes Sonates pour le Pianoforte et Violin
obligé composées par Jean Seb. Bach. Edition nou-
velle, soigneusement revue, corrigée, métronomisée
et doigtée; enrichie de notes sur l'execution et ac-
compagnée d'une préface. Oeuvres compl. Liv. 10.
Leipzig, au Bureau de Musique de C. F. Peters.
Pr. 4 ½ Thlr.
Angezeigt von G. W. Fink.

Wir haben unsere Freude und unsern Dank für die vortreffliche neue Ausgabe der
Bach'schen Werke bei der Anzeige aller sieben Bände, die bisher erschienen sind
[→ C 22], nach Verdienst ausgesprochen, und fühlen uns diesmal ganz besonders
von Neuem dazu verpflichtet. Mag es sein, dass in unserer Bevorzugung dieser
Sonaten, selbst vor manchen andern Instrumentalwerken Sebast. Bach'scher Gross-
sinnigkeit, vielleicht die angenehmsten Erinnerungen an grossartige Ausführung
derselben (die Violinstimme vorgetragen von Karl Lipinski) hineinspielen: so ist es
doch zuverlässig dieser individuelle Drang keineswegs allein, nicht einmal vorherrschend, der uns zu einem besonderen Danke für die Vorausnahme des Druckes dieses
zehnten Theiles vor dem achten und neunten bestimmt. Selbst der hohe Werth, der
diesen Sonaten unseres teutschen Grossmeisters schlechthin zugesprochen werden
muss, ist nicht der Hauptgrund, denn, was die beiden nachzuholenden Bände bringen, ist für andere Zwecke und in anderer Hinsicht nicht weniger werthvoll, sondern
es ist vorzugsweise die Rücksicht auf den Gewinn, welcher der ganzen gebildeten
Musikwelt durch diese Vorausveröffentlichung zu Gute kommt. Man hat sich schon
längst von vielen Seiten her nach dem Besitze dieser Sonaten gesehnt und sich manche Mühe gegeben, eines Exemplares derselben habhaft zu werden. Nur sehr wenigen eifrigen und keine Kosten scheuenden Männern gelang es in der letzten Zeit,
ihre Wünsche befriedigt zu sehen, denn die ältere Nägeli'sche Ausgabe [→ C 124]
war so gut als vergriffen, namentlich für teutsche Liebhaber, die sich deshalb und
meist vergeblich erst an das Ausland zu wenden hatten, wohin der Rest der noch
übrigen Exemplare verkauft worden waren. Die Meisten der Unsern hätten also auf
den Genuss des Vortrages dieser Meisterwerke noch längere Zeit verzichten müssen, wenn die verehrliche Verlagshandlung sich nicht entschlossen hätte, in Berücksichtigung des Mangels der strengen Ordnung der Theilfolge einmal vorzugreifen.
| Wir leben aber auch noch der Hoffnung, dass durch diese vielfach erwünschte Vo-
rausnahme die Liebe für die Bach'schen Werke im Ganzen sich vermehren werde,
vermöge der Mannichfaltigkeit und des Reizes, welche in diesem Bande unsern

Bach neu liebenswürdig machen und die Kunstbildung der Gegenwart neu fördern. Für Klavierspiel im Bach'schen Geiste haben nämlich die sieben Bände, welche wir nun besitzen, so Vieles und Grosses gegeben, dass die Liebhaber noch eine gute Zeit daran sich zu erfreuen, ja zu üben haben, bevor sie damit fertig werden; wir können also auf die Fortsetzung der Klavierwerke ohne andere Instrumente weit lieber noch etwas warten als auf diese Sonaten, die ein Schatz ganz eigener Art für sich sind. – Dass sie nun jedem echten Musikfreunde wieder neu zugänglich geworden sind, und zwar auf eine so ausgezeichnete, kunstfördernde Art, das sind die Hauptgründe unserer Freude und unseres besondern Dankes.

Die Ausgabe selbst ist in der That so schön und, was ganz vorzüglich zu rühmen ist, so korrekt, dass Jeder, der es nur einigermaassen kennt, was es heisst, solche Musikstücke so sorgsam, wie es hier geschehen ist, zu korrigiren. Allen, die dafür sehr thätig gewesen sind, sich lebhaft verbunden fühlen muss. Als volle Wahrheit unterschreiben wir, was das Vorwort sagt: „Der Verleger hat mit aller Gewissenhaftigkeit eine vielseitige Mitwirkung in Anspruch genommen, um auch diesem Werke die originale Richtigkeit wieder zu verschaffen." Die folgenden Notizen dürfen dabei nicht fehlen: „Die Auffindung einer alten, sehr korrekten Handschrift machte es möglich, ehemalige Fehler zu vermeiden, so dass in der gegenwärtigen Ausgabe keine Notenstelle mehr sein kann, die dem Geiste Bach'scher Komposizion widerspräche. Den Vergleich mit jener Handschrift hat Herr Kammermusikus M. Hauptmann in Cassel gütigst besorgt." Die Sache ist wichtig. Man weiss, dass Bach selbst die meisten seiner Werke oft mehrfach umarbeitete, so dass sich von mancher wichtigen Komposizion mehrere Manuskripte vorfinden, die echt sind und als Verbesserungen ihres Schöpfers gelten müssen. Die Wahl unter diesen Verschiedenheiten ist nicht leicht, weil es sich wohl auch traf, dass Bach zuweilen manche seiner Sätze, z. B. in seinen Invenzionen, mehr ausschmückte, um irgend einem seiner Schüler die zeitgemässe Vortragsart derselben zu verdeutlichen u. dergl. Was aber auch die Absicht war, die den Meister selbst zur Aenderung trieb, so muss doch stets mit der sorg- | fältigsten Gewissenhaftigkeit nach dem Hauptmanuskripte und aus inneren Gründen gewählt werden. Das alte zur Vergleichung dienende Manuskript, so vortrefflich es auch ist, scheint uns dennoch nicht von Bach's Hand selbst zu sein. Es war also die grösste Vorsicht anzuwenden, die man auch dabei hat obwalten lassen. In dieser Hinsicht wird gewiss Jeder, der sich die Mühe gibt, die mit Recht in Ansehen stehende Ausgabe Nägeli's mit der neuen zu vergleichen, dankbar zugestehen, dass die Herren Hauptmann in Kassel und der Korrektor der Verlagshandlung, Ferd. Roitzsch in Leipzig, welche sich dem schweren Geschäfte des Wählens und der Korrektur des Stiches unterzogen, mit ausserordentlicher Genauigkeit, mit Sachkenntniss und Scharfsinn verfuhren. Es gibt keinen Fall, wo ohne reifliche und gründliche Ueberlegung irgend eine Aenderung aufgenommen worden ist. So hat z. B. diese Ausgabe in zusammengehangenen Achtelfiguren u. s. w., welche in der Pariser Ausgabe ohne alle Ursache und zum Nachtheile der Figurenverbindung in mehrere Gruppen vertheilt stehen, das offenbar Rechte gebracht. Selbst in Fällen, die

Schwankungen zwischen einer und der andern Lesart gestatten, wo also alle Sinne und Köpfe nie zu einer und derselben Ueberzeugung sich vereinen mögen, ist mit treuestem Bedacht gewählt worden. Hören wir die Forsetzung des Vorwortes dieser neuen Ausgabe: „Nächstdem wurden diese Sonaten von dem Königlich Sächs. Hoforganisten Herrn A. A. Klengel und dem Königl. Sächs. Konzertmeister Herrn Karl Lipinski gemeinschaftlich mehrmals durchgespielt und in der Gesammtwirkung kritisch geprüft, wobei Herr Lipinski die Violinstimme mit den Zeichen für die Bogenführung und allen übrigen Andeutungen versehen hat, welche die vollkommene Auffassung des Werkes auch dem Violinspieler wesentlich erleichtern." – Auch dies erachten wir für einen Dienst von grosser Bedeutung, da die Angabe der Bezeichnung von einem Manne kommt, der nicht blos vollkommener Meister seines Instrumentes, sondern auch vom Geiste Bach'scher Grossartigkeit durchdrungen ist. Haben wir früher schon der Metronomisirung und dem Klavierfingersatze Karl Czerny's, welcher auch der Pianofortestimme dieses Bandes nicht fehlt, das Wort geredet, so werden wir hier um so weniger einer andern Ueberzeugung zu huldigen Ursache haben. Wie Viele werden wohl sein, denen solche erleichternde Bezeichung Bach'scher Werke nicht höchst willkommen sein muss? Unter Hunderten wird sich kaum Einer finden, der sie ohne Nachtheil für sich selbst entbehrt. Oder ist es wohl wünschenswerth, dass das Spiel der Werke unsers Bach ein Monopol für nur Wenige bleibe? Es ist ein grosser Gewinn, wenn der Vortrag dieser Meisterwerke durch solche vortreffliche Hilfleistung vielen Musikfreunden zugänglicher gemacht wird. Immerhin wird auch mit diesen Fingerzeigen noch Vieles für den Spieler zu überwinden bleiben. Und so liegt denn etwas sehr Verdienstliches in solchen Bemühungen, die der vortrefflichen Ausgabe noch zu einer besondern Empfehlung gereichen. Die Verlagshandlung und Alle, die, von ihr in's Werk gezogen, hilfreich thätig gewesen | sind, dürfen nach Verdienst auf die freundlichste Anerkennung rechnen. Mögen sich diese Werke zum Heil der Kunst einer immer weitern Verbreitung erfreuen.

Quelle: AMZ, 43. Jg., Nr. 7, 17. Februar 1841, Sp. 145–148.
Nachweis: *Six | GRANDES SONATES | pour le | Pianoforte et Violon obligé | composées | PAR |* [Brustbild J.S. Bachs, gezeichnet rechts: P.] *| JEAN SEBASTIEN BACH. | Edition nouvelle, soigneusement revue, corrigée, | métronomisée et doigtée; enrichie de notes sur l'exécution | et accompagnée d'une préface. |* [links:] *No. 2766.* [Mitte in 2 Zeilen untereinander:] *Propriété de l'Editeur. | (dans cet arrangement.)* [rechts:] *Pr. 4 ¹/₂ Rthlr. | Enregistré aux archives de l'union. | LEIPZIG, | au Bureau de Musique de C. F. Peters. |* [in Schild:] *Oeuvres complets. Liv. 10.* (1841). Inhalt: Sechs Sonaten für Violine und Klavier BWV 1014–1019. Herausgeber waren Czerny, M. Hauptmann, A.S.A. Klengel und K. Lipiński. → C 21.
Anm.: Die Sechs Sonaten erschienen 1803 bei Nägeli, in: *Musikalische Kunstwerke. im Strengen Stijle*, Heft 6 (→ C 124). Mit der „alten, sehr korrekten Handschrift" könnte die heute verschollene Handschrift Penzels (Kat Schuster Nr. A 34) gemeint sein, die Böhme auf der Auktion 1839 erwerben konnte. → Lehmann Bach-GA, S. 205ff. Vgl. auch die Rezension von E. Krüger, NZfM, 8. Jg., 15. Bd., Nr. 19–21, 3., 7. und 10. September 1841, S. 73–74, 77–79 und S. 81–83.
Lit.: NBA VI/1 Krit. Bericht (G. Hausswald und R. Gerber, 1958), S. 142f.; Krause II, Nr. 27.

C 24

FINK: REZENSION VON HAUPTMANNS ERLÄUTERUNGEN
ZU JOH. SEBASTIAN BACHS KUNST DER FUGE

LEIPZIG, 15. SEPTEMBER 1841

Erläuterungen zu Joh. Seb. Bach's
Kunst der Fuge von *M. Hauptmann.* Leipzig, bei C.
F. Peters, Bureau de Musique. 1841. 14 S. in 4.
Preis ¹/₂ Thlr.

Angezeigt von G. W. Fink.

Es ist dies eine Beilage zum dritten Bande der in obiger Verlagshandlung erschienenen neuen Ausgabe von J. S. Bach's Werken [→ C 14] von welcher wir nächstens den achten Band anzuzeigen haben. Der Druck dieser Erläuterungen, die Vielen überaus nützlich sein werden, ist aus Breitkopf und Härtel's Offizin hervorgegangen und so vortrefflich, dass das Auge mit Wohlgefallen darauf ruht. …

Quelle: AMZ, 43. Jg., Nr. 37, 15. September 1841, Sp. 737–739.
Anm.: Zur vollständigen Rezension → B 14.
Vgl. hierzu den Brief Böhmes an Hauptmann vom 18. September 1841 (Kopierbuch 1841–1844, S. 81–84, hier S. 83): „… Dem obigen 8ⁿ Bd. den Sie durch H. *Mechetti* erhalten, füge ich M. *Hauptmanns Erläuterungen* zur *Kunst der Fuge* bei, die schon in der *Musik Zeitung* (*Redact.* Prof. *Fink*) gerechte Anerkennung gefunden haben. Es spricht sich in diesen Erläuterungen der *Character* des humanen Künstlers und des durchdringenden völlig logischen Theoritikers vollkommen aus, und der Studirende hat dadurch einen trefflichen Führer erhalten; er weiß nun was er an dem Werke besitzt und was er darin finden soll. …"

C 25

FINK: REZENSION DER ENGLISCHEN SUITEN

LEIPZIG, 3. NOVEMBER 1841

Johann Sebastian Bach.
Compositions pour le Pianoforte sans et avec accomp.
par *Jean Seb. Bach.* Edition nouvelle etc. Oeuvres
complets. Liv. 8. Leipzig, au Bureau de Musique
de C. F. Peters. Pr. 3 ¹/₂ Thlr.

Angezeigt von G. W. Fink.

Unsere letzte Anzeige dieser überaus vortrefflichen Sammlung sämmtlicher Klavierwerke ohne und mit Begleitung von unserm weltgeehrten Vorbilde der gediegenen Komponisten hatte S. 145 d. Jahrganges den zehnten Theil [Rezension des Ban-

des 10], als eine Vorausnahme in der Reihenfolge, zu unserer Freude zu besprechen. Die Gründe dafür und was die auf den Vortheil der Musikwelt so eifrig bedachte Verlagshandlung namentlich für den zehnten Band, der die sechs Sonaten mit der Violine enthält [→ C 23], sowohl durch eignen Fleiss als auch durch nicht wenige ausgezeichnete, kenntnissreiche und für Sebastian begeisterte Männer leistete, haben wir am angeführten Orte mit Liebe auseinandergesetzt. Wir wissen nun aus Erfahrung, wie Viele der tüchtigsten Musikfreunde unsern Dank für jene Vorausnahme mit uns theilen; nicht minder kennen wir die Ungeduld, mit welcher zu ihrer eigenen Ehre nicht Wenige auf jeden neuen Theil dieses musterhaft ausgestatteten Werkes harren. Wären alle Musikliebhaber so eifrig für Seb. Bach'sche Komposizionen, als diese Auserwählten, so wäre ausser der Bekanntmachung der verdienten Verlagshandlung, dass wieder ein neuer Band mit diesem oder jenem Inhalte die Presse verlassen habe, auch nicht ein Wort weiter nöthig. Wer kann aber auch nur von denen Allen, die Bildung genug haben, am Spiele oder am Hören Bach'scher Werke Vergnügen zu finden, solchen Eifer verlangen? … Je mehr es hingegen wünschenswerth ist, dass eine immer grössere Zahl bis zum Genuss an Bach'schen Werken, nicht ohne Unterlass und in einseitiger Vorliebe, die selbst in diesem grossen Falle nicht vortheilhaft sein könnte, sondern von Zeit zu Zeit, nicht zu selten und im Wechsel mit andern wahrhaft ausgezeichneten Meisterkompositionen, herangebildet werde, um so | nothwendiger ist eine gediegene Ausgabe der sämmtlichen Bach'schen Klavierwerke, damit Jeder, der in dieses Hochmeisters Wesen noch nicht eingeweiht ist, zunächst für seinen Standpunkt und seine innere Wesenheit sich das wähle, was ihm noch am Nächsten steht und was ihm dann, bei näherer Bekanntschaft damit und in gewonnener Liebe dafür, den Weg für Höheres oder ihm mindestens noch ferner Stehendes bahnen wird. … Voraussetzen lässt sich jedoch in Hinsicht auf die Vielzahl, worunter auch sonst recht wacker gebildete Musikfreunde gehören, dass ihnen bei Weitem das Allermeiste von Sebastian neu ist, selbst dann, wenn sie es irgend einmal gehört und in der Freude an geringeren Erzeugnissen wieder vergessen haben. Und so werden auch wohl die sechs grossen oder sogenannt englischen Suiten, welche diese Lieferung enthält, sehr Vielen immerhin völlig neu sein, weil es nicht ihre Neigung war, sich von solchen Studien locken zu lassen, oder weil sie im Vorurtheil befangen, als sei alles Seb. Bach'sche nichts Anderes, als für ihren Standpunkt nicht besonders anziehendes Fugenwerk. Und dennoch dürfte sich Bach mit diesen grösser gehaltenen Suiten so viele, vielleicht noch mehr neue Freunde gewinnen, als er sich mit seinen kleineren sogenannt französischen Suiten gewann! – Wer sie kennt, weiss sie zu schätzen, und wer sie nicht kennt, wird Bach dadurch neu schätzen lernen und ihm näher geführt werden. – Hören wir das Vorwort der Verlagshandlung zu diesem Bande, das immer teutsch und französisch steht:
„…“
| … Dass der Fingersatz ohne Vergleich weit sparsamer als in den ersten Lieferungen, wo er gut, aber etwas überhäuft war, angegeben worden ist, kann nur erwünscht

sein. Der Hauptvorzug hingegen bleibt immerhin die ausserordentliche Korrektheit und schöne Deutlichkeit des Druckes. Was dafür sowohl von der thätigen und keinen Aufwand scheuenden Verlagshandlung als auch von den dafür in Wirksamkeit gesetzten und begeisterten Künstlern geschieht, ist gar nicht genug zu rühmen. Der Fleiss der Vergleichung aller wichtigen Manuskripte, die nur zu erlangen sind, die ungemein treue und umsichtige Arbeit des Korrektors, Herrn Roitzsch, und die ausserordentliche Rührigkeit und Bereitwilligkeit der Verlagshandlung, die auch um einer ungewissen Kleinigkeit willen keine Opfer scheut, sind in der That musterhaft. Das muss seinen Segen bringen. Der folgende Band wird nicht wenig Neues d. h. bisher noch Ungedrucktes enthalten. Möge das Werk, das treffliche, nach Verdienst immer mehr Freunde gewinnen.

Quelle: AMZ, 43. Jg., Nr. 44, 3. November 1841, Sp. 889–891.
Nachweis: … [Titel wie C 18] … | [in Schild:] *Oeuvres complets Liv.* [hs.:] *8.* | … (1841), PN 2783.
Inhalt: Englische Suiten BWV 806–811. Herausgeber waren C. Czerny und M. Hauptmann.
Anzeige: AMZ, 44. Jg., Nr. 9, 2. März 1842, Sp. 195 (*Verzeichniss neuerschienener Musikalien und auf Musik bezüglicher Werke. Eingegangen vom 22. bis 28. Februar d. J.*).

C 26

Böhme: Bitte an Hauser um Zusendung von Bachiana für Band 9
Leipzig, 4. Dezember 1841

Bevor ich zur Beantwortung Ihres Werthen vom 27. *Novbr:* schreite ersuche ich Sie hiermit auf das Dringendste mir die *Autographien* oder die allerwichtigsten Abschriften von folgenden sechs Stücken *pr. Postwagen* zu senden:

Catal: No: 330. *Präludium* – (*Autogr. Pistor*)
 "   "   331. *Präludium con Fughetta* [BWV 899] (*Autogr.* bei Ihnen)
 "   "   332 *Präludium con Fuge* – – [BWV 894]
 "   "   339 *Präludium con Fughetta* [BWV 900] (*Autog.* bei Ihnen)
 "   "   358 *Toccata con Fuge* – – – [BWV 912]
 "   "   359 *Toccata con Fuga* – – – [BWV 915]

diese brauche ich zur Bildung des 9ⁿ Bandes dermasen eilig, daß ich Sie nicht genug darum bitten kann, ich rechne also diesmal auf Ihre schleunige Unterstützung mit aller Zuversicht. Etwaige *Copiatur*-Gebühren lassen Sie sich von Herrn *Mechetti* für meine Rechnung wieder vergüten. Vor einigen Tagen erhielt ich durch Gelegenheit die mir zugesandten Hefte der *variirten Choräle* welche ich als Heiligthum aufbewahre. Für das in Ihrem Geehrten beigelegte Verzeichniß derselben danke ich verbindlichst. Ich werde im Bezug auf die *Choräle* gewiß nur die in Ihrem *Catalog* angegebene alphabetische Ordnung befolgen, sobald ich zum Verlag schreiten kann.

…

Quelle: Böhme an Hauser, 4. Dezember 1841, Kopierbuch 1841–1844, S. 134–137, hier S. 134.
Anm.: Bei Nr. 330 handelt es sich um ein Werk von J. P. Kirnberger; die Nrn. 331 und 339 sind
Abschriften von J. C. Vogler (D-B *P 1089*). Die „variirten Choräle" sind in Kat Hauser I, S. 133ff.
und Kat Hauser IV, Nr. 1–218 verzeichnet. Eine anschließende Aufstellung (Kat Hauser IV,
S. 29–30) enthält Angaben zu den Erst- und Frühdrucken. Das „beigelegte Verzeichniß der-
selben" ist nicht erhalten. Vgl. auch BG 40, S. XIVff. mit Hinweisen E. Naumanns auf folgende
Quellen aus Hausers Sammlung: Sammelhandschrift *P 1109* und „Eine Reihe einzelner Hefte
mit Choralvorspielen und Orgeltrios in Hauser's Sammlung … durch die Buchstaben A bis M
bezeichnet."
Lit.: NBA IV/2 Krit. Bericht (H. Klotz, 1957), S. 48ff.; Lehmann Bach-GA, Dk. II/24.

C 27

BECKER: REZENSION DES WOHLTEMPERIERTEN KLAVIERS –
KRITIK AN CZERNYS „ZUTATEN"

ERFURT, JANUAR 1842

Le Clavecin bien tempéré – par J. S. Bach.
      Edition nouvelle par Ch. Czerny. Leipzig, C. P.
      Peters. Part. I. II. 6 Rthlr.
Welche Betrachtungen lassen sich bei dem vorliegenden Werke anstellen, das von
einem ächt deutschen Meister hingezaubert wurde, ächt deutschen Geist ausspricht,
mitten in Deutschland und in einer deutschen Handlung erschien, nur sich zunächst
für deutsche Gemüther eignet und unter obigem französischen Titel aufs Neue verbreitet wird! …
| … Aber nicht Betrachtungen sind hier am Ort, sondern in einer schlichten Anzeige
soll dargethan werden, wordurch sich diese Ausgabe von den reichlich vorhandenen
wesentlich unterscheidet. Zunächst stellen sich darin die Angaben des Fingersatzes,
des Tempo's und des Vortrags vor Augen. Muß man gebührend den Fleiß anerkennen, den der Herausgeber in diesen Dingen bewiesen hat, so werden doch Viele, die
mit Bach's Werken innig vertraut sind, Anstoß an diesen Zusätzen nehmen.
Gebildete Künstler und mit diesen auf gleicher Stufe stehende Kunstfreunde, nicht
Anfänger, für die der alte Meister ganz andere Werke bestimmt hat, werden diese
köstliche Fugensammlung mit ihren Vorspielen zu ihrer geistreichsten Unterhaltung
wählen und diese können und werden schwerlich die Angaben des Fingersatzes
benutzen. Entweder kommen sie nämlich mit den Vorschriften überein, dann sind
sie unnöthig; oder sie gebrauchen eine von der des Herausgebers mehr oder weniger abweichende Applikatur, die übrigens auch richtig sein kann – denn diese Kunst
hat bekanntlich, mit Göthe zu reden, „nie ein Mensch allein besessen", dann werden
die Zahlen für sie störend und lästig.

Hinsichtlich des Tempo, so giebt es für ein jedes Tonstück bekanntlich nur ein richtiges und wird dieses verfehlt, so läßt sich die von einem Tonsetzer gewünschte Wirkung nie erreichen, wäre auch übrigens die Ausführung noch so vollendet schön.
…
| … die Andeutungen des Vortrags betreffend, so möchten sie theilweise für die Präludien, die im weniger strengen Styl geschrieben sind, nicht unangemessen sein. Doch ein anderes ist es mit den Fugen. …

Können wir nun dem Herausgeber für derartige Zusätze keinen Beifall zollen, so muß man ihm doch dafür dankbar sein, daß er darnach gestrebt hat, seine Ausgabe durch Vergleichen aller früher erschienen und älteren Handschriften die mögliche Correctheit zu verleihen. Auf solche Weise unterscheidet sich diese daher wesentlich von einer jeden vorhandenen und die thätige Verlagshandlung scheint es sich zum Ziele gesetzt zu haben, auch das Aeußere, wozu auch ein wohlgetroffenes Portrait Bach's zu rechnen ist, dem innern Gehalte nahe zu bringen. Nur muß bedauert werden, daß öfters die Blätter umgewendet werden müssen, während beide Hände gleichmäßig beschäftigt sind. Dieser Uebelstand hätte bei einer solchen Prachtausgabe umgangen werden sollen.   C. F. Becker.

Quelle: Euterpe, 2. Jg., Nr. 1, Januar 1842, Sp. 8–10.

C 28

Böhme: Neue Quellen für die Englischen Suiten
Leipzig, 28. April 1842

… 3) Die engl. *Suiten* betreffend, hatten wir für die 1, 2, 4 & 5^e die *Trautw*einsche Ausgabe (sie leidet an vielen *Noten*fehlern) [→ C 129] und für die 3^e und 6 *Suite* die durch *Forkel* bei mir besorgte [→ C 126], zum Grunde gelegt und eine gute alte Handschrift damit verglichen. (T. *Trautwein* hat die 3^e und 6^e *Suite* nicht gedruckt.) Beim letzten *Correctur*-Abdruck wurden die vom *Corrector* bereits sorgfältig von offenbaren Fehlern gereinigten Blätter, dem H. Kammermusikus M. *Hauptmann* in Cassel zur Prüfung vorgelegt (welcher mir schon beim 7^n Bande einen wesentlichen Beistand gewährt hatte, indem er die 2 & 3 stimmigen *Inventionen* mit den Autographon, im Besitze dH. KapellMstr. *L. Spohr*, verglich und auch den 10 Band zweimal revidirte.) [→ C 23]
Jene Prüfung nun, ließ dennoch in den *engl. Suiten* eine Stelle, die [ich] Ihnen hier mittheile, unentschieden:
Pag. 31. *Klammer* 5, *Tact* 4 & 5, hat die Ausgabe von *Forkel* Folgendes:

| hieran knüpft H. *Hauptmann* nachstehende Bemerkung:

„Diese Stelle ist in allen Lesarten ungenügend und ist eine von denen, die *Bach*, bei nochmaliger Überarbeitung, wohl geändert haben würde. Hier ist aber weiter nichts zu thun, als sie stehen zu lassen, für mich würde ich, wenigstens die beiden letzten Tacte, so spielen, siehe Notenbeispiel, um die lästige Wiederholung zu vermeiden. Das Malerische ist aber auch hier unklar, um nicht falsch zu sagen.

Der Orgelpunkt tritt zwei Tacte zu früh ein, und kommt mit der früher begonnenen *Sequenz* in der Oberstimme in *Collision.*"

Diese Mittheilung geschieht in der besten Absicht, ich kann mir denken, daß sie H. *Hauptmann* kennen, seine großen Einsichten und seine Humanität und seine Bescheidenheit, machen ihn eben so hochachtungswerth als liebenswürdig, er war bisher ein treuer Freund und Rathgeber.

So eben erfahre ich, daß der *Musik*director *Müller* in Altenburg eine Handschrift der engl. *Suiten* aus dem *Schicht*schen Nachlasse besitzt. Ich schreibe deshalb an ihn, um sie auf kurze Zeit zum Vergleich zu erhalten. Der *Corrector* mag sich dann alles Bemerkenswerthe daraus notiren um solches hernach Ihnen zur Prüfung vorzulegen. Man kann nicht wissen, wozu ein solcher Vergleich oft gut ist.? Was soll man überhaupt bei *Bach* anders thun, als mit Hilfe sachverständiger Personen Alles zu prüfen und dann das Beste zu behalten.

Jede kleine *Variante* auf einem besondern Blatte, der Ausgabe beifügen, würde zu weit führen und würde, wenn man Vollständigkeit erreichen wollte, bei der äussersten Anstrengung dennoch unmöglich, meistens auch unnütz sein, indem am Ende doch nur <u>eine Lesart</u> und zwar die richtigste oder beste, *Bachs* Meinung gewesen ist. – Zum Schluß dieses Abschnittes erwähne ich noch, daß H. *Hauptmann* sehr gewünscht hat zu erfahren, in welcher Zeit wohl die engl. *Suiten* von *Bach* componirt worden sind. Mir war es unmöglich darüber etwas Sicheres auszumitteln, sonst wäre dies mit in die Vorrede zum 8 Bande gekommen. …

Quelle: Böhme an Griepenkerl, 28. April 1842. Kopierbuch 1841–1844, S. 239–245, hier S. 240–241. Anm.: Vgl. Böhmes Briefe an Christian Gottlieb Müller in Altenburg vom 28. April, 11. und 28. Mai 1842 (Lehmann Bach-GA, Dk. II/34, II/36 und II/38). Es handelt sich um die heute verschollene Abschrift aus dem Nachlaß Johann Gottfried Schicht, die Müller bei der Auktion von 1832 erworben hatte.

C 29

BÖHME: ERKUNDUNGEN ÜBER DAS „GEBURTSJAHR" DER ENGLISCHEN SUITEN
LEIPZIG, 21. DEZEMBER 1842

… Die Verbesserungen des 8ten Bandes sind vorgestern beendigt worden. Der Stecher hatte allerdings an manchen Stellen mit vielen Schwierigkeiten zu kämpfen, aber demungeachtet ist doch Alles befriedigend hergestellt, so daß man mit Freude die Möglichkeit der Sache sieht.

Wegen des Geburtsjahres der *Engl. Suiten* werden unsere Angaben abweichen. In Ihrem Vorwort vom 3 *Sept.* setzen Sie den Zeitraum von 1740–1748 fest. Gleichwohl haben Sie in einem Ihrer früheren Briefe die Vermuthung ausgesprochen, daß jene *Suiten* während der Zeit *componirt* sein müßten wo der Graf von *Kaiserlingk* als Russ. Gesandter am Sächsischen Hofe in *Dresden* lebte.

Die sorgfältigsten Nachforschungen in dem dortigen *Königl. Archiv* haben nun unbezweifelt dargethan daß *Kaiserlingk* im Jahre 1735 nach *Dresden* gekommen, und im *Januar 1745* von dort abgegangen ist. Deswegen habe ich in der neuen Vorrede den Zeitraum von 1735–1744 | angegeben. Nun wünsche ich aber zu wißen, aus welchem Grunde Sie die Zeit von 1740–1748 dafür angezeigt zu sehen verlangen, denn wenn Sie (ausser dem Grafen von *Kaiserlingk*) noch einen andern, wichtigen Fingerzeig hätten, dann würde ich meine Angabe gern ändern, was jetzt noch leicht geschehen kann. …

Quelle: Böhme an Griepenkerl, 21. Dezember 1842, Kopierbuch 1841–1844, S. 392–394, hier S. 393–394.
Anm.: Zu den intensiven Erkundungen des Verlages über das „Geburtsjahr" der Englischen Suiten vgl. auch die Briefe Böhmes an C. F. Meser, Königliche Hof-Musikalien Handlung in Dresden (Kopierbuch 1841–1844, S. 262).
Lit.: NBA V/2 Krit. Bericht (W. Emery und C. Wolff, 1981), S. 112f.; NBA V/7 Krit. Bericht (A. Dürr, M. Helms, 1981), S. 187; A. Talle, BJ 2003, S. 156–157; Lehmann Bach-GA; Dk. II/48.

C 30

ANKÜNDIGUNG EINER GESAMTAUSGABE DER KLAVIERWERKE BACHS BEI LAUNER IN PARIS

LEIPZIG, 30. JANUAR 1843

Die Musikhandlung Launer in Paris kündigt eine neue Ausgabe der *Oeuvres completes p. l.* (?) Piano von Seb. Bach an. Fängt man vielleicht auch in Frankreich an, den großen Meister zu begreifen? Wir wollen es wünschen und hierbei an den bedeutungsvollen Ausspruch eines Kunstkenners über Bach erinnern: Es darf kühn vorausgesagt werden, daß die Erkenntniß seines Geistes und Wesens der Vorläufer einer neuen Zeit sein wird, die uns erlöset von allem Uebel und allen Uebelkeiten, welche die neueste Zeit aus Italien und Frankreich über uns und unsere Musik gebracht hat. –

Quelle: NZfM, 10. Jg., 18. Bd., Nr. 9, 30. Januar 1843 (*Feuilleton.*).

C 31

J. S. Bach: Compositions pour le Pianoforte sans et avec
accompagnement. Liv. 9. Edition nouvelle, soigneusement revue, corigée, métronomisée et doigtée, enrichie de notes sur l'ecécution et accompagnée d'une
préface par F. C. *Gripenkerl,* Docteur et Profes-
seur etc. à Brunswic. Leipzig, au Bureau de Musique de C. F. Peters. Prix 4 Thlr.

Vor dieser gegenwärtigen neunten Lieferung der S. Bach'schen Clavierwerke erschien schon die zehnte, Claviersonaten mit Violinbegleitung enthaltend. Sie ist zu
ihrer Zeit in diesen Blättern angezeigt worden [→ C 23]. Im vorliegenden Bande,
welcher bis auf zwei Nummern bisher ungedruckte Stücke enthält, empfangen wir
meist Compositionen aus des Meisters früherer Zeit. Herr Professor Gripenkerl in
Braunschweig hat in einer diesem Bande beigefügten Vorrede, die sich über Seb.
Bach's Leben und Kunstepochen unterrichtend und belehrend ausspricht, die theils
bestimmte, theils muthmassliche Entstehungszeit der einzelnen Nummern angegeben. Sie fallen fast alle in die Jahre 1708 bis 1725, die Zeit seines zweiten Aufenthal-
tes in Weimar bis zu der ersten Zeit seiner Leipziger Wirksamkeit. Haben wir nun
dieser letzteren bis an sein Lebensende die vollendetsen und tiefsinnigsten seiner
Schöpfungen zu danken, so ist es doch nicht weniger interessant, den grossen Mann
auf seinem Wege dahin kennen zu lernen.

…

Sehr erfreulich ist es, den gegenwärtigen, unter Redaction des Herrn Professor Gripenkerl erschienenen Band weit weniger als die ersten mit Fingersetzung belastet,
die bezeichnete aber, so wie die Vortrags- und Tempobezeichnung so zu finden, dass
man sich gern einverstanden damit erklären mag. Ueber den Vortrag solcher Musik
überhaupt gibt Herr Professor Gripenkerl im Vorbericht sehr beachtenswerthe Andeutungen.

Quelle: AMZ, 45. Jg., Nr. 36, 6. September 1843, Sp. 646–648 (*Recensionen.*).
Nachweis: … [Titel wie C 32] … | … [rechts:] *Pr. 4 Rthlr.* | … | [in Schild:] *Oeuvres complettes
Liv. 9.* (1843), PN 2838. Herausgeber: F. K. Griepenkerl. Inhalt: BWV 915, 894, 912, 899, 900, 895,
906/1, 952, 953, 919, Anh. 180 (von J. P. Kellner), 948, Fuge es-Moll von J. E. Eberlin, 945, 947, 924,
939, 999, 925, 926, 940, 941, 927, 928, 929, 930, 942, 823, 906/2.
Anm.: BWV 945 als Erstdruck in: „Sammlung von Musik-Stücken alter und neuer Zeit als Zulage
zur neuen Zeitschrift für Musik", 6. Jg., Bd. 11, Nr. 23, 17. September 1839.
Anzeigen: AMZ, 45. Jg., Nr. 41, 11. Oktober 1843, Sp. 744 (*Neue Musikalien, im Verlag von C. F. Peters, Bureau de Musique in Leipzig.*); AMZ, 45. Jg., Nr. 43, 25. Oktober 1843, Sp. 779 (*Verzeichniss
neuerschienener Musikalien und auf Musik bezüglicher Werke. Eingegangen vom 17. bis 23. October*

d. J.), Sp. 783 (*Neue Musikalien, im Verlag von C. F. Peters, Bureau de Musique in Leipzig.*); AMZ, 45. Jg., Nr. 37, 13. September 1843, Sp. 670: „*Berichtigung.* Bei der Angabe einiger Stichfehler im neunten Bande von S. Bach's Clavierwerken, im vorigen Stück dieser Zeitung, haben sich fast eben so viel Druck- oder Setzfehler zusammengedrängt, die aber nicht dem Setzer, sondern dem Manuscript zur Last fallen. … für *Gripenkerl*, so oft der Name vorkommt: *Griepenkerl.*"; NZfM, 10 Jg., 19. Bd., Intell.blätter Nr. 6 und Nr. 7, Oktober 1843, S. (1); Signale, 1. Jg., Nr. 6, Februar 1843, S. 40. Rezension: Signale, 1. Jg., Nr. 33, August 1843, S. 255.
Lit.: Krause II, Nr. 24; Lehmann Bach-GA, S. 174ff.

C 32

Griepenkerl: Vorwort zu den Englischen Suiten
Leipzig, 1846

Vorwort.

Die vorliegenden *Sechs grossen Suiten* erhielten den Namen: *englische Suiten*, weil S. Bach sie für einen vornehmen Engländer componirt hatte. Das Jahr der Entstehung derselben ist, ungeachtet aller Mühe, nicht auszumitteln gewesen; doch deuten mehre Umstände darauf hin, dass sie zwischen 1735 und 1744, componirt sein müssen. Jedenfalls kann man aus ihrer innern Vortrefflichkeit schliessen, dass sie in die Zeit der vollendetsten Reife des Meisters gehören.

Bisher waren diese Suiten nur vereinzelt an verschiedenen Orten zum Druck gekommen; es wird demnach den Freunden dieser Musikgattung angenehm sein, die ganze Reihenfolge in einer gleichmäsigen Ausgabe hier beisammen zu finden.

Die Correctur betreffend, ist auch auf diesen Band, unter Mitwirkung mehrer Künstler, die grösste Aufmerksamkeit verwendet und durch Vergleichung mit vier alten vorzüglich guten Handschriften die Menge vormaliger Unrichtigkeiten beseitigt worden.

Abgesehen von dem allgemeinen Kunstwerthe, der jede dieser Suiten characterisirt, dürfte noch zu erwähnen sein, dass namentlich die Präludien, Sarabanden und Giguen, durch ihren Reichthum an origineller Harmonie und Melodie, höchst merkwürdig sind.

C. F. Peters,
Bureau de Musique.

Quelle: Vorwort zu Livre 8 der „Oeuvres complets".
Nachweis: … [Titel wie C 18] … | *par* | *FRÉD. CONR. GRIEPENKERL,* | *Docteur et Professeur en philosophie et belles-lettres à Brunswic.* | – | [links in 4 Zeilen untereinander:] *No 2838.* | – *2783.* | – *2983.* | – *2984.* [Mitte in 4 Zeilen untereinander:] *Propriété de l'Editeur.* | *(dans cet arrangement.)* | *Enregistré aux archives de l'union.* | *Entd Sta: Hall.* [rechts:] *Pr.* [hs.:] *3 ½ Thlr.* | *LEIPZIG,* | *au Bureau de Musique de C. F. Peters.* | [in Schild:] *Oeuvres complettes Liv.* [Stempel:] *8.* | *Adoptées au Conservatoire de Musique de Leipzig.* (nach 1846), PN 2783. Herausgeber: F. K. Griepenkerl.

Anm.: Ende Dezember 1842 waren die redaktionellen Arbeiten abgeschlossen (→ C 29), doch erst nach 1846 wurde der Band auf den Markt gebracht.

Mit den „vier alten vorzüglich guten Handschriften" sind die Abschriften NBA: Quellen E 1, Y 1, Y 3 und Y 4 gemeint (NBA V/7 Krit. Bericht, S. 36f., S. 47ff.).

Lit.: Krause II, Nr. 21 und Nr. 22.

C 33

REZENSION DES KONZERTES FÜR DREI CEMBALI

LEIPZIG, 11. JULI 1846

J. S. Bach, *Concert (en Re mineur) pour trois*
Clavecins avec deux Violons, Viola et Basse.
Première Edition, soigneusement revue, metro-
nomisée, enrichie de notes sur l'exécution et
accompagnée d'une préface par Fr. C. Grie-
penkerl. – Leipzig au Bureau de Musique de
C. F. Peters. Partitur 2 Thlr., Pftestimmen
1 Thlr. 20 Ngr., Stimmen 20 Ngr.

Durch die Herausgabe der S. Bach'schen Orgel- und Clavierwerke hat sich die bereits so rühmlich bekannte Verlagshandlung um die musikalische Kunst und Wissenschaft ein Verdienst erworben, welches man um so höher anerkennen muß, als von einem daraus hervorgehenden materiellen Gewinn augenblicklich wohl schwerlich die Rede sein dürfte, und der Hr. Verleger vor der Hand mit dem intellectuellen sich begnügen muß, welchen eifrige Kunstjünger durch fleißiges Studium aus seiner Aufopferung ziehen. Ein Notenheft, dessen Inhalt so sorgfältig vorbereitet von dem Herausgeber, und dessen äußere Ausstattung mit dem Stempel rein künstlerischen Interesses Seitens des Verlegers vor uns tritt, giebt unserer Freude an der Kunst neue Nahrung, und sichert uns vor jenem ungerechten Urtheil, welches Einem leicht beschleicht, wenn man wochenlang nichts anderes gesehen hat als unbedeutende Kleinigkeiten oder animosen Virtuosenkram. …

Quelle: NZfM, 13. Jg., 25. Bd., Nr. 4, 11. Juli 1846, S. 13 (*Für Pianoforte.*)
Nachweis: CONCERT | (en Ré mineur) | POUR | Trios Clavecins | avec deux Violons Viola et Basse | par | JEAN SEBAST. BACH. | – | Première Edition, | soigneusement revue, métronomisée enrichie de notes sur l'exécution et accompagnée d'une préface | PAR | FRÉD. CONR. GRIEPENKERL SEN. | [links:] Propriété des Editeurs. [rechts:] Enregé aux Archiv. de l'Union. | – | LEIPZIG, | au Bureau de Musique de C. F. Peters. | LONDRES, | chez J. J. Ewer & Co | Partition. | – | Parties. | (1846), PN 2983. 2984.
Inhalt: Konzert für drei Cembali, Streicher und Basso continuo BWV 1063.
Anm.: Vgl. auch den Brief Böhmes an Hauser vom 13. Dezember 1837: „…Vor der Hand wäre es mir ganz besonders lieb, wenn Sie mir eine Abschrift des *J. S. Bach*, Concert für 3 *Claviere* zukommen lassen wollten. Die Kosten kann ich Ihnen sogleich pünktlich durch H. *F. E. C. Leuckardts*

Buchhandlung übermachen, sobald ich deren Betrag weiß. H. *Dr. Mendelssohn* hatte mir jenes *Concert* schon vor 3 *Monaten* versprochen, jetzt aber findet sich aufeinmal, daß er es nicht besitzt sondern, so viel er sich erinnert solches in *London* H. *Moscheles* gegeben. Einer meiner besten Geschäftsfreunde bat mich dringend um dieses Werk und ich habe denselben so lange, leider vergebens getröstet. Ganz gewis besitzen Sie solches und können mir dadurch einen werthen Gefallen erzeigen. Ich bedarf auch nur die drei *Pianofort*-Stimmen indem ich die Quartet-Begleitung schon bereit habe. ...“ (Kopierbuch 1836–1841, S. 171.) Nach Kat Hauser I, S. 98, sowie Kat Hauser III und IV, Nr. 389 handelt es sich bei dem Konzert um eine Partiturabschrift in Sammelhandschrift von der Hand Johann Gottfried Wilhelm Palschaus (D-B *Mus. ms. Bach P 242*).
→ Lehmann Bach-GA, Dk. II/10.
Anzeigen: AMZ, 48. Jg., Nr. 3, 21. Januar 1846, Sp. 55 (*Ankündigungen. Neue Musikalien im Verlage von C. F. Peters, Bureau de Musique in Leipzig.*); NZfM, 13. Jg., 24. Bd., Intell.bl. Nr. 2, Februar 1846.
Lit.: Krause II, Nr. 29; NBA VII/6 Krit. Bericht (R. Eller und K. Heller, 1976), S. 18–20, S. 32.

C 34

(Brendel?): Rezension des Konzertes für zwei Cembali
Leipzig, 22. März 1847

Joh. Seb. Bach, *Concert (en Ut majeur) pour*
    deux Clavecins avec deux Violons, Viola et Basse.
    Première édition, soigneusement revue, métro-
    nomisée, enrichie de notes sur l'exécution et
    accompagnée d'une préface par F. C. Griepen-
    kerl sen. (Oeuvres complettes, Liv. XII). Par-
    tition et Parties. – Leipzig, Peters. Preis
    3 ¹/₂ Thlr.
Laut Vorrede ist dieses Concert aller Wahrscheinlichkeit zufolge einige Jahre früher componirt, als das für drei Claviere in D-Moll [BWV 1063] desselben Meisters. In der That diesem letzteren ein großer Vorgänger, ist es | als ein gleich bedeutendes Denkmal der geistigen Allgewalt seines Schöpfers zu bezeichnen, eben so eigenthümlich dastehend und unsere Ehrfurcht erweckend durch die tiefsinnigen Combinationen, die es enthält, als unmittelbar wirkend und unser Gemüth erhebend durch die Innigkeit und Reinheit des Gefühlslebens, dem es entsprungen. ... – Von Seiten der Verlagshandlung und des Herausgebers ist alle Sorgfalt aufgewendet worden, das Werk in einer seiner Vorzüglichkeit entsprechenden Ausstattung vorzuführen. Der Ausgabe hat zwar das Autographum selbst nicht, dafür aber zwei vollständige Abschriften (die erste aus Forkel's Nachlaß, die zweite aus der Sammlung des Hrn. Gleichauf), welche sich gegenseitig ergänzten, und eine unvollständige (im Besitze des Hrn. Rust, nur den ersten Satz ohne die Begleitung des Quartetts enthaltend) zum Grunde gelegen, so daß wohl nicht zu zweifeln ist,

das Werk sei in seiner ursprünglichen Reinheit hergestellt. Die Vorrede ist sehr be-
achtenswerth und stimmt in den Hauptpunkten ganz mit unserer eigenen Ansicht
überein.

                                                                            – l.

Quelle: NZfM, 14. Jg., 26. Bd., Nr. 24, 22. März 1847, S. 97–98 (*Neue Ausgaben älterer Werke.*).
Nachweis: *CONCERT* | (*en Ut majeur*) | *pour* | *Deux Clavecins* | *avec deux Violons, Viola et Basse* |
PAR | … [weiter wie C 33] … | *Entd Sta: Hall.* | *Partition.* | *–* | *Parties.* | (1846), PN 3026 (Part.)
3027 (Stimmen). Herausgeber: F. K. Griepenkerl. Inhalt: Konzert C-Dur für zwei Cembali, Streicher und Basso continuo BWV 1061.
Anm.: Mit der Abschrift aus „Forkel's Nachlaß" im Besitz Griepenkerls ist gemeint *P 240*, mit
einer „unvollständigen (im Besitze des Hrn. Rust)" *P 1144*. Die Quelle aus der Gleichauf-Samm-
lung ist heute nicht mehr nachweisbar (vgl. NBA VII/5 Krit. Bericht, S. 95). Anzeigen: AMZ,
48. Jg., Nr. 45, 11. November 1846, Sp. 757 (*Ankündigungen. Neue Musikalien im Verlage von C. F.
Peters, Bureau de Musique in Leipzig*, …); NZfM, 13. Jg., 25. Bd., Intell.bl. Nr. 7, Dezember 1846
(*Neue Musikalien im Verlag von C. F. Peters, Bureau de Musique in Leipzig*. …).
Lit.: Krause II, Nr. 30; NBA VII/5 Krit. Bericht (K. Heller und H.-J. Schulze, 1990), S. 95.

J. S. Bachs Werke.

Herausgegeben von der Bach-Gesellschaft zu Leipzig,

Breitkopf & Härtel 1851–1899

C 35

Bock: Aufforderung zur Stiftung einer Bach-Gesellschaft und zur Herausgabe einer kritischen Ausgabe der Werke J. S. Bachs
Berlin, 31. Juli 1850

Aufforderung zur Stiftung einer Bach-Gesellschaft.
Am 28. Juli 1750 starb in Leipzig Johann Sebastian Bach. Die Wiederkehr dieses
Tages nach hundert Jahren richtet an alle Verehrer wahrer, ächt Deutscher Tonkunst
die Mahnung, dem grossen Manne ein Denkmal zu setzen, das seiner und der
Nation würdig sei. Eine durch Vollständigkeit und kritische Behandlung den Anforderungen der Wissenschaft und Kunst genügende Ausgabe seiner Werke wird
diesen Zweck am reinsten erfüllen. Die Unterzeichneten, welche sich in dem Wunsche begegnet sind, dieses Unternehmen mit allen Kräften zu fördern, legen den
Verehrern des grossen Meisters in Folgendem die Grundzüge dar, nach welchen sie
dasselbe ins Leben zu rufen beabsichtigen.

Die Aufgabe ist, alle Werke Joh. Seb. Bachs, welche durch sichere Ueberlieferung und kritische Untersuchung als von ihm herrührend nachgewiesen sind, in einer gemeinsamen Ausgabe zu veröffentlichen. Für jedes wird wo möglich die Urschrift oder der vom Componisten selbst veranstaltete Druck, wo nicht, die besten vorhandenen Hülfsmittel zu Grunde gelegt, um die durch die kritisch gesichtete Ueberlieferung beglaubigte ächte Gestalt der Compositionen herzustellen. Jede Willkühr in Aenderungen, Weglassungen und Zusätzen ist ausgeschlossen.

Die Herausgabe geschieht durch eine Bach-Gesellschaft, deren Mitglieder sich zu einem jährlichen Beitrag von 5 Thlr. prän. verpflichten. Die durch diese Beiträge erwachsende Summe wird, da jede buchhändlerische Speculation ausgeschlossen bleibt, ganz und gar zu den für die Publication Bachscher Compositionen erforderlichen Herstellungskosten verwandt; für jeden Beitrag von 5 Thlr. wird den Theilnehmern jährlich ein Exemplar der für dieses Jahr veröffentlichten Compositionen mit einer Uebersicht über die Ver- | wendung der Gelder zugestellt: für den im Jahre 1850 gezahlten Beitrag im Laufe des Jahres 1851 u. s. f. Die Ausstattung wird ohne luxuriös zu sein in Format, Druck und Papier sich vor den gewöhnlichen Publicationen in einer Weise auszeichnen, wie es sich für ein Nationalunternehmen geziemt. Je grösser die Anzahl der Subscribenten ist, um so mehr wird jährlich publicirt, um so eher die Vollendung des grossen Werkes erreicht werden können; bei 300 Theilnehmern werden nach einem ungefähren Ueberschlag 50–60 Bogen jährlich geliefert werden können. Die Platten bleiben Eigenthum der Gesellschaft.

Die Herausgabe geschieht in folgenden Abtheilungen:

1) Gesangmusik a) mit und b) ohne Begleitung.
2) Instrumentalcompositionen a) für Orgel, b) Klavier,
    c) Orchester.

Es wird von allen Compositionen für mehrere Stimmen oder Instrumente stets die Partitur gedruckt, bei den Gesangcompositionen mit Begleitung auch ein Klavierauszug untergelegt.

Ein Hauptaugenmerk bei der Anordnung der zu publicirenden Werke wird es sein, sofern nicht die Herausgabe eines umfassenden Werkes alle Kräfte eines Jahres in Anspruch nimmt, in jedem Jahr Compositionen verschiedener Gattungen zu veröffentlichen, so jedoch, dass die Vervollständigung der Bände zusammengehöriger Compositionen dabei möglichst berücksichtigt werde. Nicht minder wird das Streben dahin gerichtet sein, die Veröffentlichung ungedruckter oder durch Seltenheit so gut wie unbekannter Werke thunlichst in den Vordergrund treten zu lassen. Durch die Benutzung der Forschungen der Herren Becker, Dehn, Hauser, v. Winterfeld ist eine vollständige Uebersicht der auf uns gekommenen gedruckten wie | ungedruckten Werke Bachs möglich geworden. Bereits ist uns auch aus öffentlichen wie Privatsammlungen freigebigste Unterstützung zugesagt worden; mit um so grösserem Vertrauen richten wir nun an alle die, welche im Besitze Bach'scher Schätze sind, die Bitte, uns die Benutzung derselben für diese Gesammtausgabe gestatten zu wollen.

Dass die Redaction mit Strenge, Umsicht und Hingebung geübt werden wird, dafür glauben die Unterzeichneten dem Publicum die Bürgschaft in den Namen ernster und treuer Forscher bieten zu dürfen, welche in ihren Reihen verzeichnet sind.

Die Herstellung des Druckes wird die Breitkopf & Härtelsche Officin übernehmen. Beseelt von dem innigen Wunsche und dem festen Vertrauen des Gelingens wenden sich die Unterzeichneten an die zahlreichen Verehrer höherer Tonkunst und ihres grossen Meisters mit der Bitte durch Rath und That ein Unternehmen zu fördern, das für die Kunst und Wissenschaft der Musik im höchsten Grade bedeutend ist. Namentlich an die Vorsteher von Vereinen richtet sich ihre Bitte, dass sie in weiterem Kreise thätige Theilnahme für ein Unternehmen wecken, das der vereinten Kräfte Vieler bedarf, um würdig ausgeführt zu werden, so dass es unser Volk und unsere Zeit ehrt. Mögen alle, an welche dies Wort gelangt, denen es Ernst mit Deutscher Kunst ist, mit Eifer und Freudigkeit Hand anlegen an das Denkmal des grossen Meisters.

Zeichnung von Beiträgen wird die Redaction dieser Zeitung sowie jede andere Buch- und Musikalienhandlung annehmen. Mittheilungen aller Art entgegenzunehmen und Auskunft zu ertheilen ist jeder der Unterzeichneten bereit, doch wird es förderlich sein, dieselben an die Breitkopf- & Härtel'sche Buchhandlung für die Bach-Gesellschaft zu adressiren. Leipzig, im Juli 1850.

Dr. Baumgart in Breslau. C.F. Becker, Organist in Leipzig. Breitkopf & Härtel in Leipzig. Ritter Bunsen, Königl. Preuss. Gesandter in London. Prof. S.W. Dehn, Custos der Königl. Bibliothek in Berlin. M. Hauptmann, Musikdirector in Leipzig. Fr. Hauser, Dir. des Conservat. in München. Dr. Hilgenfeldt in Hamburg. Otto Jahn, Prof. in Leipzig. August Kahlert, Professor in Breslau. Dr. Ed. Krüger, Direct. in Emden. A.B. Marx, Prof. in Berlin. J. Moscheles, Prof. in Leipzig. Mosewius, Musikdirect. in Breslau. J. Rietz, Capellmeister in Leipzig. Rungenhagen, Dir. der Singacad. in Berlin. C.H. Schede, Regierungsr. in Marienwerder. Dr. R. Schumann in Dresden. Dr. L. Spohr, Capellm. in Cassel. Frh. G.v. Tucher, Oberappellationsrath in Neuburg. C.v. Winterfeld, Geh. Obertribunalrath in Berlin.

Obige Anzeige bedarf bei dem allseitigen Interesse, das sie in der ganzen Musikwelt zu beanspruchen das Recht hat, von Seiten der Redaction dieser Blätter keines empfehlenden Zusatzes. Das Unternehmen empfiehlt sich durch sich selbst als ein wahrhaft künstlerisches und nationales.

d.R.

Quelle: NBMZ, 4. Jg., Nr. 31, 31. Juli 1850, S. 241–242.
Anm.: Vgl. hierzu auch den Bericht aus Dresden über „größere Musikaufführungen" am „100jährigen Todestage Bach's ... in der Frauenkirche zum Besten einer Bach-Stiftung ..." (NZfM, 17. Jg., 33. Bd., Nr. 41, 19. November 1850, S. 224–225.)
Im Vorwort zu Bd. 1, S. (III)–IV, heißt es auf S. IV: „... ‚Die Bach-Gesellschaft hat den Zweck, eine vollständige kritische Ausgabe aller Werke Johann Sebastian Bach's herzustellen, dem grossen Tonsetzer zum Denkmal. In diese Ausgabe sollen alle Werke Bach's aufgenommen werden, welche durch sichere Ueberlieferung und kritische Untersuchung als von ihm herrührend nach-

gewiesen sind. Für jedes wird wo möglich die Urschrift oder der vom Componisten selbst veranstaltete Druck, wo nicht, die besten vorhandenen Hülfsmittel zu Grunde gelegt, … Mitglied
der Gesellschaft ist Jeder, welcher sich durch Entrichtung eines jährlichen Beitrags von fünf Thalern bei diesem Unternehmen betheiligt. … Die Ausstattung der Ausgabe soll, ohne luxuriös zu
sein, in Format, Druck und Papier sich vor den gewöhnlichen auszeichnen. … Die Herausgabe
geschieht in folgenden Abtheilungen: 1) Gesangmusik *a)* mit und *b)* ohne Begleitung. 2) Instru-
mentalcompositionen *a)* für Orgel, *b)* Klavier, *c)* andre Instrumente, *d)* Orchester. …' Leipzig,
December 1851. M. Hauptmann. Otto Jahn, Breitkopf & Härtel. C. F. Becker. I. Moscheles."
Lit.: *Die Bach-Gesellschaft. Bericht im Auftrage des Directoriums verfasst von Hermann Kretzschmar.,*
Leipzig 1899. Mit Anhang I.: „Directorium der Bach-Gesellschaft." und Anhang II.: „Ausschuss-
Mitglieder der Bach-Gesellschaft".

Vokalwerke

Kantaten

C 36

Goethe: Bitte um eine „rare Musik"
Weimar, 7. Januar 1829

… Er [Griepenkerl] ist ein großer Bewunderer des alten Bach und schrieb mir vor
einigen Monaten, ich möge ihm doch zum bevorstehenden Reformationsfeste in
Braunschweig eine rare Musik des S. Bach über den Choral: *Ein' feste Burg ist unser
Gott* zu verschaffen suchen und abschreiben lassen. Ich antwortete ihm: die verlangte Rarität läge seit vielen Jahren in 100 Exemplaren a 1 ⅓ rh gedruckt bei Breitkopf in Leipzig als Ladenhüter und ich wünsche nur die Herren Braunschweiger
mögen sich nicht die Zähne daran ausbeißen. …

Quelle: Goethe an Zelter, 7. Januar 1829. Zit. nach: Goethe Briefwechsel II, S. 1182.
Nachweis: *Ein feste Burg ist unser Gott* | CANTATE | *für 4 Singstimmen mit Begleitung des Orche-
sters* | *in Musik gesetzt* | *von* | *Joh. Sebastian Bach.* | *Partitur.* | *Nach J. S. Bach's Original-Handschrift*
| *Leipzig* | *Bey Breitkopf und Härtel.* | *Pr. 1 Thlr. 8 gr.* (1821), PN 3513. Herausgegeben von Friedrich
Schneider nach der Partiturkopie von Johann Christoph Altnikol (D-B *Mus. ms. Bach P 177*).
Vgl. auch B 82 (Rezension). Anzeige: AMZ, 23. Jg., Intell.-Bl. Nr. X, November 1821, Sp. 41
*(Neue Musikalien, welche bey Breitkopf und Härtel in Leipzig erschienen sind. Von Ostern bis Michaelis
1821.).*
Lit.: BG 18, S. XXII; BG 46, S. XXIII; Krause II, Nr. 97; BC A 183a / b, S. 776–778; NBA I/31 Krit.
Bericht (F. Rempp, 1987), S. 47ff.

C 37

SIMROCK: HANDSCHRIFTLICHE ANZEIGE EINER
„VOLLSTÄNDIGEN AUSGABE ALLER BACHSCHEN CANTATEN"
BONN, 18. AUGUST 1830

Ich erlaube mir Ihnen hiermit ergebenst anzuzeigen, daß in meiner Verlagshandlung eine vollständige Ausgabe aller *Bach*schen *Cantaten* in Partitur und Klavierauszug unverzüglich erscheinen wird, und erbitte mir Ihre gefällige Mitwirkung *dafür*, daß dieses Werk diejenige Verbreitung finde, welche es, unter den Musikfreunden zu erlangen, durch seine Trefflichkeit verdient.

Für evangelische Kirchenmusik und Erbauung religiöser Gemüther, für die Beschäftigung der Singakademien und *Concerts spirituels*, für den Genuß aller gebildeten Kunstfreunde, sowie für das Studium aller nach Vollendung strebenden Künstler giebt es nichts, was der *Bach*schen Kirchenmusik und namentlich dieser Kantaten nur nahe käme. Die Erfolge der *Bach*schen Paßion in Berlin, Frankfurt a/m und Breslau haben bewiesen, daß *Bach* nicht etwa blos der kunstreichste, sondern auch für Geist und Gemüth der wohlthätigste Kirchenkomponist ist, daß seine Kompositionen, durch die Zeit ungeschwächt, überall einen so tiefen Eindruck auf die Singenden und Zuhörenden gemacht, wie man sich von keinem andern Werk, neuer und alter Zeit zu erinnern weiß. Die acht Aufführungen der Paßion an drei Orten während zweier Jahre haben das bewiesen; die jetzt erscheinenden Kantaten werden es ebenfalls. Sie sind die Auswahl des Vorzüglichsten aus einer Reihe von lauter Meisterstücken, deren jedes eine vollkommne Eigenthümlichkeit offenbaret, jedes gleich neu, gleich reich und vollendet erscheint.

Die Besetzung und Ausführung dieser Kantaten ist sehr leicht, und man wird mit gutem Muth und Eifer ohne große Mühe die größten Meistersätze gut singen lernen. Von der Kunstliebe der ausgezeichnetsten Künstler und Kunstfreunde darf die uneigennützig unternommene Edition ihren reichen und baldigen Fortgang erwarten.

Mit Hochachtung und Ergebenheit
N. Simrock

Bereits haben die Preße verlaßen:

J. S. Bach Missa zu 4 Singst. in *A*. N⁰ 1 Partitur à 6 fr.ˢ… oder…1. [Thl.] 18 [Sg.]

„   „   „   in *G*. N⁰ 2   „   à 8 „………„…..2………….4

„von N⁰ 2 in *G* die 4 ausgeschr. Singst: 2f 50 Cs ……„…..„………20

„*Magnificat* zu 5 Singst: Partitur………à 6 fr 50 Cs„………1………22

„Kirchenmusik zu 4 Singst: Partitur 1ᵗᵉʳ Band enthält:
1ⁿ Litaney. 2ⁿ Herr, deine Augen 3ⁿ Ihr

werdet weinen .... 9 fr. oder 2.12

hiervon der Klavierauszug à 6 fr...oder 1.18

J. S. Bach Kirchenmusik 1ᵗᵉʳ Band. Die 4 ausgeschr. Singst ... 3 fr ....„24

„   „   Partit: zu 4 Singst: 2ᵗᵉʳ Band enthält:
4º Du Hirte Israel. 5º Herr, gehe nicht
ins Gericht. 6º Gottes Zeit ist die aller=
beste Zeit .... 10 fr   oder 2.20

„   „   hiervon der Klav: Auszug .... à 6 fr.   oder 1.18

„   „   „   die 4 ausgeschr: Singst: .... 3 fr. „   „   24

Auch ist fertig:
Händel Salomon Oratorium im Klav: Auszug (in 3 Abtheilungen) ..... 24 fr.
„   „   „   hierzu die *Chor* Stimmen

Quelle: Simrock an Nägeli, 18. August 1830. Autograph (CH-Zz, Signatur: *Ms Car XV, 193*).
Anm.: Der Brief ist ohne Anrede und Anschrift. Vermutlich handelt es sich um eine Beilage zu
einem anderen Schreiben.

C 38

Marx: Bekanntmachung und Anzeige der Kirchen-Musik von Joh. Seb. Bach
Berlin, 25. September und 11. Dezember 1830

Bekanntmachung.
————————

In der Simrock'schen Verlagshandlung in Bonn hat so eben eine Unternehmung begonnen, die für die ganze musikalische Welt, besonders aber für die Vorsteher von
Kirchenmusik, Singakademie und Schulgesang (in höhern Klassen) von der höchsten Wichtigkeit ist. – Der Unterzeichnete darf sich unverholen darüber aussprechen,
obgleich er Urheber und Leiter der Unternehmung ist; denn ihre Bedeutung ruht zu
sicher über allem Zweifel, als dass die persönliche Mitwirkung in Anschlag käme,
oder die eigne Bekanntmachung dabei gemissdeutet werden.
Seitdem Johann Sebastian Bachs grösstes Werk, die Passionsmusik nach dem Evangelium Matthäi, durch Aufführung und Herausgabe den Zeitgenossen bekannt gemacht ist, bedarf es keiner Auseinandersetzung mehr über den hohen, wahrhaft
evangelischen Sinn seines Schaffens: man hat an diesem wiedererstandenen und

unsterblichen Werke erkannt, wie alle Kräfte seines tiefen Gemüths, seines erhabenen Geistes, seiner unvergleichlichen Kunst nur dem Einen Zwecke dienten, nur in ihm ihre Einigung, ja ihre Erklärung fanden: das Wort Gottes in unverbrüchlicher Treue, Liebe und Wahrhaftigkeit zu singen.

Dem war sein ganzes Leben gewidmet, ein unverwirrtes, unverlocktes Streben in Einer geraden Linie. Nur so war es möglich, bei der innigsten Vertiefung in jeden einzelnen Moment zugleich den grössten Reichthum auszubreiten; nur so ist es begreiflich, wie der eine Künstler neben vielen grossen Passionen, Messen u.s.w., neben schier unzähligen Orgel-, Klavier und Orchesterkompositionen noch fünf vollständige Jahrgänge Kirchenmusik auf alle Sonn- und Festtage hat hinterlassen können, alle desselben heiligen Sinnes, derselben hohen Kunst voll.

Diese Kirchenmusiken sind für den Gottesdienst in der evangelischen Kirche von der höchsten Wichtigkeit und der ausgebreitetsten Anwendbarkeit. Soviel ich ihrer kennen gelernt, sind sie für kleine Orchester (Saiten-Instrumente mit 2 oder 3 Oboen, oder Flöten, bisweilen Trompeten oder Hörner) und vierstimmigen Chor gesetzt. Einige enthalten nichts als einen figurirten oder fugenartig bearbeiteten Choralvers; andre sind aus einem Einleitungschor, ein oder zwei kurzen Rezitativen und Arien, oder einem Duett und einem mehr oder weniger einfachen Choralvers zum Schlusse zusammengesetzt. Alle, die ich kenne, übersteigen weder die Zeit, noch die Kräfte der meisten Kirchenmusik-Institute. Die gesammte Literatur der Musik enthält kaum ein einziges, geschweige eine Reihe von Tonstücken, die so ganz in jeder Beziehung für den Gebrauch in unsern Kirchen geeignet wären.

Welchen Werth Bachs Chorkompositionen für Singakademien haben, sollte als bekannt vorausgesetzt werden. Bisher war es Händel, der der Mehrzahl dieser Institute Leben und höhere Bedeutung verlieh. Eines so grossen Mannes bedurfte es auch, um auf den grössern vorzubereiten, wie es eines Jahrhunderts bedurft hat, um die Welt zu seiner Aufnahme reif und würdig werden zu lassen. Jeder Singverein legt den Beweis höchster Bildung ab, wenn er fähig ist, Bach's Chöre | würdig auszuführen. Jeder Chorsänger wird sich mit einem erhöhten Leben, mit innigerer Empfindung des Worts und Tons an diesen Weisen erfüllen, wird erhoben werden durch die Freiheit und Selbständigkeit in jeder einzelnen Stimme und durch die Wunderkraft des Ganzen.

Einen nie geahnten Schatz von seelenvollen, erhabnen, nie veraltenden Gesängen findet endlich der Solosänger. Leicht wird er wenige Arien überschlagen, die hiervon eine Ausnahme machen, um in zahlreichen andern einen unversiegenden Born für die tiefsten und edelsten Empfindungen zu besitzen. –

Diese Ansicht von der Sache, der Alle beistimmen, welchen die Bekanntschaft mit Bachs Kirchenkompositionen vergönnt ist, hat die Herausgabe wenigstens eines Theils derselben hervorgerufen. Wie bald und wie reich die Unternehmung ihren Fortgang haben soll, hängt von dem Antheil ab, den das Publikum daran nehmen wird. Dieser Antheil wird aber nicht blos der Sache wegen, sondern auch des Publikums wegen gewünscht; denn der Antheil des einzelnen und Aller am Edelsten

unsrer Kunst ist ein Maass, wie nahe man ihm in Bildung und Vermögen stehe.
Für jetzt ist der erste Band unter dem Titel:

Kirchenmusik,

von

Johann Sebastian Bach

in Partitur ausgegeben worden. Der zweite Band ist ebenfalls bereits gestochen und
wird in wenigen Wochen folgen. Jeder Band enthält:

Drei vollständige Kantaten;

So weit unter einer Reihe von lauter Meisterwerken noch von einer Auswahl die
Rede sein kann, ist sie so geleitet worden, dass man aus der reichen Sammlung das
Zunächst-Erwünschte vorausgestellt hat.
Von allen diesen Werken erscheinen ebenfalls in wenigen Wochen:

Vollständige Klavierauszüge

und

Vollständige Chorstimmen.

Die Ausstattung von Seiten des Herrn Verlegers ist so anständig und ökonomisch,
als man es von ihm schon gewohnt ist.
Ueber den Inhalt der einzelnen Kantaten behalte ich mir vor, in einzelnen spätern
Artikeln zu berichten.

Marx.

[S. 393:]

Kirchen-Musik

von

Johann Sebastian Bach.

Von dieser schon in No. 39 vorläufig angekündigten Ausgabe sind nun die beiden
ersten Bände:

1) in vollständiger Partitur.
2) in vollständigem Klavierauszuge,
3) in vollständigen Singstimmen

erschienen.
Der erste Band enthält:

1) Die Litanei von Martin Luther.
2) Herr deine Augen sehen nach dem Glauben.
3) Ihr werdet weinen.

Der zweite Band:

1) Du Hirte Israels,
2) Herr gehe nicht in's Gericht,
3) Gottes Zeit ist die allerbeste Zeit.

Sie erfordern zu ihrer Aufführung, nächst Solosängern und vierstimmigem Chor,
das Saiten-Orchester, zwei Flöten, zwei oder drei Oboen; nur in ein Paar einzelnen
Sätzen, (und nicht unentbehrlich) Horn oder Trompete. Die Ausführung hat weder
für Orchester noch Chor grössere Schwierigkeit, als der reiche Inhalt jeder einzel-

nen Stimme unumgänglich nöthig macht. Hat sich nur der Direktor in das Werk hineingearbeitet, nicht bloss seine Noten, sondern seinen Geist gefasst, nimmt er nur Bedacht, seine Ausübenden mit diesem zu erfüllen, so werden die Schwierigkeiten sich in Schönheiten verwandeln. – Eine nähere Darstellung des Inhalts dieser unschätzbaren Meisterstücke muss auf einen andern Ort verspart werden, da in diesem Jahrgange der Raum zu beschränkt ist.

Bei der Anfertigung der Klavierauszüge ist die nächste Rücksicht auf möglichste Vollständigkeit und Treue genommen worden. Leichter werden die, welche nicht anders können, es sich ohnehin machen; namentlich vermag ja jeder ein Paar etwa zu weite Griffe durch Auslassung von Tönen sich erreichbarer zu machen. Die grösste Mehrzahl der heutigen Spieler wird keinen Anstoss finden; es wäre Schade gewesen, aus Rücksicht auf die Ungeübtheit weniger Einzelner den Uebrigen etwas von den Schönheiten des Originals zu entziehen. Aus schuldiger Treue gegen dasselbe hat man sich auch da, in sehr wenigen kleinen Stellen, der Zusätze enthalten, wo der Bass allein aus dem Gewebe der Orchesterstimmen fortgeführt wird, und Bach wahrscheinlich obligate Orgel eintreten liess. Blosse Generalbassgriffe wären wie Flicken auf einem Königsmantel gewesen; eine Ergänzung zu wagen, war nicht nothwendig, wäre also Anmassung gewesen.

Marx.

Quelle: Berliner AMZ, 7. Jg., Nr. 39 und Nr. 50, 25. September und 11. Dezember 1830, S. 305 und S. 393.

Nachweis: *KIRCHEN-MUSIK | von | Joh. Sebast: Bach. | Der 1te Band enthält | 1. Litanei. | 2. Herr, deine Augen. | 3. Ihr werdet weinen. | herausgegeben von | Adolph Bernhard Marx. | … | Bonn bei N. Simrock.; … [wie Bd. 1] … | Der 2te Band enthält: | 4. Du Hirte Israel. … | 5. Herr, gehe nicht ins Gericht. … | 6. Gottes Zeit ist die allerbeste Zeit. … | herausgegeben von | Adolph Bernhard Marx. | … | Bonn bei N. Simrock.* (1830).

Anm.: Anzeige der Bde. 1–3: AMZ, 36. Jg., Intell.-Bl. Nr. XII, Oktober 1834 (*Ankündigungen. Oratorien, Messen, Cantaten u.s.w. im Clavierauszuge und ausgesetzten Chorstimmen bei N. Simrock in Bonn.*); Bde. 1–2: AMAnz, 3. Jg., Nr. 20 und Nr. 22, 19. Mai und 2. Juni 1831, S. 77–78 und S. 86–87. Rezension von Band 1: Iris, 2. Jg., Nr. 41 und Nr. 42, 19. November 1830, (*I. Ueberblick der Erzeugnisse.*).

Siehe auch den Brief Felix Mendelssohn Bartholdys an Simrock, 21. April 1834: „… Ich ersuche Sie mir die Partitur der Kirchenmusik von Seb. Bach herausgegeben von Marx, beide Hefte, zuzuschicken und mir den Preis derselben dabei zu bemerken." Zit. nach: Elvers Verleger-Briefe 1, Brief Nr. 209.

Lit.: BG 23, S. XIV; Krause II, S. 46ff.; BC, entsprechende Kantaten; NBA I/19 Krit. Bericht (R. L. Marshall, 1987), NBA I/11.2 Krit. Bericht (R. Emans, 1989), NBA I/34 Krit. Bericht (R. Higuchi, 1987).

C 39

RELLSTAB: REZENSION DER „KOMISCHEN CANTATE NO. I." –
EINE „ANTIQUARISCHE CURIOSITÄT"
BERLIN, 8. DEZEMBER 1837

Joh. Seb. Bach. Komische Cantaten No. I. Schlendrian mit seiner
Tochter Liessgen (Coffee-Cantate) herausgegeben von S. W. Dehn.
Berlin bei Gustav Cranz. Pr. 1 ¹/₃ Thlr.

Mancher wird schon über den Titel dieser Publikation erstaunen, welche von dem
Herausgeber mit dem Motto: *„Interdum et Socrates equitabat arundine longa"* versehen
worden ist. Wahrlich wir haben nichts dagegen, und erfreuen uns vielmehr überall
wo wir den tüchtigen ernsten Deutschen auch in seiner gemüthlichen Heiterkeit
antreffen, und die ähnlichen Herausgaben welche Hr. Dehn schon von *curiosis* der
Art veranstaltet hat, haben uns große Freude gemacht. Allein bei gegenwärtigem
Werk fehlt nur eine Kleinigkeit, die, daß der Scherz schmackhaft sey. Es mag seyn,
daß unser Urtheil fehl geht, allein wir vermögen weder in der Poesie noch in der
Komposition irgend etwas aufzufinden, was einem guten Spaß ähnlich sieht. Es
scheint nicht die Gattung gewesen zu seyn, in der der alte gelehrte Meister sich mit
natürlicher Freiheit bewegt hat. Von Anfang bis zu Ende herrscht ein Reifrocks-Ton
in Worten und Musik, der fast niemals unterbrochen wird. Die Recitative sind z. B.
der Art, daß, wenn man ernste Worte unterlegte, sie in die Passionsmusik eingelegt
werden könnten. Als eine Probe von dem Geist des Textes möge folgendes Recitativ
dienen: Hr. Schlendrian. „Wenn Du mir nicht den Coffee läßt, so sollst Du auf kein
Hochzeitfest, auch nicht spazieren gehen. – Ließgen. Ach ja! Nur lasset mir den Cof-
fee da!" Schlendrian. „Da hab ich nun den kleinen Affen! Ich will Dir keinen | Fisch-
beinrock nach itzger Weise schaffen!" u.s.w. – Ließgen bleibt beim Coffee. Dieses
großartige Thema wird durch verschiedne Arien, Recitative, und endlich durch
einen Schlußchor abgehandelt. Wer an diesem Text sich zu irgend einer lustigen
Begeisterung zu entzücken vermag, der soll wohl noch geboren werden. Daß der
Componist aber diesen Text wählte, zeigt unsres Erachtens am deutlichsten, wie er
keine Gabe für die Gattung besitzt. Betrachtet man die Musik an sich, so findet man
ganz die bekannten Formen jener Zeit und des Meisters wieder; oft sehr künstliche.
Ja zuweilen wird die Komposition aus eingebornen Triebe schön aber in ernster Gattung, wie denn, wie schon oben gesagt worden, die Recitative durch veränderten
Text sofort in die ernsteste Kirchenmusik verpflanzt werden könnten. Jedenfalls ist
das Werk eine antiquarische Curiosität, für deren Mittheilung man dem Verfasser
Dank wissen muß, da sie uns das Bild der Zeit und des Meisters durch bisher unbekannte Züge vervollständigt.

Quelle: Iris, 8. Jg., Nr. 50, 8. Dezember 1837, S. 198–199 (*I. Ueberblick der Erzeugnisse.*).
Nachweis: *Joh. Seb. Bach. | KOMISCHE CANTATEN | No I. | Schlendrian mit seiner Tochter Lies-*

gen | (Coffée-Cantate:). | Herausgegeben von S. W. DEHN. | ... | Berlin bei Gustav Crantz. | ... Wien bei T. Haslinger, Leipzig bei Fr. Hofmeister.

Anzeige: Berlinische Nachrichten von Staats- und gelehrten Sachen, Nr. 20, 24. Januar 1837; Nr. 250, 25. Oktober 1837; AMZ, 40. Jg., Intell.-Bl. Nr. 2, März 1838 unter *Neue Musikalien von Gustav Crantz in Berlin.*

Lit.: Krause II, Nr. 113; BC G 48.

C 40

Trautwein: Anzeige von zwei Kantaten aus den Kirchengesängen

Leipzig, 25. Oktober 1843

Neuer Musikalien-Verlag
von
Trautwein & Comp. in Berlin.
a) *Gesang.*

Bach, Joh. Seb., Kirchengesänge für Solo- und Chorstimmen mit Instrumental-Begleitung. No. 1. *„Nimm was dein ist und gehe hin."* [BWV 144] Part. mit unterlegter Pianoforte-Begleitung von J. P. Schmidt. Preis 1 Thlr.
- – Dieselben. Chorstimmen. Subscr.-Preis $^1/_4$ Thlr.
- – Derselben No. 2. *„Himmelskönig sei willkommen."* [BWV 182] Partit.
- mit unterlegter Pianoforte-Begleit. von J. P. Schmidt. 1 $^5/_8$ Thlr.
- – Dieselben. Chorstimmen. Subscr.-Preis $^1/_3$ Thlr.
- (Diese Ausgabe wird fortgesetzt.)
- ...

Quelle: AMZ, 45. Jg., Nr. 43, 25. Oktober 1845, Sp. 781.
Nachweis: *KIRCHENGESÄNGE | für | Solo- und Chor-Stimmen, | mit | Instrumental-Begleitung | von Johann Sebastian Bach. | 1 | Dominica septuagesimae: | Nimm was dein ist und gehe hin | PARTI-TUR | mit | unterlegter | Pianoforte-Begleitung | von J. P. SCHMIDT, Berlin, Trautwein, 1843. PN 821. Dominica Palmarum: | Himmelskönig sei willkommen! | PARTITUR | mit | unterlegter Pianoforte-Begleitung | von | J. P. SCHMIDT. | ... | Verlag und Eigenthum | von Trautwein & C? in Berlin. [→ KIR-CHENGESÄNGE ... II.] (1843), PN 822.*
Anm.: *Vgl. auch AMZ, 45. Jg., Nr. 21, 17. Mai 1843, Sp. 399, sowie Nr. 26, 28. Juni 1843 Sp. 487 (Anzeige für Sing-Academieen und deutsche Gesang-Vereine. ... Sammlung Klassischer Werke älterer und neuerer Kirchenmusik in ausgesetzten Chorstimmen und zu wohlfeilen Subscriptions-Preisen ...).* Vgl. auch AMZ, 45. Jg., Nr. 43, Sp. 770 *(Nachrichten. Berlin.):* „ ... Auch verdient die Edition der bisher noch ungedruckten Kirchengesänge von *Joh. Seb.* Bach Erwähnung, von denen bereits zwei Hefte in Partitur, mit hinzugefügtem Clavierauszug von *J. P. Schmidt*, erschienen sind, und deren Fortsetzung zu erwarten ist. – ..."
Zu J. P. Schmidt vgl. den Beitrag *Biographisches*, AMZ, 46. Jg., Nr. 43, Sp. 724–726, hier Sp. 726: „..., und beschäftigt sich jetzt mit der Herausgabe *Joh. Seb.* Bach'scher Kirchenmusiken, von welchen drei bereits in Partitur und Klavier-Auszug bei Trautwein et Comp. edirt sind."

Lit. BC A 41 und A 53.

C 41

TRAUTWEIN: ANZEIGE DER KANTATE „SIEHE ZU, DASS DEINE GOTTESFURCHT"

LEIPZIG, 11. DEZEMBER 1844

Im Verlage von Trautwein & Comp. in Berlin sind folgende Musikalien kürzlich erschienen:
…

Bach, J.S., Kirchengesänge für Solo- und Chorstimmen mit Instrumentalbegleitung. Partitur mit unterlegtem Clavierauszuge von J.P. Schmidt. No. 4. „Siehe zu, dass deine Gottesfurcht nicht Heuchelei sei." [BWV 179] 1 ¹/₆ Thlr.
…

Quelle: AMZ, 46. Jg., Nr. 50, 11. Dezember 1844, Sp. 847.
Nachweis: *KIRCHENGESÄNGE* | … [weiter wie C 40] … *IV.* | *Dominica II post Trinitatis:* | *„Siehe zu, dass deine Gottesfurcht nicht Heuchelei sei."* | *PARTITUR* | … [weiter wie C 40]. (1844), PN 864.
Lit.: BC A 121.

MOTETTEN

C 42

(ROCHLITZ): REZENSION DER MOTETTEN-AUSGABE, BREITKOPF & HÄRTEL 1802

LEIPZIG, 9. FEBRUAR 1803

RECENSIONEN.

────────

Johann Sebastian Bachs Motetten in Partitur.
 Erstes Heft, enthaltend: Drey achtstimmige
 Motetten.
 1. Singet dem Herrn ein neues Lied.
 2. Fürchte dich nicht, ich bin bey dir.
 3. Ich lasse dich nicht, du segnest mich.
Leipzig, bey Breitkopf und Härtel. (Preis
1 Thlr. 8 Gr.)

Es ist ein verdienstliches und aller Ermunterung würdiges Unternehmen, gerade diesen Zweig der Bachschen Muse, der im Auslande vielleicht nirgend bekannt worden ist, durch den Druck zur Publizität zu bringen.

Die achtstimmigen Motetten des seligen Bach haben ihre ganz eigene und besondere Tendenz, und wenn ihnen, zufolge dieser Tendenz, die mit einem bestimmten Zeitgeist in genauer Verbindung steht, der Reiz und die Gefälligkeit für das Ohr des sogenannten Musikliebhabers und Neulinges abgeht; ja, wenn sie bey ihren veralteten Texten, dem frivolen Aufklärungsdünkel so manches Geschmackskündigers ein ungeheurer Anstoss werden müssen: so ist dagegen der kunstreiche achtstimmige Satz, die Einfalt, der fromme Ausdruck, die gelehrte Verwickelung und der genialische Fluss der einzelnen Stimmen, ein Werk der höchsten Bewunderung für den betrachtenden Künstler und endlich die Freude eines jeden Singechors, das | sich, seiner Kräfte bewusst, an diesen Motetten versuchen darf. Rec. wird sich nicht unterfangen diese Motetten, bey jetziger Zeit, jungen arbeitslustigen Harmonisten in gewisser Rücksicht zum Studium anzuempfehlen, weil er wohl weis, wie die meisten studiren: aber er hält sie für die nützlichsten und lehrreichsten Uebungsstücke solcher Singechöre, die etwas vorstellen wollen, und ein Singechor, welches diese Motetten rein, sicher und mit Liebe vorzutragen versteht, kann stolz auf sein Vermögen und seinen Zustand seyn. Rec. erinnert sich mit hohem Vergnügen, die erste und schwerste dieser Motetten, vor Jahr und Tag von dem Chore der Leipziger Thomasschule sehr kräftig, rein und glatt singen gehört zu haben.

Wenn es möglich ist und der Raum und andere Umstände es zulassen, wird der Direktor bey der Ausführung dieser zweychörigen Motetten sehr wohl thun, die beyden Chöre so weit als möglich auseinander zu stellen, oder wenigstens einen sehr bemerkbaren Raum zwischen beyden Chören frey zu lassen. Auf diese Art bemerkt man, oft nicht ohne Bewundrung, wie diese beyden Chöre sich wechselsweise, wie zwey einzelne Stimmen, frey gegen und durch einander bewegen, und was sonst in diesem achtstimmigen Satze hart und störend erscheint, wird durch die Auseinanderstellung der Chöre, klar, fest und begreiflich.

Die Ausgabe ist korrekt, (was hier viel sagen will) und schön gedruckt; nur hat sie den Fehler aller bis jetzt erschienenen Härtelschen Partituren, dass nicht auf allen Seiten, vor allen Notensystemen, die Schlüssel vorgedruckt sind. So geringfügig dieser Umstand manchem scheinen mag, so ist er besonders bey solchen Partituren, wie Haydn's Jahrszeiten, wo auch nur beym Anfange jedes Stücks die Schlüssel angezeigt sind, von vieler Wichtigkeit und erschwert bey der Aufführung die Direktion eines grossen, künstlich zusammengesetzten Werkes, welche doch vor der Partitur geschehen | muss, ausserordentlich. Auch möchte es gut seyn, die singenden Altstimmen künftig im Diskantschlüssel erscheinen zu lassen, welches man an den Partituren des hamburger Bach schon gewohnt ist. Die Aufführung, besonders dieser Motetten, würde dadurch in kleineren Cirkeln so sehr erleichtert, dass bey dem mässigen Preise aller Härtelschen Partituren, jeder Freund der Musik lieber eine Partitur mehr kauft, um seine Stimme daraus abzusingen, als sich von einem Noten-

schreiber eine Stimme inkorrekt in den Diskantschlüssel transponiren zu lassen.
Rec. hält sich endlich hiermit noch zu einer besondern Erkenntlichkeit gegen den
Herausgeber der Bachschen Motetten verpflichtet, in so fern dieser der Versuchung
widerstanden, dem Werke moderne Texte unterzulegen, um solches für mattgewor-
dene Wasserchristen geniessbar zu machen, wie es wohl sonst bey der Herausgabe
früherer grosser Kunstwerke zu geschehen pflegt.

Möge doch Herr Härtel durch nichts abgehalten werden können, so bald als möglich die Folge dieser Motetten erscheinen zu lassen. Es muss eine Ehre seiner Officin
und seiner Stadt seyn und wird es für künftige Zeiten bleiben, das unsterbliche Andenken des grössten aller deutschen Künstler, von dem Orte in die weite Welt zu
senden, wo die tiefste, reichste Fülle göttlicher Kraft eines unerkannten und unver-
drossenen Gemüthes, einst Nahrung fand und ein ruhiges Grab.

Quelle: AMZ, 5. Jg., Nr. 20, 9. Februar 1803, Sp. 333–335.
Nachweis: *Joh. Seb. Bach's | MOTETTEN | in Partitur | Erster Heft | enthaltend | drey achtstimmige
Motetten | Singet dem Herrn ein neues Lied, etc. | Fürchte dich nicht, ich bin bey dir, etc. | Ich lasse dich
nicht, du segnest mich etc. | Preis 1 Rthlr. 8 Gr. | LEIPZIG | bey Breitkopf und Härtel.* (Typendruck,
ohne PN; J. G. Schicht, 1802.) Heft 2: … [wie Heft 1]… | *Zweites Heft | enthaltend | eine fünf- und
zwei achtstimmige Motetten | Komm, Jesu, komm, mein Leib etc. | Jesu! Meine Freude, meines etc. | Der
Geist hilft unsrer Schwachheit etc. | … [weiter wie Heft 1]…* . (Typendruck, ohne PN; J. G. Schicht,
1803.)
Anm.: Heft 2 wurde nicht rezensiert. Entgegen der Meinung des Rezensenten nahm Schicht nicht
nur einschneidende Änderungen am Notentext vor, sondern auch in der Textunterlegung. Anzeigen: Heft 1, AMZ, 5. Jg., Intell.-Bl. Nr. II, Oktober 1802; ZfdeW, Intell.bl. Nr. 48, 4. Dezember
1802; Heft 2, AMZ, 5. Jg., Intell.-Bl. Nr. XXI, Juli 1803, sowie Nr. 24, 9. März 1803, Sp. 393–401.
Vgl. die Abhandlung *Bemerkungen über die so eben beendigte leipziger Ostermesse, in Hinsicht auf
Musik.* (AMZ, 5. Jg., Nr. 35, 25. Mai 1803, Sp. 577–587, hier Sp. 578). Vgl. auch die „Subscriptions-
Anzeige" von BWV Anh. 160 (AMZ, 20. Jg., Intell.-Bl. Nr. X, Oktober 1818) von J. F. S. Döring → C 44.
Lit.: Bernhard Friedrich Richter, *Über die Motetten Seb. Bachs,* BJ 1912, S. 1–32; J. K. Schauer, *Johann
Sebastian Bach's Lebensbild. Eine Denkschrift auf seinen 100jährigen Todestag, …,* Jena 1850, S. 21;
BG 39 (F. Wüllner), S. XVf.; Krause II, S. 52ff.; NBA III/1 Krit. Bericht (K. Ameln, 1967), S. 44;
BC, Vokalwerke, Teil III, S. 948ff.

C 43

Beethoven: Dank für Erhalt der Motetten-Ausgabe
Wien, 8. April 1803

… für die schönen Sachen von *Sebastian* Bach danke ich ihnen recht sehr, ich werde
sie aufbewahren und Studieren. – sollte die Fortsetzung folgen, so schicken sie mir
auch diese –

…

Quelle: Beethoven an Breitkopf & Härtel, 8. April 1803. Zit. nach: Beethoven Briefe 1, Brief Nr. 133.
Anm.: Es handelt sich um die Ausgabe der Motetten, Heft 1, Breitkopf & Härtel 1802 (→ C 42).
Lit.: Zenck, a. a. O., S. 235 (→ C 7).

C 44

Döring: Subskriptionsanzeige „Jauchzet dem Herrn"

Altenburg, 1. Oktober 1818

Subscriptions-Anzeige.
Die in der Breitkopfschen Sammlung 8stimmiger Motetten nicht befindliche und
doch so herrliche Motette von S. Bach: Jauchzet dem Herrn etc., ist von mir sehr
häufig zum Abschreiben verlangt worden. Mehreren zu dienen und, als dankbarer
Enkel-Schüler des grossen Sebastian, wenigstens einen Gedenkstein zu seinem
projectirten Monumente zu liefern, kündige ich sie auf Subscription an. Der Sub-
scriptionspreiss ist 16 Gr., der Ladenpreiss der wenigen Exemplare, welche für
Nichtsubscribenten gedruckt werden möchten, wird nicht unter 1 Thlr. betragen.
Der Buchhändler Kollmann in Leipzig nimmt bis Mitte November Subscription, der
Ersparung unnöthigen Briefportos wegen, auch Pränumeration an.
Altenburg, den 1. Octbr. 1818.

Joh. Fr. Sam. Döring,
Cantor.

Quelle: AMZ, 20. Jg., Intell.-Bl. Nr. X, Oktober 1818, Sp. 37.
Nachweis: *Jauchzet dem Herrn, alle Welt c.c. | Acht Stimmige Motette | von Joh: Sebastian Bach. | in
Partitur. | Herausgegeben und der liberalen, dieser Art Music | sich so uneigennützig aufopfernden Of-
ficin | von | Breitkopf und Haertel | hochachtungsvoll zugeeignet | von | IOH: FR: SAM: DOERING. |
In Commission bei Ch. E. Kollmann. | Preiss I. Rr. (1819).*
Anm.: Nach Satz 2 ist folgendes eingefügt: „Hactenus Seb. Cel.! | Das folgende wurde in den
ältesten | Stimmen der Thomasschule, welche 1789 | noch unbeschädigt waren, als Telemanns |
Arbeit angegeben. Joh. Fr. Doles und | Dav. Traug. Nikolai versicherten aber: | es sey ein addita-
mentum von Harrer, | dem Nachfolger Bachs im Amte."
Lit.: BC C 7; Klaus Hofmann, *Zur Echtheit der Motette „Jauchzet dem Herrn, alle Welt"* BWV
Anh. 160, in: Bachiana et alia Musicologica. Festschrift Alfred Dürr zum 65. Geburtstag am
3. März 1983. Hrsg. von Wolfgang Rehm, Kassel etc. 1983, S. 126–140; Stuttgarter Bach-Ausga-
ben, Serie C. Bach-Incerta. 1. Gruppe: Johann Sebastian Bach zugeschriebene Werke. Hrsg. von
K. Hofmann, Neuhausen-Stuttgart 1983; Peter Wollny, *Tennstedt, Leipzig, Naumburg, Halle – Neu-
erkenntnisse zur Bach-Überlieferung in Mitteldeutschland,* BJ 2002, S. 29–60, hier S. 46–47.

C 45

TRAUTWEIN: ANZEIGE VON „SINGET DEM HERRN EIN NEUES LIED"
FRANKFURT AM MAIN, 2. DEZEMBER 1826

In der Trautwein'schen Buch- und Musikhandlung zu Berlin sind unter dem Titel:
    Klassische Werke älterer und neuerer Kir-
    chen-Musik, in ausgesetzten Chorstimmen,
    folgende interessante Werke erschienen:
…
Drittes Heft. Der 149ste Psalm von Joh. Seb. Bach
    „Singet dem Herrn ein neues Lied." ggr. oder
    1 fl. 39 kr.

Quelle: AMAnz, Nr. 23, 2. Dezember 1826, S. 179 (*Compositionen für Gesang mit und ohne Beglei-*
tung.).

C 46

BREITKOPF & HÄRTEL: ANZEIGE VON STIMMENAUSGABEN
LEIPZIG, 1. APRIL 1846

J. S. Bach's Motetten, die in der Partituraugabe von Breitkopf und Härtel sich in den
Händen aller wahren Musiker befinden, sind so eben in derselben Verlagshandlung
in Stimmen erschienen, gewiss zur Freude aller | Singechöre. Die köstlichen, gross-
artigen Gesangwerke Bach's, die achtstimmigen Motetten: „Singet dem Herrn"
(1 Thlr. 10 Ngr.), – „Fürchte dich nicht" (1 Thlr.), – „Der Geist hilft" (1 Thlr.), – Komm,
Jesu" (20 Ngr.), – die fünfstimmige: „Jesu, meine Freude" (1 Thlr.), – die Cantate:
„Ein' feste Burg" für sechs Singstimmen (20 Ngr.) – sind es, welche dem Publicum
in einer schön gestochenen Ausgabe übergeben werden; desgleichen die so gern
gesungene und gehörte, nicht minder werthvolle Motette von Joh. Christoph Bach:
„Ich lasse dich nicht" (20 Ngr.). [BWV Anh. 159]. Obgleich diese Motette hier auch
wieder unter Joh. Seb. Bach's Namen veröffentlicht wird, da die Stimmenausgabe
mit der früheren, von J. G. Schicht besorgten Partituraugabe übereinstimmen soll,
so spricht übrigens der Umstand, dass dem verdienstvollen Schicht der wahre Verfasser unbekannt war und er sie unbedenklich Seb. Bach zuschreibt, nur für den
grossen Werth derselben.

Quelle: AMZ, 48. Jg., Nr. 13, 1. April 1846, Sp. 217–218 (*Recensionen.*).

MESSE IN H-MOLL

C 47

BEETHOVEN: BITTE UM ABSCHRIFTEN VON DER H-MOLL-MESSE UND
DEM WOHLTEMPERIERTEN KLAVIER
WIEN, 15. OKTOBER 1810

... nebstbey mögte ich alle Werke von Karl Philip *Emanuel* Bach, die ja alle bey ihnen
verlegt werden – nebstbey von J. *Sebastian* Bach eine *missa* worin sich folgendes *Crucifixux* mit einem *Basso ostinato*, der ihnen gleichen soll, befinden soll, nemlich: [Es
folgen vom *Crucifixus* die ersten vier Takte des Basses].
nebstbey sollen Sie die Beste Abschrift haben von Bachs *temperirten* Klavier diese
bitte ich mich auch anheim [mit] kommen zu lassen – ...

Quelle: Beethoven an Breitkopf & Härtel, 15. Oktober 1810. Zit. nach: Beethoven Briefe 2, Brief
Nr. 474.
Lit.: Zenck, a. a. O., S. 234f. (→ C 7).

C 48

BEKANNTMACHUNG DER HERAUSGABE DER „GROSSEN MISSA" DURCH
G. POELCHAU UND H. G. NÄGELI
LEIPZIG, 22. JULI 1818

Die Kenner und ernstern Freunde der Tonkunst sollen (und hoffentlich bald) durch
die Herausgabe eines musikal. Werks erfreuet werden, das ganz zuverlässig zu den
bedeutendsten u. vollendetsten aller Zeiten, u. in seiner Gattung eines der vortrefflichsten – ja, nach dem Urtheil Verschiedener, in dieser seiner Gattung das vortrefflichste von allen ist; wir meynen die, dem Publicum bisher nur durch vieljäh-
rigen Ruhm bekannte *grosse Missa von Joh. Sebast. Bach.* Und zwar kömmt uns in
einer u. derselben Stunde die Nachricht zu, dass, durch ein seltsames Zusammen-
treffen, zugleich *zwey* | ausgezeichnete Kenner der Tonkunst damit umgehen, je-
der eine besondere Ausgabe dieses herrlichen Werks zu veranstalten: Hr. Pölchau
nämlich in Berlin, und Hr. Nägeli in Zürich. Jener, (derselbe, dem wir die Herausgabe des grossen *Magnificat* Seb. Bachs verdanken,) vor kurzem erst zurückgekehrt
von einer, zum Theil in jener Absicht unternommenen Reise durch England und
Frankreich, hat sein Unternehmen noch nicht öffentlich angekündigt, sondern nur
privatim auf jener Reise ihm Freunde geworben, u. hegt dabey noch die besondere

Absicht, von dem, was nach Abzug der Kosten seiner Ausgabe übrig bleibt, dem
unsterblichen Meister ein würdiges Denkmal über seinem Grabe in Leipzig errichten zu lassen; Hr. Nägeli kündigt seine Ausgabe so eben öffentlich an, wodurch sie
auch uns bekannt geworden. Mit Vergnügen haben wir bey dieser Gelegenheit von
Hrn. P. vernommen, dass er eben jetzt in England und Frankreich, vornämlich in
den Hauptstädten beyder Reiche, nicht nur unter den gelehrten Musikern, sondern
auch unter gründlich ausgebildeten Dilettanten, eine sehr lebhafte Theilnahme an
Sebast. Bach und seinen Werken gefunden, so dass es in den Cirkeln solcher Musikfreunde beyder Hauptstädte selbst gewissermassen zum guten Tone gehört, Fugen
u. andere Klavierstücke desselben vorzutragen, und, (sogar von Damen) vorgetragen, mit Bewunderung aufzunehmen. – …

Quelle: AMZ, 20. Jg., Nr. 29, 22. Juli 1818, Sp. 531–532 (*Notizen.*).
Anm.: Bereits 1816 plante S. Wesley in London einen Druck des Credo. Auch Poelchaus Ausgabe
ist nicht zustandegekommen. Erst 1833 sind Kyrie und Gloria und 1845 Credo bis Dona nobis
pacem bei Nägeli und Simrock erschienen: *MESSE | VON | IOHANN SEBASTIAN BACH. |
NACH DEM AUTOGRAPHUM GESTOCHEN. | Erste Lieferung. | … | ZÜRICH BEY HANS
GEORG NÄGELI | BONN BEY N. SIMROCK.* (1833), PN 6 – *Die hohe Messe | in H-moll. | von |
JOH. SEB. BACH. | nach dem Autographum gestochen | PARTITUR | II Lieferung | … | Bonn bei
N. Simrock. | Zürich bei H. G. Nägeli. | …* (1845), PN 4377.
Anzeigen: AMZ, 39. Jg., Nr. 12, Intelligenzen, 22. März 1837, Sp. 200 (*Neue Musikalien im Verlage
von Hans Georg Nägeli in Zürich.*); AMZ, 45. Jg., Nr. 20, 17. Mai 1843, Sp. 376 (*Neue Musikalien
im Verlage von Hans Georg Nägeli in Zürich.*); AMZ, 47. Jg., Nr. 14, 2. April 1845, Sp. 248 (*Ankündigungen. Neue Musikalien von N. Simrock in Bonn.*); NZfM, 12. Jg., 22. Bd., Intell.bl. Nr. 5, Mai
1845 (*Neue Musikalien im Verlage von N. Simrock in Bonn.*).
Lit.: NBA II/1 Krit. Bericht (F. Smend, 1956), S. 55ff.; BC E 1.

C 49

NÄGELI: MISSVERSTÄNDNIS ÜBER POELCHAUS ANKÜNDIGUNG DER MISSA IN A
ZÜRICH, 19. JULI 1818

Bonn, Hrn Simrock.
So eben erhalte ich Ihre erste Musiklieferung. Ich finde in dem beygeschlossenem
Catalog. <u>Bach missa.</u> Sollte es wohl die nämliche seyn, die ich angekündigt habe?
Hatten Sie davon vor 2 Jahren von dem Autographum auf unerlaubte Weise eine
Abschrift genommen … ? Ich gestehe Ihnen, daß mich diese Sache beunruhigt, und
es mich schmerzen würde, wenn gleich bey dem Beginn unserer Geschäfte Diffe-
renzen zwischen uns auftreten wollten. Daß Sie sich durch meine Ankündigung
veranlaßt finden könnten, auch eins der vielen Bachschen Werke herauszugeben, ist
ganz natürlich. Aber auf meine Ankündigung hin mit dem nämlichen Werk mir zu-

vor zukommen; wäre das nicht ungerecht, und auch dem Gebrauch im Kunst- und Buchhandel zuwider? – Ich bitte Sie also inständig mich mit umgehender Post zu beruhigen. Die Sache wäre auf verschiedene Weise zu beseitigen. ...

Quelle: Nägeli an Simrock, 19. Juli 1818. (CH-Zz, Kopien Hermann Nägelis, Signatur: *Ms Car XV 198*).
Anm.: Es geht um die Missa in A BWV 234, erschienen 1818 bei Simrock, herausgegeben von G. Poelchau → C 63.
Lit.: Luther Documenta, S. 85, Nr. 529 (falsches Datum); BC E 3.

C 50

NÄGELI: SUBSKRIPTIONSAUFRUF FÜR DIE AUSGABE DER MESSE IN H
LEIPZIG, 26. AUGUST 1818

Ankündigung
des grössten musikalischen Kunstwerks
aller Zeiten und Völker.

Der über alle Vergleichung grosse Johann Sebastian Bach hat nun in unserm Zeitalter eine Anerkennung gefunden, die es möglich macht, zur Herausgabe desjenigen Werks zu schreiten, das schon an Inhalt und Umfang, überhaupt aber an Grösse des Styls und Reichthum der Erfindung seine bisher gedruckten noch eben so weit übertrifft, als diese, abgesehen von Zeitgeschmack und Zufälligkeit der Kunstformen, diejenigen aller andern Componisten übertreffen. Es ist dies eine
Fünfstimmige Missa mit vollem Orchester,
wovon ich das Autographum aus dem Nachlasse seines Sohnes, C. P. E. Bach, durch Vermittlung des Hrn. Musikdirector Schwenke in Hamburg, vormals angekauft habe.
Eine Inhaltsanzeige kann hier nichts weiter seyn, als Andeutung. Also nur wenige Worte! In technischer Hinsicht enthält dieselbe in sieben und zwanzig ausführlichen Sätzen alle Arten der contrapunktischen u. canonischen Kunst in der an Bach immer bewunderten Vollkommenheit. Auch die Instrumentation, sogar die Kunst des Zwischenspiels, ist darin erstaunlich weit getrieben. In ästhetischer Beziehung genügt es, das Credo anzuführen, das schon Ebeling in seinem „Lobgesang auf die Harmonie" (S. Matthissons Anthologie Band IV. Seite 259 und die Note S. 265) als „das Meisterwerk des grössten aller Harmonisten" dichterisch gepriesen hat. Dieses Credo (schon der erste ausführliche Satz blos über die Worte credo in unum Deum) ist wohl das wunderbarste Tonkunstwerk, das existirt. Die schwierige, von den Kunstrichtern seiner und unserer Zeit oft besprochene Aufgabe, wie das Credo von dem Kirchen-Componisten zu behandeln sey, steht hier gelöst in einem ewigen

Vorbilde da, als die unmittelbarste Erweckung der Glaubenskraft durch die Wunderkraft der Kunst.

Für dieses Werk, das in keiner Sammlung von Kirchenmusiken, in keinem Sing-Institut, überhaupt in keiner Partituren-Bibliothek fehlen darf; das dem Organisten wie dem Fugenspieler, dem Kunstgelehrten wie dem Componisten, gleich wichtig ist, darf man besonders auch die Theilnahme grosser und reicher Kunstbeförderer ansprechen, damit es durch dieselben in die Hände würdiger Künstler und Kunstjünger gebracht werde, für welche zum Behuf ihrer künstlerischen Ausbildung die Erlangung eines so überschwenglichen Kunstschatzes eine eben so grosse Wohlthat seyn dürfte, als etwa für den angehenden bildenden Künstler eine Reise nach Rom.

Der Subscriptions-Preis ist zu 8 Rthlr. sächs. sehr mässig angesetzt, da dies Werk an Bogenzahl die grösste der gedruckten Partituren, die von Händels Messias, noch merklich überschreiten wird. Die Subscription bleibt bis Neujahr 1819 offen. Das Werk erscheint sodann zur Ostermesse. Die Namen der Subscribenten werden vorgedruckt. Zürich, im Juny 1818.

Hans Georg Nägeli.

Quelle: AMZ, 20. Jg., Intell.-Bl. Nr. VII, 26. August 1818, Sp. 28.
Subskriptionsaufforderung in Zettelform (CH-Zz, Nägeli-Nachlaß); siehe auch NBA II/1 Krit. Bericht, S. 215, Faksimile.
Anm.: → C 48.
Lit.: BC E 1.

C 51

SCHNYDER VON WARTENSEE: BEGEISTERUNG ÜBER NÄGELIS PLAN DER HERAUSGABE
DER MESSE IN H – NENNUNG VON ZWEI SUBSKRIBENTEN

FRANKFURT AM MAIN, 1. NOVEMBER 1818

… Zu Ihrem großen Unternehmen, dessen Plan ich bewundere, wünsche ich Ihnen von Herzen Glück. Nicht ohne Furcht denke ich an seinen Umfang. Die Grenzen der Schweiz sind mir aber dazu etwas zu enge, besonders da Ihnen so viel im Wege stehet. … Die Vernachlässigung aller Vokalmusik erstreckt sich selbst auf das Theater, … In den hiesigen Konzerten hört man nie größere Gesangstücke. Dieses kann Ihnen erklären, daß ich zu Ihrem angekündigten Werke von Bach nicht mehr Subscribenten fand als folgende: 1) Johann Nepomuk Schelble, Sänger 2) Freiherr von Wiesenhütten, Großherzoglich Hessischer Kammerherr. …

Quelle: Xaver Schnyder von Wartensee an Nägeli, 1. November 1818. Zit. nach: *Xaver Schnyder von Wartensee und Hans Georg Nägeli. Briefe aus den Jahren 1811–1821.* Ausgewählt von Peter Otto

Schneider, Zürich 1955 (CXLII. Neujahrsblatt der Allgemeinen Musikgesellschaft Zürich auf das Jahr 1955), Brief Nr. 12.

C 52

GRIEPENKERL: NENNUNG VON FÜNF PRÄNUMERANTEN

BRAUNSCHWEIG, 6. JANUAR 1819

Ganz außerordentliche Freude haben Sie mir gemacht, mein sehr verehrter Freund, durch die im Jul. des vorigen Jahrs überschickte Ankündigung. Aber ich hatte mich geirrt, als ich dieselbe Stimmung um mich her wieder zu finden hoffte. Lange hatte ich neben mir nur noch einen Subscribenten, und so lange diese Armseligkeit dauerte hatte ich nicht den Muth, Ihnen zu schreiben und zu danken.
Jetzt endlich sind unser fünf, nämlich:

H. Kapellmeister Gottlob Wiedebein

" Musikdirektor Hasenbalg

" Kammermusikus Herrig

" Kaufmann Kunstmann aus Chemnitz

und ich.

Wir fünf wollen das von Ihnen gütig angeboten Freiexemplar unter uns theilen; denn bis auf den Kunstmann, der übrigens ein nicht zu verachtender Künstler ist, sind wir wenig habende Leute.
…
l … Sollte die Heraugabe der Messe von Bach auf Ostern noch nicht zu Stande kommen, was selbst Zelter befürchtete, als er vorigen Sommer bei mir war, indem so wenig Menschen Sinn für dergleichen erhabene Kunstwerke haben; so geben Sie mir auf, <u>wie</u> ich der Unternehmung behülflich sein soll. Ich will gern thun, was an mir ist. Meine Stimme aber hat wenig Gewicht. <u>Zelter</u> müßte schreiben – er war ja auch bei Ihnen.
… NB an alten musikalischen Kunstwerken habe ich neulich an mich gebracht das <u>Stabat mater</u> von Michael Haÿdn
<u>Ach Herr mich armen Sünder</u> pp Dominica III post Trinitatis von J.S. Bach l
<u>Komm du süße Todesstunde</u> pp Dominica XVI post Trinitatis item Festo purificationis Mariae; ein Autographum von J.S. Bach welches mir Zelter schenkte.
<u>Mit Fried und Freud</u> fahr ich dahin pp Festo purificationis Mariae von J.S. Bach
<u>Wär Gott nicht mit uns diese Zeit</u> pp Dominica IV post Epiphan. von J.S. Bach
<u>Meinen Jesum laß ich nicht</u> pp Dominica I post Epiphan. v.J.S. Bach, (welches Sie auch besitzen)
<u>Was Gott thut das ist wohlgethan</u> pp v. J.S. Bach (der Gesang ist ganz durch komponirt und aus jedem Verse ein besonderes Musikstück gemacht)

Was Sie von diesen Sachen noch nicht besitzen und in korrekter Abschrift zu haben
wünschen, ist zu Ihren Diensten. …

Mit Hochachtung und Freundschaft	der
Braunschweig d 6ten Januar	Ihrige
1819	F. Griepenkerl

Quelle: Griepenkerl an Nägeli, 6. Januar 1819. Autograph (CH-Zz, Signatur: *Ms Car. XV
187.20.2*).
Lit.: Gojowy HGN, Brief Nr. 35.

C 53

Beethoven: Bitte um eine Partitur der h-Moll-Messe
Baden, 9. September 1824

… – auch ich wünschte, daß sie mir ihre vorlesungen sicher übermachten so wie die
5Stimmige Meße von *Sebastian Bach*, was beydes kostet, werde ich sogleich ihnen
von hier aus übermachen – …

Quelle: Beethoven an Nägeli, 9. September 1824. Zit. nach: Beethoven Briefe 5, Brief Nr. 1873.
Anm.: Zu Nägelis „Vorlesungen" → B 7.
Lit.: Zenck, a. a. O., S. 235 (→ C 7).

C 54

Nägeli: Über die Leihgabe an Schelble
Zürich, 19. März 1827

Zürich d 19 März 1827

Theuerster Freund!
Dank für die Nachricht wegen <u>Bachs Messe</u>. Durch heutige Post bitte ich Hn. <u>Schel-
ble</u> um baldige Uebersendung der fehlenden Stücke, weil ich sonst den Stich einstellen muß. Der erste Theil ist schon gestochen d. h. bis zum „cum sancto spiritu."
Kann ich die Dedication auch bekommen, so ist es mir erwünscht. Weil <u>Schelble</u>
keine kaufmännische Person und Natur ist, und die Sendung verzögern könnte, so
bitte ich Dich um einen schnellen Gang zu ihm, und hinauf um einen Eilpostbrief,
welcher mir ankündet, <u>wann</u> das mir fehlende abgesendet werde. Schickt er mir
dasselbe, ohne es copieren zu lassen, so will ich es eigenhändig oder durch <u>Her-
mann</u> sogleich copieren, und schnell wieder zurücksenden. …

Quelle: Nägeli an Schnyder von Wartensee, 19. März 1827. Briefentwürfe (CH-Zz, Signatur: *Ms Car XV 197.3.83*).

Anm.: Es handelt sich um die Partiturabschrift *Mus. Hs. 145* aus dem Besitz des „Cäcilienvereins"; Katalogzettel der UB Frankfurt a. M. mit der Notiz: „(Abschrift nach der von Nägeli)".

Zum Sohn Nägelis, Hermann N., → Gojowy HGN, S. 66–104. Vgl. auch den Brief Nägelis an Schnyder von Wartensee vom 15. Juni 1825: „… Ich teile dem Herrn Schelble die Bachsche Missa zur Abschrift mit unter Bedingungen, deren eine auch Dich angeht: willst du sie zur Einsicht geben, so darfst Du sie nicht durch Dienstboten über die Straße tragen lassen, sondern mußt Dich bequemen, sie höchst eigenhändig abzulangen und wieder zurückzutragen. …" Zit. nach: *Xaver Schnyder von Wartensee und Hans Georg Nägeli, Briefe aus den Jahren 1822 bis 1835*, a. a. O., Brief Nr. 26. Vgl. auch den Brief von Ferdinand Keßler an Nägeli vom 1. März 1826 (CH-Zz, Signatur: *Ms Car XV 188.40.3*): „… Ich habe noch eine zweifach-Bitte an Sie, nämlich wenn Ihre Vorlesungen, welche Sie hier gehalten haben, erschienen sind mir ein Exemplaire davon zu kommen zu lassen, und dann wünschte ich zu wissen ob Sie die Messe von *Bach* welche Sie Herrn *Schelble* geliehen haben, stechen werden; und wenn dieses nicht wäre wollte ich Sie bitten mir die Erlaubniß zu ertheilen, daß ich mir sie abschreiben kann, wofür ich Ihnen mein Ehrenwort gäbe, sie Niemand zu geben, auch weiter kein Gebrauch davon zu machen, als zu meinem Studium. …" Zu Nägelis „Vorlesungen" → B 7.

Lit.: NBA II / 1 Krit. Bericht (F. Smend, 1956), S. 35.

C 55

Marx: Ankündigung der Nägeli-Ausgabe
Berlin, 19. Dezember 1827

Wichtige Nachricht.

Der Unterzeichnete ist hoch erfreut, diesen Jahrgang noch mit einer der wichtigsten Nachrichten schmücken zu können, die man im Gebiet unserer Kunst zu gewärtigen hatte.

In kurzem wird eines der grössten Kunstwerke – neben dem wol nur eine Schöpfung desselben Meisters genannt werden dürfte – dem Publikum übergeben werden, zur Erbauung und Heiligung in religiöser Idee, zur Bewunderung und zum Entzücken der Kunstfreunde, zum Studium und höchsten Vorbild für die Künstler, ein kostbarer Adelsbrief für deutschen Geist und deutsche Tonkunst, allen übrigen Nationen bisher unerreichbar. Es wird herausgegeben

Johann Sebastian Bach's
grosse fünfstimmige Messe aus A-moll.

Der Stich ist zufolge der vom Herausgeber uns eben zugehenden Nachricht in kurzem beendigt.

Ueber das Werk selbst enthält sich der Unterzeichnete desshalb jeder nähern Aeusserung, damit diejenigen, die seiner Versicherung Gehör geben, das Gefühl der ehrfurchtsvollsten Erwartung eines unerhörten, ja ungeahnten Werkes ganz rein geniessen und darin die erste Vorbereitung auf den bevorstehenden Empfang erhalten. Nur diejenigen, die Bach's bisher bekannt gewordne Kompositionen, besonders seine Klaviersachen kennen, mögen erinnert sein, dass man aus diesen, so herrlich und erhaben sie auch sind, von seinen grosen Schöpfungen, namentlich von der Messe, kaum eine Ahnung gewinnt, geschweige eine bestimmtere Vorstellung von der göttlichen Weise der letztern.

Johann Georg Nägeli ist es, der sich das unsterbliche Verdienst erwirbt, diesen Hort deutscher Kunst, den unsere Vorgänger nicht zu heben vermocht, kräftigern und würdigern Nachfolgern zurückzugeben. Wenn der Verlag unserer neuen Musikhändler zerstoben und ihre Namen verschollen sind, wird man diesen Mann, selbst unberücksichtigt seine schriftstellerischen Verdienste, noch als Wohlthäter seiner Zeitgenossen und der Nachkommen verehren. Wenn keiner seiner jetzt lebenden Kollegen Ehrliebe und Kenntniss genug haben sollte, mit ihm zu wetteifern, so dürfen wir von ihm hoffen, dass er dieser grössten bisherigen Gabe die zweite gleich folgen lassen wird.

Marx.

Quelle: Berliner AMZ, 4. Jg., Nr. 51, 19. Dezember 1827, S. 409.
Anm.: → C 56 (Berichtigung in Nr. 52 der Berliner AMZ).

C 56

MARX: BERICHTIGUNG DER ANZEIGE VOM 19. DEZEMBER
BERLIN, 26. DEZEMBER 1827

Berichtigung.
Ein Druckfehler in der Ankündigung im vorigen Blatte giebt mir erwünschten Anlass, noch einmal auf die bevorstehende Heraugabe
der grossen Messe aus H-moll
von
Johann Sebastian Bach
im Nägeli's Verlag aufmerksam zu machen; der Setzer hatte statt H-moll A-moll stehen lassen. Ihr unvergleichlicher, sofort den erhabenen Standpunkt vollkommen wahren Ausdrucks feststellender Anfang werde hier nochmals (früher in No. 30. des zweiten Jahrgangs) niedergeschrieben, um der musikalischen Welt, die zuletzt nicht über Mozart hinausgekonnt, das
Kyrie eleison
auszulegen und einzuprägen.

Marx.

[Folgt Notenbeispiel vom Kyrie, T. 1–4 und T. 30–33.]

Quelle: Berliner AMZ, 4. Jg., Nr. 52, 26. Dezember 1827, S. 417.
Anm.: Vgl. Berliner AMZ, 2. Jg., Nr. 30, 27. Juli 1825, S. 244, Fußnote zur Rezension von „Für Freunde der Tonkunst, von Friedrich Rochlitz. Zweiter Band. Leipzig bei Karl Knobloch. 1825. …": „… So Mozart über Bach – und noch sind dem Publikum seine grössten Werke, seine grosse Passion, seine gewaltige mit keinem andern Musikwerke vergleichbare fünfstimmige Messe, von der wir nur den Anfang mittheilen dürfen – entzogen."

C 57

Nägeli: Über den Erwerb des Autographs der Messe in h
Zürich, 21. Juli 1832

… Ich habe das Autographum dieses Werks durch Vermittlung des sel. Musikdirektor <u>Schwencke</u> in Hamburg, aus der Verlaßenschaft des Sohnes Carl Philipp Emanul Bach, käuflich an mich gebracht, bin daher als rechtmäßiger Eigenthümer des Werks der einzige rechtmäßige Herausgeber. Ich habe das Werk schon im Jahr 1818 auf Subscription, und auch in der Leipziger musikalischen Zeitung angekündigt, durfte aber die Herausgabe wegen der zu geringen Anzahl der eingetreten Subscribenten damals noch nicht wagen. Ich verzichtete aber keineswegs auf die spätere Herausgabe. Im Jahre 1827 brachte ich die Sache neuerdings in der Berliner musikalischen Zeitung zur Sprache mit Beyfügung der Notiz, daß die groeßere Hälfte des Werks schon gestochen sey. Der Redaktor eben dieser Zeitung: Herr Marx, machte mit seiner Namensunterschrift in № 51 (1827) noch in einer besondern Ankündigung das Publikum darauf aufmerksam. …

Quelle: Nägeli an Simrock, 21. Juli 1832. Kopie Hermann Nägelis (CH-Zz, Signatur: *Ms Car XV, 199,66*).
Anm.: Zur „Notiz" in der Berliner AMZ und der „besonderen Ankündigung" → C 55.
Lit.: NBA II/1 Krit. Bericht (F. Smend, 1956), S. 58; Georg Walter, *Der Musikalische Nachlaß H. G. Nägelis*, SMZ, Nr. 76 (1936); M. Fehr, *Die Bachschen Werke im Besitze Hans Georg Nägelis* (Aktenbericht), SMZ, Nr. 86 (1946) S. 365–367; Georg Walter, *Die Schicksale des Autographs der h-moll-Messe von J. S. Bach. Ein Beitrag zur zürcherischen Musikverlags-Geschichte*, Zürich 1965. (Hundertneunundvierzigstes Neujahrsblatt der Allgemeinen Musikgesellschaft Zürich Auf das Jahr 1965).

C 58

Simrock: Zweifel an Nägelis Besitz des Autographs – Mitteilung über
das bevorstehende Erscheinen des Klavierauszuges und der Chorstimmen
durch A. B. Marx

Bonn, 15. August 1832

Bonn den 15 *August* 1832

Herrn *HG. Naegeli* in Zürich.

Zwei Ihrer Geehrten vom 21ten u v. 25ten v. M sind d. J. hier eingegangen. Bevor ich auf
deren Beantwortung eingehe, mache ich Ihnen tief betrübt die ergebene Anzeige,
daß es Gott gefallen hat unseren würdigen Chef Herrn *N. Simrock* von dieser Welt
abzurufen. …

Was nun die Sache wegen der *Bach*schen *Hmoll* Messe anbetrifft, so habe ich die Ehre
Ihnen Folgendes darüber zu sagen:

Unser seel. Herr *Simrock* hat sich auf Veranlassung des Herrn Professor *Marx*, welcher
im Sommer 1830 Bonn besuchte, zu der Herausgabe dieser *Partitur* nächstdem des
Klavier Auszugs und der Chorstimmen entschlossen, weil wohl Niemand beifallen
konnte zu glauben, daß Sie noch an deren Herausgabe denken können nachdem Sie
14 Jahre nach Ihrer Ankündigung vergehen ließen ohne solche zu liefern. – Nun auf
besondern Wunsch und aus Liebe zur Kunst, nicht auf Speculation oder aus Gewinn-
sucht, (welche Motive aus Ihrem Entwurf des Kontraktes hervorleuchten) entschloß
sich unser Herr *Simrock* zu dem Unter- | nehmen, und Ihr mislungener Versuch vor
14 Jahren, die Kosten der Herausgabe durch Subscription zu decken, wird Ihnen
hinlänglich den Beweis liefern, daß es aus keinem andern Motive geschehen konnte.
Herr, *Marx* den ich Ihren Einspruch mittheilte, bestreitet durchaus Ihr Recht „und
meint, daß Sie wohl eine Abschrift aus *C. P. E. Bachs* Nachlaß erstanden haben können (was auch erst zu beweisen wäre) keinesweges aber das Autographum besitzen,
welches sich in den Händen *Pölchau's* in Berlin befindet.

Er sagt ferner, daß Sie noch weniger das <u>Verlagsrecht des Autors</u> hätten erwerben
können, wozu nicht einmal *C. P. E Bach* (einer von 12 Brüdern) legitimirt war, geschweige denn der Ersteher eines Bibliotheksstückes. Zudem würde nach dem hier
in Rheinpreußen geltenden Code *Napoleon* Ihr Recht längst erloschen sein; endlich
würde H *Naegeli* keinesweges ein Widerspruchsrecht gegen die Herausgabe des
Klavier Auszugs haben können, der nach frühern auf *J. Seb.* oder *C. P. E Bachs* Eigenthum anwendbaren Gesetzen gleich den Uebersetzungen nicht als Nachdruck oder
Vordruck des Originals gelten könnten. Ich bin daher aus vielfachen Gründen überzeugt daß Herr *Naegeli* unmöglich einen Widerspruch rechtlich begründen kann.
Dieselbe Meinung haben mehrere bewährte Juristen unter denen ich H. Professor
Gans nenne. pp. – "

Nachdem ich Ihnen Vorstehendes ergebenst mitzutheilen nicht verhehle, woraus Sie
wohl entnehmen werden, daß Ihre Beweisführung alleiniger Eigenthümer dieser

*Bach*schen Messe zu sein und daß Sie nur zu dessen Herausgabe berechtigt sind, Ihnen schwer fallen dürfte, außerdem mir aber nach unsern Gesetzen dennoch die Herausgabe derselben zusteht wenn Sie auch im Stande sind sich ganz genügend als Eigenthümer zur Herausgabe auszuweisen, so will ich Ihnen zu Ihrem Troste sagen daß wegen des Ablebens unsers Herrn *Simrocks* der Stich der *Partitur* bis heut <u>nicht</u> begonnen hat, dagegen der von Herrn Prof. *Marx* arrangirte Klavier Auszug und die Chorstimmen | ausgestochen bereits fertig und zum Versenden bereit liegen. – Da Sie nun die Herausgabe der *Partitur* als ein Unternehmen betrachten welches Gewinn abwerfen soll und da Sie ferner, wie Sie sagen, davon bereits 125 Platten gestochen haben, so darf ich nach Ihrem Einspruch erwarten daß Sie damit fortfahren werden, und diese *Partitur* noch im Laufe <u>dieses</u> Jahres liefern, andernfalls ich annehme daß Sie auf die Herausgabe verzichten.

Es wird mir sogar angenehm sein wenn Sie die *Partitur* liefern und würde ich meinen Bedarf (da ich solche als 3ten Band der *Bach*schen Kirchenmusik angezeigt habe) in Tausch gegen den Klavier Auszug und Chorstimmen Blatt gegen Blatt gerechnet, von Ihnen beziehen. In diesem Fall wollen Sie auf dem Titel auch meine Firma bemerken, so wie ich dann auch auf dem Klav. Ausz. und Chorstimmen die Ihrige stechen lassen würde. –

Ihrer gefälligen entscheidenden Antwort entgegensehend, empfehle ich mich Ihnen mit bekannter Hochachtung u Freundschaft

ganzergebenster
Simrock
fr. Beuster

Quelle: Simrock an Nägeli, 15. August 1832. Autograph (CH-Zz, Signatur: *Ms Car XV, 193.18.2*).
Lit.: NBA II/1 Krit. Bericht (F. Smend, 1956), S. 59; Walter, a. a. O., Nr. 76 (→ C 57).

C 59

Schnyder von Wartensee: Hinweis auf das „Hauptmanuskript" in Dresden

Frankfurt am Main, 11. Oktober 1832

… Nun eine wichtige Bemerkung wegen der Herausgabe der Messe: In Dresden liegt das Hauptmanuskript derselben, auch Autographie, in der Königlichen Bibliothek. Dieses Manuskript, welches sonst, soviel ich weiß, von dem Deinigen nicht abweicht, enthält auch eine große von Bach selbst geschriebene Dedikation, die Du Deiner Ausgabe nicht ermangeln solltest beizufügen und wovon eine Abschrift zu erlangen Dir ein Leichtes wäre. …

Quelle: Schnyder von Wartensee an Nägeli, 11. Oktober 1832. Zit. nach: *Xaver Schnyder von Wartensee und Hans Georg Nägeli, Briefe aus den Jahren 1822 bis 1835*, a. a. O., Brief Nr. 51.

Anm.: Es handelt sich um die Originalstimmen BWV 232^I (D-Dl, Signatur: *Mus. 2405-D-21*) von der Hand Johann Sebastian B., Anna Magdalena B., Wilhelm Friedemann B., Carl Philipp Emanuel B. und Anon. 20.
Lit.: NBA II/1 Krit. Bericht (F. Smend, 1956), S. 15f.; BC E 2.

C 60

NÄGELI: VERTEIDIGUNG SEINES BESITZANSPRUCHES
ZÜRICH, 20. OKTOBER 1832

… Ihre Antwort in Beziehung auf die Bachische Messe war für mich in der Hauptsache wirklich beruhigend, daß Sie nämlich den Stich der Partitur noch nicht begonnen haben.

Dabey habe ich mich höchlich verwundern müssen, wie Herr Marx hat behaupten können, daß Herr Pölchau das Autographum besitze, der ganz gewiß gegen meine Ankündigung als Besitzer des Autographums protestiert haben würde, was ihn aber nicht hätte zu Sinn kommen können, da ich damit die Anzeige verband, wie ich zu dem Autographum gekommen bin, nämlich durch den sel. Schwencke in Hamburg, der es in der Versteigerung des Emanuel-Bachischen Nachlasses als mein Beauftragter erstanden hat. – Eben so auffallend war mir, daß Herr Marx den Gegenstand treuhand mit den allgemeinen Rechtsstand hinzuspielen versuchte, und ignorierte, daß wir, Sie und ich, in einem Vertragsverhältniß stehen, für dessen Aufrechterhaltung in Leipzig ein Comitee dasteht. Indeß verstehen wir uns nun, und ich habe nun auch auf dem Nothfall mir von meinem durchreisenden Leipziger Kaufmann ein Zeugniß geben laßen, daß er die gestochenen Platten + bis zum resurrexit bey mir gesehen habe.

Einzig thut mir leid, daß Sie die Subskriptions-Ankündigung nicht gemeinschaftlich machen wollten. Indeß habe ich gar nichts dawider, daß Sie mit dem Clavierauszug Ihr Glück zu machen suchen. Ich weiß so gut wie Sie, daß wir für solche Sachen ein gar sehr kleines Publikum haben.

Auch den mir vorgeschlagenen Tausch lasse ich mir gern gefallen, nur nicht die Art und Weise. Denn Sie sind gänzlich im Irrthum, wenn Sie glauben, es lasse sich für die Stimmblätter Absatz erzielen. Die öffentlichen Aufführungen sind in Berlin und Franckfurt durch Enthusiasten für die Bachische Musik erzwungen worden. Sonst lassen sich die Sänger, die Mitglieder der Singvereine gewiß nicht zwingen, sich mit so ungeheuer schwieriger und organwidriger Singmusik zu befassen und sich einer so großen Menge von Singproben, erst ohne, dann mit Orchester hinzugeben. Es werden sich nur hie und da die Singvereine ein einzelnes der leichtern Stücke aus diesem Werck auswählen, dann aber es umschreiben lassen.

Daß ich nun die Partitur nicht anschließend an den Klavierauszug tauschen kann, weil ich ja wegen des kleinen Volumens eine weit größere Anzahl Exemplare übernehmen muß, werden Sie leicht einsehen. Ich hätte aber billigermaßen mir gefallen lassen, daß ich nur Bisheriges von Ihnen in Tausch bestellen darf, nicht aber Novitäten, ...

Quelle: Nägeli an Simrock, 20. Oktober 1832. Kopie Hermann Nägelis (CH-Zz, Signatur: *Ms Car XV 198*).

Anm.: Vgl. auch Nägelis Aufsatz *Ueber die Herausgabe Bachscher Werke.* (Berliner AMZ, 6. Jg., Nr. 30, 25. Juli 1829, S. 233–237), hier S. 233: „... Ob nunmehr auch ich die Herausgabe meiner Messe um so mehr, oder, weil Manche an Einer Bach'schen Partitur [Mätthäus-Passion] für eine Weile genug haben könnten, um so weniger wagen dürfe, weiss ich wahrlich selbst nicht. Die grössere Hälfte des Werkes ist zwar gestochen; allein der Stich des Restes und der Abdruck und die Versendung pro novitate einer auch nur mässigen Anzahl Exemplare könnte mir, wenn diese nach einem Jahr grösstentheils als Krebse zurückkämen, immerhin einen Schaden von hundert Louisd'ors einbringen. Eine solche Summe kann ich auf einmal der guten Sache nicht zum Opfer bringen. In Berlin habe ich nur wenige Subscribenten; auf der schmalen Liste steht allein Zelters Name. ..."

Lit.: Luther Documenta, S. 85, Nr. 530.

C 61

Anzeige der Cantica sacra von Franz Commer

Leipzig, 17. April 1844

In der T. Trautwein'schen Buch- und Musikalienhandlung (*J. Guttentag*) ist erschienen:

Cantica sacra. Sammlung geistlicher Gesänge für eine Sopranstimme aus dem 16. bis 18. Jahrhundert, herausgegeben von *Fr. Commer.* Subscriptions-Preis 1 Thlr. 22 $^1/_2$ Sgr.

...

Nr. 13. *J. S. Bach*, Messe: Qui tollis peccata. 7 $^1/_2$ Sgr.

...

Quelle: AMZ, 46. Jg., Nr. 16, 17. April 1844, Sp. 279–280, hier Sp. 280.

Nachweis: *CANTICA SACRA | Sammlung geistlicher Arien | für eine Sopranstimme | aus | DEM XVI^TEN – XVIII^TEN JAHRHUNDERT. | Nach den Original Partituren | mit | Begleitung des Pianoforte | eingerichtet u. herausgegeben von | FR. COMMER. | [Inhaltsangabe] | Arrangement Eigenthum des Verlegers. | Berlin, in der T. Trautwein'schen Buch u. Musikalien Handlung. | (J. Guttentag).*

Anzeige von Teil II: NZfM, 12. Jg., 23. Bd., Intell.bl. Nr. 3, September 1845.

C 62

Mendelssohn Bartholdy: Antwort auf Härtels Anfrage nach Überlassung seiner handschriftlichen Partitur der Messe in h

Frankfurt am Main, 3. März 1845

… Gern würde ich Ihnen meine Partitur der Bachschen hmoll Messe geschickt haben, aber sie steht mit andern meiner Musikalien in einer Kiste verpackt in Berlin und ich kann somit für jetzt nicht dazu gelangen. Aber Sie verlieren nichts dabei, da mein Exemplar von Fehlern und Aenderungen fremder Hand voll ist, und sich also zu dem Zwecke, wozu Sie es brauchen wollen nicht eignet. Eine Abschrift des 2ten Theils könnte ich Ihnen, wenn Sie es wünschen, hier anfertigen lassen, da hier einige Abschriften der Messe sind, die wenigstens ebenso gut, wenn nicht besser als die meinige sind. Das beste, was Sie nach meiner Meinung thun könnten, und womit Sie sich ein rechtes Verdienst erwürben, das wäre, wenn Sie aus den Stimmen von Bachs eigner Hand, welche sich in Dresden befinden sollen, den 2ten Theil zusammenschreiben und den ersten corrigiren ließen. Ich wollte schon längst mein Exemplar nach diesen Stimmen berichtigen, konnte aber noch immer keine Zeit dazu finden. Sie sollen in der Privatbibliothek des Königs (ich glaube so hieß der Titel der Bibliothek, jedenfalls erfahren Sie ihn leicht durch Schneider oder Reissiger,) unter Aufsicht eines Bibliothekars, dessen Namen mir aber leider auch entfallen ist (ein schlechter Bericht werden Sie sagen) zu finden sein, und sind Ihnen gewiß zugänglich. Es wäre sehr schön, wenn wir auf diese Weise endlich zu einem recht correcten Exemplar der Messe kämen. Können Sie die Stimmen in Dresden aber nicht zu dem Zwecke erhalten, und wünschen Sie ein Abschrift des 2ten Theils von hier so steht sie Ihnen wie gesagt zu Diensten, und ich bitte Sie nur mich Ihren Entschluß durch ein Paar Zeilen alsdann wissen zu lassen.

…

Quelle: Felix Mendelssohn Bartholdy an Breitkopf & Härtel, 3. März 1845. Zit. nach: Elvers Verleger-Briefe 1, Brief Nr. 166.
Anm.: Raymund Härtel hatte am 1. März um Überlassung der handschriftlichen Partitur gebeten, um Nägelis Ausgabe des 1. Teils zu überprüfen und um eine Kopie des 2. Teils nach Mendelssohns Exemplar anfertigen zu lassen. Offenbar beabsichtigten B & H eine vollständige Ausgabe (Elvers, Brief Nr. 166, Fußn. 1). Mendelssohns Exemplar befindet sich heute in der Sammlung Deneke, Oxford. Bei den „Stimmen von Bachs eigner Hand" handelt es sich um die Originalstimmen BWV 232[1] → C 59.

Missae breves

C 63

Rochlitz: Rezension der Missa in A
Leipzig, 3. März 1819

Missa à 4 Voci, 2 Flauti, 2 Violini, Viola ed
　　Organo, di Giov. Sebast. Bach. No. 1, dopo
　　Partitura autografa dell'autore. Bonna e Co-
　　lonia, presso N. Simrock, (Pr. 6 Fr.)
… | … Diese Missa, aus Vater Sebastian Bachs eigenhändigem Manuscript zum er-
stenmal herausgegeben, ist nun allerdings so eine gute Gabe; wenn gleich eine von
denen, die den grossen Mann mehr in seiner Zeit, als über derselben darstellen.
Denn gestehen wollen wir doch, bey aller Ehrfurcht für Vater Sebastian: er war zwar
in Deutschland, wenigstens im nördlichen, allerdings Herrscher seiner Zeit, doch
zugleich auch ihr Geschöpf; wie das ja mit allen Herrschern nicht anders der Fall
ist. … | … Die Partitur ist so schön und so correct gestochen, wie man es von dieser
Verlagshandlung gewohnt ist. Auch ist der Preis sehr mässig.

　　　　　　　　　　　　　　　　　　　　　　　　　　　　　　Rochlitz.

Quelle: AMZ, 21. Jg., Nr. 9, 3. März 1819, Sp. 133–140 (*Recension.*).
Nachweis: *Missa* | *à 4 Voci* | *Due Flauti, due Violini,* | *Viola ed Organo* | *di* | *GIOV. SEB. BACH.* |
N°. I | *Dopo Partitura autografa dell'autore* | *Prezzo 6 Frs.* | *BONNA e COLONIA presso N. SIMROCK*
(G. Poelchau, 1818), PN 1580.
Anm.: Vollständiger Wortlaut → B 87.
Anzeige: AMZ, 33. Jg., Intell.-Bl. Nr. VIII, November 1831, Sp. 36 (*Neue Musikalien, welche seit Ja-
nuar 1831 bey N. Simrock in Bonn erschienen und versendet sind.*).
Lit.: NBA II/2 Krit. Bericht (E. Platen und M. Helms, 1982), S. 49; BC E 3.

C 64

Rezension der Missa in G
München, 27. Juli 1828

Bonn bei Simrock: Missa Quatuor vocibus cantanta
　　comitante Orchestra a Joanne Seb. Bach. No. II,
　　Partit. 55. *S.* 8. *Francs.*
Unter den Messen des edeln S. Bach ist diese, Kyrie und Gloria aus G dur, von einem

ähnlichen Kyrie aus der nämlichen Tonart, zu unterscheiden welches aber zweichörig, schon vor mehrern Jahren bei Haertel in Leipzig im Druck erschienen ist.

Das hier anzuzeigende Werk enthält unter sechs Nummern drei vierstimmige
Chöre, ein Duett für Sopran und Alt, eine Arie für den Bass, und eine solche für den
Tenor; und es wird hinreichend seyn, zu melden, dass es noch vorhanden, und der
Welt hiermit auf immer geborgen ist.

Dass diese sämmtlichen Nummern vorher zuerst auf ganz verschiedene deutsche
Bibelworte vom Componisten selber gesetzt gewesen, darf dieser Ausgabe, mit den
lateinischen Worten der Messe, zu keinem Vorwurfe gereichen, indem diese so wohl
wie die erste Bearbeitung von der Hand des Componisten untergelegt sind. Auch
wird dieser Umstand nur zur Rechtfertigung dieser Anzeige beigebracht. |

Eine neue Beurtheilung solcher wiedergeborner Kunstarbeit kann jedem überlassen
bleiben, dem Lust, Gedult und Kräfte einen Eingang in die Tiefe des ewigen Genius
erlauben. Bachs Verdienst ist entschieden. Mag ein übungscheuer Dilettantismus
kalt daran vorübergehn; mögen kritische Ansichten immer verschieden seyn. Eifersucht und Streit über echte Geisteswerke sind unfruchtbar, und können nur als
Documente schwacher Zeitansichten im Andenken bleiben. Das Werk ist da; aus
sich selber, ohne andern Gewinn entstanden, und wird trotz seiner Verjährung dem
tiefern Sinne einer jeden Zeit sich von selber aufschliessen.

Was jedoch einmal wieder zur öffentlichen Sprache und zu gerechter Anerkennung kommen muss, ist die kunstwürdige Liberalität solcher Verlagsanstalten, die
sich durch Wiederaufnahme unsterblicher Geisteswerke einen Antheil an der Unsterblichkeit selber erwerben, wie es hier durch Hrn. Simrock, und vor ihm durch
Hrn. Haertel in Leipzig schon öfter geschehen. Und wären solche, gleichsam ausge-
grabene Kunstschätze auch kaum zu öffentlichen Aufführungen oder Unterhaltun-
gen gesellschaftlicher Gesangskreise geeignet; so sind sie als höhere Studien und
theure Ueberreste einer kräftigen Vorzeit unschätzbar, und keine Musikaliensammlung von einiger Bedeutung darf ihrer ermangeln.

Was an der Partitur getadelt werden muss, ist die Substitution des Violinschlüssels
an die Stelle | des Tenorschlüssels in der Partitur der Chöre, wodurch diese entstellt
wird. In Arien und ausgeschriebenen Tenorstimmen mag es, für die Bequemlichkeit
schwacher Tenorsänger, statt finden; dagegen dem Leser der Partitur eine unnöthige
Last aufgelegt wird. Auch findet sich dieser Missbrauch in keiner Partitur von Beethoven, Mozart, Haydn, Spohr, Schneider u. A., und muss in die Region der beliebten
Klavierauszügler zurück verwiesen werden. Stich und Papier sind zu loben.

Quelle: Allgemeine Münchener Musikzeitung, Nr. 43, 27. Juli 1828, Sp. 673–675 („Anzeige").
Nachweis: *MISSA* | *Quatuor vocibus cantanda* | *comitante Orchestra* | *a* | *Joanne Sebastiano Bach.* |
N°. II. ... | *Bonnae sumtibus N. Simrock.* (G. Poelchau, 1828), PN 2604.
Anm.: Mit dem „ähnlichen Kyrie aus der nämlichen Tonart" ist die Messe in G-Dur BWV
Anh. 167 eines noch nicht ermittelten Autors gemeint, die 1805 bei Breitkopf & Härtel erschie-
nen ist (→ D 78).

Anzeige: AMZ. 33. Jg., Intell.-Bl. Nr. VIII, November 1831, Sp. 36 (*Neue Musikalien, welche seit Januar 1831 bey N. Simrock in Bonn erschienen und versendet sind.*).
Lit.: BC E 4; Krause II, Nr. 126.

C 65

MARX: REZENSION DER MISSA IN G
BERLIN, 30. JULI 1828

Missa quatuor vocibus cantanda comitante
Orchestra a Joanne Sebastian Bach.
No. 2. Simrock in Bonn. Preis 8 Fr.

Die Zeit, in der von Sebastian Bach aus voller Brust, in unbeschränkter Dankesglut des Schülers, in freudigstem Eifer für die Ehre unsrer deutschen heiligen Kunst und das Frommen der Zeitgenossen geredet werden kann: diese Zeit wird einen Klang haben der Kirchenglocken zum ersten Adventsonntag, da ein heiliges Kirchenjahr beginnt! Solche Angelegenheit ist zu heilig, als dass sie zerstückt werden, und zu wichtig für Kunstgenossen, als dass sie übereilt heraustreten dürfte, bevor die verheissene Bekanntmachung der grössten Werke Bachs, der fünfstimmigen H-moll-Messe und der Passions-Musik nach dem Evangelisten Mathäus durch Nägeli und Schlesinger erfolgt ist. Mögen diese Männer, die sich dadurch – auch abgesehen von Nägeli's sonstigem Wirken – das grösste Verdienst erwerben, nur auch bedenken, dass jeder Aufschub der Ausgabe den Kunstfreunden um so mehr leid sein muss, je wichtiger die Sache selbst für die musikalische Welt ist.

Nicht so entscheidend, als die hier verheissenen Werke, doch von unschätzbarem Werth sind die von Simrock herausgegebenen: das fünfstimmige Magnificat, die wunderliche A-dur-Messe und die oben angekündigte G-dur-Messe; Gaben, die jeden Musiker zum achtungsvollsten Dank gegen Simrock verpflichten; Werke, die dem Kunstjünger vielseitiges Studium dem Kunstfreund unerschöpflichen Genuss, dem Denkenden einen unversiegenden Born zur Läuterung und Erfrischung seiner Anschauungen bieten. Das letzte Werk ist noch aus einem andern Grunde kein geeigneter Anlass, über Bach etwas Abschliessendes zu sagen. Es ist nicht nur keine vollständige Messenkomposition, sondern seine ursprüngliche Bestimmung zu einer solchen theilweis' nicht ausser Zweifel. Wenigstens vom zweiten Satz (Gloria in exelsis) existirt eine andre Bearbeitung, in der die Einleitung bis S. 12 T. 6 der vorliegenden Partitur blosses (mit zwei Hörnern vermehrtes) Instrumentenspiel ist, und dann der Chor mit deutschem Text:

Gott der Herr ist Sonn' und Schild!

einsetzt. Vergleiche Ref. diesen Text mit dem in der Messenpartitur untergelegten:

Et in terra pax.

...

Quelle: Berliner AMZ, 5. Jg., Nr. 31 und Nr. 32, 30. Juli und 6. August 1828, S. 243–246, S. 252–255, hier S. 243 (*3. Beurtheilungen.*).

MAGNIFICAT

C 66

REICHARDT: REZENSION DES MAGNIFICAT

LEIPZIG, 5. JUNI 1816

Magnificat a cinque Voci, due Violini, due
  Oboe, tre Trombe, Timpani, Viola e Basso
  continuo del Sign. J. S. Bach. à Bonn, chez
  N. Simrock. (Preis 6 Fr. 50 Cmes, oder
  1 Thlr. 16 Gr.)

Je ärmer unsre Zeit an gediegenen Meisterwerken für die Kirchenmusik, wenigstens an öffentlich erscheinenden ist, desto verdienstlicher ist die Bekanntmachung edler Werke aus jener grossen Kunstperiode, in welcher unser Joh. Seb. Bach am musikalischen Horizonte so herrlich leuchtete. Der Herausgeber dieses Magnificat (wie wir hören, Hr. Pölchau, Gesanglehrer, sonst in Hamburg, jetzt in Berlin,) und die Verlagshandlung verdienen den Dank aller wahren Kunstfreunde und Künstler um so mehr, da das bisher wenig bekannte Werk eben so reich an originellen Zügen, als gross in seiner Ausführung; auch der Stich so correct und deutlich ausgeführt worden ist. Mancher Dirigent, der nicht Vertrauen genug auf sein eigenes Gefühl hat, oder haben kann, wird bedauern, dass die Bewegungen der verschiedenen Sätze nirgend angegeben sind; auch fehlt eben so die Bezeichnung der Stärke und Schwäche. In Bachs Handschrift fehlte wahrscheinlich beydes, da der Componist zu eigner Direction eines von ihm selbst gebildeten Chors und Orchester beydes eben nicht bedurfte. Von der innern Güte des damaligen Orchesters zeugt auch die Behandlung der Blasinstrumente und ganz besonders der Trompeten in diesem | *Magnificat.* Schwerlich werden diese jetzt irgendwo vollkommen befriedigend zu besetzen seyn; kaum wird man Waldhörner finden, welche die Melodien in der äussersten Höhe rein und sicher vortragen möchten. Welche Sicherheit das Chor auch in der Intonation gehabt haben muss, sieht man an den häufigen schnellen Ausweichungen und schwierigen Intervallenfolgen. Und doch bilden wir uns jetzt wol ein, dass die Kunst nun so eben den höchsten Grad der Vollkommenheit erreicht habe, indess es gerade in dem Theile, wo sie, die Kunst, ihre höchste Würde und Kraft beweisen kann, an so manchem fehlt, das ehedem schon vollkommner da war. Chor- und Singe-Lehrer und Directoren können daher in ihrem Beruf nichts Verdienstlicheres thun, als solche Meisterwerke, wie dies *Magnificat*, unablässig in ihren Singschulen und Akademien einüben und gründlich einstudiren zu lassen, bis die Stimmen wieder die Sicherheit und Kraft im Vortrage erlangt haben, ohne welche kein grosser Vortrag in der Musik und besonders in der Kirche möglich ist.

J. F. R.

Quelle: AMZ, 18. Jg., Nr. 23, 5. Juni 1816, Sp. 380–381, mit einer „Nachschrift" der Redaktion über das Versäumnis, diese Rezension erst nach dem Tode Reichardts veröffentlicht zu haben.
Nachweis: *MAGNIFICAT* | *à Cinque Voci* | *Due Violini, Due Oboe,* | *tre Trombi, Tamburi, Basson,* | *Viola e Basso Continuo,* | *del Sigl:* | *J. S. Bach.* | ... | *A BONN chez N. Simrock* (G. Poelchau, 1811), PN 770. Nur Satz 1–12 und Nachtrag C. Quelle: D-B *Mus. ms. Bach P 38.*
Lit.: BG 11/1, S. 103–112 (W. Rust, 1862); BC E 13; Krause II, Nr. 128; NBA II/3 Krit. Bericht (A. Dürr, 1954). Andreas Glöckner, *Bachs Es-Dur-Magnifikat BWV 243a – eine genuine Weihnachtsmusik?*, BJ 2003, S. 37–45.

MATTHÄUS-PASSION

C 67

ANDRÉ: ANFRAGE AN POELCHAU NACH DEM „MANUSCRIPT" DER MATTHÄUS-PASSION
OFFENBACH, 18. FEBRUAR 1828

… Man hat in *Frankfurt* eine Abschrift von *J. S. Bach's Passionsmusik* nach dem *Evangelium Matthei*, für 2 Chöre, und man sagt mir dabeÿ: daß Sie wahrscheinlich das Original davon und von noch ähnlichen 3 Compositionen besitzen, so auch daß *Schlesinger* in *Berlin* die Herausgabe des angezeigten Werks angezeigt haben, solche aber nicht ausführen können, da ihnen das Manuscript fehle. Was ist hieran und wären Sie geneigt desfalls mit mir in Correspondenz zu treten? …

Quelle: Johann Anton André an Georg Poelchau, 18. Februar 1828 (D-B *Mus. ep. J. A. André 65*).
Lit.: Geck Matthäuspassion, S. 22; Axel Beer, *Johann André und die Frühgeschichte des selbständigen Musikverlagswesens in Deutschland*, in: Ute-Margrit André und Hans-Jörg André (Hrsg.), 225 Jahre Musikverlag Johann André. Festschrift zum Jubiläum, Offenbach 1999, S. 39–44.

C 68

MARX: ANKÜNDIGUNG DER DRUCKAUSGABE
BERLIN, 23. APRIL 1828

Höchst wichtige und glückliche Nachricht.
Als in No. 51 und 52 des vorigen Jahrganges die erste Nachricht von der durch
Nägeli verheissenen Herausgabe der
grossen fünfstimmigen Messe aus h-Moll
von Johann Sebastian Bach
mit einer Hindeutung auf das einzige Werk, das daneben genannt zu werden würdig sei, ertheilt wurde: durfte man kaum die Hoffnung wagen, auch dieses so bald
der musikalischen Welt als deren köstlichsten Schatz übergeben zu sehen. …
So eben ertheilt mir die Schlesingersche Verlagshandlung die bestimmte Versicherung, dass sie noch im Laufe dieses Sommers das grösste Werk unsers grössten
Meisters, das grösste und heiligste Werk der Tonkunst aller Völker, von
Johann Sebastian Bach
die grosse Pasionsmusik nach dem Evangelisten Mathäus
herausgiebt und der Stich schon begonnen hat.
…
| … Die Verlagshandlung aber würdigt sich durch diese Unternehmung ihres
Glückes in so mancher andern, und stiftet sich an dem grössten Werke deutscher
Tonkunst ein Denkmal, das ihren Namen noch künftigen Jahrhunderten überlie-
fern wird. – Durchdrungen von der Wichtigkeit und Würdigkeit des Unternehmens
hat sie versprochen, die Partitur als eine Prachtausgabe erscheinen zu lassen. Diese
Pflicht gegen das grösste Werk, wie sie ihr den Dank aller Kunstfreunde sichert,
wird auch die bleibendste Zier ihrer Firma sein, die von nun an in der Kunstgeschichte als ein höchst ehrenwerther Name der Nachwelt genannt werden muß.

Quelle: Berliner AMZ, 5. Jg., Nr. 17, 23. April 1828, S. 191–192.
Nachweis: *GROSSE | PASSIONSMUSIK | nach dem Evangelium Matthaei | VON | JOHANN SE-
BASTIAN BACH | – Partitur. – | … | Berlin, 1830. | In der Schlesinger'schen Buch- und Musikhand-
lung.* (A. B. Marx), PN 1570; *Grosse Passionsmusik | nach dem Evangelium Matthaei | VON | JOHANN
SEBASTIAN BACH | Vollständiger Klavierauszug von | ADOLPH BERNHARD MARX. | … | Ber-
lin, 1830. | In der Schlesinger'schen Buch- und Musikhandlung. PN 1571.*
Anm.: Eine frz. Übers. von Maurice Bourges ist um 1844 bei Schlesinger in Paris erschienen
(nach AMZ, 46. Jg., Nr. 6, 7. Februar 1844, Sp. 102).
Anzeige: Berlinische Nachrichten von Staats- und gelehrten Sachen 1830, Stück 42, 19. Februar
und 31. März 1830; AMZ, 34. Jg., Intell.-Bl. Nr. XI, September 1832: „… Solo- und Chor-Stimmen
zur grossen Passions-Musik, nach dem Ev. Matthäi (mit Begleitung des Pfte.)".
Lit.: NBA II/5 Krit. Bericht (A. Dürr, 1974); BG 4 (J. Rietz, W. Rust, 1854), Vorwort, S. XXXI;
BC D 3b; Krause II, Nr. 129, Nr. 130.

C 69

*Ankündigung der Herausgabe der grossen Passionsmusik nach dem Matthäus, von Joh. Seb.
Bach.*

Zu grösserer Verbreitung dieses ehrenvollen Unternehmens der Schlesinger'schen Buch- und Musikhandlung in Berlin tragen auch wir gern das Unsere bey, da wir schon längst mit anderen wakkeren Männern den Wunsch getheilt haben, es möchten zur Ehre unseres Vaterlandes und zum Nutzen aller Tonkünstler und ächter Liebhaber Sebastians noch mehr seine Kirchenstücke durch den Druck allgemein gemacht werden. Denn wir können nicht damit übereinstimmen, als hätten wir bis jetzt nur untergeordnete Werke des grossen Ruhms unseres weltgeehrten Harmonikers auszuweisen, und erinnern desshalb nur, ausser den Orgelfugen, an die Meisterstücke, die bey Breitkopf und Härtel, ferner an die zwey von Hrn. Pölchau (dem rühmlich bekannten Besitzer einer der ansehnlich- | sten musikalischen Bibliotheken) herausgegebenen, in Bonn bey Simrock erschienenen Messen aus A und G dur, das Magnificat u. s. w. Wohl aber bleibt es ein kaum zu berechnender Gewinn, wenn Unternehmungen, wie die bekannte des Hrn. Nägeli, und die genannte der Herrn Schlesinger sich einer erwünschten Verbreitung zu erfreuen haben. Die Auszeichnung, welche den Aufführungen dieser Bach'schen Passion nach dem Matthäus, deren Original Hr. Pölchau besitzt, in Berlin und Frankfurt a. M. zu Theil geworden ist, lässt uns die Subscriptionsliste auf die von Hrn. Nägeli herauszugebende grosse Messe in Bezug auf Berlin vergessen, und heisst uns voraussetzen, dass wir zur Beglaubigung ihrer freudigen Theilnahme an dieser hohen Passion in der Pränumerationsliste, die dem Werke vorgedruckt werden wird, sehr viele Namensunterschriften aus diesen beyden Städten lesen werden, um so mehr, da das Gegentheil kein erwünschtes Licht ausstreuen würde. Möchten ihnen die übrigen Kunstörter verhältnissmässig nacheifern! Es wird sich bey dieser Gelegenheit zeigen, ob die wirklichen Verehrer unseres Sebastian, deren es nicht wenige gibt, mehr unter den Unbemittelten, als unter den Wohlhabenderen zu suchen sind. Unsere Cantoren, Musikdirectoren u. s. w. sind leider nicht überall so gestellt, dass sie als verständige Hausväter immer dem Drange ihres Herzens Folge leisten können. Aber auch darauf hat die Schlesinger'sche Handlung möglichst Rücksicht genommen, und die Zahlung der Pränumeration in zwey Hälften, jede zu 6 Thalern, getheilt, die alle Buch- und Musikhandlungen annehmen. Die Partitur wird über 400 grosse Platten stark, und soll der Würde des Inhalts gemäss ausgestaltet werden. Der vollständige Klavierauszug wird etwa 5 Thaler kosten. Wir sind doch begierig, wie viel wahrhaft eifrige Verehrer und Förderer solcher Werke die Erde haben wird. Geschichtliche und anderweitige noch unberührte Erörterungen behalten wir uns vor.

Die Redact.

Quelle: AMZ, 31. Jg., Nr. 36, 9. September 1829, Sp. 601–602.
Anm.: → C 68.
Lit.: → C 68.

C 70

SCHLESINGER: ANZEIGE DER „GROSSEN PASSIONSMUSIK"
BERLIN, SEPTEMBER 1829

Im Laufe dieses Jahres erscheint in unserem Verlage:
Grosse
Passionsmusik
Nach dem Evangelisten Matthäus,
von
Joh. Sebastian Bach.
1. In Partitur.
2. In vollständigem Klavierauszuge.
Mit dem glänzendsten Erfolge wurden die Aufführungen dieses grössten Werkes
des unsterblichen Bach, welche im Frühlinge dieses Jahrs in Berlin veranstaltet worden, gekrönt, und, von vielen Künstlern und Kunstfreunden aufgefordert, haben
wir uns gern entschlosen, dieses Meisterwerk herauszugeben.
Der Pränumerations-Preiss der Partitur ist 12 Rthlr. (nachheriger Ladenpreiss
18 Rthlr.): den Preiss des Klavierauszuges können wir noch nicht genau bestimmen,
er wird ungefähr 5 Rthlr. betragen. Alle Buch- und Musikhandlungen nehmen Pränumeration an, und geben unentgeldlich den ausführlichen Prospectus aus.
Berlin, September 1829.
Im Verlage der
Schlesinger'schen Buch- und
Musikhandlung.

Quelle: AMZ, 31. Jg., Intell.-Bl. Nr. XV, Oktober 1829, Sp. 60.
Anm.: → C 68 – C 69.

C 71

Weitere Nachricht
über die Herausgabe
der grossen Passionsmusik
nach dem Evangelium Matthäi,
von
Johann Sebastian Bach.

Von der Partitur dieses grössten und heiligsten Werkes der Tonkunst ist nunmehr der erste Theil auf 150 Platten gestochen, in den Korrekturen begriffen, und wird dann ungesäumt versandt. Es muss ausgesprochen werden, dass von dem Augenblick, der dieses Werk der Welt zugänglich macht, jedes Studium der Tonkunst wesentlich mangelhaft bleibt, das nicht die Erkenntniss jener reichsten und geweihtesten Schöpfung in seinen Kreis aufgenommen hat. Nicht bloss die Kunstjünger, sondern auch unsre Meister können und müssen daran sich erheben; das dürfte behauptet werden, wenn auch Beethoven, oder Mozart noch lebten; in jeder Beziehung wird es Ehrensache für jeden Musiker, das Werk zu besitzen. Schon sind zahlreiche Subscriptionen von allen Orten eingegangen (aus Kassel allein z.B., durch Herrn Kapellmeister Spohr fünf, aus Breslau acht oder zehn), und es ist nur Pflicht der Redaktion, jeden, der noch nicht abonnirt ist, hierdurch zu erinnern.

Während der Vollendung des ersten Theils wird der zweite schon begonnen und baldmöglichst nach jenem ausgegeben werden. Mit ihm zugleich erscheint der vollständige Klavierauszug.

Bei der Partitur hat man die würdigste Ausstattung, ohne ängstliche Sparsamkeit, aber auch ohne Verschwendung, zum Gesetz genommen. Daher ist das Ineinanderschieben verschiedner Stimmen, das Weglassen derer, die eine Zeitlang pausiren, nur da angewendet, wo die Uebersichtlichkeit nicht darunter leidet, – eine bei so reicher Partitur dringende Rücksicht. In Anordnung, Vorzeichnung u. dgl. ist man der Handschrift treu geblieben. Den Korrekturen haben sich die Herrn Girschner und Ritz mit unterzogen. – Bei dem Klavierauszuge wird dagegen eher auf Sparsamkeit als auf würdigste Darstellung gesehen werden, damit er sich unter den Sängern und Kunstfreunden, denen die Partitur unzugänglich ist, möglichst verbreite.

Der erste bald auszugebende Theil begreift vom biblischen Text die ersten 56 Verse des 26. Kapitels, ausserdem Choräle, Arien u. s. w. Mit dem „Lamm Gottes" zu achtstimmigen Motettenchor beginnend, schliesst er mit einem figurirten Choral: „o Mensch, bewein' Deine Sünde gross," der, an kirchlicher Würde und tiefster Ergriffenheit unvergleichbar, dem Hörer die letzte Weihe giebt zu dem Inhalt des zweiten Theils. Wie sind die Abendmalsworte und andre des Heilands hier ausgesprochen! Und doch möge man den reichern und tiefern Inhalt erst im zweiten Theil erwarten.

So wollte es die Sache, der Gang des Evangelii; denn Bach hat jedes Bibelwort mit gleicher Treue festgehalten.

Marx.

Quelle: Berliner AMZ, 31. Jg., Nr. 41, 10. Oktober 1829, S. 321.
Anm.: → C 68 – C 70.

C 72

SCHLESINGER: FERTIGSTELLUNG DER PARTITUR
BERLIN, 10. DEZEMBER 1829

Anzeige, „die grosse Passionsmusik von J. S. Bach" betreffend.

Der Stich der Partitur (deren erster Theil bereits gedruckt) ist vollendet, und wird dieselbe im Anfange des neuen Jahres bestimmt erscheinen. Der Subscriptionspreiss ist 12 Rthlr. Wir ersuchen die resp. Subscribenten, ihre Namen bis zum 30. December d. J. gefälligst einzureichen. Nach dem Erscheinen des Werks tritt der Ladenpreiss von 18 Rthlr. ein.

Der Klavierauszug wird im Monat Januar ausgegeben; der Subscriptionspreis ist 5 Rthlr., der nachherige Ladenpreis 6 bis 7 Rthlr.

Berlin, den 10. December 1829.

Schlesinger'sche Buch- u. Musikhandlung.

Quelle: AMZ, 32. Jg., Intell.-Bl. Nr. I, Februar 1830, Sp. 4.
Anm.: → C 68 – C 71.

C 73

MENDELSSOHN BARTHOLDY: UNTERSTÜTZUNG BEI DEN KORREKTURARBEITEN
BERLIN, 27. DEZEMBER 1829

… Ich will mit vielem Vergnügen ein Exemplar der Partitur von Seb. Bachs Passionsmusik durchsehen und die Fehler, die mir dabey vorkommen am Rande bemerken, obwohl ich mich zu einer eigentlichen *Correctur* jetzt nicht verstehen kann, da meine Zeit hier beschränkt und jeder Augenblick mir wichtig ist. Doch haben Sie gewiß auch nicht auf eine *Correctur* gerechnet, und wohl nur eben ein öfteres Durchsehen von verschiedenen Seiten gewünscht, damit alles so genau und richtig als möglich würde, und ich werde mich freuen Ihnen darin so behülflich zu sein, wie meine Kräfte und meine Zeit es mir erlauben, und sehe einem Probeabdruck des Werks mit Vergnügen entgegen.

…

Quelle: Felix Mendelssohn Bartholdy an Schlesinger, 27. Dezember 1829. Zit. nach: Elvers Verleger-Briefe 1, Brief Nr. 323.

C 74

Trautwein: Anzeige von zwei Sätzen im Arrangement
Leipzig, März 1830

Neue Musikalien,
welche im Jahre 1829 bey T. Trautwein in Ber-
lin erschienen und in allen Musikhandlungen zu
bekommen sind:

… Bach, J. Seb., Arie mit obligater Violine: „Erbarme dich mein Gott" aus der Passionsmusik, mit Pianoforte, von Hellwig. 8 Gr.
Bach, J.S., Duett für zwey weibliche Stimmen „So ist mein Jesu nun gefangen" mit Doppel-Chor aus der Passionsmusik; mit Pianoforte, von Hellwig. 14 Gr.

…

Quelle: AMZ, 32. Jg., Intell.-Bl. Nr. IV, März 1830, Sp. 25 (… 4) Gesangmusik. A) Kirchen- und geistliche Musik mit und ohne Begleitung.).
Lit.: NBA II/5 Krit. Bericht (A. Dürr, 1974), S. 121.

C 75

Rellstab: Rezension der Ausgabe bei Schlesinger
Berlin, 16. April 1830

Grosse Passionsmusik nach dem Evangelium Matthaei von
Joh. Sebastian Bach, vollst. Klavierauszug von Bernhard
Adolph Marx. Berlin, bei Schlesinger. Preis 7 ½ Rthlr.
Bei Werken dieser Art, die als ewig denkwürdige Monumente in der Kunstgeschichte dastehn werden, ist man nur in Verlegenheit, wie man sich würdig darüber äußern, welche Worte und Vergleiche man wählen soll, um ihr Verhältniß zu den größesten bekannten Schöpfungen der Tonkunst anschaulich zu machen. – Be-

trachten wir die vorliegende Arbeit von welcher Seite wir wollen, so wird sie uns als groß erscheinen. Berücksichtigen wir zuerst die Wahl des Textes, so finden wir vielleicht im ganzen Bereich der Kirchenmusiken keine, die würdiger getroffen worden. … Das ganze Werk ist so aus dem innigsten Bunde des Herzens mit der Kunst hervorgegangen, daß es als ein gleich hohes Denkmal der gläubigen Frömmigkeit und Demuth, wie des selbstschaf- | fenden Genius und der ursprünglichen Kraft des Menschen dasteht. Sollen wir es in Vergleich mit den größeren Werken anderer Meister stellen, so wird es wohl neben jedem, das die Kunstgeschichte bis jetzt kennt, seine Stelle behaupten, und neben keinem verlieren. … Durch den Eifer dieser [Zelter und seine „Privatzirkel"], insbesondere aber des talentvollen F. Mendelssohn Bartholdy, wurde vor einem Jahre die erste Aufführung veranstaltet, und auch wohl die Herausgabe der Partitur und des Klavierauszuges veranlaßt. Dieser letztere ist von Herrn B. A. Marx mit Fleiß angefertigt. Die Verlagshandlung hat es an einer sehr anständigen Ausstattung nicht fehlen lassen. – Uebrigens sind bereits früher einzelne Stücke aus dieser Musik in der Trautweinschen Handlung erschienen, namentlich das Duett: „So ist mein Jesus nun gefangen" und die außerordentlich schöne Alt-Arie mit obligater Violine: „Erbarme dich mein Gott."

Quelle: Iris, Nr. 3, 16. April 1830 (*I. Ueberblick der Erzeugnisse.*).
Anm.: Zu den „einzelnen Stücken" bei Trautwein → C 74.

C 76

Marx: Argumente für den Druck eines Klavierauszuges
Berlin, 15. Mai 1830

Grosse Passionsmusik nach dem Evangelium
　　　Matthäi, von J. S. Bach. Klavierauszug
　　　Von A. B. Marx. Schlesinger in Berlin.
Bei der Anzeige des von mir verfassten Klavierauszugs der grossen Passionsmusik kann es natürlich nicht um eine Beurtheilung meiner eignen Arbeit zu thun sein, sondern um eine Darlegung der Gesetze und Beweggründe, nach denen ich verfahren.
Indem ich die Herausgabe der Partitur veranlasste, hielt ich zuerst die Veranstaltung eines Klavierauszugs für unrathsam, damit der grössere Theil der Kunstfreunde und Künstler (namentlich der Sänger) eine Veranlassung mehr hätte, sich in die Partitur hineinzuarbeiten. Noch jetzt ist es mein aufrichtiger Wunsch, den Klavierauszug um der Partitur willen vernachlässigt zu sehen; noch jetzt halt' ich es für die meisten Kunstfreunde ausführbar, sich mit dem gehörigen Eifer und wenigen Vorkenntnissen in die Partitur hineinzulesen und zu spielen, die allerdings in einigen

Sätzen sehr schwer, in andern aber um so leichter zu bewältigen ist. Doch, zu viele Stimmen (und hier gilt wol Stimmenmehrheit) wurden laut, und der Verleger hätte besorgen müssen, diesen einträglichern Theil seiner uneigennützig begonnenen Unternehmung sich von Andern weggenommen zu sehen.

Meine anfängliche Bedenklichkeit hatte noch einen zweiten Grund in der Ueberzeugung: dass ein vollkommen genügender Klavierauszug dieses Werks unmöglich sei. Bachs Orchester hat keine ausfüllenden Harmonien, keine halbwillkührlichen Figuren, die man in Klavierauszügen leicht ersetzen kann; es ist in allen Stimmen selbständig, wesentlich, auch in der Lage | meist unabänderlich. Wenn auch vier Hände Finger genug hätten: das Fortepiano böte nicht Tasten genug, um diese ruhenden durchgehenden Stimmen wiederzugeben, geschweige den Effekt der liegenbleibenden Töne und Harmonien durch gleiche Pianoforte-Effekte zu ersetzen. Günstiger steht es um das Spiel aus der Partitur. …

…, war mein Bestreben: so wenig wie möglich von dem Reichthum der Partitur aufzugeben. Namentlich bei den Chören habe ich die rechte Hand in die höhern Lagen des Orchesters geführt und die mittlere Orchesterlage den Singstimmen überlassen (die Bässe forderten die linke Hand ausschliesslich, um kräftiger einherzuschreiten), neben denen ein etwa dreistimmiges Spiel in derselben Lage doch wirkungslos gewesen wäre. … | … Bei den Arien war Vollständigkeit leichter zu erlangen – am wenigsten freilich bei der unvergleichlichen Arie (S. 112):

„Erbarme dich mein Gott!"

in der jeder Eingriff in die wunderschöne Stimmführung, namentlich der Solo- und Tutti-Violinen weh thut. …

Die Recitative (ohne Begleitung) sind in der Partitur ohne Bezifferung mitgetheilt – der Handschrift getreu. … – Auch das Rec. No. 73 (S. 164):

„Und siehe da, der Vorhang im Tempel"

ist in der Partitur blos mit der Bass-Stimme begleitet und ohne Zweifel von Bach mit seinem Orgelspiel erfüllt worden. Herr Felix Men- | delssohn hat eine höchst zweckmässige Orchesterbegleitung zugefügt, die nach ihm von Herrn Mosevius in Breslau und Herrn Zelter in Berlin beibehalten worden. …

Durch die in der Sache begründete Beschränkung der Recitativbegleitung und durch die Zusammendrängung der Choralstimmen mit deren gleichlautender Begleitung wurde zugleich Raum gespart, und so möge der Preis des Klavierauszugs (wie der Partitur) bei der lobenswerthen Ausstattung beider vom Verleger nicht gemissbilligt werden.

A. B. Marx.

Quelle: Berliner AMZ, 7. Jg., Nr. 20, 15. Mai 1830, S. 153–154 (*Beurtheilungen.*).

C 77

FINK: BESPRECHUNG DER AUSGABE BEI SCHLESINGER
LEIPZIG, 18. AUGUST 1830

Passionsmusik nach dem Evangelium Matthäi von
  J. Seb. Bach. Berlin, bey Schlesinger. Partitur: 18 Thlr.; Klavierauszug: 7 Thlr. 12 Gr.
Eine Anzeige des Drucks und der Ausgabe dieses grossen Werkes unseres allverehr-
ten Seb. Bach ist in unseren Blättern bereits wiederholt gegeben worden, und eine
Beurtheilung desselben wäre in vielem Betrachte für jede jetzige Zeitschrift, die
nicht in Heften erscheint, ein unüberlegtes Unterfangen. Soll sie auf Gründlichkeit
Anspruch machen und nützlich werden, wie sie es soll, würde sie leicht zu einem
kleinen Buche heranwachsen, das ungebührlich zerstückelt werden müsste. Schon
die Einleitung, die Sebastians Zeit und den Mann selbst zu schildern hätte, würde
nicht mit ein paar Worten abgefertigt werden können, ...
 | Ich habe schon früher angezeigt, dass Seb. Bach fünf Passionen geschrieben hat.
Man wird diese Angabe in Gerber's alten Lexicon der Tonkünstler und in Bach's
Leben von Forkel bestätigt finden. ...

Quelle: AMZ, 32. Jg., Nr. 33, 18. Aug. 1830, Sp. 529–532.
Anm.: Vollständiger Wortlaut → B 113.

C 78

ANZEIGE DER PARTITUR
WIEN, 25. SEPTEMBER 1830

Passions-Musik, nach dem Evang. Matthäi, von Joh. Se-
        bast. Bach. Partitur. Berlin bey Schlesinger. Pr. 18 Rthlr.
Dieses höchst großartige Tonwerk wurde zuerst in Berlin, und alsdann auch in
Breslau aus seinem Säcularschlaf emporgerufen, und der dadurch erregte lebhafte
Antheil bethätigte den alten Satz: daß das wahrhaft Gute und Schöne ewig währt,
und da, wo der Kern nur gesund, die Schale den Reiz des Genusses nie zu kümmern
vermag. Wer den tiefen Geist, den unendlich reichen harmonischen Bau unserer
würdigen Vorfahren, deren Patriarch Sebastian Bach ist, ganz | erfassen will, der stu-
diere den wundervollen Organismus dieser Doppelchöre, nahmentlich Nr. 1, 26, 33,
mit der furchtbaren Kraft seines Schlußsatzes: „Sind Blitze, sind Donner in Wolken
verschwunden?" Nr. 35, 43, 59, 67 und 76. Was hier zu Staunen und Bewunderung
hinreißt, wird durch die fromme Einfalt der alterthümlichen Choralmelodien die

Gemüther zur Andacht erheben; möchten Deutschlands zahlreiche Musikvereine ja nicht versäumen, dieses kostbare Monument vaterländischer Kunst mit allen ihnen zu Gebothe stehenden Mitteln zu Gehör zu bringen, und ja dabey nicht außer Acht lassen, die vorkommenden, jetzt uns entfremdeten Instrumente: *Oboi da Caccia, Oboi d'Amore, Liute,* und *Viola da Gamba,* durch andere, homogene, der erzielten Wirkung wenigstens am nächsten entsprechende, zu substituiren. –

Quelle: AMAnz, Nr. 39, 25. September 1830, S. 153–154.

C 79

DORN: KRITIK AN DER DRUCKAUSGABE

LEIPZIG, 22. MAI 1835

… Dem Referenten sei es erlaubt, hier eine Beschwerde zu veröffentlichen, die viel Herzeleid gemacht hat. Der Vorsteher des Singvereins verschrieb sich aus Berlin die Mehrzahl der dort im Druck erschienenen Oratorium-Chorstimmen, darunter die zur Bachschen Passionsmusik nach dem Matthäus. In der doppelchörigen Introduction fanden sich aber inclusive Clavierauszug nicht weniger als dreißig Druckfehler vor. Was ist ein durch die Presse entstandener Fehler bei Musikalien, wo man Clavier-Auszug und Stimmen mit einander vergleichen kann! So ruft vielleicht mancher aus, aber gewiß keiner von denen, die Bachs Passionsmusik kennen. Da heißt es *jurare in verba magistri,* und das Ohr gewöhnt sich an Alles, wenn wir erst die Ueberzeugung haben, so und nicht anders sei es vom alten Herrn geschrieben worden. Zweifelhafte Stellen lassen sich freilich ausmerzen, aber ob man das Richtige trifft, ist wieder zweifelhaft, und dabei riskirt man, Stellen als zweifelhaft anzugreifen, die wirklich fehlerlos sind – wenn man nämlich erst durch offenbare typographische Schnitzer argwöhnisch geworden ist und irre geleitet durch Bachs von allem Ueblichen divergirenden Setzkunst. Hier also war die möglichst größte Genauigkeit unerläßliche Bedingung; natürlich trägt allein der Corrector die Schuld – so sorge denn die thätige Verlagshandlung für einen bessern. – …

Quelle: NZfM, 2. Jg., Bd. 2, Nr. 41, 22. Mai 1835, S. 166–167, hier S. 167. Aus der Abhandlung *Aus Riga. (Musikwesen.) (Liebhaberconcerte. – Liedertafel. – Singverein. Extraconcerte.).*

C 80

MENDELSSOHN BARTHOLDY: BITTE UM DEN KLAVIERAUSZUG
DÜSSELDORF, 21. JUNI 1835

… Wenn Sie den Clavierauszug der Passion nach dem Evangel. Matth. von Sebastian Bach (Berlin bei Schlesinger) vorräthig haben, so bitte ich Sie mir denselben umgehend zuzuschicken, und auch die gedruckten Singstimmen davon (die auch bei Schlesinger erschienen sind) sowie die Rechnung dafür beizulegen. …

Quelle: Felix Mendelssohn Bartholdy an Simrock, 21. Juni 1835. Zit. nach: Elvers Verleger-Briefe 1, Brief Nr. 218.

JOHANNES-PASSION

C 81

TRAUTWEIN: SUBSKRIPTIONSAUFRUF FÜR DIE AUSGABE DER JOHANNES-PASSION
BERLIN, 1. NOVEMBER 1830

An die Verehrer Joh. Seb. Bach's.
Von Bach's Passionsmusik nach dem Evangelium Matthäi haben sowohl die öffentlichen Aufführungen als die im Drucke erschienenen Partitur und Klavier-Auszug bey dem musikalischen Publicum den verdienten Beyfall gefunden. Mindestens eben so hoch als Kunst steht
Bach's Passionsmusik nach dem
Evangelium Johannis
und verdient daher eben so sehr wie jenes den Freunden dieses Meisters durch den Druck zugängig gemacht zu werden. Die unterzeichnete Handlung, im Besitz einer correcten und ächten Partitur dieses Werkes, wovon nur einige wenige Abschriften existiren, hat daher durch L. Hellwig davon einen Klavier-Auszug arrangiren lassen, welcher in einer saubern Ausgabe zu dem Ladenpreise von 4 $\frac{1}{2}$ Thalern bis Ende dieses Jahres erscheinen und zu haben seyn wird. Um jedoch die Anschaffung zu erleichtern, wird dieses Werk denjenigen, welche bis Ende Decembers bey der unterzeichneten oder jeder andern Buch- und Musikhandlung darauf Bestellung machen wollen, für den um den dritten Theil geringern Preis von drey Thalern, zahlbar bey der Ablieferung, erlassen. Da sich erwarten lässt, dass eine gedruckte Ausgabe
der Partitur dieses Werkes

ebenfalls Vielen sehr willkommen seyn dürfte, so ist unterzeichnete Handlung erbötig, eine solche zu veranstalten, dafern sich dazu eine Anzahl von Bestellern fände, wodurch der grössere Theil der Kosten gedeckt wäre. Diese Ausgabe der Partitur würde im Ladenpreise 6 Thaler kosten; die darauf bis zum Schlusse des Jahres Unterzeichnenden würden jedoch nur 4 Thaler bey der Ablieferung zu zahlen haben, welche dann längstens bis Ende März nächsten Jahres erfolgen sollte. Berlin, am 1sten November 1830.

T. Trautwein,
Buch- und Musikhandlung, Breite Strasse Nr. 8.

Quelle: AMZ, 32. Jg., Intell.-Bl. Nr. XVI, Dezember 1830.
Nachweis: *GROSSE PASSIONS MUSIK | nach dem Evangelium Johannis | von | JOHANN SEBA-STIAN BACH. | Vollständiger Klavierauszug | von | L. Hellwig. | … | Berlin, bei T. Trautwein …* (Ende 1830), PN 365. – *GROSSE | PASSIONSMUSIK | nach dem Evangelium Johannis | von | IOHANN SEBASTIAN BACH. | – Partitur. – | … | Berlin, 1831. | Verlag der Buch und Musikhandlung von T. Trautwein.* PN 370.
Anzeige des Kl.A.: Berlinische Nachrichten von Staats- und gelehrten Sachen, Nr. 298 vom 22. Dezember 1830; Anzeige der Part.: H. Mb. 1831, Nr. 5/6, Mai/Juni, S. 45. Rezension des Kl.A.: Iris, 2. Jg., Nr. 1, 7. Jan. 1831, Sp. 1–3 (*I. Ueberblick der Erzeugnisse.*).
Lit.: NBA II/4 Krit. Bericht (A. Mendel, 1974), S. 174ff.; BC D 2a; Krause II, Nr. 131, Nr. 132.

C 82

AUFFORDERUNG ZUR SUBSKRIPTION DER PARTITURAUSGABE
LEIPZIG, 1. DEZEMBER 1830

Joh. Seb. Bach's Passions-Musik nach dem
Evangel. Johannis
und
Händels Dettinger Te Deum.

Die Herausgabe dieser beyden hohen Meisterwerke der Tonkunst wurde vor Kurzem von der rühmlich bekannten Buch- und Musikhandlung T. Trautwein in Berlin ange-kündigt. Wir müssten gleichgültig gegen das Schönste unserer Kunst seyn, wenn wir dieser neuen, ehrenvollen Unternehmung der, auch um geistliche Musik mannig-fach verdienten Verlagshandlung nicht vorläufig gedenken und alle Freunde gedie-gener Musik darauf aufmerksam machen wollten. Da uns selbst eine Ausgabe der Partitur der Bach'schen Passion höchst willkommen wäre, diese aber nur unter der Voraussetzung zugesagt wird, dass die Anzahl der Besteller den grössern Theil der Kosten deckt: so heben wir diess aus der ausführlichern Ankündigung, die von Seiten der geehrten Verlagshandlung im nächsten Intelligenzblatte folgen wird, ganz besonders hervor. Der Subscriptionspreis ist nur auf 4 Thlr. gesetzt. Mögen diese höchst erwünschten Unternehmungen der nützlich thätigen Verlagshandlung die Unterstützung finden, die sie in jeder Hinsicht verdienen.

Die Redaction.

Quelle: AMZ, 32. Jg., Nr. 48, 1. Dezember 1830, Sp. 787.
Anm.: Zur „ausführlichern Ankündigung" → C 81
Lit.: → B 90 (Johann Friedrich Rochlitz, *Auf Veranlassung des Werkes: Grosse Passions-Musik nach dem Evangel. Johannis, von Joh. Seb. Bach*).

C 83

Anzeige der Partitur

Leipzig, 7. September 1831

*Grosse Passions-Musik nach dem Ev. Johannis von
Joh. Seb. Bach. Partitur. Berlin, 1831. Verlag
der Buch- und Musikhandlung von T. Trautwein.
Pr. 6 Thlr. Pr. der Chorstimmen 1 Thlr.*
Dieses vor Kurzem in unseren Blättern von Frdr. Rochlitz besprochenen Meisterwerks Partitur ist also erschienen, auf gutem und haltbarem Papiere deutlich und sauber gestochen. – Das sehr schön lithographirte, wohlgetroffene Brustbild des ruhmgekrönten Meisters verherrlicht eine Ausgabe, der es an Freunden nicht fehlen kann.

Quelle: AMZ, 33. Jg., Nr. 36, 7. September 1831, Sp. 598 (*Kurze Anzeigen.*).
Anm.: Vgl. die Abhandlung von Rochlitz → B 90. Rezension: AMAnz, 3. Jg., Nr. 38, 22. September 1831, S. 150–151.
Lit.: → C 81.

C 84

(Trautwein): Druck der Chorstimmen

Leipzig, 31. Juli 1832

*Klassische Werke älterer und neuerer Kirchen-
musik in ausgesetzten Chorstimmen. 12te und
13te Lieferung. Berlin, bey T. Trautwein.
Preis der 12ten Lief. 1 Thlr. 2 Gr.; der 13ten
1 Thlr.*

Die thätige Verlagshandlung fährt fort, durch die Herausgabe sehr deutlich gedruckter Chorstimmen wahrhaft meisterlicher Werke echter Musik sich um alle Singvereine und Liebhaber des Klassischen ein wahres Verdienst zu erwerben oder vielmehr dasselbe zu vermehren. … Die 13te Lieferung enthält die Passionsmusik nach dem Ev. Johannis von J. S. Bach, der wir kein Wort der Empfehlung hinzuzusetzen haben.

Quelle: AMZ, 34. Jg., Nr. 28, 31. Juli 1832, Sp. 472 (*Kurze Anzeige.*).

C 85

Krüger: Über „zwei sehr ähnliche Ausgaben"
Leipzig, 17. Oktober 1840

… Von J. S. Bach's Johannispassion gibt es ohne Willen des Publicums zwei sehr ähnliche Ausgaben, nur Schade, daß sie auch schlimme Unähnlichkeiten haben. Die ältere ist im Ganzen correct, und nur solche Fehler darin, wie sie dem geübtesten Corrector auch entgehen können; die zweite ist abscheulich durch Druckfehler entstellt. Wahrscheinlich hat Hr. Trautwein bei dieser zweiten einen minder guten Corrector zugezogen, als Hrn. Hellwig, dem ich die ältere Ausgabe mit vollem Herzen danke, und darin einigen Ersatz sehe für seine Willkürlichkeiten bei meinem lieben Judas Maccabäus, den er oft bedeutend verändert hat. – Woher in der zweiten Ausgabe der Johannispassion die vielen Fehler? Ob von Hrn. Hellwig, oder einem rascheren Corrector, weiß ich nicht, und ist auch nichts daran gelegen. Aber wär's nicht hübsch und vortheilhaft, wenn auf beiden Ausgaben Jahreszahl und Editionsnummer stände, damit sich das Publicum vor der schlechteren, nachlässig corrigirten hütete? Denn im Uebrigen ist die zweite der ersten auf's Haar gleich, sowohl in den Seitenzahlen als im Drucke. – …

Quelle: NZfM, 7. Jg., 13. Bd., Nr. 32, 17. Oktober 1840, S. 128 (*Curiosa. Aus dem Tagebuche eines alten Cantors. Wider dessen Willen mitgetheilt durch A. B. C.*).

Vierstimmige Choräle

C 86

ANKÜNDIGUNG EINER NEUEN AUSGABE DER VIERSTIMMIGEN CHORALGESÄNGE

LEIPZIG, 3. AUGUST 1831

Vorläufige Ankündigung
wichtiger musikalischer Werke,
die im Verlage der Breitkopf-Härtelschen Musikalienhandlung erscheinen werden:

1) Eine neue Ausgabe der vierstimmigen Choral-Gesänge von J. S. Bach in 4 Theilen. Die zweyte Auflage dieser merkwürdigen Choräle vom Jahre 1784 in Querquart ist längst vergriffen; nur einige unvollständige Exemplare sind noch vorhanden. Die neue Lieferung wird natürlich nicht die geringste wesentliche Veränderung erhalten, nur schöner soll sie seyn und der Discantschlüssel soll in den Violinschlüssel verwandelt werden, damit sie auch den ungeübteren zugänglich sey, ohne die kleinste Beeinträchtigung der Erfahrenern. Die zweyte vergriffene Auflage kostete 5 Thlr. 8 Gr. und die neue, schöner ausgestattete soll dagegen nur 5 Thlr. kosten.

Damit jedoch das köstliche Werk recht gemeinnützig werden könne, überlässt die Verlagshandlung denen, die bis Ende dieses Jahres subscribiren, das Exemplar zu 2 Thalern, und Sammler, die den Betrag baar einsenden, erhalten auf 5 Exemplare das sechste frey. Der Ladenpreis zu 5 Thlr. tritt mit 1832 ein.

...

Quelle: AMZ, 33. Jg., Nr. 31, 3. August 1831, Sp. 518–519 (*Kurze Anzeigen.*).
Nachweis: *371 | vierstimmige Choralgesänge | von | Johann Sebastian Bach. | – | Dritte Auflage | ... | Leipzig, bei Breitkopf & Härtel. | Pr. 3 Thlr.* (1832), Typendruck. Hrsg. von C. F. Becker. Mit einem Verzeichnis der Choräle (Vorwort, S. II–IV).
Anm.: Endgültige Anzeige: AMZ, 34. Jg., Intell.-Bl. Nr. I, Februar 1832. Vgl. auch die Ankündigung, in: AMZ, 34. Jg., Nr. 43, 24. Oktober 1832, Sp. 714 („*Neue Auflagen.*").
Lit.: Johann Theodor Mosewius, *Johann Sebastian Bach in seinen Kirchen-Cantaten und Choralgesängen* → A 20; BG 39, S. 177–276 (F. Wüllner, 1892); Krause II, Nr. 136, insbes. auch S. 133–142 (Konkordanztabelle); BC F 1–F 213.

C 87

BREITKOPF & HÄRTEL: SUBSKRIPTIONSANZEIGE ZUR AUSGABE DER CHORALGESÄNGE
UND DES MUSIKALISCHEN OPFERS
LEIPZIG, OKTOBER 1831

Einladung zur Subscription
auf eine neue Ausgabe
von
Joh. Seb. Bach's vierstimmigen Choralgesängen.
Leipzig, bey Breitkopf und Härtel.

———

Unter den Namen der Componisten, welche in der neuern Zeit die musikalische
Welt mit ihren Werken erfreuten, und durch die Gediegenheit und Schönheit derselben sich den rühmlichen Namen classischer Autoren zu verschaffen wussten, strahlt
wohl fast keiner so herrlich hervor, als Johann Sebastian Bach's.
Im Leben, wie in seinen Werken streng und gründlich, hat er nur wenige, die sich
ihm zur Seite stellen könnten, und noch heute – ob seine Asche längst im Grabe
modert – lebt er bey uns in seinen Werken und ergreift durch seine kräftigen Harmonieen jedes Herz, das Schönes und Edles würdigen und empfinden kann.
Unter seine trefflichsten und allgemein bekanntesten Compositionen gehören wohl
unstreitig seine vierstimmigen Choralgesänge.
Ein heiliger, frommer Geist weht in diesen Dichtungen, die noch immer in unseren
evangelischen Kirchen die Herzen erheben und sie zu Andacht und Dank stimmen. |
Schon längst sind sie durch den Druck veröffentlicht worden und noch in den letzten Jahren des vorigen Jahrhunderts erschien eine Ausgabe. Doch auch sie ist schon
längst vergriffen und die vielfachen Anfragen darnach konnten nicht befriedigt
werden. Die Unterzeichneten beabsichtigen daher, eine neue Ausgabe dieser Choralgesänge zu veranstalten, welche, im Wesentlichen der frühern vollkommen gleich,
nur durch ein gefälligeres Aeussere und durch Einführung des Violin- statt des alten
Discantschlüssels sich davon unterscheiden soll, um sie den gegenwärtigen Zeitum-
ständen anpassender und noch allgemeiner brauchbar zu machen.
Den Ankauf dieser neuen Ausgabe zu erleichtern, soll dieselbe auf dem Wege der
Subscription und zwar unter folgenden Bedingungen erscheinen: Der Subscriptions-
preis für das ganze in vier Theilen erscheinende Werk ist 2 Thlr. Sammler erhalten
auf 5 Exemplare noch ein sechstes gratis; der spätere Ladenpreis ist auf 3 Thlr. festgesetzt, während die frühere Ausgabe 5 Thlr. 8 Gr. kostete. Die Subscription selbst
bleibt bis Ende dieses Jahres eröffnet, und alle solide Buch- und Musikhandlungen
werden sich mit Vergnügen der Annahme derselben widmen.
Zugleich mit diesem Werke wird ein zweytes, nicht minder achtungswerthes:
Joh. Seb. Bach's musikalisches Opfer,
bey uns in einer neuen Ausgabe erscheinen. …[→ C 135]

Leipzig, Michaelismesse 1831.

Breitkopf & Härtel.

Quelle: AMZ, 33. Jg., Intell.-Bl. Nr. VII, Oktober 1831 (*Ankündigungen.*), sowie 33. Jg., Nr. 48, 30. November 1831 (Einladungszettel mit demselben Wortlaut).
Anm.: → C 86.
Lit.: → C 86.

C 88

BECKER: VORWORT ZUR AUSGABE DER VIERSTIMMIGEN KIRCHENGESÄNGE
LEIPZIG, 9. AUGUST 1841

Vorwort.

Dem hohen Tonmeister, Johann Sebastian Bach, der fast stets für seine Kirche lebte und wirkte, konnte die erhebende Gewalt und der eigenthümliche Reiz, welchen die Choralmelodieen überhaupt und des 16. und 17. Jahrhunderts insbesondere auf jedes sinnige Gemüth ausüben, nicht fremd und verborgen bleiben. Blicken wir auf sein reges und bis zum letzten Lebenshauch der Tonkunst geweihtes Leben, so finden wir ihn oft mit Ausarbeitungen von Kirchengesängen beschäftigt, hier sie selbst als die würdigsten Motive benutzend, um kaum glaubliche, wahrhaft wunderbare Tongebilde hinzuzaubern, dort als die gediegensten Verbindungsglieder und Schlußsteine in diese einreihend; hier den ergreifenden Choral mit sicherer Hand erfassend, den Gegensatz von dem Einfachsten und Zusammengesetzten gewahren zu lassen, dort denselben mit einigen Stimmen schmückend, als Muster seinen Jüngern aufzustellen – , und so sorgfältig es uns die Kunstgeschichte aufbewahrt hat, daß es – obgleich schon tief gebeugt von schweren Körper- und herben Seelenleiden und des Augenlichtes gänzlich beraubt – sein letztes Tage- und Kunstwerk war, dem treuen Schüler den wehmüthigklagenden Gesang: Wenn wir in höchsten Nöthen sein – in die Feder zu dictiren, so möchten wir es für gewiß behaupten, daß sein Geist sich schon in frühester Jugend an diesen frommen, herrlichen Weisen stählte und heranbildete. – …
| … So viel über die bisherigen Ausgaben der vierstimmig gesetzten Kirchengesänge des herrlichen J. S. Bach!
In wie weit mir es nun gelungen ist, diese kleinen Meisterstücke würdig und zum erstenmal zum Studium, wie für die Ausführung Bach'scher Werke zusammen zu reihen; in eine übersichtliche Folge zu bringen; durch Vergleichen mit den Kirchenliedern wie sie Bach bei der Bearbeitung vor Augen hatte von mannigfachen Fehlern zu reinigen; durch Hinzufügen mancher andern Bach'schen Choräle zu vermehren – überlasse ich der Kritik zu untersuchen und zu beurtheilen. Warum ich nicht gleich C. Ph. E. Bach „den Liebhabern des Klaviers und der Orgel zu gefallen, die Choräle

in zwei System gebracht habe", wird wohl füglich damit beantwortet, daß dieselben „ursprünglich in vier Systeme für vier Singstimmen gesetzt sind.[11])
Leipzig, d. 9. August, 1841.   C. F. Becker.

11)   In der Vorrede vom Jahr 1765.

Quelle: *JOH. SEB. BACH'S | vierstimmige | Kirchengesänge. | Geordnet | und mit einem Vorwort | begleitet | von | C. F. BECKER, | Organisten an der Nicolaikirche und Lehrer an der Musikschule zu Leipzig. | – | Eingetragen in das Archiv des Vereins. | – | Mit Johann Sebastian Bach's Portrait. | – | Leipzig, 1843. | Verlag von Robert Friese.* Vorwort, S. (V)–VIII. „Verzeichniß der Melodieen", S. 1–279. Typendruck. (1841–1843 in 6 Lieferungen.)
Anm.: Das Titelbild ist ein Stich von A. Kluge, im Verlag Binder, Leipzig (→ Dok. IV, B 43). Die von Becker besprochenen „bisherigen Ausgaben" sind: *Johann Sebastian Bachs | vierstimmige | Choralgesänge | gesammelt | von | Carl Philipp Emanuel Bach. | – | Erster Theil. | … | … Friedrich Wilhelm Birnstiel, …, 1765;* [ebenda] *… Zweyter Theil. | … .1769; Johann Sebastian Bachs | vierstimmige | Choralgesänge. | … | Erster Theil. | – | Leipzig, | bey Johann Gottlob Immanuel Breitkopf. 1784.*
Anzeige: NZfM, 10. Jg., 18. Bd., Intell.bl. Nr. 6, Mai 1843. Vgl. auch die Anzeige von Lieferung 1, in: NZfM, 8. Jg., 15. Bd., Intell.bl. Nr. 7, November 1841, sowie von Lieferung 1–6, in: AMZ, 45. Jg., Nr. 37, 13. September 1843, Sp. 669.
Vgl. auch den Beitrag *Die frühern Ausgaben der J. S. Bach'schen Kirchengesänge,* in: NZfM, 8. Jg., 15. Bd., Nr. 40, 16. November 1841, S. 157–158, sowie Beckers Aufsatz *J. S. Bach's Choralbearbeitungen.,* in: NZfM, 8. Jg., 14. Bd., Nr. 21, 12. März 1841, S. 85, mit Hinweis in der Fußnote auf seine Ausgabe bei R. Friese. Rezension: AMZ, 45. Jg., Nr. 4, 23. Januar 1843, Sp. 57–62 (Schellenberg).
Lit.: A. G. Ritter, *Der rhythmische Choralgesang,* NBMZ, 3. Jg., Nrn. 17, 22, 34 und Nr. 35, 25. April, 30. Mai, 22. und 29. August 1849, S. 129–133, 169–170, 265–268 und S. 273–275; Krause II, Nr. 134,1; 134,2; 135; 137.

ORGELWERKE

SAMMLUNGEN

C 89

GRIEPENKERL: ANGEBOT VON HANDSCHRIFTEN FÜR EINE GEPLANTE AUSGABE
DER ORGELWERKE BEI C. F. PETERS

BRAUNSCHWEIG, 17. APRIL 1820

… Sie zeigten mir in Ihrer letzten gütigen Zuschrift ferner an, daß Sie geneigt wären, im nächsten Sommerhalben Jahre mit der Ausgabe der Bachischen Orgelsachen den Anfang zu machen. Sechs Sonaten, zwanzig Präludien mit zwanzig Fugen und viele

Choralvorspiele, von welchen allen nie eine Note gedruckt wurde liegen zur Auswahl bereit, lauter Kunstwerke von der ausgezeichnetsten Vortrefflichkeit, so daß zu bezweifeln steht, ob jemals wieder so einzige Kunstwerke ausgearbeitet werden. Darf ich rathen, so geben Sie zu jeder Messe ein Heft etwa zu drei Sonaten oder drei Präludien und Fugen, bis die ganze Sammlung erschienen ist. Für völlig korrekte Abschriften bin ich verantwortlich, indem ich viele dieser Werke in der eigenen Handschrift des Komponisten besitze, und sie alle durch Forkels kritische Hand gegangen sind. …

Quelle: Griepenkerl an C. F. Peters, 17. April 1820. Autograph (D-Wa, Signatur: *298N 671*).
Anm.: Erste Überlegungen zu einer Ausgabe der Orgelwerke, die jedoch erst 1844 zusammen mit Ferdinand August Roitzsch ins Leben gerufen wurde (→ C 102). Der Brief steht im Zusammenhang mit der Herausgabe der Chromatischen Phantasie und Fuge im Jahre 1820 bei C. F. Peters (→ C 127).
Lit.: Lehmann Bach-GA, S. 162ff., sowie Dk. II/3.

C 90

Rezension der Sämmtlichen Orgel-Werke bei Haslinger
Wien, 2. Februar 1832

Sämmtliche Werke von Johann Sebastian Bach. I. Werke für die
    Orgel, 1. und 2. Lieferung. Wien, bey Tobias Haslin-
    ger, k. k. Hof- und priv. Kunst- und Musikalienhändler am
    Graben Nr. 572.
Wenn eine Verlagshandlung, um dem Zeitgeschmacke zu huldigen, und, ohne Umschweife sey es gesagt, um Geld zu machen, damit die Räder der Maschine nicht ins Stocken gerathen und hinreichend Öhl zufließe, sie in Bewegung zu erhalten, wenn eine Verlagshandlung sich genöthigt sieht, Alltäglichkeiten unter abentheuerlichen Titeln feilzubieten und die Kauflust eines übersättigten Publicums durch Titelkupfer und farbige Umschläge zu reizen, so läuft sie Gefahr, im Strudel der Gemeinheit unterzugehen und mit bedenklichem Kopfschütteln durchblättert der ächte Musikfreund das Verzeichniß ihrer Erzeugnisse. Wenn aber unter vielen nichtssagenden Producten ein Werk, wie das vorliegende, glänzend auftaucht, so jauchzt dieser Musikfreund, von lebhafter Freude ergriffen, laut auf, und erkennt, daß die Verlagshandlung Kunstsinn mit wohlberechneter Industrie paart und stets das Gute will, wenn sie es auch nicht immer erreichen kann. Im gegenwärtigen Falle hülft sie sogar einem schon lange tief gefühlten Bedürfnisse nach, denn nicht zu läugnen ist es, daß trotz der sich täglich mehrenden Anzahl guter Clavierspieler, deren Vaterland im eigentlichen Sinne Wien genannt werden kann, die Orgelspieler, die guten nähmlich, täglich seltener werden, und uns das Ausland im abgewiche-

nen Jahre die trefflichen Virtuosen Hesse und Klaus hersenden mußte, damit wir
endlich einmahl wieder des Genusses theilhaftig wurden, dieses hehre, erhabene Instrument, die Orgel, in seiner ganzen imponirenden Würde zu vernehmen und die
Kraft bewundern konnten, welche frey und doch durch die Kunst gebunden, Herz
und Geist, Schönheitssinn und Verstand, Kunstkenner und Layen zu gleicher Zeit
entzückte und befriedigte. Es genügt, als Verfas- | ser des vorliegenden Werkes den
Vater des Orgelspieles, den großen Johann Sebastian Bach zu nennen, jedes andere
Lob wäre überflüssig. Nur Eines fügen wir bey: sein Nahme ist leider! im Auslande
bekannter als bey uns, und wir begnügen uns damit, ihn anzuerkennen, ihn zu
verehren, während die Componisten des übrigen Deutschlands ihn spielen und
lebendig dem begeisternden Zuhörer vorführen. Doch genug des Allgemeinen! wir
empfehlen vorliegende zwey Hefte allen Orgelspielern, denen die Kunst am Herzen
liegt; sie werden durch das Studium, durch die Ausführung derselben, bedeutend
gewinnen, denn Keiner, der Meister auf der Orgel werden will, darf sie bey Seite
lassen, sie sind eine nothwendige Stufe, die Keiner überspringen soll. Das erste Heft
enthält die berühmte Fuge auf das Thema: *Le grenzianum*, eine herrliche Arbeit voll
Kraft und Effect, in welcher nach einander zwey kunstreiche Themate eintreten, die
zuerst einzeln durchgeführt, dann in einander verschlungen werden, bis sich das
Ganze phantasiereich in eine freye Caprice auflöset. Der Orgelspieler findet hier eine
schwierige, aber dankbare Aufgabe, die beyden Hände haben auf dem Manuale, die
Füße auf dem Pedale vollauf zu thun, und das schöne Instrument kann seine volle
Kraft darin entfalten. Das zweyte Heft enthält die canonischen Veränderungen über
das als *Cantus firmus* behandelte Weihnachtslied: „vom Himmel hoch, da komm' ich
her," welches in breit nachhallenden Tönen vom Pedale gespielt wird, während sich
beyde Hände in den verschiedensten Figuren und in den strengsten, schwierigsten
Passagen unausgesetzt bewegen. Hier ist Lehre und Beyspiel zugleich gegeben,
hier findet man alle Aufgaben Marpurg's über den Canon: *all' ottava, alla quinta,*
alla settima, von Meisterhand gelöset, und der einfache Gesang schwebt ergreifend
bald in hohen, bald in tiefen Tönen über dem wogenden Meere der Töne, wie der
helle Stern, der die stürmische See beleuchtet und dem Schiffer zur Richtung seines
Laufes dient. Besonders ist die letzte Veränderung ein wahres Meisterstück. Die
Verlagshandlung verdient den herzlichen Dank aller Kunstfreunde, nicht allein für
die neue Herausgabe dieser Meisterwerke, sondern auch für die zierlich, correcte
und dem Auge wohlgefällige Ausstattung des Ganzen. Wir wünschen ihr viele Abnehmer und laden die Freunde des Orgelspieles und des strengen Satzes dazu ein,
sie sich zu verschaffen. Sie erhalten Gutes, höchst Gediegenes.

Quelle: AMAnz, 4. Jg., Nr. 5, 2. Februar 1832, S. 17–18.
Nachweis: *Sämmtliche | ORGEL-WERKE | von | JOH. SEB. BACH. | – | No [hs:] I [2] | – | Der*
Haupt-Titel zu dieser neuesten critisch-revidirten Ausgabe von J. S. Bach's sämmtlichen Werken, ist der er-
sten Lieferung beigegeben. | – | Wien, bei Tobias Haslinger, | k. k. Hof- u. priv. Kunst- u. Musikalienhänd-
ler | am Graben No 572. (1831), PNT. H. 5801. Inhalt: BWV 574b, 769.

Anm.: Siehe hierzu die „Rüge" eines gewissen Eichner, Kontrabassist: „… Nehmen wir z. B. Se-
bastian Bach's sämmtliche Werke, Heftweise von Haslinger in Wien herausgegeben, so finden
wir, daß unter zwölf Seiten jedesmal sechs weißes Papier, welche Legierung dem verehrlichen
Verleger gewiß das seinige abwerfen wird, für uns arme Organisten aber nur weißes Papier
bleibt, …" (NZfM, 4. Jg., Bd. 6, Nr. 10, 3. Februar 1837, S. 41–42, hier S. 42).
Anzeigen: H. Mb. 1831, Nr. 10, September / Oktober, S. 83; AMZ, 34. Jg., Nr. 24, 13. Juni 1832,
Sp. 404 (*Kurze Anzeigen*.)
Zu den „trefflichen Virtuosen Hesse und Klaus" → D 139.
Lit.: NBA IV/2 Krit. Bericht (H. Klotz, 1957); Krause II, Nr. 142, 143.

C 91

Rellstab: Rezension der Ausgabe von Marx
Berlin, 14. März 1834

Johann Sebastian Bach's noch wenig bekannte Orgelcompositionen
    (auch am Pfte. von einem oder zwei Spielern ausführbar), ge-
    sammelt und herausgegeben von Adolph Bernhard Marx.
    1stes, 2tes und 3tes Heft. Leipzig, bei Breitkopf et Härtel.
    Preis à 18gGr.

Diese Sammlung Sebastian Bach'scher Werke, welche der ehemalige Redakteur der
Berliner musikalischen Zeitung, jetzt Professor an der Universität, Herr Marx uns
hier vorlegt, macht uns mit einer Anzahl größerer Orgelstücke des alten Meisters
bekannt, die bisher noch nicht im Stich erschienen waren. Wir glauben uns jedoch
nicht zu irren, wenn wir diese Orgelsachen für dieselben halten, welche wir bereits
vor acht oder zehn Jahren in einem sehr musikalischen Hause Berlins kennen lern-
ten, wo ein jetzt berühmter Componist sie gemeinschaftlich mit seinem Freunde, der
nun verstorben, zu sammeln angefangen hatte. Wenn wir uns nicht täuschen, so war
die Quelle, aus welcher jene Verehrer Sebastian Bach's schöpften, theils die Bibliothek Zelters, welche so reich an Handschriften dieses Meisters war, theils die des
Joachimsthalschen Gymnasiums, die ebenfalls einen großen Reichthum an Compositionen dieses alten Meisters besitzt. Im Grunde wäre es daher, falls diese Ver-
muthungen gegründet sind, die sich uns bei der Betrachtung der einzelnen Stücke
immer lebhafter erneuern, hauptsächlich das Verdienst jener oben benannten Per-
sonen, diese Schätze aus ihrer Verborgenheit ans Tages- | licht gezogen zu haben,
denn schon damals hatte man eine Auswahl getroffen und sie in sorgfältigen, von
Fehlern gereinigten Abschriften gesammelt, ja der Redakteur der Iris hatte selbst
einen kleinen Antheil an dieser Thätigkeit, indem man ihn ersucht hatte, einen Verleger für diese Compositionen herbei zu schaffen, welches aber damals nicht gelang;
indem wirklich die Theilnahme der jetzigen Welt für Seb. Bach durch die Aufführung seiner großen Passionsmusik ungleich allgemeiner geworden ist, als sie damals

war. So müssen alle Unternehmungen ihrer Zeit entgegen reifen, und Herrn Marx bleibt jetzo wenigstens das Verdienst, die Herausgabe verwirklicht und unter den gesammelten Stücken die Auswahl getroffen zu haben. Wir dürfen diese weder eine glückliche, noch eine verfehlte nennen, weil wir nicht wissen können, was statt des Gewählten zurück geblieben ist. So viel ist indessen gewiß, daß in den vorliegenden drei Heften sich mehrere höchst ausgezeichnete Stücke, die auch zugleich sehr glänzend für die Orgel sind, befinden, als z.B. die Phantasie in G-moll [BWV 542] im ersten Heft, das Präludium in E-dur [BWV 566] in demselben, und die Toccata [BWV 565] in dem dritten. Dieses letztern Stücks entsinnt sich der Redakteur ganz bestimmt als eines derjenigen, welche schon damals zur Herausgabe bestimmt waren. Es sey uns nunmehr willkommen, und wird auch von allen Orgelspielern und den Freunden der älteren classischen Musik willkommen geheißen werden. Wir beschließen die Anzeige mit einem Dank gegen den Herausgeber und Verleger, da beide wohl einige Opfer bringen mußten, und es jetzo sehr selten ist, daß sich ein ernsteres Interesse dieser Art für die Kunst findet.

Quelle: Iris, 5. Jg., Nr. 11, 14. März 1834, Sp. 41–42 (*I. Ueberblick der Erzeugnisse.*).
Nachweis: *Johann Sebastian Bach's | noch wenig bekannte | Orgelcompositionen | (auch am Pianoforte von einem oder zwei Spielern ausführbar.) | gesammelt und herausgegeben | von | Adolph Bernhard Marx. | – | [links:]* [1].*ˢ Heft.* [2.ˢ, 3.ˢ] – *Pr. 22 ½ Ngr.* [18 Gr., 22 ½ Ngr.] | *Leipzig | Bei Breitkopf & Härtel. | … .* (1833), PN 5469 (5470, 5471). Inhalt Heft 1: BWV 539, BWV 542, BWV 566 (Teile 1 und 2, E-Dur-Fassung) und BWV 569; Heft 2: BWV 532, 550; Heft 3: BWV 533, 565.

C 92

BECKER: REZENSION DES MUSEUMS FÜR ORGELSPIELER
LEIPZIG, 13. NOVEMBER 1834

Museum für Orgelspieler.
    Sammlung gediegener und effectvoller Orgel-Compositionen
    älterer und neuer Zeit. 2. Band. Pr. 3 Thlr. Prag,
    Marco Berra.
Auf wahren classischen Werth macht diese treffliche Sammlung Anspruch. 47 Werke von den vorzüglichsten Meistern ihrer Zeit sind hier niedergelegt, und nicht nur dem Orgelspieler, der es mit seinem Fach ernstlich meint, sondern auch dem Forscher des Geschichtlichen der Tonkunst sind so neue und reiche Quellen geöffnet. … | … Geschichtsforscher der Tonkunst und tüchtige Organisten wünschten wir besonders auf dies Museum aufmerksam zu machen; erstere, um auch aus diesen Quellen den Standpunct der Tonkunst zu erblicken, worin sich fast volle zweihundert Jahre abspiegeln, letztere, um sich vielseitig in der wahren Orgelkunst auszu-

bilden, wie es nicht durch die Joh. Seb. Bach'sche Schule allein stattfinden kann, und sich und den Freunden des königlichen Instruments die herzlichsten Freude und die innigste Achtung zu bereiten.

Quelle: NZfM, 1. Jg., 1. Bd., Nr. 65, 13. November 1834, S. 259–260.
Nachweis: *Museum | für | Orgel-Spieler. | – | SAMMLUNG | gediegener und effectvoller | ORGEL-COMPOSITIONEN | älterer und neuerer Zeit. | [hs.:] … Band. | PRAG, bei MARCO BERRA. | Altstadt, Egidy-Gasse Nro. 453. | Sechs Lieferungen bilden einen Band, Pränumerations-Preis für eine Lieferung 45 kr. C.M. oder 12 ggr. Sächsisch.* (um 1832). Von Bach ist in Bd. 2 enthalten BWV 546/2, transponiert nach d-Moll und gekürzt.
Anzeige: AMZ, 34. Jg., Intell.-Bl. Nr. VIII, Juli 1832, Sp. 31.

C 93

Rezension des Neuen vollständigen Museums für die Orgel
Leipzig, 12. Juli 1837

Neues vollständiges Museum für die Orgel zum Ge-
brauche für Organisten in allen Theilen ihres Be-
rufs und zur allseitigen Ausbildung für denselben,
herausgegeben von einem Vereine vorzüglicher
Organisten. 4ter Jahrgang. Meissen, bei Friedr.
Wilh. Goedsche. Pr. 1 Thlr. 12 Gr.
Auch ein fortgesetztes, schon besprochenes Werk, dessen Einrichtung dieselbe geblieben ist. Die Componisten sind: Adam, mit einer kurzen und leichten Fuge; Seb. Bach, mit einer ganz kleinen 3stimmigen Fughette.

Quelle: AMZ, 39. Jg., Nr. 28, 12. Juli 1837, Sp. 448–450, hier Sp. 448.
Nachweis: *Neues vollständiges Museum | für die | Orgel | zum Gebrauche für Organisten in allen Theilen ihres Berufs und zur allseitigen | Ausbildung für denselben | herausgegeben | von einem Vereine vorzüglicher Orgelcomponisten. | – | … Jahrgang. | [rechts:] Preis 1 Rthlr. 12 Gr. | – | Meissen, | bei Friedrich Wilhelm Goedsche.*
Anm.: Angezeigte Ausgabe nicht nachgewiesen. Vgl. auch die Rezension des 5. Jahrganges, in: AMZ, 40. Jg., Nr. 12, 21. März 1838, Sp. 187–189: „… Weil dieses Museum mehre gediegene Orgelkompositionen des allbekannten Joh. Ludwig Krebs aus dem Staube rettete, folgen einige Nachrichten aus dem Leben dieses | vorzüglichen Schülers Seb. Bach's: sie sind aber bereits hinlänglich bekannt. – …"

C 94

ANKÜNDIGUNG VON GRADUS AD PARNASSUM

LEIPZIG, 13. NOVEMBER 1839

Gradus ad Parnassum
oder Vorschule zu Seb. Bach's Klavier- und Orgel-
komposizionen in Präludien und Fugen durch alle
Dur- und Molltonarten für Orgel und Pianoforte
komponirt – von Fr. Kühmstedt. Op. 4. 1. Lief.
Mainz, bei B. Schott's Söhnen. Preis 48 Kr.

In dem Vorworte setzt der Herr Verfasser, Musikdirektor in Eisenach, aus einan-
der, dass zum Künstler nicht nur Talent, sondern auch die Fertigkeit gehört, | den
Stoff mit Leichtigkeit zu beherrschen; sein Streben war, es Bach wo möglich gleich
zu thun, ob er schon weiss, dass Bach nicht zu erreichen ist. Diese erste Lieferung
umfasst die gebräuchlicheren Tonarten, und den Arbeiten sind meist Choräle zum
Grunde gelegt, um die Präludien auch für den Gottesdienst brauchbar zu machen,
wofür sie sich auch sehr gut eignen. ...

Quelle: AMZ, 41. Jg., Nr. 46, 13. November 1839, Sp. 890–891.
Nachweis: *Gradus ad parnassum oder Vorschule zu Sebastian Bach's Clavier- und Orgelcompositionen*
in Praeludien und Fugen durch alle Dur- und Molltonarten für Orgel und Pianoforte: opus 4/componirt
... von Fr. Kühmstedt.
Anm.: Angezeigte Ausgabe nicht nachgewiesen (→ BVB-Verbundkatalog, Titelauflagen von
1850 und 1870).
Vgl. auch die Anzeigen, in: AMZ, 42. Jg., Nr. 12 und Nr. 38, 18. März und 16. September 1840,
Sp. 235 und Sp. 790–791, sowie 43. Jg., Nr. 47, 24. November 1841, Sp. 979–980; NZfM, 12. Jg.,
23. Bd., Nr. 32, 17. Oktober 1845, S. 126–127.

C 95

FRIEDLEIN & HIRSCH: ANKÜNDIGUNG EINES NEUEN ORGEL-JOURNALS VON C. F. BECKER

LEIPZIG, 26. FEBRUAR 1843

Neues Orgel-Journal.
Im Verlage der Unterzeichneten erscheint und ist in allen
Buch- und Musikalienhandlungen zu erhalten:
Cäcilia.
Tonstücke für die Orgel
zum Studium Concertvortrag und zum Gebrauch beim
öffentlichen Gottesdienst.

Herausgegeben von
C. F. Becker,
Organist zu St. Nicolai und ordentlicher Lehrer des Orgelspiels
am Conservatorium der Musik in Leipzig.

Die Cäcilia erscheint in Heften von 16 gestochenen Noten-Seiten in Umschlag, mit neuen Liniensystemen auf der Seite in gross Queroctav, von denen jeden Monat eins ausgegeben wird. Sechs Hefte bilden einen Band, zu welchem Haupt-Titel und Inhalts-Verzeichniss gratis geliefert werden.

Der Subscriptions-Preis eines Heftes ist 7 $\frac{1}{2}$ Ngr, oder Sgr. – 24 Kr. Rhein. Für die Abnehmer eines vollständigen Bandes; einzelne Hefte kosten 15 Ngr. oder Sgr. – 48 Kr. Rhein.

Das erste und zweite Heft mit Compositionen von:
J. S. Bach, C. F. Becker, G. F. Händel, J. L. Krebs, W. A. Mozart. D. F. Nicolai, J. G. Walther sind bereits erschienen: die Fortsetzung erscheint regelmässig.

Leipzig, im Februar 1843.

Friedlein & Hirsch.

Quelle: AMZ, 47. Jg., Nr. 9, 26. Februar 1845, Sp. 151–152 (*Ankündigungen.*).
Nachweis: *CAECILIA. | TONSTÜCKE FÜR DIE ORGEL | zum | Studium, Conzertvortrag und zum Gebrauche beim öffentlichen Gottesdienst. | Herausgegeben | von | C. F. Becker, | Organist zu St. Nicolai und ordentl. Lehrer des Orgelspiels am Conservatorium der Musik zu Leipzig; Ehrenmitglied der Gesellschaft der Musikfreunde der | K. K. österreich. Staaten zu Wien; ordentl. Mitglied der Gesellschaft zur Erforschung deutscher Alterthümer zu Leipzig u.s.w. | … Band. | – | LEIPZIG, bei FRIEDLEIN & HIRSCH. | [links:] LONDON, J. J. Ewer & Comp. [rechts:] AMSTERDAM, Eck & Lefèvre. | Subscriptions-Preis 1 Thlr. 15 Ngr.* Von Bach ist enthalten: BWV 641.
Anm.: Vgl. auch die Rezensionen: AMZ, 47. Jg., Nr. 21, 21. Mai 1845, Sp. 357–359 (H. Schellenberg); NZfM, 12. Jg., 22. Bd., Nr. 42, 24. Mai 1845, S. 173–174 (Oswald Lorenz); NZfM, 14. Jg., 26. Bd., Nr. 43, 28. Mai 1847, S. 182–183 (G. Siebeck).
Lit.: Krause II, Nr. 240.

C 96

Griepenkerl: Vergleich der Handschrift von BWV 525–530 mit Nägelis Ausgabe

Braunschweig, 14. September 1843

… Ich habe abbrechen müssen, wie schon mehrmals, doch will ich heut das Blatt nicht wegwerfen, um ein neues zu nehmen. – Alles rein Musicalische will ich nächstdem an Herrn Roitzsch schreiben, damit er die bezüglichen Blätter bequem bei der Hand hat. Ihnen sage ich in dieser Beziehung nur, daß Herr Roitzsch die sechs Sonaten oder Trio's gern so lange behalten darf, bis er meine Handschrift mit Nägelis Ausgabe verglichen hat. – …

Quelle: Griepenkerl an Böhme, 11.–15. September 1843. Autograph (D-LEsta, Signatur: *Musik-verlag C. F. Peters Nr. 1147*).

Anm.: Die Sechs Sonaten für Orgel BWV 525–530 sind in Bd. 1 der „Compositionen für die Orgel" (→ C 102) erschienen. Bei der Hs. aus Griepenkerls Besitz handelt es sich um die Abschrift W. F. und A. M. Bachs P 272 aus dem Besitz Christian Heinrich Ernst Müllers. Bei H. G. Nägeli erschienen 1815 die Sechs Sonaten in: *Practische Orgelschule | enthaltend | SECHS SONATEN | für zwey Manuale und durchaus obligates Pedal. | Von | Joh: Sebast: Bach, Zürich: bey Hans Georg Nägeli und Comp.*

Lit.: NBA IV/7 Krit. Bericht (D. Kilian, 1988), S. 62–63; Heller G, S. 225; Krause II, Nr. 144; Lehmann Bach-GA, S. 182, sowie Dk. II/63.

C 97

NAUE: MITTEILUNG AN C. F. PETERS ÜBER EIN „ALTES MANUSCRIPT"
VON „SEBASTIAN BACHS EIGNER HANDSCHRIFT"
HALLE, 20. OKTOBER 1843

Ew. Wohlgeboren beehre ich mich, in Folge der Anfrage eines Ihrer Herrn Geschäftsversender, ergebenst anzuzeigen, daß ich unter meinen alten Manuscripten noch ein Präludium und Fuge aus Gdur von Sebastian Bachs eigner Handschrift gefunden habe. Derselben ist ein von Seb. Bach componirtes Präludium und eine Fuge aus Cdur vorgeheftet, aber Letzteres nicht von Bach selbst geschrieben.

Ich sende Ihnen hierbei den Anfang von Beiden, mit der ergebensten Anfrage: ob Sie davon Gebrauch machen können und welches Honorar Sie für das ganz volle Bogen starke Autograph des Sebastian Bach bewilligen wollen, so wie auch ob Sie von den andern nicht von Bach eigenhändig geschriebenen Präludien und fugen Gebrauch machen können?

Beide Piecen sind von *Forkel* mit *Neu* überschrieben, weshalb ich vermuthe, daß sie noch nicht in den von Forkel herausgegebenen Bachschen Fugen stehen. Ihrer geehrten Antwort entgegensehend verharre ich mit der vollkommensten Hochachtung

Ew. Wohlergebner

gehorsamster Diener
Dr. Naue

Halle d 20ten Octobr. 1843

Quelle: Naue an Böhme, 20. Oktober 1843. Autograph (D-LEsta, Signatur: *Musikverlag C. F. Peters Nr. 1913*).

Dem Brief beigelegt sind zwei Notenblätter mit Incipits: Präludium und Fuge C-Dur BWV 545a und G-Dur BWV 541; zu BWV 541 der Vermerk auf Bl. (1): „Praeludium. Eigne Handschrift des berühmten Sebastian Bach. …", auf Bl. (2): „NB Aus der Mitte desselben Präludiums, genau nachgeschrieben. …"

Anm.: Antwortbrief des Verlages → C 99. Beide Werke (BWV 541 und BWV 545a) sind mit ihren Incipits im Notenanhang von Forkel 1802 verzeichnet, vgl. auch Kat Forkel, Nr. 84. Erworben wurde das Konvolut durch Johann Friedrich Naue, der auf der ersten Notenseite des G-Dur-Werkes vermerkt: „eigene Handschrift des berühmten Sebastian Bach" und auf der Titelseite des C-Dur-Werkes: „Hier angeheftet Manuscript des großen Sebastian Bach Präludium aus Gdur." C. F. Peters als neuer Besitzer wird bereits von Griepenkerl im Vorwort zu Bd. 2 der Orgelwerke genannt. Der Erstdruck von BWV 541 erschien 1832 bei C. F. Peters → C 115 (Anzeige: AMZ, 34. Jg., Intell.-bl. Nr. 7).
Lit.: *Johann Sebastian Bach. Präludium und Fuge in G-Dur BWV 541.* Faksimile nach dem Autograph der Staatsbibliothek Preußischer Kulturbesitz zu Berlin mit einem Kommentar von Hans-Joachim Schulze. Veröffentlichung der Neuen Bachgesellschaft e. V. Sitz Leipzig 1996.

C 98

LORENZ: REZENSION VON AUSGABEN BEI G. W. KÖRNER
LEIPZIG, 18. MÄRZ 1844

Für die Orgel.
G. W. Körner, Orgelfreund, 4ter Band in
6 Heften. –
– – – – – –, Präludienbuch, 12 Hefte à
$^1/_2$ Thlr. –
– – – –, Postludienbuch, 1ster Bd. 1stes
Heft. – $^1/_2$ Thlr. –
– – – –, Der vollkommene Organist, 1ster
– Band 1stes Heft. – $^1/_2$ Thlr. –
– – – –, Der Cantor u. Organist, 1ster
– Band 1stes Heft. – $^1/_2$ Thlr. –
– sämmtlich bei G. W. Körner in Erfurt. –
Das heiß ich Consequenz und Ausdauer! Wer das nicht wüßte, daß der Herausgeber und Verleger selbst wohlgeübter Orgelspieler und Componist ist, würde sich diese beharrliche Vorliebe für das eine Fach schwer erklären können; denn außer den genannten sind noch mehrere andre ähnliche Werke von ihm früher herausgegeben. Das Präludienbuch, von dem bis jetzt 11 Hefte erschienen, wird mit dem nächstens erscheinenden 12ten geschlossen; dafür treten die oben genannten drei neuen Sammelwerke ins Leben, deren erste Lieferungen mir vorliegen. Das „Postludienbuch" enthält 5 größere fugirte Stücke von Rudolph, Engel, Roch, Stolze, S. Bach, von letzterem eine früher in einer Beilage dieser Zeitschrift enthaltene Phantasie [→ C 107], sämmtlich als Postludien oder sogenannte Ausgänge zu gebrauchen. Der „vollkommene Organist" bringt Choralvorspiele und andre Stücke, aber in der That solche, wie sie einem „vollkommnen" Organisten geziemen, als da sind: Choralvorspiel von

S. Bach „Durch Adamsfall ist ganz etc." (ebenfalls in unsern Beilagen mitgetheilt) [→ C 121], mit ganz absonderlichem Baß einem *continuo* gar eigner Art. Ein Vorspiel von Töpfer, eine Fuge von Marpurg und eine dreistimmige *Fuga super Thema Regium* von S. Bach, die mir bis dato unbekannt. Der Herr segne vor allem diese junge Saat und behüte sie vor Unkraut und Mutterkorn! Der „Cantor" geht wie billig mehr auf gottesdientliche Praxis aus und bringt außer einigen liturgischen Gesängen und einem Psalm für eine Altstimme mit Orgel von Helwig, verschiedene Orgelstücke kleineren Umfangs, läßt sich aber auch seines Orts sehen, das heißt hören, mit einer stattlichen Fuge von G. F. Händel. Der beiden andern obengenannten Werke, des Orgelfreunds und Präludienbuchs, geschah früher schon Erwähnung. Das letztere enthält vorzugsweise oder ausschließlich Stücke zum gottesdienstlichen Gebrauch, was namentlich betreffs des Umfangs eine maßgebende Rücksicht sein mußte. Der Orgelfreund hat sich ein | weiteres Feld abgesteckt, und enthält außer Stücken für die kirchliche Praxis auch manches Weiterstrebende, so wie Instructives für junge Bäche und Krebse. Der gegenwärtige vierte Band enthielt auch zwei Vorspiele von S. Bach, ich nehme somit mein früher geäußertes Desiderium als erledigt zurück. Ich darf schließlich die Anzeige des Herausgebers nicht unerwähnt lassen: daß an der Herausgabe aller dieser Werke von jetzt Hr. Org. Ritter thätigen Theil nehmen, so wie auch die Redaction der „Urania", eines Beiblattes zum Orgelfreund, übernehmen werde. Vom letzterwähnten Blatte habe ich auch die erste Nummer vor mir, sie enthält Viel- und Mancherlei und ist bunt genug. Laßt uns aber erst sehen, was aus dem Kindlein werden will.

Der Orgelfreund und das Präludienbuch sind übrigens vom k. preuß. Cultusministerium den Organisten, Cantoren u. s. w. neuerdings empfohlen, und deren Ankauf für die Seminarien verordnet worden.

Hans Grobgedackt.

Quelle: NZfM, 11. Jg., 20. Bd., Nr. 23, 18. März 1844, S. 90–91.
Nachweise: *Körner's und Ritter's | Orgel-Freund. | – | Ein | practisches Hand- und Muster-Buch | für | alle Verehrer eines würdevollen Orgelspiels. | – | [hs.: …] Band. | – | Erfurt: | Verlag und Eigenthum von Gotthilf Wilhelm Körner. | Subscriptionspr.: 1 Thlr. Ladenpr.: 2 Thlr.*
Der | Orgel-Freund | von | G. W. Körner & A. G. Ritter. | – | Ein | practisches Hand- und Muster-Buch | für | für [sic!] alle Verehrer eines würdevollen Orgelspiels | – | … Band. | – | ERFURT & LEIPZIG. | Gotth. Wilh. Körner's Verlag. | – | . | Subscriptionspr.: 1 Thlr. Ladenpr.: 2 Thlr.
Postludien-Buch, | oder | Sammlung von grösstentheils leichten Nachspielen der bekanntesten und gangbarsten | Dur- und Moll-Tonarten. | Für | Orgelspieler | zum | Gebrauch in der Kirche, sowie zur Privatübung für Präparanden, Seminaristen, Organisten | Schullehrer, Cantoren und alle Verehrer des kirchlichen Orgelspiels. | Herausgegeben | von | G. W. Körner. | [hs.: …] Band. | – | ERFURT & LEIPZIG. | Gotth. Wilh. Körner's Verlag | – | Subscriptionspreis: 1 Thlr. Ladenpreis: 2 Thlr.
Der | vollkommene Organist. | Mustersammlung | der verschiedenartigsten Orgel-Compositionen älterer und neuerer Zeit. | Zur | Beförderung eines höheren Studiums der Orgelmusik und zum besonderen Gebrauche für alle vorkommende | Fälle der kirchlichen Anwendung. | Herausgegeben | von | Gotth. Wilh. Körner. | – | [hs. …] Band. | – | ERFURT & LEIPZIG. | Gotth. Wilh. Körner's Verlag | – | Subscriptionspr.: 1 Thlr. Ladenpr.: 2 Thlr. …

Anm.: Angezeigte Ausgabe vom *Postludienbuch* nicht nachgewiesen. Vgl. auch die Ankündigung von BWV 564, in: AMZ, 47. Jg., Nr. 33, 13. August 1845, Sp. 560, als Einzelausgabe. Anzeige: AMZ, 47. Jg., Nr. 37, 10. September 1845, Sp. 632; Orgel-Freund: AMZ, 46. Jg., Nr. 50, 11. Dezember 1844, Sp. 848; NZfM, 12. Jg., 22. Bd., Nr. 17, 25. Februar 1845, S. 74; Rezensionen: Orgel-Freund, Bd. 5: AMZ, 47. Jg., Nr. 6, 5. Februar 1845, Sp. 82 („Kfn."); Bd. 8: NZfM, 13. Jg., 25. Bd., Nr. 17, 26. August 1846, S. 67–68 (*Für die Orgel.*); Postludienbuch, Bd. 2: NZfM, 13. Jg., 25. Bd., Nr. 24, 19. September 1846, S. 95–96 (L. Kindscher). Der vollkommene Organist, Bd. II: NZfM, 15. Jg., 28. Bd., Nr. 27, 1. April 1848, S. 160–161 (L. Kindscher).

C 99

Böhme: Erlaubnis zur Einsicht in das Autograph von BWV 541
Leipzig, 26. März 1844

Ew. Wohlgeboren bitte ich diese späte Beantwortung Ihrer geehrten Zuschrift v. 20. Octb. v. J. mit der Unentschlossenheit zu entschuldigen, inder ich mich bisher befand, ob ich nemlich eine neue Ausgabe einiger bei mir schon gedruckten Orgelsachen veranstalten solle oder nicht. Jetzt ist jedoch der Entschluß zur Reife gelangt und ich möchte wohl von der Original-Handschrift einer Orgelfuge in G dur, in deren Besitz Sie sind, in folgender Weise Gebrauch machen, wodurch Ihr Recht in keiner Art beeinträchtigt wird. Die bewußte Orgelfuge ist nemlich bei mir schon im Druck erschienen, aber mangelhaft, und ist daher eine neue Ausgabe wünschenswerth.

Zu diesem Entzweck bitte ich Sie um die Erlaubniß, daß H. *Roitzsch*, mein Corrector zu Ihnen kommen dürfte, um das Original mit seiner, nach den andern Handschriften, besorgten Abschrift zu vergleichen, wodurch allein die größte Richtigkeit zu erzielen wäre. Für diese Erlaubniß wollen Sie gef. ein angemessenes Honorar bestimmen, da die Original-Handschrift Ihr Eigenthum bleibt. Auch werde ich, wenn Sie es wünschen, Sie in dem Werke selbst als Eigenthümer dieser handschrift nennen. Den frühern Abdruck dieser Orgelfuge würde H. *Roitzsch* um Sie zu überzeugen, mitbringen.

Sollten Sie diesen Vorschlag, weniger zu meinem Vortheile als zur Ehre des großen Meisters J. S. *Bach* genehmigen, so würde es H. *Roitzsch* nächsten Sonntag d. 31. dM. am passendsten sein, Sie in *Halle* zu besuchen.

Ihnen den Vorschlag zu machen, die bewußte Handschrift auf einen Tag hierher zu senden, wage ich nicht, da Sie daraus Mistrauen schöpfen könnten, und erbitte mir daher möglichst umgehend Ihre gütige Antwort im Fall Sie vorziehen, H. *Roitzsch* bei sich zu sehen; bei diesem Schreiben haben Sie wohl die Gefälligkeit mir Ihre Wohnung mitanzuzeigen.

Mit vielem Vergnügen werde ich, wenn Sie es wünschten, Ihnen beim Verkauf dieser Handschrift mit der Zeit behülflich sein.

In dem festen Vertrauen, daß Sie meinen Wünschen entsprechen werden, versichre ich Ihnen dafür die dankbarste Anerkennung und bin mit der größten Hochachtung.

Quelle: Böhme an Naue, 26. März 1844. Kopierbuch 1844–1855 (D-LEsta, Signatur: *Musikverlag C. F. Peters Nr. 5028*).
Anm.: → C 97.

C 100

Griepenkerl: Korrekturangaben zum Band 1 und zum Orgelconcert von W. F. Bach

Braunschweig, 20. September 1844

Für Herrn Roitzsch
1) In dem Correctur-Exemplare der 6 Sonaten für 2 Cl. und Ped. von J. S. Bach, [BWV 525–530] welches sie mir zum Behuf der Vorrede hier ließen, ist nun manches noch nicht geändert, worüber wir hier einig wurden, weil Sie sagten, Sie hätten es schon angemerkt. Ich wollte hier nur noch einmal daran erinnern.
2) Das Wort über dem 21ᵗᵉⁿ Tacte des ersten Stückes im Orgelconcert von W. F. Bach, was sehr schwer zu lesen war, heißt <u>Brustwerk</u> (*Brustw*), woran mich gestern Herr Musikdirector *Stade* aus Jena, dem ich J. S. Bachs Handschrift zeigte, überzeugt hat.
3) Sollten Sie in dem allgemeinen oder besonderen Theile der Vorrede zum ersten Bande der Orgelcompositionen v. J. S. Bach, welche ich heut im Ms. überschickt habe, etwas finden, was eine Gegenbemerkung veranlassen könnte, so schreiben Sie es mir, ziehen aber keinen anderen Beurtheiler herbei. Der Andere oder dritte sieht immer die Sache aus anderen Gesichtspuncten, als wir und verdirbt uns nur die gute Laune mit seinen Gegenbemerkungen, ohne uns zu fördern.
4) Vom Michaelistage an habe ich 1 ½ Wochen völlige Freiheit von Amtsgeschäfften, und dann noch 1 ½ Wochen halbe Freiheit. In diesen drei Wochen kann ich alle jetzt vorliegende Arbeit für unseren Zweck vollenden, wenn Sie mir in jener Zeit auch noch die fehlenden Sachen zum 2ᵗᵉⁿ Bande der Orgelcompositionen v. J. S. Bach senden möchten.
Übrigens wünsche ich von Herzen daß Sie gesund und ohne Unfälle nach Leipzig mögen zurückgekehrt sein.

Ihr
ergebner
Griepenkerl

Quelle: Griepenkerl an Roitzsch, Notizen vom 20. September 1844. Autograph (D-BS Signatur: *H VIII A: 1442,20*).
Anm.: → C 117.

C 101

GRIEPENKERL: ÜBER DIE „VORREDE" ZUM 3. BAND
BRAUNSCHWEIG, 3. MÄRZ 1845

Ew. Wohlgeborn.

geehrtes Schreiben vom 28sten Febr. erhielt ich gesten Nachmittags 3 Uhr, nämlich d. 2ten März, welche Verzögerung wohl durch den Schnee unbrauchbar gemachten Eisenbahn herrühren mag.

Die von Herrn Roitzsch gewünschten Handschriften liegen jede in zwei Exemplaren, einer älteren und einer jüngeren, bei, und möge er noch viele Verbesserungen finden. Die Vorrede zum dritten Bande der Orgelcompositionen von J. S. Bach kann ich bis Ende März liefern, wenn ich vorher früh genug den Inhalt des dritten Bandes nebst der Notizen über die Handschriften, nach welchen er gestochen ist, erhalte, was Sie mir verheißen.

… Aber warum zögern Sie mit der Ankündigung der Orgelsachen so lange, da doch schon seit Weihnachten zwei ansehnliche Bände völlig fertig sind? Warum wollen Sie erst noch einen dritten Band dazu fertig haben? Die Gründe werden ohne Zweifel merkantilisch sein; aber da ein Theil der Seele dieser Ausgabe mein ist und Ihnen der Leib zusteht: so möchte ich doch gern von den Schicksalen derselben etwas erfahren, weil ich mich dafür wohl interessiren darf. Übrigens bin ich nun auch wohl zufrieden, daß gleich bei der Ankündigung noch ein dritter Band als fertig angegeben werden kann.

Hochachtungsvoll und

ergebenst
Prof. Dr. Griepenkerl sen.

Quelle: Griepenkerl an Böhme, 3. März 1845. Autograph (D-LEsta, Signatur: *Musikverlag C. F. Peters Nr. 1147*).

C 102

C. F. PETERS: INFORMATION ÜBER DEN PLAN EINER „GESAMMTAUSGABE"
VON BACHS ORGELWERKEN
LEIPZIG, 4. JUNI 1845

Verlags-Anzeige.

Da seit dem Erscheinen der ersten beiden Bände der Orgelcompositionen von J. S. *Bach* mehrfach angefragt worden ist, in welcher Vollständigkeit und Ausdehnung diese Unternehmung fortgesetzt werden solle, so hält es die unterzeichnete Verlagshandlung, so wie die Redaction, für ihre Pflicht, den Kunstfreunden nunmehr anzuzeigen, dass sie in den Stand gesetzt ist, von *J. S. Bach's* Orgelwerken eine *Gesammtausgabe* veranstalten zu können. Binnen Kurzem wird sonach der im Stich vollendete, gewiss höchst interessante *dritte* Band der Oeffentlichkeit übergeben, und mit den übrigen Bänden, in angemessenen Zeiträumen fortgefahren werden. Zugleich verfehlen wir nicht, den Verehrern des grossen Meisters die Anzeige zu machen, dass es uns nach vieljährigem Forschen gelungen ist, von *J. S. Bach's* sehr zahlreichen Choralvorspielen, Präludien, Fugen, Fantasieen, Orgelwerken u. s. w. die vollständigste Sammlung zu besitzen, welche nach einem wohlgeordneten Plane, theils mit Zuziehung der noch vorhandenen Autographen, theils mit gewissenhafter Benutzung glaubwürdiger Handschriften, im Druck erscheint. – Bei der vollständigen und correcten Herausgabe dieser Tonwerke, und geleitet von der uneigennützigen Absicht, der erhabenen Kunst unseres deutschen Meisters *J. S. Bach* ein würdiges Denkmal zu setzen, wiederholen wir die schon am Schlusse der Vorrede des ersten Bandes ausgesprochene Bitte, dieses Unternehmen durch Wort und That zu unterstützen.

C. F. Peters, Bureau de Musique in Leipzig.

Quelle: AMZ, 47. Jg., Nr. 23, 4. Juni 1845, Sp. 400 (*Ankündigungen.*).
Nachweis: *Johann Sebastian Bach's | Compositionen | für die | ORGEL. | Kritisch-korrecte Ausgabe | von | FRIEDRICH CONRAD GRIEPENKERL | FERDINAND ROITZSCH. | – | ... | LEIPZIG | im Bureau de Musique von C. F. Peters. | London, bei J. Ewer & Co St. Petersburg bei C. R. Klever. Moscau, bei Paul Lehnhold.* [Bände I–VIII]. (1844–1852).
Anm.: BWV 575 (→ Bd. IV) als Erstdruck in: „Sammlung von Musik-Stücken alter und neuer Zeit als Zulage zur neuen Zeitschrift für Musik", 6. Jg., Bd. 11, Nr. 23, September 1839; BWV 562,1 (→ Bd. IV) als Erstdruck in ebenda, 8. Jg., Bd. 14, Nr. 37, 7. Mai 1841.
Anzeigen: Bde. I, II: NZfM, 12. Jg., 22. Bd., Intell.bl. Nr. 3, April 1845; Bd. III: AMZ, 47. Jg., Nr. 32, 4. August 1845; NZfM, 12. Jg., 23. Bd., Intell.bl. Nr. 2, September 1845; Bd. IV: AMZ, 48. Jg., Nr. 3, 21. Januar 1846; Signale, 4. Jg., Nr. 4, 1836, S. 30; Bd. IV: NZfM, 13. Jg., 24. Bd., Intell.bl. Nr. 2, Februar 1846; Bd. V: NZfM, 13. Jg., 25. Bd., Intell.bl. Nr. 7, Dezember 1846; Bd. VI: AMZ, 49. Jg., Nr. 42, Oktober 1847, Sp. 727; NZfM, 14. Jg., 26. Bd., Intell.bl. Nr. 3, März 1847. Eine ausführliche Anzeige bis Band VII mit dem Hinweis „Wird fortgesetzt." erschien in: NZfM, 17. Jg., 33. Bd., Nr. 17, 27. August 1850, S. 96.
Lit.: NBA IV/5–6.1 Krit. Bericht (D. Kilian, 1978), S. 260ff; Krause II, Nr. 144–157.

C 103

BECKER: REZENSION DER BÄNDE 1 UND 2

LEIPZIG, 1. JULI 1845

J. S. Bach's Compositionen für die Orgel.
Kritisch-correcte Ausgabe von F. C. Griepenkerl und
F. Roitzsch. Leipzig, bei Peters. Bd. 1. u. 2. à 3 ½ Thlr.

„Die Orgel ist die Königin der Instrumente und Bach's Werke ihr Schmuck." So ruft man unwillkürlich aus, wenn in dem altehrwürdigen Dome Bach's künstlich verschlungene Fugen wie ein unversiegbarer Strom dahinrollen, oder der schmucklose Choral, gleich einer Rose, deren leichte Blätter, von dem Hauche eines Lüftchens berührt, sich leise flüsternd bewegen, wie im Sonnenlicht leuchtet.
Wie groß war doch dieser Meister! ...
Bach's sämmtliche Werke, welche er für die Orgel geschrieben, zu sammeln und durch den Stich zu veröffentlichen, ist ein eben so neues als ehrenwerthes Unternehmen. Nur mehr versuchweise erschienen im Laufe dieses Jahrhunderts in dieser oder jener Handlung einige dünne Hefte voll Fugen und Choralvorspiele. Man benutzte dazu die erste, aber nicht immer beste Handschrift, die sich gerade vorfand, und ließ sich auf ein Vergleichen mit andern Handschriften nicht ein, kurz man setzte die Kritik gänzlich aus den Augen. So war es die natürliche Folge, daß die eigentlichen Kenner der Bach'schen Orgelcompositionen derartige Ausgaben nicht beachteten, dagegen um so emsiger in dem Besitz der alten Handschriften zu gelangen suchten; die angehenden Künstler hingegen die wenigen ihnen durch den | Stich gebotenen Tonstücke nicht schätzen und achten lernten. Die sämmtlichen Werke nun darzubringen nicht nur in schöner geschmackvoller Ausstattung, sondern auch mit der größtmöglichsten Sorgfalt und dem festen Vorsatz, die kostbaren Reliquien so treu zu überliefern, als sie aus der Hand des Meisters kamen, ist daher eben so neu, als ehrenwerth. Dank den beiden Herausgebern für ihre Bestrebungen, der Kunst einen so wesentlichen Dienst zu erweisen. Beide Bände enthalten eben so eigenthümliche, wie herrliche Tonstücke in reicher Auswahl. ... Beiden Bänden sind ausführliche Vorreden beigegeben, welche nicht nur die Quellen nennen, die von den HH. Herausgebern benutzt wurden, sondern auch sonst viel Interessantes enthalten und nicht übersehen werden mögen. ...
Möchte das großartige Unternehmen von Seiten aller Freunde und Verehrer der Bach'schen Tonschöpfungen, wie der Orgel überhaupt, gewürdigt werden, wie es verdient. Dann läßt sich nicht nur hoffen, daß es zu Ende geführt wird – so viel uns bekannt, ist das Ganze auf ohngefähr acht bis neun Bände in gleicher Stärke berechnet –, sondern auch, daß der Sinn und Geschmack immer mehr sich veredle und verbessere. Doch | wir fürchten nichts. Schon viele Treffliche erkennen ihn im wahren Licht; täglich schließen sich Neue an sie an, und der Kühne, welcher wandelte auf nie betretenen Bahnen, dessen irdische Reste kein glänzendes Denkmal schmückt, dieser Kühne bleibt vom Untergange frei. Einen Bach muß die Nachwelt noch unübertrefflich nennen, denn er war Einzig, wie er Einzig noch ist und ewig bleiben wird.

Quelle: NZfM, 12. Jg., 23. Bd., Nr. 1, 1. Juli 1845, S. 2–3.
Anm.: → C 102.
Lit.: Krause II, Nr. 144–148.

C 104

Joh. Seb. Bach's Compositionen für die Orgel.
    Kritisch-Korrekte Ausgabe von F. C. Griepen-
    kerl und F. Roitzsch. III. Band. – Leipzig,
    C. F. Peters. 3 $^1/_2$ Thlr.

Mit der Theilnahme, die uns ein jedes tüchtige und die Kunst oder die Künstler
förderndes Unternehmen einflößt, begrüßten wir in diesen Blättern die beiden ersten Bände einer Gesammtausgabe der Bach'schen Orgelcompositionen [→ C 102,
C 103]. Mit gleichen Erwartungen, nur Treffliches und Ausgezeichnetes kennen zu
lernen, machten wir uns genau mit dem Inhalt des dritten Bandes vertraut, wurden jedoch nicht so befriedigt, als es das Erstemal der Fall war. Wir fanden nämlich
unter den hier gebotenen zehn Nummern zwar Einige, die uns theils durch ihren
Gehalt wahrhaft erfreuten, theils seit langen Jahren liebgeworden waren, konnten
uns jedoch an der Mehrzahl – offen sei es gestanden – weder erwärmen noch be-
geistern, ja letztere regte bei dem öfteren Durchspielen den Gedanken auf, daß wohl
mehrere dieser Tonstücke nicht zunächst für die Orgel, und demnach auch nicht für
die Kirche von dem Componisten bestimmt wurden, und somit ihre Aufnahme in
eine Sammlung von Tonstücken für die Orgel nicht gerechtfertigt werden kann, oder
daß hier unter Bach's Namen irgend ein anderer Tonsetzer aus dem 18. Jahrhundert
untergeschoben sei, was, da den HH. Herausgebern hauptsächlich nur Abschriften
vorlagen, sehr leicht und unbewußt geschehen kann.*) Unser Urtheil näher zu |

*)   Wie so sehr leicht eine Verwechslung der Person bei | größtmöglichster Vorsicht eines
Herausgebers stattfinden kann, beweisen folgende Thatsachen: Um das Jahr 1800 gab der viel-
erfahrene J. G. Schicht in Leipzig zwei Hefte achtstimmiger Motetten von J. S. Bach [→ C 42]
heraus. In der Voraussetzung, ein ganz zuverlässiges Manuscript zu besitzen, und mit dem
Wunsche, das Schönste zu bieten, was er vermochte, um Bach's Namen zu verherrlichen, stellte
er die Motetten zusammen. Leider täuschte er sich und zugleich das musikalische Publicum mit
einer derselben, denn die höchst melodische Motette: „Ich lasse dich nicht" [BWV Anh. 159] – ist
bekanntlich nicht von Joh. Seb. Bach, sondern von Joh. Christ. Bach, geboren zu Arnstadt 1643. –
Ein anderer Fall: In dem 9ten Bande der Clavierwerke von Bach (Leipzig, bei Peters) [→ C 31]
wurde unter Nr. 13. eine aus E-Moll nach Es-Moll übertragene Fuge von G. E. Eberlin gestochen,
und der Herausgeber dieses Bandes, der wahrscheinlich eine alte mit einem falschen Titel versehene Abschrift in Händen hatte, war so fest überzeugt, ein Werk von J. S. Bach vor sich zu haben,
daß ers sogar das Jahr (1723) getroffen zu haben glaubte, in welchem das Werk von dem Meister
geschrieben worden sei. Und war es etwa Leichtsinn, daß wir in Bach's Kirchengesänge (Leipzig, Friese) [→ C 88] einen von Bach's Hand geschriebenen fünfstimmigen Choral aufnahmen,
der aber schon in Leipzig gedruckt war (1682), ehe Bach das Lebenslicht erblickt hatte?

begründen, lassen wir hier die Inhaltsangabe folgen, an die wir einige Bemerkungen
knüpfen.

...

| ... Haben wir somit die einzelnen Bestandtheile dieses Bandes angedeutet, so können wir nicht umhin, die HH. Herausgeber aufzufordern, in dem hoffentlich bald erscheinenden vierten Band nur Tonstücke aus Bach's Werken zu wählen, die von diesem Heroen der Tonkunst auch recht eigentlich für die Orgel, d. h. auch für die Kirche bestimmt waren. ... | ... Wir glauben daher, daß es sehr nothwendig sei, den Charakter eines Werkes sorgfältig zu berücksichtigen, und bei einer Auswahl von Tonstücken für die Orgel aus dem 18. Jahrhundert um so schärfer, da das Hausinstrument (das Clavier, Positiv, Portativ u. a.) mit dem in der Kirche (die eigentliche Orgel) hinsichtlich eines Pedals genau übereinstimmte. Man thut älteren Tonmeistern ohne solche Berücksichtigung wahrhaft unrecht. Wer aber wollte sich an einem Bach, der so scharf die Kirche von dem Hause zu trennen wußte, versündigen und ihn der Geschmacklosigkeit zeihen? –

Quelle: NZfM, 12. Jg., 23. Bd., Nr. 35, 28. Oktober 1845, S. 137–139 (*Neue Ausgaben älterer Werke.*).
Lit.: Krause II, Nr. 148.

C 105

Schellenberg: Rezension der Bände 1–3
Leipzig, 8. Oktober 1845 und 28. Januar 1846

Joh. Seb. Bach's Compositionen für die Orgel. Kritisch-
correcte Ausgabe von *F. C. Griepenkerl* und *F. Roitzsch.*
Leipzig, bei C. F. Peters. Band 1, 2. à 3 ¹/₂ Thlr.
„Die Erhaltung des Andenkens dieses grossen Mannes," sagt Forkel in seinem bekannten Buche: „Ueber J. S. Bach's Leben, Kunst und Kunstwerke," „ist nich blos Kunstangelegenheit – sie ist Nationalangelegenheit." ...
| ... Die Worte Forkel's, welche wir im Eingange anführten, sind uns auch jetzt noch Pflicht; aber auch von Seiten der Verleger muss zur möglichsten Verbreitung dieser classischen Werke die Hand geboten werden; gewiss, Alles muss sich vereinigen, um diesen Zweck zu erreichen. Erst in der neuesten Zeit wird diesen Ansprüchen vollkommen Genüge geleistet. Man bestrebt sich, durch Aufführungen, Spiel und Lehre den Bach'schen Geist immer weiter zu verpflanzen. Und auch die Verleger sind nicht zurückgeblieben; hier und da wurden Ausgaben Bach'scher Werke veranstaltet und überall hin verbreitet. Das grösste Verdienst darin hat sich aber die Verlagshandlung erworben, durch welche zuerst Bach's sämmtliche Claviercompositionen erschienen und jetzt die sämmtlichen Orgelcompositionen zu erscheinen anfangen. Man kann dies nicht genug anerkennen, so wie den Fleiss nicht genug loben, mit welchem die Ordner dieser grossen Sammlung, von der bis jetzt zwei Bände vor- | liegen, hierbei zu Werke gingen. Um die möglichste Originalität verbürgen zu

können, wurden bei Sätzen, wo nicht das Autograph zu Grunde lag, mehrfache Abschriften aus den entgegengesetztesten Entfernungen herbeigeschafft, diese verglichen, berichtigt und das aus ihnen für gewiss anzunehmende, als richtig für den Druck gewählt; bei anderen, wo ein solches vorlag, wurden ausserdem noch zahlreiche Abschriften verglichen, so dass jedes Stück dieser zwei ersten Bände als ächt anzunehmen ist. –

Der erste Band enthält zunächst die schon bekannten sechs Sonaten für zwei Claviere und Pedal, dann die berühmte Passacaille und eine Pastorale. Die Sonaten schrieb Bach nach Forkel für seinen ältesten Sohn Friedemann, um ihn damit zu dem grossen Orgelspieler vorzubereiten, der er nachmals geworden ist. Die Nägeli'sche Ausgabe führt den Titel: „Orgelschule"; sie bilden auch eine eigentliche Schule, aber keinesweges zur Bildung der Anfänger, wie Mancher dann und wann noch irriger Weise glaubt und sie für diesen Zweck nicht tauglich hält, wohl aber eine solche für bereits ausgebildete Orgelspieler, die an diesen Sonaten ihre erlangte Fertigkeit immer im Schwunge erhalten können, da das Triospiel das übendste, aber auch schwerste auf der Orgel ist. Also sie bilden eine – Meisterschule. …

| …[Sp. 725:] Wir kommen nun zu dem zweiten Bande. Dieser enthält zehn Präludien und Fugen, von denen die No. 1 C dur, 6 C moll, 7 C dur, 8 A moll, 9 E moll, 10 H moll schon aus der Haslinger'schen Ausgabe bekannt sind, …

Alle Diejenigen, die sich dem Studium des so unvergleichlichen Instrumentes, der Orgel, gewidmet haben, werden nicht anstehen, die so viel versprechende Sammlung in ihren Besitz zu schaffen, so wie wir es als eine Art Pflicht betrachten, dass alle wahren Verehrer der ächten deutschen Kunst, in deren Sammlung sich noch Autographen oder Abschriften Bach'scher Werke vorfinden sollten, das edle Streben der thätigen Verlagshandlung durch ihre Mittheilung unterstützen und fördern helfen, mit einem Worte, ihr, so wie den Ordnern des Ganzen, durch erhöhte Theilnahme an dem grossen Unternehmen Belohnung für die vielfach bisher verwendete Mühe und Sorgfalt finden lassen. …

[Sp. 59:]

J. S. Bach's Compositionen für die Orgel. Band 3. Leipzig, Peters. 3 ½ Thlr.

So eben kommt uns noch der dritte Band der Gesammtausgabe zur Hand und wir greifen mit Vergnügen darnach, eingedenk der bereits besprochenen ersten zwei Bände, welche des Vorzüglichen so viel enthalten. …

Quelle: Bde. I, II: AMZ, 47. Jg., Nr. 41, 8. Oktober 1845, Sp. 721–726 (*Recension.*); Bd. III: AMZ, 48. Jg., Nr. 4, 28. Januar 1846, Sp. 59–62 (*Recensionen.*).
Anm.: → C 102–C 103. Mit der „Nägeli'schen Ausgabe" ist die „Practische Orgelschule" (→ C 113) gemeint.
Zur Ausgabe bei Haslinger → C 114. Inhalt von Bd. 1: BWV 525–530, BWV 582, 590. Inhalt von Bd. 2: BWV 545, 541, 536, 542, 534, 546, 547, 543, 548, 544. Inhalt von Bd. 3: BWV 552, 540, 538, 539, 535, 537, 566 (C-Dur-Fassung), 564, 551, 533.

C 106

GRIEPENKERL: ENTGEGNUNG AUF SCHELLENBERGS REZENSION – AUFRUF ZUR
MITTEILUNG UNBEKANNTER AUTOGRAPHE UND „GLAUBWÜRDIGER" ABSCHRIFTEN
LEIPZIG, 25. FEBRUAR 1846

*Die neue Ausgabe der Compositionen für die
    Orgel von J. S. Bach, im Bureau de Mu-
    sique von C. F. Peters, betreffend.*

Die Herausgabe der Compositionen für die Orgel von *J. S. Bach* war ein Unternehmen,
welches nur durch das Zusammentreffen mancher glücklichen Umstände gelingen
konnte; und wir hatten Ursache, uns recht vieler Begünstigungen dieser Art zu erfreuen. Emsige Sammler öffneten uns ihre Schätze und versorgten uns mit Handschriften, ja selbst die Autographa wurden uns nicht vorenthalten, – die Neigung
des kunstsinnigen musikalischen Publicums schien diesem Zweige der Kunst und
ihrer Geschichte nicht abgeneigt u. s. w. Dennoch richteten wir am Ende der Vorrede
zum ersten Bande an alle Freunde der *Bach*'schen Kunst die angelegentliche Bitte,
„das ruhmwürdige Streben der Verlagshandlung durch Wort und That hochsinnig
zu unterstützen und uns mit Autographieen oder glaubwürdigen Abschriften, die
uns vielleicht entgangen wären, freundlich bekannt zu machen." Denn an der Vollständigkeit musste uns fast eben so viel gelegen sein, als an der Richtigkeit.
Die alten Freunde des Unternehmens sind treu geblieben, was im höchsten Grade
zu verdanken ist; aber neue haben sich nicht hinzugefunden. – Wir wollen wünschen, dass diese wiederholte Bitte Erhörung finden möge, weil es noch nicht zu
spät ist, und jede Verbesserung, jede neue Entdeckung nachgetragen werden kann. –
| Da wir uns ferner nicht für unfehlbar hielten und von dem unverständigen Dün-
kel, über Alles allein entscheiden zu können, frei waren, so äusserten wir Seite 2
derselben Vorrede den Wunsch: „es möchten alle noch lebende Kenner der Orgelcompositionen von *J. S. Bach* es nicht verschmähen, ihre vielleicht abweichenden
Ansichten von unserer Arbeit wohlwollend auszusprechen und zu begründen."
Zur Erfüllung dieses doch nicht vermessenen Wunsches ist bis heute wenig oder
nichts geschehen. Gleichviel, was davon der Grund gewesen sein möge, es ist damit
noch nicht zu spät, und wir erneuern deshalb hier Wunsch und Bitte. – ...
| ... Was das in demselben Verlage erschienene Orgelconcert von *W. Friedemann Bach*
betrifft, so gehört es zu den wenigen noch übrigen Orgelstücken, in denen *J. S. Bach*
mit eigener Hand den Gebrauch der Register und Claviere angegeben hat. Wer dies
zu seiner Belehrung nicht beachten will, der mag es unterlassen. Dass es aber heu-
tiges Tages hier wirklich noch etwas zu lernen gibt, das hört man in Orgelconcerten
oft genug. Ob die Abschrift dieses Concertes, wonach es gestochen ist, wirklich von
J. S. Bach's eigener Hand sei oder nicht, das bedarf keines Beweises, weil es hinreichend beglaubigt ist.

...

F. K. Griepenkerl sen.

Quelle: AMZ, 48. Jg., Nr. 8, 25. Februar 1846, Sp. 145–148.
Anm.: Zum „Orgelconcert" von Wilhelm Friedemann Bach → C 117.
Entgegnung Schellenbergs in: AMZ, 48. Jg., Nr. 17, 29. April 1846, Sp. 291–296. Zur Kontroverse zwischen Griepenkerl und Schellenberg vgl. insbes. auch den Beitrag von F. C. Schwiening, *Die Kritik über die neue Ausgabe der Compositionen für die Orgel von J. S. Bach (bei C. F. Peters in Leipzig) und J. N. Forkel*, NBMZ, 1. Jg., Nr. 41, 13. Oktober 1847, S. 337–340.
Lit.: A. Haupt, *Joh. Seb. Bach's Compositionen für die Orgel*, Cäcilia, Bd. XXVI, 1847, Heft 104, S. 201–213.

C 107

KINDSCHER: REZENSION DES ORGELVIRTUOSEN
LEIPZIG, 3. MAI 1846

...

G. W. Körner, Der Orgelvirtuos. Nr. 125: Seb.
    Bach, Phantasie u. Fuge in C-Moll [BWV 562]. Pr. 10 Sgr.
    [Erfurt, Körner.]
     ...

Wie thätig der Herausgeber der genannten Orgelwerke ist, zeigt schon dieses Titelverzeichniß [„Neues Orgeljournal", „Das höhere Orgelspiel"]. Dem angehenden Orgelspieler wird hierdurch genug – fast zu viel – geboten, so daß er am Ende in der Wahl selbst unschlüssig sein dürfte. … – Daß der Herausgeber sich bestrebt, alte gute Compositionen, Manuscripte etc. an's Licht der Gegenwart zu ziehen, kann nur mit Dank anerkannt werden, nur hätte noch mehr Sorgfalt in der Correctur stattfinden können (fehlende oder falsche Versetzungszeichen), oder auch vielleicht nur in der Durchsicht der alten Originale selbst, denn z. B. … | … im Choralvorspiel von S. Bach „Gelobet seist du" [BWV 723] steht im 5ten Tact das erste punctirte Viertel an der Stelle des dritten etc. …
Nr. 3. enthält eine, wie beigemerkt steht, bis jetzt ungedruckte Phantasie und Fuge von Seb. Bach aus C-Moll [BWV 562], und Nr. 4. ein Trio für zwei Manuale und Pedal von Joh. Ludw. Krebs, ein altes Meisterwerk, das wie so Vieles von diesem Lieblingsschüler Sebastian's sowohl bei Schülern wie Hörern seine Freunde und Bewunderer finden muß. …

Quelle: NZfM, 13. Jg., 24. Bd., Nr. 36, 3. Mai 1846, S. 141–143, hier S. 141 (*Für die Orgel.*).
Nachweis: *Der Orgel-Virtuos. | Auswahl von | Tonstücken aller Art für die Orgel, | von den vornehmsten Orgel-Componisten älterer und neuerer Zeit | zum | Studium und zum Gebrauche bei Orgel-*

Concerten. | *Herausgegeben von* | *GOTTH. WILH. KÖRNER.* | – | *Erfurt und Leipzig:* | *Verlag und Eigenthum von Gotth. Wilh. Körner.* | [links:] *N*⁰ [hs.: 5] [rechts:] *PREIS* ...
Anm.: Die Fantasie, in: „Sammlung von Musik-Stücken alter und neuer Zeit als Zulage zur neuen Zeitschrift für Musik", 8. Jg., 14. Bd., Heft 13, S. 3–5.

C 108

GRIEPENKERL: MITTEILUNG ÜBER DIE „LETZTE CORRECTUR" DES BANDES 6 –
AUFFINDEN DES ALS VERLOREN GEGLAUBTEN AUTOGRAPHS VON BWV 548

BRAUNSCHWEIG, 2. APRIL 1847

Um Ew. Wohlgeboren, nur zunächst wieder ein Lebenszeichen zu geben, schreib ich diese vorläufigen Zeilen.

Wäre die letzte Correctur des 6ᵗᵉⁿ Bandes von J.S. Bachs Orgelcompositionen nur fünf oder sechs Tage früher an mich gelangt, so würde meine Arbeit daran nicht mit meinen Amtsgeschäfften, die sich bekanntlich am Schluß des Halbjahres unver-hältnismäßig häufen, zusammen getroffen sein. Ich hatte dies mal nicht die Zeit, Ihnen nur diesen ungünstigen Umstand zu melden, und mußte Sie warten lassen, was ich sehr ungern that.

Die daraus erwachsenen Nachtheile müssen wir den ungünstigen Umständen zu-schreiben und froh sein, daß auch ein Vortheil daraus hervorging. Dieser Vortheil ist, daß nun der 6ᵗᵉ und 7ᵗᵉ Band zusammen herauskommen. Sie enthalten die dritte Ab-theilung der Choralvorspiele und stehen einander so nahe, daß sie eigentlich einen Band füllen sollten, wenn er nicht unverhältnismäßig stark zuweilen wäre. Viele Inconvenienzen, welche die Trennung verursacht haben würden, sind nun dadurch, daß sie zusammen herauskommen, beseitigt.

Die Sachen für den 7ᵗᵉⁿ Band, die ich noch hier habe, will ich gleich zusammenlegen und sie Ihnen überschicken. Das wird in den nächsten Tagen geschehen.

An Herrn Roitzsch habe ich Manches zu schreiben, wozu ich heut nicht kommen kann. Wollen Sie ihn nur gefälligst anzeigen, daß ich das seit Jahren für verloren oder gestohlen gehaltene Autographum von Prälud. und Fuge für die Orgel aus E moll von J.S. Bach wieder gefunden habe. Ich hatte es dem Kapellmeister Wie-debein geliehen und diesen Umstand vergessen. Meiner nächsten Sendung will ich es beilegen, damit Herr Roitzsch nachsehn könne, was für Veränderungen in den Vorreden zum 6ᵗᵉⁿ oder 7ᵗᵉⁿ Bande etwa noch nachgetragen werden müssen. ...

Quelle: Griepenkerl an Böhme, 2. April 1847. Autograph (D-LEsta, Signatur: *Musikverlag C. F. Peters Nr. 1147*).
Anm.: Vgl. auch den Brief Griepenkerls an Böhme vom 12. Juni 1847: „... Übrigens bin ich auf der Besserung und werde ungefähr in 14 Tagen meine Arbeiten zum 6ᵗᵉⁿ und 7ᵗᵉⁿ Bande der Orgel-compositionen von J.S. Bach einsenden können. ..."

Präludium und Fuge e-Moll BWV 548 erschienen in Bd. 2 der *Compositionen für die Orgel* (1845)
→ C 102. Erst nach Griepenkerls Tod, in der nach 1852 erschienenen Titelauflage wurde in
Fußn.** angemerkt: „Zu den oben erwähnten Quellen fand sich späterhin: 1) das aus Forkels Besitz herrührende halbe Autograph …, enthaltend von des Meisters eigener Hand das Präludium
vollständig, von der Fuge jedoch leider nur die ersten 20 Takte, denen sich dann eine andere,
nicht mehr zuverlässige Handschrift bis ans Ende anschließt; …" Es handelt sich um das Teil-
autograph BWV 548, enthalten im Konvolut D-B *Mus. ms. Bach P 274* (Nr. 2). Auf dem Titelblatt
folgende Anmerkungen Griepenkerls: oben rechts: Signatur seiner Sammlung *N^{ro} 14. i LL.*; Mitte,
unter dem Titel: („An der Fuge fehlt der Schluß; ist aber nun ergänzt durch W. Bach in Berlin
1824."); unten rechts: „Eigenhändig von J.S. Bach geschrieben; doch nicht dieser Titel. Auf dem
4ten Blatt scheint J.P. Kellner zu beginnen. … wenn nicht J.S. Bach selbst zu anderer Zeit und mit
anderer Feder.Gpkl."
Lit.: BG XV, S. XXI–XXII (W. Rust, 1867); NBA IV/5–6.1,2 Krit. Bericht (D. Kilian, 1972), S. 31,
sowie S. 389–390; Krause II, Nr. 146.

C 109

Ritter: Rezenion der Bände 4 und 5 der Peters-Ausgabe
Leipzig, 7. Mai 1847

Joh. Seb. Bach, Compositionen für die Orgel.
    Kritisch-correcte Ausgabe von Griepenkerl und
    Ferd. Roitzsch. – Leipzig, C.F. Peters. 4ter u.
    5ter Band. Pr. d. Bdes. 3 ½ Thlr.
Beide vorstehend genannte Bände sind uns von der Redaction bereits seit längerer
Zeit behufs der Anzeige für diese Zeitschr. zugegangen. Der Wunsch jedoch, uns
dabei zugleich über einiges, namentlich in der Vorrede zum 4ten Band Enthaltene,
ausführlicher auszusprechen, und der Mangel an der geeigneten Muße haben die
Ausführung dieses Vorhabens und somit auch die Anzeige selbst verhindert. Länger
wollen und können wir indessen die letztere nicht mehr anstehen lassen, und be-
halten uns vor, unsere vorhin ausgesprochene Absicht später auszuführen. –
Die im 4ten Bande enthaltenen Tonsätze an und für sich betrachtet erscheinen von
sehr ungleichem Werthe. …
| … Den Haupt-Inhalt des 5ten Bandes, mit welchem diejenigen Compositionen
S. Bach's beginnen, denen Choralmelodieen zum Grunde liegen, bildet das soge-
nannte „Orgelbüchlein", …
Die lobenswerthe Sorgsamkeit der HH. Herausgeber kennt man von den früheren
Bänden, wie man auch schöne äußere Ausstattung von der Verlagshandlung seit
Jahren gewohnt ist. –

                                                                A.G. Ritter.

Quelle: NZfM, 14. Jg., 26. Bd., Nr. 37, 7. Mai 1847 (*Für die Orgel.*).

C 110

Hentschel: Ankündigung Sämmtlicher Orgel-Compositionen bei Körner

Erfurt, August 1849

Sämmtliche Compositionen für die Orgel. Von J.S. Bach.
     Zur Beförderung des wahren Orgelspiels und zum Gebrauche
     beim öffentlichen Gottesdienste. Herausgegeben von G.W.
     Körner. Erfurt, Arnstadt, Langensalza und Leipzig.
Es werden 80 bis 90 Hefte werden, jedes zu 7 ¹/₂ Sgr. Wer 8 Hefte nach beliebi-
ger Wahl auf einmal nimmt, erhält sie in jeder Buch- und Musikalienhandlung für
1 ¹/₂ Thlr. Mir liegen Nr. 4 und 5 in schöner Ausstattung vor. Nr. 4 enthält 19 bis jetzt
unbekannte Choralvorspiele in mannichfacher Form, theils fughettenartig über die
Anfangszeile des Chorals, theils so gearbeitet, daß der Choral vollständig durch-
figurirt wird. Prachtvoll ist unter den Vorspielen der zweiten Gattung Nr. 15: Vom
Himmel hoch da komm' ich her. Im 5. Hefte liefert Hr. Körner 10 wenig bekannte
Fughetten und Fugen, worunter auch ein Canon à 5. – Man erstaunt mit Recht, daß
immer noch Bach'sche Orgelsachen an's Licht treten, die bisher wenig oder gar nicht
bekannt waren. Welch ein Arbeiter ist J.S. Bach gewesen! Welch eine Fülle von genialen Hervorbringungen drängt sich in dem Leben dieses einen Mannes zusammen, der doch auch seine zahlreichen Amtsgeschäfte hatte! Es können Jahrhunderte
vergehen, ehe Einer auftritt, der's ihm gleich thut.   E.H.

Quelle: Euterpe, 9. Jg., Nr. 8, August 1849, Sp. 125.
Nachweis: *Sämmtliche* | *Orgel-Compositionen* | *von* | *JOH. SEBASTIAN BACH,* | *...* | *Zur* | *Beför-
derung des wahren Orgelspiels und zum Gebrauche beim öffentlichen* | *Gottesdienste,* | *herausgegeben* |
von | *G. WILH. KÖRNER & F. KÜHMSTEDT.* | *–* | *ERFURT & LEIPZIG:* | *Verlag und Eigenthum
von G. Wilh. Körner.* | *...* | [links:] *Heft:* [hs.:] *...* – [rechts:] *Subscriptions-Preis: 7 ¹/₂ Sgr.* | *Ladenpreis:*
[nicht eingetragen] | *Die sämmtlichen Orgel-Compositionen von J. S. Bach erscheinen in 90 bis 100 Hef-
ten, à 7 ¹/₂ Sgr.; ...* [nach 1848].
Anm.: Rezensiertes Heft 5 nicht nachgewiesen. Auf den Seiten (1) und (2) des Titelblattes Inhaltsangabe der Hefte 1–92, unter Angabe „(Fortsetzung folgt.)", sowie „Uebersicht Bach's sämmtlicher Orgel-Compositionen.". Nur ein Teil der von Körner angekündigten Hefte ist letztendlich
erschienen; nach M. Schneider, BJ 1906 (s. u.), S. 90, 23 Hefte.
Rezension: NZfM, 16. Jg., 31. Bd., Nr. 4, 11. Juli 1849, S. 18–19 (L. Kindscher).
Lit.: Max Schneider, *Verzeichnis der bis zum Jahre 1851 gedruckten (und der geschrieben im Handel gewesenen) Werke von Johann Sebastian Bach,* BJ 1906, S. 84–113; NBA IV/5–6.1 Krit. Bericht
(D. Kilian, 1978), S. 257–260.

C 111

KINDSCHER: REZENSION DER MUSIKALISCHEN AEHRENLESE BEI KÖRNER

LEIPZIG, 10. OKTOBER 1849

G. W. Körner, Musikalische Aehrenlese. Auswahl
der besten und effectvollsten Orgelfugen, zum Studium, Concertvortrag und zum Gebrauch beim Gottesdienste. 2 Bände. – Erfurt, G. W. Körner.

In dieser Aehrenlese finden sich Fugen von alten und neuen Componisten. Wenn
von Erstgenannten auch nicht alle als die besten und effectvollsten genannt zu werden verdienen, so mag es immer drum sein, wenn nur mehr des edeln Getreides
vorhanden ist; mähet doch die Sense die volle Waizenähre mit dem Windhopfer
zugleich. Zu den vollen und dicken des 1sten Bandes gehören natürlich Seb. Bach,
Phantasie und Fuge C-Moll [BWV 537] grandios auf das große Pedal-C das thematische Gebäu mit seinen unendlich bunten Verschlingungen setzend. …
Da vorliegende Aehrenlese der Herausgeber auf seinem eigenen Felde gethan, d. h.
die Fugen anderen von ihm herausgegebenen Werken entnommen hat, so wird man
folglich zwar oben in den Seitenzahlen eine Art babylonischer Verwirrung, dagegen
unten eine fortlaufende numerische Ordnung finden.

Quelle: NZfM, 16. Jg., 31. Bd., Nr. 30, 20. Oktober 1849, S. 158–159 (*Für die Orgel*).
Nachweis: *Musikalische Aehrenlese.* | – | *Auswahl der besten und effectvollsten* | ORGELFUGEN | *von
I. G. Albrechtsberger, C. P. E. Bach, I. S. Bach, I. E. Eberlin, … | zum | Studium, Concertvortrag und zum
Gebrauche beim öffent-* | *lichen Gottesdienste* | *herausgegeben von* | GOTTH. WILH. KÖRNER. | [hs.:]
… Band. | *Erfurt & Langensalza:* | *Verlag und Eigenthum von G. Wilh. Körner.* [links:] *Subscriptions-
preis* | *für den Band 20 Sgr.* [rechts:] *NB. Von diesem Werke erscheinen bis Michaeli 1846 9 Bände.*

EINZELAUSGABEN

C 112

MARX: MITTEILUNG EINER „NOCH SEHR WENIG BEKANNTEN KOMPOSITION"

BERLIN, 31. AUGUST 1825

… Mit großer Freude theilen wir unsern Lesern eine noch sehr wenig bekannte
Komposition des großen Sebastian Bach mit, ursprünglich für die Orgel geschrieben, doch auch am Pianoforte ausführbar, indem die Pedalstimme von einem zweiten Spieler vorgetragen, oder in dessen Ermangelung so gut es gehen will mit auf-

genommen, oder angedeutet wird. Kaum wagen wir, etwas über dieses herrliche Pastorale zu sagen; denn so ganz ist es von der innigsten, wahrhaft ländlichen Empfindung durchdrungen, so ausdrucksoll und reich und reizend vom ersten bis zum letzten Takte jede Stimme geführt und so unerschöpflich reich sind dem Inhalte alle Beziehungen abgewonnen, dass man nur empfinden und staunen und schweigen kann. Und ist es für Einen Spieler nöthig, auf die, im letzten Takte des dritten Systems der ersten Seite zutretende Oberstimme, auf das e–as der Mittelstimme im ersten Takte daselbst, auf den Eintritt des b, es und as im ersten System der zweiten Seite aufmerksam zu machen? – Die Komposition ist uns als Fragment übergeben, doch gewiss für sich allein befriedigend, ob sie gleich F-dur in A-moll schließt. Wir freuen uns, verkündigen zu können, dass eine Ausgabe Sebastian Bachscher Orgelkompositionen bevorsteht. Was wir von ihnen kennen gelernt, ist über alles Lob erhaben.   M.

Quelle: Berliner AMZ, 2. Jg., Nr. 35, 31. August 1825, S. 284 (*IV. Allerlei.*).
Anm.: Satz 1 von BWV 590 als Musikbeilage zu Nr. 35 mit der Überschrift: „PASTORELLA di SEB: BACH." Berlin in der Schlesingerschen Buch und Musikhandlung unter den Linden N° 34.
→ C 102 und → C 98.

C 113

Birnbach: Rezension der Praktischen Orgelschule

Berlin, 26. März 1828

Praktische Orgelschule, enthaltend 6 Sona-
     ten für zwei Manuale und durchaus obli-
     gates Pedal, von J. S. Bach. Zürich, bei
     Nägeli et Comp.
Die Verdienste, welche sich dieser erhabene Meister um die Tonkunst erwarb, der nicht nur unter den Komponisten überhaupt die ausgezeichnetste Achtung verdient, sondern namentlich unter den Kontrapunktisten und gelehrten Musikern in der Praxis den ersten Rang ruhmvoll behauptet, sind von den Verehrern der Tonkunst bereits anerkannt: aufs neue finden wir sie in diesem Werke erhöht, worin der Komponist den grössten Theil der darin enthaltenen Tonstücke für beide Manuale nicht nur nach festgesetzten Regeln verschiedener Kontrapunkte, sondern in Form einer zweistimmigen Fuge behandelt, wozu das Pedal als eine noch hinzuge- | kommene Füllstimme die Lücken der Harmonie ausfüllt, und an mehrern Orten die Ausführung des zum Grunde gelegten Themas mit gutem Bedacht übernimmt. Die in den Sonaten befindlichen einzelnen Sätze, welche nicht auf diese Weise bearbeitet, sondern nur nach den gewöhnlichen Regeln eines Tonstücks abgefasst sind, zeichnen sich durch ihre vortheilhafte Anlage und durch geistvolle Melodie ganz

besonders aus, so dass es eine sehr schwierige Aufgabe sein würde, in einem so vollendeten Werke diesem oder jenem einzelnen Tonstücke den Vorzug zu geben. Weil aber Seb. Bach nicht nur beide Manuale gleichmässig, sondern auch das Pedal auf eine vortreffliche Weise behandelte, und sämmtliche Tonstücke in der Ausübung grösstentheils, mitunter sogar sehr schwierig sind, so dürfte es nur denjenigen Orgel-spielern empfohlen werden, welche bereits einen bedeutenden Grad von Fertigkeit haben, und eine vollkommene Ausbildung zu erreichen beabsichtigen, um in die Fusstapfen dieses grossen Meisters zu treten. Um jedoch auch eine zweckmässige Wirkung hervorzubringen, muss bei dem Registriren (welches dem Ausübenden überlassen worden ist) sehr vorsichtig zu Werke gegangen werden.

H.B.

Quelle: Berliner AMZ, 5. Jg., Nr. 13, 26. März 1828, S. 99 (*3. Beurtheilungen.*).
Anm.: → C 124 und C 23. Vgl. auch die Rezension in Cäcilia, Bd. 18, Heft 72, 1836, S. 268: „Für Orgelspieler ein wahrer Schatz, als Composition des grossen Mannes sehr interessant, als Orgelstudien unverbesserlich und unbezahlbar: welcher Organist sollte sich nicht beeifern, sich diese gewichtvolle Sammlung zu verschaffen, … die Ausstattung der Ausgabe ist, ohne luxuriös und splendid zu sein, doch nicht garstig, gut leserlich, …"

C 114

Haslinger: Anzeige der Sechs Präludien und Fugen
Wien, 6. März 1830

Sechs Präludien und sechs Fugen für Orgel oder Pedal, von Jo-
    hann Sebastian Bach. – Preis 3 fl. 30 kr. C.M. Wien,
    bey Tobis Haslinger.
Es wird wohl Niemand erwarten, daß wir *post festum* uns in eine detaillirte Zerglie-derung dieses allbekannten, oder wenigstens Allen bekannt seyn sollenden Meister-werkes einlassen. Bach's Nahme ist berühmt, die Classicität seiner Arbeiten aner-kannt, es genügt also, alle jene, denen es um wahre, echte, strenge Kunst zu thun ist, auf diese Auflage der vorliegenden Präludien und Fugen aufmerksam zu machen, und sie recht dringend einzuladen, sich diese durch fleißiges Durchspielen und Studie-ren ganz eigen zu machen, *convertere in succum et sanguinem*; sie werden darin des Neuen, was Modulationen und Stimmführung betrifft, mehr finden, als in allen den neuesten Producten unserer schreib- und componirlustigen Zeit, und viele Ab-schnitte der neue- | sten Anleitungen zum Fugiren und Phantasiren dadurch ent-behren können; denn das ist die beste Lehrmethode, die zugleich die Regel und das Beyspiel aufstellt. Das Äußere könnte anständiger seyn.

Quelle: AMAnz, Nr. 10, 6. März 1830, S. 39–40.

Nachweis: *Sechs PRÄLUDIEN und FUGEN für Orgel oder Pianoforte. Mit Pedal von Joh. Seb. BACH. Neue correcte Ausgabe. Wien: Tobias Haslinger.* (Nach 1835), PN T. H. 4085.
Inhalt: BWV 543–548 (→ C 102).

C 115

C. F. Peters: Anzeige von Präludien und Fugen

Leipzig, 24. Oktober 1832

Ferner sind von Joh. Sebastian Bach's Werken vor Kurzem im Bureau de Musique de C. F. Peters in Leipzig folgende Nummern, vortrefflich gedruckt, erschienen:
I. Prélude et Fugue pour l'Orgue ou le Pianof.
    No. I. Pr. 8 Gr.; No. II. Pr. 10 Gr.; No. III.
    Pr. 10 Gr.
    [BWV 551, BWV 541, BWV 535]
II. Toccata et Fugue pour l'Orgue ou le Pianof.
    No. I. Pr. 12 Gr.; No. II. Pr. 16 Gr.; No. III.
    Pr. 16 Gr.
    [BWV 913, BWV 540, BWV 538]
III. Fantaisie pour l'Orgue ou le Pianof. No. I.
    Pr. 4 Gr. No. II. Pr. 10 Gr.
    [BWV 572, 28 Takte]
Vom Recensiren kann hier nicht die Rede seyn, nur vom schlichten Anzeigen, damit die immer wachsende Zahl der Verehrer unsers Meisters erfahre oder erinnert werde, was ihnen durch den Druck von Neuem zugänglicher geworden ist. Es gilt hier dem Studium eines Patriarchen der neuern (nicht der neuesten) Tonkunst, dessen genaueste Be- | kanntschaft Jedem in vielfacher Hinsicht theuer und werth seyn muss. Was davon für öffentlichen Vortrag sich eigne, wird gleichfalls nicht blos der Redlichkeit, sondern auch der Klugheit eines Jeden, die Ort und Geschmacksbildung seiner Umgebung berücksichtigt, überlassen bleiben müssen. So viel wir übrigens auch gedruckte und ungedruckte Werke unsers Grossmeisters in den Händen gehabt haben und besitzen: so sind uns doch einige der hier allgemein gemachten bisher gänzlich unbekannt geblieben, was kein Wunder ist, da selbst Forkel, der leidenschaftlichste Verehrer Bach's, davon keine Ausnahme machte. Allen Verlagshandlungen, die dergleichen und noch dazu mit so schöner Ausstattung unternehmen, gebührt der wärmste Dank und thätige Beachtung aller echten Freunde unserer Kunst.

Quelle: AMZ, 34. Jg., Nr. 43, 24. Oktober 1832, Sp. 715–716 (*Neue Auflagen.*).
Nachweise: *PRELUDE ET FUGUE | POUR L'ORGUE | ou le | Piano-Forte | composé | par | J. S. BACH. | Nᵒ* [hs.: I, II, III] *| Leipzig, | au Bureau de Musique de C. F. Peters.* (1832) → C 97.

TOCCATA ET FUGUE | pour l'Orgue | ou le | Piano-Forte | composée | par | … | Nº [hs.: I, II, III] | Leipzig, | au Bureau de Musique de C. F. Peters. (1832 / 1834)
FANTASIE | pour | L'ORGUE | OU LE PIANOFORTE | composée | … | Nº [hs.: II] | Leipzig, | au Bureau de Musique de C. F. Peters. (1832)
Anm.: → C 102 (Bd. II–IV). Vgl. auch die Anzeige, AMZ, 34. Jg., Intell.-Bl. Nr. VII, Juni 1832, Sp. 27: „… Vorstehende grösstentheils noch unbekannte Compositionen von Johann Sebastian Bach, deren Aechtheit aus guter Quelle, und auch nach Forkel's thematischem Verzeichniss verbürgt ist, bilden ein Supplement zu der schon in meinem Verlage befindlichen Collection der sämmtlichen Werke dieses unsterblichen Meisters."

C 116

GRIEPENKERL: MITTEILUNGEN AUS SEINER SAMMLUNG

BRAUNSCHWEIG, 13. FEBRUAR 1843

… Ich möchte gern einmal ein Paar andere Autographe von J. S. Bach sehen, wenn es mit Glimpf geschehen könnte, um die meinigen damit zu vergleichen. Mendelssohn hat mir nämlich einige von den meinigen zweifelhaft gemacht, auf die ich vorher geschworen hätte, weil sie aus der sichersten Quelle sind. Der selige Domorganist Müller hier, der im 84sten Jahre starb und noch quasi ein Schüler von W. F. Bach gewesen war, hat die Ächtheit derselben noch ein Jahr vor seinem Tode in der Weise bestätigt, daß er bemerkte: Friedemann hat gesagt „das hat mein Vater geschrieben." W. F. B. hatte nie Geld, und man konnte leicht für Geld oder Wein von ihm erhalten, was er besaß. Die wichtigsten von diesen Handschriften, die auf jene Weise als Autographe beglaubigt wurden und in meinem Besitz sich befinden, sind: 1) der erste Theil des wohltemperirten Claviers [BWV 846–869; D-B P 202] 2) die 6 Sonaten für 2 Claviere und Pedal [BWV 525–530; D-B P 272]. Außer dem besitze ich ein Orgel-Concert von W. F. Bach [BWV 596; D-B P 330], das der Vater geschrieben hat und von Friedemann schriftlich bestätigt ist, indem er darüber geschrieben hat: *Manu mei patris descriptum*, aus Forkels Nachlaß. Ferner mehrere Orgelsachen und endlich eine Kirchenmusik *Festo purificationis Mariae* [BWV 161; D-B P 124], in welchem die Noten nicht vom Componisten, wohl aber der Text und die Ziffern über dem Basse von ihm geschrieben sind. …

Quelle: Griepenkerl an Böhme, 13. Februar 1843 (D-LEsta, Signatur: *Musikverlag C. F. Peters Nr. 1147*).
Anm.: Die fälschliche Zuweisung an Wilhelm Friedemann und endgültige Identifizierung des Werkes als eine Bearbeitung J. S. Bachs nach Antonio Vivaldis Concerto d-Moll op. 3, Nr. 11 erfolgte durch Max Schneider (BJ 1911, *Das sogenannte 'Orgelkonzert d-moll von Wilhelm Friedemann Bach'*, S. 23–36). Griepenkerls Bemerkungen beruhen auf seinen Anmerkungen auf der Innenseite des Vorderdeckels vom Autograph P 330: „Die Worte auf der ersten Seite oben: di W. F. Bach, manu mei Patris descript. hat W. F. [korr. aus C. Ph. E.] Bach geschrieben." Forkels Ver-

steigerungskatalog verzeichnet die Hs. unter der Nr. 247: „[Bach, J. Sebast.] Concerto a 2 Clav.
e Pedal. (von Sebastian Bach copiiert)." 1844 gab Griepenkerl bei C. F. Peters das Konzert nach
dem Autograph *P 330* unter folgendem Titel heraus: CONCERT | für die Orgel | mit zwei Manu-
alen und dem Pedal | von WILHELM FRIEDEMANN BACH. | Erste Ausgabe. | nach dem Auto-
graphum von J. S. BACH, dem Vater des Componisten; | durch | FRIEDR. KONR. GRIEPEN-
KERL. | – | Eigenthum des Verlegers. | … | – | Leipzig, im Bureau de Musique von C. F. Peters.
Vgl. auch den Brief Zelters an Goethe vom 6. April 1829: „… Er [Griepenkerl] ist ein tiefer Ver-
ehrer der Kompositionen des Wilhelm Friedemann Bach (ältesten Sohn des Sebastian Bach),
was ich nicht bin und er an mir zu tadeln findet. Darüber schenkte er mir ein Orgelkoncert von
Friedemann Bach [eine Abschrift von BWV 596, Sing-Akademie zu Berlin, Signatur: *SA 4718
(ZD 1935 olim D.XI.1935/441)*] und schrieb den im Briefe angegebenen Spruch des Quintilian
für mich darüber. …"
Anzeige: AMZ, 47. Jg., Nr. 7, 12. Februar 1845, Sp. 111 (*Neue Musikalien, im Verlage von C. F. Peters,
Bureau de Musique, in Leipzig.*): „Bach, Wilhelm Friedemann, Concert für die Orgel, mit zwei Ma-
nualen und dem Pedale. Erste Ausgabe nach dem Autographon von J. S. Bach. 20 Ngr. …"
Lit.: Max Schneider, BJ 1911 (s. o.); NBA IV/8 Krit. Bericht (K. Heller, 1980, S. 21ff.); Schulze
Bach-Überlieferung, S. 147f., insbes. Fußn. 579; Krause II, Nr. 158; Lehmann Bach-GA, Dk. II/56;
Goethe Briefwechsel 1, Brief Nr. 156.

C 117

GRIEPENKERL: ERLAUBNIS ZUM ABSCHREIBEN DES ORGELKONZERTES
BRAUNSCHWEIG, 31. MÄRZ 1843

… ad. 1. Die von mir Ihnen übersandten Autographen dürfen Sie noch länger behalten und von der Kirchenmusik von J. S. Bach [BWV 161], wie von dem Orgelkoncerte
von W. F. Bach Abschrift nehmen oder nehmen lassen, wenn Sie einen dreuen und
sorgsamen Abschreiber haben, der die Originale nicht beschaedigt, zerreißt oder
gar verliert! Es möchte dies nützlich sein theils schon jetzt, theils für die Zukunft.
Aus dem Orgelconcerte sehen Sie schon jetzt, daß es nicht von J. S. Bach ist und also
eine unrichtige Angabe in dem Convolut von Sachen sich befindet, das ich noch von
Ihnen besitze, wo die Fuge als fürs Clavier und und von J. S. Bach aufgeführt ist. …

Quelle: Griepenkerl an Böhme, 31. März 1843. Autograph (D-LEsta, Signatur: *Musikverlag C. F.
Peters Nr. 1147*).
Anm.: Mit dem „Convolut", das Griepenkerl vom Verlag erhalten hatte, könnte die Abschrift
des im Krit. Bericht NBA IV/5–6.1 (D. Kilian) als Quelle B 152 beschriebenen Konvoluts aus
der Sammlung Lowell Mason gemeint sein. Der Kopftitel der Handschrift lautet: „Fuga. Da
J. S. Bach. – Nr. 4.". Die Abschrift bricht nach T. 53ᵃ ab. Die Abschrift von der Hand Leonhard
Scholz' (nach NBA IV/8, K. Heller, Quelle G, S. 26–27) befindet sich heute in der Library of the
School of Music, Yale University, New Haven, Connecticut (USA), Signatur: *LM 4842 a – h*, hier
LM 4842 h, Bl. 1r.

Lit.: → C 116; NBA IV/5–6.1 Krit. Bericht (D. Kilian), S. 148–149; NBA IV/8 Krit. Bericht (K. Heller), S. 26–27; Lehmann Bach-GA, Dk. II/61.

C 118

Rezension des Orgelkonzertes

Leipzig, 25. Februar 1845

Wilh. Friedem. Bach, Concert für die Orgel,
      herausgeg. von F. K. Griepenkerl. – Leipzig,
      Peters. – ³/₄ Thlr.

Interessant schon an sich als eine bis jetzt ungedruckte Composition des vielleicht begabtesten, unglücklichsten, dem Vater aber in treuester Anhänglichkeit ergebensten Sohne des großen Cantors, erhält dies Concert noch durch den Umstand ein besonderes Interesse, daß es nach einer vom Vater Sebastian eigenhändig gefertigten Abschrift gedruckt ist. Der Herausgeber sagt darüber in der Vorrede: Die Handschrift, nach welcher die gegenwärtige erste Ausgabe dieses Orgelconcerts gestochen ist, gehört zu den merkwürdigsten, die man besitzt. Die Composition ist von W. F. Bach, die Abschrift von der eigenen Hand seines Vaters, wie beide es auf dem Titel eigenhändig bezeugen. Der Componist hat seinem Namen noch die Worte hinzugefügt: *manu mei patris descriptum.* Das Autographum kam aus Forkel's Nachlaß in meine Hände; woher es Forkel erhalten haben mag, ist unbekannt. Am nächsten liegt die Vermuthung, Forkel sei durch W. F. Bach selbst, der sich im J. 1773 in Göttingen bei ihm aufhielt, in den Besitz desselben gekommen. – Das Concert besteht aus einem einleitenden Satze für zwei Manuale, einer Fuge, einen catablen Largo und einem theils freien, theils gebunden und imitatorisch geführten Schlußsatz." Ueber den Werth dieses Werkes (sagt der Vorredner weiter) würde uns die eigenhändige Abschrift von J. S. Bach nicht in Zweifel lassen, wenn wir ihn auch nicht selbt zu erkennen vermöchten." In der That liegt darin eine Recension, daß Sebastian des Sohnes Arbeit einer eigenhändigen Abschrift würdigt. …; und namentlich mögen wir nicht verfehlen, strebsamen jüngeren Organisten noch folgende Worte des Herausgebers an's Herz zu legen: „Die nächste Veranlassung zu gegenwärtiger Herausgabe dieses Concertes war die Bemerkung, daß ein fleißiges Studium desselben die beste Vorbereitung abgeben könne für den richtigen Vortrag der Orgelcompositionen von J. S. Bach, von de- | nen eine correcte Ausgabe*) jetzt in die Hände des Publikums kommt." – Schließlich sei noch anerkennend erwähnt, daß dem Werke von der Verlagshandlung eine eben so solide als freundlich einladende Ausstattung zu Theil wurde.

*)   Wir berichten darüber mit Nächstem.

Quelle: NZfM, 12. Jg., 22. Bd., Nr. 17, 25. Februar 1845, S. 73–74.
Anm.: → C 116 und C 117. Anzeige: NZfM, 12. Jg., 22. Bd., Intell.bl. Nr. 3, April 1845.

CHORALBEARBEITUNGEN

C 119

BREITKOPF & HÄRTEL: ENTGEGNUNG AUF NÄGELIS EINWÄNDE EINER HERAUSGABE
DER CHORALVORSPIELE

LEIPZIG, 5. MAI 1803

Über Ihre uns unerwartete Klage wegen unserer Herausgabe der *Bachschen Cho-ral*-Vorspiele haben wir mit Ihrem Herrn Associé, welcher uns mit seinem Besuche erfreut hat, ausführlicher gesprochen und wollen uns hierauf beziehend, hier nur folgendes mit wenigem erwiedern, welches Sie gewiß befriedigend finden werden.
Fürs erste mögen in Ihren und anderen Händen, wohl einzelne Parthien dieser Choral-Vorspiele seÿn, daß aber jemand, wie wir, die vollständige Sammlung be-sitze (die Herr Dr. Forkel nach seiner *Biographie* von *Bach* selbst nicht alle kennt) bezweifeln wir.
Zweÿtens möchten diese, doch zunächst für eine unbemittelte Claße *Musiker*, die *Organisten*, bestimmte Sammlung schwerlich in einer anderen Ausgabe durch Wohl-feilheit gemeinnüzig werden, als durch die unsrige.
Drittens: Ihre Ausgabe, welche ohnehin nicht allein die *S. Bachs* Sachen umfaßt, und daher auch nicht alle Instrumental Sachen deßselben umfassen kann, oder wenig-stens diese erst, wenn Ihr Unternehmen wie bisher so langsam fortschreitet, nach vielen Jahren vollständig liefern <u>kann</u>, würde auch diese zahlreichen Vorspiele erst spät liefern können, und Ihre *Rivalen* im Verlag dieser Werke, würden Ihnen, und mithin auch uns, leicht damit zuvorkommen. Wir würden daher durch *Resignation* auf diese Vorspiele (die meisten unserer | *S. Bachschen* Sachen von seiner oder seiner Söhne Hand geschrieben, sind der *S. Bachschen Familie* von unseren Vorgängern um ziemlich hohe Preise abgekauft worden) einem rechtmäßigen Vortheile entsagen, ohne Ihnen denselben zuzuwenden.
… Übrigens dürfen Sie nicht sorgen, daß wir noch auf viele andere *Bachische* Instru-mental-Sachen entrieren werden. Sollten wir noch manches von *S. Bach* geben, so werden das wohl hauptsächlich Vocal-Sachen seÿn, wohin denn, gewißermaßen, wenigstens selbst die *Choral*-Vorspiele zu rechnen sind, da sie eigentlich nur mit den Choralen selbst ein Ganzes machen. …

Quelle: Breitkopf & Härtel an Nägeli, 5. Mai 1803. Kopie Hermann Nägelis (CH-SW, Signatur: *BRH Ms 124*).

Anm.: Antwort auf Brief Nägelis vom 23. April 1803 (CH-SW, Signatur: *BRH Ms 124*). Die Stelle in Forkels Bach-Biographie befindet sich auf den Seiten 51–52. Mit „Ihrer Ausgabe" sind die „Musikalischen Kunstwerke. im Strengen Stÿle von J S Bach u= andern Meistern" gemeint (→ C 124).

Lit.: Gojowy HGN, Brief Nr. 6.

C 120

(Rochlitz): Rezension der Choralvorspiele
Leipzig, 9. Oktober 1805

J. S. Bachs Choralvorspiele für die Orgel, mit
    einem und zwey Klavieren und Pedal. Leip-
    zig, bey Breitkopf und Härtel. *Erstes und*
    zweytes Heft. (Jedes 16 Gr.)

Es ist eine lobenswürdige Bemühung der Verlagshandlung, diese für die Orgelspiel-kunst so wichtigen Nachlässe des mit vollem Rechte zum klassischen Schriftsteller erhobenen J.S. Bach in Umlauf zu bringen. Der Geschmack hat sich zwar seit je-nen Zeiten ziemlich verändert – in wiefern nämlich überhaupt von Veränderung des Geschmacks zu sprechen ist; jedoch was die Behandlung dieses königlichen Instruments betrifft, so werden die Bachischen Arbeiten jederzeit Muster seyn und bleiben, ...

Quelle: AMZ, 8. Jg., Nr. 2, 9. Oktober 1805, Sp. 29–32, hier Sp. 29 (*Recension.*).

Nachweis: *J. S. BACHS* [Heft 2– 4: *BACH'S*] | *CHORAL-VORSPIELE* | *für* | *die Orgel* | *mit einem und zwey Klavieren* | *und Pedal.* | *Erstes* [*Zweytes, Dritter, Vierter*] *Heft.* | *Leipzig* | *bey Breitkopf und Härtel.* | – | *Pr. 16 Gr.* (Typendruck, ohne PN). Herausgegeben (ohne Nennung des Autors) von J.G. Schicht, 1803–1806. Heft 1: BWV 645, 648, 646, 647, 649, 650, 675, 676, 677, 680, 681, 704 (Erst-druck); Heft 2: BWV 692, 693, 691, 705, 759, 706, 634, 633, 711, 664b, 708a, 708, 707 mit Choral, 710, 697 (Erstdruck); Heft 3: BWV 678, 679, 682, 683, 769a (1. und 2.), 701, 698. BWV 698 und 701 Erstdrucke; Heft 4: BWV 699, 769a (5., 3., 4.), 700, 748, 684, 614. BWV 614, 699, 700 und 748 Erstdrucke.

Anm.: Vollständige Rezension → B 92.

Anzeigen: Heft 1: AMZ, 5. Jg., Intell.-Bl. Nr. XXI, Juli 1803; Heft 2: AMZ, 6. Jg., Intell.-Bl. Nr. IV, November 1803; Heft 3: AMZ, 7. Jg., Intell.-Bll. Nr. IV und Nr. VIII, Dezember 1804 und März 1805; ZfdeW, Intell.bl. Nr. 15, April 1805; Heft 4: AMZ, 8. Jg., Intell.-Bll. Nr. IX und XI, Februar und Juni 1806. AMZ, 6. Jg., Intell.-Bl. Nr. XX, August 1804: „... Auch sind izt wieder | J.S. Bachs, Vierstimmige Choralgesänge 4 Theile, welches Werk sonst 5 Thlr. 8 Gr. kostete und seit langer Zeit fehlte, bey uns komplet zu haben für 1 Thlr. 8 Gr. (Neue Musikalien im Verlage von Breit-kopf und Härtel in Leipzig.)"

Vgl. auch den kurzen Beitrag von E. Krüger, NZfM, 10. Jg., 19. Bd., Nr. 50, 21. Dezember 1843, mit Hinweis auf „Körners Orgelfreund" (Bd. 2, S. 86), in dem der Choral „Wir Christenleut" (BWV 710) J. L. Krebs zugeschrieben wird (vgl. Urania, 1. Jg., Nr. 1, 1844, S. 10–11, veränderter Nachdruck aus NZfM, s. o.). Vgl. hierzu Karl Tittel, *Welche unter J. S. Bachs Namen geführten Orgelwerke sind Johann Tobias bzw. Johann Ludwig Krebs zuzuschreiben?*, BJ 1966, S. 102–137, insbes. S. 133.
Lit.: NBA Krit. Berichte IV/1 (H.-H. Löhlein, 1987), S. 109, IV/2 (H. Klotz, 1957), S. 53, IV/4 (M. Tessmer, 1974), S. 26; Krause II, Nr. 165.

C 121

Mendelssohn Bartholdy: Informationen über die Herausgabe
der Choralbearbeitungen bei Coventry & Hollier in London
Frankfurt am Main, 17. Dezember 1844

… Verabredetermaßen habe ich Herrn Coventry in London angezeigt, daß Sie in Deutschland die Seb. Bachschen Sachen stechen werden, die er von mir zur Herausgabe erhalten hat. Es sind 44 kleine und 16 große Choral-Vorspiele und 2 Choral-Themas mit Variationen, eigentlich alles was ich von seinen Orgel-Compositionen über Choräle besitze. Vielleicht 8 bis 10 (von den kleinen Vorspielen) werden schon bekannt und gedruckt sein (namentlich in der bei Ihnen erschienenen Sammlung;) alle übrigen sind es meines Wissens nicht. Sie müßten unter einem Titel erscheinen (da er sie selbst als zu einer Sammlung gehörig betrachtet hat, wie ein Theil seines eignen Manuscriptes davon, den ich besitze, beweißt) und die 44 kleinen müßten wo möglich in nicht mehr als 2 Hefte getheilt sein, wenn sie nicht gar in einem erscheinen können, was mir noch lieber wäre; ebenso die 16 großen. Ich habe die Correctur des Stichs der 44 für Coventry bereits gemacht, und demselben aufgetragen mir noch einen Abzug hieher zu schicken, den ich Ihnen alsdann zukommen lassen werde, und nach welchem Sie die Correctur dann dort besorgen lassen können (aber von einem Corrector, der Haare auf den Zähnen hat.) Doch wäre es gut, wenn Sie sich mit Hrn. Coventry (Coventry & Hollier, Dean Street, Soho, London) gleich in Verbindung setzten, um die Zeit des Erscheinens für die einzelnen Stücke und das Ganze wenigstens ungefähr festzusetzen. Er hat sich zur Bedingung gemacht, daß mein Name, als „editor" auf dem Englischen Titel stehen müsse; in Deutschland darf dies aber nicht der Fall sein. Ich denke auch daß Sie damit einverstanden sein werden, und daß es Ihnen, wie mir, bei der ganzen Herausgabe nur auf die Sache, und auf weiter nichts, ankommt. – Drum muß aber auch kein Herausgeber-Name, sondern nur ein Componisten-Name darauf stehen und der Titel möglichst einfach sein, und das Innere möglichst correct. Fürs Interesse hat Sebastian eigenhändig schon gesorgt.
…

Quelle: Felix Mendelssohn Bartholdy an Breitkopf & Härtel, 17. Dezember 1844. Zit. nach: Elvers Verleger-Briefe 1, Brief Nr. 160.

Nachweis: *44 | kleine Choralvorspiele | für die Orgel | von | JOHANN SEBASTIAN BACH. | – | Leipzig, bei Breitkopf & Härtel. | London, bei Coventry & Hollier (1845); 15 | Grosse Choral-Vorspiele | für die Orgel | von | JOHANN SEBASTIAN BACH. | Leipzig, bei Breitkopf & Härtel. | London, bei Coventry & Hollier.* (1846) Hrsg. von Felix Mendelssohn Bartholdy. Nachdruck der kurz vorher bei Coventry & Hollier in London erschienenen Ausgabe: *J. S. Bach's Organ Compositions on Chorales (Psalm Tunes) … Book 1–4* (vgl. Elvers, S. 147, Anm. 5). Inhalt: 44 Choralbearbeitungen aus dem „Orgelbüchlein", 15 Choralbearbeitungen BWV 651–663, BWV 740, 667.

Anm.: Nach Hans Klotz (NBA IV/2 Krit. Bericht, S. 52) ist die Ausgabe der *15 Choral-Vorspiele* „nach mehreren, fast ganz übereinstimmenden älteren Abschriften besorgt, jedoch oft inkorrekt." BWV 614 und 639 als Erstdrucke in: „Sammlung von Musik-Stücken alter und neuer Zeit als Zulage zur neuen Zeitschrift für Musik", 6. Jg., 11. Bd., Nr. 47, 10. Dezember 1839. Zu BWV 614 der Vermerk: *„Nach dem Original Manuscript abgedruckt.";* BWV 637 in ebenda, 7. Jg., 12. Bd., Nr. 51, 23. Juni 1840, sowie BWV 622 in ebenda, 8. Jg., 15. Bd., Nr. 51, 24. Dezember 1841.

Anzeigen: AMZ, 47. Jg., Nr. 44, Oktober 1845, Sp. 792 („44 kleine Choralvorspiele"); H. Mb. 1846, Nr. 12, Dezember, S. 195 („15 Grosse Choral-Vorspiele").

Vgl. auch die Briefe Nr. 165, 174, 176, 177 und Nr. 185 bei Elvers Verleger-Briefe 1.

Rezension: AMZ, 48. Jg., 25. Februar 1846, Sp. 132–134. Anzeige: AMZ, 47. Jg., Nr. 44, Oktober 1845, Sp. 792, mit Anzeige von BWV 542 „Für den Concertgebrauch, zu 4 Händen eingerichtet von H. Schellenberg".

Lit.: Rudolf Elvers, *Verzeichnis der von Felix Mendelssohn Bartholdy herausgegebenen Werke Johann Sebastian Bachs,* in: Gestalt und Glaube. Fs. für Oskar Söhngen. Witten, Berlin (1960); Krause II, Nr. 166–167; NBA IV/2 Krit. Bericht (H. Klotz, 1957), S. 53.

C 122

HENTSCHEL: ANZEIGE DES ORGELBÜCHLEINS BEI KÖRNER

ERFURT, MÄRZ 1847

Der anfahende Organist. Orgelbüchlein, worinnen einem anfahenden
Organisten Anleitung gegeben wird, auf allerhand Arth einen Choral
durchzuführen, anbey auch sich im Pedalstudio zu habilitiren, indem
in solchen darinne befindlichen Choralen das Pedal gantz obligat trac-
tiret wird. Sechs und vierzig kleine Choralvorspiele für die Orgel
von Joh. Sebastian Bach.
   Dem höchsten Gott allein zu Ehren,
   Dem Nechsten, draus sich zu belehren.
Erfurt, Langensalza und Leipzig. Verlag und Eigenthum
von G. W. Körner. Subscriptionspreis: 1 Thlr. Zweite, verbesserte Auflage.
Während wir gewohnt sind, den großen Bach in Tonstücken von weiten Dimensionen seine gigantische Kraft entwickeln zu sehen, so zeigen uns die vorliegenden

Arbeiten, wie er sich in dem engen Raume mehr oder weniger gedrängter Choral-durchführungen bewegt. Wir finden bald, daß er im Kleinen nicht minder groß ist als im Großen, und wenn man sagen kann, daß diese Stücke meistens nicht gar schwer zu spielen sind, so steht doch auch fest, daß es nicht Vielen beschieden ist, dergleichen nachzucomponiren. „An der Klaue erkennt man den Löwen", dieses alte Sprichwort wird nicht leicht auf eine Kunstleistung eine passendere Anwen-dung finden, als es in Bezug auf diese Choräle der Fall ist. – Mannichfach sind die Formen, welche der Meister für diese seine Arbeiten gewählt hat. Ich führe, auf das Interesse der Leser rechnend, die hauptsächlichsten an. 1) Die Melodie liegt im Sopran, oder im Alt, oder im Basse, während die übrigen Stimmen ein begleitendes Motiv gemeinschaftlich durchführen; 2) es findet in Hinsicht auf den Sopran Das-selbe statt, nur daß der Baß an der Durchführung des Motiv's keinen Theil nimmt und sich auf die Angabe der Grundtöne beschränkt; 3) die Melodie liegt im Sopran, aber kunstvoll verziert, während die übrigen Stimmen mehr oder weniger thema-tisch begleiten; 4) die einfache Melodie liegt im Sopran – Alt und Tenor führen ein Motiv durch, der Baß thut ein Gleiches, jedoch mit einem ganz andern Motive; 5) die Melodie liegt im Sopran, Alt und Tenor figuriren thematisch, aber jeder von ihnen hat ein besonderes Motiv, der Baß ist ein einfacher Continuo; 6) auch der Baß fährt unter übrigens gleichen Umständen sein besonderes Motiv durch. 7) die Bearbei-tung ist dreistimmig, im Uebrigen wie unter Nr. 5 und 6; 8) die Melodie erscheint canonisch in zwei verschiedenen | Stimmen, so bei „Christe, du Lamm Gottes" welcher Choral fünfstimmig durchgeführt ist, in *canone alla duodecima* im Sopran und Tenor – bei „Christus, der uns selig macht" und mehreren andern Chorälen in *canone alla Octava* im Sopran und Baß – bei „Liebster Jesu, wir sind hier" in *canone alla Quinta* im Sopran und Alt – bei „O Lamm Gottes unschuldig" in *canone alla Quinta* im Baß und Alt. – Aus diesen Angaben erhellet, daß das vorliegende Werk nicht nur dem „anfahenden" sondern auch, wie eine Zeitschrift bei der Anzeige naiv corrigirt hat, dem „erfahrenen" Organisten Gelegenheit in Fülle darbietet, „draus sich zu belehren."

Die äußere Ausstattung ist vorzüglich. Zu nicht geringer Erleichterung für die Spie-lenden ist bei den meisten Nummern dem Basse eine besondere Notenzeile zuge-theilt worden.

Quelle: Euterpe, 7. Jg., Nr. 3, März 1847, Sp. 47– 48 (*Anzeigen und Beurtheilungen.*).
Nachweis: *Der anfahende Organist. | Orgelbüchlein, | worinnen etc. | Sechs und vierzig | kleine Choral-vorspiele für die Orgel | von | JOH. SEBASTIAN BACH. | Dem höchsten Gott etc. | Allen Organisten, Seminaristen und Präparanden zum fleissigen Studium dringend empfohlen von GOTTH. WILHELM KÖRNER. | Erfurt, Langensalza & Leipzig: Verlag und Eigenthum von G. Wilh. Körner.*
Anm.: Anzeige nach der 2., verb. Auflage. Körner druckte diese Anzeige in seiner Zeitschrift Urania, 4. Jg., 1847, S. 55f. nach.
Rezension: NZfM, 14. Jg., 27. Bd., Nr. 33, 21. Oktober 1847, S. 196–198 (Kindscher). Anzeige: AMZ, 49. Jg., Nr. 2, 13. Januar 1847, Sp. 32 (*Ankündigungen. Bei G. W. Körner in Erfurt erschien in zweiter, verbesserter Auflage: …*).

Vgl. auch die Ankündigung des „Neuen Orgel-Journals", AMZ, 47. Jg., Nr. 13, 26. März 1845, Sp. 231, mit dem Coralvorspiel BWV 632 (Heft 1, Nr. 4). Vgl. auch die Rezension in: RhMZ, 2. Jg., Nr. 81, 17. Januar 1852, S. 643 (*Neues für die Orgel.*).

Lit.: M. Schneider, BJ 1906, S. 95 (→ C 110); NBA IV/1 Krit. Bericht (H.-H. Löhlein, 1987), S. 111.

C 123

(Becker): Vorbemerkung zu den Choralvorspielen verschiedener Form

(Leipzig, 1848)

Vorbemerkung.

Die vorliegende Sammlung von Choralvorspielen bildet mit den aus demselben Verlag hervorgegangenen 44 kleinen und 15 grossen Vorspielen [→ C 121] ein zusammenhängendes und sich ergänzendes Ganze, zu dessen Überblickung und Verständnis die nachfolgenden Zeilen dienen mögen.

Den Ausgaben der oben genannten Sammlungen lagen Abschriften zum Grunde, welche sich im Besitz von F. Mendelssohn Bartholdy befanden. In dem abschriftlichen Exemplar der 44 Vorspiele sind von Bach's eigner Hand die Stücke nummerirt und ist deren Folge auch im Druck beibehalten worden.

Fast bei keinem andern Bach'schen Werke hat man sich bei der Herausgabe vor Hinzufügung anderer Tonstücke mehr zu hüten, als eben bei diesen Vorspielen; denn Bach betrachtete sie, zu Lehrzwecken bestimmt, als ein für sich bestehendes Ganze und gab ihnen den Namen: der anfahende Organist.*) Die erwähnte Abschrift enthält zwischen den beschriebenen auch leere, zur spätern Ausfüllung vorbehaltenen Seiten, worauf die blos vorhandenen Überschriften von Choralmelodien deuten und zugleich beweisen, dass Bach den anfahenden Organisten nach und nach entstehen liess und ihn mit Tonstücken zu vermehren beabsichtigte, je nachdem er in seiner vielseitigen Wirksamkeit Veranlassung dazu fand. Das Autograph, welches sich in der königl. Bibliothek zu Berlin befindet und dessen treue Copie das Mendelssohn'sche Exemplar zu sein scheint, enthält ausser den 44 vollendeten Stücken noch 1.) ein Fragment des Chorals: „O Traurigkeit, o Herzeleid!" 2.) eine zweite canonische Bearbeitung des Chorals: „Liebster Jesu, wir sind hier", und 3.) eine kürzere Bearbeitung des Chorals: „Komm, Gott Schöpfer, heiliger Geist". Das unter 2 erwähnte Stück giebt die jetzige Sammlung, obgleich sonst keine Varianten; aber da dasselbe nur in ein Paar Noten von dem andern unter N°. 33 der 44 Vorspiele mitgetheilten, die letzte Meisterhand bekundenden Satz abweicht, so ist es gewiss interessant zu verfolgen, wie Bach sich selbst verbesserte und sogar auf einzelne Noten ein grosses Gewicht legte. (Beide Stücke sind im Autograph für eine Nummer gerechnet.)

Die Choralbearbeitung N°. 3 wurde von Bach später sehr vergrössert und so in die grossen Vorspiele aufgenommen. Das Autograph dieser letztern, ebenfalls im Besitz der königl. Bibliothek zu Berlin, besteht aus 8 Nummern. Bringt man die nicht hierhergehörige achtzehnte Nummer, die Variationen über das Weihnachtslied: „Vom Himel hoch, da komm' ich her" in Wegfall, so bleiben 17 Nummern für die Sammlung der grossen Vorspiele übrig. Die Mendelssohn'sche Abschrift und die darnach veranstaltete Ausgabe enthält davon 14 Tonstücke, indem die vierzehnte Nummer derselben nicht im Autograph steht.

Die gegenwärtige Sammlung bietet zu den vorhergenannten die Folge und Ergänzung. Erstere für beide Sammlungen, letztere besonders für die grossen Vorspiele, wozu sie die in der eben angeführten Ausgabe noch fehlende Tonsätze unter den N°. 10, 29 u. 30 liefert und somit die beim Autograph nachgewiesene Zahl erfüllt. Anfänglich war es der Wille der Verlagshandlung, ihre alte bekannte, aus vier Heften bestehende Sammlung Bach'scher Choralvorspiele (→ C 120) neu gestochen herauszugeben; doch die vorliegende Sammlung mag bezeugen, dass deren Ordner die frühere in Bezug auf Correktheit, Vollständigkeit, nicht Hineingehöriges oder falsch Zusammengestelltes ganz bei Seite lassen musste. Er hat hierin weder Zeit noch Mühe gespart, sein vorgestecktes Ziel zu erreichen und standen ihm dabei treffliche Abschriften und die in Kupfer gestochene Ausgabe der Clavierübungen (1737)?**) und der Variationen: „Vom Himmel hoch", die ein für sich bestehendes Heft bildend jetzt ebenfalls erschienen sind, zu Gebote.

… Da nun sämmtliche Sammlungen ein zusammengehöriges Ganze ausmachen, so ist bei den Vorspielen dieser Ausgabe, wovon sich Bearbeitungen auch in den ihr vorhergegangenen Sammlungen der kleinen und grossen Vorspiele vorfinden, auf diese durch Angabe der Nummern verwiesen.

Ist nun die Zahl der Vorspiele, von den 44 kleinen bis auf diese eine bedeutende, die Form derselben eine höchst verschiedene zu nennen, die grösste Kunst des tiefsinnigen Meisters im kleinsten wie im grössten Stück zu erkennen; so durfte damit wohl ein Schatz der eigenthümlichsten Orgelmusik geboten sein, wie sie nur von Bach aufzuweisen und durch deren vertrauten Umgang der reichste Lohn zu erwarten ist.

*) „Orgelbüchlein, … Autore Joanne Sebast. Bach, …"
**) „Dritter Theil der Clavier-Übung, … verfertigt von Joh. Seb. Bach etc. In Verlegung des Authoris."

Nachweis: *CHORALVORSPIELE | verschiedener Form | für die Orgel | von | JOHANN SEBASTIAN BACH. | – |* [links:] *Heft I. [II., III., IIII.]* [Mitte:] *Vier Hefte.* [rechts:] *Pr. 1 Thlr. 10 Ngr. | – | Leipzig, bei Breitkopf & Härtel. |* (1848), PN 7691.-7694, S. (1). Mit einer „Übersicht sämmtlicher Choralvorspiele welche in den 44 kleinen und 15 grossen, so wie in den 4 Heften der gegenwärtigen Sammlung enthalten sind.", S. (2).
Anzeige: NBMZ, 2. Jg., Nr. 42, 8. November 1848, S. 326.
Lit.: → C 121; Krause II, Nr. 168; NBA IV/4 Krit. Bericht (M. Tessmer, 1974), S. 27.

EINZELAUSGABEN

KLAVIERWERKE
(→ C 1 – C 32)

C 124

NÄGELI: ANKÜNDIGUNG VON BACH-WERKEN
ZÜRICH, APRIL 1801

Ankündigung
Musikalischer Kunstwerke der strengen Schreibart.

… Es geziemt sich, dass man hier dem über alle Vergleichung grossen Ioh. Sebastian Bach, sowohl in Hinsicht auf die Menge als die Trefflichkeit seiner Werke, den ersten Rang einräume. Es wäre aber eine fehlerhafte Einseitigkeit, wenn man dabey stehen bliebe. Es giebt von Frescobaldi an bis auf den modernen Fugen Komponisten Reicha so manches interessante – wenn auch beschränkte, doch in seiner Beschränktheit bestimmte – Künstler-Individuum, das, einmal der Vergessenheit entzogen, im Gebiete unsrer Kunst auf immer seine Stelle behaupten wird.

Ich künde daher, nicht allein Ioh. Sebastian Bach Werke, sondern auch die vorzüglichsten Instrumental- (Klavier- und Orgel-) Werke der strengen Schreibart von andern grossen Meistern, und ausdrücklich alle vorzüglichen in Marpurgs Abhandlung von der Fuge als Muster angeführten Stücke auf Pränumeration an. …

❘ … Ich werde die Lieferungen in ähnlichen Heften, von ähnlicher Grösse wie die Haydnschen und Mozartschen Klavier-Werke der Breitkopf-Härtelschen Edition – Stich, Papier und Verzierung von höchster Schönheit – erscheinen lassen. Jedoch findet davon eine kleine Abweichung statt. Die grossen und gehaltreichen Bachschen Werke, welche ich zuerst liefern will, werden die Zahl von 25 Bogen beträchtlich überschreiten, die andern hingegen etwas kleiner werden, doch so, dass diese immer noch, eins in's andre gerechnet, die Zahl von 20 Bogen erreichen. Diese Abweichung ist nothwendig, damit ich nicht genöthiget sey, irgend ein grösseres Bachsches Werke, das ein Ganzes ausmacht, zu zerstückeln; …

❘ … Das erste Heft wird enthalten: Bachs Wohl temperirtes Klavier, 1ster Theil; der zweyte: Händels Clavier-Suiten; der dritte. Bachs Wohltemperirtes Klavier, 2ter Theil; der vierte: Eine Auswahl von Ricercaten der ältesten Contrapunktisten.

So werde ich immer abwechselnd auf ein Werk von Bach eins von einem andern Autor, oder eine Sammlung von Stücken mehrerer Autoren folgen lassen. Jeder Heft wird nebst dem allgemeinen Titel: „Musikalische Kunstwerke der strengen

Schreibart" noch seinen besondern haben, so dass man alsdann nach Belieben Bachs Werke auch von den übrigen sondern kann.

Der erste Heft ist nun unter der Presse und wird nächstens abgeliefert. …

Der Pränumerationspreis eines jeden Heftes ist, so wie bey obenerwähnten Klavier-Werken auf 1 Rthlr. 12 Gr. Sächs., der nachherige Ladenpreis aber auf 3 Rthlr. festgesetzt. Wer Pränumeration sammeln will, erhält das 5te Exemplar frey.

Mann kann sich mit der Pränumeration nach Belieben entweder an die Herren Breitkopf und Härtel in Leipzig, oder hierher an mich wenden. Zürich, im April 1801.

Hans Georg Nägeli.

Probe des Stichs. [BWV 878, T. 1–9]

Quelle: AMZ, 3. Jg., Intell.-Bl. Nr. VIII, Mai 1801.

Anm.: Vgl. auch Nägelis *Vorläufige Nachricht einer eben so schönen, als wohlfeilen Ausgabe der vorzüglichsten Werke von Iohann Sebastian Bach.*, in: AMZ, 3. Jg., Intell.-Bl. Nr. VI, Februar 1801, Sp. 21–23. Endgültiger Titel der Reihe: *Musikalische Kunstwerke. im Strengen Stijle von J S Bach u⁼ andern Meistern.* Ankündigung von Heft 1 durch Breitkopf & Härtel, in: AMZ, 3. Jg., Intell.-Bl. Nr. XIII, September 1801. Am 9. September wird bereits von Johann Traeg in der WZ, Nr. 72, unter *Litterarische Anzeigen*, ebenfalls das 1. Heft angezeigt. Vgl. auch Traegs „Ersten Nachtrag", Wien 1804, zu seinem Verzeichnis von 1799 (→ Dok III, Nr. 1027), in dem unter den Nummern 126–131 die ersten sechs Hefte dieser Reihe angezeigt werden: „126, 127 Bach J.S. Das Wohltemperirte Clav. [BWV 846–893] 1. + 2. Hft; 128 Haendel G.H. Klavier Suiten. 3. Hft; 129 Bach J.S. die Kunst der Fuge. 4. Hft; Haendel G.H. Fugen. 5. Hft; 131 Bach J.S. Klavierson. Mit obl. Viol. [BWV 1014–1019] 6. Hft."

Vgl. auch Nägelis Anzeige in: *Verzeichniss des Musikverlags von Hans Georg Nägeli et Comp. in Zürich* (nach 1807).

C 125

KÜCHLER: ANZEIGE DES WOHLTEMPERIERTEN KLAVIERS I UND II BEI N. SIMROCK

LEIPZIG, 12. MAI 1801

Musikanzeige. Von J. Seb. Bachs 48 Präludien und Fugen durch alle Töne und Semitonien, verlegt von N. Simrock in Bonn, ist der erste Theil erschienen, und kann von den resp. Pränumeranten in Empfang genommen werden. Sowohl Kenner als Liebhaber werden dem Verleger die Gerechtigkeit widerfahren lassen, daß keine der von ihm gethanenen Versprechungen unerfüllt geblieben. Das Werk ist bey dem unerhört wohlfeilen Preise, nämlich 26 Bogen für 1 Laubthl. oder 1 thl. 12 gr. Sächs. schön, deutlich und correct gestochen, und würde den Titel eines hervorstechenden Prachtwerks durchaus verdienen, wenn das der Bescheidenheit des Verlegers nicht zu nahe treten hieße, oder wenn ächter Kunstsinn, für den allein der Genius eines Bachs geeignet ist, durch Aushängeschilde der Art angezogen würde. Der Verleger, der anfangs nicht abgeneigt war, die sämmtl. Werke von Seb. Bach in gleichem modernen Gewande zu publiciren, ist durch verschiedene Musikfreunde und Kenner vom ersten Range von diesem Plane abgewandt worden. Bey der innigsten Verehrung gegen diesen größten Meister in der Kunst sind sie doch einstimmig der Meinung, daß vieles unter seinen musikalischen Producten für unser Zeitalter ganz und gar nicht genießbar sey. Dagegen hat sich der Verleger, theils durch sie bewogen, theils aus eigner Ueberzeugung entschlossen, dem Publiko ein Werk von ihm noch zu liefern, welches gewiß einzig in seiner Art ist. Es befindet sich in wenig Händen, und Bachs großer Genius scheint in selbigem der Zeit und den Fortschritten der Kunst um mehr als ein halbes Jahrhundert vorgegriffen zu haben. Damit aber bey dieser neuen Unternehmung nicht wieder irgend ein Verleger durch eine freund-schaftliche | Zuvorkommung sein Gewissen lädire, so erscheint dies Werk ohne vor-läufige Ankündigung. Die Ablieferung des ersten Theils der Präludien und Fugen, wie auch die Annahme der Pränumeration, welche auf beyde Theile bis Ende July verlängert wird, besorgt allhier,

Leipzig, den 12. May 1801.   E. W. Küchler,
          Kunst- und Musikhändler im Paulino.

Quelle: LZ, Beylage, 6. Juni 1801, S. 1015–1016; 111. Stück, 10. Juni 1801, S. 1039.
Anm.: Mit dieser ausführlichen Ankündigung, wonach Teil II des WK im Mai 1801 erschienen war (Numerierung der beiden Teile fehlerhaft – der zunächst erschienene 1. Teil wurde als zwei-ter, der nachfolgende zweite als 1. Teil bezeichnet), ist die in der bekannten Anzeige vom Dezem-ber 1800 (AMZ, 3. Jg., Intell.-Bl. Nr. V, Februar 1800) angekündigte „ausführlichere Anzeige" gemeint (vgl. Dok. III, Nr. 1045K). Nicolaus Simrock brachte als erster im Januar und Februar 1801 Anzeigen zu seinem Editionsvorhaben. Vgl. auch die Anzeigen in der *Allgemeinen Litera-tur-Zeitung* (Nr. 3, 10 und 18; 7., 21. und 31. Januar 1801), in den LZ (17. und 20. Stück; 24. und 28. Januar 1801, S. 146 und S. 173–174), in der AMZ (3. Jg., Intell.-Bl. Nr. V, Februar 1801) und in der WZ (Nr. 11 und Nr. 12, 7. und 11. Februar 1801, S. 432 und S. 475).
Lit.: Lehmann Bach-GA, Dk. I/8, sowie S. 41f.

C 126

Hoffmeister und Kühnel: Anzeige der Englischen Suite BWV 808
Leipzig, 3. August 1805

Neuer Selbstverlag: … S. Bach, Grandes Suites, dites Suit. Angloises p. Clav. (die gro-ßen engl. Suiten), No. I. 16 gr. …

Quelle: LZ, 154. Stück, 8. August 1805, S. 1507.
Nachweis: *GRANDES SUITES | dites Suites Angloises | pour le | Clavecin | composées | PAR | J. SEB. BACH. | Nᵒ I | A Leipzig, | chez Hoffmeister & Kühnel | Bureau de Musique).*
Anm.: Eine zweite Suite (BWV 811) erschien um 1812/13 bei A. Kühnel (Bureau de Musique). Re-zensionen: AMZ, 15. Jg., Nr. 4, 27. Januar 1813, Sp. 68–70; Berliner AMZ, 5. Jg., Nr. 13, 26. März

1826, S. 97–98 (A. Marx). Vgl. auch die Anzeige in: AMZ, 14. Jg., Intell.-Bl. Nr. XI, September 1812 (*Neuer Verlag von A. Kühnel in Leipzig.*).
Lit.: NBA V/7 Krit. Bericht (A. Dürr, 1981), S. 79f.

C 127

GRIEPENKERL: DANK FÜR DEN AUFTRAG ZUR HERAUSGABE
DER CHROMATISCHEN FANTASIE UND FUGE

BRAUNSCHWEIG, 20. FEBRUAR 1819

Braunschweig d 20 ᵉⁿ Febr. 1819

Ew. Wohlgeborner,
beehren mich mit Aufträgen, die mir äußerst angenehm sind und zu deren Ausrichtung ich alles thun werde, was an mir ist.
Eine neue Ausgabe der Chromatischen Phantasie schien mir schon seit lange nothwendig; denn so wie sie da ist kann sie nur der tiefe Kunstkenner gebrauchen. Zwar der erste Satz bis zum *Arpeggio* ist hinreichend deutlich; aber von diesem *Arpeggio* bis zur Fuge ist für jeden Liebhaber und für den größten Theil der Künstler das Land der Geheimnisse.
Das ahndende Talent wagt sich nicht daran, aus Furcht es zu entstellen, die Künstlerprätension verhudelt es gerade zu – nur wem durch ächte Überlieferung die wahre Vortragsweise bekannt geworden, nur dem wird es gelingen, alle Hörer damit zu fesseln.
Forkel lernte die Chromatische Phantasie von Wilhelm Friedemann Bach spielen, der sie und ähnliche Phantasien noch von seinem Vater erlernt hatte. Forkel überlieferte das Empfangene mit dem tiefsten Kunstsinne und der größten Genauigkeit seinen Schülern. Ich hatte das Glück vor etwa dreizehn Jahren seinen unvergleichlichen Unterricht zwei und ein halbes Jahr zu genießen. Nachher leitete er noch neun Jahre meine musikalischen Studien durch ununter- | brochenen Briefwechsel. In dieser Zeit besuchte ich ihn zweimal auf mehrere Tage, um sein Urtheil und seinen Rath zu benutzen. Und wie Forkel im Unterrichte nichts für sich behielt, wenn der Schüler nur einigermaßen nach seinem Sinne war, und von seinem großen Reichthum alles mit Liebe und Herzenswärme hergab, was er wußte und konnte – : so will auch ich Ihnen und dem Publicum von dem wahren Vortrage der Chromatischen Phantasie überall nichts verschweigen, was sich nur durch Zeichen und Worte aus drücken läßt und was ich davon weis.
Für diese geringe Bemühung verlange ich kein Honorar; es liegt schon alles aufgeschrieben da und bedarf nur kopirt zu werden, womit denn auch schon der Anfang gemacht ist. Wollen Sie mir aber nach vollendetem Druck einige Exemplare auf Velinpapier zukommen lassen, so werde ich sie mit Dank annehmen.

Bedeutende Unkosten wird Ihnen die neue Ausgabe nicht machen, wenn nur die alten Platten noch brauchbar sind. An den ersten drei Seiten der Phantasie und an der ganzen Fuge ändere ich so wenig, daß ohne Zweifel die alten Platten dazu noch benutzt werden können; die drei letzten Seiten der Phantasie aber müssen neu gestochen werden. Meine Bemerkungen endlich füllen höchstens zwei Folioseiten, wenn der Druck nicht zu weitläufig ist.

| Da Sie doch einen neuen Titel zu dem Werke wollen stechen lassen, so möchte ich die Form dazu vorschlagen, welche der Titel des Frauentaschenbuchs von Fouqué hat. Die Sinnbilder der Einfassung müßten freilich geändert werden. Deutsche Sprache und Schrift in jener Form wäre am leichtesten zu rechtfertigen.

In spätestens acht Tagen ist mein Manusscript [sic!] in Ihren Händen. – Noch eins; die alte Ausgabe der Phantasie wird durch die neue nicht überflüssig, indem die Vergleichung beider für musikalischen Vortrag überhaupt von Nutzen sein muß. – –

…

Quelle: Griepenkerl an C. F. Peters, 20. Februar 1819. Autograph (D-Wa, Signatur: *298N 671*).
Nachweis: *CHROMATISCHE FANTASIE | für das Pianoforte | von | JOHANN SEBASTIAN BACH.* | – | *Neue Ausgabe mit einer Bezeichnung ihres wahren Vor- | trags, wie derselbe von J. S. BACH auf W. FRIEDEMANN BACH, | von diesem auf FORKEL und von FORKEL auf seine Schüler | gekommen. | LEIPZIG, IM BUREAU DE MUSIQUE VON C. F. PETERS. | Pr. 18 gr.* (1820). Vorwort „Einige Bemerkungen über den Vortrag der chromatischen Phantasie." → E 9.
Griepenkerl meint mit der alten Ausgabe die Ausgabe seines Lehrers J. N. Forkel, die 1802 in Cahier VIII der „Oeuvres complettes" erschienen war → C 2.
Vgl. auch die Briefe Griepenkerls an C. F. Peters vom 11. April 1819 und 17. April 1820 (D-Wa, Signatur: *298N 671*). Anzeige: AMZ, 23. Jg., Intell.-Bl. Nr. I, Februar 1821 (*Neue Verlagsmusikalien, welche im Bureau de Musique von C. F. Peters in Leipzig Michaelis 1820 erschienen sind.*): „Bach, Sebast., Chromatische Fantasie für Pianoforte. (Ganz neue nach Bachs Manuscript verbesserte Auflage) … 18 Gr.".
Nach 1847 erschien in der neu gestochenen und revidierten Ausgabe von Livre 4 der „Oevres complets" die Chromatische Fantasie und Fuge, ebenfalls von Griepenkerl herausgegeben (→ C 18).
Lit.: Lehmann Bach-GA, Dk. II/1; Karen Lehmann, *„eines der vortrefflichsten Kunstwerke, die aus deutschem Geist entsprossen sind" – Zur Rezeption von Bachs Chromatischer Fantasie und Fuge im Zeitalter Mendelssohns und Schumanns.* Bericht Konferenz Leipzig 2005, S. 357–366.

C 128

(ROCHLITZ): ANZEIGE DER FUGE AUS DER TOCCATA E-MOLL
LEIPZIG, 8. FEBRUAR 1826

Ueber die musikalische Beylage, No. 1.
Die Breitkopf- und Härtel'sche Musikalienhandlung ist im Besitz verschiedener noch ungedruckter Compositionen Sebastian Bachs, und zwar noch von den Zeiten

des Meister und ihrer Vorfahren her, mit denen jener, an einem Orte lebend, in naher Verbindung stand. Es sind auch Präludien und Fugen für Klavier oder Orgel darunter. Das jetzt so lebhaft sich erneuernde Interesse an dergleichen Arbeiten des grossen Mannes veranlasst jene Handlung, von Zeit zu Zeit ein solches Stück dieser *musikalischen Zeitung* als Beylage anzufügen; und sie macht den Anfang hier mit einer Fuge, die nicht Wenigen um so willkommener seyn dürfte, da sie, ihrem Gehalte unbeschadet, viel leichter zu fassen und auszuführen ist, als bey weitem die meisten desselben Meisters.

d. Red.

Quelle: AMZ, 28. Jg., Nr. 6, 8. Februar 1826, Sp. 104 mit „N⁰ 1 Beilage zur allgem. musikal. Zeitung. 1826 N⁰ 6. | *Fuge von J. S. Bach.*", S. 1–4.
Anm.: Es handelt sich um die Schlußfuge aus der Toccata e-Moll BWV 914 → C 18.

C 129

Rezension der Englischen Suiten BWV 807 und BWV 809 bei Trautwein
Leipzig, 24. März 1830

Grandes Suites, dites Suites anglaises, pour le
    Clavecin, comp. par J. Seb. Bach. Berlin,
    chez Trautwein. Nr. 3. Nr. 4. (Pr. jeder
    Nr. 14 Gr.)
Diese Suiten – wir kennen ihrer sechs, und mehre werden auch wohl schwerlich vorhanden seyn – heissen englische, weil sie zuerst in London gestochen erschienen und wahrscheinlich auf Bestellung des Verlegers von dem grossen Meister geschrieben worden sind; denn bekanntlich war sein Ruhm bey seinen Lebzeiten unter allen gebildeten Nationen verbreitet, obschon er das, was man populair oder beliebt nennt, nie gewesen ist und nie werden kann – so wenig, als (um uns der Vergleiche Rochlitzens zu bedienen) unter den Dichtern Dante, unter den Malern Albrecht Dürer. Zwey dieser Suiten sind vor etwa zwanzig Jahren im Leipziger Bureau de musique (damals noch Kühnel) neugestochen herausgekommen. Mit dem Stocken der Ausgabe sämmtlicher Klavierwerke des Meisters (besorgt durch Forkel) in diesem Verlage, war auch die Ausgabe dieser Suiten in's Stocken gekommen. Um so mehr werden die Freunde Bachischer Klavierwerke und dieser ganzen Compositionsart überhaupt es Hrn. Trautwein – der überhaupt für ältere, ausgezeichnete Musik viel thut – verdanken, dass er diese Fortsetzung liefert. – Eine Kritik dieser beyden Suiten käme um hundert Jahre zu spät, und eine Schilderung wäre überflüssig, da nicht nur in der Schreibart und im Charakter, sondern auch in der Folge und Form, diese Gattung und diese Zeit ihr Feststehendes hatte, mithin ein Jeder, der

überhaupt Werke dieser Art kennt, auch weiss, was er hier | zu erwarten hat. Nur eine einzige kurze Anmerkung sey uns erlaubt! Wer glaubt, oder auch nur nach-plaudert, dass Vater Bach zwar allerdings der gelehrteste Contrapunctist gewesen sey, aber ohne Ausdruck geschrieben hat, der spiele nur die beyden Sarabanden dieser zwey Suiten, und er wird anders denken lernen. ...

Quelle: AMZ, 32. Jg., Nr. 12, 24. März 1830, Sp. 183–184 (*Recensionen.*).
Nachweis: *Grandes Suites* | *dites Suites angloises* | *pour le* | *CLAVECIN* | *composées* | *par J. SEB. BACH.* | *N° 3* [4–6] | *Berlin chez T. Trautwein* (1828–1830).
Anm.: Zur Ausgabe bei Kühnel → C 126. Zur nach wie vor unwiderlegten Behauptung, ein Eng-länder sei der Besteller der Suiten gewesen, s. u. (Lit.). Anzeige: AMZ, 30. Jg., Intell.-Bl. Nr. XVII, November 1828, Sp. 67. Weitere Rezension: Berliner AMZ, 5. Jg., Nr. 13, 26. März 1826, S. 97–98 (A. Marx).
Lit.: NBA V/7 Krit. Bericht (A. Dürr, 1981), S. 79ff., sowie S. 87.

C 130

TRAUTWEIN: ANZEIGE DER DUETTE

LEIPZIG, JULI 1839

Bach, Jos. Seb., vier Duetten für das Pfte. 12 Gr.

Quelle: NZfM, 6. Jg., 11. Bd., Intell.bl. Nr. 2, Juli 1839, S. 1 (*Neuer Musikalien-Verlag von T. Trautwein in Berlin, in allen Buch- und Musikalien-Handlungen zu finden. ... b) für verschiedene Instrumente.*)
Nachweis: *VIER DUETTEN* | *für das* | *PIANO-FORTE* | *von Johann Sebastian Bach ...* (1838 / 39), PN 615. Inhalt: BWV 802–805.

C 131

SCHOTT: ANZEIGE DES WOHLTEMPERIERTEN KLAVIERS IN BEARBEITUNG ZU 4 HÄNDEN

LEIPZIG, 8. MÄRZ 1843

Bach, J. S., Das wohltemperirte Klavier. 48 Fugen u. Prälud. in allen Tonarten f. d. Pfte zu 4 Händen eingerichtet von H. Bertini. compl. geb. Ebend. [Schott, Mainz] 18 Fl.

Quelle: AMZ, 45. Jg., Nr. 10, 8. März 1843, Sp. 195 (*Verzeichniss neuerschienener Musikalien und auf Musik bezüglicher Werke. Eingegangen vom 28. Februar bis 6. März d. J.*)
Anm.: Vgl. auch die Anzeige, in: Signale, 1. Jg., Nr. 11, 14. März 1843, S. 77, sowie die Rezension, in: Wiener AMZ, 2. Jg., Nr. 143, 29. November 1842, Sp. 576–577.

C 132

C. F. Peters: Anzeige von Einzeldrucken aus Band 9

Leipzig, November 1844

Sämmtliche Musikstücke des 9ten Bandes der in meinem Verlage erschienenen Oeuvres complettes de J. S. Bach sind auch einzeln zu haben, wobei ich vorzüglich auf die
12 petits Préludes ou Exercices
pour les commençans, Pr. 17 $^1/_2$ Ngr.
aufmerksam mache, welche als höchst zweckmässig zum Unterricht zu empfehlen
sind.
Leipzig, im September 1844.

C. F. Peters.
Bureau de Musique.

Quelle: NZfM, 11. Jg., 21. Bd., Intell.bl. Nr. 5, November 1844.
Anm.: → C 31. Vgl. auch die Anzeige in: Signale, 2. Jg., Nr. 38, September 1844, S. 304.

Kammermusik

C 133

Lorenz: Rezension der Sechs Sonaten für Violine allein von Ferdinand David

Leipzig, 15. Januar 1844

Für Violine.
Joh. Seb. Bach, Sechs Sonaten für Violine allein *(Studio, ossia tre sonate per il violino solo*
senza Basso). Herausgegeben von Ferd. David.
– Neue Ausgabe. – Leipzig, F. Kistner. –
3 Hefte à 1 Thlr. –
… | … Jede der Sonaten besteht übrigens aus mehreren Stücke vom verschiedensten
Charakter und in Erfindung immer neuer Formen und Mittel finden wir auch hier
die gewohnte Bach'sche Unerschöpflichkeit, wie sie sonst nie vorhanden war und
sein wird. – Wir haben nur noch Einiges über diese neue, höchst nobel ausgestattete
Ausgabe zu sagen. Sie ward vom Herausgeber zunächst zum Gebrauch beim Conservatorium der Musik in Leipzig mit Fingersatz, Stricharten u. s. w. versehen. Doch
ist auch die ursprüngliche Gestalt, nach der auf der königlichen Bibliothek zu Berlin

befindlichen Originalhandschrift Bach's auf's Genaueste revidirt, beigefügt. Der Herausgeber ist als Violinspieler und Musiker von gründlichster Bildung bekannt, und gegen seine Behandlungsart an sich nirgend etwas einzuwenden, und wenn im einzelnen, namentlich in den Stricharten, Manches anders gefaßt werden kann, so ist eben darum die Urschrift beigefügt. … Auch hat der öffentliche Vortrag des Herausgebers z. B. der Ciaconna [BWV 1004, Satz 5] mit Mendelssohn's Begleitung die Unhaltbarkeit derselben bewie- | sen. Aber auch wie sie ist, darf diese Ausgabe auf den Dank aller Violinspieler und Freunde wahrer Musik Anspruch machen. –

O. L.

Quelle: NZfM, 11. Jg., 20. Bd., Nr. 5, 15. Januar 1844, S. 17–18.
Nachweis: *SECHS* | *SONATEN* | *für die Violine allein* | *VON* | *JOH. SEBASTIAN BACH.* | *STUDIO* | *ossia* | *TRE SONATE* | *per il Violino solo senza Basso.* | *Zum Gebrauch bei dem Conservatorium der Musik zu Leipzig,* | *mit Fingersatz, Bogenstrichen und sonstigen Bezeichnungen versehen* | *von* | *FERD. DAVID.* | *Für Diejenigen welche sich dieses Werk selbst bezeichnen wollen, ist der Original-Text,* | *welcher nach der auf der Königl. Bibliothek zu Berlin befindlichen Original-Hand-* | *schrift des Componisten aufs genaueste revidirt ist, mit kleinen Noten beigefügt.* | – | [links:] *Heft I.* [*II., III.*] [rechts:] *Pr. 1 Thlr.* | *Eigenthum des Verlegers.* | *Eingetragen in das Vereins-Archiv.* | *LEIPZIG, BEI FR. KIST-NER.* | *NEUE AUSGABE.* | *1385. 1386.* | *1387.* 3 Hefte (1843).
Inhalt: Drei Sonaten und drei Partiten für Violine allein BWV 1001–1006.
Mit der „Urschrift" ist die Abschrift P 267 gemeint. Anzeige von Heft 1: AMZ, 45. Jg., Nr. 34, 23. August 1843, Sp. 619; Heft 2: AMZ 45. Jg., Nr. 36, 6. September 1843, Sp. 655; Heft 3: AMZ, 45. Jg., Nr. 37, 13. September 1843, Sp. 669 (*Verzeichniss neuerschienener Musikalien und auf Musik bezüglicher Werke. …*); AMZ, 45. Jg., Nr. 17, 26. April 1843, Sp. 319 (*Ankündigungen. Im Verlag von Fr. Kistner in Leipzig erscheint nächstens mit Eigenthumsrecht:*), NZfM, 10. Jg., 18. Bd., Intell.bl. Nr. 5, April 1843, S. (2); Signale, 1. Jg., Nr. 34, August 1843, S. 258.
Anzeige von BWV 1005 (Fuge), erschienen bei N. Simrock 1802: AMZ, Intell.-Bl. Nr. X, Dezember 1802, Sp. 44.
Lit.: NBA VI/1 Krit. Bericht (G. Hausswald und R. Gerber, 1958), S. 57f.; Krause II, Nr. 194.

C 134

REZENSION DER CIACCONA

LEIPZIG, 24. OKTOBER 1845

J. S. Bach, Ciaccona, für eine Violine allein, mit
Pftebgl. versehen, und dazu für die Violine besond.
einger. von F. W. Ressel. – Berlin, Schlesinger.
Violinstimme Pr. 7 ½ Sgr. Mit Pfte. 25 Sgr.

In der That unter sehr vielen ähnlichen Unternehmungen eine von seltensten Werthe, die wir mit der reinsten Kunstfreude begrüßen! Eine Uebersetzung des ehrwürdigen Bach in unsere Zeitform, wie die Uebersetzungen Shakespeare's von Schlegel, und Calderon's von Gries. Nur tiefes Eindringen in den eigentlichen geistigen Gehalt, wie er auch ohne die ältere Form des Werkes vorliegt, und jetzt in eine gefälligere Hülle gekleidet noch besser genossen werden kann; nur die reinste Liebe zum großen Meister hat dem neueren Tonsetzer einen so gelungenen Erfolg sichern können. Die Geigenstimme ist höchst zweckmäßig und geschmackvoll der neueren Spielart angepaßt, und zeigt von feiner Kenntniß der Eigenthümlichkeit des Instrumentes; die Abänderungen in den Stricharten sind von der besten Wirkung und ganz im Geiste des Urbildes, dem hier gleichsam die Flügel gelöst worden sind, auf denen es in unsere moderne Welt gelangt. Vorzüglich schön und ganz im Sinne des großen Meisters ist auch die Pianofortebegleitung behandelt. Zu der einfacheren Variation bringt sie unter anderem das schöne Thema, zur zusammengesetzteren Ausführung die einfachere Variation als Begleitung. ...

Quelle: NZfM, 12. Jg., 23. Bd., Nr. 34, 24. Oktober 1845, S. 134.

MUSIKALISCHES OPFER
(→ C 14–17, C 19–20)

C 135

BREITKOPF & HÄRTEL: SUBSKRIPTIONSANZEIGE ZUR AUSGABE DER CHORALGESÄNGE UND DES MUSIKALISCHEN OPFERS

LEIPZIG, OKTOBER 1831

... Zugleich mit diesem Werke [Vierstimmige Choralgesänge → C 87] wird ein zweites, nicht minder achtungswerthes:
Joh. Seb. Bach's musikalisches Opfer,
bey uns in einer neuen Ausgabe erscheinen.
Auf dieses glauben wir das musikalische Publikum ganz besonders aufmerksam machen zu müssen. Nur wenige besassen bis jetzt in einzelnen Abschriften dieses herrliche Werk vollständig, da die frühere Ausgabe nur den ersten Theil enthielt. Jetzt nun soll das Ganze in höchster Vollkommenheit geliefert und durch mehre neu erfundene Bach'sche Canons vermehrt werden. Die Lösung derselben gehört nicht unter die leichtesten Aufgaben und wird wahrscheinlich mancherlei Erörterungen zum Vortheile der Kunst veranlassen. –

...
Leipzig, Michaelismesse 1831.

Breitkopf & Härtel.

Quelle: AMZ, 33. Jg., Intell.-Bl. Nr. VII, Oktober 1831 (*Ankündigungen.*), sowie 33. Jg., Nr. 48, 30. November 1831 (Einladungszettel).

Nachweis: *Musikalisches Opfer.* | *Seiner Königlichen Majestät von Preussen* | *allerunterthänigst gewidmet* | *von* | *Johann Sebastian Bach.* | *–* | *Neue Ausgabe.* | *mit einer Vorrede über die Entstehung dieses Werk's.* | *–* | *Bei Breitkopf & Härtel in Leipzig.* | *Pr. 1 Thlr. 16 Gr.* (1832), PN 5153. Herausgegeben von Christian Gottlieb Müller.

Anm.: Die Vorrede beruht größtenteils auf Forkels Biographie. Vgl. auch AMZ, 8. Jg., Nr. 17, 22. Januar 1806, Sp. 269–272; Nr. 18, 29. Januar 1806, Sp. 288; Nr. 31, 30. April 1806, Sp. 496 (Anmerkung). Vgl. hierzu Dok III, Nr. 1021.

Vgl. auch die Rezension, in: AMZ, 34. Jg., Nr. 1, 4. Januar 1832, Sp. 3–9 (Klauss). Anzeigen: AMZ, 33. Jg., Intell.-Bl. Nr. III, Mai 1831, Sp. 12: „... Neue Ausgabe mit einer Vorrede, die Entstehung dieses Werkes befreffend."; AMZ, 34. Jg., Intell.-Bl. Nr. I, Februar 1832, Sp. 4; AMAnz, 6. Jg., Nr. 15, 10. April 1834, S. 58–59.

Lit.: Ludwig Landshoff, *J. S. Bach. Musikalisches Opfer.* Beiheft zur Urtext-Ausgabe, Leipzig (1937); Krause II, Nr. 231; NBA VIII/1 Krit. Bericht (C. Wolff, 1976), S. 88–89, S. 126.

DIE KUNST DER FUGE
(→ C 14–17, C 19–20)

C 136

NÄGELI: ANZEIGE DER KUNST DER FUGE
ZÜRICH, DEZEMBER 1802

MUSIKANZEIGE

In meinem Verlage ist erschienen: J.S. Bachs Kunst der Fuge in Partitur und im Klavierauszug, als Fortsetzung der Werke der strengen Schreibart. Doppelheft. Pränumerations-Preis 3 Reichsthaler.
Ich habe es unschicklich gefunden, dieses Werk in zwey Hefte abzutheilen. Um aber zugleich den Pränumeranten die versprochene Bogenzahl zu geben, liefere ich noch als Zugabe Händels 6 Fugen, welche als Supplement zu den bereits gelieferten Händelschen Suiten zu betrachten sind.
Laut meiner Ankündigung der W. d. str. Schr. hätte ich als 4ten Heft eine Sammlung von Ricercaten der ältesten Contrapunctisten liefern sollen. Ich glaubte aber den Wünschen der Mehrheit der Pränumeranten, welche auf vorherige Lieferung der wichtigsten Bachschen Werke dringen, nachgeben zu müssen.
Zürich, im December 1802.

Hans Georg Nägeli.

Quelle: Beiliegende Anzeige zur Ausgabe in der D-B.
Nachweis: *Die* | *Kunst der Fuge* | *von Johann Sebastian Bach* | *Zürich bey Hans Georg Nägeli* [mit Reihentitel: *Musikalische Kunstwerke.* | *im Strengen Stÿle* | *von J S Bach u⁼ andern Meistern* | *Zürich bey Hans Georg Nägeli* → C 124]. (1802)
Lit.: Wolfgang Graeser, *Bachs „Kunst der Fuge"*, BJ 1924, S. 1–104, hier S. 80.

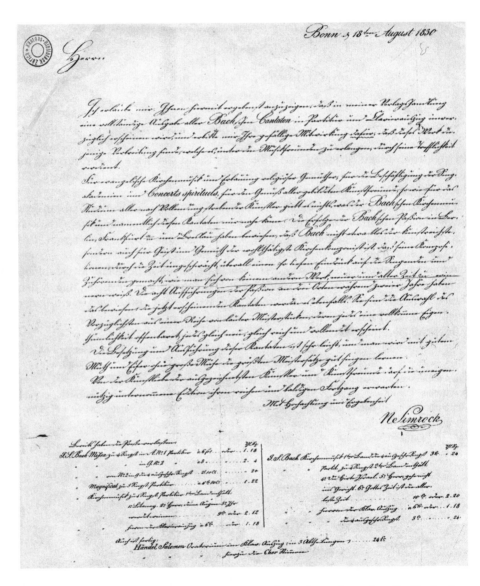

N. Simrock: Handschriftliche Anzeige einer „vollständigen Ausgabe aller Bachschen Cantaten". Bonn, 18. August 1830 (C 37)

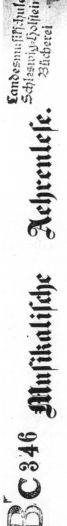

G. W. Körner: Musikalische Aehrenlese.
Erfurt & Langensalza: Verlag und Eigenthum von G. Wilh. Körner (C 111)

Teil D

Aufführungen

Dokumentation Ausgewählter Konzertereignisse
Nach Werkgruppen

Andreas Glöckner

Einleitung

Erst in jüngerer Zeit hat sich allmählich die Erkenntnis durchgesetzt, daß die soge-
nannte Bach-Renaissance nicht erst im Jahre 1829 durch die vielzitierten drei Berliner
Aufführungen der Matthäus-Passion eingeleitet worden ist. Wie sich aus bisher we-
nig beachteten Dokumenten ergibt, sind diesem zweifellos spektakulären Ereignis
denkwürdige und richtungsweisende Bach-Aufführungen vorausgegangen – in
Berlin unter Carl Friedrich Zelter, August Wilhelm Bach und Gaspare Spontini, in
Leipzig unter den Thomaskantoren August Eberhard Müller und Johann Gottfried
Schicht, in Bremen unter Wilhelm Friedrich Riem, in Frankfurt/Main unter Johann
Nepomuk Schelble, in Breslau unter Johann Theodor Mosewius, in Weimar unter
Carl Eberwein oder in Wien unter Raphael Georg Kiesewetter. Immerhin konnte
ein so überaus schwieriges Werk wie die Messe in h-Moll bereits 1811 bis 1815, 1827
und 1828 in Berlin und Frankfurt/Main in großen Teilen dargeboten werden, sind
die Passionen nach Matthäus und Johannes bereits vor 1829 in den Freitags-Veranstaltungen der Sing-Akademie zu Berlin – wenn auch nur unvollständig – musiziert
worden. Das Magnificat als eines der aufführungspraktisch besonders diffizilen
Stücke erklang schon 1818 in einem der „Historischen Konzerte" Raphael Georg
Kiesewetters in Wien. Über lange Zeit konnten die großen Chorwerke Bachs nicht
vollständig, sondern nur gekürzt und in bearbeiteter Fassung dargeboten werden.
Das betrifft gleichermaßen die im Jahre 1829 unter Mendelssohn und Zelter aufgeführte Matthäus-Passion. Eine vollständige Darbietung des monumentalen Werkes
blieb späteren Generationen vorbehalten.

Als Hauptproblem für die Dokumentation solcher Musikereignisse erweist sich
die zeitgenössische Presse, denn nur zögerlich gelangte die Aufführung von musikalischen Werken in den Fokus der Berichterstattung.[1] Zudem waren musikalische

---

1   Über die gottesdienstliche Musik wurde zunächst nicht, später nur in Ausnahmefällen,
berichtet.

Nachrichtenblätter zu Beginn des 19. Jahrhunderts noch kaum vorhanden. Nach dem nur sehr kurzen Erscheinungszeitraum der „Berlinischen Musikalischen Zeitung"[2] war es bis 1824 zumeist nur die „Allgemeine Musikalische Zeitung", die gelegentlich, jedoch keineswegs lückenlos über Konzertereignisse berichtete. (Eine systematische Durchsicht aller lokalen Periodika war im Rahmen dieser Arbeit nicht zu bewältigen, könnte aber zur Ergänzung des vorgelegten – zweifelsfrei unvollständigen – Dokumentenmaterials noch beitragen.) Dennoch: In den Zeitungen wurde über Bach-Aufführungen zunächst nur sporadisch berichtet, wobei die Angaben zu den musizierten Stücken zumeist sehr allgemein und unpräzise gehalten waren. So wird über die Darbietung eines „Gloria", einer „Toccata" oder „Fuge" vom „seligen Bach" berichtet, ohne daß der Leser weitere Einzelheiten erfährt. Häufig waren die Redakteure auch außerstande, die musizierten Stücke genauer zu benennen. Werkverzeichnisse – die zur Orientierung hätten dienen können – fehlten und Notendrucke waren anfänglich noch kaum im Umlauf. Das unkritische Musizieren von apokryphen Stücken wie der Messe in G-Dur (BWV Anh. 167) gehört ebenfalls zum Erscheinungsbild jener Zeit.

Ungeachtet der in diesem Band erstmalig vorgelegten Dokumente bleibt unser Wissen über die – vor allem im Zeitraum von 1800 bis 1830 – aufgeführten Bach-Werke weiterhin lückenhaft. Allein die rein zufällig erhaltenen Probe- und Protokollbücher einiger Singe-Gesellschaften und -Vereine wie auch die zahllosen Eintragungen Carl Friedrich Zelters in den Musikalien der Sing-Akademie zu Berlin belegen, daß schon zu Beginn des 19. Jahrhunderts weitaus mehr Bach-Werke Eingang in die musikalische Praxis gefunden hatten, als den zeitgenössischen Pressemitteilungen zu entnehmen ist.

Die meisten der Bachschen Vokalwerke konnten zunächst nur dort aufgeführt werden, wo ihre handschriftlichen Quellen aufbewahrt und somit – zumindest einem kleineren Kreis von Interessenten – zugänglich waren: Berlin und Leipzig. In Berlin war es Carl Friedrich Zelter, dem als Spiritus rector einer ersten Bach-Bewegung ein besonderes Verdienst zukommt: Nachdem Abraham Mendelssohn im Jahre 1811 der Sing-Akademie einen umfangreichen Bestand an Bach-Handschriften übereignet hatte, machte Zelter davon sogleich regen Gebrauch, indem er die meisten der neu erworbenen Werke in den Freitagsveranstaltungen der Sing-Akademie mit der sogenannten Ripienschule probte und zur Aufführung brachte. Da auch Zuhö-

---

2   Sie erschien erstmals im Juli 1805, wurde aber schon im Juni 1806 durch den Tod des Verlegers Heinrich Fröhlich, vor allem aber wegen der Kriegshandlungen, wieder eingestellt. Die Zeitung hat – im Gegensatz zu den frühen Ausgaben der Allgemeinen Musikalischen Zeitung – schon mit bemerkenswerter Ausführlichkeit über musikalische Ereignisse berichtet – etwa über die Bach-Konzerte des Leipziger Thomanerchors in den Jahren 1802 bis 1806. Mit dem Einstellen des Blattes versiegen leider auch die Nachrichten über die weiteren Konzerte des Chors.

rer (mitunter prominente Gäste) zugegen waren, gelangten sie zunehmend in das
Bewußtsein der Berliner Öffentlichkeit. Zelter war es denn auch, der schon frühzeitig Musikalienverzeichnisse anfertigte,[3] mit zahlreichen Musikern in regem Kontakt
stand, Musikalien austauschte und über aufführungspraktische Probleme korres-
pondierte. Sein umfangreicher Briefwechsel mit namhaften Musikern bezeugt dies
auf anschauliche Weise. Felix Mendelssohn, der im Oktober 1820 Mitglied der Sing-
Akademie wurde, hat seinen musikalischen Werdegang in vielerlei Hinsicht seinem
Lehrer Zelter zu verdanken – auch sein Interesse für Bach und dessen Matthäus-
Passion,[4] mit deren Aufführung er 1829 die Öffentlichkeit zu faszinieren und der
Bach-Bewegung einen weiteren und wesentlichen Impuls zu geben vermochte.

Ganz im Gegensatz zu den Kantaten gehörten die Motetten Bachs bereits vor 1830
zum festen Repertoire mehrerer deutscher Chorvereinigungen. Sie erklangen in
Berlin, Leipzig, Bremen, Weimar, Halle/Saale, Dresden, Breslau, Königsberg, Frank-
furt/Main, Dessau, Hamburg und Frankfurt/Oder und anderen Städten im deutschen Sprachraum.[5] Zurückzuführen ist dies vor allem auf die Erstausgabe von
Johann Gottfried Schicht aus den Jahren 1802/1803. Hingegen war von Bachs Kantaten zunächst keine einzige im Notendruck verfügbar. Im Jahre 1821 erschien als
erstes Werk die Reformationskantate „Ein feste Burg ist unser Gott" (BWV 80) – im
Herbst 1830 kamen die von Adolph Bernhard Marx herausgegebenen Kantaten
BWV 101 bis 106 hinzu. Weitere Editionen ließen lange Zeit auf sich warten.[6] So erklärt sich denn auch die bevorzugte Aufführung jener edierten Stücke, unter denen
der „Actus tragicus" (BWV 106) sehr bald zu einem Favoritstück wurde. Kenntnis-
reiche Musiker wie Johann Theodor Mosewius hatten sich frühzeitig um Kantaten-
Abschriften bemüht und konnten somit ihr Aufführungsrepertoire beständig erweitern. Nur so ist es zu erklären, daß in Breslau bereits 1844 erstmals die Teile I und II
des noch ungedruckten Weihnachts-Oratoriums erklingen konnten. Mosewius hatte
auf die Originalstimmen der Sing-Akademie zu Berlin zurückgreifen können.
    Im Gegensatz zu den Vokalwerken erwies sich die Verbreitung der Bachschen
Orgelwerke als weitaus weniger schwierig, insofern einige von ihnen bereits seit
1803 in gedruckten Ausgaben erreichbar waren. Ein besonderes Verdienst gebührt
den Orgelvirtuosen Johann (Gottlob) Schneider, August Wilhelm Bach, Viktor Klauß,
Adolph Friedrich Hesse, Johann Andreas Dröbs, Carl Ferdinand Becker, Friedrich

---

3   In den Jahren von 1800 bis 1802 hatte er ein handschriftliches Verzeichnis von den Musi-
    kalien der Prinzessin Anna Amalia angelegt und besaß somit Kenntnis über die Existenz einer
    zweibändigen Partiturabschrift von Bachs Matthäus-Passion. Daß er die Passion 1815 zu proben
    begann, ist somit kein Zufall.
4   Mendelssohn hatte sie in den Jahren nach 1820 unter Zelter mit einstudiert.
5   In Leipzig, Berlin und Dresden sind sie nach 1800 nahezu wöchentlich aufgeführt worden.
6   Erst 1843 wagte der Berliner Verlag Trautwein eine weitere Edition mit der Herausgabe der
    Kantaten BWV 144 und 182.

Wilhelm Berner oder Eduard Krüger. Auf Konzertreisen durch Deutschland (und einige Länder Europas) haben sie schon beizeiten Bachs Orgelwerke einem breiteren Zuhörerkreis vermitteln können.

Wenngleich die Liste verdienstvoller Solisten und Chorvereinigungen unvollständig bleiben muß, so soll am Ende noch einer Mäzenin gedacht werden, die sich (wie Zelter) sehr frühzeitig um die Aufführung Bachscher Werke bemüht hat: Sara Levy (geb. Itzig), die Großtante von Felix Mendelssohn Bartholdy. Bereits in den Jahren 1807 und 1808 spielte sie Bachsche Konzerte in den Freitagsveranstaltungen der Sing-Akademie. Bachs Konzerte und Ouvertüren waren es auch, die in Berlin bereits vor 1820 relativ häufig musiziert worden sind.

Kantaten und Oratorien

D 1

Kirchenkantaten aus der Verborgenheit hervorgerufen
Bericht vom 5. Januar 1803

… Unter den Werken, die in den Hauptkirchen aufgeführt wurden, sind besonders auszeichnenswerth die vortrefflichen Messen von J. Haydn, eine sehr angenehme von Winter; ein recht schönes Te Deum laudamus von jenem Meister, das, mit einer kräftigen deutschen Unterlegung vom Hrn. Prof. Clodius in L., so eben herausgekommen ist, und die Kantaten von Seb. Bach, von denen wir in der Folge zu sprechen haben. …
… Die übrigen Konzerte – das monatliche im Beygangschen Museum, und das wöchentliche auf der Thomasschule, erhalten sich sehr anständig. Ein wahres Verdienst hat sich Herr Musikd. Müller in den leztern dadurch erworben, dass er den reichen Schatz der Kirchenkantaten seines grossen Vorfahren an dieser Schule, des unvergesslichen Sebastian Bach, aus der Verborgenheit hervorrief und mehrere davon in diesem Konzert, (einige auch in den Kirchen) aufführte. Sehr wenige, auch von den gründlichsten Kennern der Werke Bachs wissen von diesen seinen Arbeiten, ausser vom Hörensagen. Ihre Anzahl, alle von Bachs eigner Hand in der Bibliothek der Schule, steigt über hundert. Niemand, der mit diesen erhabenen und tiefen Produkten des grössten Kontrapunktisten der Welt nicht bekannt ist, kann sagen, dass er ihn genug kenne, indem er eben hier sein Eigenstes, Vorzüglichstes, und gleichsam die Quintessenz seines Geistes niederlegte. Durch sie wird zugleich das von Flachen oder nicht Unterrichteten immer wiederholte Urtheil: Bach sey der grösste musikal. Rechenmeister gewesen, aber auch weiter nichts – am sichersten widerlegt: denn sie enthalten zugleich so innige und ausdrucksvolle Stücke, (besonders im Erhabenen, und wehmüthig-Trauernden) dass noch nicht Ein Zuhörer, auch wenn er, ohne alle gelehrte Kenntnis der Harmonie, nur ein offenes Herz mitbrachte, nicht dadurch wäre ergriffen worden. Nach vormaliger Sitte liegen ihnen oft alte Choräle zu Grunde, wo denn auch nicht selten die Texte, bey Allen, die ihr Inneres nicht bis zu solchem Wasser auf- und abgeklärt haben, dass es durch jeden harten Ausdruck, jedes unzarte Bild getrübt wird – zur Verstärkung des rechten Effekts beytragen. Wer unter den bisher aufgeführten Kantaten, z. B. die, über „O Ewigkeit, du Donnerwort" – oder über „Mache dich mein Geist bereit" – nur Einmal gut ausführen gehört hat, vergisst, wenigstens die Hauptsätze, in seinem Leben nicht, und ist um ein edles Besitzthum reicher. Wir werden wenigstens Einen Satz in der Folge als musikal. Beylage abdrucken lassen, um die Aufmerksamkeit mehr auf diese Werke

zu richten, die man in ihren Eigenheiten aller Art den Poesieen der ältesten Italiener, besonders denen des Dante, an die Seite stellen könnte. – …

Quelle: AMZ, 5. Jg., Nr. 15, 5. Januar 1803, Sp. 241, 246–247 (*Nachrichten. Musik in Leipzig. Michael bis Neujahr*); wiedergegeben auch in BG 27/2, Vorwort, S. VI (A. Dörffel).

Anm.: Die Aufführungen der Kantaten „O Ewigkeit, du Donnerwort" (BWV 20) und „Mache dich, mein Geist, bereit" (BWV 115) erfolgten wohl im Herbst (spätestens im Dezember) 1802 in den wöchentlichen Konzerten der Thomasschule unter der Leitung von August Eberhard Müller (1767–1817). Autor des Beitrags ist Johann Friedrich Rochlitz, der Herausgeber des Blattes seit 1798. Die Aufführungsstimmen der Kantate BWV 115 sind verschollen. Sie befanden sich nach 1800 noch im Besitz der Thomasschule.

Lit.: BJ 1906, S. 50f. (B. F. Richter); NBA I/26, Krit. Bericht, S. 39–41 (A. Glöckner).

D 2

„ACH HERR, MICH ARMEN SÜNDER" AM 10. FEBRUAR 1805 MIT DEM LEIPZIGER THOMANERCHOR

… Am 10ten hörte ich eine Kantate von J. Seb. Bach. Sie ist über den alten Choral: Ach Herr, mich armen Sünder ec. bearbeitet. Sie hebt mit einem Chor an, in welchem eine innige, tief aus dem gerührten, frommen Herzen quellende Melodie mit hoher Simplicität und kunstvoller harmonischer Bündigkeit durchgeführt ist. Die Hoboe, welche mit zärtlichem Ausdruck gleich vom Anfange diese Melodie in sanft fließendem Gesange verfolgt, wirkt hier vorzüglich auf das um Gnade flehende Herz. Dann fällt der volle Chor ein, und man hört die Melodie, welche erst in der Höhe war, nun in den Bassen. Drauf folgt die Baßarie: Weicht all' ihr Uebelthäter, mein Jesus tröstet mich. Die Violinen haben hier lebhaftere Gänge, und diese Arie drückt den erhobenen Muth aus. Sie ist wegen der weiten Intervalle nicht leicht zu treffen, ward aber von dem Alumnus Schmidt gut vorgetragen. Ein mit Instrumenten begleiteter Choral macht den Schluß dieser feierlichen herzlichen Cantate. Die ganze Musik ist, meines Bedünkens, ein Muster antiker, hoher, kunstreicher Simplicität, und beweiset, daß Bach keineswegs über der Harmonie die Melodie, über dem streng gebundenen Stil den schönen herzlichen Gesang vernachläßiget habe. Wohl selten ist er so trocken und steif, als ihm Einige, die ihn nicht vertraut genug kennen, vorwerfen, freilich erfodert er feine, kräftige Ausführung und wiederhohltes besonnenes Anhören. Mögen die Neueren oft mehr Mannichfaltigkeit, Reichthum und Gewandheit der Melodie erreicht haben, desto ehrwürdiger bleibt die Ruhe, die edle Simplicität, die gründliche harmonische Haltung und die innere Vollendung seiner Werke. –

Quelle: BMZ, 1. Jg. 1805, Nr. 31, S. 123. (Fortgesetzte Nachricht über Kirchenmusik zu Leipzig.)
Anm.: Der Thomanerchor wurde 1804 bis 1809 von August Eberhard Müller (1767–1817) ge-

leitet. In indirektem Zusammenhang mit der Aufführung steht wohl eine Partiturabschrift aus dem Jahre 1803 (D-B *P 52*) mit dem Vermerk „Aus den Stimmen in Partitur geschrieben von C. G. W. Wach. Leipzig im Februar 1803." Die Aufführungsstimmen, die sich 1803 noch in der Thomasschule befanden, sind verschollen. Die Partiturabschrift gelangte später in den Besitz der Sing-Akademie zu Berlin.

D 3

Zelter: Aufführungen der elfstimmigen Litanei

Berlin, 5. Juli 1812

In diesen Tagen habe ich die 11stimmige Litaney des alten Bach aus d mol, dreymal nach einander aufgeführt und zuletzt ging das Stück wirklich seinen Gang. Wenn man Werke dieser Art lange genug kennt und sie endlich hört, so ist mirs als ob die Pforten der tiefsten innersten Natur sich vor mir aufthäten um ihre unerkannten ewigen Geheimniße zu offenbaren. Der Ernst in dieser Litaney grenzt an die Finsterniß oder vielmehr Dunkelheit in welche sich ein Gemüth zurück zieht um die Klarheit eines gewaltsamen innern Lebens und Sterbens gewahr zu werden. Ich bin aufs Höchste davon erbaut worden.

Quelle: Carl Friedrich Zelter an Georg Poelchau, 5. Juli 1812. D-B (derzeit nicht nachweisbar, Kriegsverlust?), zit. nach Schünemann Singakademie, S. 45. Der Brief ist auch erwähnt bei Walter Schulze, *Zur Entstehung und Bedeutung der Musikalien-Sammlung Georg Pölchaus. Ein Beitrag zur Geschichte der Musik-Abteilung der Preussischen Staatsbibliothek*, Diss. Hamburg 1938, Anh. S. 12, Nr. 228.
Anm.: Mit der „11stimmigen Litaney aus d mol" ist die Kantate „Nimm von uns, Herr, du treuer Gott" (BWV 101) gemeint. Sie erschien 1830 in einer zweibändigen Edition zusammen mit den Kantaten BWV 102–106, herausgegeben von Adolph Bernhard Marx. Die Titelseite zu BWV 101 trägt dort die Aufschrift: LITANEY von MARTIN LUTHER und Johann Sebastian BACH → C 37, C 38. Eine erste Aufführung erfolgte am 26. Januar 1812, Nachweis bei Schünemann Singakademie, S. 43f.
Lit.: NBA I/19, Krit. Bericht, S. 187.

D 4

„Ein feste Burg ist unser Gott" am 8. Mai 1826

mit der Sing-Akademie Breslau

8. Mai. 1826. Erstes öffentliches Auftreten der Akademie im Musik-Saale der Universität zum Besten der Griechen.

Choral. Eine feste Burg ist unser Gott. 3 Strophen. 1. v. Kühnau. 2. Aus dem Alten-
burger Gesangbuch. 3. v. S. Bach, aus der Cantate des durchgeführten Chorals. …

Quelle: Mosewius [Anhang] B, S. 30.
Anm.: Aufgeführt wurde wohl der Choralchor „Und wenn die Welt voll Teufel wär" (Satz 5) aus
der Kantate BWV 80, deren Erstdruck 1821 bei Breitkopf & Härtel in Leipzig erschienen war →
B 82. Johann Theodor Mosewius (1788–1858) kam im Jahre 1816 nach Breslau, wo er 1825 eine
Sing-Akademie nach dem Vorbild von Zelters Berliner Verein gründete. Mit Carl von Winterfeld,
einem ausgezeichneten Kenner der Kirchenmusik des 16. bis 18. Jahrhunderts, stand Mosewius
in engem Kontakt. In Schlesien hat er eine kontinuierliche Bach-Pflege ins Leben gerufen.

D 5

„Sehet, welch eine Liebe hat uns der Vater erzeiget"
am 1. September 1828 mit der Sing-Akademie Bremen

Septbr 1. [1828]
Erste Academie; sie war wenig besucht, zumal war der *Sopran* sehr dünne; die meisten Mitglieder erschinen erst um 7 Uhr, obgleich sie durch die Wochenblätter um
6 $\frac{1}{2}$ Uhr zu erscheinen gebeten waren. – …
II. Thl Mot[ette]: No 3 v *Bach*, „Seht welch eine Liebe", Mot[etten]: 4 und 2 von dem-
s[elben]: …

Quelle: Staats- und Universitätsbibliothek Bremen, Signatur: *brem. 1152*. Protocoll der Singacademie von 1826–1837. Littra. B, S. 23.
Anm.: Aufgeführt wurde wohl der motettische Eingangschor der Weihnachtskantate „Sehet,
welch eine Liebe hat uns der Vater erzeiget" (BWV 64).
Die Bremer Sing-Akademie war nach dem Vorbild der Sing-Akademie zu Berlin im Jahre 1815
von Wilhelm Friedrich Riem (1779–1857) gegründet worden. Riem war von 1796–1799 Alumnus der Leipziger Thomasschule und Schüler von Johann Adam Hiller. 1807 wurde er Organist
an der Reformierten Kirche in Leipzig und Direktor der Leipziger Sing-Akademie. 1814 übernahm er das Organistenamt am Bremer Dom. In Bremen initiierte er schon frühzeitig Aufführungen von Bachschen Vokalwerken. Bereits im Januar 1818 brachte er die Motetten „Fürchte
dich nicht" (BWV 228) und „Ich lasse dich nicht" (BWV Anh. III 159) zur Aufführung → D 30.
Lit.: Eitner Bd. 8, S. 227f.

D 6

„Ein feste Burg ist unser Gott" im Wohltätigkeitskonzert am 24. Mai 1829

Das Unglück unsrer östlichen Provinzen hat eine Reihe von Konzerten veranlasst,
aus denen wir die beiden letzten hervorheben, als die wichtigsten von allen.

Sonntag, den 24. Mai gab die Singakademie unter Direktion des Herrn Professor Zelter ein geistliches Konzert, das mit einer Behandlung des Chorals „Eine fesste Burg" vom Genannten anfing. Der erste und vierte Vers wurden vom Chor vorgetragen, der zweite und dritte war als Bass-Solo mit Klavierbegleitung gesetzt. ...

Quelle: Berliner AMZ, 6. Jg., Nr. 22, 30. Mai 1829, S. 170. (Berichte. Geistliche Konzerte in Berlin.)
Anm.: Allem Anschein nach wurde die Kantate BWV 80 von der Sing-Akademie zu Berlin nur unvollständig und ohne Orchester musiziert.

D 7

„Ein feste Burg ist unser Gott" am 4. Mai 1831 in Königsberg

Königsberg. Uebersicht des Jahres 1831
... Am 4ten May gab zu gutem Zwecke Hr. Musikdirector Sämann eine Musik in der Löben-Kirche, bestehend aus der Cantate: Ein' feste Burg ist unser Gott, von Joh. Seb. Bach, wozu Hr. S. ein Vorwort hatte drucken lassen. Die Alt-Arie: Erbarme dich, mein Gott! mit Violin-Solo aus der Passions-Musik, war eingeschaltet. ...

Quelle: AMZ, 34. Jg., Nr. 10, 7. März 1832, Sp. 161f.
Anm.: Gemeint ist die Königsberger Löbenichtkirche. Sie wurde im Zweiten Weltkrieg schwer beschädigt und später abgerissen. Die Aufführung leitete der Königliche Musikdirektor und Komponist Karl Heinrich Sämann (1790–1860). Sie wird nochmals in der AMZ, 34. Jg., Nr. 31, 1. August 1832, Sp. 515 erwähnt.
Lit.: Geck Matthäuspassion, S. 101.

D 8

Schwierigkeiten nicht bewältigt – „Ein feste Burg ist unser Gott" am Reformationstag 1831

Oct. 31. [1831]
1ter Theil. Motette von *Seb. Bach* „eine feste Burg". Nach Bach'scher Weise eine höchst gelehrte Composition. Trotz Riems Bemühung die Academiker mit dieser Tonsetzung zu befreunden, schien doch seine Beredsamkeit zu scheitern, obgleich seines Lieblingscomponisten gewiß sehr gelungenes Werk ihn zu einer tüchtigen Begeisterung fortriß. Der außerordentlichen Schwierigkeit und Länge, sowie der übermäßigen Höhe der Stimmen schienen fast Alle zu unterliegen, weshalb denn die Order das *Ecce quomodo* herbeizuschaffen jedem willkommen war.

Quelle: Staats- und Universitätsbibliothek Bremen, *Signatur: brem. 1152*. Protocoll der Singacademie von 1826–1837. Littra. B, S. 99.

Anm.: Zu Wilhelm Friedrich Riem → D 5. Die erwähnte „Motette" ist der Eingangschor der Kantate „Ein feste Burg ist unser Gott" (BWV 80), deren Erstdruck im Jahre 1821 bei Breitkopf & Härtel in Leipzig erschienen war → B 82. Das ersatzweise gesungene Werk „Ecce, quomodo moritur" stammt von Jacobus Gallus (1550–1591).

D 9

Kantaten und Oratorien Bachs im Repertoire der Sing-Akademie zu Berlin bis zum Jahre 1832

Vorbemerkung: Carl Friedrich Zelter hat während seiner Amtszeit als Direktor der Sing-Akademie zu Berlin – vor allem in den Jahren nach 1811 – mehr als 60 Kantaten teilweise, mitunter auch vollständig, zur Aufführung gebracht. Leider sind die Proben- und Tagebücher der Akademie, die darüber genauere Mitteilungen enthalten, derzeit nicht erreichbar.[7] Daher muß im Folgenden ersatzweise auf die Aufzeichnungen von Georg Schünemann aus den Jahren 1928 und 1941 zurückgegriffen werden. Zur Ergänzung der Darstellung sind die von Zelter seinerzeit verwendeten und eingerichteten Aufführungsmaterialien herangezogen worden. In all den Fällen, wo diese (zum Teil weitreichende) Einzeichnungen von seiner Hand aufweisen, darf eine Aufführung – zumeist im Rahmen der wöchentlichen Freitagsveranstaltungen mit der sogenannten „Ripienschule" – angenommen werden.

Lit.: Andreas Glöckner: „Ich habe den alten Bachen wieder lebendig gemacht, aber er hat mich weidlich schwitzen lassen" – Carl Friedrich Zelter und die Bach-Aufführungen der Sing-Akademie zu Berlin, in: Bericht Konferenz Leipzig 2005, S. 329–355.

BWV 1 „Wie schön leuchtet der Morgenstern"
P 165: Einzelne Text-Umdichtungen von Zelter.

Lit.: NBA I / 28.2, Krit. Bericht, S. 15.

BWV 11 „Lobet Gott in seinen Reichen" (Himmelfahrts-Oratorium)
St 356: Eintragungen (Vortragsbezeichnungen, Korrekturen von Schreibfehlern) von Zelter; in der Altstimme vermerkte er „In den Sopran zu versetzen", in der Flauto-traverso-II-Stimme zur Arie „Jesu, deine Gnadenblicke" (Nr. 8) „Bleibt weg".

Lit.: NBA II / 8, Krit. Bericht, S. 28.

BWV 16 „Herr Gott, dich loben wir"
P 100: Im Schlußchoral Textergänzung von Zelter.

Lit.: NBA I / 4, Krit. Bericht, S. 77f.

---

7   Sie haben nach Ende des Zweiten Weltkriegs noch existiert und waren bis 1952 verfügbar.

BWV 20 „O Ewigkeit, du Donnerwort"
St 75: Unter die originale Textierung des 1. Satzes schrieb Zelter den Text des 7. Satzes („Solang ein Gott im Himmel lebt"). Den Beginn von Satz 8 („Wacht auf") notierte er auf der freien Seite der Baß-Stimme. Weitere Eintragungen erfolgten wohl nach seinen Anweisungen.

Lit.: NBA I / 15, Krit. Bericht, S. 154.

BWV 22 „Jesus nahm zu sich die Zwölfe"
P 119: In Satz 1 Neufassung der gesamten Solopartie von Zelter; Aufführungsstimmen aus Zelters Zeit im Archiv der Sing-Akademie (seit 1945 verschollen).

Lit.: NBA I / 8.1–2, Krit. Bericht, S. 16f., 21.

BWV 23 „Du wahrer Gott und Davids Sohn"
P 69: Satznumerierung, *Solo-* und *Tutti-*Angaben, Textergänzung und Partitureinrichtung von der Hand Zelters.

Lit.: NBA I / 8.1–2, Krit. Bericht, S. 31.

BWV 27 „Wer weiß, wie nahe mir mein Ende"
P 164: Dynamische Zeichen von der Hand Zelters.

Lit.: NBA I / 23, Krit. Bericht, S. 103f.

BWV 29 „Wir danken dir, Gott, wir danken"
St 106: Eintragungen (Satznumerierung, Taktzahlen, Korrekturen, Textergänzungen) von Zelter; Archiv der Sing-Akademie: Neustimmen teilweise von Zelters Hand (seit 1945 verschollen).

Lit.: NBA I / 32.2, Krit. Bericht, S. 36, 38f., 47.

BWV 32 „Liebster Jesu, mein Verlangen"
P 126: Textumdichtung, Textmarken von Zelter.

Lit.: NBA I / 5, Krit. Bericht, S. 120, 131.

BWV 36 „Schwingt freudig euch empor"
P 143 (nur Satz 1): mit Eintragungen (Korrekturen und Zusätzen) Zelters; *St 82*: Neustimmen für eine Aufführung der Sing-Akademie.

Lit.: NBA I / 1, Krit. Bericht, S. 21ff.

BWV 37 „Wer da gläubet und getauft wird"
St 100: In der Baßstimme von Zelter die Bemerkung: „Statt dieser Bezeichnung der Worte und Noten kann nach Belieben die Beyliegende gesungen werden. Alle Be-

gleitungs Stimmen sind unverändert geblieben Z[elter]". Der Vermerk bezieht sich wohl auf eine Neudichtung und kompositorische Umarbeitung der Stimme.

Lit.: NBA I / 12, Krit. Bericht, S. 136.

BWV 38 „Aus tiefer Not schrei ich zu dir"
P 57: Eintragungen (Bezifferung?, Textergänzungen, Tiefoktavierungen, Artikulationsbögen, Ornamente, Trillerzeichen, dynamische Angaben, Akzidenzien) von Zelter.

Lit.: NBA I / 25, Krit. Bericht, S. 159f.

BWV 39 „Brich dem Hungrigen dein Brot"
P 62: In Satz 1 (T. 210–218) übertrug Zelter die Tabulaturnotation des Continuo in Notenschrift; St 8: In Satz 3 Differenzierung der Continuobesetzung in *Violoncelli* und *Contrabassi* von Zelter vorgenommen.

Lit.: NBA I / 15, Krit. Bericht, S. 195, 199.

BWV 40 „Darzu ist erschienen der Sohn Gottes"
P 63: Zahlreiche Eintragungen (Taktzahlen, Satznummern, Textveränderungen), Versuch einer (Teil-?)Parodierung von Zelter; Archiv der Sing-Akademie zu Berlin: Stimmen von Zelters Hand (seit 1945 verschollen).

Lit.: NBA I / 3.1, Krit. Bericht, S. 13, 27, 34f.

BWV 44 „Sie werden euch in den Bann tun"
P 148: Satz 3 („Christen müssen auf der Erden") von Zelter umgedichtet. Zum 1. Satz bemerkte Zelter: „kann wohl als Duett gesungen werden sind aber mehrere Bässe u Tenöre vorhanden so mag der Anfang auch vom Chor gesungen werden". Zahlreiche Zusätze (Korrekturen) von seiner Hand.

Lit.: NBA I / 12, Krit. Bericht, S. 258, 268ff.

BWV 45 „Es ist dir gesagt, Mensch, was gut ist"
P 80: spätere Eintragungen (Akzidenzien, Satznumerierung, Taktzahlen, Tabulaturschrift ausnotiert) vielleicht von Zelter; *P 568*: Eintragungen von Zelter; Universitäts- und Stadtbibliothek Köln, *K 16a 6366*: Neufassung der Gesangspartien (unter weitgehender Neutextierung); Artikulationsbögen, dynamische Zeichen von der Hand Zelters.
Aufführung von Satz 4 („Es werden viele zu mir sagen") am 29.(?) Oktober 1813, Solist: Karl Friedrich Ludwig Hellwig, nachgewiesen bei Schünemann Bachpflege, S. 147; Schünemann Singakademie, S. 45.

Anm.: Karl Friedrich Ludwig Hellwig (1773–1838) war neben Karl Friedrich Rungenhagen seit 1815 Vizedirektor der Sing-Akademie zu Berlin.
Lit.: NBA I / 18, Krit. Bericht, S. 208f., 213f.

BWV 47 „Wer sich selbst erhöhet, der soll erniedriget werden"
P 163: Umdichtung des Kantatentextes von Zelter, Generalbaßziffern zu Satz 4 von seiner Hand; *St 104*: Bezifferung zu Satz 3 von Zelter?

Lit.: NBA I / 23, Krit. Bericht, S. 162, 174, 177, 188.

BWV 51 „Jauchzet Gott in allen Landen"
St 49: Eintragungen (Trillerzeichen und dynamische Angaben) wohl von Zelter.

Lit.: NBA I / 22, Krit. Bericht, S. 77.

BWV 56 „Ich will den Kreuzstab gerne tragen"
Aufführung am 29. Oktober 1813, Solist: Karl Friedrich Ludwig Hellwig, Nachweise bei Schünemann Bachpflege, S. 147; Schünemann Singakademie, S. 45.

BWV 57 „Selig ist der Mann"
St 83: zahlreiche Eintragungen (Nachträge, Artikulationsbögen, Decrescendo-Zeichen) von Zelters Hand.
Aufführung von Satz 1 und 5 im Oktober 1813, Solist: Karl Friedrich Ludwig Hellwig, Nachweise bei Schünemann Bachpflege, S. 147; Schünemann Singakademie, S. 45.

Lit.: NBA I / 3.1, Krit. Bericht, S. 85, 89.

BWV 64 „Sehet, welch eine Liebe hat uns der Vater erzeiget"
St 84: Eintragungen in den Originalstimmen (dynamische Angaben, Satznumerierung, Trillerzeichen, Titelergänzung, Änderungen in der Stimmführung, Artikulationsbögen, Differenzierung in der Continuobesetzung) sowie acht Neustimmen von der Hand Zelters.

Lit.: NBA I / 3.1, Krit. Bericht, S. 98, 102.

BWV 71 „Gott ist mein König"
St 377: auf dem 2. Umschlag der Aufführungsvermerk (?) Zelters: „Im 24 Jahre". Satznumerierung, Instrumentenbezeichnungen, Notentextnachträge gleichfalls von Zelters Hand, 13 Neustimmen zum Teil mit Ergänzungen Zelters; *P 1159^{VI}*: mit Ergänzungen Zelters; D-B *Mus. 11495* und British Library London, *Hirsch III. 620* (Erstdruck 1708): Einzeichnungen (Satznumerierung, Instrumentenbezeichnungen, Verdeutlichung der Pausen, Stimmenoktavierungen) von Zelter.

Lit.: NBA I / 32.1, Krit. Bericht, S. 24, 34f., 42–46.

BWV 72 „Alles nur nach Gottes Willen"
St 2: Eintragungen (Satz- und Stimmenbezeichnungen) von Zelters Hand.

Lit.: NBA I / 6, Krit. Bericht, S. 68.

BWV 73 „Herr, wie du willt, so schicks mit mir"
St 45: Trillerzeichen, Umwandlung der altertümlichen Sechzehntelfähnchen und weitere Revisionseintragungen von Zelters Hand.

Lit.: NBA I / 6, Krit. Bericht, S. 17, 23, 30, 32.

BWV 76 „Die Himmel erzählen die Ehre Gottes"
P 67: Zahlreiche Einträge (Akzidenzien, Artikulationsbögen, Tabulaturnotation in Notenschrift übertragen) von Zelter.

Lit.: NBA I / 16, Krit. Bericht, S. 40.

BWV 77 „Du sollt Gott, deinen Herren, lieben"
P 68: Nachträge (Akzidenzien) von Zelter.

Lit.: NBA I / 21, Krit. Bericht, S. 9, 12.

BWV 79 „Gott der Herr ist Sonn und Schild"
St 35: Vermerk von Zelters Hand auf dem 2. Umschlag: „… die Altarie in dieser Musik Gott ist unser Sonn u. Schild kann am besten von Betty Pistor gesungen werden."; 12 Ripieno-Stimmen für die Sing-Akademie neu angefertigt.

Anm.: Die Sängerin Betty Pistor (1808–1887) hat in Zelters Aufführungen gelegentlich als Altistin mitgewirkt.
Lit.: NBA I / 31, Krit. Bericht, S. 26, 29f.

BWV 81 „Jesus schläft, was soll ich hoffen"
P 120: Textabschrift von der Hand Johann Christoph Friedrich Bachs mit neuer Textunterlegung für Satz 3 von der Hand Zelters.

Lit.: NBA I / 6, Krit. Bericht, S. 117.

BWV 83: „Erfreute Zeit im neuen Bunde"
St 21: Eintragungen (Satznumerierung, Taktzahlen, Stimmenbezeichnungen) von Zelter.

Lit.: NBA I / 28.1, Krit. Bericht, S. 15.

BWV 86 „Wahrlich, wahrlich, ich sage euch"
P 157: Umdichtungsvorschläge für den 2. Satz von Zelter und Aufführungsvermerk mit Bleistift „12. 9br. 13" [12. November 1813]; *St 96* (nur Satz 1): Partiturfragment zum 2. Satz von der Hand Zelters.

Anm.: Aufführung in den wöchentlichen Freitagsveranstaltungen am 24. September und 12. November 1813. Nachweise bei Schünemann Bachpflege, S. 146f.; Schünemann Singakademie, S. 44.
Lit.: NBA I / 12, Krit. Bericht, S. 76f., 82.

BWV 87 „Bisher habt ihr nichts gebeten in meinem Namen"
St 6: Stimmeneinrichtung (Achtelpausen umgeschrieben, Artikulationsbögen ergänzt und korrigiert) von Zelter.
Aufführungen von Satz 1 am 24. September 1813; im Oktober und November 1813, Nachweise bei Schünemann Bachpflege, S. 146f.; Schünemann Singakademie, S. 44.

Lit.: NBA I / 12, Krit. Bericht, S. 105f.

BWV 90 „Es reißet euch ein schrecklich Ende"
P 83: Textumdichtung von Satz 1 und 3, Textergänzung für Satz 5 von Zelter.

Lit.: NBA I / 27, Krit. Bericht, S. 54f., 61f.

BWV 101 „Nimm von uns, Herr, du treuer Gott"
Aufführungsnachweis → D 3.

BWV 102 „Herr, deine Augen sehen nach dem Glauben"
Aufführungen am 29.(?) Oktober 1813, 13. und 20. Januar 1814, Anfang 1815.

Quelle: Probenbücher der Sing-Akademie (derzeit nicht verfügbar), Angaben nach Schünemann Bachpflege, S. 147f.; Schünemann Singakademie, S. 45, 46.

BWV 103 „Ihr werdet weinen und heulen"
St 63: Einträge (Satzüberschriften, Nachtrag undeutlich korrigierter Takte) von Zelter.

Lit.: NBA I / 11.2, Krit. Bericht, S. 49.

BWV 104 „Du Hirte Israel, höre"
St 17: Stimmeneinrichtung (Akzidenzien ergänzt, Artikulationsbezeichnungen, Text bei Textwiederholungszeichen ausgeschrieben, Textergänzungen, Instrumentenbezeichnungen, Umschreibung des Parts der Oboe d'amore II, Umschreibung der altertümlichen Notation der Sechzehntelfähnchen) von der Hand Zelters.

Lit.: NBA I / 11.1, Krit. Bericht, S. 102, 104f.

BWV 105 „Herr, gehe nicht ins Gericht mit deinem Knecht"
Aufführungen am 9., 16. Dezember 1813 (nur Satz 1), 19. April 1816 und 9. Februar 1832, Nachweise bei Schünemann Bachpflege, S. 147, 150; Schünemann Singakademie, S. 45, 49.

Quelle: *Kurzgefaßte Nachweisung aller, seit dem Besitz des Eigenthums, vom Jahre 1828 ab, stattgehabter öffentlichen Leistungen*, D-B N. Mus. SA 290.
Lit.: NBA I / 19, Krit. Bericht, S. 31, 34.

BWV 108 „Es ist euch gut, daß ich hingehe"

St 28: Stimmeneinrichtung vornehmlich für Satz 1 und 2 (dynamische Angaben, Artikulationsbögen, Bezifferung) und Textabschrift von der Hand Zelters.

Lit.: NBA I / 12, Krit. Bericht, S. 34, 38f., 47.

BWV 110 „Unser Mund sei voll Lachens"

P 153, St 92: Zahlreiche Eintragungen (Stimmenbezeichnungen, Satznumerierung, Textergänzungen, Artikulationsbögen?), einige Ergänzungsblätter von Zelters Hand.

Lit.: NBA I / 2, Krit. Bericht, S. 56ff., 62ff.

BWV 111 „Was mein Gott will, das g'scheh allzeit"

P 172: Partiturabschrift der Sätze 1 und 4 von Johann August Patzig (1736–1816). Inhaltsverzeichnis von Zelters Hand.

Lit.: NBA I / 6, Krit. Bericht, S. 48.

BWV 125 „Mit Fried und Freud ich fahr dahin"

P 131: Neutextierung für Satz 2 („Ich will auch mit gebrochnen Augen") von Zelter.

Lit.: NBA I / 28.1, Krit. Bericht, S. 39.

BWV 132 „Bereitet die Wege, bereitet die Bahn"

P 60: Aufführungsvermerk Zelters „im 30ᵗ Jahre".

Lit.: NBA I / 1, Krit. Bericht, S. 98.

BWV 135 „Ach Herr, mich armen Sünder"

P 52: Continuo-Aussetzung und Vortragszeichen (Crescendozeichen) von Zelters Hand.

Lit.: NBA I / 16, Krit. Bericht, S. 170.

BWV 138 „Warum betrübst du dich, mein Herz?"

P 158: Veränderungen des Textes und vereinfachte Umschrift der vokalen Solopartien von Zelter, Ergänzung von Akzidenzien.

Lit.: NBA I / 22, Krit. Bericht, S. 23f.

BWV 145 „Ich lebe, mein Herze, zu deinem Ergötzen"

P 151: Textänderungen, Korrekturen und Zusätze (Artikulations- und Haltebögen,

Bezifferung) von der Hand Zelters. Auf der Titelseite Zelters Vermerk: „Von Hn. Dr. Peters [Petersen] aus Frankfurt a/O erhalten, für die Correctur der nehmlichen Musik welche sehr fehlerhaft geschrieben war. B[erlin]. d 24 May 1816."

Anm.: Es handelt sich um Eduard Petersen († 1831), der 1815 in Frankfurt / Oder eine „Singegesellschaft" gegründet hatte und mit einer Sopranistin (geb. Kramer) aus Zelters Chor verheiratet war. Siehe auch D 36.
Lit.: NBA I / 10, Krit. Bericht, S. 128, 130, 140ff.

BWV 147 „Herz und Mund und Tat und Leben"
P 102: Zahlreiche Eintragungen von Zelters Hand. Notation einer vereinfachten Trompetenstimme; zu Beginn von Satz 3 vermerkte er unter dem System der Ob. d'am.: „Kann von den Violinen in unis. gespielt werden." Zu den Besetzungsveränderungen → E 3.

Lit.: NBA I / 28.2, Krit. Bericht, S. 29, 37.

BWV 154 „Mein liebster Jesus ist verloren"
St 70: Textabschrift und einige Ergänzungen (Satzzählung, Satzbezeichnungen, Text bei Textwiederholungszeichen ausgeschrieben) von Zelters Hand; P 130: Satzzählung und Vervollständigung der Sätze 2 und 4 nach den Originalstimmen (St 70) und Textergänzungen von Zelter. Dessen Vermerk unter Satz 8: „Aus den Singstimmen gezogen. Berlin den 20 May 1815".

Lit.: NBA I / 5, Krit. Bericht, S. 62, 67–69.

BWV 161 „Komm, du süße Todesstunde"
Partitur von Zelters Hand (seit 1945 verschollen).

Lit.: NBA I / 23, Krit. Bericht, S. 19, 23f.

BWV 163 „Nur jedem das Seine"
St 471 (nur Satz 3): Stimmenabschrift von Johann August Patzig (1736–1816) Aufführung von Satz 3 („Laß mein Herz die Münze sein") im Oktober 1813, Solist: Karl Friedrich Ludwig Hellwig, Nachweise bei Schünemann Bachpflege, S. 147; Schünemann Singakademie, S. 45.

Lit.: NBA I / 26, Krit. Bericht, S. 82f.

BWV 168 „Tue Rechnung! Donnerwort"
P 152: Abschrift des Textes von Satz 1 (mit Textänderungen) von Zelters Hand. Aufführung von Satz 1 im Oktober 1813, Solist: Karl Friedrich Ludwig Hellwig, Nachweise bei Schünemann Bachpflege, S. 147; Schünemann Singakademie, S. 45.

Lit.: NBA I / 19, Krit. Bericht, S. 103.

BWV 169 „Gott soll allein mein Herze haben"
P 93: Textumdichtung aus der Feder Zelters.

Lit.: NBA I / 24, Krit. Bericht, S. 57, 71.

BWV 171 „Gott, wie dein Name, so ist auch dein Ruhm"
P 94: Im Schlußchoral Textergänzung von Zelter.

Lit.: NBA I / 4, Krit. Bericht, S. 99f.

BWV 172 „Erschallet, ihr Lieder"
St 23: Zahlreiche Einträge Zelters (in Satz 6 Tenorschlüssel durch Altschlüssel ersetzt, Fermatenzeichen durchgestrichen, Taktzahlen, Satznumerierung).

Lit.: NBA I / 13, Krit. Bericht, S. 13, 50.

BWV 176 „Es ist ein trotzig und verzagt Ding"
P 81: Mit Generalbaßaussetzung von Zelter oder aus Zelters Zeit; *St 27*: Satz 3 („Dein sonst hell beliebter Schein") enthält Korrekturen und zahlreiche Vortragszeichen (u. a. Artikulationsbögen und Trillerzeichen) von Zelters Hand.

Lit.: NBA I / 15, Krit. Bericht, S. 37, 42f.

BWV 182 „Himmelskönig, sei willkommen"
P 103: Partitureinrichtung (Satznumerierung, Besetzungsangaben, Vortragsbezeichnungen, Bezifferung, Hinzufügung der von Bach für die zweite Weimarer Aufführung nachkomponierten Violinstimme, Pizzicato-Vorschriften für Satz 1) von der Hand Zelters; *St 47*: Stimmeneinrichtung (Satznumerierung, Tempoangaben, Änderungen der originalen Stimmenbezeichnungen, Trillerzeichen, Akzidenzien, Modernisierung der Akzidenziensetzung) ebenfalls von seiner Hand.

Lit.: NBA I / 8.1–2, Krit. Bericht, S. 102f., 109f.

BWV 185 „Barmherziges Herze der ewigen Liebe"
P 59: Satznumerierung, Textierung des instrumentalen Cantus firmus von Zelters Hand; *St 4*: Satznumerierung, in der Tromba-Stimme der Vermerk Zelters: „In Ermangelung eines Trompeters, können diese Choralmelodien von einer Singstimme vorgetragen und unter der obersten Melodie die Worte: <u>Ich ruf zu dir Herr Jesu Christ</u>, unterlegt werden, wie die nehml. Worte auch zur zweiten Melodie passen."

Lit.: NBA I / 17.1, Krit. Bericht, S. 16f., 26.

BWV 186 „Ärgre dich, o Seele, nicht"
P 53: zahlreiche Eintragungen (Taktzahlen, Satznumerierung, Akzidenzien, dynamische Zeichen) vermutlich von Zelter.

Lit.: NBA I / 18, Krit. Bericht, S. 33f.

BWV 206 „Schleicht, spielende Wellen"
St 80: Eintragungen in Satz 1 (Veränderung der Artikulation) von Zelter.

Lit.: NBA I / 36, Krit. Bericht, S. 169.

BWV 210 „O holder Tag, erwünschte Zeit"
P 138: Eintragungen (Notenkorrekturen, Trillerzeichen, Akzidenzien, Textveränderungen) wohl von Zelters Hand.

Lit.: NBA I / 40, Krit. Bericht, S. 50.

BWV 212 „Mer hahn en neue Oberkeet"
St 107: Eintragungen (Notenkorrekturen, Satznumerierung, Stimmenbezeichnungen) von Zelter, spätere Nachfertigung einer Violino-II-Stimme von der Hand Johann August Patzigs (1736–1816).
Aufführungen am 13. und 20. Januar 1814, Nachweis bei Schünemann Bachpflege, S. 147; Schünemann Singakademie, S. 46.

Lit.: NBA I / 39, Krit. Bericht, S. 114f., 136, 139.

BWV 248 Weihnachts-Oratorium
P 32: Auf einem neu angefertigten Umschlag befindet sich eine von Zelter geschriebene Liste über die Sätze (Chöre, Choräle, Arien etc.) des Oratoriums mit der Datumsangabe „B[erlin]. 24 Jul 28."; *St 112*: Umschläge der Neustimmen von Zelter beschriftet; das Papier läßt sich auf die Zeit um 1830 datieren.

Anm.: Welche Sätze des Oratoriums in den Jahren um 1830 von der Sing-Akademie zu Berlin aufgeführt worden sind, bleibt ungewiß.
Lit.: NBA II / 6, Krit. Bericht, S. 9f., 161.

BWV 249 Oster-Oratorium
P 35 (nur Satz 1 und 2 des Oratoriums): Eintragungen von Zelter in Satz 2.

Lit.: NBA II / 7, Krit. Bericht, S. 42, 66f.

D 10

„Liebster Gott, wenn werd ich sterben?" am 24. Juni 1835
mit der Sing-Akademie Breslau

24. Juni 1835. Erinnerungsfeier der verstorbenen Fr. Stadträthin Bartsch geb. Studt.
Choral: Wenn ich einmal soll scheiden.
Cantate. Liebster Gott wann werd ich sterben, v. S. Bach.
Requiem v. Mozart

Quelle: Mosewius [Anhang] B, S. 35, 43.
Anm.: Der Choral stammt aus der Matthäus-Passion (BWV 244, Satz 62). Aufgeführt wurde die
Kantate BWV 8, von der sich eine Abschrift in der Sammlung von Johann Theodor Mosewius
befand. Die Kantate erklang nochmals am 26. Mai 1848. Zu Mosewius → D 4.
Lit.: NBA I / 23, Krit. Bericht, S. 63.

„Ein Feste Burg Ist Unser Gott" Und Das Magnificat Am 23. Mai 1835
Zum Zehnjährigen Jubiläum Der Sing-akademie Breslau

→ D 76.

D 11

Fanny Hensel: Kantaten in der Sonntagsmusik
Berlin, 15. November 1835

… Sonntag [15. November] hatte ich Musik, und die Cantaten gewählt: Herr gehe
nicht ins Gericht, und Liebster Gott, wann werd ich sterben. Die Chöre waren stark,
alle Solostimmen sehr schön besetzt, die Decker und Türrschmiedt, Stümer und
Hauser sangen wunderschön. Vater war überaus gerührt und erfreut, und sagte
unter Andern: Du hast zu hoch angefangen, das kann sich nicht halten. Die Arie: wir
zittern und wanken, war von jeher sein Liebling, und über Hauser war er ganz entzückt, und sagte mehrere Mal, er möchte ihn wol zum Kammersänger haben. …

Quelle: Fanny Hensel in ihrer Tagebuchaufzeichnung vom 15. November 1835, zit. nach *Fanny
Hensel Tagebücher*, hrsg. von Hans-Günter Klein und Rudolf Elvers, Wiesbaden etc. 2002, S. 74.
Anm.: Aufgeführt wurden die Kantaten „Liebster Gott, wenn werd ich sterben?" (BWV 8) und
„Herr, gehe nicht ins Gericht mit deinem Knecht" (BWV 105). Aus dem letztgenannten Werk
stammt die Arie „Wie zittern und wanken" (Satz 3). Die Solisten waren Johanna Sophie Friederi-
ke Pauline Decker, geb. von Schätzel (1811–1882), Auguste Türrschmidt (1800–1866), Johann
Daniel Heinrich Stümer (1789–1857) und Franz Hauser (1794–1870).

D 12

BACHS 130. PSALM MIT DER BREMER SING-AKADEMIE
AM 14. UND 21. DEZEMBER 1835

Dec. 14. [1835]
wurde den ganzen Abend der 130te Psalm von *S. Bach* tüchtig und mit Eifer geübt.
Besonders zeichnete sich der an Zahl grade nur schwache aber desto tapfrere Sopran
aus.

Dec. 21. [1835]
wurde in der ersten Abtheilung der 130te Psalm wieder vorgenommen. Das Baßsolo
sang A. v. Kapff mit gewohnter Bravour.

Quelle: Staats- und Universitätsbibliothek Bremen, Signatur: *brem. 1152.* Protocoll der Singacademie von 1826–1837. Littra. B, S. 209.
Anm.: Mit dem 130. Psalm ist die Psalmkantate „Aus der Tiefen rufe ich, Herr, zu dir" (BWV
131) gemeint, denn das erwähnte Baß-Solo bezieht sich auf den 2. Satz der Kantate „So du willst,
Herr, Sünde zurechnen", einem Baß-Arioso mit Choral.

D 13

„GOTTES ZEIT IST DIE ALLERBESTE ZEIT" AM 26. MÄRZ 1836 IN BRESLAU

26. März 1836. Gottes Zeit. Cantate v. Bach.
Davidde penitente, Orat. V. Mozart.

Quelle: Mosewius [Anhang] B, S. 35.
Anm.: Die Aufführung der Kantate BWV 106 leitete Johann Theodor Mosewius. Zu Mosewius →
D 4. Wiederaufführungen erfolgten am 17. Juni 1840, 19. Mai 1843, 18. Juni 1845, 26. November
1845 und 7. Oktober 1846 (Mosewius [Anhang] B, S. 37, 39, 40f.). Von W. A. Mozart erklang die
Kantate „ Davide penitente" (KV 469).

D 14

„SEI LOB UND EHR DEM HÖCHSTEN GUT" AM 10. MAI 1837
MIT DER SING-AKADEMIE BRESLAU

10. Mai 1837. Sei Lob und Ehr dem höchsten Gut, Cantate v. S. Bach.
Utrechter Te Deum v. Händel.

Quelle: Mosewius [Anhang] B, S. 36.

Anm.: Es erklang die Kantate BWV 117, deren Abschrift sich in der Sammlung von Johann Theodor Mosewius befand. Zu Mosewius → D 4.

Lit.: NBA I / 34, Krit. Bericht, S. 72.

D 15

FELIX MENDELSSOHN BARTHOLDY: SUCHE NACH BRILLANT BESETZTEN KANTATEN FÜR DAS NIEDERRHEINISCHE MUSIKFEST 1838

LEIPZIG, 9. DEZEMBER 1837

… Apropos sag einmal, hast du unter deinen Bachiana nicht eine oder zwey Cantaten (in der gewöhnlichen Form) aber so recht brillante mit Pauken u. Trompeten so in der Art des *Gloria* oder *Sanctus* der großen Messe recht frisch mit mehrern Chören Arien etc. Existirt nicht etwa das *Gloria* selbst mit deutschem Text? (so wie er andere Stücke aus seiner Messe oft gebraucht hat). Ich soll für das nächste Niederrheinische Musikfest in Cöln Sachen vorschlagen (obwohl ich noch zweifelhaft bin, ob ich selbst dahin gehe) u. möchte gern Mr. Seb. Bach's *first appearance* auf den Zettel setzen. Aber eben wegen des ersten Erscheinens müßten wenigstens ein paar Chöre dabey seyn, die im Knallen u. der Maße den Händelschen wenigstens gleichstünden, u. solche habe ich außer der Messe in meiner Sammlung keine, u. die Messe geht wegen des Textes nicht beym Musikfest. Hast du etwas? Was sagst du dazu? Thu deine wohlgefüllten Speicher auf, u. wenn du eine oder zwey, oder dreyhundert hast, so schicke sie mir alle auf Sicht. …

Quelle: Felix Mendelssohn Bartholdy an Franz Hauser, 9. Dezember 1837. D-B *Nachlaß 7, 30/1*.

D 16

FANNY HENSEL: PROGRAMMVORSCHLAG FÜR DAS NIEDERRHEINISCHE MUSIKFEST

BERLIN, 19. JANUAR 1838

… Es ist recht, daß Du den Seb. Bach auf die Rheinischen Musikfeste bringen willst, ich finde immer: Du Hirte Israel, sehr geeignet dazu. Heitrers hat er wol schwerlich gemacht. Oder soll es etwas Ungedrucktes seyn? Vergiß nicht, mir ein Paar von den Cantaten zu schicken. …

Quelle: Fanny Hensel an Felix Mendelssohn Bartholdy, 19. Januar 1838. Bodleian Library, University of Oxford, Signatur: *MS. M. Deneke Mendelssohn d. 33, Green Books VII–20*.

Anm.: Mendelssohn schrieb am 18. Januar 1838 an das Vorbereitungskomitee des Niederrheinischen Musikfestes, daß er ein Bachsches Werk in das Programm mit aufnehmen wolle. Er regte an, eine Psalm-Komposition am ersten Tag aufzuführen → D 15.
Lit.: Fanny Hensel Letters, S. 541.

D 17

Bericht über eine „Himmelfahrts-Kantate" am 4. Juni 1838 auf dem 20. Niederrheinischen Musikfest

… Der zweite Tag brachte vor einer noch zahlreicheren Versammlung die vollkommen ausgeführte Sinfonie Mozarts aus *D dur*, worauf die Himmelfahrts-Kantate von Seb. Bach die Musikkenner wunderbar ergriff. Auch hier wirkte nach Mendelssohns Angabe die Orgel mit. …

Quelle: AMZ, 40. Jg., Nr. 27, 4. Juli 1838, Sp. 439. (*Nachrichten. Musikfest in Köln*.)
Anm.: Bei der „Himmelfahrts-Kantate" handelte es sich um ein von Felix Mendelssohn Bartholdy zusammengestelltes Pasticcio aus weitreichend bearbeiteten Sätzen der Kantaten „Gott fähret auf mit Jauchzen" (BWV 43), „Es ist nichts Gesundes an meinem Leibe" (BWV 25) und „Nun ist das Heil und die Kraft" (BWV 50). Dieses Pasticcio erklang am 4. Juni 1838.
Lit.: Großmann-Vendrey, S. 89–100; Anselm Hartinger: *Felix Mendelssohn Bartholdy und Bachs „Himmelfahrtskantate" auf dem Kölner Musikfest 1838 – aufführungspraktische, quellenkundliche und ästhetische Konnotationen*, in Bericht Konferenz Leipzig 2005, S. 281–314.

D 18

„Wer nur den lieben Gott lässt walten" am 15. Mai 1839 mit der Sing-Akademie Breslau

15. Mai 1839. Stiftungsfest.
Wer nur den lieben Gott lässt walten, Cant. v. S. Bach.
Utrechter Te Deum, von Händel.

Quelle: Mosewius [Anhang] B, S. 37, 41.
Anm.: Es erklang die Kantate BWV 93, deren Abschrift sich in der Sammlung von Johann Theodor Mosewius befand. Eine erneute Aufführung erfolgte am 20. Juni 1846. Zu Mosewius → D 4.
Lit.: NBA I / 17.2, Krit. Bericht, S. 22.

D 19

BACHS LITANEI IM „CONCERT SPIRITUEL"
AM 5. DEZEMBER 1839 IN WIEN

(Wien.) Die Freunde und Verehrer classischer Musik erfreuen sich noch vor des
Jahres Ablauf einer doppelten Betheilung, indem die höchst interessanten *Concerts
spirituels* schon während gegenwärtiger Adventzeit abgehalten werden. Derselben
erstes fand auch bereits am 5. d. M. Statt, und die für dießmahl hierzu gewählte,
acustisch zweckmäßige Localität, der k. k. kleine Redoutensaal, both den gleich zum
Vorhinein lohnenden Anblick eines eben so zahlreichen, als erlesenen und kunstge-
bildeten Auditoriums. …
Zum folgenden Chorstück war eine hier unbekannte Litaney von Sebastian Bach
gewählt. Wer da kennt die formelle Darstellungsweise dieses Patriarchen jenes musikalischen Stammbaums, der in seinen Ästen, Zweigen und Ablegern grünte und
blühte zur höchsten Zierde und zum unvergänglichen Ruhm unsers deutschen Vaterlandes, dem sind wohl auch die Ursachen und zureichenden Gründe kein Geheimniß, weßwegen solche Conceptionen in ihrer normal abgeschlossenen Rigorosität
sonderlich da, wo das südliche Klima gänzlich heterogene Einflüsse übt, nicht leicht
allgemein eingänglich sich machen dürfen. Aber imponiren muß jedenfalls dieser
mit wenig Behelfen ausreichende Organismus; diese ruhige Erhabenheit, diese ein-
fach-majestätische Größe, dieser kolossale Harmonienbau, einzig nur gestützt auf
den im stolzen Selbstgefühl mit Riesenschritten seine Bahn dahin wandelnden Fun-
damentalbaß, und einer stereotypen, das Choral-Quadricinium umrankenden Begleitungsfigur; was zudem endlich die consequent festgehaltene, streng thematische
Durchführung betrifft, da mag immerhin unsere nur gar zu gerne auf der Oberfläche
schwimmende Posterität sich allerwegs ein nutzenbringendes, heilsam frommendes
Exempel daran nehmen. …

Quelle: AMAnz, 11. Jg., Nr. 50, 12. Dezember 1839, S. 262f. (*Heimathliches und Fremdes*.)
Anm.: Die erwähnte „Litaney" war die Kantate „Nimm von uns, Herr, du treuer Gott"
(BWV 101), die Adolph Bernhard Marx im Jahre 1830 herausgegeben hatte → C 37, C 38.

D 20

„GOTT DER HERR IST SONN UND SCHILD" AM 7. JULI 1841
MIT DER SING-AKADEMIE BRESLAU

7. Juli 1841 Stiftungsfest.
Cantate: Gott der Herr ist Sonn und Schild, v. S. Bach
Magnificat, v. Bach

Quelle: Mosewius [Anhang] B, S. 38.
Anm.: Aufgeführt wurde das Magnificat (BWV 243) und die Kantate BWV 79. Von letzterer be-
fand sich eine Abschrift in der Sammlung von Johann Theodor Mosewius. Zu Mosewius → D 4.
Lit.: NBA I / 31, Krit. Bericht, S. 31.

D 21

„Wachet auf, ruft uns die Stimme" zum Stiftungsfest am 23. Juni 1843 mit der Sing-Akademie Breslau

23. Juni 1843. Stiftungsfest mit Orchester.
Mendelssohn. Ave Maria.
Mendelssohn. 95. Psalm
Cantate v. Seb. Bach. Wachet auf ruft uns die Stimme.

Quelle: Mosewius [Anhang] B, S. 39.
Anm.: Es erklang die Kantate BWV 140, deren Abschrift sich in der Sammlung von Johann Theo-
dor Mosewius befand. Zu Mosewius → D 4.
Lit.: NBA I / 27, Krit. Bericht, S. 134.

„Du Hirte Israel, höre", „Herr, deine Augen sehen nach dem Glauben", „Herr, gehe nicht ins Gericht mit deinem Knecht", „Bleib bei uns, denn es will Abend werden" und „Gottes Zeit ist die allerbeste Zeit" mit dem Leipziger Thomanerchor unter Moritz Hauptmann Leipzig 1843 / 1844

→ E 5.

D 22

„Ein feste Burg ist unser Gott" zum Reformationsfest 1844 im Leipziger Gewandhaus

Nachrichten – *Leipzig* den 2. November 1844. Viertes Abonnementconcert, Donnerstag, den 31. October. – Cantate für Chor und Orchester: „Ein' feste Burg ist unser
Gott," von J. Sebastian Bach, – ...
Das Zusammentreffen des Reformationsfestes mit dem für das vierte Abonnementconcert bestimmten Tage hatte unser Concertdirectorium veranlasst, an diesem

Abende grösstentheils solche Musikstücke zur Aufführung zu bringen, welche theils durch die Geschichte ihrer Entstehung mit dieser Feier zusammenhängen, theils durch den unterliegenden Text in gewisser Beziehung zu deren Bedeutung stehen. Denn wenn es einerseits nach den in No. 28 des diesjährigen Jahrganges dieser Zeitschrift enthaltenen Mittheilungen als bekannt vorausgesetzt werden kann, dass *Bach* die Cantate über den *Luther*'schen Choral: „Ein' feste Burg ist unser Gott" zum Vortrage am alljährlichen Reformationsfeste bestimmt hat, so schildert andererseits der „Lobgesang" *Mendelssohn's*, wenn er auch speciell für die am 24., 25. und 26. Juli 1840 in Leipzig begangene Jubelfeier der Erfindung der Buchdruckerkunst componirt wurde, doch allgemein in erhabenen Zügen das endliche Anbrechen des Lichts der Glaubensfreiheit nach langen Drangsalen der Nacht und Finsterniss und den begeisterten Dank der gläubigen Gemeinde für die dadurch offenbarte Gnade des Allerhöchsten. Die sinnige Wahl dieser Werke spricht nach dem Gesagten für sich selbst und wir fühlen uns dafür den Leitern der Concertanstalt hoch verpflichtet. Und in der That wird nicht leicht ein Musikstück einen gleich erhebenden Eindruck machen, wie die erwähnte *Bach*'sche Cantate in ihrer christlichen, ja speciell protestantischen, prunklosen und doch grossartigen Würde und Entschlossenheit hervorzubringen vermag. Nachdem der erste Vers des Liedes in wunderbaren, fast unauflöslich scheinenden Verwickelungen und Verschlingungen der Stimmen die „gross' Macht und viel List des alten bösen Feindes" ergreifend geschildert hat, erschallt im zweiten der die Grundlage des Ganzen bildende rein vierstimmige Choral, der im dritten Verse im starren Unisono, umspielt von verlockenden Klängen der Instrumente, gewissermaassen den muthigen, vertrauensvollen Kampf des Glaubens gegen der Welt Versuchungen versinnlicht, bis er sich endlich im vierten Verse in weiter Harmonie zum Triumphe über den errungenen Sieg aufschwingt. So viel uns bekannt ist, hat *Bach* den zweiten Vers zu einer Sopranarie benutzt und daran ein Bassrecitativ und eine zweite Sopranarie, mit anderem zum *Luther*'schen Liede nicht gehörigen Texte, gefügt, und endlich nach dem dritten Verse ein kurzes Tenorrecitativ und einen zweistimmigen Chor eingeschaltet. Diese bezeichneten Nummern fielen weg und an deren Stelle trat, wie bemerkt, der einfache, von allen Stimmen ohne Begleitung gesungene Choral. Nach unserem Dafürhalten schadete diese Abänderung dem Eindrucke des Ganzen keinesweges; sie erhöhte vielmehr denselben, indem dadurch die ausdrucksvolle Macht des Chorgesanges ohne Unterbrechung das Bild des furchtlosen Streites vollendete.

Quelle: AMZ, 46. Jg., Nr. 45, 6. November 1844, Sp. 756f.
Anm.: Die Kantate BWV 80 erklang nochmals am Neujahrstag 1847 → D 25.
Lit.: Dörffel 1881, S. 3.

D 23

„Ein feste Burg ist unser Gott" in Göttingen
1844

… Den Anfang machte Luthers ächt protestantischer Choral: Eine feste Burg ist unser Gott, in welchem Luther selbst als begeisterter Dichter und Sänger so schön die Wahrheit jenes seines Anspruches bethätigt hatte. Ich schweige über die Kraft und nie verfehlte Wirkung dieser weltbekannten Melodie, habe hier nur anzugeben, daß dieselbe uns in der Bearbeitung Sebastian Bachs vorgeführt wurde. Auch an diesem Choral bewährte es sich, wie an allen Bach'schen Werken, daß sie für alle Zeiten ein Muster in der kunst- und charaktervollen Stimmenführung sind, und darum nicht genug den angehenden Componisten zum eifrigen Studium empfohlen werden können. Der Gesang des Chors wurde gehoben durch beigefügte Begleitung des Streich- und Blasequartets und dem letzten Vers gaben Posaunen und Pauken eine festliche Färbung. …

Quelle: Signale, 2. Jg., Nr. 41, Oktober 1844, S. 323. (*Signale aus Göttingen.*)
Anm.: Offenbar wurden nur einige Sätze aus der Kantate BWV 80 musiziert. Die Aufführung erfolgte im Rahmen eines Wohltätigkeitskonzertes in der Aula der Universität.

D 24

Weihnachts-Oratorium am 20. Dezember 1844 in Breslau

A

20. Decbr. 1844. Weihnachtsfeier.
Ave Maria v. Mendelssohn.
Cantate. Jauchzet, frohlocket und
Es waren Hirten daselbst, v. Seb. Bach, mit Orchester.
Soli. Fr. v. Wülknitz. Frl. v. Owstien. Evangelist, Hr. Ueberscheer. Ten. Hr. C. Schneider. Bass. Hr. Dr. Lindner.

Quelle: Mosewius [Anhang] B, S. 40–43.
Anm.: Dargeboten wurden die Kantaten 1 und 2 des Weihnachts-Oratoriums (BWV 248). Wiederaufführungen erfolgten am 19. Dezember 1845, 18. Dezember 1847 und 20. Dezember 1848. Zu Mosewius → Dok. 4.

B

Nachrichten.
Breslau, Januar 1845. – …

Die Singacademie unter der Leitung von *Mosewius* erfreute zur Weihnachtszeit durch Aufführung einer fast unbekannten Weihnachtscantate von *S. Bach*, eines Meisterstückes, das in der Manuscriptensammlung der Berliner Singacademie sich befand, und manchen Zug enthält, der uns auffallend an die neuere Zeit, zumal an *Beethoven*, erinnert. …

Quelle: AMZ, 47. Jg., Nr. 6, 5. Februar 1845, Sp. 91.
Anm.: Die Sing-Akademie zu Berlin besaß zu jener Zeit die Originalstimmen (D-B *St 112*) des Weihnachts-Oratoriums.

D 25

„Ein feste Burg ist unser Gott" im Neujahrskonzert des Leipziger Gewandhauses
1847

Nach hergebrachter, gewiß nicht zu tadelnder Sitte trug das Neujahrsconcert, wie immer, seinen halbgeistlichen Charakter. Zuerst rückte, wie eine geschlossenen Phalanx des Protestantismus „Ein' feste Burg ist unser Gott", für Chor und Orchester von Sebastian Bach, in's Feld. Aber diese Phalanx zeigte doch einige dünne Stellen, natürlich nicht als Composition, sondern in der Ausführung. Der Chor war, im Verhältniß zum Orchester, namentlich in den Männerstimmen, viel zu schwach, was freilich wohl hauptsächlich Schuld des mangelnden Raumes ist; auch setzten die Tenöre einmal um einige Tacte zu früh ein. Solche Fehler sollten bei einem Werke, das eigentlich nur noch durch die Großartigkeit und Correctheit der Form wirken kann, doppelt sorgfältig vermieden werden. …

Quelle: Signale, 5. Jg., Nr. 3, Januar 1847, S. 18. Eilftes Abonnementconcert im Saale des Gewandhauses zu Leipzig. (Am 1. Januar 1847.)
Anm.: Die Kantate war im Gewandhaus am 31. Oktober 1844 schon einmal aufgeführt worden → D 22.

D 26

„Gottes Zeit ist die allerbeste Zeit" statt eines Passionsoratoriums
am Palmsonntag und Karfreitag 1847 in Leipzig

… Am Palmsonntage und Charfreitag haben wir statt des Passionsoratoriums (ich wußte keins aufzufinden,) das Stabat mater von Astorga und „Gottes Zeit" von Sebastian Bach aufgeführt. … Das Bachsche „Gottes Zeit" gehört doch auch zu seinem

Schönsten, wenn auch nicht alles so 'rauskommt wie man sich's denken könnte, am wenigsten, wenn man im Chor keine Wahl hat und nehmen muß was da ist. Ich erinnere mich aber diese Cantate bei Schelble mit dem kleinen Verein gehört zu haben mit einigen guten Sopran- und Altstimmen, Schelble allein Tenor, Sie Baß. Da klang der Satz mit dem Sopran-Chor-Solo „ja komm' Herr Jesu" sehr schön. Ich finde daß es sich gut gesungen sehr gut ausnimmt, glaube aber kaum daß Bach es so gemeint hat, wenn es nicht im MS. dabei steht. Ein anderes ist's mit dem Choral des Altes beim Baßsolo. Es ist aber alles sehr schön. …

Quelle: Moritz Hauptmann an Franz Hauser, 8.–10. April 1847, zit. nach: Hauptmann Briefe Hauser II, S. 50f.
Lit.: Martin Geck, *Moritz Hauptmanns Bearbeitung des Actus tragicus* BWV 106, in: Basler Jahrbuch für Historische Musikpraxis XXI (1997), S. 21–35.
Anm.: Die Aufführung erfolgte am 28. März und 2. April 1847 mit dem Leipziger Thomanerchor unter Moritz Hauptmann (1792–1868).

D 27

„Herr, deine Augen sehen nach dem Glauben" am 30. Juni 1848
zum Stiftungsfest der Sing-Akademie Breslau

30. Juni 1848. Stiftungsfest.
Cantate. Herr, deine Augen sehen nach d. Glauben v. S. Bach.
Magnificat v. S. Bach.

Quelle: Mosewius [Anhang] B, S. 43.
Anm.: Es erklang die Kantate BWV 102 (zu deren Erstdruck → C 37, C 38) und das Magnificat BWV 243. Zu Mosewius → D 4.

Motetten und Choralsätze

D 28

Doppelchörige Motetten mit dem Leipziger Thomanerchor

(1801 / 1802)

… Wir haben hier in diesem Halbjahre seit der Entstehung dieses Instituts … noch vor der öffentlichen Aufführung Haydns Jahrszeiten, Kirchenmusik von ihm, von Hiller, von Mozart und andern, zweychörige Motetten von Sebast. Bach, Graun, Doles u. s. w. gehört, und mit Vergnügen bemerkt, dass dies Auditorium auch für Arbeiten der leztern Art nicht nur Sinn, sondern lebhaften Enthusiasmus zeigte. …

Quelle: AMZ, 4. Jg., Nr. 31, 28. April 1802, Sp. 506f. (*Uebersicht dessen, was in Leipzig von Neujahr bis Ostern für Musik gethan worden.*)
Anm.: Das vom Berichterstatter (Johann Friedrich Rochlitz) genannte musikalische „Institut" ist das von Johann Adam Hiller eingeführte wöchentliche Konzert in der Leipziger Thomasschule. Wann die Aufführungen der doppelchörigen Motetten Bachs begannen und welche aufgeführt wurden, ist unbekannt. Hiller war Thomaskantor von 1789 bis 1801.

D 29

Motetten in den wöchentlichen Konzerten der Leipziger Thomasschule

1805 bis 1806

A
„Jauchzet dem Herrn alle Welt" (BWV Anh. 160) am 26. Februar 1805.

… Das siebente Concert begann mit der großen kunstreichen zweichörigen Motette von J. Seb. Bach: Jauchzet dem Herrn u. s. w. Dieses schwere, verwickelte, aber herrlich gearbeitete Vocalstück ward von den Zöglingen der Schule mit Feuer und Leben vorgetragen. ..

Quelle: BMZ, 1. Jg. 1805, Nr. 36, S. 143. (*Fortgesetzte Nachricht über die Concerte der Thomasschule zu Leipzig.*)
Anm.: Die Aufführungen erfolgten unter August Eberhard Müller, Thomaskantor von 1804 bis 1809.
Lit.: Lehmann Bach-GA, S. 52f.

B
„Singet dem Herrn ein neues Lied" (BWV 225) am 12. November 1805.

II. Concert. … Der Anfang des Concerts geschah mit der großen Motette Sebastian Bach's: Singet dem Herrn ec., wobei der Präfekt Schmidt dirigirte. Mit zunehmender Kraft und Zusammenstimmung ertönte dieses Meisterwerk, und die Schwierigkeiten der verwickelten Composition wurden von den jungen Sängern glücklich besiegt. Feierlich rührend sind die sanften Zwischenchoräle durchgeführt, und majestätisch wallt hohes Leben in der Schlußfuge: Alles, was Odem hat, lobe den Herrn. …

Quelle: BMZ, 1. Jg. 1805, Nr. 104, S. 413. (*Nachricht über die Concerte der Thomasschule zu Leipzig vom Winterhalbjahr 1805–1806.*)
Anm.: Im 2. Teil des Konzertes erklang W. A. Mozarts Requiem d-Moll (KV 626). Die Motette „Singet dem Herrn ein neues Lied" (BWV 225) wurde im 12. Konzert am 18. März 1806 wiederholt.

C
„Fürchte dich nicht" (BWV 228) am 26. November 1805

IV. Concert. Eine dritte Seb. Bachische Motette für zwei Chöre: Fürchte dich nicht u. s. w. wurde gesungen. Ein ächt antikes erhabenes Werk, ausgezeichnet durch herrliche Fülle und lebendige Klarheit. Wie majestätisch behauptet sich die ehrwürdige Hauptmelodie in der Flut des begleitenden Gesanges! Hohe Andacht, Freude, Bewunderung, Staunen, Rührung war die Wirkung dieser großen Motette auf mich. –

Quelle: BMZ, 2. Jg. 1806, Nr. 1, S. 3–4. (*Nachricht über die Concerte der Thomasschule zu Leipzig vom Winterhalbjahr 1805–1806., Fortsetzung.*)

D
„Ich lasse dich nicht" (BWV Anh. III 159) am 3. Dezember 1805

V. Concert. Zu Anfange ward eine vierte zweichörige Motette von Bach gesungen: „Ich lasse dich nicht, du segnest mich denn, mein Jesu. Ein rührendes hohes Meisterwerk, bei dem ich mich der Thränen nicht enthalten konnte. Welche Klarheit, welche fromme Würde und heilige Andacht ist darin! Wie herrlich wächst dieser Gesang an Fülle, Kunst und Kraft! Wie feierlich ist das Choralmäßige darin, und wie erhaben trägt der langsamere Chor die lebendigeren Bewegungen des andern! Diese Motette wurde auch sehr brav mit Präcision, Klarheit und Würde vorgetragen. …

Quelle: BMZ, 2. Jg. 1806, Nr. 1, S. 4. (*Nachricht über die Concerte der Thomasschule zu Leipzig vom Winterhalbjahr 1805–1806., Fortsetzung.*)

E
„Jesu, meine Freude" (BWV 227) am 10. Dezember 1805

VI. Concert. Es begann mit einer fünften sehr kunstreichen und charaktervollen Motette J. S. Bach's, welche mit dem Choral anhebt: Jesu, meine Freude. Sie bestand aus mehreren Partieen, worin auch die Pausen und das Unisono und manche kräftige Fuge von großem Effekt war. Eine kunstvolle Fuge schloß. ...

Quelle: BMZ, 2. Jg. 1806, Nr. 1, S. 4. (*Nachricht über die Concerte der Thomasschule zu Leipzig vom Winterhalbjahr 1805–1806., Fortsetzung.*)

F
„Fürchte dich nicht" (BWV 228) am 21. Januar 1806

Das VIII. Concert begann mit der herrlichen Motette von J. S Bach: „Fürchte dich nicht." Vorzüglich groß und majestätisch ist die zweite größere Hälfte, worin ein Chor den andern in seiner erhabenen Festigkeit trägt, und die Kunst der harmonischen Verbindung in Erstaunen setzt. ...

Quelle: BMZ, 2. Jg. 1806, Nr. 16, S. 63. (Fernere Nachricht von den Concerten der Thomasschule zu Leipzig.)
Anm.: Die Motettenaufführungen wurden 1811 und in den Folgejahren fortgesetzt.

D 30

Motetten in den Versammlungen der Bremer Sing-Akademie
1818 bis 1834

Vorbemerkung: Bachs Motetten wurden in der Bremer Sing-Akademie seit 1818 unter der Leitung ihres verdienstvollen Dirigenten Wilhelm Friedrich Riem regelmäßig geprobt beziehungsweise zur Aufführung gebracht. Von den zahlreichen Aufführungsbelegen können im folgenden nur einige wiedergegeben werden.

A

Am 14ten *Januar* [1818] hatten sich die Mitglieder weniger sparsam eingefunden, und unserem *Riem* gelang die Ausführung des „Alles Fleisch ist wie Heu" nach zweimaliger Wiederholung nach Wunsch. – „Fürchte Dich nicht" von Bach ward hierauf mit Kraft und ziemlicher Festigkeit durchgesetzt, und das schöne „Ich lasse Dich nicht" schloß den Abend. Wer kann den göttlich gedachten Choral in der lezten Composition ohne die tiefste Bewegung hören? –   [A, S. 82]

B

22. Decbr. [1818]
Sebastian Bach's Motett „Ich lasse dich nicht" und darauf das schwere „Fürchte dich nicht". Wenn an der Ausführung des lezteren noch manches fehlte, so wurde doch

die Stimmung und der *Tact* ganz durchgehalten, und das will schon etwas sagen. Herr *Kaufmann* aus *Dresden* sang in dieser und der vorigen Versammlung Baß mit.

[A, S. 92]

C

21. Nov. [1820] Ein neues Motett, N. 6 von *Sebastian Bach* „Jesu meine Freude" einzuüben angefangen. Es ist schwer und durchaus nicht leicht faßlich, der verschlungenen Harmonie wegen. Die Solo's gelangen gut von *Henriette Grabau*, Fräul. *Rauschelbach*, Herren *Lange*, *Eggers*, *Grabau* jr. und von *Kapff*.   [A, S. 148]

D

28. Nov. [1820] Fuhr die kleine Versammlung mit Einüben des neuen *Motetts* „Jesu meine Freude" eifrig fort, und *Riem* gab seine freudige Zufriedenheit mit dem Gelingen zu erkennen. Er sagte manches ernste Wort heute Abend über den Zweck unserer Anstalt und die Ursachen, warum nur tiefere Kunstwerke, Kirchenmusiken und überhaupt Vollgesang bey uns gelten, und dem ganzen mehr als eine kurze Dauer sichern könnte, er bedauerte, daß wenige unserer Gesellschaft diese Ansicht gar nicht theilten und leichtere Werke, Opern und dergleichen, zu mehrerer Abwechslung wünschten; er zeigte, wie verderblich das wirken müsse auf den festen Geist, den das höhere Streben bezeichne und wie oberflächlich und gehaltlos solch „*Amusement*" sey und lasse.

Für die einfach große Manier, oder besser, für die eigenthümliche Kunst unseres trefflichen Bach fand *Riem* ein paar passende Gleichnisse in der reizenden Mannigfaltigkeit des Vogelgesangs, wo jeder Einzelne doch nur <u>seine</u> Weise – die ihm natürliche – behalte und in den Werken der Baukunst, wo alle Verschiedenheit der Tempel – griechisch und gothisch, die Nürnberger Lorenz=Kirche und die Peters Kirche in Rom – zu einem Zwecke hinstrebe, und wo alle Majestät oder Pracht oder Verzierung in die einfache Größe des ganzen Eindrucks verschmelze. *Bach's* Werke kommen warm aus der Fülle seines inneren Lebens, deshalb sprechen sie mit so ergreifender Kraft die Empfindung an, und werden mit ihrer Erhabenheit noch jedes Herz rühren wenn längst die tändelnden oder schmelzenden Melodien des Tages vergessen und verklungen sind.   [A, S. 148–149]

E

Am Freitag 8 Decbr [1820] …
Wir aber wandten uns wieder, obzwar eine kleine Heerde, zu dem <u>Bach</u>, deßen Harmonien uns heute schon viel vernehmlicher rauschten. Aus dem 6ten *Motett* wurde die Fuga „All. non tanto, Ihr aber seyd nicht fleischlich, sondern geistlich gesinnt" sehr oft wiederholt, ehe sie erträglich anzuhören war. Auch bemerkte man eine Schwäche im 2ten Sopran – überhaupt kein richtiges Stimmen Verhältniß, welches an dem kleinen Personal lag. Der Tenor zälte nur 3 Stimmen, nemlich Herr *Doctor Post*, *Grabau* und *Stock*. Das Andante „Wer aber Christi Geist nicht hat" mit

seinen schweren Intervallen (Tonstufen?) machte uns auch zu schaffen; weniger der lebendig gehaltene Choral „Weg mit allen Schätzen". Nach der Pause wiederholten wir diesen – ehe daß seine Ausführung eben befriedigender ausfiel – , übten dann das *Coro Poco Adagio* „So nun der Geist" und schlossen mit dem gerade durchgenommenen Choral „Weicht ihr Freudengeister".   [A, S. 149]

F

Dienstags 20. Nov. [1821] …
Im zweiten Theil das herrliche 8stimmige *Motett* von *Bach*: „Komm Jesu!" Der Anfang mußte sehr oft neu angesezt werden; später ging es besser und fast ohne Unterbrechung gerade durch. Bey der Wiederholung spürte *Riem* nun merkliche Abnahme unserer Kräfte, weshalb wir nach dem ersten Absatz inne hielten.   [A, S. 173]

G

18. Decbr. [1821] …
Im zweiten Ansatz wurde aus *Bachs* großem Singet der Choral und das Schluß-stück verschiedenemal durchgenommen; es blieb sehr vieles zu wünschen übrig, besonders schwach zeigte sich der *Baß*, der erste insbesondere sang unrein, auch der zweite *Tenor* war unsicher. *Riem* bezeigte auch später seinen Unwillen über den Mangel an allgemeiner und warmer Theilnahme, womit dieses herrliche Werk be-handelt zu werden schien. Er hatte vollkommen Recht. Die Versammlung war auch nicht zahlreich. Für die Feyer des Sylvester Abends fanden sich aber Theilnehmer genug durch Unterschrift, weshalb beschlossen wurde, daß jedes mitwirkende Mitglied 2 Gäste als Zuhörer herbringen dürfe.   [A, S. 176]

H

31. Decbr. 1821 …
Gegen halb 7 Uhr hatte sich eine kleine, willkommene Zuhörerschaft versammelt. Es begann das große „Singet" achtstimmig. Das *Andante sostenuto* des ersten Chors „Gott nimm dich ferner unserer an" wurde einzeln von *Henriette Grabau*, Frau D^rin *Heineckn*, Herrn *Lange* und Hr *Waltjen* vorgetragen. Des Lezteren Unsicherheit ver-sezte die ganze horchende Academie nicht wenig in Angst. Er sezte einigemale un-richtig ein, zog einmal über die Maßen, ein anderes mal eilte er ungebührlich – den aller lezten Ton gab er vollends gar eine Terze zu hoch! –
Riem half ihm zwar fortwährend ein, indessen mit wenig Erfolg. Schade, daß diese schöne Stimme so wenig eigentliches Talent zu verrathen scheint. –   [A, S. 176]

I

24. Februar [1823] …
Der *Accord* wurde angeschlagen, und, es begann achtstimmig „Ich lasse dich nicht" von *Johann Sebastian Bach*.
Es war ganz natürlich und verzeihlich, daß der Ton zu sinken begann. Aber über-

haupt war die Aufführung nicht vorzüglich – unsere Stimmen schwankten, oder traten zu grell hervor – kurz, das Gediegene, die Einheit, fehlte manchmal. Der Choral wurde auch nur mittelmäßig gegeben, und das Wachsen und Abnehmen nicht genau genug beobachtet.

„Fürchte Dich nicht" achtstimmig, von *Bach* kam nun an die Reihe. Herr *Riem* begleitete die ersten 20 Tacte hindurch die *Bässe* – aber die allgemeine Festigkeit hielt den Ton wie den Tact fest, und machte das Instrument bald überflüssig. Das Zeitmaß war sehr angemessen, und das ganze entsprach dem darauf verwandten Fleiße.

[A, S. 201–202]

J

12. Mai 1823
Eine recht zahlreiche Versammlung widmete sich heute mit Lust und unverkennbarem Eifer dem *Studio* von *Sebastian Bach's* schwerem *Motett* „Komm Jesu", dessen Schönheiten einen allgemeinen tiefen Eindruck machten.   [A, S. 209]

K

15 Septbr [1823]
Das schwere Motett von *Johann Sebastian Bach* „Jesu meine Freude" forderte die angestrengteste Aufmerksamkeit der Gesellschaft, und nur eine ungewöhnliche Ausdauer vermochte die großen Schwierigkeiten dieses Kunstwerkes zum Theil zu überwinden.

Das darin vorkommende Terzett sangen Fräulein *Grabau*, Fräulein *Helene Finke* und Fräulein *E. Renner*.   [A, S. 220]

L

Octbr. 27. [1823]
Die Gegenwart des Musikdirectors aus Varel veranlaßte einen allgemeinen Wetteifer bey Aufführung des „Jesus meine Freude" von *Sebast. Bach*. Fräulein *Henriette Grabau*, Fräulein *Henr. Böving* und Herr *Lange* sangen das Terzett. In dem nun vorgenommenen großen „Singet" von demselben Meister sang Fräulein *Heuß Alt*. Dieses war auch in dem Quartett des obigen ersten Motetts der Fall, wo Herr *Eggers* im *Baß* sich viele Fehler zu Schulden kommen ließ. Die Chöre gingen im Allgemeinen vorzüglich. Die schöne Stelle im lezten Motett „Wie Väter mit Erbarmen" wurde vom ersten Chor nur im *Quartett* gesungen, und das fortlaufende leise Gebet des zweiten Chors war von großer Wirkung.   [A, S. 225]

M

Januar 7. [1828]
Die heutige *Academie* wurde von Hr. *Riem* durch eine kleine Rede eröffnet, welche sich auf die grosse *Academie* vom Sylvester Abend und auf den Anfang des neuen Jahres bezog. – Gesungen wurden dann im 1ten Thl Mot v. *Bach* No. 7 „Lob und

Ehre", die darin vorkommenden Soli wurden von den Jungfrauen *Buscher*, *Grabau*
und den Hr. *A. v. Kapff* und *Dr. Kulenkamp* vorgetragen.
II^(ten) Thl Mot v. *Bach* No. 2 „Fürchte dich nicht". – Sehr viele Mitglieder kamen
heute zu spät und mußten Strafe zahlen. –　　　　　　　　　　　　　　　[B, S. 13]

Anm.: Die Motette Nr. 7 „Lob und Ehre" war sicherlich die Motette „Lob und Ehre und Weisheit
und Dank" (BWV Anh. 162) von J. S. Bachs Schüler Georg Gottfried Wagner (1698–1756).

N

Sept. 29 [1828]
I. Thl. Mot 8 v. *Fasch* …
Motette 2 v. *Bach* „Laß stets dein Reich sich mehren"
II. Theil Psalm 117 v. *Bach* „Lobet den Herrn alle Heiden"　　　　　　　[B, S. 25]

Anm.: Die „Motette 2 von Bach" war möglicherweise der mit neuem Text versehene motetten-
hafte Eingangschor der Kantate „Ach Gott, vom Himmel sieh darein" (BWV 2).

O

März. 15. [1830]
Gesungen wurde heute von einer sehr zahlreich besetzten *Academie* im
1ten Theile die Motetten von *Bach* No. 2 „Fürchte dich nicht" und No. 3 „Singet dem
Herrn ein neues Lied".
2ter Theil von demselben No. 5 „Der Geist hilft" und den Choral No. 6 „Jesu, meine
Freude".　　　　　　　　　　　　　　　　　　　　　　　　　　　[B, S. 73–74]

P

Nov. 3 [1834]
Gesungen wurde heute eine sehr schwierige Kirchenmusik von *W. F. Bach*. Trotz
der Anstrengungen, die sie erforderte, gefiel die Musik allgemein. Die hohe Kunst
des Vaters findet sich freilich in dieser *Composition* nicht; hat indeß ein milderes lieb-
licheres Gesicht. Da wir einmal im guten Zuge waren, wurde im zweiten Theile der
117te Psalm von *J. S. Bach* aufgelegt, welcher erträglich gut ausgeführt wurde …
　　　　　　　　　　　　　　　　　　　　　　　　　　　　　　[B, S. 171]

Quellen: Staats- und Universitätsbibliothek Bremen, Signatur: *brem. 1152*. Protocoll der Singaca-
demie von 1815–1826. Littra. A; Protocoll der Singacademie von 1816–1837. Littra. B.
Anm.: Mit dem 117. Psalm ist die Motette „Lobe den Herrn alle Heiden" (BWV 230) gemeint.
Die „sehr schwierige Kirchenmusik von *W. F. Bach*" ist nicht ohne weiteres zu bestimmen. Zu
Wilhelm Friedrich Riem → D 5.

D 31

Bach-Motetten unter Riem mit der Sing-Akademie Bremen 1821/22

Nachrichten. *Bremen.* …
Auch für die Singakademie wird durch neue Einrichtungen wirksam gesorgt. Die
neuesten Musiken, die unter Hrn. Riems Leitung aufgeführt wurden, waren die
achtstimmigen Motetten von Bach, Motetten von Homilius, Händels 100ster *Psalm*,
dessen *Te Deum laudamus*, *Empfindungen am Grabe Jesu* und *Judas Maccabäus*; Kirchenmusiken von Jacobus Gallus, dem altdeutschen Meister. …

Quelle: AMZ, 24. Jg., Nr. 5, 30. Januar 1822, Sp. 87.
Anm.: Zur Bremer Sing-Akademie und zu Wilhelm Friedrich Riem → D 5.

D 32

„Ich lasse dich nicht" am 26. März 1821 unter Schelble in Frankfurt/Main

Den 26sten. Der Cäcilien-Verein gab uns heute unter Hrn. Schelble's geschickter
Leitung erste Meisterstücke der alten und neuen Zeit. … Die zweyte Abtheilung bildeten das vierstimmige Lied von Gellert und Haydn: „Herr, der du mir das Leben",
und die achtstimmige herrliche Motette: „Ich lasse dich nicht, du segnest mich denn,
o Jesu." von J. S. Bach. …

Quelle: AMZ, 23. Jg., Nr. 16, 18. April 1821, Sp. 281. (*Frankfurt am Main. Uebersicht der musikalischen Leistungen im Monat März.*)
Anm.: Der Cäcilienverein war im Jahre 1818 von Johann Nepomuk Schelble (1789–1837) gegründet worden.

D 33

„Ich lasse dich nicht" unter Eberwein in der Weimarer Stadtkirche
Bericht vom 30. Mai 1821

Hr. Kammermusikus Eberwein fuhr fort, öftere Kirchenmusiken zu geben. Neu
waren für uns (in öffentlicher Aufführung) J. Haydn Herr Gott dich loben wir, desselben Motette: Du bists, dem Ehr und Ruhm gebührt, C. Eberwein Motette: Geist
der Wahrheit und Seb. Bach zweychörige Motette: Mein Jesu ich lasse dich nicht.
Einige Sätze aus Händel's *Messias*, und Cantaten von Mozart, Zumsteeg, Danzi
wurden wiederholt. …

Quelle: AMZ, 23. Jg., Nr. 22, 30. Mai 1821, Sp. 387. (*Musikalische Nachrichten aus Weimar.*)
Anm.: Carl Eberwein (1786–1868), der auf Veranlassung Goethes 1808 und 1809 nach Berlin
gereist war, um bei Carl Friedrich Zelter musikalischen Unterricht zu erhalten, wirkte von 1818
bis 1829 als Musikdirektor an der Weimarer Stadtkirche.
Lit.: MGG², Artikel Carl Eberwein, Bd. 6, Sp. 36f.

D 34

Zelter: Bachs Motetten seit 30 Jahren dargeboten

Berlin, 7. Januar 1823

Daß die Seb. Bachschen Motetten seit 30 Jahren immer mehr anklingen, ja ihren
Schwierigkeiten Trotz geboten wird, ist ein Triumpf der Singakademie und zeigt,
daß die Übung an Meisterwerken, sie mögen gefallen oder nicht, ihren unbestreit-
baren Nutzen hat.

Quelle: Tagebücher der Sing-Akademie zu Berlin (derzeit nicht verfügbar), zit. nach Schüne-
mann Bachpflege, S. 151.
Anm.: C. F. Zelters Eintrag ist auf den 7. Januar 1823 datiert. An diesem Tag erklang die Motette
„Singet dem Herrn ein neues Lied" (BWV 225).

D 35

Motetten in den Sonnabendvespern der Kreuzkirche Dresden

Bericht vom 14. September 1825

– Am Schlusse dieser Bemerkungen kann ich nicht umhin, die Sonnabendsvespern
in der Kreuzkirche zu erwähnen, um die Freunde der Vokal-Musik darauf aufmerksam zu machen, dass sie hier Gelegenheit haben, die vortrefflichen Magnifikat von
Homilius u. a. m. und die herrlichen Motetten von Sebastian Bach, Graun, Homilius,
Hiller, Schicht, Rolle, Weinlig u. s. w., und auch Werke alter italienischer Meister sehr
gut aufführen zu hören.

Quelle: Berliner AMZ, 2. Jg., Nr. 37, 14. September 1825, S. 300. (Bemerkungen über die Kirchenmusik in Dresden.)
Anm.: Kantor der Dresdner Kreuzkirche war von 1822 bis 1828 Friedrich Wilhelm Agthe (1796–
1830).

D 36

Achtstimmige Bach-Motette mit der Singegesellschaft in Frankfurt / Oder
Bericht vom 21. September 1825

Frankfurt an der Oder …

Die *Singegesellschaft* steht auf einer nicht unbedeutenden Stufe der Ausbildung; der Chor hat viele tüchtige und feste Sänger und Sängerinnen, deren Anzahl sich fortwährend vermehrt; …

Unter den Solosängerinnen und Sängern haben mehre sehr gute und sehr ausgebildete Stimmen. Zu rühmen ist von diesem Vereine, dass er sich vornämlich an Werken der ernstern und höheren Gattung übt, wodurch nicht allein für die Fertigkeit und Sicherheit im Gesange viel gewonnen wird, sondern auch der Geschmack eine edlere und würdigere Richtung erhält. In der letzten Zeit wurden Chöre aus Händels *Samson* und *Josua*, eine achtstimmige Motette von J. S. Bach und das herrliche achtstimmige *Miserere* von Fasch*), eine zweychörige Motette von Zelter und Händels *Messias* ausgeführt. …

Quelle: AMZ, 27. Jg., Nr. 38, 21. September 1825, Sp. 636f.
Anm.: Die „Singegesellschaft" in Frankfurt an der Oder war von Eduard Petersen († 1831) im Jahre 1815 gegründet worden. Petersen war mit einer Sopranistin (geb. Kramer) aus Zelters Chor verheiratet.

D 37

Motette und Duett von Bach am 30. Dezember 1825
im Konzert des Cäcilienvereins

Am 30. December: Concert des *Cäcilienvereins* unter Leitung des Hrn. Schelble. Sechsstimmiges *Gloria* von Palestrina; Duett aus Pergolese's *Stabat mater*; Achtstimmiges *Crucifixus* von Lotti; Duett von Sebastian Bach; Motette von ebendemselben; *Kyrie* von Felix Mendelssohn Bartholdy; Duett von Cherubini; *der 90ste Psalm*, für zwey Chöre gesetzt von Andreas Romberg; *der 116ste Psalm*, für eine Solostimme, von Stadler; Chor von Mozart. Ein Wettstreit der alten und der neuen Zeit! Welche die Siegerin blieb? Ref. mag nicht entscheiden; aber das Fortschreiten des menschlichen Geistes auch in dieser Sphäre scheint ihm, trotz mancher Irrwege einer nur den Sinnen schmeichelnden Kunst und mancher rigoristischen Eiferer, so unleugbar, dass ihn keine noch so künstliche und sophistische Demonstration vom Gegentheile überzeugen könnte. Die genannten Compositionen wurden von dem nur aus Dilettanten bestehenden Vereine vortrefflich ausgeführt. Die Chöre besonders liessen nichts zu wünschen übrig. …

Quelle: AMZ, 28. Jg., Nr. 6, 8. Februar 1826, Sp. 100. (*Frankfurt am Main, im Januar* 1826.)

Anm.: Der Cäcilienverein war im Jahre 1818 von Johann Nepomuk Schelble (1789–1837) gegründet worden. Das Interesse an Bachs Vokalwerken wurde durch dessen Freundschaft mit Franz Hauser und Felix Mendelssohn Bartholdy geweckt. Das „Duett von Sebastian Bach" war möglicherweise „Wir eilen mit schwachen, doch emsigen Schritten" aus der Kantate „Jesu, der du meine Seele" (BWV 78). Es gehörte zu Schelbles Lieblingsstücken.

„Ich lasse dich nicht" 1826 während der Karwoche in Königsberg

→ E 2.

„Fürchte dich nicht" unter August Wilhelm Bach in der Berliner Marienkirche
Bericht vom 26. Dezember 1827

→ D 56.

D 38

Motetten unter Eberwein in Weimar
Bericht vom 30. Januar 1828

Weimar im Januar 1828. …

In der Kirche führte Hr. Musik-Director Eberwein auf: Cantaten von C. Eberwein, Homilius, A. E. Müller, Naumann, Zumsteg – Motetten von S. Bach, A. Romberg – Händel's Psalm 100, Naumann's Psalm 111. – Te deum von Hasse, Gottfr. Weber – Kunzen Hymne an Gott, Händel's Halleluja – Misse von Eybler, mehre Stücke aus Haydn's *Schöpfung* und Händel's *Messias*. Die, auf die möglichst gute Ausführung verwandte Sorgfalt des Directors war immer zu loben. …

Quelle: AMZ, 30. Jg., Nr. 5, 30. Januar 1828, Sp. 74.

Anm.: Zu Carl Eberwein → D 33.

D 39

CHORALSÄTZE IN EINER PASSIONSANDACHT AM 2. APRIL 1828 IN BRESLAU

Breslau im Juny 1828. Jähriger Bericht. …
… In der Neustadt gab Siegert's Verein für alte Musik, an der Zahl gegen 170, an
der Charmittwoche a) den Choral: „Aus tiefer Noth schrey ich zu dir u. s. w. V. 1.
fünfstimmig, von Joh. Ekkard comp. 1597; V. 2. vierstimmig, von Hans Leo Hassler comp. 1608; V. 3. von J. S. Bach; – b) das: Cor mundum crea etc., fünfstimmig,
componirt von Orlandus Lassus 1567; – c) den Choral: Ein Lämmlein geht u. s. w.,
von Joh. Georg Ebeling, componirt 1667; – d) das Crucifixus etiam pro nobis etc.,
achtstimmig, comp. von A. Lotti 1696; – e) die Motette: das Blut Jesu Christi u. s. w.,
mit dem Choralverse als cantus firmus: Wenn mich mein Sünd anficht u. s. w., fünfstimmig componirt von J. Michael Bach; – f) den Choral; Ich lag in tiefer Todesnacht
u. s. w., V. 1 componirt v. Joh. Ekkard; V. 2. comp. von J. S. Bach.– …

Quelle: AMZ, 30. Jg., Nr. 43, 22. Oktober 1828, Sp. 724.
Anm.: Der Karmitwoch fiel im Jahre 1828 auf den 2. April. Bei den aufgeführten Choralsätzen
handelt es sich wahrscheinlich um BWV 38/6 und eventuell um BWV 248/59. Gottlob Siegert
(1789–1868) war Musikdirektor und Kantor an der Kirche zu St. Bernhard in Breslau.

D 40

FINK: BACH-MOTETTEN IM FRÜHGOTTESDIENST UND
IN DEN SONNABENDMUSIKEN DER THOMASKIRCHE
BERICHT VOM 22. APRIL 1829

Der in Leipzig stets lebendig gebliebene Johann Sebastian Bach.
Wir lesen jetzt sehr Vieles über dieses Meisters zweychörige Passion nach dem Evangelisten Matthäus, die das Entzücken Berlin's geworden ist. Wir freuen uns darüber,
und wünschen dabey nichts mehr, als dass man nicht einseitig das Allerhöchste aller
Bachischen Kunst, vielweniger der Kunst überhaupt, die so unendlich ist, wie des
Menschen Geist, nur allein in diesem Werke des in Berlin Wiedererstandenen suchen
möge. Viele seiner übrigen Kirchensachen (natürlich nicht alle, wie bey keinem Menschen in der Welt) tragen den echten Stempel seines Genius so vollgeprägt an sich,
dass sie sich dieser Passion, die den Ruhm des Meisters von Neuem laut werden
liess, ohne die geringste Scheu an die Seite stellen können, was man uns hoffentlich
desto williger zugeben wird, je höher diess die Ehre des teutschen Tonsetzers heben
muss. Wenn nun gleich gerade diese Passionsmusik Sebastian's aus Ursachen, die
wir nächstens auseinanderzusetzen gedenken, lange Zeit unter uns geruht hat: so
ist doch Bach's Kunst in sehr vielen teutschen Gemüthern verschiedener Gegenden

keinesweges und nie ganz erstorben gewesen, am wenigsten in unserer Stadt. Fortgelebt, stets fortgelebt hat seine Musik, nicht nur unter tüchtigen Orgelspielern in
seinen vielgerühmten Fugen, sondern auch in seinen Kirchenmusiken. Und was jetzt
von Neuem bey dieser Gelegenheit über Bach's Geist gesprochen wird, so löblich
und recht es an sich ist, kann gar nichts anderes als Wiederholung seyn. Zum Beweise
lese man nur, was Fr. Rochlitz bereits im 5ten Jahrgange unserer Zeitung S. 247 sagte.
Damals machte sich der Cantor und Musikdirektor Müller an unserer Thomasschule um Bach's Kirchenmusik sehr verdient; eine nicht geringe Anzahl Bachischer
Werke wurden zum innigem Vergnügen und zur Erhebung des Publicums von
den wohlgeübten Thomanern aufgeführt, worüber in unseren Blättern Folgendes
gelesen wurde: „Niemand, der mit diesen erhabenen und tiefen Producten nicht
bekannt ist, kann sagen, dass er Bachen kenne, indem er eben hier sein Eigenstes,
Vorzüglichstes und gleichsam die Quintessenz seines Geistes niederlegte. Zugleich
enthalten sie so innige und ausdrucksvolle Stücke (besonders im Erhabenen und
wehmüthig Trauernden), dass auch keiner der unkundigsten Zuhörer nicht davon
ergriffen worden wäre." Ferner war es eine lange Reihe von Jahren hindurch Sitte,
dass die Frühkirche fast jedesmal mit einer zweychörigen Bachischen Motette vor
vielen Zuhörern eröffnet wurde. Und noch bis auf den heutigen Tag sind sieben solcher, meist doppelchöriger Motetten, hier ein stehender Artikel. In den Sonnabend-
Musiken der Thomaskirche werden sie Jahr aus Jahr ein allesammt in der Regel
zweymal öffentlich vorgetragen, und so gut, dass wackere Musikerfahrene, unter
denen wir auch einige aus Berlin nennen könnten, dem jetzigen, gleichfalls sehr
braven Cantor, Hrn. Weinlig, die Versicherung gaben, dass sie dieselben nirgend besser gehört hatten u.s.f. Sechs von diesen unter uns stehend gewordenen Motetten
sind bey Breitkopf und Härtel allhier im Druck erschienen, und nur eine einzige ist
noch Eigenthum der Thomasschule, deren Bibliothek noch Manches von unserm
Meister aufbewahrt. Unser Publicum ist auch so damit vertraut, dass manche schon
am Style, auch ohne Angabe des Namens, das Bachische heraushörten. Nächstens
noch Einiges darüber.

Quelle: AMZ, 31. Jg., Nr. 16, 22. April 1829, Sp. 262–264.
Anm.: Der Beitrag stammt von dem Komponisten, Dichter, Theologen und Musikschriftsteller
Gottfried Wilhelm Fink (1783–1846). Seit 1808 war er Mitarbeiter der AMZ und übernahm
1828–1841 deren Leitung. Zum Bericht von Johann Friedrich Rochlitz und den Aufführungen
unter August Eberhard Müller vgl. D 1–2. Mit der Frühkirche ist der Frühgottesdienst gemeint.
In der Bibliothek des Leipziger Thomasalumnats befindet sich ein von Bernhard Friedrich Rich-
ter angelegtes „Alphabetisches Verzeichnis der aufgeführten Werke 1811–1875". Nach dieser
Aufführungsübersicht sind die Motetten BWV 226 und BWV 228 seit 1811; BWV 225, BWV 227,
BWV 229 und BWV Anh. III 159 seit 1812 regelmäßig gesungen worden. Die von Fink mitgeteilte
Aufführungstradition findet somit ihre volle Bestätigung.

D 41

„Ich lasse dich nicht" am 12. Dezember 1830 mit der Sing-Akademie Breslau

12. Decbr. 1830. Eine feste Burg. 2 Bearbeitungen.
Requiem v. Fasch.
Ich lasse dich nicht. 8st. v. Bach.

Quelle: Mosewius [Anhang] B, S. 32f., 40.
Anm.: Die Motette „Ich lasse dich nicht" (BWV Anh. III 159) wurde am 21. Dezember 1831 und 20. November 1844 wieder aufgeführt.

D 42

Zelter: „Singet dem Herrn" aus Begeisterung wiederholt

Berlin, 30. August 1831

Dienstag. In der Singakademie ward gestern Abend zuerst Faschens großes Gloria in excelsis Deo und darauf das 16stimmige Laudamus te, benedicimus te, adoramus etc. gesungen. Darauf zu Deinen stillen Ehren die laute gewaltige Motette des alten Bach: *„Singet dem Herrn ein neues Lied, die Gemeine der Heiligen soll Ihn loben."* Ich merkt es an der Ausführung daß sie gemerkt hatten was ich meine und baten um die Wiederholung des ungeheuern Kunststücks, das sie nach vorhergegangener Anweisung mit heiliger Lust und Freude sangen; so daß sich der alte Bach (der noch lebte als Du geboren worden) in seiner Schlafkammer muß gerüttelt haben; wenigstens ging in mir dergleichen vor. ...

Quelle: Zelter an Goethe, 30. August 1831, D-WRgs, Signatur *28/1026*; zit. nach: Goethe Briefwechsel II, S. 1522.

D 43

Motetten im Repertoire der Sing-Akademie zu Berlin

bis zum Jahre 1832

Vorbemerkung: Zelter hat während seiner Amtszeit als Direktor der Sing-Akademie zu Berlin Bachs Motetten regelmäßig zur Aufführung gebracht – zumeist in den Dienstags-Veranstaltungen des Vereins, wenn der Gesamtchor anwesend war. Leider sind die Proben- und Tagebücher der Akademie, die darüber umfängliche Eintragungen enthalten, derzeit nicht erreichbar.[8]

---

8   Sie haben nach Kriegsende noch existiert und waren bis 1952 verfügbar.

Daher muß ersatzweise auf die Aufzeichnungen von Georg Schünemann aus den Jahren 1928 und 1941 zurückgegriffen werden. Es darf davon ausgegangen werden, daß für die Proben und Aufführungen der Motetten die Ausgaben von Breitkopf & Härtel aus den Jahren 1802 und 1803 verwendet worden sind.

A

BWV 225 „Singet dem Herrn ein neues Lied":

1804, 1805, 25. Januar 1814, 19. September 1815, 26. September 1815, 21. November 1815, 6. Februar 1816, 20. Februar 1816, 22. Oktober 1816, 24. April 1821, 6. November 1821, 19. Februar 1822, 7. Januar 1823, 21. März 1825.

Quelle: Schünemann Bachpflege, S. 143, 145, 151f.

B

BWV 226 „Der Geist hilft unser Schwachheit auf":

20. November 1810, 24. Dezember 1811, 31. März 1812, 23. Januar 1816, 14. Januar 1817, 22. September 1818, 30. Oktober 1821, 4. Dezember 1821, 9. Juli 1822, Januar 1823, 21. März 1825.

Quelle: Schünemann Bachpflege, S. 145, 151f.

C

BWV 227 „Jesu, meine Freude":

1807, 7. Juli 1812, 2. Mai 1815, 6. Juni 1815, 16. Januar 1816, 21. Mai 1816, 9. Juli 1816, 19. November 1816, 24. November 1817, 11. August 1818, 4. September 1819, 20. November 1821, Februar 1823, März 1823, Juni 1823, Juli 1823.

Quelle: Schünemann Bachpflege, S. 143, 145, 151f.

D

BWV 228 „Fürchte dich nicht":

1806, 1807, 26. Juni 1810, 7. Januar 1817, 26. Januar 1819, 23. Februar 1819, 12. Februar 1822, 31. Dezember 1822, 21. März 1825.

Quelle: Schünemann Bachpflege, S. 143, 145, 151f.

E

BWV 229 „Komm, Jesu, komm, mein Leib ist müde":

8. August 1809, 15. August 1809, 22. August 1809, 23. Januar 1810, 6. Februar 1810,

20. Februar 1810, 15. Februar 1814, 30. April 1816, 2. Mai 1816, 17. Dezember 1816, 25. August 1818, 13. November 1821, 28. Januar 1823, 9. Februar 1832.

Quelle: Schünemann Bachpflege, S. 145, 151f.; *Kurzgefaßte Nachweisung aller, seit dem Besitz des Eigenthums, vom Jahre 1828 ab, stattgehabter öffentlichen Leistungen*, D-B N. Mus. SA 290.

F

Aufführung am 24. Mai 1829

Am 24sten Mai gab die hiesige Singakademie in ihrem schönen Locale ein wohl ge-wähltes Vocal-Concert, mit Begleitung des Pianoforte von Hrn. Prof. Zelter. ... Der zweite Theil bestand aus einem Chorale von Fasch, einer Vocal-Missa von Stölzel (weniger ansprechend, doch historisch merkwürdig), der Motette von Joh. Seb. Bach mit dem schweren „sauren Weg," der bey einer schweren Modulation auch diessmal die Sänger im Intoniren etwas weit vom rechten Wege ableitete, doch im Ganzen ungemein wirkte, ...

Quelle: AMZ, 31. Jg., Nr. 27, 8. Juli 1829, Sp. 455.

G

BWV Anh. III 159 „Ich lasse dich nicht, du segnest mich denn":

28. Juni 1808, 1. Dezember 1812, 17. August 1813, 30. November 1813, 3. Oktober 1815, 14. November 1815, 23. April 1816, 18. August 1818, 4. Mai 1819, 1. Juni 1819, 17. Juni 1821, 9. April 1822, 28. Mai 1822, 18. Juni 1822, Februar 1823, März 1823, Juni 1823, Juli 1823.

Quelle: Schünemann Bachpflege, S. 145, 151f.
Anm.: Zu einer Aufführung im Jahre 1821 (17. Juni?) bemerkte Zelter in den Tagebüchern: „ist etwas aus dem Geschicke gekommen und muß wieder vorgenommen werden". In den Jahren 1824 bis 1828 wurde die Motette nicht weniger als 19 Mal gesungen.

H

BWV Anh. III 161 „Kündlich groß ist das gottselige Geheimnis":

1806, 1807, 24. April 1810, 12. Juni 1810, 24. Dezember 1810, 12. März 1811, 17. September 1811, 24. Dezember 1811, 14. Dezember 1813, 13. Dezember 1814, 19. Dezember 1815, 16. Juli 1816, 23. Dezember 1817, 14. Dezember 1819, 21. Dezember 1819, 19. Dezember 1820, 24. Dezember 1822, 21. März 1826.

Quelle: Schünemann Bachpflege, S. 143, 145, 151f.
Anm.: Zur Aufführung der Motette am 21. März 1826 bemerkte Zelter im Tagebuch: „ward heut auf Wunsch der Mitglieder gesungen, indem es der Geburtstag des großen Seb. Bach war".

D 44

„Jesu, meine Freude" und „Fürchte dich nicht" am 8. Dezember 1832 mit der Sing-Akademie Breslau

8. Decbr. 1832. Jesu meine Freude v. S. Bach. Motette: Fürchte dich nicht. 8st. v. S. Bach. Soli. Frl. Mar. Enge, Frl. R. Fischer. Frl. Mar. Klette. Hr. Ueberscheer. Hr. Richter.

Quelle: Mosewius [Anhang] B, S. 34.
Anm.: Zu Mosewius → D 4.

D 45

Choralsätze und Motetten im Repertoire der Sing-Akademie Dessau Bericht vom 27. Januar 1836

… Die Singakad., gleichfalls unter d. Kapellm. *Dr.* Schneider's Direction, zählte am Ende des Jahres 28 Soprane, 23 Alte, 14 Tenore, zu denen noch 19 vom Schulchore kommen, also zusammen 33, u. 24 Bassisten, dazu 18 vom Schulchore, zusammen 42. Der ganze Singverein besteht demnach aus 126 Personen. – Die Einrichtung, dass jedesmal mit einem Chorale v. S. Bach begonnen wird, ist geblieben. In der Akad. wurden aufgeführt: von Händel's Oratorien: Judas Maccabaeus, Josua, Samson, Saul; von Fr. Schneider's Oratorien: Absalon, Pharao, Das befreite Jerusalem, Das verlorene Paradies, dazu die 3., 4. u. 5. Vocalmesse; Beethoven's Christus am Oel-berge; Jomelli's Requiem; Astorga's Stabat mater; Seb. Bach's Motette: „Jesu, meine Freude". Ausserdem noch einzelne Sätze von Durante, M. Haydn, J. Haydn, Vogler, Mozart, Perti, Zalenka, Caldara, Stadler, Danzi, Haeser, Costanzi, Stölzel u. Rink. …

Quelle: AMZ, 38. Jg., Nr. 4, 27. Januar 1836, Sp. 62. (Nachrichten. Dessau.)
Anm.: Johann Christian Friedrich Schneider (1786–1853) wurde 1821 Nachfolger von Leopold Carl Reinicke (1774–1820) im Amt des Herzoglich Anhalt-Dessauischen Hofkapellmeisters. Er verhalf dem Dessauer Musikleben zu neuer Blüte, veranstaltete Abonnementskonzerte und gründete eine Sing-Akademie. Diese spielte in späteren Jahren eine maßgebliche Rolle bei den Elb-Musikfesten.

D 46

„Ich lasse dich nicht" in der Hallenser Marktkirche im November 1836

… In Halle an der Saale sind im vorigen Monate folgende herrliche Gesangwerke, nur von Violoncellen u. Contrabässen unterstützt, in der Marktkirche aufgeführt

worden: Quomodo moritur justus von Jac. Gallus; das in unserer Zeitung mitgetheilte 8stimm. Crucifixus von Lotti und die Bachsche Motette: „Ich lasse Dich
nicht". Es ging Alles gut, bis auf einen Eintritt der Altstimme. Ob die letzte Motette
von Sebastian oder von einem seiner Vorfahren ist, bleibt zweifelhaft. Seb. mag Einiges daran verändert haben; den Choral halten wir jedoch für seine Arbeit.

Quelle: AMZ, 38. Jg., Nr. 52, 28. Dezember 1836, Sp. 875. (*Mancherlei*.)
Anm.: Der Rezensent bezieht sich auf die abweichende Zuschreibung der Motette in den Aus-
gaben von 1802/1803 und 1823 (Johann Sebastian bzw. Johann Christoph Bach); der erwähnte
Schlußchoral ist eine Ergänzung der Ausgabe Johann Gottfried Schichts von 1802 → C 42.

D 47

„DER GEIST HILFT UNSER SCHWACHHEIT AUF" MIT DEM LEIPZIGER THOMANERCHOR
BERICHT VOM 4. OKTOBER 1837

– Am 28sten September veranstaltete der gesammte Chor der Thomasschüler zu
seinem Vortheil in der Thomaskirche sein erstes Concert der Art. Die bisher gewöhnlichen öffentlichen Gesangumgänge dieses allberühmten Chores und seiner Cur-
rende sind nämlich zu vielfachem Gewinne der jungen Sänger nunmehr eingestellt
worden. Damit sie aber die damit verbundenen äusserlichen Vortheile nicht gänzlich einbüssen, sind ihnen dafür jährlich 2 oder 3 Kirchenconcerte verwilligt. Das
diesmalige war das allererste dieser neuen zuträglichen Einrichtung. Leichte Gesänge hatte sich der Chor nicht gewählt; er wollte, scheint es, zeigen, was er vermöchte.
Wir sind erfreut, alle seine Leistungen rühmliche und des Namens würdige nennen
zu können, den sich der Chor der Thomasschüler seit mehr als hundert Jahren bereits erworben hat. Der erste Gesang war eine lang und kunstreich ausgearbeitete
Messe … Noch weit schwieriger wird jeder Kenner die zweite Wahl nennen. Es war
die sechste der achtstimmigen Motetten Seb. Bach's (B dur), aus dem zweiten, bei
Breitkopf u. Härtel erschienenen Hefte: „Der Geist hilft unsrer Schwachheit auf".
Wir haben dieses, namentlich in dem „unaussprechlichen Seufzen" überaus schwere
Meisterwerk nie schöner gehört, als diesmal. Die dritte Nummer war eine der spätern achtstimmigen Motetten von Doles: „Ich will den Herrn loben allezeit". Die figurirten Bässe, die sich in den allermeisten Motetten des freundlichen Mannes finden,
wurden rund, voll und mit der Gravität gesungen, die dazu gehört, wenn diese Figuren nicht zu lebhaft daran erinnern sollen, dass sie mehr für Violoncelle und Con-
trebässe als für Singstimmen sich eignen. … Kurz, der Thomanerchor, der jetzt aus
56 Sängern besteht, wie in der Regel, hat seine Ehre rühmlich behauptet. …

Quelle: AMZ, 39. Jg., Nr. 40, 4. Oktober 1837, Sp. 659f. (*Uebersicht des Musikwesens in Leipzig.*)
Anm.: Thomaskantor war zu jener Zeit Christian Theodor Weinlig. Im zweiten Konzert am 10. No-

vember erklang die Motette „Singet dem Herrn ein neues Lied" (AMZ, 39. Jg., Nr. 47, 22. November 1837, Sp. 769).

„FÜRCHTE DICH NICHT" AM 11. APRIL 1838 UNTER SIEGERT IN BRESLAU

→ D 111.

D 48

VORANKÜNDIGUNG: „FÜRCHTE DICH NICHT" AM 23. NOVEMBER 1839 IN HALLE / SAALE

… Halle, d. 7ten Nov. – Hr. Musikdir. Georg Schmidt, von einer größeren Kunstreise, die er mit seiner Gattin unternommen, in diesen Tagen zurückgekehrt, wird uns bald mit einer größeren Aufführung erfreuen, welche zur allgemeinen Gedächtnißfeier der Verstorbenen den 23sten dieses bei erleuchteter Kirche Statt findet. Das Programm besteht aus lauter kirchlichen Compositionen: 1) Choral von Eccard (fünfstimmig), 2) *Ecce quomodo moritur* von Gallus, 3) Motette von J. S. Bach (Fürchte dich nicht), 4) *Crucifixus* von Lotti, 5) Ich weiß, daß mein Erlöser lebt, und 6) Siehe wir preißen selig – aus „Paulus" von Mendelssohn.–

Quelle: NZfM, 11. Bd., Nr. 45, 3. Dezember 1839, S. 180.
Anm.: (Simon) Georg Schmidt (1801–1861) war von 1833 bis 1842 Musikdirektor in Halle / Saale.

D 49

KRITIK AM PROGRAMM DES NORDDEUTSCHEN MUSIKFESTES
BEITRAG VOM 20. JULI 1841

Das dritte Norddeutsche Musikfest. (Schluß)
Der letzte Tag des Musikfestes (Donnerstag 8. Juli) war ein Tag des Zornes und der Schrecken – nicht in dem kühnen Sinne der bekannten liturgischen Worte, sondern in dem kläglichen eines unwilligen, an jenem Orte doppelt empfindlichen Erstaunens. Hr. Musikdirector Grund leitete das sogenannte geistliche Concert in der Michaeliskirche, und bewies sich leider zu solchem Amte nicht als der fähigste. Vollkommen richtig war nicht ein einziger Ensemble-Satz unter dieser Direction; halbdeutlich oder verwirrt die meisten, viele nur eben erträglich. Der Choral: „Wachet auf" von J. S. Bach ward unsicher intonirt, selten vollkommen rein in allen Lagen gesungen, und sehr häufig zogen die Ripienstimmen des Chors in gehorsamer Pro-

cession hinter dem Chorführer her; eine Dilettantenschwäche, die sich in so vielen
Sängerchören hervorthut, und auf's peinlichste verfolgt und vertilgt werden muß, ...
Von dem göttlichen Sebastian hätte man wohl etwas anderes wählen können, als
einen einfachen 4 stimmigen Choral ohne Figurirung, der obendrein zu seinen
schwächeren Arbeiten gehört. Für solche Massen und solches Auditorium hätte ein
Gesang, in dem die ganze unermeßliche Kunst dieses Meisters in Melodie und Harmonie, Stimmführung, Fugirung, Instrumentation und all seine künstlerische Weisheit, Hoheit und Herrlichkeit erschiene, einen würdigeren Gegenstand gebildet, als
ein einfach harmonisirter Choral, wie man ihn in sächsischen Landgemeinden eben
so gut hören kann. Ist denn die Cantate: „Ein feste Burg" – oder die Litanei: „Nimm
von uns, Herr ec." – oder die 8stimmige Motette: „Singet dem Herrn ein neues Lied
ec." und so Unzähliges, wozu es wirklicher Kraft, Anstrengung, massenhafter Theilnahme bedarf, so wenig in der Welt bekannt, daß man, um diesen König der Töne
zu repräsentiren, nach dem Choralbuche greifen muß? – ...

Quelle: NZfM, 15. Bd., Nr. 12, 10. August 1841, S. 45f.
Anm.: Es erklang offenbar der Schlußchoral aus der Kantate „Wachet auf, ruft uns die Stimme"
(BWV 140). Als Verfasser unterzeichnet Dr. Eduard Krüger; sein Beitrag ist datiert: „Emden,
20. Juli 1841." Das Konzert in der Hamburger Michaeliskirche stand unter der Leitung von
Friedrich Wilhelm Grund (1791–1874). Dieser war Mitbegründer der „Gesellschaft der Freunde
des religiösen Gesangs", der nachmaligen Hamburger Sing-Akademie, und Leiter der 1828 gegründeten Philharmonischen Konzerte. Mit der „Litanei Nimm von uns, Herr ec." ist die Kantate BWV 101 gemeint, deren Erstdruck 1830 bei Simrock in Bonn erschienen war → C 37, C 38.

D 50

„Ich lasse dich nicht" am 21. März 1842 mit der
„Gesellschaft der Freunde religiösen Gesanges" in Hamburg

Am 21 März wurde in der St Petri Kirche aufgeführt zum Besten des weiblichen
Vereins für Armen & Kranken Plage nach einer Einleitung der Orgel J. S. Bach's achtstimmige Motette „Ich lasse dich nicht" ...

Quelle: Protocoll des Gesang-Vereines vom 25sten November 1819 bis zum 25sten November 1844,
S. 163. Staats- und Universitätsbibliothek Hamburg, Archiv der Hamburger Sing-Akademie,
Protokollband A.
Anm.: Die Gesellschaft wurde von Friedrich Wilhelm Grund (1791–1874) geleitet → D 49.
Lit.: Sittard, S. 298.

D 51

„ICH LASSE DICH NICHT" AM 23. FEBRUAR 1844 MIT DER SINGEGESELLSCHAFT IN FRANKFURT / ODER

… Freitag den 23. Februar wird der hiesige Gesang-Verein das zweite Oratorium im Abonnement, bestehend aus Gesang-Compositionen von Durante, Jomellii, Sebastian Bach, Mozart und Fasch, worüber die Programme das Nähere enthalten werden, a Capella begleitet, im Saale des Casino aufführen … Die Vorsteherschaft des Gesang-Vereins.

Quelle: Frankfurter Patriotisches Wochenblatt, Nr. 18, 23. Februar 1844, S. 254.
Anm.: In der wenige Tage später erschienenen Konzert-Rezension wurde hervorgehoben: „… vor allem aber die achtstimmige Motette: ‚Ich lasse dich nicht, du segnest mich denn' – von dem unsterblichen Sebastian Bach. Das kam aus dem Innersten eines frommen gläubigen Herzens mit einer Lauterkeit und Wahrheit, die alle Kunst der früheren Meister überstrahlte. …" (Frankfurter Patriotisches Wochenblatt, Nr. 22, 28. Februar 1844, S. 308f.)

D 52

„SINGET DEM HERRN" MIT DER DREISSIGSCHEN SING-AKADEMIE DRESDEN
AM 9. UND 11. DEZEMBER 1844

… Wir hörten nämlich die großartige, herrlich durchgeführte Motette von J. S. Bach für Doppelchor: „Singet dem Herrn ein neues Lied!" mit dem überschwänglich schönen Soloquartett und Choral „Gott, nimm Dich ferner unser an", wo das fromme, demüthige Flehen der Einzelnen um Gnade und Beistand von Gott durch die Glaubensfreudigkeit und feste Zuversicht der christlichen Kirche – deren Repräsentant der Choral – die tröstliche Gewißheit der Erhörung empfängt. Uns erscheint gerade diese Motette so wunderbar und herrlich, daß wir sie (das ist freilich individuell) für die schönste, tiefempfundenste des großen Altmeisters protestantischer Kirchenmusik erklären möchten, und nur bedauern, daß sie nicht allgemeiner bekannt ist. Das freilich liegt in den Verhältnissen begründet: ihre gelungene Ausführung verlangt tüchtige Kräfte! …

Quelle: AWMZ, 5. Jg., Nr. 2, 4. Januar 1845, S. 8, *W. J. S. E., Aus Dresden. (Schluß.)*
Anm.: Die Dreißigsche Sing-Akademie wurde seit 1830 von dem Dresdner Musikdirektor und Organisten Johann (Gottlob) Schneider (1789–1864) geleitet. Zu Schneider → D 133. Die beiden Aufführungsdaten werden in der AWMZ, 5. Jg., Nr. 1, 2. Januar 1845 erwähnt.

D 53

Endlich sind in Dresden doch noch einige Abonnements-Concerte zu Stande gekommen, und zwar von Seiten der Hoftheater-Direction selbst. Die Zahl ist auf
drei bestimmt, im Januar, Februar und März je eins. Zum Lokal ist das Hoftheater
gewählt. Das erste Concert, den 22. d. Mts., brachte Mozart's D dur-Symphonie,
Beethoven's Eroica, Szene aus Cherubini's Medea, und S. Bach's Motette: „Singet
dem Herrn". Kapellmeister *Wagner* dirigirte.

Quelle: AMZ, 50. Jg., Nr. 4, 26. Januar 1848, Sp. 62.
Anm.: Richard Wagner hatte am 2. Februar 1843 in Dresden die Stellung als Königlich Säch-
sischer Hofkomponist angenommen. Am 8. März 1848 führte er Giovanni Pierluigi Palestrinas
Stabat Mater in einer eigenen Bearbeitung auf.

Messe in h-Moll

D 54

Kyrie: 25. Oktober 1811, November 1811 (ohne Instrumente)
Kyrie und Gloria (?), erstmalig mit Instrumenten: 13. Dezember 1811
Kyrie und Gloria: 16. September 1813
Credo bis Sanctus: 23. September 1813
Sanctus bis Dona nobis pacem: 30. September 1813

Wiederholung von Teilen der Messe:
16. Dezember 1814, 23. Dezember 1814, 30. Dezember 1814; 6. Januar 1815, 13. Januar 1815; 7. April 1815, 14. April 1815, 21. April 1815, 28. April 1815

Quelle: Probenbücher der Sing-Akademie zu Berlin (derzeit nicht verfügbar), zit. nach Schünemann Bachpflege, S. 145f., 148; Schünemann Singakademie, S. 43ff., 46.
Anm.: Bereits am 30. September 1813 war die Messe von der Sing-Akademie vollständig einstudiert worden.

D 55

Zelter: Erste Probe mit Instrumenten
Berlin: 13. Dezember 1811

… heute habe ich die erste Probe mit Instrumenten gehalten, von der großen Messe (*Kyrie* und *Credo* aus H mol) welches wahrscheinlich das größte musikal. Kunstwerk ist, das die Welt gesehen hat. Kennen Sie denn dies bachsche Werk? …

Quelle: Carl Friedrich Zelter an Georg Poelchau, 13. Dezember 1811. D-B *Mus. ep. C. F. Zelter 60.*
Anm.: Die erste Probe erfolgte am 25. Oktober 1811 im Rahmen der wöchentlichen Freitagsmusiken von Zelters „Ripienschule" → D 54. Der vollständige Brief ist wiedergegeben in B 103.

D 56

„Et incarnatus est" unter August Wilhelm Bach in der Berliner Marienkirche
Bericht vom 26. Dezember 1827

Kirchenmusik in Berlin.
Daß die Kirchenmusik im Gottesdienst unter uns noch keine größere Wichtigkeit erlangt, mag mit seinen Ursachen für jetzt noch unerörtert bleiben.
Ungerecht wär' es aber, wenn wir nicht vor dem Jahresschluße der ehrenwerthen Bestrebungen des Herrn Musikdirektor Bach, Organisten an der hiesigen Marienkirche, gedächten, der keine Mühe scheut, seine Gemeine an den trefflichsten Werken unserer Meister aufzuerbauen. Die Wahl derselben zeugt von seinem gebildeten Sinn und seiner Kenntniß; unter anderm Schätzenswerthen führte er das großsinnige Crucifixus von Lotti für acht Stimmen,**) von Sebastian Bach aber die hocherhabne Motette „Fürchte dich nicht"***) und aus der bei Nägeli erscheinenden großen H-moll-Messe das unvergleichliche „Et incarnatus est" auf lobenswürdige Weise aus. … M.

**)   bei Schlesinger herausgegeben.
***)   bei Breitkopf und Härtel herausgegeben.

Quelle: Berliner AMZ, 4. Jg., Nr. 52, 26. Dezember 1827, S. 423.
Anm.: Autor des Beitrags ist Adolph Bernhard Marx. August Wilhelm Bach (1796–1869) war Schüler von Carl Friedrich Zelter. Er übernahm 1816 die Organistenstelle an der Berliner Marienkirche. Als Nachfolger Zelters wurde er 1832 Direktor des Königlichen Instituts für Kirchenmusik in Berlin. Seit 1815 war er Mitglied der Sing-Akademie zu Berlin. Er besaß zeitweise das Partiturautograph der Kantate „Was Gott tut, das ist wohlgetan" (BWV 99). Seine genealogische Herkunft ist noch nicht hinreichend geklärt → D 132.

Lit.: Andreas Sieling, *August Wilhelm Bach (1796–1869). Kirchenmusik und Seminarmusiklehrer-Ausbildung in Preußen im zweiten Drittel des 19. Jahrhunderts* (Berliner Musik Studien Bd. 7), Köln 1995, S. 141ff.

D 57

SCHNYDER VON WARTENSEE: „CREDO" UND „GLORIA" AM 10. MÄRZ 1828
MIT DEM CÄCILIENVEREIN IN FRANKFURT / MAIN

… Vor acht Tagen gab der „Cäcilienverein" endlich einmal mit Orchester, ein großes Konzert, in welchem das „Credo" Deiner herrlichen Messe von Bach und das Baß-solo aus dem „Gloria" gegeben wurde. Ich sage Dir nichts über die Vortrefflichkeit der Komposition, die alle Ansprüche weit übertraf, sondern spreche nur mein Bedauern aus, daß Du, dem in der Schweiz wahrscheinlich dieser Genuß nicht zuteil wird, nicht hier warst. Ich werde oft gefragt, wie weit Du denn schon mit der Herausgabe dieses Werkes gekommen bist. Schelble hat nun von Berlin die Partitur eines andern, auch großen Werkes von Bach erhalten, seiner „Passion", die auch schon deswegen merkwürdig ist, weil man daraus sehen kann, wie Bach die deutsche Sprache zu behandeln verstund. Möchtest Du sie auch zur Herausgabe haben, so kannst Du sie bekommen. …

Quelle: Schnyder von Wartensee an Hans Georg Nägeli, 18. März 1828. Zit. nach: *Xaver Schnyder von Wartensee und Hans Georg Nägeli, Briefe aus den Jahren 1822 bis 1835* (ausgewählt von Peter Otto Schneider; Hundertsechsundvierzigstes Neujahrsblatt der Allgemeinen Musikgesellschaft Zürich. Auf das Jahr 1962), Zürich 1962, S. 37.
Anm.: Die Aufführung erfolgte in einem Konzert des 1818 gegründeten Cäcilienvereins unter der Leitung von Johann Nepomuk Schelble. Die Partitur der Messe hatte Schelble schon 1825 von Hans Georg Nägeli erhalten → C 54.

D 58

MARX: „CREDO" IN FRANKFURT / MAIN
BERICHT VOM 23. APRIL 1828

Frankfurt am Main.
Der um die Gesangkunst und das Musikwesen in Frankfurt hochverdiente Schelble hat sich einen neuen Ruhm erworben, indem er mit dem von ihm gebildeten und musterhaft geleiteten Cäcilienverein und vollständigem Orchester aus
der fünfstimmigen Messe (H moll)
von Johann Sebastian Bach

das Credo aufführte. Die Wirkung übertraf die höchsten Erwartungen der Kunstfreunde und Kenner. Auf die Musiker und sonstigen Musikübenden machte das bewundernswürdige Werk einen so mächtigen Eindruck, dass sich sofort ein Instrumentalverein bildete, um sich zu einer künftigen Aufführung des ganzen Werkes zu rüsten.

Dieser Erfolg ist um so merkwürdiger und erfreuender, da das Credo der am schwersten fassliche Theil des grossen Werkes ist und seine volle Wirkung erst bei vollständiger Aufführung, unter Vorgang des glühend begeisterten „Cum sancto spiritu" unter Nachfolge des hochthronenden „Sanctus" und „Osanna" thun kann.

Marx.

Quelle: Berliner AMZ, 5. Jg., Nr. 17, 23. April 1828, S. 138.
Anm.: Der Bericht stammt von Adolph Bernhard Marx. Die Aufführung des „Credo" erfolgte unter Johann Nepomuk Schelble am 10. März 1828 in einem Konzert des Cäcilienvereins in Frankfurt/Main. Die Partitur der gesamten Messe hatte Schelble schon 1825 von Hans Georg Nägeli erhalten → D 54. Am 5. Januar 1831 erklangen unter seiner Leitung „Kyrie" und „Gloria"; beide Sätze wurden am 10. April 1831 unter Miteinbeziehung des „Credo" wiederholt.
Lit.: Oskar Bormann, *Johann Nepomuk Schelble: 1789–1837; Sein Leben, sein Wirken und seine Werke*, Diss. Frankfurt/M. 1926; Geck Matthäuspassion, S. 76.

D 59

ZELTER: AUSERLESENE RARITÄTEN IM KÖNIGLICHEN OPERNHAUS

BERLIN, 30. APRIL 1828

… Die heutige Wahl bestand in auserlesenen Raritäten: Zwei starke Sinfonieen von Bethofen; eine halbe Messe von Ebendiesem; ein halbes Credo von Sebast. Bach und ein deutsches Sanctus von Emanuel Bach.

Das kritische Publikum fand diese Zusammenstellung eher stücklich und zerstreut als gescheut und glücklich – wenn es nur sonst erkennen wollte, daß ein Ganzes ihm fast immer Zu ganz ist; auch weder Einer noch der Andere Komponist ein zusammenhängend Ganzes machen wollen, vielmehr die größte Mannigfaltigkeit der Teile zur Absicht gehabt. Die gute Absicht war hier offenbar: dem Ohre das Würzhafteste, Piquanteste der heutigen und vorheutigen Kunstwelt zum Besten zu geben, …

Quelle: Zelter an Goethe, 30. April 1828. D-WRgs, Signatur: *28/1023,* zit. nach: Goethe Briefwechsel II, S. 1111f.
Anm.: Das Konzert am 30. April 1828 im Königlichen Opernhaus zu Berlin stand unter der Leitung von Gaspare Spontini. Vom „Credo" erklangen nur die Sätze 1 („Credo in unum Deum") bis 6 („Et resurrexit"). Mit dem „deutschen Sanctus von Emanuel Bach" ist das doppelchörige „Heilig" (Wq 217) gemeint → D 60.

D 60

„CREDO" AM 30. APRIL 1828 UNTER SPONTINI

Den Bettag, am 30. April, würdig zu feyern, hatte Herr G. M. D. Spontini, zum Besten des von ihm gestifteten Fonds für bedürftige Theater-Mitglieder, ein grosses Concert spirituel im Opernhause veranstaltet, wozu sämmtliche Mitglieder der königl. Kapelle und Oper, auch die fremden Sänger, Preisinger und Woltereck, mitwirkten. Die Instrumentalstücke waren Beethoven's erhabene Symphonie in C moll, und seine Ouverture zu Coriolan. Die heiligen Gesänge bestanden in dem Kyrie und Credo aus Beethovens neuester, bis jetzt den Zuhörern unklar gebliebenen, Messe; ein Credo von 6 Sätzen aus Joh. Seb. Bach's bewundernswerth gearbeiteter A moll-Messe, und das berühmte „Heilig" für 2 Chöre und einen Engel-Chor, von C. Ph. Em. Bach. Die Ausführung war fast durchaus gelungen, vorzüglich was das Orchester betraf; der Theater-Chor sang stark und richtig, wiewohl nicht immer rein und edel genug. Bey den Solostimmen zeichnete sich die schöne Altstimme der Mad. Türrschmidt, und die kunstgeübte Sicherheit der Mad. Schultz, wie der Vortrag des Hrn. Stümer aus. ...

Quelle: AMZ, 30. Jg., Nr. 22 vom 28. Mai 1828, Sp. 365f.
Anm.: Gaspare Spontini (1774–1851) war seit 1820 erster Kapellmeister und Generalmusikdirektor an der Berliner Oper. Die Solisten waren Joseph Preisinger (1796–1865), Friedrich August Andreas Woltereck (1797–1866), Auguste Türrschmidt (1800–1866), Josephine Schulz(e) (1790–1880) und Johann Daniel Heinrich Stümer (1789–1857). Eine Vorankündigung findet sich in der Allgemeinen preußischen Staats-Zeitung (Berlin 29. April 1828, Abds., Nr. 110). Es erklangen nur die Sätze 1 („Credo in unum Deum") bis 6 („Et resurrexit") → D 59.

D 61

MARX: ÜBER DAS „CREDO" – KRITIK AN EINER KOMPOSITION
CARL PHILIPP EMANUEL BACHS
BERICHT VOM 7. MAI 1828

... Bachs gewaltig, wie durch die ganze Christenheit erschallendes Glaubensbekenntniss tritt frei, mächtig, in eigener Kraft sicher ruhend, über den wogenden Bässen fest und unbewegbar ein:

so alleinherrschend, dass nach den fünf Chorstimmen auch die erste und nach ihr die zweite Violine dieselbe Weise intoniren müssen und die Fugenform in der Idee des Kunstwerkes ihre strengste Rechtfertigung, Nothwendigkeit findet.

Nicht so wurde heut begonnen, sondern eine leiermässige Einleitung vorausgeschickt. Man sagt, sie sei von Emanuel Bach. Wie dieser selbst gestanden hat, von der Grösse seines Vaters (eigentlich von dem Mangel gleich hohen Berufes) in eine andere Bahn gewiesen zu sein, darf nicht einmal erst in das Gedächtnis zurükgerufen werden; Spontini hätte durch Kunstsinn allein schon von der Unangemessenheit jeder, und von der Dürftigkeit dieser Einleitung überzeugt werden müssen, wenn er sich nur mit dem grossen Gegenstand seiner diesmaligen Thätigkeit vertraut gemacht hätte. Noch seltsamer, fast lächerlich war die unmittelbare Anknüpfung des „Heilig" mit seiner kleinlichen Ariette und seinem hohlen Modulationswechsel zwischen Himmel und Erde und der ledernen Fuge;

(übrigens deutsch gesungen, nach dem lateinischen Texte des Credo) nach dem begeisterten Jubelruf des Resurrexit.

Kann bei solcher – Entfremdung von den auszuführenden Werken noch die unbefugte und unpassende Veränderung der Instrumentation auffallen? Das Heiligthum dieser heiligsten Messe kann das Crucifixus genannt werden, in dessen Tonreigen man das Wunder, den unendlichen Schmerz, die tiefste Mitempfindung – den vollen Inhalt des Gedankens der Todesweihe zur Erlösung des Menschengeschlechts vernimmt. Hier kann kein Zug ohne Schaden und Frevel am Ganzen geändert werden, weder in den Singstimmen, noch im Orchester, das über dem Basso ostinato folgende Figur der Saiten und Bläser durchzuführen hat:

Diese weichen, gleich hingehauchten Seufzern klagenden Flöten wurden durch Klarinetten und – – – Oboen verstärkt. Marx.

Quelle: Berliner AMZ , 5. Jg., Nr. 19, 7. Mai 1828, S. 153f.
Anm.: Die Rezension von Adolph Bernhard Marx bezieht sich auf die Aufführung des „Credo" am 30. April 1828 im Königlichen Opernhaus zu Berlin unter Gaspare Spontini, siehe auch D 59, D 60. Die von ihm kritisierte „leiermäßige Einleitung" bezieht sich auf das Instrumentalvorspiel (H 848), das Carl Philipp Emanuel Bach dem „Credo" anläßlich einer Hamburger Aufführung im Jahre 1786 hinzugefügt hatte.

D 62

ZELTER: KRITIK AN SPONTINIS AUFFÜHRUNG

BERLIN, 15. MÄRZ 1830

… Nun kann man bei öffentlichen Aufführungen (die Singakademie ausgenommen) Liebhabern nichts zumuten weil sie nicht zu gehorchen verstehn; daher muß man gute Professionisten haben und das ist denn wieder kostbar; dann müssen diese auch wieder doppelt geschickt sein um ältere Stücke gut zu behandeln welches unter meiner Anführung immer noch am Besten geht. Spontini hatte vor 2 Jahren im Benefizkonzerte für die Witwen der Kapellmeister ein Credo vom alten Bach aufgenommen das war zum Krepieren denn keiner wußte was er vor Angst greifen sollte. …

Quelle: Zelter an Goethe, 15. März 1830. D-WRgs, Signatur: *28/1025*, zit. nach: Goethe Briefwechsel II, S. 1333.
Anm.: Das Konzert mit dem „Credo" fand am 30. April 1828 im Berliner Opernhaus statt (vgl. D 59–61).

D 63

MESSE IN ZWEI TEILEN AM 26. JANUAR UND 9. FEBRUAR 1834

In der ersten dieser Musikaufführungen, am 26. Jan. d. J., wurden gemacht: 1) Ouverture von Händel (in der Sammlung „Suiten für das Clavier" befindlich"), instrumentirt von Eduard Grawert; 2) Psalm 34, für einen 4stimmigen Männerchor, componirt von Friedrich Gäbler; 3) Fuge für die Orgel, componirt und gespielt von L. Thiele; 4) Erster Theil der *H-moll*-Messe von Joh. Seb. Bach.

Am 9. Febr. Darauf sind aufgeführt worden: 1) Ouverture von Mozart im ältern Style (ursprünglich für das Clavier bestimmt), instrumentirt von David Wagner; 2) der 8te Psalm für den 4stimmigen Männerchor, componirt von Theodor Kommer; 3) Präludium und Fuge für die Orgel, von Joh. Seb. Bach, gespielt von David Wagner; 4) zweiter Theil der *H-moll*-Messe von Joh. Seb. Bach.

Quelle: Eutonia, 9. Bd., Berlin 1835, S. 131. (*Das Musikwesen zu Berlin im Winter 1833–34.*)
Anm.: Beide Aufführungen wurden von August Wilhelm Bach, dem Direktor des Königlichen Instituts für Kirchenmusik seit 1832, geleitet → D 66. Erwähnt wird auf S. 119 auch die Aufführung der Matthäus-Passion am 23. März 1834 unter Carl Friedrich Rungenhagen.

D 64

FANNY HENSEL: VERDIKT ÜBER EINE BEVORSTEHENDE AUFFÜHRUNG
BERLIN, 18. FEBRUAR 1834

… Donnerstag giebt die Academie die *h moll* Messe. Fürchterlicheres wird man wahrscheinlich nie gehört haben. Der 2te Theil soll gar nicht studirt seyn. …

Quelle: Fanny Hensel an Felix Mendelssohn Bartholdy, 18. Februar 1834. Bodleian Library, University of Oxford, Signatur: *MS. M. Deneke Mendelssohn d. 29, Green Books III – 47.*
Anm.: Am 20. Februar 1834 erklangen „Kyrie", „Gloria" und „Credo". In einer Tagebuchnotiz, datiert: „[?] ten März" [1834], vermerkte Fanny Hensel „Sehr verunglückte Aufführung der h moll Messe in der Academie."
Lit.: Fanny Hensel Letters, S. 455; *Fanny Hensel Tagebücher*, hrsg. von Hans-Günter Klein und Rudolf Elvers, Wiesbaden etc. 2002, S. 51, 296.

D 65

Berlin, im März
… Von grösseren Werken hörten wir zum ersten Male ein neues Oratorium, ferner
das Kyrie, Gloria und Credo der grossen H moll-Messe von Joh. Seb. Bach …

Nachricht.
Berlin. (Fortsetzung.) Wir gehen nun zur theilweisen Aufführung der Messe von J. S.
Bach über.
Diese fand zum 4ten Abonnements-Concerte der Singakademie auf eine so gelungene Weise im Ganzen statt, wie diess von einem so complicirten, der jetzigen Zeit
so überaus fremden Werke kaum zu erwarten war. Die sorgfältigsten Proben und
der Eifer der Mitwirkenden bewirkten einen imponirenden Erfolg von Seiten der
grossen, zahlreich besetzten, durchaus sicheren und reinen Chöre. Besonders kunstreich, wiewohl sehr schwer verständlich, wurde das Kyrie, glänzend das Gloria mit
dem eigenthümlichen „Et in terra pax", voll hartnäckig durchgeführter Consequenz,
befunden. Wunderbare Combinationen der Harmonie zeigte das lang ausgeführte
Credo, worin das Crucifixus und Et resurrexit besonders ergreifend wirkte. Auch
der letzte Chor: Confiteor etc. enthält mächtige harmonische Grössen. Das ganze
colossale Kunstwerk, dessen Solo-Gesänge, mit Ausnahme des vortrefflichen Quin-
tetts: „Et incarnatus est", verhältnissmässig am wenigsten ansprachen, fand mehr
Bewunderung, als innige Theilnahme, wie diess ganz natürlich nach einmaligem
Hören eines so streng in sich abgeschlossenen Ganzen ist, für dessen Dimensionen
der Maasstab unserer Zeit nicht zureichen dürfte, und dessen Einzelnheiten mit
dem Sinne des Gehörs so schwer zu verfolgen sind! – Es war desshalb sehr wohl
gethan, dass bey dem ersten Versuche diess kühne Werk der Vorzeit in Rücksicht
seiner ausserordentlichen Länge (die oben genannten drey Hauptsätze dauerten
bereits zwey Stunden) nicht vollständig an einem Abend gegeben, sondern die Aufführung des Sanctus und Agnus Dei der Folgezeit vorbehalten wurde. Von den sich
auszeichnenden Solostimmen sind vorzugsweise Mad. Decker und Hr. Zschiesche
rühmlich zu erwähnen. Die obligaten Solo-Instrumente, als Violine, Flöte und Horn,
hatten sehr mit der Fremdartigkeit der Figuren, besondern Lage und Tacteinthei-
lung zu kämpfen; dennoch gelang Alles ohne Störung, wiewohl nicht immer ganz
im Style dieser Composition.

Quelle: AMZ, 36. Jg., Nr. 13, 19. März 1834, S. 209; Nr. 14, 2. April 1834, Sp. 226f.; *Kurzgefaßte
Nachweisung aller, seit dem Besitz des Eigenthums, vom Jahre 1828 ab, stattgehabter öffentlichen Lei-
stungen*, D-B N. Mus. SA 290: „20 Feb. [1834] Bach Missa H moll I. Theil".
Anm.: Von der Messe erklangen „Kyrie", „Gloria"und „Credo". Die erwähnten Solisten sind Jo-

hanna Sophie Friederike Pauline Decker, geb. von Schätzel (1811–1882) und August Zschiesche (1800–1876). Der zweite Teil der Messe wurde von der Sing-Akademie erst am 12. Februar 1835 dargeboten → D 67.

D 66

Messe mit Knabenstimmen unter August Wilhelm Bach
Bericht vom 9. April 1834

Es ist noch einiger Musikaufführungen zu gedenken, welche zwar nicht öffentlich waren, zu welchen jedoch Zuhörer zugelassen wurden. Zwey solche Aufführungen hatte der Director des hiesigen Königlichen Musik-Instituts, Hr. A. W. Bach veranstaltet, um den Zöglingen desselben Gelegenheit zu verschaffen, die Erzeugnisse ihres Fleisses und Talents einem weitern Kreise bekannt zu machen. Da der Unterricht in diesem Institut auf Harmonielehre, Contrapunct, Orgel- und Klavierspiel gerichtet ist, so wurden auch einige Compositionen der Zöglinge im ernsten Style, Orgel-Fugen und Ouverturen von Händel und Mozart (die im strengen Style), auch sogar die H moll-Messe von Joh. Seb. Bach ausgeführt. In letzterer sangen Knaben die Sopran- und Alt-Stimmen (was wir doch für zu vorzeitig anstrengend halten), die singenden Zöglinge des Instituts den Tenor und Bass.

Quelle: AMZ, 36. Jg., Nr. 15, 9. April 1834, Sp. 242.
Anm.: Die Aufführungen hatten am 26. Januar und 9. Februar 1834 stattgefunden → D 63. Zu August Wilhelm Bach → D 56.

D 67

Gekürzte Messe am 12. Februar 1835 im Abonnementkonzert
der Sing-Akademie zu Berlin

Berlin, im März. Als das Bedeutendste stellte sich uns im Februar die Aufführung der abgekürzten grossen Messe in H moll von J. Seb. Bach im 4. Abonnements-Concerte der Sing-Akademie dar. Der rege Eifer und die Ausdauer, welche bei den Uebungen dieses Meisterwerks Statt gefunden, wurde durch die gelungene Aufführung desselben und ehrende Anerkennung belohnt. Die Auslassungen im Kyrie und Gloria waren verständig und zweckmässig bewirkt, so dass die schönsten Stücke dieser Sätze nicht vermisst wurden. Das Credo mit seinen prachtvollen Chören und harmoniereichen Solo-Sätzen war ungekürzt geblieben. Das imponirende Sanctus, das kunstreiche Pleni sunt coeli, das schöne, tiefgefühlte Agnus Dei (Alt-Solo, von

Dem. Lehmann ausdrucksvoll gesungen) wurden hier zum ersten Male gehört. An die Stelle des streng fugirten Dona nobis war das figurirte Osanna zum Schlusse des Ganzen passend gewählt. Ref. stimmt ganz der Aeusserung im Vorworte des MD. Rungenhagen bei, wenn derselbe am Schlusse sagt: „Wahre Verehrung gebührt Bach's Genius, der bei so grosser Gelehrtheit doch nie den Ausdruck im Grossen versäumt hat, wovon die meisten Stücke in diesem Werke redende Zeugen sind." – Vorzüglich imponirten die kräftigen, sicher und mit Ausdruck gesungenen Chöre. Weniger sprachen die sehr künstlichen Soli an, in welchen die Instrumentalbegleitung stets ihren ganz eigenen Weg geht, ohne die Singstimmen zu unterstützen. Im Credo machte das tiefsinnige Crucifixus und das darauf jubelnd sich emporschwingende Et resurrexit eine erhebende Wirkung, wie das mysteriöse „Et exspecto resurrectionem mortuorum" einen schauerlichen Einblick in die Geheimnisse der Geisterwelt thun liess. Wie erhaben durchdringt Bach's Genius, von ächt religiösem Gefühl sicher geleitet, die Tiefen des menschlichen Herzens, wie die kühnste Höhe speculativen Wissens in der Kunst! Konnten auch nur wenige Zuhörer dem Adlerfluge dieses Geistes folgen, so staunten doch Alle seine Grösse an und erkennen den Eifer des Instituts und seiner Vorsteher, welche diesem Riesenwerke ihre Kräfte mit seltener Anstrengung widmeten. –

Quelle: AMZ, 37. Jg., Nr. 14, 8. April 1835, Sp. 238f.; *Kurzgefaßte Nachweisung aller, seit dem Besitz des Eigenthums, vom Jahre 1828 ab, stattgehabter öffentlichen Leistungen*, D-B N. Mus. SA 290: „den 12. Febr: [1835] Bach Missa H^moll II. Th:".
Anm.: Das vom Rezensenten hervorgehobene Altsolo im „Agnus Dei" sang die Mezzo-Sopranistin Johanna Lehmann (*1807?). Der erste Teil der Messe war bereits am 20. Februar 1834 aufgeführt worden → D 65.

„CRUCIFIXUS", „ET RESURREXIT" UND „SANCTUS" IM „HISTORISCHEN KONZERT" DES LEIPZIGER GEWANDHAUSES AM 21. JANUAR 1841

→ D 200.

„SANCTUS" IM FESTKONZERT ZUR EINWEIHUNG DES BACH-DENKMALS AM 23. APRIL 1843 IM LEIPZIGER GEWANDHAUS

→ D 202, D 203.

D 68

„Et incarnatus" und „Crucifixus" im „Concert spirituel"
am 6. Februar 1845 in Wien

Konzert-Salon. Erstes Concert spirituel. Donnerstag am 6. Februar im Musikvereinssaale.
…

Über Bach's *H-moll*-Messe, über diese wunderbare kirchliche Tonschöpfung, deren tieferschütterndes, fast magisch wirkendes *„Et incarnatus"* und *„Crucifixus"* uns in diesem Konzerte vorgeführt wurde, beabsichtige ich in Kurzem einen ausführlichen Artikel für diese Blätter zu schreiben, zu welchem Unternehmen mich ein langjähriges Studium dieses Kirchentonwerkes *par excellence*, zusammengehalten mit den unvergänglichen, hieher gehörigen Schöpfungen der altitalienischen Meister, und mit des großen musikalischen Propheten der Neuzeit (Beethoven's) zweiter großen Messe, schon lange anregte und begeisterte. – Was die Aufführung dieser Musterhymne (deren zweite Hälfte über ein höchst gewichtvolles, chromatisch abwärts schreitendes Thema von beiläufig 6 Noten gebaut ist) anbelangt, so könnte ihr wohl von Seite des Zusammenwirkens der Instrumentalkräfte eben kein Vorwurf gemacht, sondern vielmehr ein Lob ertheilt werden; allein in Rücksicht auf die Bewegung der Singstimmen war leider ein fortwährendes, ängstliches Schwanken in der Intonation, im Takte und endlich auch in der Aufführung zu bemerken. Es schien den mitwirkenden Sängern nicht einmal die freilich ihres komischen Charakters wegen, nicht eben so leicht zu fassende Form, geschweige denn der unendlich tiefe Sinn und Gedanke dieses Kirchentonstückes klar geworden zu sein. Schade, daß eben dadurch der allgewaltige Eindruck, den diese Nummer bei einer völlig gerundeten Aufführung ohne Zweifel in jedem Künstlerherzen entflammt hätte, beeinträchtigt wurde. – …

Quelle: AWMZ, 5. Jg., Nr. 17, 8. Februar 1845, S. 66–67.
Anm.: Wie aus dem Bericht weiterhin zu entnehmen ist, erfolgte die Aufführung „unter der Direktion der längst bewährten Leitung der Concerts spirituels (an deren Spitze der kenntnißreiche und gewandte Dirigent, Hr. Baron Lannoy, und der mit Recht allgemein geschätzte Violinspieler und Orchesterdirektor, Hr. Carl Holz)" agierten. Die genannten Musiker sind Edouard, Baron von Lannoy (1787–1853) und Karl Holz (1798–1858).

MISSAE BREVES

D 69

MESSE A-DUR IN DEN VERANSTALTUNGEN
DER SING-AKADEMIE ZU BERLIN IM JAHRE 1812

Aufführungen in den Freitags-Veranstaltungen der „Ripienschule" unter Carl Friedrich Zelter:
28. Februar, 3. April, 10. April und 3. Juli 1812

Quelle: Probenbücher der Sing-Akademie zu Berlin (derzeit nicht verfügbar), zit. nach Schünemann Bachpflege, S. 145; Schünemann Singakademie, S. 43.
Anm.: Die Sing-Akademie besaß von der Messe in A-Dur (BWV 234) ein vollständiges Stimmenmaterial, das anscheinend bei den o. g. Freitags-Veranstaltungen im Jahre 1812 verwendet worden ist. Die Aufführungsstimmen (nebst Dubletten) – ehedem im Archiv der Sing-Akademie zu Berlin – sind seit 1945 verschollen.

D 70

KYRIE IN F-DUR IN DEN „HISTORISCHEN HAUSKONZERTEN" KIESEWETTERS
AM 10. NOVEMBER 1822 IN WIEN

Am 10. November. [1822]
3. Kyrie a 5 voci Fuga mit Choral … die J. Seb. Bach.

Quelle: Stift Einsiedeln, Musik-Bibliothek Signatur: *ML 92* (Nachlaß Robert Lucas Pearsall): „Verzeichniß der Concerte alter Musik in dem Hause des Hofrathes <u>Kiesewetter</u> in Wien im J. 1816 bis 1820 und vom Jahre 1822 bis 1838 / : Nach der Vormerkung von Hrn Aloys Fuchs: / ".
Anm.: Es erklang das Kyrie in F-Dur (BWV 233a). Zu Raphael Georg Kiesewetter → D 194.
Lit.: Herfrid Kier, *Kiesewetters historische Hauskonzerte. Zur Geschichte der kirchenmusikalischen Restauration in Wien*, in: Kirchenmusikalisches Jahrbuch –52 (1968), S. 106.

D 71

MESSE IN G-DUR UND MAGNIFICAT IN DEN „HISTORISCHEN HAUSKONZERTEN" KIESEWETTERS AM 28. DEZEMBER 1829 UND 13. DEZEMBER 1835 IN WIEN

A

XXIX. Am 28. Dezember. [1829]

1. Das Gebeth des Herrn für 5 Stimmen mit Chor und Instrumenten
Musik von Heinrich Schütz. Dresden 1650

2. Kyrie und Gloria / :in G: / für 4 Singstimmen mit Orchester von J. Seb. Bach

3. Magnificat für 5 Singstimmen mit Orchester von J. Seb. Bach

B

XLIV. den 13. Dezember. [1835]

1. J. S. Bach, Missa in G a 4 voci con V.V.V. Oboi e B.

2. ejusdem Magnificat a 5 v. con V.V.V. O.O.F.F. e B

Quelle: Stift Einsiedeln, Musik-Bibliothek Signatur: *ML 92* (Nachlaß Robert Lucas Pearsall): „Verzeichniß der Concerte alter Musik in dem Hause des Hofrathes <u>Kiesewetter</u> in Wien im J. 1816 bis 1820 und vom Jahre 1822 bis 1838 / : Nach der Vormerkung von Hrn Aloys Fuchs: / ".
Anm.: Von J. S. Bach erklangen in beiden Konzerten die Messe in G-Dur (BWV 236) und das Magnificat D-Dur (BWV 243). Zu Raphael Georg Kiesewetter → D 194.
Lit.: Herfrid Kier, *Kiesewetters historische Hauskonzerte. Zur Geschichte der kirchenmusikalischen Restauration in Wien*, in: Kirchenmusikalisches Jahrbuch –52 (1968), S. 112, 116f.

D 72

KIESEWETTER: MESSE IN G-DUR UND MAGNIFICAT „ZU ALLGEMEINER BEWUNDERUNG" DARGEBOTEN WIEN, 27. MÄRZ 1830

… Voriges Spätjahr habe ich mir, und den hiesigen Kunstkennern und Liebhabern, welche mein Haus besuchen, den großen (hier einzigen) Genuß verschafft, die gleichfalls durch Ihre musicalisch cosmopolitische Liberalität an das Licht gekommenen Compositionen des großen J. Seb. – die Messe aus G, davon Sie mir bey Ihrem letzten Hierseyn ein Exemplar geschenkt, und das herrliche Magnificat – in meinem Hause, mit Hilfe der weiblichen Zöglinge unsers Conserv. – ich darf sagen, durchaus vortrefflich – zu allgemeiner Bewunderung hören zu laßen. …

Quelle: Raphael Georg Kiesewetter an Georg Poelchau, 27. März 1830, D-B *Mus. ep. R. G. Kiesewetter 67*, fol. 1ʳ.

Anm.: Zu den „im vorigen Spätjahr" (Dezember 1829) aufgeführten Werken → D 71/A. Zu Raphael Georg Kiesewetter → D 194.
Lit.: Herfrid Kier, *Kiesewetters historische Hauskonzerte. Zur Geschichte der kirchenmusikalischen Restauration in Wien*, in: Kirchenmusikalisches Jahrbuch –52 (1968), S. 112.

D 73

Messe und Motette unter Kiesewetter in Wien
Bericht vom 31. Dezember 1835

Wien.
– Dem wahren Kunstfreunde ist seit vielen Jahren das Haus des berühmten musikalischen Historikers, Hrn. Hofraths Kiesewetter geöffnet, wo solche Werke der älteren Kirchenmusik aufgeführt werden, die nur dem gebildeten Geschmacke zusagen. So hörten wir dießmahl eine Messe und eine Motette von Seb. Bach. Beym Anhören der Tondichtungen dieses genialen Gelehrten, dieses Imanuel Kant der Musik, wird man von echt religiösem Gefühl durchdrungen, zugleich aber durch die Kühnhei der harmonischen Wendungen in Erstaunen gesetzt. Höchst originell sind die Soli gehalten, wobey die begleitenden Instrumente den Singstimmen selten zu Anhaltspuncten dienen, und einen ganz eigenen Weg verfolgen. Unwillkührlich dringt sich dabey die Frage auf, ob unsere Nachkommen in hundert Jahren die Erzeugnisse der Gegenwart mit gleicher Theilnahme begleiten werden, wie wir es bey Seb. Bach zu thun gewohnt sind?

Quelle: AMAnz, 7. Jg., Nr. 53, 31. Dezember 1835, S. 211.
Lit.: Herfrid Kier, *Kiesewetters historische Hauskonzerte. Zur Geschichte der kirchenmusikalischen Restauration in Wien*, in: Kirchenmusikalisches Jahrbuch –52 (1968), S. 117.
Anm.: Zu Raphael Georg Kiesewetter und den von ihm aufgeführten Bach-Werken → D 70–72, D 75, D 194.

Messe in G-Dur mit dem Leipziger Thomanerchor unter Hauptmann
1843/1844

→ E 5.

D 74

Messe in A-Dur am 21. Juni 1844 zur Stiftungsfeier der Sing-Akademie Breslau

21. Juni 1844. Stiftungsfeier mit Orchester.
Messe in A-Dur v. Seb. Bach.
Utrechter Te Deum v. Hendel.

Quelle: Mosewius [Anhang] B, S. 40.
Anm.: Aufgeführt wurde die Messe in A-Dur (BWV 234), deren Erstdruck bereits im Jahre 1818 bei Simrock in Bonn erschienen war → B 87, C 63. Zu Mosewius → D 4.

Magnificat

D 75

Magnificat in Kiesewetters „Historischen Hauskonzerten" 1818, 1823, 1829, 1835

A

Magnificat für das Vermögen heutiger Trompeter arrangiert –
Aufführung 3. Mai 1818 in Wien

… Ich hatte die Absicht in fünf Concerten alle verschiedenen Stile alter Musik, von dem *stile stretto* und *da cappella* bis zu dem kunstreichsten fugirten und instrumentirten Satze eines Händel und Bach vorzuführen. …
IV. Viertes u. letztes Concert. d. 3. May [1818]: *Te Deum* von Händel und *Magnificat* von Bach. Letzteres ist Ihnen noch im Andenken. Ich hatte dieses Mal Hoboen u. Trompeten dazu genommen, (letztere jedoch für das Vermögen heutiger Trompeter arrangirt, da Bachs Trompetensatz für diese unerreichbar bleibt). Die Ausführung war gelungen, und für Kenner u. Liebhaber ein schönes Fest.
Unzählige Male hatte ich Sie dazu gewünscht …

Quelle: Raphael Georg Kiesewetter an den Musikhistoriker Franz Sales Kandler (1792–1831), 6. Mai 1818, Stift Göttweig Musikarchiv, *Brief Nr. 246*, S. 50, 52.
Anm.: Zu Raphael Georg Kiesewetter → D 194.

B

Kiesewetter: Magnificat zum wiederholten Male aufgeführt
Wien, o. J.

Gegenwärtiges <u>Magnificat</u> findet man in Private Sammlungen in Handschrift auch wohl <u>im Ton D</u>, also eine (kleine) Tonstufe tiefer als es im Druck erschienen.

Ich bin der Meynung, <u>daß D der ursprünglich wahre gewesen</u>: J. Seb. Bach pflegte nämlich für seine Chöre, und zwar für seine <u>Orgel</u> (wegen deren sehr tiefer Stimmung) zum <u>Auflegen</u> auf diese, <u>die Partitur um einen ganzen Ton höher</u> zu schreiben, als die Ausführung durch die Sänger und Instrumentalisten zu geschehen hatte, die ihre Parte um einen Ton tiefer geschrieben erhielten. So meldet eine achtbare <u>Tradition</u> an deren Richtigkeit ich, nach der Einsicht der Singstimmen in den Partituren vieler Bachischen Compositionen nicht zweifeln kann.

Dieses Magnificat war also <u>für Sänger und Orchester in D-dur, für die Orgel in E-dur</u>, geschrieben. Der Besitzer einer solchen <u>E-dur-Partitur</u>, der deren <u>Herausgabe</u> bewerkstelligte, ließ sie (zur Erleichterung der Sänger) aus E-dur in Es-dur <u>umschreiben</u>. In dieser Gestalt ist die Ausführung allerdings möglich und ich habe selbst das Werk zu wiederholten Malen so ausführen lassen. Dennoch bin ich jetzt überzeugt, daß der Meister es im Ton D gedacht; und ich rathe einem künftigen Anordner der Ausführung, Partitur und Stimmen in D umschreiben zu lassen, um so mehr als wir seit der Bachischen Periode (bey uns in Wien) mit unserer Stimmung auch wieder um mehr als einen halben Ton in die Höhe gegangen sind.   R. K.

Quelle: Magnificat Es-Dur (BWV 243a), Partiturabschrift der ersten Hälfte des 19. Jahrhunderts A-Wn, Signatur: *SA 67, B 29*; Zitat nach NBA II / 3, Krit. Bericht, S. 17.
Anm.: Das Vorwort von Raphael Georg Kiesewetter befindet sich auf der Rückseite des Titelblattes. Die von ihm erwähnten Aufführungen erfolgten in seinen Historischen Hauskonzerten u. a. am 3. Mai 1818, 6. Januar 1823, 28. Dezember 1829 und 13. Dezember 1835 (Stift Einsiedeln, Musik-Bibliothek Signatur: *ML 92* (Nachlaß Robert Lucas Pearsall): „Verzeichniß der Concerte alter Musik in dem Hause des Hofrathes <u>Kiesewetter</u> in Wien im J. 1816 bis 1820 und vom Jahre 1822 bis 1838 / : Nach der Vormerkung von Hrn Aloys Fuchs. / ").
Kiesewetter besaß auch den von Georg Poelchau besorgten und im Jahre 1811 bei Simrock in Bonn erschienenen Erstdruck vom Magnificat Es-Dur. Zu Kiesewetter → D 194.
Lit.: Herfrid Kier, *Kiesewetters historische Hauskonzerte. Zur Geschichte der kirchenmusikalischen Restauration in Wien*, in: Kirchenmusikalisches Jahrbuch – 52 (1968), S. 98, 100, 106, 112, 116.

D 76

MAGNIFICAT UND „EIN FESTE BURG IST UNSER GOTT" AM 23. MAI 1835
ZUM ZEHNJÄHRIGEN JUBILÄUM DER SING-AKADEMIE BRESLAU

23. Mai 1835. Feier des 10. vollendeten Jahres seit der Stiftung.
Cantate: eine feste Burg v. Seb. Bach, mit Orchester.
Soli. Fr. v. Vincke, Frl. Assessor Kuh. Hr. Geisheim. Hr. Ueberscheer. Hr. Stud. Klette.
Magnificat v. S. Bach, mit Orchester.
Soli. Fr. v. Vincke. Frl. R. Fischer. Frl. M. Klette. Hr. Ueberscheer. Hr. Geisheim

Quelle: Mosewius [Anhang] B, S. 35, 38, 43.
Anm.: Zu Mosewius → D 4. Wiederaufführungen des Magnificat erfolgten in Breslau am 7. Juli 1841 und 30. Juni 1848.

MAGNIFICAT AM 30. JUNI 1848
MIT DER SING-AKADEMIE BRESLAU

→ D 27.

APOKRYPHE MESSE IN G-DUR

D 77

EIN BACHSCHES „KYRIE UND GLORIA" UNTER SCHICHT
BERICHT VOM 20. MÄRZ 1805

… Der Musikdirektor Schicht, der uns auch Chöre von seiner eignen Arbeit und von Haydn, Salieri und Schulz hören ließ, machte sich noch besonders dadurch um die ächten Kunstfreunde verdient, daß er ihnen auch einige größere vielstimmige Singesachen von Sebastian und von Karl Philipp Emanuel Bach und von Mozart zu hören gab. Ein herrliches Kyrie und Gloria von Seb. Bach gewährte uns ganz eignen Genuß. Das Antike, Feierliche, Andächtige, Kunstreiche und doch höchst Einfache dieser Composition ist von sehr großem ehrwürdigen Charakter, der den Zuhörer, wenn er ihn auch nicht sogleich ganz faßt, in den Tempel und in die Zeiten versetzt, in welchen die Tempel noch heilig waren.

Quelle: BMZ, 1. Jg. 1805, Nr. 31, S. 124. (*Vermischte Nachrichten. Leipzig den 20sten März.*)
Anm.: Mit dem „Kyrie und Gloria" ist die apokryphe Messe in G-Dur (BWV Anh. III 167) gemeint. Sie erklang am 7. März 1805 im Gewandhaus zu Leipzig. Im gleichen Konzert wurde auch das doppelchörige „Heilig" (Wq 217) von Carl Philipp Emanuel Bach zur Aufführung gebracht. Die Leitung lag in den Händen des damaligen Gewandhauskapellmeisters Johann Gottfried Schicht (1753–1823).

D 78

KONZERT VON SELTSAM FEIERLICHER WIRKUNG

BERICHT VOM 24. APRIL 1805

Von ganz eigener, seltsam-feyerlicher Wirkung war das Konzert, in welchem zwey der grössesten Meisterwerke der Bache neben einander gestellt waren – im ersten Theil die grosse, zweychörige Messe Sebastian Bachs, und im zweyten, das berühmte zweychörige Heilig seines Sohnes, K. Ph. Emanuel. Das erste trat wie ein aus den Ruinen der grauen Vorzeit herausgegrabener Obelisk hervor, und erfüllte das Gemüth mit einem Schauer der Ehrfurcht gegen die Kraft und Gewalt der Vorfahren, u. gegen das Grosse und Heilige ihrer Kunst. Vornehmlich verfehlen die Sätze: Kyrie eleison, Gloria, und Domine Fili, ihre Wirkung bey keinem Zuhörer, der noch durch Kunst erhoben werden kann, und sich nicht durch solche Massen nur gedrückt fühlt in seiner Kleinheit, Schwäche und ausschliessenden Anhänglichkeit am Niedlichen und angenehm Tändelnden: sie verfehlen ihre Absicht um so weniger, da sie (so wie das Ganze) gar nicht etwa, wie Viele befürchten möchten, finster, überkünstlich, nur gelehrt, sondern, bey aller Tiefe und allem Reichthum, äusserst einfach, klar und so gearbeitet sind, dass man ihnen, bey Empfänglichkeit und Aufmerksamkeit, überall sehr gut folgen kann. Dergleichen Werke sind aber von dem, was jetzt gewöhnlich geschrieben und vorgetragen wird, so sehr weit entfernt, dass man kaum verlangen kann, sie ganz so zu hören, wie sie eigentlich ausgeführt werden sollten; man gab diese Messe mit Kraft und vollkommen richtig – was denn hier schon so viel sagen will, dass man wol damit zufrieden seyn kann. …

Quelle: AMZ, 7. Jg., Nr. 30, 24. April 1805, Sp. 485f. (Nachrichten – Leipzig. Uebersicht der öffentlichen musikalischen Produktionen von Neujahr bis Ostern.)
Anm.: Gemeint ist die apokryphe Messe in G-Dur (BWV Anh. III 167), deren Erstdruck der damalige Gewandhauskapellmeister und nachmalige Thomaskantor Johann Gottfried Schicht bei Breitkopf & Härtel im Jahre 1805 besorgt hatte (Ankündigung im: Intelligenz-Blatt zur Allgemeinen Musikalischen Zeitung. Dezember. Nr. 1. 1805 als „Bach, J. S., Messa à 8 voci reali e 4 ripiene coll' acc. di 2 Orch. Partitura No. 1. 2 Thlr."). Die Aufführung erfolgte am 7. März 1805 im Gewandhaus zu Leipzig.
Lit.: Dörffel 1881, S. 3.

D 79

KIRCHENWERKE DER BACH-FAMILIE
BERICHT VOM 5. MAI 1807

… Mit grossen, ernsten, nicht in Fragmente theilbaren Werken musste man, der gegenwärtigen Verhältnisse wegen, etwas sparsam seyn. Doch wollte man wenigstens den, vor einiger Zeit gefassten Gedanken, die berühmtesten der Bache, durch Aufführung einiger ihrer trefflichsten und zugleich ihre Charaktere als Künstler am genauesten bezeichnenden Werke, wieder in ein dankbares Andenken zurückrufen – so wie, die löbliche Gewohnheit, jährlich wenigstens einige Oratorien aufzuführen, nicht fallen lassen. Da man vor einiger Zeit Sebastian Bachs grosse zweychörige Messe, dann von Philipp Emanuel Bach, ausser dem bekannten zweychörigen Heilig, das grosse Magnificat gegeben hatte – über welche Werke auch damals von uns ausführlich ist gesprochen worden: so wählte man nun zum Denkmal für Johann Christian Bach, (den Londner) sein, für König Georg III. geschriebenes, weit und breit ausgeführtes Gloria, in neun grossen Sätzen. …

Quelle: AMZ, 9. Jg., Nr. 32, 5. Mai 1807, Sp. 514f. (*Nachrichten. Kirchen- und Konzert-Musik in Leipzig. Neujahr bis Ostern. Beschluss.*)
Anm.: Mit der großen zweichörigen Messe von „Sebastian Bach" ist die Messe in G-Dur (BWV Anh. III 167) gemeint. Zu deren Aufführung → D 77, 78. Das Magnificat von Carl Philipp Emanuel Bach erklang am 18. Dezember 1806, das Gloria von Johann Christian Bach am 19. März 1807.

D 80

EIN „GLORIA VON SEBASTIAN BACH" ZUM NAPOLEONSFEST 1808 IN HAMBURG-ALTONA

Das diesjährige Napoleons-Fest zeichnete sich vor denen der früheren Zeiten durch Eleganz, Geschmack und Reichthum aus; besonders ungewöhnlich und auffallend war die militairische Messe in der Catholischen Kirche in Altona. Dieses einfach schöne Gewölbe war auf eine Art decorirt, welche dem Geschmacke der Anordner so wie unserm verdienstvollen Architekten Ramé die größte Ehre macht, besonders zeichnete sich der Altar aus, welcher ganz einfach, weiß mit Vergoldung, eine vorzügliche Zierde der Kirche war. Die Messe ward von vier auserlesenen Musik-Stücken begleitet, einem Gloria von Seb. Bach, dem Sanctus aus Mozart's Requiem, einem himmlischen Agnus Dei von Mozart und aus dem Te Deum von Romberg. Hr. Musicdirektor Hönicke dirigirte das Ganze; an der Spitze der Violinen stand Romberg; die Singstimmen wurden durch das sämmtliche Personal des Hamburgischen Deutschen Theaters besetzt, und die vorzüglichsten Musiker beider Theater bildeten das zahlreiche Orchester. Sämmtliche Theilnehmer vereinigten sich zu einer vorzüglichen Ausführung, welche durch den schönen Wiederhall in der Wölbung dieser Kirche noch verstärkt wurde. Einen imposanten Eindruck machte das in der Kirche aufgestellte Spanische Militär, welches bei dem Eintritte des Chors im Sanctus auf das Commandowort in die Knie fiel, und sich nach dessen Endigung eben so rasch wieder erhob. Kanonenschüsse und militärische Musik begleiteten diese feierliche Handlung, wodurch aber, vorzüglich durch die Trommeln, die Musik vielleicht zu sehr belebt wurde. ...

Quelle: Nordische Miszellen X, 1808, S. 122f.
Anm.: Die Aufführung in der Katholischen Kirche zu Hamburg-Altona erfolgte im Rahmen einer militärischen Messe unter dem Theaterkapellmeister Johann Friedrich Hönicke (1755–1809). Das „Gloria von Seb. Bach" stammt sicherlich aus der apokryphen Messe in G-Dur (BWV Anh. III 167). Diese war im Druck bei Breitkopf & Härtel bereits im Jahre 1805 erschienen → D 77 (Anm.). Als Aufführungsdatum kommt vor allem der 15. August 1808 in Frage, denn das Napoleonsfest wurde seit 1806 in Frankreich und in den deutschen Modellstaaten, dem Großherzogtum Berg und dem Königreich Westphalen, an Napoleons Geburtstag, dem 15. August, gefeiert. Lit.: Robert von Zahn, *Musikpflege in Hamburg um 1800*, (Beiträge zur Geschichte Hamburgs 41.), Hamburg 1991, S. 185.

D 81

Ein „Gloria von Sebastian Bach" am 29. Oktober 1808 in Hamburg

Der verdienstvolle Musik-Direktor Herr Hönicke, dessen Concerte sich immer durch eine besondere Auswahl auszeichnen, hat durch sein letztes Concert, am 29. October d. J., den Zuhörern große Freude gemacht. Vor einer sehr zahlreichen Versammlung wurde, mit Weglassung einiger allein für das Theater berechneten Musik-Stücke, Pärs Sargino, sodann nach der Ouvertüre aus Glucks Alceste ein Gloria von Seb. Bach und drei Stücke aus Mozartschen Kirchen-Musiken, welche überaus glücklich in Verbindung gebracht waren, von einem ungewöhnlich starken Singpersonal und Orchester ausgeführt. Sänger und Musiker beeiferten sich durch ihren Vortrag die Bemühung des Herrn Hönicke, welcher weder Fleiß noch Kosten gespart hatte, zu unterstützen. Der Erfolg konnte also, bei so allgemeiner Vereinigung der Kräfte, nicht anders als günstig ausfallen.

Quelle: Extrablatt der Nordischen Miszellen, 1808, Nr. 44. (Den 2ten November.)
Anm.: Die Aufführung am 29. Oktober 1808 erfolgte in einer Musikalischen Akademie des Schauspielhauses unter dem Theaterkapellmeister Johann Friedrich Hönicke (1755–1809). Das „Gloria von Seb. Bach" stammt wohl aus der apokryphen Messe in G-Dur (BWV Anh. III 167). Sittard (S. 152) bemerkt zu dieser Aufführung: „Der Chor bestand aus 30, das Orchester aus 50 Personen." Die Oper „Il Sargino" stammt von Ferdinando Paër.
Lit.: Sittard, S. 152; Robert von Zahn (vgl. D 80).

MATTHÄUS-PASSION

D 82

PASSION ZUM ERSTEN MAL GEPROBT
BERLIN, 8. JUNI 1815

Paßion J. S. Bach sec. Matthaeum No. 25 u. 26, 4. 5. 6. 7.

Quellen: Proben- und Tagebücher der Sing-Akademie zu Berlin (derzeit nicht verfügbar); Partiturabschrift der Matthäus-Passion (Frühfassung, BWV 244b), von Zelter für eine Aufführung nahezu vollständig eingerichtet, D-B *SA 4658*.
Anm.: Am 8. Juni 1815 sind in der Freitags-Veranstaltung der Sing-Akademie (unter Zugrundelegung der Satzzählung Zelters) folgende Sätze der Passion geprobt worden (Zählung nach NBA): Nr. 4a–d, Nr. 21 und 22.
Lit.: Schünemann Bachpflege, S. 148, Schünemann Singakademie, S. 46; A. Glöckner, *Zelter und Mendelssohn – Zur „Wiederentdeckung" der Matthäus-Passion im Jahre 1829*, BJ 2004, S. 133ff.

D 83

ZELTER: HÄTTE DER ALTE BACH UNSERE AUFFÜHRUNG HÖREN KÖNNEN
BERLIN, 12. MÄRZ 1829

Unsere Bachsche Musik ist gestern glücklich vonstatten gegangen und Felix hat einen straffen, ruhigen Direktor gemacht. Der König und der ganze Hof sah ein komplett volles Haus vor sich; ich hatte mich mit einer Partitur neben dem Orchester in ein Winkelchen gesetzt von wo aus ich mein Völkchen beobachten konnte und das Publikum zugleich. Über das Werk selber wüßte ich kaum zu reden; es ist eine so wunderbar sentimentale Mischung von Musik im Algemeinen, den Sinn der Sache in der höchsten Potenz in der Idee aufzubauen, daß das Wort des Dichters selbst zur Idee wird. Meldeten sich nicht hin und wieder melodische Ähnlichkeiten mit neuern deutschen Opernkomponisten wie z. E. mit Gluck und Mozart wodurch man wieder auf unsere Zeit auf einen Moment zurück kommt; so dürfte man sich zwischen Himmel und Erde und zugleich 30 Jahre älter fühlen. Und das mag es sein was diese Musik im Allgemeinen kaum ausführbar macht. Hätte doch der alte Bach unsere Ausführung hören können, das war mein Gefühl bei jeder gutgelungenen Stelle und hier kann ich nicht unterlassen meinen sämtlichen Jüngern der Singakademie, wie den Solosängern und dem Doppelorchester das größte Lob zu spenden. Man könnte sagen das Ganze wäre ein Organon worin jede Pfeife mit Vernunft, Kraft und

Willen begabt sei, ohne Zwang ohne Manier. Da ist kein Duett, keine Fuge, kein Anfang, kein Ende und doch Alles wie Eins und jedes am Orte was es allein und zusammen ist. Eine wunderbar dramatische Wahrheit ergibt sich: man hört wie die falschen Zeugen d. i. man sieht sie auftreten; die Hohenpriester: *Es taugt nicht* etc. *es ist Blutgeld.* Und die Turba: *„Ja nicht auf das Fest"* etc. und die Jünger: wahre ehrliche Jungens; Lumpen: *„Wozu dienet dieser Unrat"* es scheinen ganz eigene Töne zu sein die man noch nicht kannte aber erkennen muß. Dann dazwischen das herzliche Leid um den edeln Menschensohn, den Freund, den Ratgeber, den Helfer, den Bescheider u. s. w.

Daß das nun alles neu und doch natürlich ist bemerkt sich daran daß es nicht sowohl gern vernommen und danach gegriffen wird als daß man es gleich noch einmal und wieder und wieder vernehmen und zuletzt begreifen möchte und Ein Guß ist, wie zerstreut auch die Handlung sich im Textbuche gestaltet. Der Evangelist Stümer vom Königl. Theater einer meiner ehemal. Schüler hat so vortrefflich (besonders in der Ausführung) seine Relation abgesungen daß man mit Genuß das Evangelium wiederholen hört. Ich hatte ihm vor der Aufführung den Rat gegeben die Relation nicht durch Empfindsamkeit zu tardieren und er hats aufs beste getan. Nun Ihr Musen genug! lebe wohl und: *Erkenne mich, mein Hirte!*

Quelle: Zelter an Goethe, 12. März 1829. D-WRgs, Signatur: *28/1024,* zit. nach: Goethe Briefwechsel II, S. 1207f.
Anm.: Zelters vormaliger Schüler ist der Sänger Johann Daniel Heinrich Stümer (1789–1857).

D 84

PASSIONSAUFFÜHRUNGEN AM 12. UND 21. MÄRZ 1829
ALS BLEIBENDES VERDIENST UM DIE „ALTE MUSIK"

Berlin, den 24sten März 1829. Die Passions-Musik von Joh. Seb. Bach, nach dem Evangelium Matthäi Cap. 26 und 27, wurde am 12ten und 21sten d. bey gleich zahlreicher und erbaulicher Theilnahme religiöser Musikfreunde im Saale der Singakademie, zum Besten sittlich verwahrloster Kinder und der hiesigen Erwerbschulen, im Ganzen beydemale gleich kräftig, in einigen Solo-Gesängen das letztemal nicht ganz so gelungen, wie bey der ersten Aufführung, von ausgezeichneten Künstlern und Dilettanten, unter Leitung des Hrn. Felix Mendelssohn-Bartoldy ausgeführt, welcher vor seiner nahen Abreise nach England sich durch die würdige Aufstellung dieses bewundernswerth grossen Kunstwerkes im strengen Style, ein bleibendes Verdienst um die alte Musik erworben hat. Mit tiefem Sinne und ächt religiösem Gefühle sind die Choräle, welche von den Mitgliedern der Sing-Akademie besonders ergreifend vorgetragen werden, in den Text des Evangeliums verwebt, und mit dem wunderbarsten Reichthume der Modulation und kunstvollen Stimmenführung ausgestattet. Zum Belege diene nur die Durchführung des Cantus firmus: „O Lamm Gottes" zwischen dem ersten Doppel-Chore mit dem consequenten Basso continuo, auf den die fremdartigsten Harmonie-Combinationen basirt sind. Wie reich und mannigfaltig benutzt J. S. Bach demnächst die rührende Melodie des Chorales: „O Haupt voll Blut und Wunden" zu öfteren Wiederholungen in jedesmal neuer Gestaltung.

Unter den Soli's steht die einfach ausdrucksvolle Declamation der Recitative des erzählenden Evangelisten, welche Hr. Stümer als Meister in der Kunst des oratorischen Gesang-Vortrages ausführt, nächst der würdevollen Behandlung des sprechenden Erlösers oben an, bey dessen Gesange jedesmal, nach dem vorherigen Recitative ohne Begleitung, (secco, bloss mit Bässen und Klavier) das 4stimmige Accompagnement der Saiten-Instrumente erhebend eintritt. Auch diese Partie singt Herr Devrient d. j. mit wahrhaft künstlerischer Umsicht, ganz in den Geist der Worte und Composition eindringend. Wir bezeichnen nur die treffliche Stelle der Einsetzung des heiligen Abendmahles. Mad. Milder sang in der zweyten Aufführung der Passion, der Anstrengungen des vergangenen Abends (in der Oper *Armide*) ungeachtet, ihre sehr schwer zu intonirenden Soli mit dem innigsten Ausdrucke der Frömmigkeit. Einzig in ihrer Art ist die Instrumental-Begleitung fast aller Solo-Gesänge, die stets ihren ganz eigenen Weg geht, und der Singstimme durchaus keine Unterstützung gewährt. Man beachte z. B. die (in der Besetzung zweckmässig verdoppelte) Flöten-Begleitung des ersten Sopran-Solo's und die tiefen Clarinetten (statt der ältern Oboe di caccia und Oboe d'Amour) zu dem Pizzicato-Bass in dem Arioso: „Auf Golgatha." Herr Bader sang das schwere und hoch liegende Tenor-Solo: „Ich will bey meinem Jesu wachen" sehr verdienstlich, wie die (eigentlich für den Bass gesetzte) Partie des feurigen Petrus. Mad. Türrschmidt trägt das erste Solo mit Choral innig rührend vor. Auch Fräulein v. Schätzel hat sich die sehr schwere Cantilene der Arie: „Erbarme dich mein Gott," mit ganz eigenthümlicher Violin-Solo-Begleitung, angeeignet. Hr. Busolt singt den Hohenpriester und Landpfleger genügend. Judas Ischarioth hat nur wenige Worte vorzutragen und ist, obgleich nicht dankbar, von einem achtbaren Dilettanten übernommen. Viele der kürzeren Volkschöre sind von der schlagendsten Wirkung, z. B. der Ausruf: „Lass ihn kreuzigen!" Nur hält Ref. den, in der Begleitung vortrefflich durchgeführten Choral am Schlusse des ersten Theils, für die jetzige Zeit (wie alle da Capo's) doch gar zu lang. Die Wichtigkeit des Werks wird noch eine nähere Untersuchung desselben für die Folge rechtfertigen.

Quelle: AMZ, 31. Jg., Nr. 14, 8. April 1829, Sp. 234–235. (Nachrichten.)
Anm.: Die Hauptpartien sangen Johann Daniel Heinrich Stümer (1789–1857), Philipp Eduard Devrient (1801–1877), Pauline Anna Milder (1785–1838), Karl Adam Bader (1789–1870), Auguste Türrschmidt (1800–1866) und Johanna Sophie Friederike Pauline von Schätzel (1811–1882). Den Part des Hohenpriesters hatte wohl Julius Eberhard Busolt (*1799, † nach 1837) übernommen. Die Rezension stammt aus der Feder von Adolph Bernhard Marx.

D 85

FANNY MENDELSSOHN BARTHOLDY: KEINE EINWÄNDE VON ZELTER
BERLIN, 22. MÄRZ 1829

… Zelter hatte nichts dawider einzuwenden, u. so begannen die Proben am folgenden Freitag, indem die gewöhnl. Instrumente abbestellt u. einige Singende mehr eingeladen waren. …

Quelle: Fanny Mendelssohn Bartholdy an Karl Klingemann, 22. März 1829. D-B Handschriftenabteilung, Signatur: *Autogr. I/244/1*.
Anm.: Entgegen der Darstellung von Eduard Devrient hatte Zelter gegen die Aufführung der Matthäus-Passion keine Einwände (vgl. E. Devrient, *Meine Erinnerungen an Felix Mendelssohn-Bartholdy und seine Briefe an mich*, Leipzig 1869, S. 57).
Lit.: Sebastian Hensel, *Die Familie Mendelssohn 1729–1847. Nach Briefen und Tagebüchern*, Bd. I, Berlin 1879, S. 207f., hier fehlerhaft zitiert.

D 86

ZELTER: HEGELS URTEIL ÜBER BACHS PASSION
BERLIN, 22.[?] MÄRZ 1829

Nun haben wir auf vieles Begehren die Passionsmusik bei vollem Hause abermalen wiederholt. Die Alten sind wieder, und Neue Hörer dazu gekommen. Die Urteile sind billig verschieden und von vielen soll nur Einer genannt sein der das Recht hat zu urteilen wie jeder Andere und vor Andern. Philosophen welche das Reale von dem Idealen trennen und den Baum wegwerfen um die Frucht zu erkennen, sind mit uns Musikern etwa so dran wie wir mit ihrer Philosophie von der wir nichts weiter verstehen als daß wir ihnen den gefundenen Schatz vor die Tür bringen. So Hegel. Er hält eben mit seinem Collegium bei der Musik. Was ihm Felix recht gut nachschreibt und wie ein loser Vogel höchst naiv mit allen persönlichen Eigenheiten zu reproduzieren versteht. Dieser Hegel nun sagt, das sei Keine rechte Musik; man sei jetzt weiter gekommen, wiewohl noch lange nicht aufs Rechte. Das wissen wir nun so gut oder nicht wie Er, wenn er uns nur musikalisch erklären könnte ob Er schon auf dem Rechten sei. Und so wollen wir immer unterdessen piano und sano gehen wie uns der Gott es eingibt dem wir alle dienen. Denn wir wissen ja alle nicht *was* wir beten sollen und tun immer dazu und so mögen die andern auch tun. …

Quelle: Zelter an Goethe, 22.[?] März 1829. D-WRgs, Signatur: *28/1024*, zit. nach: Goethe Briefwechsel II, S. 1208f.

D 87

Ankündigung der Aufführung
Berlin, 1. April 1829

… Herr Felix Mendelsohn wird zu wohlthätigem Zwecke Anfangs März, unter Mitwirkung der Singakademie, J. Sebastian Bach's grosse Passions-Musik aufführen, von deren Wirkung und tiefem Gehalte uns der enthusiastische Redacteur der hiesigen musikalischen Zeitung Wunder verkündet, welche eine neue Aera für die Tonkunst begründen sollen. Das Werk wird mit grosser Sorgfalt einstudirt, und spannt allerdings sehr die Erwartung ächter Freunde der höhern Gesang-Musik. …

Quelle: AMZ, 31. Jg., Nr. 13, 1. April 1829, Sp. 213.
Anm.: Mit dem „enthusiastischen Redacteur" ist Adolph Bernhard Marx, der Herausgeber der AMZ, gemeint. Zu seiner Rolle als Berichterstatter über die Aufführungen vgl. Christian Ahrens, *Bearbeitung oder Einrichtung? Felix Mendelssohn Bartholdys Fassung der Bachschen Matthäus-Passion und deren Aufführung in Berlin 1829*, BJ 2001, S. 71ff.

D 88

Zelter: Bachs Passion auf Verlangen wiederaufgeführt
Berlin, 17. April 1829

Karfreitag 29
… Heute führe ich statt der gewöhnlichen Graunschen Passionsmus. die Bachsche auf Begehren wieder auf, und biete Trotz meinen alten krummen Fingern, denn mein Helfer Felix schwimmt eben bei Helioland auf der See auf England zu von da er eingeladen ist. Da er gut Orgel spielt und sie dort bessere Orgeln als Organisten haben; so denk' ich er möge sichs auch damit versuchen.
Gestern kommt ein starckgewachsner junger Mann mit stattlichem Schnauzbarte (ich hielt ihn für einen Studenten) und erbat sich ein Freibillet zur Passion. Da ich dergleichen nicht wenige zu geben habe mußte ich ihm bemerken: ich könne nicht wissen ob ich deren übrig behielte und nicht vorher verschenken was ich verkaufen wolle. – Er sei sagte er, Rezensent am Courier und habe gehofft ich würde ihm seine Bitte nicht versagen, denn die Redaktion habe keine Billette. – Bedenken Sie, werter Herr, sagte ich daß Ihre Rezension für mich allenfalls ein Wert hätte wenn ich sie vorher haben könnte um davon zu lernen; nun soll ich sie Ihnen aber heute schon mit einem Taler bezahlen wenn nachher die ganze Welt sie für einen Groschen haben kann, und Sie gewinnen doppelt, denn meine Musik ist gut [,] das wissen alle die mir was dafür geben. Der junge Mann schien consterniert, er jammerte mich und

ich war schon im Begriffe ihm ein Billet geben zu lassen als er still davon ging, er
wird mirs aber wohl anstreichen.

Sonnabend. Mein Saal war gestern voll. Der König, der Prinz und die Prinzessin
Wilhelm, Herzogin von Cumberland und mehrere vom Hofe waren da. Die andern
beschwerten sich über große Hitze und Du kannst denken wie lieb mirs ist wenn sie
alle recht durch und durch schwitzen wie mirs denn auch ergangen ist. …

Quelle: Zelter an Goethe, Karfreitag (17. April) 1829. D-WRgs, Signatur: *28/1024*, zit. nach: Goe-
the Briefwechsel II, S. 1217f.
Anm.: In den Jahren zuvor hatte die Sing-Akademie zu Berlin den „Tod Jesu" von Carl Heinrich
Graun am Karfreitag zur Aufführung gebracht. Mendelssohn war am 14. oder 15. April 1829 von
Hamburg aus zu seiner ersten Englandreise aufgebrochen. Zu den prominentesten Zuhörern der
Aufführung gehörte Friedrich Wilhelm III., König von Preußen (1770–1840).

D 89

FANNY MENDELSSOHN BARTHOLDY: KRITIK AN ZELTERS DIRIGAT

BERLIN, 18. APRIL 1829

… Ich will Dir jetzt von dem Gegenstande erzählen, der Dich vor der Hand noch
mehr berühren wird als Emancipation, Departmentalgesetz u. spanisches Erdbeben,
ich meine unsre gestrige Passion. Hier vor der Hand das Resultat: die Aufführung
war weit über meine Erwartung, u. weit hinter der Deinigen zurück. Von den Montags u. Dienstags Proben wollte ich Dir gar nichts schreiben, um nicht den Jammer
in Dir zu erwecken, von dem meine Seele voll war. Zelter spielte selbst, u. was er,
mit seinen zwei Fingern, u. seiner <u>völligen Unkenntniß</u> der Partitur, heraus brachte,
kannst Du Dir denken. Mißstimmung u. Angst verbreitete sich im ganzen Chor,
u. Dein Name ward vielfach genannt. Die Donnerstagsprobe war nicht geeignet,
jene Besorgnisse zu vermindern. Z. taktirte nicht bey den accompagnirten Rezit. u.
bei den Chören nur, wenn er es nicht vergaß. Stümer that Wunder, u. hielt sich, bei
Z.s fast fortwährend falschem Accompagnement, stets richtig. Um einige Einzelheiten zu nennen, so war Devrient so verwirrt, daß er unter andern nur das halbe
Abendmahl einsetzte, u. gleich in f dur anfing: trinket alle daraus. Die Milder warf
das Duett wie gewöhnl. um, die Schätzel plackerte stark in ihrer Arie, die kleinen
Chöre: der rufet dem Elias, u. halt laß sehen, gingen drunter u. drüber, etc. Z. fuhr
entsetzlich drein, war sehr böse, verwirrte sich immer beim Umwenden der aus
golg. Scene Stücke, wodurch große Pausen entstanden, u. wobei ihn Stümer, mit
mehr Discretion u. Haltung, als ich ihm zugetraut hätte, still zurecht wies. Devrient
saß da, als ein vollendetes *Ecce homo*. Um ¼ 5 schloß die Probe, u. außer uns vor
Ermüdung, Anstrengung u. Angst kamen wir nach Haus, nachdem ich noch mit

Devrient, Ritz u. David einen kleinen Rath gehalten hatte, u. übereingekommen war,
daß Ritz ganz durch taktiren, David aber pausiren solle, als hinge sein Leben davon
ab, denn der 2te Chor war bei späteren Eintritten ganz auf sich allein angewiesen.
Nach diesen Aspekten ging es denn noch außerordentlich. Deinen Vorschlag mit
den 4 Clarinetten hatte Ritz in der Probe versucht, u. ich hatte den Chor angehört,
wir fanden es aber nicht zweckmäßig, es klang zu spitz, u. verlor den Orgelcharac-
ter, u. so blieb es beim Alten in der Aufführung. Eda Benda, die ich gesehen habe,
sagte, der Choral habe wunderschön geklungen. Der erste Chor ging übrigens gut.
Ritz taktirte, u. bei den Worten Jesu kamen die Instrumente fast immer präcis, was
sehr zu verwundern. Die Milder sang die Arie sehr schön, schluckte zwar ein ganzes
Achtel lang, aber die Flöten gaben nach. – Abendmahl sehr schön. „O Schmerz", zu
geschwind, u. das pp im Chor verschwunden. „Siehe er ist da, der mich verräth,
sang Devrient laut Befehl. Duett wider Erwarten, vortrefflich, Chor schwach. Daß
Z. endlich seine Lust büßte, u. die Fermate durchtaktirte, begreifst Du. Auch kamen
sie nicht ganz präcis. Schlußchoral ohne Piano, Flöten vortrefflich. Alt-Arie gut unter
den Choreintritten, waren durchweg die Tenore am Schwächsten. Die kleinen Chöre
gut. Bei „wahrlich du bist auch Einer" fehlten zu Anfang die Flöten. In „Erbarme
dich" machte die Schätzel denselben Fehler wie in der Probe, aber so geschickt, daß
es wol nur wenige gehört haben. „Was gehet uns das an" war der einzige Chor, der
anfangs sehr wackelte. „Der du den Tempel Gottes" viel zu geschwind, Ritz hielt
an, aber der Anfang war weg. Nun kam der große Scandal, der nicht fehlen kann:
„Ach Golgatha," fing statt auf dem 4, auf dem 8ten Achtel an, u. mit ihrer gewohnten Consequenz blieb die Milder, <u>durch das ganze Rezit.</u> ihren halben Takt zurück,
obgleich Zelter ihr mit aller Macht des Claviers richtig vorspielte. Ritz ging zu den
Bassethörnern hin, u. brachte sie auch richtig in Ordnung, aber erst in den letzten
Takten, u. solcher Jammer ward selten erhört. Sie hat mit wunderbarer Symmetrie
das erstemal das erste Stück verdorben, das 2temal das 2te, u. gestern das dritte.
Als es aus war, umringten mich viele, u. jammerten nach Dir. Bader u. Stümer an
der Spitze. Stümer ward ganz weich u. sagte, es muß Ihnen doch heut komisch zu
Muth gewesen seyn. Dafür machte ich ihm die größten Komplimente, denn er war
wirklich zum Bewundern, da Z. oft so falsch begleitete, so ganz andre Harmonien,
daß ich noch nicht begreife, wie er sich hat halten können. Ritz hat auch Wunder gethan, denn Z. taktirte nur wenn es ihm einfiel, konnte er den Taktstock nicht schnell
genug fassen, so nahm er die Hand, u. wenn er auch das vergaß, kamen die Chöre
von selbst. Im Ganzen genommen, war es für das Publicum eine gute Aufführung,
auf dem Orchester aber fühlte ein Jeder wo es fehlte. Mir stand der Kopf den ganzen
Abend nach dem Dampfschiff. Es war übrigens sehr voll, der König von Anfang
zu Ende da, u. eine grauenvolle Hitze. Noch muß ich bemerken, daß Devrient die
Partitur nach der Probe mitgenommen u. die ausgebliebenen Stücke mit Mund-
leim sauber verklebt hatte. Er nimmt es wieder fort, u. außerdem ist Deine Partitur
durchaus nicht verunreinigt worden. Ritz hat göttlich gespielt. Und nun glaube ich
fertig zu seyn. …

Quelle: Fanny Mendelssohn Bartholdy (zusammen mit Lea Mendelssohn und Friedrich Rosen) an Felix Mendelssohn Bartholdy in England, 18. April 1829. Bodleian Library, University of Oxford, Signatur: *MS. M. Deneke Mendelssohn b.4, Green Books I–39.*
Anm.: Zu den Sängern der Aufführung → D 84. Der Konzertmeister war der frühverstorbene Eduard Rietz (1802–1832), dessen Vater Johann Christian Rietz (1767–1828), 1823 eine Partiturabschrift der Matthäus-Passion für Mendelssohn angefertigt hatte. Fanny Mendelssohns Kritik deutet auf ein gespanntes Verhältnis zu Zelter hin.
Lit.: Fanny Hensel Letters, S. 385–387.

D 90

Rezension der Berliner Aufführungen
22. April 1829

Nachrichten. – *Berlin*, den 31. März 1829
… Die zweite Merkwürdigkeit im Gebiete der höhern Tonkunst war Johann Sebastian Bach's Passions-Musik nach dem Evangelium Matthäi Cap. 26 und 27 zur Charfreitags-Vesper im J. 1729 in der Thomaskirche zu Leipzig vom Componisten selbst aufgeführt; man beging am 12ten März 1829 durch die Bemühungen Zelter's und seines genialen Zöglings Felix Mendelssohn-Bartoldy (der nach England zu reisen im Begriffe ist) hier ihre Säkularfeyer, und sie wurde, bey der grossen Theilnahme des Publicums, zum Besten wohlthätiger Anstalten am 21sten d. im schönen Saale der Sing-Akademie wiederholt. Der königl. Sänger, Herr Eduard Devrient hatte sich thätig theilnehmend dem jugendlichen Unternehmer angeschlossen. Die ausgezeichneten Sängerinnen: Mad. Milder, Türrschmidt und Fräulein von Schätzel, wie die Herren Stümer, Bader, Devrient, Busolt u.m. hatten die Solo-Partieen, die ganze Sing-Akademie die Chöre übernommen; die philarmonische Gesellschaft und mehre Dilettanten führten die schwere Instrumental-Begleitung unter sicherer Leitung des Herrn F. Mendelssohn-Bartoldy genügend aus. Der Eindruck des Ganzen war hinreissend und überraschendes Erstaunen erregend über die nicht geahnte Grösse und Tiefe des erhabenen Werks voll ächter Religiosität und seelenvoller Empfindung. Am meisten ergriffen die Choräle voll wunderbarer Kraft der Harmonie und eigenthümlicher Stimmenführung. Auch die verschiedenen Chöre der Sioniten, der Gläubigen und der rohen Volksmasse, im Gegensatze gegen die sanften Jünger Jesu mit ihrem Anhange bilden die wirksamsten Contraste. Mit ächt frommem Gefühle und wahrhaft heiligem Sinne lässt Bach den Evangelisten die Leiden des Heilands nach dem Urtexte der heiligen Schrift in Recitativ-Form, ohne weitere Begleitung, als die des Basses und Klaviers (statt der Orgel), verkünden. Herr Stümer zeichnete sich im wahren Vortrage dieser hoch liegenden Tenor-Stimme vorzüglich aus. Ihm zunächst stand Herr Devrient der jüngere, im Gesange des selbst redend eingeführten Christus, voll Würde und erhabener Ruhe. Ein genialer Zug

des Tondichters ist es, dass die vierstimmige Instrumental-Begleitung jedesmal erst bey den Worten des Erlösers, gleichsam verklärend eintritt. Die Arien für Sopran, Alt, Tenor und Bass sind ganz eigenthümlich, doch sehr melodisch und empfindungsvoll gehalten, dabey oft seltsam, obgleich höchst effectuirend instrumentirt, ohne ein Streben nach gesuchter Wirkung zu verrathen. Rührend ist der Eindruck, welchen der Schluss-Chor, mit Solo-Stimmen abwechselnd, hervorbringt; grossartig dagegen der instrumentirte, sehr breit, doch wundersam durchgeführte Choral am Schlusse des ersten Theils mit Figural-Begleitung. Die Aufführung liess durchaus nichts zu wünschen übrig, und zeigte, was sich herrliches mit solchen Mitteln leisten lässt, wenn sie für einen würdigen Zweck mit Umsicht verwendet werden. …

Quelle: AMZ, 31. Jg., Nr. 16, 22. April 1829, Sp. 258–259.
Anm.: Zu den Solisten der Aufführung → D 84.

D 91

Passion am 29. Mai 1829 in Frankfurt / Main

Die Passionsmusik unsers grossen Sebastian durch den Cäcilien-Verein hier zur Aufführung zu bringen, war lange der stille Wunsch ächter Kunstfreunde, seit wir im Besitz der Partitur dieser grossen Komposition gekommen waren. Nach manchem Kampfe ist es gelungen, diesen Wunsch verwirklicht zu sehen, und am 29. Mai ertönte hier zum ersten Mal dieses kolossale Kunstwerk auf eine würdige Weise. Die Wirkung bei wahren Kennern und unverdorbenen Kunstliebhabern war stärker, als anfänglich zu erwarten stand; jeder fühlte, dass hier etwas anders zum Herzen sprach, als die empfindsamen Kompositionen unserer Zeit. – Wer – des reinen Sinnes mächtig – könnte auch ungerührt, unerschüttert bleiben bei dieser Allgewalt der Chöre, diesem Ausdruck der Rezitative, dieser tiefen, in Einem Erguss verharrenden Empfindung der Arien! –
Durch die vorhergegangenen Aufführungen in Berlin, und besonders durch die Berichte darüber in der musikalischen Zeitung wurde die Aufführung hier erleichtert, und dem Werk nicht wenig Bahn gebrochen. –
Dass dieses Werk, trotz seiner Wirkung im Allgemeinen, hier doch noch fortdauernd, so wie überhaupt der Name Bach, seine entschiedendsten Gegner hat, wird Ihnen um so leichter erklärlich sein, als es bei Ihnen an solchen Opponenten auch nicht fehlen wird, und bei uns das Publikum Werke des strengen Styls noch weniger zu hören geübt ist, als in Nord-Deutschland. Ein Theil der Musikliebhaber wird durch das Urtheil moderner Künstler, davon die meisten dieser Kompositionsweise abhold sind – (haben doch berühmte Männer nicht einmal Verlangen gehabt, etwas von der Passion zu hören) mit fortgerissen; – ein anderer findet die Mühe zu gross, sich mit diesen Werken genauer bekannt zu machen, da die Einweihung in diesel-

ben Anfangs allerdings seine Schwierigkeit hat. Wir müssen also der Zeit den vollständigen Sieg überlassen.

Schlimm ist's dabei aber, dass öffentliche Blätter Urtheile aussprechen, die weder begründet, noch der wahren Kunstbildung förderlich sind. Die hiesige Postzeitung nahm nach der Aufführung der Passion folgenden etwas gelehrt thuenden, nicht geradezu tadelnden Aufsatz (zweiter Bericht) über dieses Werk auf, der eine der schönsten Seiten davon zu verdunkeln strebt. Vielleicht ist Ihnen derselbe nicht zu Gesicht gekommen; so lege ich Ihnen solchen hier bei. Man erkennt die Tendenz – das Gefühlsleben lieber in mystische Finsterniss zurückzuführen, als zu höherer Anschauung zu leiten. – Bachs Musik soll vornehm, und ohne symbolische Wärme sein! – Vornehm ist sie allerdings – wenn das Wort nicht im Sinne unsrer Theezirkel genommen wird; – die symbolische Wärme aber blieb dem Berichterstatter aus natürlichen Gründen ein Geheimniss. Freilich die süsslichen Kompositionen unsrer sogenannten Kirchenmusik nehmen keine so grosse Geistesthätigkeit in Anspruch, wie Bach, – so wenig als die zahllosen Dichteleien unsrer Tage einen Shakespearischen Eindruck zu Wege bringen können.

Quelle: Berliner AMZ, 6. Jg., Nr. 31, 1. August 1829, S. 244f. (4. Berichte. Aus Frankfurt am Main. Aufführung der grossen Passions-Musik, nach dem Evangelium Matthäi, *von Johann Sebastian Bach. Erster Bericht.*)
Anm.: Der Bericht stammt von Adolph Bernhard Marx. Zwei weitere Berichte von Marx sind in der o. g. Ausgabe auf S. 245–246 wiedergegeben. Die Aufführung erfolgte in einem Konzert des Cäcilienvereins unter der Leitung von Johann Nepomuk Schelble. Der Cäcilienverein war im Jahre 1818 von Schelble gegründet worden.
Lit.: Geck Matthäuspassion, S. 75ff., 83.

D 92

Fanny Mendelssohn Bartholdy: Nachklang der Passion
Berlin, 3. Juni 1829

… A propos, aus einer Stelle Deines Briefes an Devrient, wo Du ihm schreibst, es sey Dir leid, daß die Eindrücke der Passion verwischt oder verdorben seyn, habn wir geschlossen, was er Dir für einen Todtengräberbrief muß geschrieben haben. Glaube ihm doch jetzt nicht, er ist schon wieder nicht zurechnungsfähig, seit den Proben von Agnes ist jedes Ecce homo ein Seiltänzer gegen ihn. Im Gegentheil, frage Ritz, der sagt, wenn Schubring Abends zu Haus geht, singt er aus der Passion, frage Baur, der geht Sonntags nicht in die Kirche, u. spielt aus der Passion, frage uns, wir singen u. spielen aus der Passion. – …

Quelle: Fanny Mendelssohn Bartholdy an Felix Mendelssohn Bartholdy, 3. Juni 1829. Bodleian Library, University of Oxford, Signatur: *MS. M. Deneke Mendelssohn b.4, Green Books I–56.*

Anm.: In den Aufführungen der Matthäus-Passion hatte Philipp Eduard Devrient die Christus-Partie gesungen und Eduard Ritz als Konzertmeister mitgewirkt (→ D 84). Devrient bemerkt, er habe Felix Mendelssohn von der „matten Aufführung" am Karfreitag 1829 berichtet (E. Devrient, *Meine Erinnerungen an Felix Mendelssohn-Bartholdy und seine Briefe an mich*, Leipzig 1869, S. 79). Siehe auch D 89 (Fanny Mendelssohns Kritik an der Aufführung am Karfreitag 1829).
Lit.: Fanny Hensel Letters, S. 400.

D 93

Seidel: Das Erhabenste der protestantischen Kirchenmusik
Berlin, 1829

… 5) In Berlin ist in kurzer Zeit zwei Mal Joh. Seb. Bachs Passions-Musik von der Sing-Akademie unter der Direction des Herrn Felix Mendelsohn-Bartholdy aufgeführt worden. (Später noch ein drittes Mal am Charfreitage, unter Professor Zelters Direction.) Alle Künste haben nur in innigster Verbindung mit der Religion ihre erhabenste Schönheit entfaltet. So die Baukunst, so die Malerei, so besonders die Musik. Große geistliche Musiken wurden, anfangs meistens nach Bibelstellen der h. Schrift, componirt, und als außerliturgische Andacht, wobei die Gemeinde in den verflochtenen Chorälen mitsang, an hohen christlichen Festen in den Kirchen aufgeführt, wie unter andern auch die vorgenannte Passions-Musik. Ebenso auch die Händelschen.
Bald jedoch ward dabei das Wort Gottes verdrängt durch neue Dichtungen; durchweg für Kunstsänger componirt entstanden in solcher Weise die neuern Cantaten und Oratorien.
Bach Passions-Musik gehört der Periode an, wo die Tonkunst aus ihrer nähern Verbindung mit dem Gottesdienste eben zu scheiden anfängt. Heilige Weihung jedoch durchweht noch diese gesammte Tonschöpfung; dieselbe zeigt durchweg die echt christliche Andacht und Frömmigkeit der frühern protestantischen Zeit. Das 26ste und 27ste Capitel des Evangeliums Matthäi bildet zunächst wörtlich den von Henrici verfaßten Text; nur hier und da wird die biblische Erzählung von den Leiden des Heilandes unterbrochen durch Choräle und andre lyrische Gesänge, die auf eine sinnreiche Weise die Gefühle der gesammten Christenheit in das Epische des Ganzen verflechten. Diesem nun hat Bach höchst eigenthümlich die dramatische Lebendigkeit des Dialogs zu verleihen gewußt. In recitavischer Form singt nämlich eine und dieselbe Stimme durchweg alle erzählenden Stellen der h. Schrift; sowie jedoch, was sehr oft der Fall ist, wörtlich angeführte Reden vorkommen, singt wiederum mit entsprechendsten Ausdruck eine andre Stimme durchgehend die Worte des Heilandes, noch eine andre die des Petrus u. s. w.; verschiedene Chöre aber bilden die Gesammtstimmen der Jünger, des Volkes, so wie auch der Pharisäer und Kriegsknechte. In dieser eigenthümlichen Weise führt der hohe Meister den Hörern

die große Weltbegebenheit auf das Lebendigste vor den Sinn, und somit tiefer und ergreifender zum Herzen, als irgend eine andre ähnliche Tonschöpfung. Bach hat in dieser Passion ein Kunstwerk geschaffen, welches, höchster Weihung voll, wohl als das Erhabenste zu betrachten ist, das die protestantische Kirchenmusik hervorgebracht hat. Die hohe Schönheit und Kunst des Einzelnen kann hier nicht weiter erörtert werden. Zu den ergreifendsten Stellen aber gehören die Worte des Heilandes: „Mein Gott, mein Gotte, warum hast du mich verlassen?" – der Chor: „Sind Blitze, sind Donner in Wolken verschwunden?" – das Wort der Jünger: „Herr, bin ich's?" mit dem darauf folgenden Choral, u. a. m.
Die Aufführung des so höchst schwierigen Werkes verdiente in jeder Hinsicht vorzüglich genannt zu werden.
Dr. Carl Seidel.
(Aus dem Gesellschafter No. 47. 1829 gezogen.)

Quelle: Eutonia, 2. Bd., Erstes und zweites Heft, Breslau 1829, S. 158f.
Anm.: Der Verfasser ist der Berliner Schriftsteller Karl Ludwig Seidel (1788–1844). Er wurde von Carl Friedrich Zelter im Generalbaß unterwiesen und verfaßte zahlreiche Aufsätze zur Kunstkritik, Kunstgeschichte und Ästhetik.

D 94

Mosewius: Über die Einstudierung in Breslau
August 1829 bis April 1830

… Mendelssohn war so freundlich, mir gleich nach der Aufführung seine Partitur zu geben. Der erste Blick hinein musste Staunen und Zweifel in mir erwecken; jenes über das mächtige, grossartige, wunderbare Werk, diesen über die Möglichkeit, jemals die hier sich darbietenden Schwierigkeiten überwinden, den mich umgebenden werthen Kreis bis zur Besiegung ihrer, zu einer Darstellung in poetischer Freiheit, in voller Herrschaft über Form und Gedanken bringen zu können. Zum Theil für mein eigenes Studium liess Mendelssohn mir vorläufig seine Partitur copiren.
…
Es kam hier bei der Passions-Musik darauf an, einen Doppelchor und ein doppeltes Orchester in ein umfangsreiches, sehr complicirt zusammengestelltes, eine unausgesetzte Aufmerksamkeit und geistige Thätigkeit in Anspruch nehmendes Werk einzuführen, dessen in sich ganz eigenthümlicher Bau sich in befremdlicher, ganz ungewohnter melodischer, wie harmonischer Weise ergeht und dabei theilweise die Lebhaftigkeit und das Feuer einer dramatischen Darstellung erheischt. – Der Versuch wurde gewagt, und wenn hier ausführlich der Vorübungen dazu erwähnt wird, so geschieht es theils in der Freude, welche der Blick in die alten Uebungsverzeichnisse gewährte, dass die Absicht, des gewaltigen Werkes seinem Sinne

und Geiste nach ganz Herr zu werden, die Akademie zu einer enthusiastischen, andauernden, mühevollen, selten aufzufindenden Thätigkeit anregte, dass sie in ihrer Erfüllung die Lösung einer ihrer grössten Aufgaben erblickte. Andererseits sollen diese Specialien den daran Betheiligten ein freundliches: „Denkst du daran" an unserem Feste zurufen. Der Gang des Einstudirens der Passions-Musik seitens der Sing-Akademie war einfach folgender.

Es versammelten sich zunächst acht der festesten und bestbeschultesten Sopranistinnen, und sangen den ersten Theil des Werkes, nach und nach jedes einzelne Stück, durch, im Vortrage, den Ausdruck einer Solostimme möglichst erstrebend. Neben diesen einigten sich abgesondert acht Coryphäen des Altes zu gleichen Uebungen. Als sie anfingen, technisch der Sache Herr zu werden, verbanden sich Sopran und Alt zu gemeinsamer Uebungen und acht Tenore fingen gesondert die der Einzel-Stimme an; ihnen folgten 8 Bässe; dann wurden Tenore und Bässe, zuletzt die 32 gemischten Stimmen, in zwei Chöre getheilt, zusammengenommen und so nach und nach endlich auch der zweite Theil, in gleicher Weise begonnen, bis zur Verbindung der beiden kleinen Chöre fortgeführt, denen dann nach und nach immer mehrere Mitglieder der Akademie bis zu ganz gemeinsamer allgemeiner Uebung hinzugefügt wurden. Die Akademie hatte im Jahre 1829 statt der gewöhnlichen sechswöchentlichen, nur vom 26. August bis zum 26. September Ferien. In der Vorübung am 1. August 29 wurde der erste, oben bezeichnete Versuch mit den Sopranen gemacht, und an den Sonnabenden am 8. und 15. wiederholt. Am Tage der Schluss-Versammlung der Akademie am 19. August, ich muss dessen noch ausdrücklich und gebührend hier erwähnen, hatten sich Vormittags zur Uebung der Passion die 16 Damen des Sopranes und Altes versammelt, (Nachmittags in der Uebung wurden Choräle, Requiem v. Fasch und Jephta Th. 3 gesungen) damit am 22. August schon ein Versuch der ersten Chöre mit gemischten Stimmen gemacht werden konnte. Der Director selbst gab seine Ferienreise auf und so wurden die zwei Akademie-Tage, Mittwoch und Sonnabend, auch während der Ferien den Vorstudien der Chöre, und jede andere freie Zeit denen des Evangelisten, Christus und der übrigen Solis gewidmet. Vom 28. October 1829 ab wurde in den grösseren Versammlungen der Akademie, neben den zur Einleitung der Uebungen gewählten abwechselnden Stücken, mit Ausnahme der für die Weihnachtsaufführung verwandten beiden Mittwoche, bis zum Aufführungstage den 3. April 1830, unausgesetzt immer ein Theil der Passions-Musik geübt, und die Sonnabende für die Damen, die Sonntage für die Herren zu Vorübungen und zum Ausfeilen des Vortrages benutzt – Mit dem 13. Januar 1830 wurde eine Verstärkung von 20 Knaben den höheren, eine von 20 Seminaristen den tieferen Stimmen zugefügt. – Am 23. Januar 1830 wurde eine Quartettprobe der Streich-Instrumente ohne allen Gesang zur vorläufigen Kenntnissnahme der Formen des Werks für die Accompagnisten gehalten; am 3. Februar eine Quartettprobe des ersten Theiles mit Gesang. Am 10. Februar wurde eine Quartettprobe mit 2 Oboen zum ersten Theil, wie alle folgenden Proben, mit Gesang verbunden, am 17. Febr. Quartettprobe des 2. Theils,

am 24. Febr. Quartettprobe des 2. Theils,

am 3. März Quartettprobe des 1. Theiles mit Flöten, Oboen und Bassethörnern,

am 10. März eine ähnliche Probe des 2. Theiles,

am 25. März ganze Probe in der Aula,

am 29. März wiederum eine ganze Probe,

am 1. April die Generalprobe gehalten und endlich

am 3. April die Aufführung veranstaltet.

Dass die Flöten und Bassethörner zu den kleinen Recitativen noch besonders vor-geübt worden, wie dass die schon ziemlich vorgerückte Elementarclasse, 18 junge Damen an der Zahl, nebst 6 Knaben und 6 Seminaristen, sich noch der Verstärkung der Choräle anschlossen, werde der Vollständigkeit wegen bemerkt. …

Quelle: Mosewius, S. 8–10; [Anhang] B, S. 32ff.

Anm.: Die Breslauer Sing-Akademie war von Universitätsmusikdirektor Johann Theodor Mo-sewius 1825 gegründet worden. Die Matthäus-Passion erklang am Samstag vor Palmarum (3. April) 1830 in der Aula Leopoldina, eine Wiederholung fand am 5. Mai statt. Weitere Auf-führungen folgten am 26. März 1831, 15. April 1832, 22. März 1834, 8. Mai 1838, 11. April 1840, 14. April 1843, 3. April 1846 und 26. März 1847.

Lit.: Geck Matthäuspassion, S. 88f.

D 95

Zelter: Zwei Passionsmusiken nebeneinander

Berlin, 11. April 1830

… Heut ist Ostern und da ich in der Zwischenzeit zwei Passionsmusiken am Palm-sonntage (zum besten unserer Amortisationsbaukasse) und am Karfreitage für mei-nen Keller der voll Wasser ist, aufgeführt habe so hat es an Arbeit nicht gefehlt. Ich habe damit zwei Teile meines guten Berlin nach Vermögen befriedigen wollen in-dem ich zwei echt deutsche religiose Komponisten aus gleicher Zeit in einer Woche neben einander auftreten lassen. J. S. Bach den sie hier mit Calderon und C. H. Graun den seine Freunde mit Tasso vergleichen wollen. Beide Aufführungen hatten, jede im Ganzen ihr besonderes Publikum. Der Tod Jesu ist besonders denen wert die am Karfreitage zum Abendmahle gewesen und die Bachsche Passion zieht solche an welche sich etwas mehr zugeben als die Menge zugesteht; diesen hätte ich zeigen mögen wie sich zwei originale deutsche Talente gegen einander verhalten von denen der Letzte ganz nach italienischen Mustern gebildet, ja meistens nach italienischen Worten gearbeitet, der Erste aber nie aus Deutschland gekommen und (meines Wis-sens) kein italienisches Stück gesetzt hat; die sich naturgemäß der Eine durch Tiefe und der andere [durch] Klarheit unterscheiden wie sie durch Fruchtbarkeit einander gleichen. Beide aber im Punkte der Cantilena, da wo sie allgemein ansprechen auch recht italienisch (d. i.) natürlich sind. …

Quelle: Carl Friedrich Zelter am 11. April 1830 an Goethe. D-WRgs, Signatur: *28/1025*, zit. nach: Goethe Briefwechsel II, S. 1342f.
Anm.: Die Matthäus-Passion erklang am Palmsonntag (4. April), der „Tod Jesu" von Carl Heinrich Graun am Karfreitag (9. April) 1830.

D 96

Nachricht über die Einstudierung durch den Leipziger Thomanerchor
Bericht vom 2. März 1831

… Unsere Kirchenmusik ist unter der Leitung des Cantors der Thomasschule, Hrn. Weinligs, gewählt und gut. Der Thomanerchor übt jetzt die grosse Passionsmusik nach dem Evangel. Matthäus von J. S. Bach ein, und wir hoffen, dass der Ausführung dieses Werkes kein Hindernis entgegentrete. …

Quelle: AMZ, 33. Jg., Nr. 9, 2. März 1831, Sp. 148. (*Nachricht.* Leipzig.)
Anm.: Die von Christian Theodor Weinlig geplante Aufführung der Matthäus-Passion kam jedoch nicht zustande → D 99.

D 97

Passionsmusik am Palmsonntag 1831 mit der Sing-Akademie zu Berlin

Am Palmsonntage wurde Joh. Seb. Bach's erhabene Passions-Musik von der Sing-Akademie in den Mittagsstunden würdig und ergreifend aufgeführt. Fräul. von Schätzel, eine Dilettantin, Dem. Hoffmann, Hr. Mantius u. s. w. sangen die Solo-Partieen. …

Quelle: AMZ, 33. Jg., Nr. 17, 27. April 1831, Sp. 280.
Die Aufführung der Matthäus-Passion erfolgte am 27. März 1831. Die Sänger waren Johanna Sophie Friederike Pauline von Schätzel (1811–1882), Jakob Eduard Mantius (1806–1874). Über die Dilettantin Dem. Hoffmann ist nichts näheres bekannt.

D 98

Mit der Passion immer vertrauter
Bericht über die Breslauer Aufführung am 26. März 1831

Breslau. …
In der Charwoche fanden die gewöhnlichen Musik-Aufführungen statt; nämlich am
Sonnabend vor dem Psalmsonntage S. Bach's Passion (nach dem Matthäus) durch
die Singakademie des Hrn. Mosevius, welche, mit dem ungeheuern Werke immer
vertrauter, sich wieder auf's Vortrefflichste bewährte; …

Quelle: AMZ, 33. Jg., Nr. 36, 7. September 1831, Sp. 597.
Anm.: Die Aufführung der Breslauer Sing-Akademie erfolgte am 26. März 1831 unter ihrem
Leiter Johann Theodor Mosewius. Zu den Breslauer Aufführungen → Anm. zu D 94.

D 99

Bachs Passion noch immer nicht aufgeführt
Leipzig, 4. April 1831

Nachricht. – *Leipzig*, am 4ten April.
Der Thomanerchor, unter des Cantors, Hrn. Weinligs Leitung, trägt das Seine reichlich
dazu bey. Um so mehr haben wir es zu beklagen, dass unsers Seb. Bach's grosse Passion nach dem Evangel. Matthäus noch immer nicht zur Aufführung gebracht wurde, ob sie gleich von den Thomanern fleissig einstudirt worden ist. Hätte man denn
wirklich von irgend einer Seite her gültigen Grund, musikalischen Leistungen dieser Art zu widerstreben? Wir sollten es kaum denken, obschon es versichert wird. …

Quelle: AMZ, 33. Jg., Nr. 15, 13. April 1831, Sp. 246.
Anm.: Die Nachricht stammt vom Ostermontag des Jahres 1831. Die Einstudierung hatte in der
Passionszeit stattgefunden → D 96. Warum die Aufführung nicht zustande kam, ist nicht bekannt.

D 100

Zelter: Ostermusiken zur Aufführung gebracht
Berlin, 6. April 1831

… Meine Ostermusiken sind hinter mir und es ist kurios daß ich auch gar nichts zu
schreiben weiß in einer Zeit da die Welt in Bewegung ist und so muß es mehrern
gehen. …

Quelle: Zelter an Goethe, 6. April 1831. D-WRgs, Signatur: *28/1026*, zit. nach: Goethe Briefwechsel II, S. 1461.

Anm.: Mit den „Ostermusiken" ist Grauns „Tod Jesu" und die Matthäus-Passion (BWV 244) gemeint. Letztere wurde am Palmsonntag (27. März) 1831 von der Sing-Akademie zu Berlin aufgeführt → D 97.

D 101

Aufführung mit dem „Singverein" Königsberg
Bericht vom 1. August 1832

… Wichtiger aber als diess Alles und unzweifelhaft für Deutschland interessanter ist der Umstand, dass wir durch die Aufführung von J. Seb. Bach's Passionsmusik nach dem Evangelium Matthäi uns auf eine ehrenvolle Weise neben Berlin, Breslau und Frankfurt a. M. zu stellen und so unter den Städten des preussischen Vaterlandes auch in musikalischer Hinsicht die dritte Rolle einzunehmen versucht haben, die unserer „Haupt- und Residenzstadt" der Grösse nach gebührt (bis Cöln oder Elberfeld mit Barmen uns über den Kopf wachsen) und die man uns in wissenschaftlicher Beziehung ohne Unbilligkeit nicht wird abstreiten können.

Der königl. Musikdirector Hr. Carl Sämann, als Organist bey der Altstädtischen Kirche, als Lehrer bey dem königl. Friedrichs-Gymnasium angestellt, durch mehre Lieder, auch sonst durch viele musikalische Arbeiten, z. B. durch sein Requiem und überaus wohlgelungene Compositionen vieler Gedichte unsers unvergleichlichen Uhland (um seiner nicht zu rechtfertigenden Bescheidenheit willen) leider nur in kleineren Kreisen rühmlichst bekannt, dirigirt seit einigen Jahren einen Singverein, der sich zur Hauptaufgabe gemacht hat, classische, vornehmlich ältere Kirchenmusik einzustudiren und so sich und Anderen zugänglich zu machen. Dieser liess uns schon vor mehr als einem Jahre des grossen Bach unübertreffliche Motette: „Ein' feste Burg ist unser Gott" öffentlich vernehmen und diese Aufführung, so wie die genauere Kenntniss, die man inzwischen von des unübertroffenen Meisters „Ich lasse dich nicht, du segnest mich denn" gewonnen hatte, mag den allerdings kühnen Entschluss hervorgerufen haben, sich nun auch an seine grosse Passionsmusik zu wagen. Wie sehr hat der Erfolg diess Unternehmen gerechtfertigt; wie grossen Dank hat Hr. Sämann mit seinem Singvereine dafür von allen Seiten bey uns eingeerntet! Die Arbeiten des Vereins begannen im October des vorigen Jahres und waren in der Mitte des März 1832 so weit geendet, dass Herr Sämann sich nun entschliessen konnte, theils zur Unterstützung seiner Sänger und Sängerinnen, theils zur Zusammenstellung einer möglichst reichen Instrumentalbegleitung alle bedeutenderen musikalischen Kräfte unserer Stadt aufzubieten. Und da man auch hier mit wahrhaft rühmlichem Eifer unermüdlich vorschritt, war von Seiten der Aufführenden

Alles so weit vorbereitet, dass die Aufführung selber, wie es im Plane lag, am Palmsonntage hätte statt finden können. Aber aus den nichtigsten Gründen ward Hrn. Sämann die Kneiphöfische Kathedrale, die in zwey Jahren ihr fünfhundert-jähriges Jubiläum feyern wird, und für die Darstellung grosser Kirchenmusiken besonders geeignet ist, in Folge eines Rechtsstreits abgeschlagen, der sich zwischen dem Presbyterium dieser Kirche und der hiesigen Kaufmannschaft über den Theil des Chors vor Jahren entsponnen hatte, der eben die Aufführenden hätte aufneh-men müssen. Eben so wenig zeigte sich der Vorstand der reformirten Kirche geneigt, den Ort, an dem der Tisch sich findet, den Singenden einzuräumen, den einzigen in dieser Kirche, der sich (freylich in vorzüglichem Grade) zu dem gegenwärtigen Zwecke geschickt hätte. So blieb denn, wollte man sich nicht zu einem ausserkirch-lichen Locale entschliessen, allein die Löbenichtische Kirche übrig, und diese ward auch, namentlich in Folge der Auctorität des ihr vorstehenden Geistlichen von dem Presbyterium derselben zugestanden. Alle diese Verhandlungen liefern einen neuen Beweis, dass die Selbstständigkeit der pia corpora, ob sie gleich unläugbar grosse administrative Vortheile gewährt, doch zu nichts weniger geeignet seyn dürfte, als geistige, namentlich ästhetische Interessen zu fördern.

In Folge dieser Verzögerungen geschah es, dass die Aufführung nicht vor dem 17ten April statt finden konnte. Das Publicum, durch mancherley Mittheilungen unserer öffentlichen Blätter aufmerksam geworden, hatte sich auf das Zahlreichste versammelt. Spätere Recensionen, unter denen sich die des königl. Gymnasial-directors *Dr.* Gotthold in unseren Ostseeblättern durch die grosse Kenntniss nicht minder auszeichnete, als durch das tiefe Gefühl, das sich in ihr zu Tage legte, haben die Leistung des Hrn. Sämann einstimmig, wie sich's gebührte, gepriesen. Noch entschiedener sprach sich die Begeisterung, die jene unvergleichliche Musik allge-mein verbreitet hatte, in dem Verlangen nach einer zweyten Aufführung aus, dem Hr. Sämann am 1sten May genügte; und es ist kein Zweifel, dass auch eine dritte Wiederholung sich gleich zahlreichen Besuchs, als die beyden ersten, erfreuen würde, deren bedeutender Ertrag dem Vereine für verwahrlosete Kinder von Hrn. Sä-mann überwiesen worden ist. Ein Gesetz nämlich verbietet bey uns, Aufführungen in Kirchen zu andern als wohlthätigen Zwecken vorzunehmen; und bedenkt man, dass somit Hr. Sämann seine wirklich ungeheuren Anstrengungen von keinem äusserlichen Ersatze belohnt gesehen hat, so kann man den Wunsch nicht unter-drücken, er möchte sich entschliessen, das grosse Meisterwerk uns zum dritten Male in einem unserer grössern Säle vernehmen zu lassen. Wie lange freylich diese nochmalige Wiederholung verzögert werden möchte, ist er vielleicht selbst nicht im Stande anzugeben. Denn wir vernehmen, dass er und sein Singverein gegenwärtig durch das Studium von Bach's anderer Passion nach dem Evangelium Johannis und Händel's Jephta in der Uebersetzung des Freyherrn von Mosel mindestens hinreichend beschäftigt werden. –

Quelle: AMZ, 34. Jg., Nr. 31, 1. August 1832, Sp. 515–517.

Anm.: Die Aufführung unter der Leitung des Königlichen Musikdirektors und Komponisten Karl Heinrich Sämann (1790–1860) sollte zunächst am Palmsonntag (15. April) im Königsberger Dom und dann in der Burgkirche stattfinden, mußte aber auf Dienstag, den 17. April 1832, verschoben und in die Löbenichtkirche verlegt werden. Eine Wiederholung erfolgte am 1. Mai desselben Jahres.
Lit.: Geck Matthäuspassion, S. 101ff.

D 102

MITWIRKUNG DES ORCHESTERS VERWEIGERT

BERICHT VOM 24. OKTOBER 1832

Die große Passions-Musik von J. S. Bach, aufgeführt am 20. October 1832, in der Brüderkirche hierselbst.

So ist uns also doch, trotz aller Hindernisse, der große Genuß geworden, die herrliche Passions-Musik des unsterblichen Bach, wenn auch, nicht in ihrem ganzen Umfange, zu hören! – Mochte auch die unerwartete und unerklärliche Verweigerung der Mitwirkung des Hoforchesters den Eifer der Sänger im ersten Augenblick in Etwas erkaltet haben, so zeigte doch die Aufführung die wärmste Begeisterung für dieß großartige Werk. Nur auch dieses konnte die so würdige Ausführung möglich machen, da das Sänger-Personal auf sich allein beschränkt war. Viel trug auch die präcise und äußerst gediegene Begleitung des Flügel-Pianofortes dazu bei. So hörten wir auch die Solo-Partien, gleich jetzt ganz allein von Dillettanten übernommen, mit vielem Gefühl und Ausdruck, sowie lobenswerther Ausdauer durchführen. Sehr viel gewann die schöne Arie: „Erbarme dich mein Gott etc." durch die meisterhafte Begleitung der Geige. Möge doch recht bald wieder eine so rein religiöse, tiefgefühlte Musik unser Gemüth erheben und unser Herz erfreuen.

Quelle: Der Verfassungsfreund. Eine Zeitschrift für Staats- und Volksleben, 2. Jg., Nr. 85, Kassel, 24. Oktober 1832, S. 719.
Anm.: An der Aufführung beteiligt war der Cäcilien-Verein wie auch die Kasseler Sing-Akademie. Die bereits seit 1830 vorbereitete Aufführung erfolgte erst am 20. Oktober 1832 in der Brüderkirche und mußte mit Klavierbegleitung stattfinden, da der Kurprinz die Mitwirkung der Hofkapelle nicht genehmigt hatte. Am Karfreitag (5. April) 1833 erfolgte eine Wiederaufführung, diesmal jedoch unter Hinzuziehung von Mitgliedern der Hofkapelle. Beide Aufführungen wurden von Louis Spohr, dem Leiter des Cäcilien-Vereins, geleitet.
Lit.: Herfried Homburg, *Louis Spohr und die Bach-Renaissance*, BJ 1960, S. 65ff.; Ewald Gutbier, *Ein Bericht über die Erstaufführung der Matthäus-Passion von J. S. Bach am 20. Oktober 1832*, MuK 33. Jg., 1963, H. 6, S. 265; Geck Matthäuspassion, S. 109ff.

D 103

BESETZUNGSPROBLEME GLÜCKLICH BEWÄLTIGT –

PASSIONSAUFFÜHRUNG AM PALMSONNTAG 1833 IM OPERNHAUS DRESDEN

Nachrichten. –

Dresden, den 17sten April. Zu der diessjährigen grossen musikalischen Aufführung am Palmsonntage zum Besten des Fonds der Wittwen und Waisen der Königl. Sächsischen Kapellmusiker hatte man Sebastian Bach's Passionsmusik nach dem Ev. Matthäus gewählt. Das erhabene Werk ist bekannt genug, um hier einer kritischen Auseinandersetzung seiner Trefflichkeit überhoben zu seyn, bey der es weit schwerer wäre aufzuhören, als anzufangen. Dem Dresdner Publicum war diese hohe, bis zum Strengen und Herben einfache Musik, etwas völlig Neues, denn nie war hier etwas Aehnliches von der Königlichen Kapelle aufgeführt worden und nicht vorauszusehen, ob z. B. die Arien in ihrem so sehr eigenthümlichen Zuschnitte ansprechen würden. Indessen zeigte sich die Aufmerksamkeit des sehr zahlreich versammelten Auditoriums ununterbrochen auf's Aeusserste gespannt, und Aeusserungen der tiefsten Rührung, so wie der lebhaftesten Theilnahme waren unverkennbar. Das Verdienst der Wahl, so wie der mancherley zu überwindenden Schwierigkeiten, gebührt den beyden Königl. Kapellmeistern Ritter Morlacchi und Reissiger. Es galt hier unverändert wiederholte Versuche – theils wegen des Tempos, das in der ganzen gestochenen Partitur (Berlin, bey Schlesinger 1830), so wie dem Vernehmen nach auch auf der Originalhandschrift im Besitze des bekannten Musikfreundes und Manuscriptsammlers Hrn. Pölchau, nur allein bey S. 53, S. 75, S. 114 angegeben ist. Da das Werk in Berlin schon mehre Male gegeben worden, so ist der gestochenen Partitur als ein Fehler anzurechnen, daß die Tempi's nicht, zu einigem Anhalten bey anderweitigen Aufführungen, nach dem jetzt überall bekannten Mälzel'schen Metronom angegeben sind. Nicht minder wäre es zweckmässig gewesen, anzugeben, was an der Stelle der nirgends mehr existirenden Gamba, der Laute und Oboi di Caccia und Oboi d'amore am passendsten für Instrumente zu substituiren seyn dürften. Auch wäre, zu Aufführungen in Kirchen, zu bestimmen gewesen, ob das Wort Continuo, was bekanntlich blos einen fortlaufenden Bass bedeutet, vom Orgel-Pedale allein oder von den Contrabässen allein gespielt werden soll, da bisweilen wieder jener Continuo fehlt und blos Basso dabey steht. Diese mancherley Schwierigkeiten wurden glücklich gehoben und beseitigt, wobey, wie gesagt, die Einsicht und Beharrlichkeit der beyden Herren Kapellmeister und der Eifer, Geschicklichkeit und guter Wille der Ausführenden die lauteste Anerkennung verdient. Was man in dieser Hinsicht von der Königl. Sächsischen Kapell-Musik zu erwarten berechtigt ist, weiss jeder Sachverständige, der dieses herrliche Institut, das sich eines fast hundertjährigen Ruhmes erfreut, in den schwierigsten Leistungen zu bewundern Gelegenheit hatte; allein hier galt es noch eine mehr als dreyfache Zahl fremder Musiker für den erhabenen Zweck zu befeuern und in Einklang zu bringen.

Auch diess geschah mit dem grössten Erfolge und die Ausführung war vortrefflich
zu nennen. Man kann mit der vollkommensten Wahrheit sagen, dass die Kraft und
Präcision der Chöre, so wie die Delicatesse und Zartheit im Vortrage und Begleitung
der Arien nichts zu wünschen übrig liessen. Und hierbey sey es erlaubt, nachträglich zu erwähnen, dass doch ja Niemand diese, nun hundert und vier Jahre alten
Arien geradehin, ohne sie wiederholt gehört zu haben, für veraltet halten möge. Sie
sind nicht nur mit grosser Kunst, sondern auch mit dem tiefsten Gefühle angelegt
und es wird sie Niemand, der wahren Ausdruck zu schätzen weiss, zum zweyten
Male hören, ohne sie, ihrer innigen, andächtigen Tiefe, ihres Verschmähens alles
unnützen Geschnirkels wegen mit wahrer Liebe im Herzen nachklingen zu lassen.
Im Sängerpersonale wird diess Werk in Berlin – wegen Einwirkung der Singakademie – vollzähliger gegeben. Im Instrumentale war die Dresdner Besetzung, dem
Vernehmen nach, weit stärker. Sollte es gewünscht werden, so könnte ich später
den lithographirten Aufriss der Stellung des Orchesters und der Sänger beyfügen,
welchen Hr. Kapellmeister Morlacchi fertigen zu lassen beabsichtigt. Vor der Hand
werde hier nur die Besetzung der Solostimmen, so wie die Zahl der Instrumentisten
nach ihren Instrumenten angegeben, und endlich den beyden Herren Dirigenten, so
wie dem ganzen Personale für den verschafften hohen Genuss gedankt.
Carl Borromäus v. Miltitz.

Quelle: AMZ, 35. Jg., Nr. 18, 1. Mai 1833, Sp. 294–296.
Anm.: Die Aufführung erfolgte am 31. März 1833 unter Francesco Morlacchi (1784–1841) und
Carl Gottlieb Reissiger (1798–1859) im Opernhaus am Zwinger. Reissiger war Alumnus der
Thomasschule und Schüler Johann Gottfried Schichts gewesen. Die Orchesterbesetzung bestand
aus 46 Violinen, 16 Violen, 14 Violoncelli, 10 Kontrabässen, 10 Flöten, 8 Oboen und 8 Klarinetten.
Der Chor war mit 220 Sängern überaus stark besetzt. Der Rezensent Carl Borromäus Freiherr
von Miltitz (1781–1845) betätigte sich als Komponist, Musikkritiker, Librettist und Dichter.
Lit.: Geck Matthäuspassion, S. 117ff.

D 104

Erneute Darbietung mit 400 Ausführenden
am 21. März 1834 in Königsberg

Königsberg in Preußen. Am 21. März wurde in der Domkirche hier, unter Leitung
des thätigen Musikdirectors Sämann, die Bach'sche Passionsmusik aufgeführt und
fand die allgemeinste und freudigste Theilnahme. Herr S. hatte zur Verstärkung des
Cantus firmus, der Choräle und des Schlußchors mit dem Hauptchor, welches aus
120 Sängern und Sängerinnen bestanden, von einem Orchester von 150 Personen
unterstützt wurde, eine Auswahl der besten Sänger der drei Gymnasien und des
Königl. Waisenhauses, welche von ihren Singlehrern trefflich geübt waren, in Ver-

bindung gesetzt, so daß das sämmtliche Personal mehr als 400 Personen betrug. Die Wirkung, welche diese imposanten Kräfte hervorbrachten und die Tonmassen, welche sie unter Begleitung der Domorgel in dem herrlichen gothischen Gewölbe entwickelten, waren eben so groß, als für Königsbergs Bewohner bisher ungekannt, und ließen bei allen Hörern einen tiefen Eindruck zurück. Der nicht unbedeutende Ertrag ist, nach Abzug der Kosten, zur Renovation der Denkmäler im Dom bestimmt.

Quelle: Eutonia, 9. Bd., Berlin 1835, S. 143f.
Anm.: Die erste Aufführung der Matthäus-Passion unter Leitung von Karl Heinrich Sämann (1790–1860) hatte am 17. April 1832 in der Königsberger Löbenichtkirche stattgefunden → D 101.

D 105

WIEDERAUFFÜHRUNG IN BRESLAU AM 22. MÄRZ 1834

Aus Breslau.
Was die Vokalmusik anbelangt, so sorgen eine Menge Institute gut oder übel für deren Pflege. Von Allen habe ich hier nur zwei, den Singverein des Kantor Siegert und die Singakademie des Königl. Musikdirektor Mosevius als die bedeutendsten zu erwähnen. Jeder sorgt nach seiner Weise und Ansicht für die Verbreitung des Interesses an kirchlicher Musik, und an deren älteren Meisterwerken. So führte denn während der Passionszeit ersterer die letzten beiden Theile des Händelschen Messias, letzterer Sebastian Bach's Passionsmusik nach dem Evangelium Matthäus auf. Ich kann namentlich dieses letztere Werk niemals ohne die höchste Ehrfurcht vor dem Geiste, der das Heiligste so in sich aufgenommen, wie wenige Sterbliche, und in einer jeden Pulsschlag des mächtigen von ihm entfalteten Tonlebens durchglühenden gotterfüllten Begeisterung wiederzugeben vermochte, nennen. Man kann von Allem fast behaupten, es habe bereits unter der Sonne existirt, diese Mystik der Töne, nur darum, weil sie wahr und ächt, wie sie im Herzen des Komponisten wohnte, hervortritt, von so tiefer Bedeutung, muss auch der anerkennen, dessen Anschwung der Religion eine andere ist. Die Aufführung zeugte von der Begeisterung aller Mitwirkenden für die Aufgabe.

Quelle: Cäcilia, 16. Bd. (1834), Heft 63, S. 210.
Anm.: Die Aufführung erfolgte am Samstag vor Palmarum (22. März) 1834 → D 94 (Anm.). Gottlob Siegert (1789–1868) war Musikdirektor und Kantor an der Kirche zu St. Bernhard in Breslau. Zu Mosewius → D 4.

D 106

FANNY HENSEL: PASSION IN DER GARNISONKIRCHE
BERLIN, 8. MÄRZ 1835

… Kommst Du einmal wieder her, so mußt Du, die Bilde zu Ehren, in der Garnisonkirche schöne Musik machen. Diese Ostern höre ich, soll die Passion dort gegeben
werden. Es ist schade, daß du ihnen nicht alle große Bachsche Musiken so schön
vorgeschnitten u. mit Sauce bereitet hast, denn was die Tölpel selbst versucht haben,
ist doch spurlos wieder untergegangen. …

Quelle: Fanny Hensel an Felix Mendelssohn Bartholdy, 8. März 1835. Bodleian Library, Univer-
sity of Oxford, Signatur: *MS. M. Deneke Mendelssohn d. 30, Green Books IV–21.*
Anm.: Es bleibt unklar, welche Passion Ostern in der Garnisonkirche aufgeführt werden sollte.
Die Matthäus-Passion erklang am Donnerstag vor Palmarum (9. April) 1835 im Konzertsaal der
Sing-Akademie und erst am 27. Mai in der Berliner Garnisonkirche. Hensels Unmut erklärt sich
wohl aus der Wahl Carl Friedrich Rungenhagens zum Nachfolger von Zelter. Ihr Bruder Felix
hatte 1833 erfolglos kandidiert.
Lit.: Fanny Hensel Letters, S. 493.

D 107

KRITIK AN DER AUFFÜHRUNG UNTER RUNGENHAGEN
BERICHT VOM 9. JUNI 1835

… Die Singakademie, im Verein mit der philharmonischen Gesellschaft, führte den
Judas Maccabäus, die Seb. Bachsche Passionsmusik nach dem Evangelium des Matthäus und den Tod Jesu von Graun unter der Direction des Hrn. Rungenhagen auf.
So unvergleichlich nun auch der Vortrag der Chöre, welche durch eine große Zahl
wissenschaftlich und künstlerisch gebildeter Dilettanten gesungen werden, genannt
werden muß, so kann doch bei der Schläfrigkeit der Direction, allem Mangel an
poetischer Einigung und der Abgenutztheit gewisser stereotyper Mittel kein rechtes
Leben aufkommen, und es wäre sehr zu wünschen gewesen, die Akademie hätte bei
der letztlich dargebotenen Gelegenheit ein anderes Scrutinium getroffen. …

Quelle: NZfM, Jg. 1835, Nr. 46, 9. Juni 1835, S. 187.
Anm.: Die Aufführungen erfolgten am Donnerstag vor Palmarum (9. April) und am 27. Mai
1835 unter Carl Friedrich Rungenhagen. Die zweite Aufführung fand in der Garnisonkirche
statt. Die Kritik gilt Rungenhagen, der am 22. Januar 1833 zum Nachfolger von Carl Friedrich
Zelter gewählt worden war. Felix Mendelssohn Bartholdy und Eduard Grell hatten in dem Wahl-
verfahren erfolglos kandidiert.
Lit.: Schünemann Singakademie, S. 73f.

D 108

Hannover. 1. Apr. S. Bachs Passionsmusik nach Mathäus, Aufführung der Singakademie unter Herrn Enkhausens Direction.

Quelle: NZfM, 4. Bd., Nr. 33, 22. April 1836, S. 140. (Chronik.)
Anm.: Die Aufführung leitete der Schloßkirchenorganist Heinrich Friedrich Enckhausen (1799–
1885). Die Sing-Akademie Hannover war im Jahre 1826 von Aloys Schmitt (1788–1866) gegründet worden.

D 109

Nachrichten.
Cassel, im Juni. …
Am Charfreitage wurde uns ein wahrer Hochgenuss geboten, die Passion nach
Matthäus von Seb. Bach, unter Mitwirkung der Wiegand'schen Singakademie, des
Spohr'schen Caecilienvereins u. der Liedertafel. Dass dieses klassische Meisterwerk
so ausgeführt wurde, wie wir es hörten, war lediglich Spohr's unbezweifeltes Ver-
dienst; die wenigen Vorbereitungen dazu bei fast nur einer Probe lassen eine der
Tondichtung ganz würdige Ausführung in Einzelnheiten wie im Ganzen noch hin
u. wieder bezweifeln; aber Spohr's unbesiegbarer Willenskraft gelang doch das
Meiste. Die Solopartieen in den Händen des Hrn. Föppel, welcher sehr schön sang,
desgleichen des Hrn. Schmelz, welcher mit seltener Ausdauer die umfangreichste
Partie lobenswerth vortrug, des Hrn. Birnbaum u. einiger Dilettanten u. Dilettan-
tinnen, wurden meist gut ausgeführt. Auch wir knieten an diesem Abende im Geiste,
wie einst Mozart auf der Thomasschule zu Leipzig, vor dem Bilde des Schöpfers
der Fuge nieder, um den Manen desselben die reinsten Gefühle des Dankes für den
unvergesslichen Genuss dieser unsterblichen Tondichtung darzubringen. –

Quelle: AMZ, 38. Jg., Nr. 24, 15. Juni 1836, Sp. 395.
Anm.: Karfreitag fiel 1836 auf den 1. April. Die erste Aufführung in Kassel hatte nach Überwin-
dung von vielen Schwierigkeiten am 20. Oktober 1832 in der Brüderkirche mit Klavierbegleitung
stattgefunden → D 102. Die erwähnten Sänger sind Heinrich Anton Föppel (1796–1866), Heinrich Schmelz und wohl Karl Birnbaum (1803–1865).

D 110

CLARA WIECK: SCHWIERIGKEITEN MIT DER BACHSCHEN PASSION
TAGEBUCHEINTRAG, 9. MÄRZ 1837

D. 9ten in der Singacademie die Passionsmusik von Bach. Alle Tage ein Chor daraus und es wird mir gefallen, doch die ganzen 77 Chöre im Lento und Adagio auf einmal, das hab ich noch nicht gelernt aushalten. Nach dem ersten Theil ging ich fort.

Quelle: Clara Wieck in ihren Jugendtagebüchern (bisher unveröffentlicht). Robert-Schumann-Haus Zwickau, Signatur: 4877$^{1-4}$ – A 3, Tagebuch 6, Bd. III, S. 94.
Anm.: Der Kommentar von Clara Wieck bezieht sich auf eine Aufführung der Matthäus-Passion der Sing-Akademie zu Berlin am 9. März 1837.
Lit.: Schumann TB II, S. 513 (Anm. 463).

D 111

VERZÖGERTE AUFFÜHRUNG IN BRESLAU
BERICHT VOM 4. MAI 1838

… Die gewöhnlichen geistlichen Musiken in der Charwoche: Graun's „Tod Jesu", Haydn's „Schöpfung" haben auch diesmal Statt. Krankheitsfälle haben leider die Bach'sche Passion verzögert, welche erst nach Ostern durch Mosevius wird aufgeführt werden können. An Charmittwoch führte Cantor Siegert mit seinem Gesangvereine Lamentationen des Durante, J. S. Bach's „Fürchte dich nicht" und Choräle auf. –

Quelle: NZfM, 8. Bd., Nr. 36, 4. Mai 1838, S. 144. (Kürzere briefliche Mittheilungen. … Breslau, vom 10ten April.)
Anm.: Die Aufführung unter Johann Theodor Mosewius konnte erst am 8. Mai 1838 stattfinden → D 94 (Anm.). Die Motette „Fürchte dich nicht" (BWV 228) brachte der Breslauer Kantor Gottlob Siegert (1789–1868) am 11. April 1838 zur Aufführung. Siegert war Musikdirektor und Kantor an der Kirche zu St. Bernhard.

D 112

SCHELBLE ALS DIRIGENT UND GESANGSSOLIST
1839

… Er sang den Mitwirkenden jede Stelle so lange vor, bis er sah, dass sie in den Geist derselben eingedrungen und seiner vollen Zufriedenheit würdig waren. Dadurch

erhielt jede Production eine in allen Theilen fertige Rundung, eine zusammen-
wirkende, wahrhaft zauberische Gewalt, die jeden Hörer zum Erstaunen und Entzücken hinriss. Mit den vergrösserten Mitteln wuchsen die Kräfte, und mit diesen,
trotz aller Schwierigkeiten, die bedeutenden Leistungen, die ihren höchsten Grad
in Aufführung der Werke des unvergleichlichen Joh. Seb. Bach erreichten, – (die
Productionen fanden zuletzt immer mit voller Orchesterbegleitung statt). – Unvergleichlich war der Eindruck der im Mai 1829 aufgeführten „grossen Passion nach
Matthäus"; die mächtig ergreifenden Chöre, die tief empfundenen Solopartieen
gingen durch Schelbles Bemühung unverbesserlich, und die herrlichen Recitative
trug er selbst mit eben so tiefem Gefühl, als hoher kraftvoller Würde vor. Seine
Ausdauer hatte die Bahn gebrochen und geebnet, sein eigenthümliches Talent,
alle musikalischen Schönheiten zu Tage zu fördern und die reichen Kunstschätze
dem Gefühl nahe zu bringen, hatte mächtig auf die Mitglieder des Vereins, ihren
Geschmack und ihr Urtheil gewirkt und allmählich eine so innige Vertraulichkeit
mit diesen colossalen Schöpfungen hervorgebracht, wodurch das innere Leben des
Instituts unbeschreiblich erhöht und bereichert wurde.

…

Die heilige Himmelsflamme der Tonkunst pflegte er mit stets wachsender Ehrfurcht
und Liebe bis zu seinem Austritt aus diesem Dasein. Für Anerkennung der erhabenen Werke der ältern Meister, besonders Händel's und J. S. Bach's arbeitete er stets
mit kraftvoller Rede und entschiedener Thätigkeit.
Es gehört zu Schelbles grössten Verdiensten, diese Tondichtungen trotz allen einseitigen Einwürfen und blindem Widerstreben, zu allgemeiner Würdigung und trefflicher Aufführung gebracht zu haben. Man musste ihn hören, den frommen Priester
des heiligen Gesanges, wie er verklärten, himmelwärts gehobenen Blickes die ergreifenden Töne hervorbrachte, man musste ihn sehen, wie sein ganzes Wesen die
Wärme, das tiefe Gefühl, die höchste Andacht athmete, um von ähnlichen Empfindungen durchdrungen und mit ihm in das Gebiet reiner Seligkeit emporgeführt zu
werden.

Wer so glücklich war, ihn, bei der Leitung grosser Productionen, oder auch nur mit
seiner eigenen trefflichen Clavierbegleitung, Einzelnes aus der Partitur vortragen zu
hören, dem wird dieser Eindruck unvergesslich sein. …

Quelle: Cäcilia, 20. Bd. (1839), Heft 79, S. 173f., 176. (*Nekrolog auf Schelble.*)
Anm.: Johann Nepomuk Schelble hatte den Cäcilienverein im Jahre 1818 gegründet und mit
diesem die Matthäus-Passion am 29. Mai 1829 erstmalig in Frankfurt/Main zur Aufführung
gebracht → D 91.

D 113

Mendelssohn: Passion in Leipzig noch gänzlich unbekannt
Leipzig, 2. Januar 1841

... – Ich habe 5 Abonn. Concerte, u. 3 Extra Concerte im Januar zu dirigiren, Anfang März die Bachsche Passion, von der hier noch keine Note bekannt ist, u. kann überhaupt ohne der Sache Schaden zu thun von hier nicht in der Concertzeit abkommen. ...

Quelle: Felix Mendelssohn Bartholdy an Paul Mendelssohn Bartholdy, 2. Januar 1841. New York, The New York Public Library, *Mendelssohn Letters*.
Anm.: Mendelssohn bezieht sich auf die geplante Aufführung der Matthäus-Passion in Leipzig. Diese erfolgte nicht Anfang März, sondern am 4. April 1841. Bereits im Frühjahr 1831 hatte der Thomanerchor die Passion unter Christian Theodor Weinlig einstudiert → D 96. Zu einer Aufführung war es jedoch nicht gekommen → D 99.
Lit.: P. Mendelssohn Bartholdy und C. Mendelssohn Bartholdy (Hrsg.): *Briefe aus den Jahren 1833 bis 1847 von Felix Mendelssohn Bartholdy*, Leipzig 1863 (Erstausgabe), S. 257.

D 114

Becker: Vorankündigung der Leipziger Erstaufführung
Bericht vom 26. März 1841

Die Passionsmusik nach dem Evangelisten Matthäus von Johann Sebastian Bach.
In wenig Tagen wird in Leipzig nach einer – so viel uns bekannt – einhundert und dreizehn-jährigen Ruhe J. S. Bach's große Passionsmusik nach dem Evangelisten Matthäi, die hier geschrieben und in dem Jahre 1728 am Charfreitage in der Thomaskirche von dem Meister selbst aufgeführt wurde *), an derselben Stelle von Dr. Mendelssohn-Bartholdy aufs Neue ins Leben gerufen!
Daß kein wahrer Verehrer Bach's diese Zeilen ohne wärmste Theilnahme liest und erwartungsvoll dem Augenblicke entgegenhofft, wo diese Hochfeier der Religion und Kunst beginnen soll; hiervon sind wir völlig überzeugt.
Doch trete Keiner, der sich beeilt, den so seltenen Genuß zu erzielen, der einen wahrhaft nachhaltigen Gewinn aus dem Werke zu schöpfen willens ist, ohne die er-

*)   Die Zusammenstellung der Textesworte – die Wahl der Verse aus Kirchenliedern – bis auf einige, die Bach wohl selbst einreihte, besorgte Christian Friedrich Henrici – als Schriftsteller unter dem Namen: „Picander" bekannt. Man findet das Gedicht – wenn man es anders so nennen kann – in dem zweiten Theile seiner Werke, Leipzig, 1734, 2. Aufl. Seite 101 – 112. Die Widmung Henrici's ist in der Ostermesse 1729 unterschrieben; folglich muß das Werk spätestens 1728 am Charfreitage bei der Vesper in der Kirche zu St. Thomä zum erstenmal aufgeführt worden sein, was – ohne Angabe des Jahres – über dem Gedichte zu lesen ist.

forderliche fromme Gemüthsstimmung hinzu; so rufen wir freundlich ermahnend allen Nahenden entgegen.

An die letzten Stunden des besten der Menschen, der fast vor zwei Jahrtausenden zum Glück, Heil und Segen aller Sterblichen auf Erden wandelte; an alle die schweren Leiden und bittern Schmerzen, die Jesus von denen zu ertragen hatte, welche er so unaussprechlich liebte, soll ein Jeder hier erinnert werden! Deshalb bietet sich nicht ein Fest der Kunst dar, sondern eine hochernste religiöse Feier!

Nur wer mitzufühlen im Stande ist, wer sich der die Sinne betäubenden Gegenwart auf eine kurze Zeit entreißen kann, und seine Phantasie zu dem höchsten Aufflug zu kräftigen vermag, dem wird Erbauung, Erhebung seiner selbst von Bach's so andächtigen Gesängen in dem Tempel des Herrn zu Theil. Ein langfortdauernder Nachhall in dem tiefsten Innern verbleibt ihm dann, ausströmend wie Aeolsharfenlaut von himmlischen Höhen, und das Wort macht sich Bahn aus der verschlossenen Brust und ruft:

„Klingt ihr noch fort, ihr süßen Trauertöne?
Noch schwebt mein Geist in euren heil'gen Reigen,
Und all' mein Hoffen will erfüllt sich zeigen,
Seit ich in eurem Strome mich versöhne."

Nicht trefflicher, nicht kindlicher vermochte der Tondichter des „Paulus" seinen innigen Dank den Manen Bach's, welcher ihn von frühester Jugend mit Begeisterung erfüllte und als das unerreichbarste Ideal vor ihm stand, darzubringen, als daß er dieses Werk aus einem so langen Schlummer hervorrief. Jahrelanger Fleiß, unermüdliche Ausdauer wurde dazu erfordert, viele Hindernisse waren zu überwinden, manche Vorurtheile zu besiegen, ehe es ihm gelang, gleich dem Pygmalion, dem köstlichen, aber todten Gestein, das rege warme Leben einzuhauchen. Endlich war es dem Thätigen vergönnt, sich seiner Mühen zu erfreuen, und am 12. März 1829 fand zu Berlin im Saale der Singakademie unter seiner umsichtigen Leitung die erste Aufführung statt, zu der aus den Mitgliedern der Singakademie, ausgezeichneten Dilettanten, Mitgliedern der königlichen Capelle und des Königstädter Theaters ein mehrere Hundert starkes Doppelchor und Doppelorchester vereinigt hatte. …

Schnell verbreitete sich jetzt von der Königstadt aus der Ruhm der großen Passionsmusik durch ganz Deutschland. Die würdigen Directoren der Tonkunst in Frankfurt a. M., Breslau, Königsberg, Cassel, Dresden und a. O. unterzogen sich der schweren, aber auch so sehr dankbaren Mühe, dieses Kunstwerk würdig und mit den besten Kräften aufzuführen, und nur – Leipzig sollte den Hochgenuß entbehren, diese Stadt, welche das Werk entstehen sah, in deren Mauern es einmal erklang, um dann über hundert Jahre der Vergessenheit anheim zu fallen!

Nicht mögen wir uns bemühen, die Gründe aufzufinden, weshalb das Werk bis jetzt der Oeffentlichkeit von denen entzogen wurde, welchen die Musikleitung übertragen ist; nur verkümmern würden wir uns einen Genuß, der in Kurzem von dem geboten wird, welcher seine Meisterschaft schon allein in der Wiederbelebung dieses Werkes bewährte. Nein! Freuen wir uns hingegen innig im Voraus auf jene erhebenden Stunden, die uns bald erwarten in dem Hause des Herrn, …

Quelle: NZfM, 14. Bd., Nr. 25, 26. März 1841, S. 99f.
Anm.: Der Verfasser des Beitrags, Carl Ferdinand Becker (1804–1877), war 1825 bis 1837 Organist an der Peterskirche und von 1837 bis 1854 Organist an der Nikolaikirche zu Leipzig. Er hat sich auch als Musikaliensammler, Musikforscher und Publizist betätigt.

D 115

Clara Schumann: Passion zur Errichtung eines Bach-Denkmals – akustische Probleme in der Thomaskirche
Leipzig, April 1841

… In der Thomaskirche gab *Mendelssohn* die *Passions*-Musik von *Bach*, zur Errichtung eines Denkmals für selben, wie er es schon voriges Jahr einmal gethan. Wir hatten einen schlechten Platz, hörten die Musik nur schwach, und gingen daher nach dem ersten Theil. In Berlin hatte mir diese Musik viel mehr Genuß verschafft, was wohl theilweise mit am Local lag, das ganz für solche Musik geeignet ist, während dies in der Thomaskirche durchaus nicht der Fall, da sie viel zu hoch ist. …

Quelle: Clara Schumann in ihren Tagebuchaufzeichnungen vom April 1841. Tagebuch 12 – Ehetagebuch I, Robert-Schumann-Haus Zwickau, Signatur: *7087,1 – A3*, zit. nach Schumann TB II, S. 158.
Anm.: Die Aufführung unter Felix Mendelssohn Bartholdy erfolgte am Palmsonntag (4. April) 1841.

D 116

Zwei Sätze der Passion am 5. April 1841
von der „Gesellschaft der Freunde religiösen Gesanges" musiziert

1841. Am Montag in der Charwoche den 5. April wurde zum Besten der Rettungsanstalt für sittlich verwahrlosete Kinder im rauhen Hause in Horn abends in der St. Petri Kirche von der Academie zur Aufführung gebracht:
Haydn's „Sieben Worte Jesu am Kreuze und
J. S. Bach's „Recitativ & Schlußchor aus dem Oratorium nach dem Evangelio Matthaei" – …

Quelle: Protocoll des Gesang-Vereines vom 25sten November 1819 bis zum 25sten November 1844, S. 151, Staats- und Universitätsbibliothek Hamburg, Archiv der Hamburger Sing-Akademie, Protokollband A.

Anm.: Die Aufführung leitete Friedrich Wilhelm Grund (1791–1874), der Mitbegründer und Leiter der „Gesellschaft der Freunde des religiösen Gesanges" (der späteren Hamburger Sing-Akademie). Es wurden lediglich das Rezitativ „Nun ist der Herr zur Ruh gebracht" (Nr. 67) und der Schlußchor „Wir setzen uns mit Tränen nieder" (Nr. 68) musiziert. Wie aus den Eintragungen in den Protokollbüchern hervorgeht, hatte man seit 1836 an der Passionsmusik beständig geprobt. Die Wohltätigkeitsveranstaltung wird auch erwähnt in: NZfM, 14. Bd., Nr. 28, 5. April 1841, S. 114: „… In der Charwoche führt derselbe mit seiner Singakademie Haydn's „sieben Worte" und den letzten Theil der Bach'schen Passionsmusik in der Kirche St. Petri auf – eine herkömmliche Unternehmung zu wohlthätigem Zwecke. –".

D 117

Dresdner Anteilnahme an der Leipziger Darbietung

Bericht vom 16. April 1841

Mit aller freudigen und schwesterlichen Theilnahme hat Dresden von dem Palm-Genusse gelesen, den Ihnen Meister Mendelssohn in Leipzig bereitet hat. Möge sein hochherziges und opfervolles Unternehmen, Bach's Andenken auch dem Minder-Kundigen augenfällig zu machen, und zugleich meiner lieben Thomana eine neue Zierde zu schaffen, mit dem besten Erfolge belohnt werden. Auch Dresden freut sich darüber. Ist ja doch Sebastian Bach nicht blos Leipzigs, sondern – wie Schütz, Kuhnau, Händel und Naumann – ganz Obersachsens gerechter Stolz geworden! –

Quelle: NZfM, 14. Bd., Nr. 31, 16. April 1841, S. 125.
Anm.: Der Kommentar bezieht sich auf die erste Leipziger Aufführung der Matthäus-Passion am Palmsonntag (4. April) 1841. Zu den Dresdner Bach-Aufführungen → D 35, D 52, D 103.

D 118

Münchner Erstaufführung unter Lachner

Bericht vom 25. Mai 1842

… – Das wichtigste unter allen in dieser Saison zur Aufführung gebrachten Werken war jedoch (drittes Concert) *Joh. Seb. Bach's* Passionsmusik nach Luthers Uebersetzung des Evangelisten Matthäus. Schon vor zwei Jahren war von deren Aufführung die Rede; da machten sich aber, wie weiland auch zu Berlin, mancherlei Bedenklichkeiten dagegen geltend. Man scheute zurück vor dem Ernste des gewaltigen

Meisters, vor den Schwierigkeiten der Ausführung, den grossen Kosten, dem wahrscheinlich kleinen Gewinne, oder dem noch wahrscheinlicheren Verluste. *Lachner's* Begeisterung für den grossen Meister siegte endlich. Sein Einfluss auf die Mitglieder der königl. Hofkapelle, oder richtiger, die Verehrung und Liebe der letztern zu ihrem Führer, die Erkenntniss, dass es sich hier um die Ehrensache handelte, *Bach* einem Publikum vorzuführen, das diesen Meister mit vielleicht nur wenigen Ausnahmen noch gar nicht kannte, liess sie das pekuniäre Wagniss unternehmen, welches hinsichtlich der angedeuteten Bedenklichkeiten allerdings als solches gelten konnte. – Ueber das Werk selbst enthalten wir uns wie billig jeglichen Urtheils. Die Aufführung erfolgte am Palmsonntage. Das mitwirkende Personale, worunter sehr viele Dilettanten, war etwas über dreihundert Personen stark. Vorausgegangen waren – die Verhältnisse gestalteten nicht mehr – vier Proben für den Chor allein, eine für das Orchester allein und zwei Proben für Orchester und Chor zusammen, – allerdings wenig im Verhältnisse zu den Schwierigkeiten des Werkes. Dessen ungeachtet war die Aufführung, einige kleine Verstösse abgerechnet, eine ganz gelungene. Erwägt man dabei, wie so gar Wenige der sämmtlichen Mitwirkenden mit *Bach's* Musik nur überhaupt vertraut sein mochten, wie letztere nicht nur von der jetzigen Schreibart, sondern auch von der seiner Zeitgenossen sich so wesentlich unterscheidet: so müssen wir darin einen neuen und gewiss wichtigen Beleg erblicken für *Lachner's* Meisterschaft als Direktor. Hiezu rechnen wir wie billig auch die Wahl der Tempi, die Art, wie er die Choräle vortragen liess, das Anbringen von Forte, Piano und so vieles Andere, was hier anzuführen zu weitläufig wäre, aber Zeugniss gab von dem redlichen, ernsten Studium, das *Lachner* der *Bach*'schen Passion gewidmet haben musste. Dankbar gedenken wir ausser den Leistungen des Chors und Orchesters jener der Solosänger, von denen besonders Mad. *Dietz* (Sopran), Dem. *Hetzenecker* (Alt) und die Herren *Krause* (Christus) und *Dietz* (Evangelist) ehrenvoll zu nennen sind; dann des Oboesolo's No. 26, von Herrn *Vitzthum*, und des Violinsolo's No. 48, von Herrn *Ed. Mittermaier* ganz vortrefflich vorgetragen. – Um herkömmlicherweise auch vom Beifalle zu reden, so referiren wir, dass sich solcher nach der ersten Abtheilung sehr lebhaft äusserte, und nach der zweiten *Lachner* nebst den Solosängern gerufen ward; endlich dass von den beiläufig 2000 Zuhörern höchstens etwa 100 vor dem Schlusse sich entfernten. – Eine Wiederholung dieses Werkes am Ostersonntage wurde von Vielen gewünscht, war auch beabsichtigt, fand aber dennoch nicht Statt, weil wegen der Kirchenfeste während der Charwoche keine Probe gehalten werden konnte. …

Quelle: AMZ, 44. Jg., Nr. 21, 25. Mai 1842, Sp. 453f. (Nachrichten. *München.*)
Anm.: Die Aufführung erfolgte am Palmsonntag (20. März) 1842, eine Wiederholung am Ostersonntag scheiterte aus organisatorischen Gründen. Franz Paul Lachner (1803–1890), der in Wien noch zum engeren Freundeskreis Franz Schuberts gehörte, hatte seit 1836 das Münchner Musikleben als Dirigent der Hofoper und Hofkirchenmusik und erster Generalmusikdirektor maßgeblich geprägt. Die Gesangssolisten der Aufführung waren: Sophie Diez (1820–1887),

Karoline von Mangstl Hetzenecker (1822–1888), (Ernst) Friedrich Diez (1805–1892) und Julius
Krause (1810–1881). Die erwähnten Instrumentalsolisten sind Eduard Mittermayr (1814–1857)
und Joseph Vitzthum († 1864).
Lit.: Günther Weiß, „Große Passionsmusik nach dem Evangelium Matthäi von Johann Sebastian Bach".
Zur Erstaufführung der Matthäuspassion in München, in: Johann Sebastian Bach und der süddeut-
sche Raum. Aspekte der Wirkungsgeschichte Bachs. Symposion des 65. Bachfestes der Neuen
Bachgesellschaft München 1990, Regensburg 1991, S. 39ff.

D 119

LOB FÜR RUNGENHAGENS AUFFÜHRUNG AM 6. APRIL 1843

… Am 6. April führte die Singakademie vom philharmonischen Verein (einem Or-
chesterverein tüchtiger Dilettanten unter Leitung von H. Ries) unterstützt, Bachs
Passionsmusik nach dem Evangelisten Matthäus auf. – Diese Aufführungen, unter
Rungenhagens Leitung, gehören zu dem vorzüglichsten was in dieser Art geleistet
werden kann.

Quelle: Signale, 1. Jg., Nr. 17, April 1843, S. 125. (Signale aus Berlin.)
Anm.: Gemeint ist wohl der Konzertmeister, Violinist und Musikpädagoge Hubert Ries (1802–
1886), der von 1835 an die Berliner Philharmonische Gesellschaft geleitet hatte. Carl Friedrich
Rungenhagen leitete die Sing-Akademie zu Berlin seit 1833.

D 120

GEPLANTE ERSTAUFFÜHRUNG AM 27. MAI 1849 ZUM NIEDERRHEINISCHEN MUSIKFEST
IN DÜSSELDORF

Das 30. niederrheinische Musikfest wird an den beiden Pfingsttagen den 27. und
28. Mai unter Leitung unseres Musikdirectors Herrn Ferdinand Hiller in gewohnter
Weise gefeiert werden. Zur Aufführung sind bestimmt:
am ersten Tage: Grosse Passionsmusik nach dem Evangelium Mathaei componirt von
Joh. Seb. Bach für Solostimmen, Doppelchor und Doppel-Orchester. …

Quelle: Schreiben des Düsseldorfer Comités des niederrheinischen Musikfestes „An das verehrliche Comité des niederrheinischen Musikfestes zu Cöln", Düsseldorf, 7. April 1849, Archiv für
rheinische Musikgeschichte, Signatur: A/III/57/1.13.
Anm.: Ferdinand Hiller (1811–1885) leitete seit 1847 die Konzerte des Düsseldorfer Musikvereins. Das 30. niederrheinische Musikfest mußte wegen der revolutionären Ereignisse 1849 in Düsseldorf ausfallen.

JOHANNES-PASSION

D 121

PROBEN UND AUFFÜHRUNGEN DER SING-AKADEMIE ZU BERLIN
1815 UND 1822

25. Mai 1815
Nr. 1 Recitativ, 2 Choräle und ultima Choro

1. Juni [1815]
Paßion sec. Johannem 1 und letzter Chor

Quelle: Probenbücher der Sing-Akademie zu Berlin (derzeit nicht verfügbar), zit. nach Schünemann Bachpflege, S. 148.
D-B *St 111*: Umfangreiche Einzeichnungen (Notentextnachträge, Stimmenbezeichnungen, Satz-
streichungen, Satznumerierung, Taktzahlen) von der Hand Carl Friedrich Zelters.
Anm.: Satz 18c („Barrabas aber war ein Mörder") wurde von Zelter für Basso und Continuo umgearbeitet.
Lit.: NBA II / 4, Krit. Bericht, S. 50, 52, 58 – 60.

ZELTER: ZUR NOTWENDIGKEIT AUFFÜHRUNGSPRAKTISCHER ANPASSUNGEN
BERLIN, 4. APRIL 1822

Textwiedergabe → E 1.

Anm.: Zelters Bemerkungen stammen vom Gründonnerstag (4. April) des Jahres 1822 und stehen allem Anschein nach im Zusammenhang mit der am Folgetag (Karfreitag) 1822 im Rahmen
der Freitagsmusiken aufgeführten Passion. Daß er das Werk offenbar nicht vollständig dargeboten hat, läßt eine spätere Pressenotiz vom 2. Februar 1833 vermuten → D 126.
Lit.: Schünemann Bachpflege, S. 153.

D 122

FANNY MENDELSSOHN BARTHOLDY: AUS DER ZWEITEN PASSION GESUNGEN
BERLIN, 6. MAI 1829

… am Montag wollten wir ein wenig aus der 2ten Passion singen, ich hatte mir allerhand Leute dazu bestellt, da aber ein fürchterlicher Regen war den ganzen Tag, kam

Niemand als Ritzens, u. Marx, der Weg und Wetter nicht gescheut hatte, u. nach seiner Weise ohne Mantel u. in Schuhen gegangen war. Und wir sangen wirklich aus der Passion. Ein Paarmal mußte ich aber über Ritz, der neben mir *Alt* brüllte, fast laut lachen. Ich treffe ganz mit Marx überein wegen der Johannispassion; wenn ich sie erst noch genauer kennen werde, rücke ich damit heraus. …

Quelle: Fanny Mendelssohn Bartholdy an Felix Mendelssohn Bartholdy, [6. Mai 1829]. Bodleian Library, University of Oxford, Signatur: *MS. M. Deneke Mendelssohn b.4, Green Books I–66.*
Anm.: Über das Studium der Johannes-Passion sind keine Details bekannt; vgl. aber den Brief vom 23. Mai 1829 (D 123).
Lit.: Fanny Hensel Letters, S. 393.

D 123

Fanny Mendelssohn Bartholdy: Ein Bachsches Concert
Berlin, [23. Mai 1829]

Sonnabend 23sten April … Wir feierten übrigens unsern Freitag durch ein Bachsches Concert, *e dur*, Herr gehe nicht ins Gericht, u. den ersten Chor aus der Johannispassion. Hellwig, der nicht Bescheid wußte, tanzte immerfort ums Clavier herum, vor dem Anfang, u. wunderte sich über meine Unverschämtheit, daß ich dabei stehn blieb. Am Ende frug er denn, ob nicht Rungenhagen an den Flügel sollte, da meinte ich, ich hätte Auftrag, und die Sache war abgethan. …

Quelle: Fanny Mendelssohn Bartholdy an Felix Mendelssohn Bartholdy, 23. [Mai 1829]. Bodleian Library, University of Oxford, Signatur: *MS. M. Deneke Mendelssohn b.4, Green Books I–50.*
Anm.: Fanny Mendelssohn Bartholdy schrieb irrtümlich den „23sten April" statt „23sten Mai". Die erwähnte Freitags-Aufführung erfolgte am Vortag (22. Mai 1829). Außer dem Eingangschor der Johannes-Passion erklang die Kantate „Herr, gehe nicht ins Gericht" (BWV 105) und wohl das Konzert E-Dur (BWV 1053). Karl Friedrich Ludwig Hellwig (1773–1838) war neben Karl Friedrich Rungenhagen seit 1815 Vizedirektor der Sing-Akademie zu Berlin.
Lit.: Fanny Hensel Letters, S. 396.

D 124

Erstaufführung am Karfreitag 1832 in Bremen

April 20. [1832]
Charfreitag. Große Ausführung der Passionsmusik nach dem Evangelium Johannis von *Joh. Seb. Bach.* Anfang präcise 6 ½ Uhr. Die Aufführung war heute zum Besten der Musiker Wittwencasse, welche unseren Kehlen 153 Thaler verdankte.

Auf dem Lector vor der Orgel stand *Riem* ganz vorn hinter einer kleinen spanischen Wand, um sich gegen das Publicum zu decken, bei sich hatte er ein Fortepiano, um die *Soli* zu unterstützen. Nächst ihm befand sich das Orchester, und dahinter Alt und Sopran, oben vor der Orgel Tenor und Baß. Wenn auch die großen Damenhüte heute fehlten, war *Riem's* Tactschlag doch nicht hoch genug, um von den Männern genau gesehen werden zu können. Im ganzen genommen gerieth die Aufführung besser, wie man zu erwarten berechtigt war. Wenngleich unsern unerhörten Anstrengungen zum Einüben eine bedeutendere Anerkennung beim Publicum entsprechen konnten, so mag dasselbe doch auch dadurch zu entschuldigen sein, daß die langen und häufigen Recitationen des Evangelisten wohl zu ermüdend waren. Die eigentliche Schönheit der größern Chöre leuchtet ja selbst dem geübten Kenner erst nach mehreren Wiederholungen ein, und konnte unmöglich vom großen Haufen sofort capirt werden. Die Choräle machten unstreitig den tiefsten Effect, so wie die Soli, Arien und Ensemblestücke durch ihren gelungenen Vortrag allgemeinen Beifall erndteten. Besonderer Anstoß an dem redenden Auftreten Christi wurde nicht verspürt. Die Einzelnheiten betreffend muß bemerkt werden, daß der Evangelist abwechselnd vom *Toel*, *Meyer*, *Lange* und *George Grabau* gesungen wurde, indem die Aufgabe den erstern beiden für ihr erstes Auftreten zu bedeutend war. Ihrem Fleiß gebührt der beste Dank, doch kann ihre, namentlich *Meyers* zu große Unsicherheit nicht wohl übergangen werden. Gratuliren muß sich aber die Academie jedenfalls wegen Anwerbung dieser vielversprechenden jungen Leute. Der brave Domorganist *George Grabau* von *Verden* verpflichtete die Academie zur lebhaften Dankbezeugung. Wäre er nicht gekommen, wie mangelhaft wäre das Ganze geblieben. *André v. Kapff* hatte die Partie des Jesus übernommen, und trug durch hinreißenden Vortrag, sowie durch würdige Auffassung seiner hehren Aufgabe über alle den Sieg davon. Fräulein *Johanne Schönhutte* sang die Arie „Ich folge dir" sehr brav. – Vom Choral „Wer hat dich so geschlagen" wurde der erste Vers *Soli* von Fräulein *Helene Finke*, *Lotte Boyes*, Herrn *Toel* und *v. Kapff* vorgetragen. Die Arie „Ach mein Sinn" von *G. Grabau*, *Werner Wilkens* genügte seiner Rolle. Pilatus recht gut, doch mochte etwas mehr Deutlichkeit und Leben seine schöne Stimme bedeutend heben. Außerordentlich vollkommen gerieth *James Boyes* die Arie „Betrachte meine Seele". Die unmäßig schwierige Arie „Eilt ihr angefochtenen Seelen" trug *A. v. Kapff* bewunderungswürdig vor. Der immer einfallende Chor war seiner unüberwindlichen Schwierigkeit halber nur einzelnen sichern Stimmen anvertraut (*G. Grabau*, *J. Boyes*, *Helene Finke*, *Amalie Meyer*, *Hannchen Schönhütte* und Frau *Wilkens*) ganz genau gerieth er dennoch nicht, das „wohin" kam nicht mit der nothwendigen Praecision heraus. *Lotte Boyes* hat sich viele Mühe bei der Arie „Es ist vollbracht" gegeben, doch eignet sich ihre Stimme, die nicht klangvoll und klar genug ist, nicht für diesen großen Raum. Die Arie (*Werner Wilkens*) mit Choral gefiel dem Publicum sehr. *Helene Finke* erwarb einen bedeutenden Ruhm, den ihr gelungener Vortrag der so ermüdenden wie künstlichen Arie „Zerfließ mein Herz" auch hinreichend verdiente.

Quelle: Staats- und Universitätsbibliothek Bremen, Signatur: *brem. 1152*. Protocoll der Singaca-demie von 1826–1837. Littra. B, S. 109–112.
Anm.: Zu Wilhelm Friedrich Riem → D 5. Eine Wiederaufführung mit der Bremer Sing-Akade-mie erfolgte am 24. März 1837 → D 128. Die Solopartien wurden ausschließlich von Mitgliedern der Sing-Akademie gesungen.

D 125

SCHWIERIGKEITEN MIT BACHS PASSION
BREMEN, 14. JANUAR 1833

Janr. 14. [1833]
2ter Theil. Einige Chöre und *Soli* aus der vorigjährigen großen Plage, *Seb. Bachs* Pas-sionsmusik.

Quelle: Staats- und Universitätsbibliothek Bremen, Signatur: *brem. 1152*. Protocoll der Singaca-demie von 1826–1837. Littra. B, S. 131.
Anm.: Erst im Vorjahr war die Johannes-Passion von der Sing-Akademie aufgeführt worden →
D 124. Eine öffentliche Wiederaufführung erfolgte am 24. März 1837 → D 128.

D 126

VORANKÜNDIGUNG DER ERSTEN VOLLSTÄNDIGEN BERLINER AUFFÜHRUNG
BERICHT VOM 20. FEBRUAR 1833

Berlin, den 2ten Februar. … Die nächste Aufführung wird die hier noch nicht voll-ständig gehörte Passionsmusik von J. Seb. Bach nach dem Evangelium Johannis zum Gegenstande haben. Der neu gewählte, allgemein hochgeachtete Director C. F. Run-genhagen bereitet diess schwere Werk auf's Sorgsamste vor. …

Quelle: AMZ, 35. Jg., Nr. 8, 20. Februar 1833, Sp. 129.
Anm.: Carl Friedrich Rungenhagen war erst am 22. Januar 1833 zum Direktor der Sing-Akade-mie zu Berlin als Nachfolger Carl Friedrich Zelters gewählt worden. Dieser hatte die Passion bereits am Karfreitag (4. April) 1822 (zumindest teilweise) zur Aufführung gebracht → E 1. Die Sing-Akademie musizierte auch in späteren Jahren Teile daraus → D 122, D 123.

D 127

Würdige Darbietung unter Carl Friedrich Rungenhagen
Bericht vom 27. März 1833

Die Singakademie führte am 21sten v. M. Joh. Seb. Bach's grosse Passionsmusik nach dem Evangelium Johannis würdig und im Ganzen sehr gelungen, hier in neuerer Zeit zum ersten Male auf. So fremd das im strengsten Style geschriebene grossartige Werk auch in unserer Zeit erscheinen muss, so fand es dennoch verdiente Anerkennung, wenn gleich die Sologesänge der Passionsmusik nach dem Evangelisten Matthäus, ihrer melodischen Behandlung wegen, allgemeiner ansprachen. Der Raum gestattet es nicht, uns über den Kunstwerth dieses Oratoriums ausführlich zu erklären; ferner ist es in diesen Blättern schon besprochen worden. Die Form der Behandlung des Textes ist dieselbe, wie in der erstern Passionsmusik. Zwey Kapitel des Evangeliums werden von einer Tenorstimme recitirt; diese erfordert einen ungemein sichern Sänger von hohem Umfange der Stimme, da die harmonischen Intervalle oft sehr schwer zu treffen sind. Hr. Stümer leistete hierin das nur Mögliche; die Malerey der Geisselung Christi fand einigen Anstoss. Die Chöre und Choräle erscheinen als die Hauptzierde des Werkes durch Erhabenheit der Ideen, Wahrheit des Ausdrucks und Kunst der harmonischen Behandlung. Gleich der erste Chor: „Herr, unser Herrscher" ist in dieser Beziehung ein bewundernswerthes Gesangstück von imponirender Grösse. Die Verbindung des Chorals: „Jesu, der du warest todt" mit dem Bass-Solo: „Mein theurer Heiland, lass dich fragen" ist eben so kunstreich erfunden, als von der rührendsten Wirkung. Auch der einfach edle Schluss-Chor beruhigt das Gemüth und bestätigt den Eindruck der tiefempfundenen Musik. Die häufig eingewebten kurzen Zwischenchöre der Juden sind überaus treffend im Ausdrucke. Weniger der Würde des Styls angemessen dürfte der Chor der Kriegsknechte seyn, welche die Kleider des Heilandes unter sich vertheilen. Die begleitende Figur wirkt hier zu dramatisch belebt. Die Arioso's und kurzen Redesätze des Erlösers, Pilatus u. s. w. sind einfach und ausdrucksvoll, am schwersten verständlich die Arien, deren Cantilene so disparat von der Begleitung geführt wird, dass die Combination der Motive dem Sänger eben so schwer, als dem Zuhörer wird. Hier dürfte doch mehr die Melodie vorherrschen, so bewundernswürdig auch die Kunst der Harmonie erscheint. Ausgeführt wurden die Soli ganz vorzüglich von den Damen Decker, Türrschmidt und Lenz, den Herren Mantius, Devrient, Nicolai u. s. w. Dass die Chöre ausgezeichnet gesungen wurden, bedarf kaum der Erwähnung. Es ist bekannt, was die Singakademie in dieser Beziehung leistet. Auch die Orchesterbegleitung war genau eingeübt, und das Ganze wurde von dem Hrn. Musikdirector Rungenhagen, zum ersten Male öffentlich in seiner Qualität als bestallter Director, sicher und umsichtig geleitet. Im März wird die Bach'sche Passion nach dem Evangelium Matthäi, und am Charfreytage Graun's „Tod Jesu", jedoch nicht mehr zum Benefiz des Directors, sondern zum Vortheile der Akademie-Kasse aufgeführt werden. – …

Quelle: AMZ, 35. Jg., Nr. 13, 27. März 1833, Sp. 211–213.

Anm.: Die Darbietung unter Carl Friedrich Rungenhagen erfolgte zu Beginn der Passionszeit am Donnerstag, dem 21. Februar 1833, genau einen Monat vor seiner ersten Aufführung der Matthäus-Passion. (Weitere Quelle: *Kurzgefaßte Nachweisung aller, seit dem Besitz des Eigenthums, vom Jahre 1828 ab, stattgehabter öffentlichen Leistungen*, D-B N. Mus. SA 290.) Die Solisten waren Johanna Sophie Friederike Pauline Decker, geb. von Schätzel (1811–1882), Auguste Türrschmidt (1800–1866), Bertha Lenz (*um 1810), Johann Daniel Heinrich Stümer (1789–1857), Eduard Mantius (1806–1874), Philipp Eduard Devrient (1801–1877) und Otto Nicolai (1810–1849). Nicolai studierte in Berlin am Königlichen Institut für Kirchenmusik und wurde 1829 Mitglied der Sing-Akademie.

D 128

Wiederaufführung in Bremen

Protokolle vom 23. und 24. März 1837

März 23. [1837]
als am grünen Donnerstage, Nachmittags 3–6 Uhr: General-Probe zu „*Sebastian Bach's* großer *Passion* nach dem *Evangelist St. Johannes*".

März 24. [1837]
Aufführung dieser Musik im Dom.
Dieselbe übertraf glücklicherweise bei Weitem die geringen Erwartungen, welche man nach der gestrigen Haupt-Probe gehegt hatte; auch hatte sich ungeachtet der höchst unfreundlichen kalten Witterung die Zahl der Zuhörer gegen frühern Jahren nicht sehr vermindert.

Um halb sieben Uhr begann die Aufführung ohne vorherige Einleitung mit dem großen Chor: „Herr unser Herrscher", der leider in dem weiten Locale, bey dem ziemlich raschen *Tempo* und der fortwährenden rollenden Sechzehntelfigur in Instrumenten und Stimmen keinen befriedigenden Eindruck hervorbringen konnte. – In der Probe hatte sich ergeben, daß die mühsam von Herrn *Riem* zu dem ganzen Werke gesetzte Orgel-Stimme weggelassen werden mußte, weil die tiefe Stimmung der Orgel, aller Anstrengungen ungeachtet, vom Orchester nicht erreicht werden konnte, da die Differenz fast einen $^1/_2$ Ton betrug.

Die *Recitative* waren folgendermaßen besetzt:
Evangelist: Herr *Nissen*
Jesus: Herr *A. von Kapff*
Petrus: Herr *Waltjen*
Pilatus: derselbe

Den *Servus* und die *Ancilla* übernahmen Herr *Nissen* und Frau *Mühlenbruch*.

Die Choräle wurden alle gesungen, von den Arien blieben mehrere weg, namentlich die Baß-Arie: „Eilt, ihr angefochtenen Seelen", welche eine sehr tiefe Stimmlage erfordert, und für den einfallenden Chor recht schwierig ist.

Im Uebrigen sangen
Frau *Mühlenbruch*: Arie mit obl. Flöte: „Ich folge dir gleichfalls"
Herr *Nissen*: Arie: „Ach mein Sinn"
Herr *von Kapff*: Arie: „Betrachte meine Seele" mit 2 Violen und Clavier statt der Laute.

Die Gambe wurde durch ein *Violoncello con sordino* ersetzt, in der Probe aber auch mit *Viola* probirt.

Herr *von Kapff*: Arie mit Choral: „Mein theurer Heiland"
Herr Nissen: *Arioso*: „Mein Herz, in dem die ganze Welt"
Frau *Mühlenbruch*: Arie mit Flöte u. Clarinette: „Zerfließe mein Herz"

Die Soli hielten sich recht brav; besonders zeichneten sich wie immer Frau *Mühlenbruch* und Herr *A. von Kapff* durch Reinheit und Innigkeit des Vortrages aus.
Herr *Nissen* hatte so viel und anhalten zu singen, daß man seine Ausdauer nicht genug bewundern konnte. Die Chöre, und zumal die Choräle, konnten in ihrem großartigen, kühnen Ernste und bey der Begeisterung der ziemlich zahlreich erschienenen Sänger eines großen Eindrucks nicht verfehlen; nur klagte man unten in der Kirche über unverhältnißmäßige Stärke des *Orchesters*, welches so häufig die Stimmen verdeckt habe; namentlich wurden die schreienden *Oboen* vielfach getadelt, was eine Rüge in der Pause veranlaßte, worauf es denn besser wurde. Bemerkbare Fehler sind nicht vorgefallen.
Das *finanzielle Resultat* des Abends war vielleicht des kalten unfreundlichen Wetters halber, wiederum weniger günstig als in früheren Jahren.

Verkauft wurden 365 Billette á 36 Grote, und das *Netto=Provenu*, welches an Herr *W. Eggers* als zeitigen Verwalter der „Unterstützungs=Casse für Musiker, deren Wittwen und Kinder" abgeliefert werden konnte, belief sich ungeachtet der unentgeltlichen Mitwirkung sämmtlicher bey dieser Casse-*Interessirten*, nur auf Ld´or Thaler 75,45 Grote, da die übrigen Kosten bei dieser Aufführung sich unverhältnißmäßig hoch, auf Ld´or Thaler 120 beliefen.

Für die gesammte *Academie*, und alle wahren Freunde großartiger geistlicher Musik, war es indeß, abgesehen von dem Resultat ein erhebender Genuß, durch das *Studium* und die Aufführung der *Passion*, die Kenntniß dieses ja eigenthümlichen Werkes wieder aufgefrischt und im Publicum weiter verbreitet zu haben.

Quelle: Staats- und Universitätsbibliothek Bremen, Signatur: *brem. 1152.* Protocoll der Singacademie von 1826–1837. Littra. B, S. 233–234.
Anm.: Zu Wilhelm Friedrich Riem → D 5. Die Bremer Erstaufführung hatte am 20. April 1832
stattgefunden → D 124. Die Solopartien wurden durchweg von Mitgliedern der Sing-Akademie
gesungen.

ORGELWERKE

D 129

„ADAGIO UND FUGE" VON BACH MIT MEGGENHOFEN IN DER
FRANKFURTER KATHARINENKIRCHE
AM 25. APRIL 1810

Am 25sten hörten wir in der St. Katharinen-Kirche ein Vocal- und Orgel-Concert,
von Hrn. Meggenhofen, Organisten und Mitglied des hiesigen Theaters. Eine Anmerkung am Ende des Anschlagzettels sagte: Ich habe absichtlich Gegenstände aus
drey verschiedenen Hauptperioden des musikalischen Zeitalters gewählt, um die
Verschiedenheit des Geschmacks und die Fortschritte der Musik bemerkbar zu
machen. – ... Die 2te Abtheilung fing an mit Adagio und Fuge von I. S. Bach, von
Hrn. Meggenh. gespielt; diesem folgte der 148te Psalm von Martini ...

Quelle: AMZ, 12. Jg., Nr. 34, 23. Mai 1810, Sp. 538f. (Nachrichten. ... *Frankfurt a. Mayn.* Ueber-
sicht des Monats April.)
Anm.: Der Organist war wohl Friedrich Meggenhofen († 1844), der in Frankfurt / Main auch als
Lehrer am Gymnasium und als Sänger gewirkt hat.

D 130

„VOM HIMMEL HOCH" MIT BERNER IN DER BERLINER GARNISONKIRCHE
AM 12. JUNI 1812

Nachrichten. ... *Berlin,* den 20ten Jun. ...
... Dieselbe Fertigkeit bewies Hr. Berner auch in dem Conc., welches Hr. Cantor Bau-
er in der hiesigen Garnisonkirche am 12ten dieses veranstaltete. Seit dem Abt Vogler hatte sich niemand hier auf der Orgel hören lassen; dies und der Ruf von Hrn.
Berners grosser Geschicklichkeit auf diesem imposanten Instrumente zog eine zahlreiche Versammlung herbey. Er befriedigte alle Erwartungen. Ich nenne Ihnen nur

die einzelnen Theile seines Vortrags; vielleicht dass Sie Gelegenheit haben, bey seiner Rückreise über Leipzig und Dresden den achtungswürdigen Künstler zu hören. Er spielte ein von ihm bearbeitetes Präludium und Fuge, dann Variationen nach Vogler für die Orgel, von ihm bearbeitet, und einige Ausarbeitungen über Luthers Choral: Vom Himmel hoch da komm ich her etc., namentlich die erste Strophe mit figurirten Contrapunkten, die 2te 4stimmig nach der jonischen Tonart, die 3te, den Cantus firmus im Pedal, mit einem aus der Choralmelodie genommenen und figurirten Thema; die 4te endlich mit vollem Werk nach J. S. Bach. ….

Quelle: AMZ, 14. Jg., Nr. 28, 8. Juli 1812, Sp. 466.
Anm.: Friedrich Wilhelm Berner (1780–1827) war Direktor des Königlichen Akademischen Instituts für Kirchenmusik in Breslau und ein geschätzter Organist und Komponist. Georg Joseph Vogler, auch Abbé Vogler (1749–1814), galt als ein ausgezeichneter Improvisator und Orgelspieler seiner Zeit. Welche Choralbearbeitung von Bach gespielt wurde, bleibt unklar. In Frage kommen die Orgelchoräle BWV 606 oder 738, beziehungsweise eine der Variationen aus BWV 769.

D 131

Orgelkonzert in der Leipziger Universitätskirche
Bericht vom 28. Oktober 1812

Hr. *Dröbs*, ein geschickter Orgelspieler aus Kittels Schule, und seit kurzem hier an der Petri-Kirche als Organist angestellt, gab ein Orgel-Concert in der Universitätskirche. Die zwey grossen Stücke von Sebast. Bach trug er am besten und mit Beyfall aller Kenner vor. Seine eigenen Erfindungen wollten am wenigsten gefallen.

Quelle: AMZ, 14. Jg., Nr. 44, 28. Oktober 1812, Sp. 720f. (Nachrichten. *Leipzig*.)
Anm.: Johann Andreas Dröbs (1784–1825) besuchte das Gymnasium in Erfurt, wo er Schüler von Johann Christian Kittel wurde, Werke Bachs studierte und abschrieb. 1808 ging er nach Leipzig und übernahm 1810 die Organistenstelle an der Peterskirche.

D 132

Orgel-Toccata mit August Wilhelm Bach am 22. August 1817
in der Berliner Marienkirche

Den 22sten war Kirchenmusik in der St. Marienkirche unter Leitung des Hrn. Prof. Zelter, zum Besten des hiesigen Bürgerrettungsinstituts. Den Eingang machte eine Toccata für die Orgel von Joh. Seb. Bach, gespielt von dem Organisten an jener Kirche, der sich A. W. Bach nennt, dessen Familienname aber Werner seyn soll. …

Quelle: AMZ, 19. Jg., Nr. 38, 17. September 1817, Sp. 655. (*Berlin. Uebersicht der Monate July und August.*)

Anm.: Zu August Wilhelm Bach → D 56. Seine genealogische Herkunft ist noch ungeklärt. Nach Hermann Kock (*Genealogisches Lexikon der Familie Bach*, Gotha 1995, S. 76) ist er ein Sohn von Gottfried Bach (1765–1807), Organist an der Dreifaltigkeitskirche in Kreuzberg.

D 133

BACHSCHE FUGEN MIT SCHNEIDER AM 19. SEPTEMBER 1820
IN DER WEIMARER STADTKIRCHE

Weimar. Am 19ten September gab Hr. Organist Schneider aus Görlitz, in Gegenwart der höchsten Herrschaften, in hiesiger Stadtkirche ein Orgelconcert zu allgemeiner Freude seiner Zuhörer. Leider wurde uns der vollkommene Genuss der freien Fantasie und Fuge durch das Stocken eines Ventils zum Theil entzogen, indem Hr. Schneider dadurch gezwungen wurde, mitten in derselben abzubrechen. Als das Uebel beseitigt war, ergriff dieser Meister sein Thema von neuem, und führte es kräftig zum Schluss. Das hierauf folgende Quartett mit eingewebtem Choral: „O Haupt voll Blut und Wunden", nebst Veränderungen darauf, war bis auf eine derselben, wo die Melodie in der Oberstimme lag, und die untern Stimmen nachschlugen, schön erfunden und ausgeführt; für den Nichtkenner aber wohl etwas zu lang. Den Schluss des ersten Theils machten zwey Fugen von Sebastian Bach, worunter die in Cis moll, $^{12}/_{16}$ Tackt, war, in welchen Hr. Schneider seine grosse Feinheit und Fertigkeit in der Behandlung des Pedals beurkundete. Den zweyten Theil bildeten Variationen auf das Thema: „Den König segne Gott," und das grosse Halleluja aus dem Messias, von Händel; auch hierin bestätigte der ausgezeichnete Künstler den ihm vorausgegangenen ehrenhaften Ruf, und die volle Anerkennung seines Talents wurde ihm hier dafür zu Theil.

Quelle: AMZ, 22. Jg., Nr. 42, 18. Oktober 1820, Sp. 709.

Anm.: Johann (Gottlob) Schneider (1789–1864) war seit 1812 Organist an der Kirche St. Peter und Paul in Görlitz. 1825 wurde er als Königlich-Sächsischer Hoforganist nach Dresden berufen. Von Bach spielte er die Fuge in cis-Moll (BWV 873/2) und vermutlich eine weitere Fuge aus dem Wohltemperierten Klavier (Teil I oder II). Durch seine Orgelkonzerte, die ihn bis nach England führten, wurde er überregional bekannt.

D 134

Orgelkonzert mit Kegel in der Leipziger Universitätskirche
Bericht vom 27. Dezember 1826

Auch ein Orgel-Concert in der Pauliner-Kirche von C. C. Kegel liess uns sehr Treffliches vom Concertgeber, Kittel, Seb. Bach und Fischer hören, meist mit grosser Fertigkeit vorgetragen. …

Quelle: AMZ, 28. Jg., Nr. 52, 27. Dezember 1826, Sp. 850f. (Nachrichten. *Leipzig.*)
Anm.: Der Solist war offenbar der Erfurter Organist und Komponist Karl Christian Kegel (1770–1843). Er hatte Unterricht bei Johann Christian Kittel und dessen Amtsnachfolger Michael Gotthard Fischer (1773–1829).

D 135

Wohltätigkeitskonzert in der Berliner Garnisonkirche
am 27. April 1827

Berlin. Am 27. April gab Mad. Catalani ihr viertes Concert zum Besten mehrer Wohlthätigkeitsanstalten in der geräumigen Garnisonkirche …
Hr. Musikdirector Bach spielte eine von ihm selbst (etwas zu klaviermässig) gesetzte Toccata und ein Präludium nebst Fuge von Sebastian Bach auf der Orgel mit grosser Fertigkeit. In Berlin ist es etwas seltenes, diess herrliche, imponirende Instrument einmal concertirend gebraucht zu hören. …

Quelle: AMZ, 29. Jg., Nr. 21, 23. Mai 1827, Sp. 354f. (Nachrichten.)
Anm.: Das Wohltätigkeitskonzert veranstaltete die italienische Sängerin Angelica Catalani (1780–1849). Zu August Wilhelm Bach → D 56.

D 136

Orgelkonzert auf der Silbermannorgel der Dresdner Sophienkirche
Bericht vom 12. September 1827

Flüchtige Bemerkungen eines Reisenden über den jetzigen Musik-Zustand in Dresden, während seines Aufenthalts im Sommer 1827.
… An Johann Schneider, Hof-Organisten an der protestantischen Hof- oder Sophienkirche (früher in Görlitz, ein Bruder des Komponisten Friedrich Schneider) besitzt

Dresden unbezweifelt den grössten aller jetzt lebenden Orgelspieler. … Die schöne
Silbermannsche Orgel benutzt Herr Schneider sowohl in der Wahl und Verbindung
der Register, als im Anschwellen von der Schwäche des Tons bis zur erschütternd-
sten Tonfülle mit seltener Kunst und grosser Fertigkeit ….
Zum Schluss dieses fast zwei Stunden wenigen Zuhörern aus seltener Gefälligkeit
gewidmeten herrlichen Orgelspiels gab uns Herr Schneider noch die Sebastian
Bach'sche Meisterfuge in A-moll mit dem Präludium zum Besten, und in der That
hätte nichts Erhabneres den unbeschreiblichen Eindruck vollenden können, den das
Spiel dieses ächten Geweihten der heiligen Cäcilia auf mich für die Lebenszeit gemacht hat. Das sind die Früchte deutschen Fleisses in der höhern Tonkunst. …

Quelle: Berliner AMZ, 4. Jg., Nr. 37, 12. September 1827, S. 297f.
Anm.: Zu Johann (Gottlob) Schneider → D 133. Von Bach spielte er wohl Präludium und Fuge
in a-Moll (BWV 543).

D 137

Konzert am 27. Mai 1829 in der Berliner Marienkirche mit Orgelwerken

Am 27. gab auch Mad. Milder zu gleichem Zwecke ein Concert in der Marienkirche,
in welchem die Orgel mit Recht das einzige begleitende und Solo-Instrument
war. … Als höchst fertigen Orgelspieler zeigte sich Hr. A. W. Bach in eigen componirten Variationen auf den Choral: „Meinen Jesum lass ich nicht," … Ein Psalm von
A. Romberg war zwar gut gearbeitet, doch in der Erfindung nur gewöhnlich. Desto
bedeutender trat J. Seb. Bach's Orgelfuge in G moll, von Hrn. A. W. Bach in sehr
lebhaftem Zeitmaasse vollkommen fertig ausgeführt, hervor. … Herr Carl Ludw.
Winter spielte zum Ausgange noch J. Seb. Bach's Orgel-Toccate in D moll mit grosser Präcision.

Quelle: AMZ, 31. Jg., Nr. 27, 8. Juli 1829, Sp. 456.
Anm.: Pauline Anna Milder (1785–1838) war von 1816 bis 1829 Sängerin an den Königlichen
Theatern Berlin. Zu August Wilhelm Bach → D 56. Über Carl Ludwig Winter ist nichts Näheres
bekannt. A. W. Bach spielte vielleicht die Fuge in g-Moll (BWV 578), die bereits 1821 bei Breitkopf & Härtel erschienen war. Mit der „Orgel-Toccate in D moll" ist wohl die Toccata BWV 565
gemeint.

D 138

FÜNFSTIMMIGE ORGELFUGE MIT BECKER AM KARFREITAG 1831
IN DER LEIPZIGER UNIVERSITÄTSKIRCHE

… Zum Schluß dieser Anzeige halten wir es noch für nöthig, auf die fünfstimmige Orgelfuge von Seb. Bach (gespielt von Herrn Organist Becker) aufmerksam zu machen, da dergleichen Werke überhaupt nur selten gehört werden, und gerade diese Fuge sich sowohl in harmonischer, als auch melodischer Hinsicht vor vielen andern auszeichnet.

Quelle: Allergnädigst privilegirtes Leipziger Tageblatt, Nr. 90, 31. März 1831, S. 794.
Anm.: Die Fuge erklang im Rahmen des „Großen Concerts" am Karfreitag (1. April) 1831 in der Paulinerkirche. Das von Carl Ferdinand Becker gespielte Orgelwerk war möglicherweise die Fuge in f-Moll (BWV 534/2) – wohl weniger die Fuge in Es-Dur (BWV 552/2), die sich für ein Karfreitagskonzert kaum geeignet hätte. Beide Werke gehörten zu Beckers Konzertrepertoire. Hauptwerk des Abends war das Oratorium „Das Ende des Gerechten" von Johann Gottfried Schicht.

D 139

KLAUSS UND HESSE GASTIEREN MIT BACH-FUGEN IN WIEN
BERICHT VOM 21. SEPTEMBER 1831

Nachrichten. *Wien. Musikalische Chronik des 2ten Quartals* …
Ein, in katholischen Ländern höchst seltener Genuss ward uns durch die Anwesenheit der Herren Organisten Victor Klauss, aus Anhalt-Bernburg, und Adolph Hesse, aus Breslau, zu Theil. Beyde liessen sich mit zuvorkommender Gefälligkeit vor einem Kreise wahrer Kenner dieser Musik-Gattung in der evangelischen Kirche hören, woselbst auch, wie Referent erfahren, vor zwey Decennien Abt Vogler seine Meisterschaft entfaltete, aber zugleich – ärgerlichen Andenkens – mit unwürdigen Gegenständen. – Hr. Klauss spielte von Sebastian Bach die Fuge über den Namen dieser musikalischen Familie, und jene in Cis moll; von eigener Composition: einen thematisch durchgeführten Choral, nebst Präludium und Fuge. Reichlicher noch beschenkte uns zweymal in den Nachmittagsstunden Hr. Hesse; seine schätzbaren Gaben waren: Fugen von J. S. Bach, in Dis, G, E und Cis minore; – …
Dem Vernehmen nach wird auch eine neue Ausgabe von Sebastian Bach's sämmtlichen Orgel-Compositionen, worunter mehres Ungedrucktes und wenig Gekanntes, beabsichtigt. …

Quelle: AMZ, 33. Jg., Nr. 38, 21. September 1831, Sp. 625f.

Anm.: Die Solisten waren der Bernburger Musikdirektor und Organist der Schloßkirche Viktor
Klauß (1805–1881), der später (1847) zum Hofkapellmeister von Anhalt-Bernburg avancierte
und Adolph Friedrich Hesse (1809–1863), Königlich Preußischer Musikdirektor und Oberorganist an der Kirche St. Bernhard zu Breslau. Die von Klauß und Hesse gespielten Fugen stammen
wohl aus dem Wohltemperierten Klavier, Teil I oder II. Mit der Fuge über B-a-c-h ist vielleicht
die B-Dur-Fuge BWV Anh. II 45 (oder Präludium und Fuge BWV 898) gemeint. Hesse betätigte
sich im übrigen auch als Komponist, Dirigent, Kritiker, Bratscher und Pianist. Zu der angekündigten Ausgabe aller Orgelwerke Bachs → C 102.

D 140

SEIFFERT KONZERTIERT AUF DER NAUMBURGER HILDEBRANDORGEL
AM 9. NOVEMBER 1831

… Am 9. November, am Tage des Konzerts, hatten sich gegen 500 Zuhörer in der
Stadtkirche eingefunden. – Herr S. begann mit einer Phantasie und Fuge aus *D moll*
von S. Bach; – sie ist nur im Manuscript, und der Konzertgeber bekam sie diesen
Sommer durch die Güte des Herrn Musikdirektor Bach zu Berlin. Sie ist hinsichtlich des genialen Schwunges fast das Höchste, was an Orgel-Kompositionen von
S. Bach bekannt ist, – die Zuhörer schienen weniger davon angesprochen worden
zu sein; allgemein aber gefiel der Choral: „Straf mich nicht in deinem Zorn" – von
H. S. variirt. Auf imponirenden Eindruck war die 4te Var. berechnet, In dem schönen
Gewölbe der hiesigen Kirche rauschen nämlich die vollen Akkorde ganz vorzüglich majestätisch dahin. – Eine Musterfuge hinsichtlich der Steigerung und des
großartigen Effekts ist die von Seb. B. aus *G moll*. Nimmt man an, daß auf den Laien
bei Fugen mehr der Total-Eindruck wirkt, so ist diese ganz *magnifique*. Allgemein
sprach sich das Publikum aus, wie mächtig diese Fuge einhergebraust wäre. – Um
auch die weniger Musikgebildeten zufrieden zu stellen, ließ H. S. dann Variationen
von Rink folgen, die bei ihrer gefälligen, melodiösen Durchführung auch ihre Wirkung nicht verfehlten. Zum Beschluß trug er eine Phantasie und Fuge aus *A moll*,
von seiner Komposition vor. – An der Orgel ist seit 1743, wo sie erbaut worden, nur
eine unbedeutende Reparatur vorgenommen worden, daher auch Manches derselben Noth thut. Bei ihrer Erbauung und bald nach derselben ist die berühmter
gewesen, als jetzt. Werkmeister führt sie mit als eine der schönsten Orgeln an. Der
Erbauer ist Hildebrand, Schüler Silbermanns; – von ihm ist auch die in der Michaeliskirche in Hamburg.

Quelle: Eutonia, 6. Bd., Breslau 1831, S. 289ff.
Anm.: Der Organist Karl Traugott Seiffert (1806–1885) kam 1830 nach Naumburg und ging 1845
nach Pforta. Er spielte wahrscheinlich die Toccata d-Moll (BWV 565) und die Fuge in g-Moll
(BWV 542/2). Die Handschriften hatte er von August Wilhelm Bach aus Berlin erhalten. Beide

Werke waren zu jener Zeit noch ungedruckt. Zur Biographie Seifferts ist in der Konzertrezension noch folgendes vermerkt: „Herr Organist C. Seiffert, Sohn des Organisten und Schullehrers Seiffert zu Blumerode bei Neumarkt in Schlesien, zeichnete sich schon im Königl. Evangel. Seminar zu Breslau, dessen Zögling er vom September 1823 bis zum August 1825 war, im Orgelspiel unter Berner vortheilhaft aus. Derselbe hatte nachher das Glück, mit einer Unterstützung aus dem Schles. Kirchenmusikfonds nach Berlin gehen zu können und da den Unterricht des Prof. Zelter, der Musikdirektoren Bernh. Klein, Reißiger, Bach und Grell zu genießen. Nachdem er kurze Zeit eine Hauslehrerstelle in der Neumark versehen, nahm er die Stelle als Musiklehrer in der Caurschen Anstalt zu Charlottenburg bei Berlin an. Aus dieser wurde er nach Naumburg an der Saale zum Organisten an der Hauptkirche berufen."

D 141

Hesse spielt Bachsche Fugen am 23. Mai 1832 in Kassel

… Oeftere Proben bringen der Instrumentalmusik sichere Vortheile. Grosse Werke von den besten Meistern werden zu Gehör gebracht. In einer der letzten wurden z. B. Beethoven's achte Symphonie und die zweyte von Adolph Hesse gegeben, welcher uns auch am 23sten May, Nachmittags 4 Uhr, unter Mitwirkung unserer beyden Singvereine, mit einem Orgel-Concert erfreute. Wir hörten drey Fugen (G moll, Dis moll und G dur) von Joh. Seb. Bach; vier Orgelsätze vom Concertgeber, Präludium und Fuge aus Spohr's Oratorium: „die letzten Dinge" und zum Schlusse eine freye Phantasie, Alles mit Meisterschaft vorgetragen. Die beyden Gesangstücke, eins von Gallus und Salve regina von Hauptmann (Spohr's Schüler) wirkten erhebend. Herr Adolf Hesse, jetzt erster Organist an der Hauptkirche St. Bernhard zu Breslau, hatte nämlich auf Kosten der Preussischen Regierung eine grosse Kunstreise unternommen und verweilte längere Zeit bey unserm Kapellmeister, Hrn. L. Spohr, um hier ein Oratorium: „Tobias" (Text von A. Kahlert) zu componiren, welches Werk der musikalischen Welt wahrscheinlich bald bekannt gemacht werden wird. Ihre K. H. die Frau Churfürstin, so wie die Prinzessin Caroline von Cassel verherrlichten das Concert des jungen Meisters durch Ihre hohe Gegenwart.

Quelle: AMZ, 34. Jg., Nr. 30, 25. Juli 1832, Sp. 500. (Nachrichten. *Cassel.*)
Anm.: Zu Adolph Friedrich Hesse → D 139. Die von ihm gespielten Fugen stammen wohl aus dem Wohltemperierten Klavier, Teil I oder II.

D 142

Orgelwerke im Repertoire der Sing-Akademie zu Berlin bis zum Jahre 1832

A

Sonate Es-Dur (BWV 525)
Aufführungen am 9. und 16. Dezember 1813 und im Jahre 1814.

Quelle: Probenbücher der Sing-Akademie zu Berlin (derzeit nicht nachweisbar), zit. nach Schünemann Singakademie, S. 45f.
Anm.: Die Aufführung 1814 erfolgte nach Schünemann in der Besetzung für 2 Klaviere und Pedal.

B

Fantasie (und Fuge) g-Moll (BWV 542)
Aufführungen am 12. und 20. März 1812, 5. November 1812, 1814, 1815, 19. April 1816.

Quelle: Probenbücher der Sing-Akademie zu Berlin (derzeit nicht nachweisbar), zit. nach Schünemann Singakademie, S. 44, 46, 49.
Anm.: In welcher Besetzung das Werk erklang, wird von Schünemann nicht mitgeteilt.

D 143

Bachsche Fugen mit Viktor Klauss in Bernburg Bericht vom 31. Juli 1832

Unterzeichneter hatte bey seiner Durchreise hierselbst das Vergnügen, einem Orgel-Concerte beyzuwohnen, welches Hr. Organist Klauss am 22sten Juny Nachmittags 4 Uhr in hiesiger Stadtkirche gab, und worin er sich sowohl mit Bach'schen, als auch eigenen Compositionen producirte. Hr. Klauss hat sich auf seiner anderthalbjährigen Kunstreise, sowohl im Spiel als auch in der Composition, bedeutend vervollkommnet, und verschaffte daher den Kennern Bernburgs heute einige recht genussreiche Stunden. Unter seinen Compositionen verdienen besonderer Erwähnung: 1) Der bearbeitete Choral: „Befiehl du deine Wege" (Halberstadt, bey Brüggemann) und 2) eine fleissig gearbeitete und effectreiche Fuge nebst Einleitung in C moll. Die Fugen in A moll, Cis moll und B dur von Bach spielte Hr. Klauss mit grosser Präcision. Zwischen den Orgelstücken trug der Bernburger Chor einen vierstimmigen Gesang von Klauss und eine Motette von Rolle vor; ein Fräulein Rittmeister aus Hamburg sang Graun's Arie: „Singt dem göttlichen Propheten" mit schöner Stimme und grosser Reinheit. Möge es dem Fleisse und dem eifrigen Bestreben des Hrn.

Klauss gelingen, den Sinn für ernste Musik in seiner Vaterstadt recht allgemein zu machen.

Adolph Hesse.

Quelle: AMZ, 34. Jg., Nr. 28, 31. Juli 1832, Sp. 466. (Nachrichten *Bernburg*, vom 22sten Juny.)
Anm.: Der Solist des Konzertes war der Bernburger Musikdirektor und Organist der Schloßkirche Viktor Klauß (1805–1881). Die „Anhalt-Bernburgische Wöchentliche Anzeigen" vom
9. Juni 1832 (S. 187) kündigen das Orgelkonzert wie folgt an: „Aufgefordert von mehreren Musikfreunden hat sich unser geschickter Orgelkünstler, Herr Klauß, bestimmen lassen, am 22. d. M.
Nachmittags um 4 Uhr in der hiesigen Altstädter Kirche ein Orgelconcert zu geben. Der Beifall,
welchen derselbe sich im Auslande, namentlich in Wien, Breslau u. a. O., als ächter Künstler auf
diesem Instrumente erwarb, läßt uns hoffen, daß recht Viele den Wunsch mit uns theilen werden, eine Probe seines schönen Talents zu hören." Die von Klauß gespielten Fugen stammen
wohl aus dem Wohltemperirten Klavier, Teil I oder II. Zu Adolph Friedrich Hesse → D 139.

D 144

Hesses Gastspiel in der Leipziger Peterskirche
Bericht vom 8. August 1832

Wir haben auch hier am 29sten Juny bey der Durchreise des Hrn. Adolf Hesse, jetzt
ersten Organisten an der Haupt- und Pfarrkirche St. Bernhard zu Breslau, auf der
Orgel der Peterskirche 12 bedeutende Tonstücke vortragen zu hören das Vergnügen
gehabt. Darunter waren drey Fugen von Seb. Bach (G moll, Dis moll und G dur);
… Des jungen Meisters Spiel ist zu bekannt, als dass wir etwas Anderes, als unsern
Dank zu sagen nöthig hätten.

Quelle: AMZ, 34. Jg., Nr. 32, 8. August 1832, Sp. 532. („*Leipzig*, am 2ten August".)
Anm.: Zu Adolph Hesse und den von ihm gespielten Bach-Fugen → D 139, D 141.

D 145

Allgemeine Bewunderung erregt –
August Wilhelm Bachs Orgelkonzert in Frankfurt / Oder
Bericht vom 1. Oktober 1836

… Herr Musikdirektor Bach spielte eine Fuge und Toccate von Seb. Bach mit einer
Fertigkeit und Kraft, mit einer Klarheit und Bestimmtheit, die allgemeine Bewunderung erregte. Diese gewaltigen und tiefsinnigen Orgelstücke können wohl nur von
diesem ausgezeichneten Meister in solcher Vollendung vorgetragen werden. …

Quelle: Frankfurter Patriotisches Wochenblatt, Nr. 40, 1. Oktober 1836, S. 811.
Anm.: Zu August Wilhelm Bach → D 56. Das Konzert fand am 23. September 1836 in der Frankfurter Oberkirche statt.

D 146

PRÄLUDIUM UND FUGE ÜBER B-A-C-H IN BLECHBLÄSERBESETZUNG AM 18. MAI 1837
ZUM OSTPREUSSISCHEN MUSIKFEST

Aus Königsberg. ...
Das zweite ostpreußische Musikfest fand hier am 17., 18. und 19. Mai d. J. Statt. Am ersten Tage, als den 17., Nachmittags 4 Uhr Aufführung des Judas Maccabäus von Händel in der Domkirche. Am 2. Tage, als den 18. Nachmittags 4 Uhr, Aufführung des Crucifixus von Lotti, (8stimmig); Lazarus Auferweckung von Herder und Sobolewski; Psalm von Fasch; Präludium und Fuge über den Namen B. A. C. H. von J. S. Bach für die Orgel mit Posaunen- Hörner- und Trompetenbegleitung eingerichtet von Sämann; ...

Quelle: NZfM, 7. Bd., Nr. 17, 29. August 1837, S. 66.
Anm.: Bei dem Orgelwerk handelt es sich wohl um Präludium und Fuge in B-Dur über den Namen Bach (BWV 898), das 1819 bei Breitkopf & Härtel (*Praeludium und Fuge über den Namen BACH für das Pianoforte oder die Orgel von Joh. Seb. Bach.* hrsg. v. Heinrich Wilhelm Stolze) in Leipzig erschienen war. Die Bearbeitung hatte der Königliche Musikdirektor und Komponist Karl Heinrich Sämann (1790–1860) vorgenommen.

D 147

KOSTBARE ÄLTERE WERKE IM ORGELKONZERT MIT BECKER
BERICHT VOM 19. MAI 1837

Leipzig, d. 12. Mai. Im Orgelconcert, das vorgestern Hr. C. F. Becker als neuangestellter Organist an der Nicolaikirche in dieser gab, hörten wir kostbare ältere Werke, unter diesen einen der tiefgemüthlichsten Choräle von S. Bach „Wenn wir in höchsten Nöthen sind" und das sechsstimmige Ricercare aus dem „musikalischen Opfer", eine der wunderbarlichst verflochtenen Phantasieen von Bach, als harmonisches Meisterstück vielleicht ohne Gleichen. Das letztere spielte Hr. Becker mit seinem Schüler, Hrn. Bastiaans aus Deventer, zusammen und ganz vortrefflich. Hr. Kammermusikus C. G. Belcke begleitete einige Orgelcompositionen des Concertgebers mit der Flöte. Das Concert war zum Besten des Taubstummeninstitutes: Zweck, wie Kunstgenuß mithin der edelste.–

Quelle: NZfM, 6. Bd., Nr. 40, 19. Mai 1837, S. 162.

Anm.: Carl Ferdinand Becker (1804–1877) war von 1837 bis 1854 Organist an der Leipziger Nikolaikirche, wo auch das Orgelkonzert am 10. Mai 1837 stattfand. Zu Beckers Schülern gehörte
Johannes Gijsbertus Bastiaans (1812–1875). Von Bach erklang der Orgelchoral BWV 668a (oder
BWV 641?) und das Ricercar a 6 BWV 1079/2. Christian Gottlieb Belcke (1796–1875) war von
1819 bis 1832 Flötist am Leipziger Gewandhausorchester und seit 1834 Herzoglicher Kammer-
musiker in Altenburg.

D 148

Felix Mendelssohn Bartholdy: Es-Dur-Präludium und Fuge in Birmingham?
Bingen, 13. Juli 1837

… Frag doch Fanny, liebe Mutter, was sie dazu sagt, daß ich in Birmingham das
Bachsche Orgelpraeludium aus es dur

und die Fuge, die am Ende desselben Heftes steht, spielen will; ich glaube sie wird
mir brummen; und ich glaube doch ich habe Recht. Es muß den Engländern gerade
das *Praelud.* sehr eingänglich sein, sollte ich denken, und man kann im Praelud.
u. der Fuge *piano, pianissimo* u. den ganzen Orgelstaat recht produciren – und ein
dummes Stück ist es doch auch meiner Treu nicht. – …

Quelle: Felix Mendelssohn Bartholdy an Lea Mendelssohn (geb. Salomon), Bingen, 13. Juli 1837.
New York, The New York Public Library, *Mendelssohn Letters*.
Anm.: Am 20. September 1837 dirigierte Mendelssohn sein Oratorium „Paulus" beim Birming-
ham Festival. Während dieser Reise gab er Orgelkonzerte in den Kathedralen St. Paul und
St. Christ Church, wo er auch Präludium und Fuge Es-Dur (BWV 552) spielte.
Lit.: P. Mendelssohn Bartholdy und C. Mendelssohn Bartholdy (Hrsg.): *Briefe aus den Jahren 1833
bis 1847 von Felix Mendelssohn Bartholdy*, Leipzig 1863 (Erstausgabe), S. 145.

D 149

Chor- und Orgelkonzert zum Sängerfest in Frankfurt / Main
Bericht vom 11. September 1838

Das Sängerfest in Frankfurt am Main. …
Sonntag, den 29. Juli:

Nr. I. Großes Präludium für die Orgel, mit obligatem Pedal (C-Moll), von Seb. Bach, vorgetragen von Hrn. Keller, Lehrer und Organist zu St. Katharin. …

Nr. III. Fünfstimmige Fuge für die Orgel (Es-Dur) von Seb. Bach, vorgetragen von Hrn. Dr. Schlemmer. …

Nr. V. Großes Präludium und Fuge für die Orgel, mit obligatem Pedal (C-Dur), von Seb. Bach. Vorgetragen von Hrn. Petsche, Organist zu St. Paul. …

Die herrlichen, Himmelsklarheit wiederstrahlenden Oratorien des gewaltigen Händel, die wunderbaren, tief-romantischen Schöpfungen des größten Harmonikers, Seb. Bach, mit ihren tiefsinnigen, mystisch verschlungenen Combinationen, ihrer originell harmonischen Structur und ihren abentheuerlichen gothischen Zierrathen durften im Programm nicht fehlen, – …

Quelle: NZfM, 9. Bd., Nr. 21, 11. September 1838, S. 83f.

Anm.: Die „Fünfstimmige Fuge für die Orgel (Es-Dur)" ist die Fuge BWV 552/2; mit dem „Großen Präludium für die Orgel, mit obligatem Pedal (C-Moll)" dürfte das Präludium BWV 549/1 gemeint sein. Das „Große Präludium und Fuge für die Orgel, mit obligatem Pedal (C-Dur)" ist wohl das Formpaar BWV 531.

Der erste Organist war Johann Peter Kellner (1799–1860), Organist an der St. Katharinenkirche und Lehrer an der Katharinenschule. Möglicherweise ist er ein Nachkomme des gleichnamigen Bach-Schülers. Präludium und Fuge in Es-Dur spielte der Jurist und Konsistorialassistent Dr. Friedrich Schwemmer (1803–1890), ein Vetter von Mendelssohns Frau Cécile, geb. Jeanrenaud. Das letzte Orgelwerk wurde von dem Organisten der Paulskirche und Klavierlehrer Johann Ludwig Petsche († um 1859) gespielt.

D 150

Robert Schumann: Mendelssohns Orgelkonzert am 6. August 1840 in Leipzig

Mit goldnen Lettern möcht' ich den gestrigen Abend in diesen Blättern aufzeichnen können. Es war ein Concert für Männer einmal, ein gutes Ganzes vom Anfang bis Ende. Wiederum fiel mir ein, wie man mit Bach doch niemals fertig, wie er immer tiefer wird, je mehr man ihn hört. Von Zelter, und später von Marx ist darüber Treffliches und Treffendes genug gesagt worden, und doch, hört man dann, so will es wieder scheinen, als ließe sich ihm mit dem bloßen Wortverstand nur von weitem beikommen. Die beste Versinnlichung und Erklärung seiner Werke bleibt nun immer die lebendige durch die Mittel der Musik selbst, und von wem dürfte man da eine treuere und wärmere erwarten, als von dem, der sie uns gestern gab, der die meisten Stunden seines Lebens gerade diesem Meister zugewandt, der der Erste war, der mit aller Kraft der Begeisterung das Andenken an Bach in Deutschland auffrischte, jetzt auch wieder den ersten Impuls gibt, daß sein Bild auch durch ein äußeres Zeichen dem Auge der Mitwelt näher gebracht werde. Hundert Jahre sind schon vergangen, ehe dies von Andern versucht, sollen vielleicht noch hundert vergehen, daß es zur Ausführung kömmt? Es ist nicht unsere Absicht, durch einen förmlichen Aufruf zu einem Denkmal für Bach etwa zu bitten; die für Mozart und Beethoven sind noch nicht fertig und es dürfte schon damit noch eine Zeit währen. Aber hier und da anregen möchte die Idee, die jetzt von hier ausgegangen, namenlich in den Städten, die sich in neuerer Zeit um Aufführung Bach'scher Werke besonders verdient gemacht, Berlin und Breslau, in denen es Viele geben wird, die wissen, was die Kunst Bach schuldet; es ist im kleinen Kreise der Musik kaum weniger, als was eine Religion ihrem Stifter. Mendelssohn spricht sich selbst in seinem das Concert ankündigenden Circular in klaren, einfachen Worten darüber aus: „Bis jetzt bekundet kein äußeres Zeichen in Leipzig das lebendige Andenken an den größten Künstler, den diese Stadt je besessen. Einem seiner Nachfolger ist bereits die Ehre eines Denkmals in der Nähe der Thomasschule, zu Theil geworden, die Bach vor allen Andern gebührt; da aber in der jetzigen Zeit sein Geist und seine Werke mit neuer Kraft hervortreten, und die Theilnahme dafür in den Herzen aller wahren Musikfreunde nie verlöschen wird, so ist zu hoffen, daß ein solches Unternehmen bei den Bewohnern Leipzigs Anklang und Beförderung finden möge" ec. ec. Daß nun der von solcher Künstlerhand geleitete Anfang ein würdiger war, und daß ihn ein den Zweck reich unterstützender Erfolg krönte, war zu erwarten. Wie Mendelssohn das königliche Instrument Bach's zu handhaben versteht, ist schon anderweitig bekannt; und dann waren es lauter köstliche Kleinodien, die er gestern vorlegte, und zwar in herrlichster Abwechselung und Steigerung, die er nur zu Anfang gleichsam bevorwortete, und zum Ende mit einer Phantasie beschloß. Nach einer kurzen Einleitung spielte er eine Fuge in Es-Dur, eine gar prächtige auf drei sich über einander aufbauende Gedanken, hierauf eine Phantasie über den Choral „Schmücke dich o liebe Seele", ein unschätzbares, seelentiefstes Musikstück, wie es irgend einem Künstlergemüth entsprungen, sodann ein groß-brillantes Präludium mit Fuge in A Moll, beide sehr schwierig auch für Meister auf der Orgel. Nach einer Pause folgte die Passacaille in C-Moll, 21 Variationen, genialisch genug in einander gewunden, daß man nur immer erstaunen muß, auch von Mendelssohn vortrefflich in den Registern behandelt, nach diesen eine Pastorella in F-Dur, wie nur irgend ein Musikstück dieses Charakters in tiefster Tiefe gedacht werden kann, der sich dann eine Toccata in A-Moll mit Bach'isch-humoristischem Präludium anschloß. Den Schluß machte eine Phantasie Mendelssohn's, worin er sich denn zeigte in voller Künstlerglorie; sie war auf einen Choral, irr' ich nicht, auf den Text „O Haupt voll Blut und Wunden" basirt, in den er später den Namen Bach und einen Fugensatz einflocht, und rundete sich zu einem so klaren, meisterhaften Ganzen, daß es gedruckt ein fertiges Kunstwerk gäbe. Ein schöner Sommerabend glänzte zu den Kirchenfenstern herein; außen im Freien wird noch mancher den wunderbaren Klängen nachgesonnen haben, und wie es doch in der Musik nichts größeres gibt, als jenen Genuß der Doppelmeisterschaft, wenn der Meister den Meister ausspricht. Ruhm und Ehre dem alten wie dem jungen!

Quelle: NZfM, 13. Bd., Nr. 14, 15. August 1840, S. 56.

Anm.: Die von Mendelssohn gespielten Kompositionen Bachs waren BWV 552/2, 654, 543, 582, 590, 565. Die Rezension stammt von Robert Schumann.

Lit.: Matthias Pape, *Mendelssohns Leipziger Orgelkonzert 1840. Ein Beitrag zur Bach-Pflege im 19. Jahrhundert*, Wiesbaden 1988.

D 151

Orgelfuge zum Schweizerischen Musikfest in Basel

Bericht vom 26. August 1840

Schweizerisches Musikfest in Basel.

… Ein Beweis, daß in unserer Stadt classische Musik nicht vergessen, vielmehr verehrt wird, liegt wohl darin, daß die gesammte Hörerschaft die Fuge in B-Moll mit obligatem Pedal für die Orgel von Seb. Bach, vorgetragen durch unsern trefflichen Organisten, Hrn. Bened. Jucker (Schüler von Rinck), mit vielem Vergnügen und großer Aufmerksamkeit anhörte. …

Quelle: NZfM, 13. Bd., Nr. 17, 26. August 1840, S. 68.

Anm.: Der Baseler Pianist, Organist und Komponist Benedikt Jucker (1811–1876) spielte vielleicht die Fuge in h-Moll (BWV 544/2).

D 152

Orgelwerke mit Lange in der Schlosskirche zu Weissenfels

Bericht vom 30. September 1840

Am 8. September liess sich hierselbst Herr Seminarlehrer *Lange* aus Gross-Treben bei Torgau auf der neuen Schulz'schen Orgel der Schlosskirche hören. Herr Lange spielte bereits im Jahre 1834, als Zögling des hiesigen Seminars, bei Gelegenheit eines Gesangfestes eine Orgelkomposizion von S. Bach nicht ohne verdienten Beifall. Seitdem hat er in Berlin unter W. Bach, Grell und Marx eben so fleissige als gründliche Studien gemacht und alsdann in Gross-Treben neben Ertheilung eines sehr gedeihlichen Musikunterrichts an die dortigen Seminaristen seine eigene Fortbildung als Klavier- und Orgelspieler mit rastlosem Eifer verfolgt. So ist es ihm denn gelungen, sich nicht nur die Komposizionen von Thalberg, Liszt, Mendelssohn, Chopin und Henselt in sehr achtungswerthem Grade anzueignen, sondern auch den unermesslichen Reichthum Bachscher Tonschöpfungen immer glücklicher auszubeuten. Zu dem erwähnten Orgelkonzerte hatte sich eine verhältnissmässig zahlreiche

Versammlung von Zuhörern eingefunden, die einen erfreulichen Beweis lieferte,
dass unsere Stadt, wenn auch nicht viele „Kenner," so doch manchen „Freund" der
Kirchenmusik zählt. Nach einer einleitenden freien Fantasie hörten wir zuerst eine
Toccata von S. Bach, D moll, die bei aller Kunst in der Verschlingung der Stimmen
einen jugendlich frischen Geist athmet und auch mit jugendlichem Feuer vorgetragen wurde. Hieran schloss sich ein gemüthvolles Andante von Hesse, welches
vielleicht noch besser gewirkt hätte, wenn es ein wenig stärker registrirt gewesen
wäre. Die ganze Macht des Bach'schen Genius empfanden die Zuhörer bei der nun
folgenden grossen Fuge, G dur, was sie freilich nur der eminenten Sicherheit und
ausdauernden Kraft, womit sie der Konzertgeber spielte, zu danken hatten. Diejenigen Zuhörer, welche weniger Gefallen an dem brausenden Tonmeere einer Bachschen Riesenfuge als an den einfachen Gängen eines sanften Chorals finden, fühlten
sich vorzüglich angesprochen, als Herr Lange hierauf den Choral „Straf mich nicht
in deinem Zorn" mit zwei Veränderungen von seiner eigenen Arbeit vortrug, die
in ihrer eigenthümlichen Haltung den Beweis lieferten, dass der Komponist seinen
Weg selbständig verfolge, wie sie zu der Hoffnung berechtigen, dass er auf diesem
Wege zu seiner Zeit Ausgezeichnetes leisten werde. Den Schluss der ganzen, höchst
würdigen Tonfeier machte die grosse G moll-Fuge von Seb. Bach. Ueber das viel-
gerühmte Werk selbst zu reden, würde überflüssig sein; bemerkt sei nur, dass Herr
Lange diese Fuge mit ungeschwächter Kraft zu Ende führte, und dass dieselbe
durch das ganz besonders frische und eindringliche Thema dem Verständnisse der
Zuhörer noch näher trat, als die vorhergehende Fuge in G dur. Die verdienstliche
Leistung des Konzertgebers fand von allen Seiten die dankbarste Anerkennung, und
es ist um so billiger, solche auch öffentlich auszusprechen, da Herr Lange keinen
Lohn irgend einer Art beansprucht hat.

Quelle: AMZ, 42. Jg., Nr. 40, 30. September 1840, Sp. 830–832. (Nachricht. *Weissenfels*.)
Anm.: Die Orgelwerke von Bach waren wahrscheinlich BWV 565, 541/2 oder 550/2 sowie
BWV 542/2 zum Schluß des Konzertes. Der Organist war vielleicht Otto Heinrich Lange
(1821–1887).

D 153

Orgelkonzert mit Proksch am 21. August 1842
zum Musikfest in Reichenberg

Am 21sten und 22sten August fand hier das dritte große Musikfest unter Mitwirkung von 300 Personen statt. … Als Einleitung zum Feste gab Hr. A. Proksch am
Vormittage in der Decanalkirche ein Orgelconcert und bewährte sich darin als einer
der ersten Organisten von ganz Böhmen. Prag hat keinen aufzuweisen, der sich mit
ihm messen könnte. Er spielte u. a. Concertino von Rink, Phantasie von Hesse und

Präludium und Fuge in A-Moll von J. S. Bach, in welcher letzteren Piece er bei der fertigen Behandlung des Pedals die Musiker zur Bewunderung hinriß.

Quelle: NZfM, 17. Bd., Nr. 25, 23. September 1842, S. 106. (Aus Reichenberg. Das Musikfest daselbst.)
Anm.: Gemeint ist der Reichenberger Stadtorganist Anton Proksch (1804–1866). Das Orgelwerk von Bach war wohl BWV 551. Zum Konzert siehe auch D 154.

D 154

ORGELFUGE AM 21. AUGUST 1842 IN DER DEKANATSKIRCHE ZU REICHENBERG

… Zur würdigen Eröffnung des Festes spielte der hierortige, tüchtige Organist, Herr Ant. Proksch, in der Decanatkirche vor dem Hochamte ein großes Präludium von Rink, zum Graduale ein Orgelconcert seiner eigenen Composition, zum Offertorium ein Phantasie von Hesse, während der Wandlung ein wundervolles Andante, und zum Schlusse eine jener großartigen Fugen des unsterblichen Großmeisters deutscher Tonkunst, S. Bach, mit meisterhafter Behandlung der Orgel, der Königinn der Instrumente. – …

Quelle: AWMZ, 2. Jg., Nr. 110, 13. September 1842, S. 447. (*Das dritte Musikfest zu Reichenberg.*)
Anm.: Zu Anton Proksch und dem von ihm gespielten Werk → D 153.

D 155

ORGELKONZERT MIT KRÜGER IN AURICH
BERICHT VOM 14. OKTOBER 1842

Aus Aurich in Ostfriesland.
Der bekannte Virtuosenfeind, Hr Dr. E. Krüger in Emden, ist gegenwärtig auf gutem Wege, selbst ein Virtuos zu werden, und zwar auf der Orgel. Neulich überraschte und erfreute er in unserer Kirche eine, freilich nur kleine Gemeinde durch die, im Wesentlichen fast vollendet zu nennende Vorführung einer Reihe classischer Tondichtungen. Unter den vielen glänzenden Sternbildern, welche uns hier geleuchtet haben, nennen wir vor Allem die hocherhabene, majestätische Symphonie aus Es-Dur, welche der Peters'schen Sammlung J. S. Bach'scher figurirter Choräle voransteht, dann das hochpoetische Präludium der „chromatischen Phantasie" desselben göttlichen Meisters. Wir gestehen, dieses Werk bisher recht eigentlich für eine Clavier-Phantasie gehalten, die volle Allgewalt aber, den wahren Charakter des

Gedichts erst auf der Orgel erkannt zu haben. Der Kampf der Titanen mit dem
Olymp läßt sich nicht großartiger malen; stolz in Wort und That stürmen die Erden-
söhne gegen die himmlischen Mächte an; aber mit allmächtigen, zermalmenden
Harmonieen brauset der Himmel die Verwegenen in die Tiefe hinab. – Nächstdem
die geistreiche Choral-Figuration von Bach: „Wachet auf, ruft uns die Stimme", wo
die figurirte Einleitung und Begleitung das schlummernde, träumende Volk malen
und plötzlich die Choralmelodie als *Cantus firmus* „hoch von der Zinne" ertönte.
Ferner das kindlich-fromme, durch seelenvolle Süßigkeit unendlich reizende Bach'
sche Vorspiel zum Choral: „Allein Gott in der Höh' sei Ehr'!" (für 2 Manuale und
Pedal). Darauf die Bach'sche Jubel-Fuge aus G-Dur (⁴/₄), mit dem originellen Vorspiel (³/₄) voll Mark und Kraft. Hiernächst eine riesige Fuge von Bach aus E-Moll,
welche in ergreifenden, unruhvollen Weisen die Schmerzen eines zerknirschten sün-
digen Gemüths zu malen scheint. Sodann eine schwungreiche Phantasie von Bach
aus C-Moll, von tiefem religiösen Sinn und schwärmerischer Andacht durchweht.
Zum Beschluß die F. Mendelssohn'sche Fuge in G-Dur, durch Klarheit, männliche
Kraft und Originalität gleich ausgezeichnet. (Das poetische Verhältniß des lieblichen,
moderner gehaltenen Vorspiels, welches der Fuge vorhergeht, zu der Fuge selbst ist
uns nicht deutlich geworden.) –
Dank dem begeisterten Apostel des großen Sebastian, dem gründlichen Kritiker,
dem unerbittlichen Feinde aller unpoetischen Musik, für den Genuß, welchen er
uns nun auch praktisch durch sein treffliches Orgelspiel gewährt hat. Möchte ihm
Muße werden, auch in größeren Städten und auf mächtigeren Orgeln als die unse-
rige ist, den Ruhm des erhabenen Meisters zu verkünigen, in dessen tiefsinnigen
Schöpfungen er seit Jahren ganz lebt und schwelgt. Nach dem Kampfe gegen das
Virtuosen-Unwesen könnte er auf den wahren Beruf des „Virtuosen" nicht schöner
und eindringlicher hinweisen, als durch solches Thun. –

Quelle: NZfM, 17. Bd., Nr. 31, 14. Oktober 1842, S. 130.
Anm.: Der Pädagoge, Organist und Musikschriftsteller Eduard Krüger (1807–1885) ging 1832
nach Emden, wo er schon im Folgejahr eine Chorvereinigung, die „Musikalische Gesellschaft",
gründete. Mit diesem Ensemble brachte er auch Chorwerke von J. S. Bach und G. F. Händel (vor
allem unter dem Einfluß Winterfelds) zur Aufführung. Im Orgelkonzert spielte er u. a. das Präludium in Es-Dur (BWV 552/1), die Chromatische Fantasie (BWV 903/1) ohne Fuge, den Schüb-
ler-Orgelchoral „Wachet auf, ruft uns die Stimme" (BWV 645), die Fuge in G-Dur (BWV 541),
die Fuge in e-Moll (BWV 548/2) und die Fantasie c-Moll (BWV 562/1) sowie die Fuge G-Dur
(op. 37) von Felix Mendelssohn Bartholdy. Nicht ohne Ironie bezieht sich der Rezensent auf
Krügers mehrteiligen Essay „Ueber Virtuosenunfug", den der Organist im August / September
1840 in der NZfM (13. Bd., Nr. 17–22) veröffentlicht hatte. Krüger hat sich darin auch über das
Bachspiel seiner Zeitgenossen kritisch geäußert.

D 156

Schneider konzertiert in der Sophienkirche Dresden
Bericht vom 31. Oktober 1843

… Die Krone dieses schönen Musikfestes (denn als solches wird mir diese Production Zeitlebens unvergeßlich bleiben) waren aber mehrere figurirte Choräle von Sebastian Bach, die uns dessen trefflicher Nacheiferer, der Bach unseres Jahrhunderts, nämlich J. Schneider vortrug. Der Mann spielte nicht, er sang, er declamirte, er dichtete auf seinem Instrumente, indem er schon lange vor ihm Gedichtetes treu wiederzugeben bemüht war. Wie tiefrührend war z. B. sein Vortrag des herrlichen Chorals: „Meine Seele erhebt den Herrn!" Wie so ganz lebte er und versenkte sich in Bach und dessen bis jetzt noch unerreichten Genius! Und so entzückte er uns volle drei Stunden lang durch lauter Vorträge Bach'scher Compositionen, so daß ich nicht umhin konnte, begeistert auszurufen: „Nun erst ist es mir klar geworden, welche hohe geistige Macht in der Orgel verschlossen liegt, nun erst ist mir der Himmel eröffnet worden, der aus den Tönen dieses Instrumentes gleichsam seine Lichtstrahlen in das für die Kunst erglühende Gemüth herniedersenkt!" …

Quelle: AWMZ, 3. Jg., Nr. 130, 31. Oktober 1843, S. 548f. (Musikalische Briefe aus Prag und Dresden.)
Anm.: Es erklang u. a. einer der Orgelchoräle BWV 648 oder BWV 733. Zu Johann (Gottlob) Schneider → D 133.

D 157

Toccata mit Succo in der Danziger Marienkirche
Bericht vom 24. Juni 1844

… Größeren Anklang fand der Posaunist Belcke aus Berlin, welcher in Gemeinschaft mit dem Orgelspieler Succo zwei Concerte gab, das eine im Artushofe, das andere, zu wohlthätigem Zweck, auf der prächtigen großen Orgel in der Ober-Pfarrkirche zu St. Marien. … Sein Orgelspiel befriedigte mehr, obgleich es in einzelnen Sätzen, wie z. B. in einer Toccata von Sebastian Bach, an einiger Unklarheit litt, die zum Theil vielleicht durch die Unbekanntschaft mit dem großen, sehr complicirten Orgelwerke veranlaßt sein mochte. …

Quelle: NZfM, 20. Bd., Nr. 51, 24. Juni 1844, S. 204. („Aus Danzig".)
Anm.: Die Rede ist wohl von Franz Adolf Succo (1801–1879), der von 1826 bis 1839 an der Görlitzer Peterskirche als Organist und Musikdirektor und später in Landsberg wirkte. Friedrich August Belcke (1795–1874) war Posaunist und Waldhornist, 1815 wurde er Musiker am Leipziger Gewandhaus; seit 1827 hatte er in Berlin mit August Wilhelm Bach Kirchenkonzerte veranstaltet.

D 158

Faisst gastiert am 4. Juni 1846 in der Parochialkirche zu Berlin

In ähnlicher Weise, wie vor einigen Wochen Herr Klauer aus Nordhausen, veranstaltete am 4. Juni Nachmittag Herr Immanuel Faißt aus Stuttgart in der hiesigen Parochial-Kirche eine interessante nur etwas zu lange Orgel-Unterhaltung zu der fast alle musikalischen und kritischen Notabilitäten Berlins geladen waren. Die berühmte Fantasie und Fuge (G-moll) von Seb. Bach, eröffnete großartig die Unterhaltung und bekundete gleich Herrn Faißt als tüchtigen Virtuosen. Sein Spiel zeigte sich im Verlauf der Vorträge als sehr sauber, correct und frei von allen Philiströsen; seine Compositionen, obgleich sich wohl Manches einwenden ließe, sind weder manirirt noch nachahmend, und weiß Herr Faißt wohl die gewöhnlich stereotypen und langweiligen Trio's durch komische Imitationen und geschickte Registrirungen interessant zu machen. Außer mehreren Arbeiten des Hrn. Faißt, hörten wir noch einige Compositionen von Seb. Bach, worunter besonders die bekannte Toccata und Fuge (*F-Dur*) Herrn Faißt Gelegenheit gab, sich als fertiger Pedalspieler zu zeigen. …

Quelle: Signale, 4. Jg., Nr. 25, Juni 1846, S. 196.
Anm.: Der Stuttgarter Organist, Dirigent und Komponist Immanuel Gottlob Friedrich Faißt (1823–1894) spielte wahrscheinlich u. a. die Orgelwerke BWV 542 und 540. Von 1848 an dirigierte er den Stuttgarter Liederkreis, mit dem er Oratorien Händels und Kantaten J. S. Bachs zur Aufführung brachte. Seit 1859 leitete er das Stuttgarter Konservatorium für Musik.

Klavierwerke

D 159

E-Dur-Fuge in den Freitags-Veranstaltungen der Sing-Akademie zu Berlin
1807 bis 1814

Fuge in E-Dur (BWV 878) am 17. April 1807, 2. Juli 1813, 1814

Quelle: Probenbücher der Sing-Akademie zu Berlin (derzeit nicht verfügbar), zit. nach Schünemann Bachpflege, S. 144, 146f.
Anm.: Carl Friedrich Zelter hatte die Fuge in E-Dur aus dem II. Teil des Wohltemperierten Klaviers für Streichquartett arrangiert und in den Freitags-Veranstaltungen seiner „Ripienschule" zur Aufführung gebracht.

D 160

Zweites Concert der Demoiselle Klara Wieck.

Seit Jahren hat in der Wiener musikalischen Welt nichts so große Sensation erregt, als Dem. Klara Wieck. Ihr zweites Concert, vorgestern, den 21. December, um die Mittagstunde, im Vereinssaale gegeben, war noch weit zahlreicher besucht, als das vorige, die Aufnahme wahrhaft enthusiastisch. Man kann es ohne Anstand eine in der Musikgeschichte unserer Stadt höchst merkwürdige Thatsache nennen, daß in einem Concerte des Jahres 1837 durch ein achtzehnjähriges Mädchen eine Fuge von Johann Sebastian Bach zur Aufführung gebracht wurde, und so außerordentlich gefiel, daß sogar die Wiederholung begehrt und geleistet werden mußte! Man muß aber auch nur gehört haben, wie Klara Wieck dieses Tonstück spielte. Mit technischer Fertigkeit allein, und sey diese auf einen noch so hohen Grad der Vollkommenheit getrieben, läßt sich die Sache wahrhaftig nicht abthun, der Geist muß hier thätig werden, daß er die Form belebe, und in dem strengen Rhythmus eines solchen Tonkunststückes jene Idee wiederfinde und herausbilde, von welcher der Meister bei der Schöpfung seines Werkes sich leiten ließ. Die Art, in welcher Klara Wieck diese – ich sage in der vollsten Bedeutung des Ausdrucks – Kunstaufgabe behandelte, war äußerst geistvoll, ja – ich trage kein Bedenken, noch hinzuzufügen – wahrhaft genial. Die Ausführung war eben so deutlich und correct, als geschmackvoll und tief durchdacht, eine Kunstleistung so eigener und seltener Art, so wahrhaft groß und gediegen, wie man sich dieselbe nur als Resultat langjähriger Kunststudien denken mochte. Vergleicht man aber nun Geschlecht und Alter der Künstlerin mit einer solchen Leistung, da lernt man wieder recht erkennen, wie ein echt musikalisches Genie allen Regeln und Studien weit voraneilt, und sich selbst nach dem Höchsten hin die Bahn bricht. Außer dieser Bach'schen Fuge (es war die in *Cis*), spielte Dem. Wieck eine Mazurka in *Fis-Moll*, von Chopin, die Etude Nr. 5 in *Ges*, von demselben, ein Concertino von eigener Composition, mit Orchesterbegleitung, und die Variationen über die Barcarole aus „l' Elisir d'amore", von Henselt. …

Quelle: Allgemeine Theaterzeitung und Originalblatt für Kunst, Literatur, Musik, Mode und geselliges Leben, 30. Jg., Nr. 255, Wien, 23. Dezember 1837, S. 1039.
Anm.: Die 18jährige Clara Wieck spielte wohl eine der beiden Fugen in Cis-Dur (BWV 848/2 oder 872/2) aus dem Wohltemperierten Klavier, Teil I oder II. Zu Wiecks Konzert siehe auch D 161.

D 161

BACH-FUGE IM KONZERT WIEDERHOLT

BERICHT VOM 26. JANUAR 1838

– Seit meinem letzten Brief gab Clara Wieck noch zwei Concerte, wobei sich der Enthusiasmus und Beifallssturm womöglich noch mehr steigerte, so daß diese beiden Genüsse zu den unvergeßlichen musikalischen Festen gehören, die uns ein Pianist je bereitet hat. Am 28sten spielte sie ihr Concert in A-Moll, dessen tiefgedachte und gefühlte Composition ungemein ergriff, Fuge von Seb. Bach (Cis-Dur), Masurka von Chopin (Fis-Moll) und Obertastenetude von demselben. Die Fuge setzte Alles in Bewegung, die Kenner waren begeistert, die Nichtkenner stellten sich wenigstens so. Clara W. mußte die Fuge wiederholen. …

Quelle: NZfM, 8. Bd., Nr. 8, 26. Januar 1838, S. 31. (Wien, vom 14. Januar.)
Anm.: Das in der Rezension mitgeteilte Datum ist falsch, denn das Konzert fand bereits am 21. Dezember statt (Schumann-Haus Zwickau, Programmsammlung Clara Wieck, Nr. 123); siehe auch D 160. In einem weiteren Konzert in der Wiener Hofburg vor der Kaiserlichen Familie spielte Clara „auf Verlangen der Kaiserin" abermals Bachs Fuge in Cis-Dur (vgl. Schumann-Haus Zwickau, Programmsammlung Clara Wieck, Nr. 124). Zu der von Wieck gespielten Fuge → D 160.

D 162

CHROMATISCHE FANTASIE UND FUGE MIT MENDELSSOHN IM LEIPZIGER GEWANDHAUS

BERICHT VOM 11. MÄRZ 1840

Das Programm der im Saale des Gewandhauses am 29. Februar d. J. stattgefundenen fünften Abendunterhaltung für Kammermusik war sehr gewählt und interessant; … Ganz ungewöhnliches Interesse erregte die chromatische Fantasie und Fuge für Pianoforte von Seb. Bach, welche Herr Dr. *Mendelssohn-Bartholdy* auf wirklich unvergleichliche Weise vortrug. Vollendeteres als Mendelssohns Vortrag Bach'scher Meisterwerke kann man sich überhaupt nicht wohl denken; in seinen Händen wird Alles klar und lebendig, auch bei den verwickeltsten und tiefsinnigsten Kompositionen tritt jedes einzelne Motiv in allen Durchführungen leicht und verständlich hervor, und aus dem Ganzen spricht ein so jugendlich urkräftiger Geist, als ob dasselbe sein eigenes, im Augenblick erst erschaffenes Werk sei. Die Wirkung auf das Publikum war ausserordentlich; durch den anhaltenden Applaus bewogen, trug Herr Dr. Mendelssohn-Bartholdy noch eine Fuge von Seb. Bach vor, die mit gleicher Theilnahme aufgenommen wurde.
Ueber die ewigen Meisterwerke S. Bach's noch viel zu reden, würde rein überflüssig sein; man muss sie hören und immer wieder hören, freilich aber in guter Ausfüh-

rung, das ist das Einzige, was deshalb zu sagen sein dürfte, denn das Uebrige, Verständniss und Genuss, ergibt sich dann von selbst. Wahrhaft geniale harmonische Effekte enthält die wunderbare chromatische Fantasie, auf welche wir noch besonders hinweisen wollen. ...

Quelle: AMZ, 42. Jg., Nr. 11, 11. März 1840, Sp. 227. (*Leipzig*, den 7. März 1840.)
Anm.: Das zweite von Mendelssohn gespielte Bach-Werk ist nicht zu ermitteln.

D 163

Clara Wiecks Konzert am 6. Dezember 1841 in Dresden

Concert von Clara Schumann, kk. öst.rr. Kammervirtuosin, d. 6. December.
... Präludium und Fuge von Seb. Bach, ...
Ihre heutigen Vorträge gaben diesem Urtheile eine neue, schöne Bestätigung, denn so classisch ruhig und gediegen die Bach'sche Fuge von ihr gespielt wurde, so leicht graziös und duftig brachte sie unmittelbar darauf das reizende Allegretto von Bennett zu Gehör, ...

Quelle: NZfM, 15. Bd., Nr. 50, 21. Dezember 1841, S. 198f. (Aus Dresden.)
Anm.: Clara Schumann spielte im Rahmen eines sehr gemischten Programms (vorwiegend mit sinfonischen Werken) wahrscheinlich eine der Fugen aus dem Wohltemperierten Klavier, Teil I oder II.

D 164

Liszt spielt Fugen von Bach und Händel in Berlin
Bericht vom 4. März 1842

Aus Berlin. Januarbericht. (Liszt)
Für den Monat Januar hat Liszt und nur Liszt allein die musikalische Aufmerksamkeit Berlins förmlich absorbirt. Niemals hat wohl irgend ein Virtuos, selbst Paganini nicht ausgenommen, hier eine gleiche Popularität erlangt.
... Eine andere bedeutende, nicht genug zu schätzende Seite an Liszt ist die, daß er sich nicht auf eine bestimmte Anzahl Virtuosenleistungen seiner eigenen Composition beschränkt, sondern auch fremden Werken dieselbe Liebe und Begeisterung widmet. Er hat hier Fugen von Händel (E-Moll), Sebastian Bach (Cis-Moll u.a.), die Sonate und Katzenfuge von Scarlatti, mehrere Sonaten von Beethoven (Cis-, D-, F-Moll (*Op. 57.*), As-Dur (*Op. 26.*), B-Dur (*Op. 106.*)), die As-Dur-Sonate, das Concertstück in F-Moll und die Aufforderung zum Tanze von Weber, das Septett von Hum-

mel, das Quartett vom Prinzen Louis Ferdinand u. a. m. mit aller nur ihm eigenen Kühnheit des Vortrags gespielt. …

Quelle: NZfM, 16. Bd., Nr. 19, 4. März 1842, S. 74f.
Anm.: Franz Liszt spielte vermutlich die Fuge cis-Moll (BWV 849/2) aus dem Wohltemperierten Klavier (Teil I), eines der seinerzeit besonders beliebten Klavierwerke Bachs.

D 165

KLAVIERWERKE MIT BERTA SOBOLEWSKA IN KÖNIGSBERG
BERICHT VOM 25. MÄRZ 1842

Bericht aus Königsberg in Preußen.
Außer den acht Orchesterconcerten, die wie gewöhnlich in der Hauptsache aus Vorführung Beethoven'scher Symphonieen bestanden, sind in diesem Winter keine größeren Aufführungen vorgekommen. Sobolewski kündigte drei Soireen an, zu denen der Zudrang jedoch so groß war, daß neun daraus geworden sind, und dennoch nicht alle Bestellungen auf Billets berücksichtigt werden konnten. Die Sachen, die hier aufgeführt wurden, waren… Ein *Duo brillant* von Vieuxtemps und Erkel, mehre von Osborne und Beriot, und für Pianoforte allein (vorgetragen von Sobolewski's Frau) gr. Toccata und Fuge von Seb. Bach aus D-Moll, *Allegro di molto* von Em. Bach, Toccata aus E-Moll von Seb. Bach, Bagatelle von Beethoven, Sonata von Scarlatti, Chromatische Phantasie von E. Bach, …

Quelle: NZfM, 16. Bd., Nr. 25, 25. März 1842, S. 100.
Anm.: Gemeint ist Auguste Bertha Minora Sobolewska, geb. Dorn († 1845), die zweite Frau von Eduard Johann Friedrich Sobolewski (1808–1872). Sie spielte von Bach vermutlich die Toccata d-Moll (BWV 913), die Toccata e-Moll (BWV 914) und möglicherweise die Chromatische Fantasie und Fuge d-Moll (BWV 903).

D 166

FUGE IN a-MOLL AM 2. DEZEMBER 1843 VON CLARA SCHUMANN
AUSWENDIG VORGETRAGEN

(Am 2. Decbr.) Auf allgemeines Verlangen gab Mad. Clara Schumann, noch ein zweites Concert … Clara schloß nun dieses klassische zweite Concert – mit der chromatischen Galoppe von Liszt? – mit dessen Teufelswalzer? – Mit dem thränenreichen *les Adieux* von Dreischock? – Mit den Bravour-Variationen von Herz? – Aber doch mit einer Thalberg'schen Fantasie? – Clara Schumann nahm Abschied von unserm

Publikum mit der großen acht Seiten langen Pedal-Fuge in *Amoll* von Bach ohne
Notenvorlage. – So schloß Clara Wieck. Den modernsten würdigen Abschiedseffekt:
„die chromatische Tonleiter in Octaven bei aufgehobenem Pedal" blieb diese Künstlerin schuldig. Gott segne sie. Ein geistreicher Fremder, der eben Liszt am Rhein
gehört, sagte mir in's Ohr: dies Concert werde ich nie vergessen. – Mad. Schumann
spielt Klavier um Musik zu machen – die Helden des Tags machen keine Musik, um
Klavier zu spielen.
Heute spielt Clara S. bei unserm kunstsinnigen Hof. Es ist vorauszusehen, daß die
liebenswürdige edle Künstlerin, auch da Musik machen wird.

Quelle: Signale, 1. Jg., Nr. 51, Dezember 1843, S. 402. (Signale aus Dresden.)
Anm.: Gemeint ist wohl die Orgelfuge in a-Moll (BWV 543/2), die Clara Schumann in einer Klavierbearbeitung auswendig vorgetragen hat. Das Konzert fand am 2. Dezember 1843 in Dresden
statt.

D 167

BACH-FUGE IM ERSTEN ÖFFENTLICHEN KONZERT VON BRAHMS
ANKÜNDIGUNG VOM 20. SEPTEMBER 1848

Programm von dem Concerte am Donnerstage, den 21sten Sept. (Abends 7 Uhr) im
Saale des Hrn. Honnef (alter Rabe, vor. d. Dammthore), gegeben von J. Brahms. …
Zweiter Theil …
10) a) Fuge von Sebastian Bach:
…

Quelle: Privilegirte wöct. gemeinnützige Nachrichten von und für Hamburg, 20. September
1848.
Anm.: Das Konzert am 21. September 1848 war der erste öffentliche Auftritt von Johannes Brahms
als Pianist. Bereits am 19. September erschien eine Anzeige.
Lit.: Dieter Boeck, *Johannes Brahms. Lebensbericht mit Bildern und Dokumenten*, Kassel 1998, S. 36
(Faksimile der Anzeige vom 20. September 1848); siehe auch Sittard, S. 274.

KAMMERMUSIK

D 168

KAMMERMUSIK IM REPERTOIRE DER SING-AKADEMIE ZU BERLIN
BIS ZUM JAHRE 1832

A

Musikalisches Opfer (BWV 1079)
Ricercare a 6 (BWV 1079/2) am 25. März 1808; am 13. und 20. Januar 1814.
c-Moll-Sonate (BWV1079/3) ebenfalls am 13. und 20. Januar 1814.

Quelle: Probenbücher der Sing-Akademie zu Berlin (derzeit nicht nachweisbar), zit. nach Schünemann Bachpflege, S. 147f.; Schünemann Singakademie, S. 29.

B

Die Kunst der Fuge (BWV 1080)
Eintrag in den Probebüchern der Sing-Akademie am 16. Februar 1813: „Die Fugen 1.,
4 und 5 aus S. Bachs Kunst der Fuge öfter wiederholt"; weitere Aufführungen folgten am 20. und 26. März 1813, 9., 16. und 23. Juli und 17. September 1813, 13. und
20. Januar 1814.

Quelle: Probenbücher der Sing-Akademie zu Berlin (derzeit nicht nachweisbar), zit. nach Schüne-
mann Bachpflege, S. 147f; Schünemann Singakademie, S. 44.
Anm.: Zelter hatte die Fugen für Streichquartett eingerichtet (vgl. Schünemann Singakademie,
S. 44).

D 169

ROBERT SCHUMANN: CHACONNE UND E-DUR-SONATE VON DAVID GESPIELT
LEIPZIG, 20. SEPTEMBER 1836

… Nach Tisch Musik bei mir – Nowakowsky, David, Stamaty, Dr. Frank u. Reuter,
Wenzel. David spielt unvergleichlich Sonaten v. Bach, die Ciaccona u. eine in E-Dur.
…

Quelle: Robert Schumann in seinen Tagebuchaufzeichnungen vom 20. September 1836. Tagebuch
8, Robert-Schumann-Haus Zwickau, Signatur: *4871/VII A/a 5*, zit. nach Schumann TB II, S. 26.
Anm.: Außer der Chaconne (BWV 1004/5) erklang die Sonate in E-Dur (BWV 1006). Der Solist

war der Gewandhaus-Konzertmeister Ferdinand David (1810–1873). Anwesend waren die Pianisten Józef Nowakowski (1800–1865), Ernst Ferdinand Wenzel (1808–1880) und Camille Marie Stamty (1811–1870), der Redakteur Hermann Franck (1802–1855) und der Arzt Moritz Emil Reuter (1802–1853).

D 170

Felix Mendelssohn Bartholdy: E-Dur-Sonate gewünscht
Leipzig, 4. Februar 1838

Lieber David
Wärst Du wohl so gut in dem ersten hysterischen Concerte (ums zu curiren) außer dem *Viotti*schen Concerte auch noch die *e dur* Sonate von *Bach* für Clavier und Violine mit mir zu spielen? Du würdest der Sache dadurch viel Glanzwichse verleihen
Dein
FMB.
Verzeih den despectirlichen Ton – Du thätest mir aber wirklich einen Gefallen.

Quelle: Felix Mendelssohn Bartholdy an den Gewandhaus-Konzertmeister Ferdinand David (1810–1873) vom 4. Februar 1838. Leipzig, Stadtgeschichtliches Museum, Signatur: *Rp.-Nr.: 246/29.*
Anm.: Die E-Dur-Sonate (BWV 1016) sollte im 15. Abonnement-Concert des Leipziger Gewandhauses am Donnerstag, den 15. Februar 1838, 18.00 Uhr, erklingen → D 198.
Lit.: Hans-Joachim Rothe und Reinhard Szeskus (Hrsg.), *Felix Mendelssohn Bartholdy. Briefe aus Leipziger Archiven,* Leipzig 1971, S. 138f.; Großmann-Vendrey, S. 160–164.

D 171

David und Mendelssohn mit Sätzen aus der E-Dur-Partita
im Leipziger Gewandhaus
Bericht vom 20. Februar 1843

Funfzehntes Abonnementconcert, d. 26. Januar. … – Prälud. und Rondo für die Violine von J. S. Bach, vorgetr. von Hrn. CM David. – …
Von hohem Interesse waren auch die beiden Piecen vom großen Sebastian, dessen wunderbarer Geist sich in all' seinen Schöpfungen, über jeden Zeitgeschmack so sehr erhob, daß wir mit Erstaunen und Bewunderung selbst in diesen Violinstücken schon Alles finden, was in neuerer Zeit die bis zu einem hohen Grade ausgebildete Virtuosität auf diesem Instrumente nur immer ersinnen und erfinden mochte, und wie in seinen Kirchen- und Claviercompositionen, ist Seb. Bach auch hier ein Ur-

quell, aus dem Jeder reichen Gewinn schöpfen kann, der sich der Violine als Componist oder als Virtuos zuwenden mag. Wie sehr Hr. David dies erkannt, und wie klar ihm das Verständniß der Bach'schen Compositionen geworden, davon hatten wir uns zu überzeugen schon öfter Gelegenheit. Hr. *Dr.* Mendelssohn accompagnirte auf dem Piano, und ist es wohl nicht möglich, dasselbe mehr im Geiste Bach's zu thun. …

Quelle: NZfM, 18. Bd., Nr. 15, 20. Februar 1843, S. 59.
Anm.: Es erklangen Präludio und Gavotte en Rondeau aus der Partita E-Dur (BWV 1006) in einer Klavierbearbeitung von Felix Mendelssohn Bartholdy. Den Violinpart spielte der Gewandhaus-Konzertmeister Ferdinand David.
Lit.: John Michael Cooper, *Felix Mendelssohn Bartholdy, Ferdinand David und Johann Sebastian Bach: Mendelssohns Bach-Auffassung im Spiegel der Wiederentdeckung der „Chaconne"*, in: Mendelssohn-Studien 10 (1997), S. 157–179; Anselm Hartinger, *„Eine solche Begleitung erfordert sehr tiefe Kunstkenntnis" – Neues und neu Gesichtetes zu Felix Mendelssohn Bartholdys Klavierbegleitung zu Sätzen aus Bachs Partiten für Violine solo, nebst einer Analyse der Begleitung zum Preludio in E-Dur (BWV 1006/1)*, BJ 2005, S. 35–82.

D 172

CHACONNE MIT DAVID AM 24. JANUAR 1845 IM LEIPZIGER GEWANDHAUS

Dritte Abendunterhaltung im Saale des Gewandhauses zu Leipzig. (Den 24. Januar 1845)
… In dem Vortrage der *Ciacconne* von Seb. Bach für Violine *solo*, welche wir früher schon einmal in einer Soirée von Robert und Clara Schumann zu hören Gelegenheit hatten, entfaltete Herr Concertmeister David abermals in enormer technischer Fertigkeit die Macht seines großen Tones, mit dem er alle uns bekannten Virtuosen überbietet, und die tiefe künstlerische Einsicht, mit welcher er in den Geist jeder Composition eindringt und deren poetischen Höhepunkt zur lebendigen Anschauung bringt. Gerade diese Composition bietet mehr als eine Gelegenheit zur Bewunderung seines Talentes. Er ist der erste, dem wir den Schlüssel zum Verständnisse derselben verdanken, ja vielleicht auch der einzige, der ihn so zu benutzen weiß. Kein Wunder, daß die enthusiasmirte Versammlung ihm mit stürmischem Applause dankte. …

Quelle: Signale, 3. Jg., Nr. 5, Januar 1845, S. 33.
Anm.: Die im Text erwähnte „Soiree" war die „Musikalische Morgenunterhaltung" am 8. Januar 1843 im Gewandhaus zu Leipzig. Clara Schumann spielte dabei ein nicht näher bezeichnetes Werk („Präludium und Fuge von Seb. Bach"). Ferdinand David (1810–1873) war seit 1835 Konzertmeister am Leipziger Gewandhaus und seit 1843 Violinlehrer am Konservatorium.

D 173

SONATE IN H-MOLL FÜR KLAVIER UND VIOLINE MIT STEIFENSAND IN BERLIN
BERICHT VOM 11. MÄRZ 1845

… In den von dem Clavierspieler Steifensand veranstalteten Trio-Versammlungen hörten wir den 11. Trio von Reissiger *D-moll op. 115*, *Es-Dur* von Beethoven *op. 70*, *D-moll* von Mendelssohn *op. 49*; und am 25. Trio *E-moll* von Beethoven, Sonate *H-moll* von Seb. Bach, Trio *F-Dur op. 32* von Taubert. …

Quelle: AWMZ, 5. Jg., Nr. 30, 11. März 1845, S. 119. („Correspondenzen. Berlin.")
Anm.: Der Pianist und Komponist Wilhelm Steifensand (1812–1882) veranstaltete nach 1844 erfolgreiche Kammermusiksoireen in Berlin. Er war Schüler von Felix Mendelssohn Bartholdy. 1863 schenkte er der Königlichen Bibliothek zu Berlin eine Abschrift vom I. und II. Teil des Wohltemperierten Klaviers (*Mus. ms. Bach P 402*). Aus der Pressenachricht ist zu entnehmen, daß die Violinsonate in h-Moll (BWV 1014) möglicherweise in Triobesetzung dargeboten worden ist, d. h. durch die Hinzuziehung des Violoncellos zur Verstärkung des Klavierbasses.
Lit.: NBA V/ 6.1, Krit. Bericht, S. 82–84.

D 174

SONATE H-MOLL FÜR KLAVIER UND VIOLINE MIT FISCHHOF UND JANSA
AM 4. JANUAR 1846 IN WIEN

Konzert-Salon. Vierte Quartettsoirée des Hrn. Prof. Jansa am 4. Jänner 1846.

… Bach's grandiöse H-moll-Sonate für Clavier und Violine wurde von Jansa und Hrn. Fischhof mit wahrhaftem Kunstverständnisse, das sich nicht nur mit dem Totalbilde begnügte, sondern die unscheinbarsten Einzelheiten dieses, für alle Zeiten großen und merkwürdigen Werkes umfaßte, vorgetragen. Man muß sich diesen beiden Künstlern zu großem Danke verpflichtet fühlen für den Hochgenuß, den sie uns durch die Vorführung dieser Meisterschöpfung gewährten, und für die Liebe, die Wärme, für die echt künstlerische Intention und Pietät, mit welcher sie selbe aufzufassen und wiederzugeben wußten.
Wer wollte, indem er sich in das dieser Sonate innewohnende Geistesleben vertieft, noch im Zopfstyl von einer *rococo* gewordenen Form reden! Er stimme lieber in des Dichters Worte ein: „Es ist eine (dem Zeitpunkt der Entstehung nach) alte Geschichte, doch sie bleibt ewig neu." Ja sie wird immer neuer, immer schöner, immer poetischer, je öfter man sie hört. Mögen die Klänge des großen musikalischen Propheten des vorigen Jahrhunderts, aus dessen Genius ein Beethoven, welcher der Jetztzeit das ist, (?) was Bach der früheren Periode des musikalischen Seins und Le-

bens war, sich nothwendig entwickelte, nicht ganz aus den Musikhallen scheiden. Es lebt ja noch so manche ihm treu ergebene Künstlerseele!

Quelle: AWMZ, 6. Jg., Nr. 3 und 4, 6. Januar und 8. Januar 1846, S. 12.
Anm.: Es erklang die Sonate in h-Moll (BWV 1014). Die Ausführenden waren Leopold Jansa (1795–1875), Violine und Josef Fischhof (1804–1857), Klavier.

D 175

Chaconne mit Josef Joachim am 11. Januar 1846 im Saale der Gesellschaft der Musikfreunde in Wien

Konzert des Jos. Joachim, Sonntag dem 11. d. M. im Saale der Gesellschaft der Musikfreunde
… Die von ihm zum Schlusse des Konzerts vorgetragene „*Ciaconna*" aus der 2. Sonate von Joh. Sebast. Bach für die Violine allein, war unseres Erachtens der Glanzpunkt seiner Konzertleistung. Diese Piece, die manchem unserer geehrten Leser unbekannt sein dürfte, besteht in einer höchst geistreichen und klassischen Durchführung nachstehenden Motives in *D-moll*. Dieses Tonstück hat großen musikalischen Werth und der unsterbliche Großfugenmeister hat hierin gezeigt, wie die Fantasie im Geleite der Weihe nur einer kleinen Basis bedürfe, um daraus ein großartiges interessantes Konzertstück auszuspinnen, ferner noch, wie sehr er es verstanden habe, die Violine zu handhaben und für letztere sehr schwierig, doch auch sehr dankbar zu schreiben, wofür die 3 Sonaten, welche er als Studien für die Violine allein componirte den Beweis liefern. Mit reinster Intonation, großer Bravour und vollendeter Nuancirung löste der Konzertgeber diese letzte und größte Aufgabe so zwar, daß der Beifall, welcher seine früheren beiden Leistungen reichlich begleitete, nach dem Vortrage der „*Ciaconna*" zum Sturm losbrach. …
C. Schmidt

Quelle: AWMZ, 6. Jg., Nr. 6, 13. Januar 1846, S. 23.
Anm.: Es erklang die Chaconne in d-moll (BWV 1004/5). Das Konzert wurde in der AWMZ, 6. Jg., Nr. 5, 10. Januar 1846 wie folgt angekündigt: „Ebenfalls morgen um die Mittagsstunde im Saale der Gesellschaft für Musikfreunde, findet das Konzert des Jos. Joachim statt, bei welchem folgende Stücke zur Aufführung kommen: … 6. „Ciaconna" für die Violine allein, componirt von Joh. Seb. Bach, vorgetragen von Joseph Joachim …". Der damals erst 14jährige Joseph Joachim hatte bereits die schwersten Stücke der Violinliteratur gespielt, darunter das Violinkonzert D-Dur op. 61 von Ludwig van Beethoven.

D 176

Chaconne mit Joseph Joachim am 28. Februar 1846 nochmals in Wien vorgetragen

Der junge Joachim gab am 28. Februar ein zweites Concert in Wien, in welchem er das Violinconcert von Mendelssohn, Variationen über ein Originalthema von David und auf Verlangen die „*Ciaccona*" von J. S. Bach spielte.

Quelle: Signale, 4. Jg., Nr. 11, März 1846, S. 83. (Dur und Moll).
Anm.: Joachim hatte die Chaconne bereits am 11. Januar 1846 in Wien gespielt → D 175.

Orchesterwerke

D 177

Zelter: Violinkonzert mit Boucher – zum Vortrag alter Musikstücke
Berlin, 13. August 1821

… Boucher ist noch hier und will nach Posen, Radziwills nachreisen, wo er schon willkommen sein wird. … Vorigen Sonntag hat er ein Paar von meinen Schülern gehört mit denen er nicht unzufrieden war. Er hat sich ein Violinkonzert von Sebastian Bach geben lassen und tut als wenn ihms gefiele; zweimal hat er es schon privatim gespielt und kostet sich damit die Liebhaber aus. Wir lernen von einander und die Meinung, daß alte gute Musikstücke gehackt und geschuppt sein wollen will er ablegen. …

Quelle: Zelter an Goethe, 13. August 1821. D-WRgs, Signatur: *28/1018*, zit. nach: Goethe Briefwechsel I, S. 663.
Anm.: Gemeint ist der französische Violinvirtuose Alexandre-Jean Boucher (1778–1861). Unbekannt bleibt, welches Violinkonzert gespielt wurde. Der Fürst Anton Heinrich von Radziwill (1775–1833) war seit 1815 Statthalter des Großherzogtums Posen und betätigte sich auch als Komponist.

D 178

Bach-Konzert auf einer Wundergeige gespielt

Bericht vom 17. Oktober 1821

Nachrichten.
Berlin. Uebersicht des September.
… Der oft genannte Hr. Alex. Boucher gab am 11ten sein letztes Concert, in dem er
mit vieler Zartheit, Gediegenheit und Sorgfalt in dem Quatuor brillant, in der französischen Romanze mit Introduction und Rezitativ und in einem Concerte von Seb.
Bach die Wundergeige spielte, und namentlich auch das letzte, von vielen Freunden
der ältern Musik gewünschte Concert ganz so kräftig und originell vortrug, wie es
gesetzt ist. …

Quelle: AMZ, 23. Jg., Nr. 42, 17. Oktober 1821, Sp. 712.
Anm.: Welches Konzert der französische Violinvirtuose Alexandre-Jean Boucher (1778–1861) am
11. September 1821 von Bach spielte, bleibt ungewiß.

D 179

Zelter: Bach-Konzert mit Mendelssohn

Berlin, 10. Mai 1830

… Felix wollte einen und alle Tage abreisen und einen Brief mitnehmen. Freitag hat
er noch ein Konzert vom alten Bach bei mir gespielt, wie ein wahrer Meister denn
das Konzert ist so schwer als schön, es wäre wert gewesen daß es der alte Bach
selber gehört hätte. Ich kann die Zeit nicht erwarten daß der Junge aus dem ver-
trackten berlinschen Klimperwesen und nach Italien kommt wohin er nach meinem
Dafürhalten gleich zuerst hätte kommen sollen. Dort haben die Steine Ohren, hier
essen sie Linsen Mit Schweinsohren. …

Quelle: Zelter an Goethe, 10. Mai 1830. D-WRgs, Signatur: *28/1025*, zit. nach: Goethe Briefwech-
sel II, S. 1356.
Anm.: Vom 21. Mai bis 3. Juni 1730 weilte Mendelssohn bei Goethe. Welches Konzert er in der
Freitagsmusik der Sing-Akademie (am 7. Mai 1830) spielte, bleibt ungewiß.

D 180

Konzert mit August Wilhelm Bach – Fuge und Solo mit Orchester gespielt
Bericht vom 29. Juni 1831

Berlin, Anfangs Juny.
… Auch die Armide wiederholte Mad. Milder noch einmal und sang dann nur noch in einem, vom Musikdirector und Organisten, Hrn. A. W. Bach in der Marienkirche zu mildem Zwecke veranstalteten Concert …
In dem erwähnten Kirchen-Concerte dominirte das Orgelspiel mit Recht. Besonders fertig und kraftvoll führte Herr A. W. Bach die Fuge a tre soggetti und ein Solo mit Orchester-Begleitung von der Composition seines grossen Altvordern, Joh. Seb. Bach aus. Geistliche Gesänge von Händel, Fasch und J. S. Bach wurden von geübten Dilettanten unter Leitung des stets bereitwillig mitwirkenden Musikdir. Rungenhagen, gelungen vorgetragen. Im Ganzen war diese Musik-Aufführung etwas zu lang und einförmig, um einen lebhaften Eindruck zurückzulassen.

Quelle: AMZ, 33. Jg., Nr. 26, 29. Juni 1831, Sp. 427.
Anm.: Mit der „Fuge a tre soggetti" ist entweder die unvollendete letzte Fuge aus Bachs „Kunst der Fuge" (BWV 1080 / 19) oder aber die Fuge Es-Dur (BWV 552 / 2) gemeint. Das Solo mit Orchester war wohl eine der Bachschen Kantatensinfonien mit konzertierender Orgel. Zu August Wilhelm Bach → D 56. Zu Pauline Anna Milder → D 137.

D 181

Konzerte und Suiten im Repertoire der Sing-Akademie zu Berlin
bis zum Jahre 1832

BWV 1041 Konzert a-Moll
P 252: Partitur zum Teil von Zelters Hand, ebenso dynamische Zeichen und General-baßbezifferung.

Anm.: Aufführungen am 10. Juli 1812, 26. März und 2. Juli 1813, April 1815. Nachweise bei Schünemann Bachpflege, S. 145f., 148.
Lit.: NBA VII / 3, Krit. Bericht, S. 14.

BWV 1042 Konzert E-Dur
P 252: Partitur zum Teil von Zelters Hand, ebenso Tutti- und Solo-Vermerke wie auch dynamische Bezeichnungen; *St 146*: Eintragungen in der Violino-Concertato-Stimme von Zelter; *P 253*: Neufassung der Solostimme von Zelter.

Anm.: Aufführungen am 10. Juli 1812, 26. März 1813, Oktober / November 1813. Nachweise bei Schünemann Bachpflege, S. 145, 147.

Lit.: NBA VII / 3, Krit. Bericht, S. 21f.

BWV 1043 Konzert d-Moll

St 147: Mit Aufführungsvermerken Zelters „Gesp[ielt] auf der Ak.[ademie] den 5 Febr 1813. I 12 9br [September, danach Unterführungsstrich zu 1813] I 10 März 1820. von den Herrn Rode und Rietz." Vortragszeichen Notentextergänzungen von der Hand Zelters.

Anm.: Die Solisten waren wohl Johann Christian Rietz (1767–1828) und vielleicht Jacques Pierre Joseph Rode (1774–1830).
Lit.: NBA VII / 3, Krit. Bericht, S. 33f.

BWV 1044 Konzert a-Moll

P 249: Notentextergänzungen und Zusätze von Zelters Hand, außerdem dessen Bleistiftnotiz: „Die ausgeschriebene Concertstimme ist an Mad Levy den 29 Mai 1831 verliehen. Z[elter]."

Anm.: Sara Levy, geb. Itzig (1761–1854) war Mitglied der Sing-Akademie, wo sie in den Freitags-Veranstaltungen der „Ripienschule" mehrfach als Cembalistin in Erscheinung trat.
Lit.: NBA VII / 3, Krit. Bericht, S. 43f.

BWV 1049 Brandenburgisches Konzert Nr. 4 G-Dur

P 259, St 151: mit Eintragungen (Instrumentenbezeichnungen, Artikulationsbögen) Zelters.

Anm.: Aufführungen am 2. Juli 1813 und im Oktober / November 1813, im Jahre 1814 und 1815. Nachweise bei Schünemann Bachpflege, S. 146–148.
Lit.: NBA VII / 2, Krit. Bericht, S. 88f., 98f.

BWV 1050 Brandenburgisches Konzert Nr. 5 D-Dur

St 132, St 133: Eintragungen (Artikulationsbögen, Vortragszeichen „dolce" und „pp", weitreichende Notentextergänzungen und -erleichterungen) von Zelters Hand. In *St 132* ist der Violone-Part von ihm zu Ende geschrieben.

Aufführungen am 19. Februar 1808 und 1815. Nachweise bei Schünemann Bachpflege, S. 144, 148.
Anm.: Solistin des Konzertes am 19. Februar 1808 war Sara Levy, geb. Itzig.
Lit.: NBA VII / 2, Krit. Bericht, S. 103f., 107f.; BJ 1975, S. 64f. (A. Dürr).

BWV 1051 Brandenburgisches Konzert Nr. 6 B-Dur

St 150: Zur Stimme *Viola terza* der Vermerk Zelters „Anstatt der Viola da gamba", weitere Eintragungen von Zelters Hand.

Anm.: Aufführungen am 7. Mai 1813 und 1814. Nachweise bei Schünemann Bachpflege, S. 148; Schünemann Singakademie, S. 44.
Lit.: NBA VII / 2, Krit. Bericht, S. 141f.

BWV 1052 Konzert d-Moll
Aufführung am 31. Dezember 1807, Solistin Sara Levy

Quelle: Probenbücher der Sing-Akademie zu Berlin (derzeit nicht verfügbar), zit. nach Schünemann Bachpflege, S. 144.

BWV 1053 Konzert E-Dur
Aufführung am 19. April 1816

Quelle: Probenbücher der Sing-Akademie zu Berlin (derzeit nicht verfügbar), zit. nach Schünemann Bachpflege, S. 150.

BWV 1057 Konzert F-Dur
P 234: Eintragungen (Angaben über die Teilung des Continuo-Parts auf Violoncello
und Violone, Nachtrag im Diskant der Cembalostimme) von Zelter; *St 349*: Stimmenabschrift für die Sing-Akademie, Titelblatt von Zelters Hand.

Lit.: NBA VII/4, Krit. Bericht, S. 171, 175, 180.

BWV 1058 Konzert g-Moll
D-LEb (Dauerleihgabe der Stadtbibliothek Leipzig), Signatur *Ms. R. 19*: Stimmen-
abschrift der von Zelter sehr weitgehend bearbeiteten Fassung des Konzertes (unter
Hinzufügung von Solokadenzen im 1. und 3. Satz). Auf dem Titelblatt der Vermerk
Zelters: „Seiner lieben getreuen Betty zu freundl. Andenken. Zelter Berlin, den
10. März 1832."

Anm.: Über die Veränderungen bemerkte Ernst Rudorff auf dem Umschlag: „Von Zelters Composition rühren die eingeschobenen Cadenzen und andere Veränderungen her." Gemeint ist die
Schauspielerin Betty Pistor (1802–1877), die in Zelters Aufführungen gelegentlich als Altistin
auftrat → D 9 (Kantate BWV 79).
Lit.: NBA VII/4, Krit. Bericht, S. 197–199.

BWV 1063 Konzert d-Moll
P 243: Nachträge in der Cembalo-I-Stimme (in Satz 2) von Zelter

Lit.: NBA VII/6, Krit. Bericht, S. 14.

BWV 1066 Ouvertüre (Suite) C-Dur
St 152: Die Stimmen „Baßono" und „Violino 1" mit Eintragungen (Trillerzeichen, Ar-
tikulationsbögen, Tempobezeichnungen, Angaben für „tutti", „trio") von der Hand
Zelters sowie dem Aufführungsdatum „9. April [18]13" auf dem Titelumschlag.

Anm.: Weitere Aufführungen am 11. November 1813 und im April (?) 1815. Nachweise bei Schünemann Bachpflege, S. 147f.; Schünemann Singakademie, S. 45.
Lit.: NBA VII/1, Krit. Bericht, S. 20, 22, 27f.

BWV 1067 Ouvertüre (Suite) h-Moll
St 154: Stimmendubletten mit Eintragungen (Trillerzeichen, Artikulationsbögen) von Zelter, Aufführungsdaten: „16. *Julius* [*Julius* korrigiert aus: *Mai*] 1813", „3. *Maii* 1819", „11. *Juli* 1823".

Anm.: Weitere Aufführungen im Oktober / November 1813, am 9. und 16. Dezember 1813 und im April (?) 1815. Nachweise bei Schünemann Bachpflege, S. 147, 148; Schünemann Singakademie, S. 45.
Lit.: NBA VII/1, Krit. Bericht, S. 34, 40f.

BWV 1068? Ouvertüre D-Dur
Aufführung am 12. März 1813.

Quelle: Probenbücher der Sing-Akademie zu Berlin (derzeit nicht verfügbar), zit. nach Schünemann Bachpflege, S. 146.

D 182

Fanny Hensel: Konzert als Favoritstück
Berlin, 16. September 1833

16. September 1833
… Gestern [15. September] hatten wir Musik. Ich spielte Tripelconc. v. Beeth. dann sang die Decker meine Scene, dann spielte Felix wunderschön sein Concert und d moll v. Bach. Unendlich phantastisch und eigenthümlich. …

Quelle: Tagebuchaufzeichnungen von Fanny Hensel. D-B *MA Depos. Berlin 500*, 22 (Aufzeichnungen vom 4. Januar 1829 bis 3. Juni 1834), zit. nach H.-G. Klein und R. Elvers (Hrsg.), *Fanny Hensel Tagebücher*, Wiesbaden etc. 2002, S. 46.
Anm.: Felix Mendelssohn Bartholdy spielte das Konzert in d-Moll (BWV 1052), das zu seinen Favoritstücken zählte. Johanna Sophie Friederike Pauline Decker, geb. von Schätzel (1811–1882), war von 1828 bis 1832 Sängerin an der Hofoper in Berlin. Sie trat auch als Komponistin von Liedern in Erscheinung.

D 183

KONZERT FÜR DREI KLAVIERE MIT AUGUST WILHELM BACH, GRELL UND DRESCHKE
BERICHT VOM 7. MAI 1834

Der geschätzte Posaunist Fr. Belcke gab ein interessant zusammengestelltes Concert, welches die Eigenthümlichkeit hatte, dass der zweyte Theil desselben aus alter Musik, einer Ouverture von Händel und einem Concert von Joh. Seb. Bach für drey Clavecins bestand, welches die Herren A. W. Bach, Ed. Grell und Dreschke, im Tacte übereinstimmend, jedoch auf drey Flügel-Pianoforte's von sehr verschiedenem Klange ausführten, daher auch die Nüancirung im Vortrage nicht hinreichende Mannigfaltigkeit gewinnen konnte. Das gemischte Concert-Publicum schien übrigens diese mit der galanten so stark contrastirende Musik ziemlich einförmig zu finden. ...

Quelle: AMZ, 36. Jg., Nr. 19, 7. Mai 1834, Sp. 313. (Nachrichten. *Berlin.* Beschluss.)
Anm.: Gespielt wurde sicherlich das seinerzeit weit verbreitete Konzert d-Moll (BWV 1063). Die Solisten waren August Wilhelm Bach, Eduard Grell und wahrscheinlich der Berliner Musiklehrer Georg August Dreschke (1798–1851). Friedrich August Belcke (1795–1874) war Posaunist und Waldhornist, 1815 wurde er Musiker am Leipziger Gewandhaus; seit 1727 hatte er in Berlin mit August Wilhelm Bach Kirchenkonzerte veranstaltet. Das Konzert erfolgte im März 1834, wie der vorangehenden Ausgabe (AMZ, 36. Jg., Nr. 18, 30. April 1834, Sp. 299) zu entnehmen ist: „Der rauhe, unfreundliche März dieses Jahres war an musikalischen Genüssen so überreich, ...".

D 184

KONZERT FÜR DREI KLAVIERE MIT MENDELSSOHN, WIECK UND MOSCHELES
LEIPZIG, 5. OKTOBER 1835

... Das Bachische Concert hatte ich Sie bitten wollen, zum Andencken in Ihre Bibliothek aufzustellen, u. hoffe, Sie werden mir dies Vergnügen nicht versagen; im Falle es Sie interessiert Aehnliches der Art von ihm zu haben, etwa ein Concert für 2, oder eines für 3 Claviere so würde ich Ihnen die Abschrift bald zuschicken können. Das Concert für 3 Claviere werden wir morgen Nachmittag spielen, *Moscheles* (der auf 8 Tage hier ist u. Freitag Concert giebt) *Clara Wieck* und ich. Es scheint mir zwar auch auffallend, daß die Clavierstimme so hoch u. tief über das System hinausgeht; doch ist das Exemplar, nach dem ich das Ihrige schreiben ließ, vom Bachischen Original, welches *Zelter* besaß, abgeschrieben u. ich glaube mich bestimmt zu erinnern daß auch da die hohen und tiefen Noten vorkamen. ...

Quelle: Felix Mendelssohn Bartholdy an Wilhelm Verkenius in Köln, 5. Oktober 1835. D-Leb, Signatur: *Rara II, 214.*

Anm.: Der Kölner Oberappelationsgerichtsrat und Intendant der Dommusik Erich Heinrich Wilhelm Verkenius (1776–1841) war ein begeisterter Musikaliensammler. Er besaß u. a. Abschriften der Kantaten BWV 8 und 144, die er nach Vorlagen aus Mendelssohns Bach-Sammlung angefertigt hatte. Seit 1833 stand er mit Mendelssohn in engem Kontakt. Mendelssohn, Clara Schumann und Ignaz Moscheles (1794–1870) haben das Konzert BWV 1063 offenbar mehrmals zusammen gespielt → D 190. Über das „Bachische Original", welches Zelter besessen haben soll, ist nichts bekannt. Eintragungen von seiner Hand befinden sich hingegen in einer Partiturabschrift aus dem Besitz der Sing-Akademie zu Berlin, D-B *P 243* → D 181.
Lit.: Ernst Wolff, *Briefe von Felix Mendelssohn Bartholdy an Kölner Freunde*, in: Rheinische Musik- und Theater-Zeitung, Jg. 10 (1909), Nr. 8, S. 121; Großmann-Vendrey, S. 218f.

D 185

KONZERT FÜR DREI KLAVIERE MIT WIECK, MENDELSSOHN UND RAKEMANN
IM LEIPZIGER GEWANDHAUS AM 9. NOVEMBER 1835

Am 9. Novbr. gab Fräul. Clara Wieck ein Extraconcert, … im zweiten Theile wurde das Concert aus D-moll für 3 Klaviere von J. Seb. Bach zu Gehör gebracht, vorgetragen von dem Hrn. Musikdir. F. Mendelssohn-B., dem Hrn. Rakemann u. der Concertgeberin, mit Quartettbegleitung; … Das Concert von Bach hatte, wie natürlich, vollen Antheil erhalten.

Quelle: AMZ, 37. Jg., Nr. 51, 23. Dezember 1835, Sp. 852f. (Nachrichten. *Leipzig*. Beschluss.)
Anm.: Als Solisten erscheinen auf dem Programmzettel Felix Mendelssohn Bartholdy, Clara Wieck und „Herr Rakemann". Der Letztgenannte ist der Pianist Louis Christian Rakemann (* 1816, † nach 1852).
Lit.: Dörffel 1881, S. 3.

D 186

KONZERT ALS HISTORISCHE MERKWÜRDIGKEIT
BERICHT VOM 16. NOVEMBER 1835

… Für eine historische Merkwürdigkeit muß es gelten, daß man an demselben Abend, außer mehrern Gesangspiecen, auch ein altes Concert für drei Claviere (*D moll*) mit Quartettbegleitung von Johann Sebastian Bach executirte. Neben den brillanten Leistungen der jetzigen Composition nahm sich dies ehrwürdige Tonstück mit seinem etwas pedantischen Menuet-Takte aus alter guter Zeit fast komisch aus. Jedenfalls blieb es interessant, mitten im Wirbelwinde der heutigen Concert-Rhythmen auch Vater Sebastian Bach's ehrwürdig solide Stimme zu hören. Der Deutsche darf, auch in der Kunst, nie vergessen wollen, wo er hergekommen ist.

Quelle: ZfdeW, Nr. 226, 16. November 1835, S. 904. (Leipziger Chronik.)
Anm.: Zu den Solisten im Gewandhauskonzert am 9. November 1835 → D 185.
Lit.: Dörffel 1881, S. 3; Großmann-Vendrey, S. 140f.

D 187

KLAVIERKONZERT MIT MENDELSSOHN IM 19. ABONNEMENTKONZERT
DES LEIPZIGER GEWANDHAUSES
BERICHT VOM 12. APRIL 1837

… Im ersten Theile hatte Hr. M.-B. mit seinem eigenen, schon durch frühern Vortrag bekannten und ausserordentlich beliebt gewordenen Pianof.-Concerte den
rauschendsten Beifall eingeerntet. Unsern Dank gewann er sich auch noch durch
den Vortrag eines uns bis jetzt unbekannten, nur im MS. vorhandenen Concertes
für den Flügel (D moll) von Seb. Bach, ein wunderbar mit den Streichinstrumenten verwebtes, höchst interessantes Werk, das freilich nicht alle Hörer gleichmässig
ansprechen konnte, aber mit starkem Applaus anerkannt wurde. Ueberhaupt war
dieses Concert, das 19te, ein durchaus klassisches, …

Quelle: AMZ, 39. Jg., Nr. 15, 12. April 1837, Sp. 242. (Nachrichten. *Leipzig.*)
Anm.: Im Gewandhauskonzert am 9. März 1837 spielte Felix Mendelssohn Bartholdy das Konzert d-Moll (BWV 1052). Er wiederholte es am 23. April 1843 zur Einweihung des Bach-Denkmals → D 202.
Lit.: Dörffel 1881, S. 3.

D 188

BACH-KONZERTE FÜR DIE ÜBERSCHWEMMUNGSOPFER IN WESTPREUSSEN
BERICHT VOM 3. SEPTEMBER 1839

… – Für die Ueberschwemmten in Westpreußen wurden drei Concerte gegeben: …
3) eine Damen-Matinee unter Leitung von Curschmann, nämlich von Herrn Curschmann, den sich das zarte Geschlecht zum Anführer gewählt, bewiesen, daß es
durchaus wahl- und urtheilsfähig sei; denn wir haben im Saale der Singakademie
selten so wohl einstudirte, fein nüancirte Musiken gehört, als in dieser emancipirten
Damen-Matinee, wo zwei Tripelkoncerte von Sebastian Bach in C-Dur und D-Moll,
die wundervolle H-Moll-Arie aus der Matthäus-Passion (ausgezeichnet vorgetragen
von Mad. C –, …

Quelle: NZfM, 11. Bd., Nr. 19, 3. September 1839, S. 75. (Aus Berlin. Schluß.)

Anm.: Es erklangen die beiden Konzerte für drei Cembali und Streicher (BWV 1064 und
BWV 1063) sowie die Altarie aus der Matthäus-Passion „Erbarme dich" (BWV 244 / 39). Der Dirigent des Konzertes war der Komponist Karl Friedrich Curschmann (1805–1841). „Mad C.",
welche die Altarie aus der Matthäus-Passion sang, war seine Gattin Rosa Eleonora Curschmann,
geb. Behrend († 1842).

D 189

E-Dur-Violinkonzert mit Jansa im „Concert Spirituel"
Bericht vom 26. Dezember 1839

(Wien.) Das dritte *Concert spirituel* am 19. d. führte einen lieben alten, lange vermiß-
ten Freund wieder in unsere Mitte …
… Als eine wahrhaft historische Merkwürdigkeit hörten wir dießmahl ein Violinconcert von Joh. Seb. Bach, welches Hr. Professor Jansa streng dem Geiste der Conception, ohne aller fremdartiger Ausschmückung, mit kräftig markirtem Bogenstrich
vortrug, und damit die wohlverdiente Ehre des Hervorrufens sich erwarb. Daß die
Setzweise eines entschwundenen Jahrhunderts unserm verweichlichten Gehörsinne
etwas exo[t]isch erscheinen muß, liegt im Zeitenwechsel begründet. Man darf nur
der Imagination Spielraum gönnen, und im Gedanken einen Rückschritt von mehr
denn zwölf Decennien machen, um den Virtuosen vor seinem Pulte zu erblicken,
angethan mit einem prächtigen Staatskleide von geschnittenem Genueser Sammt,
einer Goldbrocat-Weste, feinem Chabot und Manschetten von Brüßler-Kanten, in
zierlichen Seidenstrümpfen und blitzenden Steinschnallen, den kleinen Prachtdegen
in horizontaler Richtung, die steifen Rockschöße durchschneidend, das ehrwürdige
Haupt von den Ringellocken der Puderbeschneyten Atzel umwallt, und überhaupt
die ganze Künstlerfigur prunkend im Hofcostume, und in der opulent splendiden
Eleganz seines Zeitalters. Diese Ideen dringen fast unwillkührlich sich auf beym
Anhören der beyden *Allegro*-Sätze, in welchen die Principalstimme, bloß nur begleitet von dem mit ihr contrapunctirenden Saitenquartett, unablässig ihr Ziel verfolgt,
in wundersamer Figuration, von durchaus ernsthaftem, ja vielmehr tiefsinnigen
Charakter. Dagegen prävalirt im *Adagio* ein höherer Grad des Colorits; besonders
wirksam gestaltet sich die markige, continuirlich fortgesponnene Trillerfigur des
Contrabasses, und dieser Theil ertrotzte sich so zu sagen die allgemeinste Anerkennung. Das Ganze aber liefert das schlechterdings keines Zusatzes mehr bedürfende
Axiom: daß Joh. Seb. Bach ein eigentliches Kunstgenie war, und dessen Aggregate,
Erfindungskraft, feine Beurtheilung, strömende, unendliche Gedankenfülle, und
ein gebildeter Geschmack, demzufolge nichts in seinen Arbeiten willkührlich, vielmehr alles nothwendig und gleichsam bedungen zu seyn scheint. Die sicherste
Gewandtheit im Gebrauche der schwersten und subtilsten Kunstmittel, die größte

Geschicklichkeit in der practischen Anwendung und Ausübung der fremdesten und schwierigsten Handgriffe, sind die Kennzeichen dieses Kunstgenius. Hat jemahls ein Componist die Vollstimmigkeit in der größten Stärke gezeigt, jemahls die verborgensten Geheimnisse der Harmonie zur künstlichsten Verwendung gebracht, und mit diesen sonst so trocken scheinenden Kunststücken so viel Geist- und Erfindungvolles amalgamirt, so war es gewiß Joh. Seb. Bach. Er durfte nur irgend einen Hauptsatz gehört haben, um fast Alles, was immer nur Künstliches darüber vorgebracht werden konnte, gleichsam im Augenblick zu erfassen. Seine Melodien waren zwar sonderbar, doch immer neu, verschieden, selbsterfunden, und kein fremdes, von Andern erborgtes Eigenthum.

Wer nun aber in Bach's Werken jene Summe von characteristischen Merkmahlen weder aufzufinden noch zu schätzen vermag, versteht sie auch nicht, kann sie nicht würdigen, und eben deßhalb in Beurtheilung derselben keine Stimme haben. Die Prätension, daß die Tonkunst ein Gemeingut für alle Ohren sey, darf bey unserm Bach keineswegs statuirt werden, und ist durch das bloße Daseyn und die Einzigkeit seiner Schöpfungen, die dem Kenner wie gewachsen erscheinen, sogar factisch abgewiesen. Nur der Kenner also, welcher in einem echten Werke der Kunst die innere Organisation ahnet, fühlt, und eindringt in des Künstlers Intention, die nichts umsonst will, soll hier zum schiedsrichterlichen Urtheil befähigt seyn. Ja man könnte den Stufengrad eines Musikkenners nicht vollständiger ermessen, als durch den Thatbestand: wie weit er bereits gekommen in Schätzung der Bach'schen Werke, welche für die Nachkommen dem Bogen des Ulysses gleichen, um die inwohnende Thatkraft daran zu erproben. …

Quelle: AMAnz, 11. Jg., Nr. 52, 26. Dezember 1839, S. 270f. (Heimathliches und Fremdes.)
Anm.: Der in Böhmen geborene Leopold Jansa (1795–1875) wirkte als Geiger und Komponist in Braunschweig, Wien und London. Offenbar erklang am 19. Dezember 1839 in Wien das Konzert E-Dur (BWV 1042) mit der Satzfolge Allegro–Adagio–Allegro assai.

D 190

CLARA SCHUMANN: IMMER MIT FRISCHEN KRÄFTEN AN BACH

LEIPZIG, 18. OKTOBER 1840

Sonntag d. *18* probirten wir, *Moscheles*, *Mendelssohn* und ich das *D moll* Concert von *Bach* für 3 Claviere, und noch Anderes. …
Die Soiree von *Mendelssohn* im Gewandhaus war brillant, … Vorgetragen wurden: Die beiden Ouvertüren von *Beethoven* zu *Leonore*, der *Psalm* „wie der Hirsch schreit" von *Mendelssohn*, die *Hebriden*-Ouvertüre, *Hommage à Händel* von *Moscheles*, von ihm und *Mendelssohn* vorgetragen, das *G moll* von *Moscheles* und das Tripel-Concert von

Bach. ... Das Concert von *Bach* ging ziemlich gut; ich war nicht animirt, das kann auch gar nicht sein, wenn man 2 Stunden hindurch durch Musik geistig so abgespannt ist, wie ich es war! an *Bach* muß man mit immer frischen Kräften gehen. ...

Quelle: Clara Schumann in ihren Tagebuchaufzeichnungen vom 18. Oktober 1840. Tagebuch 12 – Ehetagebuch I, Robert-Schumann-Haus Zwickau, Signatur: *7087,1 – A 3,* zit. nach Schumann TB II, S. 114f.
Anm.: Die „Soiree" war eine „Musikalische Privatunterhaltung" vor geladenen Gästen. Mendelssohn, Clara Schumann und Ignaz Moscheles (1794–1870) haben das Konzert BWV 1063 offenbar mehrmals zusammen gespielt → D 184.

D 191

Kritik an Fischhofs Interpretation des d-Moll-Konzertes
Bericht vom 7. März 1843

I. Concert-Spirituel. Donnerstag den 2. März.
… Das Sebastian Bach'sche Clavierconcert (in *D-moll*) ist meines Wissens im laufenden Jahrhunderte hier noch nicht öffentlich gehört worden, und es sei darum sowohl den H. H. Unternehmern, daß sie es wählten, als auch dem Hrn. Fischhof, der dasselbe spielte, aufrichtiger Dank gesagt. Sebastian Bach, dieser Gewaltige mit den Fäusten von Eisen, dessen Name schon auf Veranlassung Volumier's die Arroganz des damals berühmten franz. Organisten Marchand demüthigte und denselben, von jedem Wettkampfe abstehend, bei Nacht und Nebel aus Dresden jagte; Seb. Bach, dessen „temperirtes Clavier" (eine Sammlung von sehr künstlichen Fugen und Präludien durch alle 24 Töne) Weltberühmtheit erlangt hatte, dessen Füße Sätze ausführten, die den Händen manches geschickten Clavierspielers zu schaffen machen konnte, dessen Werke als ein Bogen des Ulysses galten, um die Kräfte der Kunstjünger danach zu bemessen, – hat das in Frage stehende Concert in seiner besten, kunstkräftigsten Zeit geschrieben, er hat es für sich geschrieben mit Begleitung eines reichen Instrumentales, zu einer Zeit, wo das Fortepiano, wie wir es haben, unbekannt, das Clavier ein äußerst beschränktes Hackbret noch war. Welch' Feuer mußte also sein Spiel, seinen Vortrag auszeichnen, daß er im Stande war, auf einem im Ton und Mechanismus noch so mangelhaften Instrumente durchzudringen!! Heute hörten wir dieses Concert auf einem kräftigen Instrumente, einem der ausgezeichnetsten Producte Streicher's, wir hörten es mit einer sehr besonnenen, ich möchte sagen gedämpften Begleitung des Original-Orchesters, und doch gab es Stellen, die undeutlich, andere die gar nicht hervortraten; es herrschte eine süßliche Monotonie durch das Ganze, es war der Character einer arkadischen Simplicität demselben aufgedrungen, es lag eine haarbeutelsche Tändelei darin, – mit Einem Worte, man konnte daraus Alles, nur keinen Sebast. Bach ersehen! Wie Bach gespielt werden

müsse, um für uns nicht bloß das Interesse einer antiquarischen Curiosität zu haben, bewies uns Hr. C. Evers am 1. März 1831, wo Bach's *A-moll*-Fuge enthusiasmirte und ein stürmischer Beifall die Wiederholung derselben erzwang. Oder sollte das *D-moll*-Conzert eine schwächere, minder dankbare Arbeit seyn als diese Fuge?! ...

Quelle: AWMZ, 3. Jg., Nr. 28, 7. März 1843, S. 113f.
Anm.: Das Konzert wurde auch in der NZfM, 18. Bd., Nr. 15, 20. Februar 1843, S. 60 angekündigt.
Josef Fischhof (1804–1857) spielte am 2. März 1843 das Konzert d-Moll (BWV 1052) auf einem Instrument aus der Werkstatt des Wiener Klavierbauers Johann Baptist Streicher (1796–1871). Das erwähnte Konzert am 1. März 1831 spielte der Wiener Pianist Karl Evers (1819–1875).

D 192

Selten drei Spieler mit so tiefem Verständnis für Bachs Kompositionen
Bericht vom 9. November 1843

Concert zum Besten des Orchester-Pensionsfonds, d. 30sten October. ...
Concert für drei Pianoforte von J. S. Bach, vorgetr. von Fr. *Dr.* Clara Schumann, Hrn. GMD. F. Mendelssohn-Bartholdy, und Hern. MD Ferd. Hiller. ... Bei dem Tripelconcert vom alten Sebastian wurde unsre Bewunderung eben so sehr für den wunderbaren Bau der Composition, wie für die meisterhafte, charakteristische Ausführung in Anspruch genommen, und müssen wir für den Genuß um so dankbarer sein, da sich selten drei Spieler zusammenfinden möchten, die ein so tiefes Verständniß der Bach'schen Compositionen gewonnen haben, als es hier der Fall war. ...

Quelle: NZfM, 19. Bd., Nr. 38, 9. November 1843, S. 151f.
Anm.: Am 30. Oktober 1843 erklang das Konzert d-Moll (BWV 1063). Der Komponist, Pianist und Musikschriftsteller Ferdinand Hiller (1811–1885) war mit Clara und Robert Schumann befreundet. 1843/44 war er vorübergehend Stellvertretender Musikdirektor am Gewandhaus.
Lit.: Dörffel 1881, S. 3.

D 193

Konzert in d-Moll mit Fischhof, Pauer und Rabel in Wien
Bericht vom 20. März 1845

Local-Revue. Konzert-Salon. *Matinée musicale* im Salon des k. k. Hof-Claviermachers Streicher, Sonntag den 16. März.
... Die Krone dieser *Matinée* war jedoch unstreitig Bach's *D-Moll*-Konzert für 3 Claviere, über welches Riesenwerk ich einen eigenen Artikel für diese Blätter mit

Nächstem zu liefern beabsichtige. Denn diese großartige Schöpfung, welche erst in der neuesten Zeit durch das wahrhafte Kunststreben eines Mendelssohn (der es vor einigen Jahren in Leipzig vortrug), eines Mortier de Fontaine (welcher am 6. Oktober des verflossenen Jahres die Prager Kunstkenner durch den Vortrag eben desselben Meisterwerkes entzückte) wieder in das Gedächtniß des musikliebenden Publikums zurück geführt wurde; diese Schöpfung läßt eine oberflächliche Besprechung innerhalb der engen Gränzen eines Konzertreferates nicht zu. Daher mit Nächstem ein Mehreres hierüber. Die Aufführung dieses Kunstwerkes durch Fischhof, Pauer und Rabel, im Vereine mit dem durch tüchtige Individuen repräsentirten Doppelquartette ließ nichts zu wünschen übrig. Der erste Satz wurde unter stürmischem Beifalle wiederholt.

Die das Andante mit dem fugirten Schlußsatze verbindende Fermate, eine Composition des Hrn. Prof. Fischhof, war ganz im Geiste Bach's, des großen musikalischen Propheten des vorigen Jahrhunderts, gedacht und durchgeführt, und wurde mit Recht applaudirt.

Ich schließe diesen Bericht mit demselben Bekenntnisse, mit welchem ich ihn begonnen, welches dahin lautet, daß das so eben besprochene Konzert als eine der bedeutendsten Erscheinungen der diesjährigen Konzertsaison anzusehen ist, und als solche wohl eine nachdrückliche Würdigung verdient. Productionen der Art sind das beste Gegengift gegen die mit Gewalt heranstürmende Neuromantik und gegen das flache, geistlose Virtuosenthume.

Quelle: AWMZ, 5. Jg., Nr. 34, 20. März 1845, S. 134.
Anm.: Zur Aufführung gelangte das d-Moll-Konzert BWV 1063. Die Pianisten waren Josef Fischhof (1804–1857), Ernst Pauer (1826–1905) und Rabel. Über den Letztgenannten ist nichts Näheres bekannt. Das Konzert fand im Hause des Wiener Klavierbauers Johann Baptist Streicher (1796–1871) statt.

Vermischtes: Bachkonzerte, „Historische Konzerte"
und Gedenkveranstaltungen

D 194

RICERCARE, MAGNIFICAT UND MESSE IN
DEN „HISTORISCHEN HAUSKONZERTEN" KIESEWETTERS
AM 6. JANUAR 1823 IN WIEN

IV. Am 6. Jäner [1823]
1. Missa für 8 Real- und 4 Rip. Singstimmen u. 2 Orchester von Joh. Sebast. Bach
2. Ricercare. Fuga a 6 Stromenti d'Arco 1747 von Joh. Sebast. Bach
3. Magnificat für 5 Stimmen mit Orchester von Joh. Sebast. Bach

Quelle: Stift Einsiedeln, Musik-Bibliothek Signatur: *ML 92* (Nachlaß Robert Lucas Pearsall): „Verzeichniß der Concerte alter Musik in dem Hause des Hofrathes <u>Kiesewetter</u> in Wien im J. 1816
bis 1820 und vom Jahre 1822 bis 1838 / : Nach der Vormerkung von Hrn Aloys Fuchs: / ".
Anm.: Es erklang die apokryphe Messe in G-Dur (BWV Anh. III 167), das „Ricercar a 6" aus
dem Musikalischen Opfer (BWV 1079), dargeboten in Streicherbesetzung, und das Magnificat
(BWV 243). Der Musikforscher Raphael Georg Kiesewetter (1773–1850) gehörte zu den Mitbegründern der Wiener Gesellschaft der Musikfreunde. Er hatte die „Historischen Hauskonzerte"
nach dem Vorbild der Academy of Ancient Music in London und der Sing-Akademie zu Berlin
1816 in Wien eingeführt. Kiesewetter besaß eine umfangreiche Musikaliensammlung, zu deren
Aufbau namhafte Persönlichkeiten (darunter Mendelssohn, Schumann, Meyerbeer, Hauser,
Dehn, Fuchs, Nicolai, Poelchau und Rochlitz) beigetragen hatten. Seine Partitureinrichtungen
gelten als wegweisend für die historische Editionspraxis.
Lit.: Herfrid Kier, *Kiesewetters historische Hauskonzerte. Zur Geschichte der kirchenmusikalischen Restauration in Wien*, in: Kirchenmusikalisches Jahrbuch –52 (1968), S. 106.

D 195

HISTORISCHES ORGELKONZERT MIT BECKER IN DER PETERSKIRCHE ZU LEIPZIG
BERICHT VOM 8. AUGUST 1832

… Es würde unrecht seyn, wenn wir nicht einiger musikalischen Stunden gedenken
wollten, die unser Organist an der Peterskirche, Herr C. F. Becker einer kleinen, auserlesenen Anzahl von Musikfreunden am 14ten July bereitete. Er trug uns auf seiner
Orgel mehre Fugen von Seb. Bach, Händel und Krebs vor; einige alte Trio's; den
Choral: „Ach Gott und Herr" mit Veränderungen von dem alten Walther; „Herzlich
lieb hab' ich dich, o Herr" von Schein; „Christus ist erstanden" von Calvisius und

„Media vita" achtstimmig von Gallus, für die Orgel eingerichtet. Solche Unterhal-
tungen sind mit Dank anzuerkennen. …

Quelle: AMZ, 34. Jg., Nr. 32, 8. August 1832, Sp. 533.
Anm.: Carl Ferdinand Becker (1804–1877) war 1825 bis 1837 Organist an der Peterskirche und
1837 bis 1854 Organist an der Nikolaikirche zu Leipzig. Er hat sich auch als Musikaliensammler,
Musikforscher und Publizist betätigt.

D 196

Kunstgeschichtliches Interesse an älteren Kompositionen – „Christe eleison" und „Gloria" in der Berliner Marienkirche
Bericht vom 23. Oktober 1833

… Ein wenig gelungenes Debüt der Dem. Hoffmann als Tancred übergehend, erwähne ich nur noch die von den Herren A. W. Bach und Fr. Belcke in der Marienkirche
zu wohlthätigem Zwecke veranstaltete geistliche Musik. Deren Inhalt gewährte ein
kunstgeschichtliches Interesse, indem die älteren Compositionen deutscher Tonsetzer einer für den strengen Styl in der Musik wichtigen Zeit wohl gewählt und
zusammengestellt waren, nämlich: Orgel-Fuge von Joh. Pachelbel; Motette von Joh.
Christoph Bach; Toccata von Georg Böhm für die Orgel; Christe eleison und Gloria
aus der grossen H moll-Messe von Joh. Seb. Bach (deren vollständige Aufführung
von der hiesigen Singakademie vorbereitet wird); 68ster Psalm von Händel; Orgel-
Fuge von Christian Bach; Arie und Chor aus dem Requiem von Hasse; …

Quelle: AMZ, 35. Jg., Nr. 43, 23. Oktober 1833, Sp. 717. (Nachrichten. *Berlin*, den 5ten October.)
Anm.: Friedrich August Belcke (1795–1874) war Posaunist und Waldhornist, 1815 wurde er
Musiker am Leipziger Gewandhaus; seit 1827 hatte er in Berlin mit August Wilhelm Bach Kirchenkonzerte veranstaltet. Zu August Wilhelm Bach → D 56. Aufgeführt wurde sicherlich eine
der 1821–1823 bei Hofmeister in Leipzig von Johann Friedrich Naue (1787–1858) herausgegebenen Motetten von Johann Christoph Bach. Die Sing-Akademie brachte die Messe in h-Moll am
20. Februar 1834 (I. Teil) und am 12. Februar 1835 (II. Teil) zur Aufführung → D 65, 67.

D 197

„Sanctus" in den Historischen Konzerten von Schneider
Bericht vom 22. Juli 1835

… Hr. Kapellm. Lorenz Schneider gab Kirchenmusikfeste, die er als historische Concerte bereits 1827 wichtig machen wollte. Es heisst in der Ankündigung v. 3. Sept.

1827: „Eine Auswahl dessen, was seit 300 Jahren in der Tonsetz- und Vortragskunst Vorzügliches geleistet worden ist, als: Stabat mater von Palestrina; Sanctus von Seb. Bach; ein Chor aus Händels Messias; ein Theil aus Mozart's Requiem; ein Echochor von Laur. Schneider, und Theile von mehren Instrumental-Doppelconcerten werden den Kennern und Freunden der Musik genussreiche Stunden gewähren.' …

Quelle: AMZ, 37. Jg., Nr. 29, 22. Juli 1835, Sp. 482f. („Nachrichten über die Nachrichten aus Coburg".)
Anm.: Georg Laurenz Schneider (1766–1855) kam 1792 als Musikdirektor nach Coburg. Diese Anstellung hatte er bis zum Jahre 1837.

D 198

„NACH DER REIHENFOLGE DER BERÜHMTESTEN MEISTER" – HISTORISCHES KONZERT AM 15. FEBRUAR 1838 IM LEIPZIGER GEWANDHAUS

Das Programm unsers 15. Abonnement-Konzertes am 15. d. wurde durch folgende Anzeige eingeleitet: „Die nächstfolgenden Abonnement-Konzerte sind nach der Reihenfolge der berühmtesten Meister, von vor 100 Jahren bis auf die jetzige Zeit, angeordnet." … Man kann sich denken, welche Kunstheerführer es waren, die den Zug eröffneten. I. Seb. Bach, Händel, Gluck. Den Anfang machte eine, Vielen noch unbekannte Suite für das Orchester von Seb. Bach, bestehend aus Ouverture, Arie, Gavotte, und Trio, Finale (Bourrée und Gigue). Man kann diese Suite eine Art Symphonie nennen, so gut wirkend, dass wiederholte Beifallszeichen gegeben wurden. Das Werk ist einer genauern Besprechung werth, als sie nach einmaligem Hören gegeben werden kann. Hoffentlich wird sich Niemand an den Ausdruck „Arie" für Instrumente stossen; das war damals ganz gewöhnlich. Die Hymne von Händel „Gross ist der Herr" erneute die Verehrung, die dem Meister des heiligen Gesanges gebührt. Von Seb. Bach's berühmten Sonaten für Klavier und Violine, vorgetragen vom Hrn. MD. Mendelssohn-Bartholdy und KM. Ferd. David, war No. 3 aus E dur gewählt worden, ganz gewiss eine der wundersamsten, weshalb ihr von nicht wenigen Kennern der Vorzug selbst vor den übrigen zuerkannt wird: die eingänglichste ist sie eben deshalb nicht, worauf auch hier nicht gesehen worden war. Dennoch wurde dem ausgezeichnet eigenthümlichen Werke, ob um des Vortrags allein willen, oder auch aus Geschmack an der Sache, kann nicht unbedingt bejaht werden, am Schlusse der lauteste Beifall zu Theil. …

Quelle: AMZ, 40. Jg., Nr. 8, 21. Februar 1838, Sp. 129f.
Anm.: Wiederaufführungen der Ouvertüre D-Dur (BWV 1068) erfolgten im Leipziger Gewandhaus am 12. März 1840, 23. April 1843, 18. Februar 1847 und 21. Februar 1850. Zur Aufführung der E-Dur-Sonate (BWV 1016) siehe auch den Brief von Felix Mendelssohn Bartholdy an den

Gewandhaus-Konzertmeister Ferdinand David (1810–1873) → D 170. Eine weitere Rezension des 1. Historischen Konzertes mit einer Analyse der D-Dur-Suite (BWV 1068) → B 97.
Lit.: Dörffel 1881, S. 3.

D 199

VOKAL- UND ORGELWERKE DER BACH-FAMILIE WÄHREND DER PASSIONSZEIT IN BRESLAU

BERICHT VOM 20. JUNI 1838

Breslau (*Beschluss*). VI. Donnerstag, den 22. März, Einladung der beiden Universitäts-Musikdirektoren Herrn *Mosewius* und *Wolf* zu einer Aufführung von den Zöglingen des königl. akademischen Instituts für Kirchen-Musik und von einigen Theilnehmern am Orgel-Unterricht dieser Anstalt vorzutragende Gesänge und Orgelstücke im Universitäts-Saale gegen freien Eintritt. Folgendes Repertoire: Präludium für Orgel „Wir glauben all an u. s. w." von Seb. Bach; Choral von Johannes Eckardt, 5stimmig, „ Ich will dich all u. s. w."; Choral von Seb. Bach „Mein Jesu schmücke mich u. s. w."; Präludium zum Choral „Wenn wir in höchsten u. s. w." von Seb. Bach; Salve Regina von Rovetta; Präludium von Fischer; Motette von Joh. Michael Bach „Nun hab' ich überwunden u. s. w."; Toccata von Krebs; Motette von Johann Christ. Bach „Lieber Herr Gott, wecke u. s. w."; Präludium und Fuge g♯ von Seb. Bach; Magnificat von Leonardo Leo.
VII. Sehr bemerkenswerth waren die Musik-Aufführungen vergangener Charwoche:
1) In der Bernhardiner Kirche wurden von der Sing-Akademie unter der Leitung ihres Direktors, Herrn Kantor *Siegert*, folgende Musik-Stücke aufgeführt: a) Lamentationes Jeremiae von Francesco Durante; b) 4stimmige Choräle „Herzlich lieb hab' ich dich u. s. w." nach Bearbeitungen von Joh. H. Schein und S. Bach; c) 2chörige Motette „Fürchte dich nicht u. s. w." von Seb. Bach.
Als Einleitung dieser Aufführungen und zum Schluss derselben wurde vom Herrn Oberorganist *Hesse* als Präludium eine Ausführung des Chorals „Freu' dich sehr u. s. w." und eine Fuge eigner Komposizion auf der Orgel vorgetragen.
2) Donnerstag Abends in der Aula Leopoldina unter der Leitung des Herrn Musik-Direktors *Schnabel* „Die Schöpfung" von Haydn.
3) Freitag Nachmittags 5 Uhr in der Elisabeth-Kirche das Oratorium „Der Tod Jesu" von Graun, unter der Leitung des Herrn Kantor *Pohsner* und des Herrn Ober-Organisten *Köhler*.
Letzterer leitete das Oratorium auf der Orgel mit einem Präludium – Ausführung des ersten Chorals „Du dessen Augen u. s. w." nach eigner Bearbeitung – ein.
Herr Kantor *Siegert* führt in kurzer Zeit mit seiner Sing-Akademie das Oratorium „Belsazar" von Händel in der Bernhardiner-Kirche auf, und beschliesst auf diese Art dieses Wintersemester auf die würdigste Weise.

Zum 8. Mai hat Herr *Mosewius* Seb. Bach Passionsmusik, vorgetragen von der Sing-
akademie im Musiksaale der Universität, angekündigt.   K.

Quelle: AMZ, 40. Jg., Nr. 25, 20. Juni 1838, Sp. 407f.
Anm.: Das Dokument gewährt einen repräsentativen Einblick in das kirchenmusikalische
Leben einer größeren deutschen Stadt zu jener Zeit. Die Einbeziehung verschiedener Werke
J. S. Bachs und seiner Vorfahren in das Repertoire zeigt Breslau als eine der führenden Bach-
Städte. Die erwähnten Bach-Werke sind die Motette BWV 228, die Matthäus-Passion BWV 244
und wohl die Orgelwerke BWV 541, 668, 680 oder 681. Die Aufführung der Matthäus-Passion
unter Johann Theodor Mosewius erfolgte, wie geplant, am 8. Mai 1838 → D 94 (Anm.). Josef
Franz Wolf (1802–1842) war Domorganist und Königlicher Musikdirektor an der Universität
in Breslau, Gottlob Siegert (1789–1868) Musikdirektor und Kantor an der Kirche zu St. Bernhard. Zu Mosewius → D 4; zu Adolph Friedrich Hesse → D 139. Johann Karl Pohsner (*1785)
war Kantor an der Haupt und Pfarrkirche St. Elisabeth und der Kirche St. Barbara. Die beiden
anderen Musiker sind der Pianist und Komponist Karl Schnabel (1809–1881) und der Organist
Ernst Köhler (1799–1847).
Lit.: *Schlesisches Tonkünstler-Lexikon*, hrsg. von Koßmaly und Carlo, Breslau 1846 (Heft I–III) und
1847 (Heft IV). Reprint Hildesheim, New York 1982.

D 200

CLARA SCHUMANN: HISTORISCHES KONZERT MIT BACH UND HÄNDEL
AM 21. JANUAR 1841

Donnerstag d. *21* begannen die hystorischen Concerte mit *Bach* und *Händel*. An dem
Concerte war nichts auszusetzen, als daß es zu viel des Schönen gab. *Mendelssohn*
begann mit der chromatischen Fantasie und Fuge von *Bach*. … Die *Chaconne* (was
heißt *Chaconne* eigentlich?) machte mir großes Vergnügen und *David* spielte sie auch
herrlich.
Die Krone des Abends war nach Roberts Aussage das *Crucifixus*, *Resurrexit* und *Sanctus* aus der großen *H moll* Messe von *Bach*, welches mir auch einen hohen Genuß
verschaffte. *Händel* wollte auf *Bach* nicht ganz munden – *Bach* steht zu groß, zu unerreichbar da. …

Quelle: Clara Schumann in ihren Tagebuchaufzeichnungen vom Januar 1841. Tagebuch 12 – Ehe-
tagebuch I, Robert-Schumann-Haus Zwickau, Signatur: *7087,1 – A 3*, zit. nach Schumann TB II,
S. 142.
Anm.: Im 13. Abonnements-Konzert am 21. Januar 1841 wurde außer den genannten Werken
noch die Motette „Ich lasse dich nicht" (BWV Anh. III 159) aufgeführt. Der Solist der Chaconne
(BWV 1004 / 5) war der Gewandhaus-Konzertmeister Ferdinand David (1810–1873).

D 201

Robert Schumann: Abend mit Bach und Händel
Bericht vom 15. März 1841

Gewandhausconcerte.

Das 13te und die drei folgenden Concerte brachten nur Werke deutscher Componisten, und zwar unserer größten: Bach, Händel, Haydn, Mozart und Beethoven. Bach und Händel füllten einen Abend, die anderen jeder einen. Daß die Auswahl sinnig, daß jeder der Meister durch bezeichnende Compositionen vertreten war, kann man glauben, wo ein Meister gewählt hatte, der, wie Mendelssohn, ihre Werke so durch und durch kennt, wie vielleicht Niemand der Zeitgenossen weiter, der wohl im Stande wäre, alles an jenen schönen Abenden Vorgeführte aus dem Gedächtnisse in Partitur zu schreiben. …

Das Bach-Händel'sche Concert brachte im ersten Theile:

Die chromatische Phantasie, v. F. Mendelssohn gespielt.

die doppelchörige Motette: „ich lasse dich nicht",

Chaconne für Violine allein, v. F. David gespielt, und

das *Crucifixus*, *Resurrexit* und *Sanctus* aus der großen Messe in H-Moll,

alles von Bach, und fast zu viel des Herrlichen. Den tiefsten Eindruck machte vielleicht das Crucifixus, aber auch ein Stück, das nur mit andren Bach'schen zu vergleichen ist, eines, vor dem sich alle Meister aller Zeiten in Ehrfurcht verneigen müssen. Die Motette „ich lasse dich nicht" ist mehr bekannt; in so vollendeter Aufführung war sie indeß hier noch nicht gehört worden, daß sie in dieser Frische und Klarheit eine ganz andere schien. Die Solostücke brachten den Spielern feurigen Beifall, was wir zum Beweise anführen, daß man mit Bach'schen Compositionen auch im Concertsaale noch enthusiasmiren könne, Wie freilich Mendelssohn Bach'sche Compositionen spielt, muß man hören. David spielte die Chaconne nicht minder meisterlich und mit der feinen Begleitung Mendelssohn's, von der wir schon früher einmal berichteten. Den zweiten Theil des Concertes füllte Händel. Wär' es kein Verstoß gewesen, so hätten wir ihn vor Bach zu hören gewünscht. Nach ihm wirkt er minder tief. …

Quelle: NZfM, 14. Bd., Nr. 22, 15. März 1841, S. 88f.
Anm.: Die Rezension stammt von Robert Schumann, dem verantwortlichen Redakteur des Blattes. Eine weitere Rezension des Konzertes am 21. Januar 1841 erschien in der AMZ, 43. Jg., Nr. 8, 24. Februar 1841, Sp. 174–178, wiedergegeben bei: Großmann-Vendrey, S. 232–236.
Lit.: Dörffel 1881, S. 3.

D 202

CLARA SCHUMANN: MENDELSSOHNS KONZERT FÜR DAS BACH-DENKMAL
AM 23. APRIL 1843

D. *18.* gab der Langweiligste aller Langweiligen *Kloß* aus [Eperjes] ein Orgelconcert, das eben nicht sehr erbaulich war. Um so mehr aber war es ein Concert für *Bach's* Denkmal, das *Mendelssohn* d. 23 Morgens im Gewandhause gab. Er selbst spielte das *D Moll* Concert von *Bach* mit gewohnter und doch immer wieder überraschender Meisterschaft. Außerdem hörten wir noch viele schöne Werke *Bachs*, aus denen das ganze *Programm* bestand. Nach dem Concert wurde das Denkmal vor der Thomas-schule enthüllt, und überraschte durch seinen guten Geschmack – einfach und doch würdig des alten *Bachs*; …

Quelle: Clara Schumann in ihren Tagebuchaufzeichnungen vom April 1843. Tagebuch 15 – Ehe-tagebuch III, Robert-Schumann-Haus Zwickau, Signatur: *7087,2[b]* – *A 3*, zit. nach Schumann TB II, S. 262.
Anm.: Im Konzert am 23. April 1843 anläßlich der Einweihung des Bach-Denkmals erklangen außer dem Konzert d-Moll (BWV 1052), die Ouvertüre (Suite) D-Dur (BWV 1068), die Ratswahl-kantate „Preise, Jerusalem, den Herrn" (BWV 119), die Motette „Ich lasse dich nicht" (BWV Anh. III 159), das Sanctus aus der Messe in h-Moll (BWV 232III) und das Präludio der E-Dur-Partita für Violine solo (BWV 1006). Carl Johann Christian Kloß (1792–1853) wirkte als Organist und Komponist in Leipzig, Königsberg, Elbing, Danzig, Dresden und Kronstadt.
Lit.: Peter Wollny (Hrsg.), *Ein Denkstein für den alten Prachtkerl. Felix Mendelssohn Bartholdy und das alte Bach-Denkmal in Leipzig*, Leipzig 2004; Anselm Hartinger, *„ … lauter Vocal- und Instru-mentalcompositionen dieses unsterblichen Meisters". Felix Mendelssohn Bartholdy und das Konzert zur Enthüllung des Leipziger Bach-Denkmals am 23. April 1843*, in: Mendelssohn-Studien, Bd. 14 (2005), S. 221–257.

D 203

KONZERT ZUR EINWEIHUNG DES BACH-DENKMALS
BERICHT VOM 8. JULI 1843

… Die Zeit ist gekommen, haben wir oben eingeleitet, welche dazu bestimmt ist, dem Bach'schen Geiste nun den vollen Raum zu geben, den er einzunehmen ge-schaffen war.
Die Passionsmusik nach dem Matthäus ist das Meisterwerk gewesen, in welchem, zuerst in Berlin und dann in Leipzig zur öffentlichen Aufführung gebracht, die mu-sikalische Welt die ganze Größe des alten Bach wieder lebendig erkannt hat.
Während wir aber an den Pforten der nahen Zukunft stehen, die uns durch Auffüh-rung derselben das volle wahre Licht erschließen sollen; da hat in der neuesten Zeit

Mendelssohn-Bartholdy dem großen Vorvordern ein sichtbares Zeichen der Anerkennung an dem Orte, wo dieser wirkte und starb, aufgestellt. Dieses Zeichen besteht in einem Monumente, welches am 23. April d. J. in den schönen Umgebungen Leipzigs, wenige Schritte von Bach's einstmaliger Kantorwohnung in dem Gebäude der Thomasschule, enthüllt worden ist. Der edle Stifter hat die Mittel zu diesem Denkmale theils durch einige zu diesem Behufe veranstaltete Konzerte herbeigeschafft, theils aber auch als edles Opfer für seine Kunst selbst gewährt. Das letzte dieser Konzerte gab dem Tage der Enthüllung des Monuments selbst die Weihe. Es fand unmittelbar vor derselben, Vormittags halb 11 Uhr, im Konzertsaale des Gewandhauses statt, und war aus den Bach'schen Werken so sinnreich ausgewählt, daß dem Hörer ein überraschender Gesammtblick in die verschiedenartigen reichen Gefilde der Tonwelt des Gefeierten geboten wurde.

Das Fach der Instrumental-Soli war vertreten durch eine Prélude für die Violine allein, vorgetragen von dem Konzertmeister Ferd. David und ein Konzert für den Flügel mit Orchesterbegleitung von Mendelssohn-Bartholdy meisterlich gespielt. An dem Vortrage einer ebenfalls zur Aufführung bestimmten Phantasie wurde derselbe leider durch Unwohlsein behindert. Bei dem Vortrage dieser Sachen bewährte sich von Neuem Das, was in Bezug auf sie schon oben angeführt worden ist; eine in der Zeit des Componisten s. g. Suite für ganzes Orchester in vier Theilen nahm das Interesse der Hörer durch die Einfachheit der angewandten Mittel und die Wirkungskraft der kunstreichen Rhythmen so vollkommen in Anspruch, daß der Kritik kein Raum blieb; wahrhaft und unwandelbar schöne Melodien durchziehen das Ganze.

Von den Gesangstücken nennen wir zuerst eine Cantate auf die Rathswahl in Leipzig 1723, also aus den ersten Jahren der Wirksamkeit Bach's daselbst; außerordentlich schön ist namentlich das in diese Cantate eingeflochtene Altsolo, nicht minder ein Baßsolo, ersteres von Madame Bünau, letzteres von dem eben anwesenden Hrn. Hauser gesungen; kräftigen Geistesschwung athmen vorzugsweise der Chor und der den Beschluß ausmachende Choral; doch aber wurde das befangene von den Erscheinungen der Jetztzeit gleichsam verwöhnte Ohr von einigen für uns fremd gewordenen Formen fremd berührt.

Nicht so bei den übrigen für das Konzert gewählten Kirchen-Gesangswerken, einer Arie mit obligater Oboe aus der Passionsmusik nach dem Matthäus, mit innigem Verständniß von Hrn. Schmidt gesungen, einer doppelchörige Motette *a capella* „Ich lasse Dich nicht, Du segnest mich denn, mein Jesu" ec. und dem Sanctus aus der *H moll* Messe für Chor und Orchester. Hier dringt die ganze Kraftfülle des gewaltigen Genius in das Herz und Gemüth des Hörers. Wer sollte von sich sagen können, es seien diese Tonbilder an seinem Innern vorübergegangen, ohne den Eindruck zurückzulassen, den nur wahrhaft Schönes hervorbringen kann?! Unerreichbar sagen wir nicht, weil es Frevel an dem Menschengeiste wäre, aber unübertrefflich für alle Zeiten stellen sich uns diese Werke dar, durch das volle Maß aller nur den Schöpfungen der Genialität inwohnenden Eigenschaften.

So zum rechten Verständniß der Feier des Tages und zur rechten Empfänglichkeit

für dieselbe hingeleitet, verließen die Hörer das Konzert, um von der unmittelbar
nach demselben stattfindenden Enthüllung des Monuments Zeugen zu sein. Die
Feier derselben fand in einfacher aber würdiger Weise statt. Zahlreich hatte sich das
Publikum, diesmal vorzugsweise durch Personen aus den gebildetern Ständen vertreten, eingefunden und umgab das Denkmal, in dessen unmittelbarer Nähe mehre
hochgestellte Männer und Beamte, Mendelssohn-Bartholdy, so wie auch der schon
genannte letzte Sproß des Bach'schen Mannsstammes, der Sohn des Bückeburger
Bach, welcher von Berlin deshalb nach Leipzig gekommen war, ihre Plätze gefunden
hatten.

Das Thomanerchor stimmte einen Choral mit Posaunenbegleitung an und nach dessen Schlusse hielt der Regierungs- und Stadtrath Demuth an der Spitze einer vom
Collegium des Stadtrathes gesendeten Deputation, eine kurze, der Feier entsprechende Anrede, für den Rath der Stadt das Denkmal in Besitz und Schutz nehmend.
Seinen Worten schloß sich noch ein Choral an, worauf die Feier damit endete, daß
das Thomanerchor die achtstimmige Motette Bach's: „Singet dem Herrn ein neues
Lied" ec. ausführte. ...

Quelle: Illustrirte Zeitung, 1. Bd., 8. Juli 1843, S. 26.
Anm.: Die erwähnten Gesangssolisten sind Henriette Eleonore Bünau, geb. Grabau (1805–1852)
und Franz Hauser (1794–1870). Zu Ferdinand David → D 172.

D 204

Missionskonzert mit Bachschen Orgelwerken und Choralsätzen
am 15. September 1847 in der Berliner Matthäikirche

… So war z.B. der jüngst vergangene Mittwoch, der 15. dieses Monats, ein höchst
merkwürdiger Tag in dieser Beziehung, denn es erhob zuerst Nachmittags um vier
Uhr in der St. Mathäi- vulgo Polkakirche im Thiergarten Fräulein Bertha Bruns,
„von christlicher Liebe durchdrungen", wie die Zeitungen erläuternd meldeten, ihre
schöne Stimme zum Besten der Mission, unterstützt durch Herrn Chordirector Wagner, Herrn Organisten Rudolphi und durch verschiedentliche „christliche" Dilettanten männlichen und weiblichen Geschlechts. Die Leistungen der Concertgeberin
sind bekannt und haben sich weder verbessert, noch verschlechtert. Wir hörten von
ihr zwei Händel'sche Arien, eine aus Paulus und ein geistliches Lied von Beethoven,
sämmtlich bezüglich auf die Mission. Drei Bach'sche Fugen, von Herrn Rudolphi
recht klar gespielt, nebst drei Chorälen, von dem kleinen Chore vorgetragen, füllten
die Zeit von vier bis fünf auf „christliche" Weise aus, wobei noch zu bemerken, daß
man beim zweiten Theile des Schlußchorals „Jesus meine Zuversicht" höchst „un-
christlich" detonirte, was übrigens das gewöhnliche Schicksal dieses verzeifelten *e*,
fis, *gis* ist. Die kleine Kirche war gedrückt voll, …

Quelle: Signale, 5. Jg., Nr. 39, September 1847, S. 306f. (Signale aus Berlin.)

Anm.: Über den Organisten Rudolphi waren keine Einzelheiten zu ermitteln. Vielleicht ist er ein Verwandter (Sohn?) des Berliner Physiologen Karl Asmund Rudolphi (1771–1832).

HILLER: WÜRDIGUNG BACHS
(GEDENKKONZERT ZU BACHS 100. TODESTAG IN KÖLN)

→ B 24.

D 205

GEDENKKONZERT DER SING-AKADEMIE ZU BERLIN AM 30. JULI 1850

Feier
des hundertjährigen Sterbetages
Johann Sebastian Bach's
und
des funfzigjährigen Sterbetages
Carl Fasch's,
in der Singakademie
am 30. Juli 1850. *)

I.
Psalm-Verse
nach der Uebersetzung von Moses Mendelssohn,
von C. Fasch.
Chor.
Ich will dich Ewiger erheben, dass du mich aus der Tiefe hast gezogen, dass meine Feinde sich nicht freuen über mich.
Solo-Stimmen.
Gütig ist der Ewige, gütig und fromm; zeigt Irrenden die rechte Bahn; unterrichtet Demuthvolle im Gesetz; lehrt Demuthvolle seinen Weg.
Chor.
Lauter Güte und Wahrheit ist des Ew'gen Führung denen, die ihm Bund und Zeugniss halten.

---

*)   J. S. Bach starb, nach Einigen: am 28. Juli, nach Andern: am 30. Juli 1750. C. Fasch starb am 3. August 1800

II.

Rede.

Choral von J. S. Bach.

„Ein' feste Burg ist unser Gott" etc.

Aus der grossen Messe in H-moll,
von J. S. Bach.

1. Chor. „Kyrie eleison!"
2. Duo. „Domine fili unigenite" etc.
3. Quatuor. „Qui tollis peccata mundi" etc.
4. Aria. „Quoniam tu solus sanctus" etc.
5. Chor. „Cum sancto spiritu" etc.
6. Chor. „Credo in unum Deum" etc.
7. Duo. „Et in unum Dominum" etc.
8. Quintuor. „Et incarnatus est" etc.
9. Chor. „Crucifixus" etc.
10. Chor. „Et resurrexit" etc.

III.

Kirchen-Cantate von J. S. Bach.

Gottes Zeit ist die allerbeste Zeit; in ihm leben, weben und sind wir, so lange er will;
in ihm sterben wir zu rechter Zeit, wenn er will.

Ach Herr, lehre uns bedenken, dass wir sterben müssen, auf dass wir klug werden.

Bestelle dein Haus, denn du wirst sterben und nicht lebendig bleiben.

Es ist der alte Bund, Mensch, du musst sterben; ja, komm Herr Jesu, komm.

In deine Hände befehl' ich meinen Geist. Du hast mich erlöset Herr, du getreuer
Gott.

Heute wirst du mit mir im Paradiese seyn.

> Mit Fried' und Freud'
> Fahr' ich dahin
> In Gottes Willen.
> Getrost ist mir
> Mein Herz und Sinn;
> Sanft und stille,
> Mir Gott verheissen hat,
> Der Tod ist mein Schlaf worden.
>
> Glorie, Lob, Ehr' und Herrlichkeit
> Sei dir Gott Vater und Sohn bereit,
> Dem heil'gen Geist mit Namen,
> Die göttlich' Kraft

Macht uns sieghaft
Durch Jesum Christum, Amen.

Die Vorzeigung dieses Programms sichert den Eintritt.

Quelle: D-B *N. Mus. SA 291*, fol. 5ff.

D 206

GEDENKKONZERT IN MAGDEBURG
BERICHT VOM 2. AUGUST 1850

Magdeburg. Die für gemeinsames Vereinswirken so ungünstige Sommerzeit hatte
die Unternehmer der Feier des einhundertjährigen Todestags J. S. Bach's, die HH.
Mühling, Rebling, Ritter und Wachsmann, bestimmt, dieselbe noch vor Anfang
der Schulferien und des, die Reiselust so weckenden Juli abzuhalten. An der Feier,
welche am 28sten Juni statt hatte, so wie an der auf vielseitigen Wunsch zwei Tage
später stattfindenden Wiederholung, hatten sich das Dom-Sängerchor, der Kirchen-
und der Seebach'sche Gesangverein und der Verein für classische Kirchenmusik,
mehr oder weniger zahlreich vertreten, nächst mehreren anderen Musikfreunden
betheiligt, und zu einem, etwa 120 Personen starken, im richtigen Verhältnisse
der Stimmen besetzten Chore vereinigt. Die die Feier eröffnende Symphonie von
S. Bach, ein wunderherrliches, eigenthümliches Tonstück, steckte die Schranken,
in denen Geist und Herz der Hörer sich bewegen sollten, und führte auf den erhebenden Choral von Meyfarth und M. Frank: „Jerusalem, du hochgebaute Stadt" und
durch ihn zu Bach's Cantate „Gottes Zeit ist die allerbeste Zeit" im natürlichem, in-
nerem Zusammenhange hin. Der von Hrn. M.-D. Rebling mit sorgfältiger Auswahl
der Register vorgetragene Choral-Phantasie „Valet will ich dir geben" schloß sich
die, nur von Violine, Viole und Violoncello *solo* begleitete Arie aus der Passion: „Ich
will dir mein Herze schenken", und sodann die großartige, ächt protestantische Toccate (in D-Moll), vom M.-D. Ritter gespielt, an. Die achtstimmige Mottete „Lob und
Ehre" bildete den Schluß. Fanden die HH. Unternehmer durch die Ausdauer und
den Fleiß der Mitwirkenden sich wesentlich unterstützt, durch das freundliche Ent-
gegenkommen anderer Kunstfreunde, worunter wir nur Hrn. Seebach, Organisten
an der St. Johannis-Kirche, wo die Aufführung Statt hatte, dankbar erwähnen, sich
lebhaft ermuntert; so mußte der unbestritten allgemeine und tiefe Eindruck, den
die gelungene Ausführung der genannten Tonsätze auf die Hörer äußerte, für sie
der schönste Lohn sein und bleiben, besonders wenn es sich bewährte, was wir zu
hoffen einigen Grund haben: daß nämlich die betheiligten Gesang-Institute auf dem
hierbei betretenen Wege weiter wandeln, und den einzigen S. Bach auch fernerhin

studiren werden. Das sei namentlich den Herrn Dirigenten dieser Vereine recht ans Herz gelegt als eine Pflicht gegen die unter ihrer Leitung stehenden Institute, als eine Pflicht gegen die echte deutsche Kunst, und endlich als eine Pflicht gegen sich selbst! – S. –

Quelle: NZfM, 33. Bd., Nr. 10, 2. August 1850, S. 52.

Anm.: Gustav Rebling (1821–1902) war in Magdeburg zunächst Organist an der französisch-reformierten Kirche. 1846 gründete er den „Kirchen-Gesangsverein", mit dem er in der Johannis-kirche regelmäßig musizierte. Von 1847 bis 1855 unterrichtete er am Lehrerseminar. „Toccate (in D-Moll)" (wohl BWV 565) spielte der Magdeburger Domorganist und Orgelvirtuose August Gottfried Ritter (1811–1885). Zum Anfang der Gedenkfeier erklang vermutlich die Ouvertüre (Suite) D-Dur (BWV 1068). Die Arie „Ich will dir mein Herze schenken" aus der Matthäus-Pas-sion erklang in bearbeiteter Fassung für Streichinstrumente. Mit der achtstimmigen Motette „Lob und Ehre" (BWV Anh. III 162) wurde das Gedenkkonzert beschlossen. Das Werk erschien 1819 bei Breitkopf & Härtel irrtümlich unter J. S. Bachs Namen. Es ist eine Komposition seines Schülers Georg Gottfried Wagner (1698–1756).

„Jesus nahm zu sich die Zwölfe" (BWV 22)
Autographe Partitur (Satz 1) mit Eintragungen von C. F. Zelter (D 9)

R. G. Kiesewetter: Brief an G. Poelchau, 27. März 1830 (D 72)

Teil E

Aufführungspraxis: Konventionen, Probleme und Kontroversen

Andreas Glöckner und Anselm Hartinger

Einleitung

Bachs Werke erklangen in der ersten Hälfte des 19. Jahrhunderts und selbst in den Jahren vor 1829 wesentlich häufiger, als bisher bekannt war. Doch ist die Art und Weise, in der sie nach 1800 einstudiert, öffentlich dargeboten und rezipiert wurden, nur bedingt mit den Hörerfahrungen und den Musiziergewohnheiten des 18. Jahrhunderts beziehungsweise mit denen unserer Gegenwart vergleichbar. Die ästhetischen Debatten um die Zeitbezogenheit und Aufführbarkeit der Bachschen Musik (insbesondere der Vokalwerke) erklären sich deshalb zum Teil vor dem Hintergrund musikhistorischer und gesellschaftlicher Wandlungen in der zweiten Hälfte des 18. Jahrhunderts. Zum einen waren die barocken Kirchentexte den Zeitgenossen Zelters und Goethes fremd, da sie dem Zeitgeist der postaufklärerischen Epoche nicht mehr entsprachen. Zum andern aber hatten sich die Musiker mit Kompositionen einer längst vergangenen Musikepoche auseinanderzusetzen, die ihnen ungeläufige Spielweisen und -techniken abverlangten, deren instrumentale und vokale Besetzungen sie vor außergewöhnliche Herausforderungen stellten.

Die meisten Laienchöre waren mit den technischen Anforderungen der Bachschen Vokalwerke überfordert. Selbst professionelle Sänger konnten ihre Solopartien oft nur mit erleichternden Eingriffen in den Notentext bewältigen. Der massive Klang großer Chöre führte zwangsläufig zu einer geringeren Flexibilität bei der Ausführung virtuoser Passagen. Die Tempi waren dementsprechend moderat gewählt. 1834 erklang die Messe in h-Moll unter Carl Friedrich Rungenhagen nur in gekürzter Fassung; dennoch hatte die Aufführung von „Kyrie", „Gloria" und „Credo" allein zwei Stunden in Anspruch genommen.

Eine von festen Regeln geleitete Aufführungspraxis läßt sich für das frühe 19. Jahrhundert genauso wenig belegen wie für das 18. Jahrhundert. So war die Besetzungsstärke damaliger Ensembles keineswegs einheitlich: Die Passionen gelangten sowohl mit einer Monumentalbesetzung von 300 bis 400 Mitwirkenden als auch mit einem relativ kleinen Vokalensemble von nur 40 bis 50 Sängern zur Aufführung. Die Solopartien wurden sowohl von Choristen als auch von professionellen Opernsängern dargeboten.

Die Publikumserwartungen und Aufführungsgegebenheiten hatten sich zum
Beginn des 19. Jahrhunderts gewandelt, deshalb wäre jeder Versuch, Bachs Werke
unbearbeitet, mithin ohne Kürzungen, Ergänzungen oder Textänderungen aufzuführen, wenig aussichtsreich gewesen. Eine vollständige Aufführung der Matthäus-
Passion hätte 1829 wohl kaum ihren Durchbruch bewirkt, sondern die Skepsis gegenüber dergleichen Kunstwerken eher verstärkt.

Viele der in Bachs Partituren geforderten Instrumente waren nach 1750 bautechnisch
und klanglich verändert worden. Für nicht mehr verwendete Instrumente mußten
Ersatzlösungen gefunden werden – etwa für die Viola da gamba, die Viola pomposa
oder den Violino piccolo. Die tiefen Holzblasinstrumente Oboe d'amore, Oboe da
caccia und Taille waren ebenfalls kaum noch verfügbar. Als ein nahezu unlösbares
Problem erwies sich die Besetzung der Bachschen Horn-, Zink- und Trompeten-
partien. Von Ausnahmen abgesehen, waren sie für lange Zeit – noch bis zur Mitte
des 20. Jahrhunderts – nicht ohne erleichternde Notentextveränderungen ausführbar. Häufig mußten die Partien für andere Instrumente umgeschrieben werden.

Eine Mischung aus Pragmatismus, Unkenntnis und ästhetischer Skepsis lag auch
den Debatten um die angemessene Ausführung des Generalbasses zugrunde,
wobei der Einsatz der Orgel als besonders umstritten galt. Bei der praktischen Auseinandersetzung mit der Musik des Barockzeitalters standen zunächst vorwiegend
spieltechnische Probleme im Vordergrund. Sie konnten selbst von versierten und
historisch interessierten Musikern mitunter nur unbefriedigend gelöst werden. Fragen ergaben sich auf mehreren Ebenen: Wie waren einige der nicht mehr gebräuchlichen Notationsregeln oder -gewohnheiten des 18. Jahrhunderts zu deuten und wie
konnten sie in das mittlerweile veränderte, von genauen dynamischen und ago-
gischen Vorschriften durchsetzte Partiturbild des 19. Jahrhunderts übertragen werden? Wie waren Bachs Orgelwerke auf dem Konzertflügel oder seine Klavierwerke
auf der Orgel auszuführen? Wie ließen sich die immensen Schwierigkeiten der Bachschen Pedalpartien bewältigen? Waren sie überhaupt ausführbar oder bedurfte es
dafür ausgeklügelter Hilfskonstruktionen?

Die Diskussion über eine stil- und werkgerechte Vortragsweise war letztlich auch
vom Bachbild jener Zeit geprägt. Die Vorstellungen vom „Kantor par excellence" als
einem verinnerlichten, ja weltfremden Kirchenkomponisten, hatten Auswirkungen
in vielerlei Hinsicht – bis hin zu spieltechnischen Vorschriften. Die Wunschvorstel-
lungen von einer „erhabenen" Kirchenmusik verbanden sich mit den Forderungen
nach langsamen Tempi und einem am a capella-Ideal ausgerichteten Vokalstil.

Letztlich überrascht es kaum, daß die Diskussionen zur Spiel- und Vortragsweise
der Musik Bachs sich vor allem an den aufführungspraktischen Problemen sowie
an der Frage einer wirkungsvollen Darbietung namentlich auf dem Klavier als

dem „Virtuoseninstrument" jener Zeit, aber auch auf der von Musikern höchst unterschiedlicher Qualifikation gespielten Orgel, entzündeten. Eine darüber hinausgehende Suche nach dem „richtigen" Klangbild für die „alte" Musik und nach einer der Musik Bachs angemessenen Spielweise schien im aufführungspraktischen Diskurs demgegenüber eine eher untergeordnete Rolle zu spielen. Mit Ausnahme des spürbar von normativen und semantischen Zwängen geprägten Bereichs der Kirchenmusik historisierte die vermeintlich so „historistische" Zeit ihr eigenes Spiel noch kaum. Im Vordergrund standen die Ausführbarkeit der Werke und der bei einem teilweise noch skeptischen Publikum zu erzielende Effekt. Die eher seltene Berufung auf die vermeintliche eigene Praxis Bachs diente in erster Linie der historischen „Beglaubigung" der eigenen Ansicht, Spielweise oder Edition.

Einrichtungs- und Besetzungsprobleme

Magnificat für das Vermögen heutiger Trompeter arrangiert –
Aufführung am 3. Mai 1818 in Wien

→ D 75 / A.

E 1

Zelter: Zur Notwendigkeit aufführungspraktischer Anpassungen
Berlin, 4. April 1822

Aus gesammelten Bruchstücken, welche zum Theil von der Hand des Autors waren, habe mir diese Partitur zusammengesetzt und aus alter Liebhaberey zum großen Meister manches für die Fähigkeit meiner Ausübenden, welche wohl hundert Jahre jünger seyn mögen, praktikabel machen wollen, worüber ich, wenn ich den guten Bach irgendwo antreffen solte, mich schon mit ihm zu verständigen gedenke. ...
Die Arie: Es ist vollbracht mit der Gambe konnten wir auf der Gambe nicht spielen weil wir dergleichen nicht mehr haben es ist daher für die Bratsche und so gegeben damit sich der Spieler auch dabey bedacht finde und da das Bachsche dabey steht; so kann sich jeder überzeugen was? und wie es verändert ist, ich bin darüber niemand Rechenschaft schuldig als Bachen selber. – Der Chor aus *Es*-dur nach dem Kirchenliede: O Mensch bewein' dein' Sünde ist ehemals der Anfang dieser Musik gewesen und nachher hat ihn Bach gestrichen und den Anfangschor: Herr unser Herrscher an seine Stelle gesetzt. Auch nach den Worten des Textes ließe sichs errathen. Der Choral aus g-moll: Christe du Lamm Gottes war ehemals der Schlußchor dieser Passionsmus. *sec. Joannem*, und Bach hat ihn nachher zum Schluße des ersten Theils der andern Passionsmus. *sec. Mattheum* gebraucht.

Quelle: Archiv der Sing-Akademie zu Berlin, Altsignatur: *2414* (seit 1945 verschollen), wiedergegeben nach: Schünemann Bachpflege, S. 153.
Anm.: Carl Friedrich Zelters Bemerkungen, datiert „Berlin d. 4. April 1822", befanden sich auf der Partiturabschrift der Johannes-Passion. Der Gründonnerstag fiel 1822 auf den 4. April. Vermutlich bezieht sich Zelters Kommentar auf die am Folgetag (Karfreitag) im Rahmen der Freitagsmusiken stattgefundene Aufführung des Werkes.

E 2

KRITIK AM COLLA-PARTE-SPIEL BEI ÄLTEREN VOKALWERKEN
BERICHT VOM 6. SEPTEMBER 1826

Nachrichten. *Königsberg.* …
In der Charwoche gab Herr Sämann 2 Abonnement-Concerte. Im ersten sein *Tene-brae*, seinen fugirten Choral: O Haupt voll Blut etc., Joh. Sebastian (oder, wie man jetzt wissen will, Christ.) Bach's zweichörige Motette: Ich lasse dich nicht etc. und das 8stimmige *Crucifixus* von Lotti, alle von Instrumenten begleitet, was zwar zur Haltung der Singstimmen förderlich seyn mag, aber den Effect solcher Stücke be-beeinträchtigt. …

Quelle: AMZ, 28. Jg., Nr. 36, 6. September 1826, Sp. 590f.
Anm.: Die Aufführung erfolgte unter der Leitung des Königlichen Musikdirektors und Komponisten Karl Heinrich Sämann (1790–1860). Die Karwoche begann im Jahre 1826 am 20. März.

E 3

ZELTER: BESETZUNGSÄNDERUNGEN IN DER KANTATE
„HERZ UND MUND UND TAT UND LEBEN"
BERLIN, VOR 1833

Festo Visitat. Mariae von J. S. Bach.
Die Trompetenstimme zu dieser Musik wird in unsern Zeiten am besten auf der Hoboe können gespielt werden. Will man dennoch gern eine Trompete dabey haben so können die Stellen welche bequem herauszubringen sind, von einer Trompete neben her producirt werden.
Die Arie worin die Oboe damour obligat ist, können sämtl. Violinen in unisono spielen und wo die Singst. eintritt, piano.

Quelle: D-B *P 102.*
Anm.: Undatierter Eintrag von Carl Friedrich Zelter auf einem Vorsatzblatt zur autographen Partitur der Kantate „Herz und Mund und Tat und Leben" (BWV 147).
Lit.: NBA I / 28.2, Krit. Bericht, S. 29.

BESETZUNGSPROBLEME GLÜCKLICH BEWÄLTIGT
PASSIONSAUFFÜHRUNG AM PALMSONNTAG 1833 IM OPERNHAUS DRESDEN
→ D 103.

E 4

KIESEWETTER: TRANSPONIERTE AUFFÜHRUNGSSTIMMEN IN DER MESSE A-DUR

WIEN, IM SEPTEMBER 1840

… Einer zuverläßigen Tradition zufolge waren auch zu *J. Seb. Bachs* Zeit die Auflage-stimmen der so genannten *A* Dur Messe wirklich in *G-Dur* ausgeschrieben; und daß die Composition in diesem Tone beabsichtiget war, würde auch sehr die Ansicht der gewöhnlich im Ton *A* in den Sammlungen und im Druck vorkommenden Partitur bestätigen, in welcher die Singstimmen über Verhältniß hinauf getrieben erscheinen, und durch übermäßige Anstrengung eine für den Zuhörer peinliche Wirkung her-vorbringen würden.

Dies zur Erklärung des Unternehmens die *A* Dur Messe in den Ton *G* herabzusetzen; wofür die Singstimmen dem Anordner der Ausführung Dank wissen werden.

Ob nicht auch mit mancher andern Composition des großen Meisters (und vielleicht anderer Tonsetzer jener Zeit in Sachsen und dem nördlichen Deutschland) dasselbe Verfahren räthlich wäre, müßte von Fall zu Fall, nach der Ansicht der Partituren, beurtheilt werden: in der Regel dürfte die Vermuthung dafür sprechen.

Wien im September 1840.

R. K.

Quelle: A-Wn, Signatur: *SA 67. B 35*. Raphael Georg Kiesewetter im Vorbericht zu seiner nach G-Dur transponierten Partiturabschrift der Messe in A-Dur (BWV 234).
Lit.: Herfrid Kier, *Raphael Georg Kiesewetter (1773–1850). Wegbereiter des musikalischen Historismus*, Regensburg 1968, S. 75; NBA II/2, Krit. Bericht, S. 46.

E 5

HAUPTMANN: PROBLEME MIT DEN ORIGINALBESETZUNGEN

LEIPZIG, 30. JULI 1844

… Lieber Hauser, wie fang ich's denn an, eine Abschrift der Bachschen *Hmoll*-Messe zu bekommen? *Kyrie* und *Gloria* ist gedruckt, aber so scheußlich daß man's nicht mag. Wenn Sie mir's in Wien besorgen könnten, ich möcht's gern bezahlen. Men-delssohn hat sie auch, aber Gott weiß wann der in unsre Nähe oder nach Berlin zurückkommt. Haben Sie denn wohl die Partituren der 43 Kirchenstücke, welche in Stimmen auf unsrer Schule liegen? ich habe zwei in Partitur schreiben lassen, es ist aber mühselig, und wenn ich wüßte daß sie jemand schon hätte, möchte ich sie lie-ber kopiren lassen. Wenn Sie irgend orchesterpraktische Kirchenstücke haben, so ist mir außerordentlich daran gelegen: die Schwierigkeit im Gesang giebt weniger An-stoß, aber die *Viola da Gamba*, die Flöten und *Oboi da Caccia*, wenn sonst nichts dabei ist und es mit der Orgel nicht geht, die machen uns die Sache oft unanwendbar für die Kirche. Dann freilich auch die vielen Solosachen – ich möchte nur wissen, ob sie damals sind gut gesungen worden. Man denkt jetzt unter den besten Sängern herum und kann kaum Einen finden. – Von den Marxischen machen wir bis jetzt: den Hirten Israel, Herr deine Augen, Herr gehe nicht ins Gericht, dann, Bleib' bei uns; die Messe in G. Gottes Zeit macht' ich gar zu gern, weiß aber mit dem Orchester noch nichts anzufangen: es sind wieder zwei Flöten und zwei Gamben, weiter nichts. Das sind auch fatale Stücke, wo nur der Baß, der Continuo dabei ist. Auch wenn man die Orgel dazu hätte; die ist aber doch gar zu steinern im Ton und schließt sich eigentlich am allerwenigsten an die Stimme, nur im Forte der Chöre kann sie von guter Wirkung sein. Ein gutes Piano wär' vielleicht besser, das klingt auch in der Kirche recht schön …

Ihr M. H.

Quelle: Moritz Hauptmann an Franz Hauser, 30. Juli 1844, Original nicht nachweisbar, zitiert nach Hauptmann Briefe Hauser II, S. 18f.
Anm.: Hauptmann bezieht sich auf die von Adolph Bernhard Marx 1830 bei Simrock in Bonn herausgegebenen Kantaten BWV 101–106. Eine abweichende Fassung der Kantate „Gottes Zeit ist die allerbeste Zeit" (BWV 106) „Nach Hauptmanns Bearbeitung" in D-B P 451, adn. 3.
Lit.: Martin Geck, *Moritz Hauptmanns Bearbeitung des Actus tragicus* BWV 106, in: Basler Jahrbuch für historische Musikpraxis XXI (1997), S. 21–35; Christine Fröde, *Die Bach-Handschriften der Thomasschule Leipzig* (BzBf 5), Leipzig 1986; Bernhard Friedrich Richter, *Johann Sebastian Bach im Gottesdienst der Thomaner*, BJ 1915, S. 1–38.

ROCHLITZ: VORSCHLÄGE ZUM AUSTAUSCH BAROCKER HOLZBLÄSER

→ B 82.

E 6

KLAVIERFUGE AM 2. MÄRZ 1846 VON VIER POSAUNEN DARGEBOTEN

… Die Edur-Fuge aus dem wohltemperirten Clavier von 4 Posaunen abblasen zu lassen, dürfte wohl ein wunderlicher Einfall zu nennen sein, zumal wenn man sich den Choral „Vom Himmel hoch" beigefügt denkt, und alles dies im schleppensten Tempo zu Gehör kommt. …

Quelle: Signale, 4. Jg., Nr. 10, März 1846, S. 77. (Dur und Moll. Leipzig.)
Anm.: Die Aufführung fand im Rahmen eines Konzertes des Organisten und Komponisten Carl Johann Christian Kloß (1792–1853) am 2. März 1846 in der Leipziger Thomaskirche statt.

Spieltechnische Fragen

E 7

Kittel: Bachs Stücke oft zu schnell gespielt
Erfurt, 1803

… Seb. Bach, der überhaupt dem Geiste seiner Zeit gemäß lieber Bewunderung seiner tiefen Gelehrsamkeit als Rührung durch Anmuth und Ausdruck der Melodien erregen wollte, ob wir gleich, wenn ihn zuweilen in der freiern Schreibart Herz und Phantasie fortreißen, mit Ueberraschung wahrnehmen, wie sehr es der große Mann gekonnt hätte; – Bach hat auch in dieser Schreibart die besten Muster geliefert. Ich will nur an die allgemein bekannten Präludien im ersten Theile des wohltemperirten Claviers aus C-Dur, und im zweiten Theile desselben Werkes, aus Cisdur erinnern. Das letztere besonders ist auf der Orgel langsam – (fälschlich glauben Manche, alle Bachischen Sachen nicht geschwind genug spielen zu können) – und mit wohlgewählten sanften Registern vorgetragen, wie ein heißes, andächtiges Gebet, in welchem sich Wünsche und Seufzer vom gepreßten Herzen losreisen, und der lebhaftere fugirte Schluß wie ein Amen voll frohen Vertrauens. Und doch, wie einfach, wie anspruchslos ist die Composition des Ganzen! Aber freilich, wer den kolossalischen Geist dieses Mannes fassen kann, ist auch kein Schüler mehr! …

Quelle: Johann Christian Kittel, *Der angehende praktische Organist, Zweite Abteilung*, Erfurt 1803, S. 64f.
Anm.: Kittel (1732–1809) war einer der letzten Schüler Bachs.

E 8

Das Wohltemperierte Klavier auf der Orgel
Bericht vom 28. August 1816

Nachrichten. *Leipzig*
… Einen, in seiner Art jetzt höchst seltenen Genuss gewährte uns, wiewohl nicht in einem besondern Concerte, Hr. Wilh. Schneider, Organist an der berühmten Orgel in Görlitz, und jüngerer Bruder unsers Musikdirectors. Durch sein wahrhaft trefflliches Orgelspiel, das in der That in sich vereinigt, was man nur ehedem von einem Meister auf der Orgel verlangen durfte, machte er uns einmal wieder recht anschaulich, wie und warum in alten Zeiten deutsche Fürsten, besuchten sie einander, ein

Orgelconcert unter den vornehmsten Hoffesten anordneten. Hr. Sch. beherrscht dies Instrument der Instrumente mit einer Sicherheit, Kraft und Fertigkeit, wie kaum der ehemal. Abt Vogler, übertrifft diesen aber bey weitem an vollkommener Deutlichkeit, Nettigkeit und Nüancirung des Spiels, und zwar ganz gleichmässig, in den Händen und in den Füssen. Dabey sind nun – und hier hört der Vergleich mit Vogler ganz auf – seine Gedanken, mag er improvisiren oder vorbereitet spielen, stets, nicht nur dem Instrumente in Hinsicht auf seinen Mechanismus angemessen, sondern auch seiner, und des Orts, und der Bestimmung desselben, vollkommen würdig; seine Ausarbeitung dieser Gedanken ist gründlich, consequent, ohne alles leere Blendwerk; und die Vollendung, mit welcher er Stücke von Seb. Bach, u. ähnliche vorträgt, *jetzt* vielleicht einzig. Seb. Bachs Fugen, z. B. die grössten und erhabensten aus dem *wohltemper. Klavier,* werden Einem, gerade so – namentlich der ganze Bass, wie er stehet, allein im Pedal – ausgeführt, nicht nur ganz deutlich, sondern auch für Geist und Empfindung, was sie seyn sollen. Unvergesslich werden uns einige derselben, wie sie Hr. Sch. vortrug, bleiben; …

Quelle: AMZ, 18. Jg., Nr. 35, 28. August 1816, Sp. 607f.
Anm.: Gemeint ist Johann (Gottlob) Schneider (1789–1864). Er wurde 1812 Organist an der Görlitzer Kirche St. Peter und Paul und 1825 im gleichen Amt an die evangelische Hofkirche in Dresden berufen. Georg Joseph Vogler, auch Abbé Vogler (1749–1814), galt als ein ausgezeichneter Improvisator seiner Zeit.

E 9

Griepenkerl: Über den Vortrag der Chromatischen Fantasie

1819

Die Bachische Schule fordert Sauberkeit, Leichtigkeit und Freiheit des Vortrags selbst der schwersten ihr angehörigen Kunstwerke in einem Grade, der nur durch den ihr eigenen Anschlag erreicht werden kann. Diesen Anschlag hat Forkel in dem kleinen Werke: Ueber J. S. Bachs Leben, Kunst und Kunstwerke, so treu und deutlich beschrieben, dass ihn mehrere verständige Männer, denen es Ernst um die Sache war, und die sich durch kein beengendes Vorurtheil irre leiten liessen, darnach ohne Muster und mündliche Zurechtweisung vollkommen erlernt haben. Das Wesentliche davon ist Folgendes:
Der Mechanismus der Hand ist auf das Fassen berechnet. Bei dem Fassen krümmen sich alle Finger mit dem Daumen nach dem Inneren der Hand, und äussern in dieser Bewegung alle Kraft und Sicherheit, die ihnen beiwohnen mag. Jede andere Art der Fingerbewegung ist entweder unnatürlich, oder lässt einen grossen Theil mitwürkender Muskeln unbenutzt, wie z. B. das Niederschlagen der Finger ohne gleichzeitige Krümmung derselben. Jedes Geschäft, das die Hand in dieser Bewegung verrichten

kann, muss ihr also mit Leichtigkeit, Freiheit und Sicherheit gelingen, weil es ihrer natürlichen Bestimmung angemessen ist.

Zur vollständigsten Anwendung kommt der beschriebene Mechanismus der Hand bei dem Anschlagen der Tasten auf Klavierinstrumenten. Die beiden Reihen der Ober- und Untertasten liegen in zwei ebenen Flächen neben und übereinander, alle Tasten in jeder Reihe haben gleiche Länge und gleiche Breite; die Finger aber sind von ungleicher Länge. Schon dieser Umstand macht eine Krümmung der Finger bis zu dem Grade nothwendig, wo sie alle auf ebener Fläche und in gleicher Entfernung von einander mit den Spitzen in ziemlich gerader Linie stehen. Eine völlig gerade Linie unter den Fingerspitzen könnte an den meisten Händen nur erzwungen werden, und eine kleine Krümmung ist sogar nützlich, weil, den Daumen ungerechnet, die schwächeren Finger auch die kürzeren sind, und, vermöge des Mechanismus der meisten Klavierinstrumente, die Tasten vorn am äusseren Ende mit dem geringsten, weiter nach oben aber mit immer grösserem Aufwande von Kraft angeschlagen werden können. Dagegen wird es der beabsichtigten Bewegung sehr förderlich seyn, wenn die Hand in jeder Haltung so weit einwärts gedreht wird, bis alle Finger senkrecht anschlagen, auch die Gelenke, welche die Finger mit der Hand verbinden, sich nie senken, sondern stets mit der Wurzel der Hand, dem unteren Arme und dem Ellenbogen eine gerade Linie bilden.

Die Ungleichheit der Finger an Kraft und Gelenkigkeit aber macht noch ein anderes künstliches Hülfsmittel nothwendig, ohne welches es niemandem, selbst bei der grössten Anstrengung und dem ausdauerndsten Fleisse, jemals gelingen wird, das natürliche Hinderniss, welches in der Schwäche des vierten und fünften Fingers liegt, zu besiegen. J. S. Bach fand dieses Mittel in der Benutzung des Gewichts der Hand und des Armes, das jeder mit Leichtigkeit und nach Willkühr entweder in gleicher Stärke unterhalten, oder vergrössern und vermindern kann. Kein Finger ist zu schwach dazu, diesem Gewicht als Stützpunkt zu dienen, der vierte und fünfte Finger kann es in gleicher Schwere tragen, wie der zweite und dritte, und es auf die Tasten in gleicher Stärke übertragen, insofern nämlich die jedem Finger inwohnende Schnellkraft dabei in Anwendung gebracht wird. Die innigste Verbindung dieser Schnellkraft mit dem Gewicht der Hand beim Anschlage ist daher das Wesentlichste am ganzen Mechanismus des Klavierspiels nach Bachs Art. Sie wird auf folgende Weise bewerkstelligt: Es sey ein Finger auf eine Taste gesetzt und diene einem fein abgemessenen Gewicht des Arms zum Stützpunkte, nicht steif und starr, sondern mit fortgesetzter Absicht, ihn einzuziehen, so dass er unverzüglich in die Hand zurückschnellen würde, wenn ihn für den Augenblick das gegen diese Absicht verhältnissmässig verstärkte Gewicht der Hand und des Armes daran nicht verhinderte, oder auch umgekehrt, wenn die auf das Einziehen des Fingers verwandte Kraft gegen den Druck des Armes nicht zu schwach wäre. Diese Stellung ist unmöglich, ohne dass das Gelenk der Hand fest steht und sich in gleicher Höhe erhält mit den Knöcheln an der oberen Fläche der Hand, die dagegen eine bedeutend höhere Lage haben, als die mittleren Knöchel der Finger. Die rechte Lage ist an der gestreckten und beinahe senkrechten

Haltung des kleinen Fingers und an der schrägen des Daumens auf den Tasten zu erkennen. Aber auch kein anderes Glied ist in diese Kraftäusserung verwickelt; das Gelenk am Ellenbogen ist schlaff und die nicht anschlagenden Finger schweben ruhig und angespannt über den nächsten Tasten etwa in der Entfernung von $^1/_4$ Zoll. Ist die Entfernung sehr viel grösser, so fehlt die erforderliche Ruhe, und es ist eine schädliche und unnöthige Spannung an ihre Stelle getreten. Soll nun nächst dem ersten ein zweiter, gleichviel welcher, Finger anschlagen, so muss zuerst diese Absicht mit Bewustseyn sich seiner bemächtigen und ihn in den Stand setzen, fassend stützen zu können, wie der erste. Er wird also, ehe er anschlägt, schon mit einer gewissen Spannkraft über der Taste schweben, die er nun gleich berühren soll. Alsdann muss mit der grössten Schnelligkeit die Stützkraft, welche der erste Finger vorher auf die beschriebene Weise ausübte, auf diesen zweiten übertragen werden, welches sich auf keine andere Weise bewerkstelligen lässt, als dass der erste mit Schnellkraft eingezogen wird und der zweite mit demselben Gewicht auf die Taste springt. Insofern nun der beschriebene Mechanismus mit Schnelligkeit, Sicherheit und Feinheit ausgeübt wird, klingt gewiss der so angeschlagene Ton ohne alle irdische und leibliche Noth, wie frei und geistig aus den Lüften entsprungen. Dies letztere aber ist die eigentliche Absicht und macht einen nicht geringen Theil der Virtuosität des Spielers aus. – Wer nun das eben beschriebene mit allen Fingern beider Hände in jeder Verbindung, sowohl näheren als entfernteren, und in allen den verschiedenen möglichen Abwechselungen der Stärke und Schwäche, des Schnelleren und Langsameren, des Stossens und Schleifens – mit Feinheit und Sicherheit und ohne weitere körperliche Anstrengung zu leisten vermag; der hat den Anschlag J. S. Bachs, wie ihn Forkel hatte, und wie ihn viele von ihm gelernt haben.

Die Anfänger, wie die schon Geübteren, können den Mechanismus auf folgende Weise am besten einüben.

Damit anfänglich das Gewicht des unteren Arms ohne absichtlichen Druck und ohne absichtliche Erleichterung wirken könne, muss das Gelenk am Ellenbogen völlig schlaff und abgespannt seyn. In solcher Haltung übt man mit jeder Hand irgend zwei nächste Töne

mit dem zweiten und dritten Finger so lange, bis es langsam und schnell geht. Alsdann wird der Daumen mit dem zweiten, der dritte mit dem vierten und der vierte mit dem fünften Finger ohne veränderte Lage der Hand, und ohne dass sich der Daumen und kleine Finger vor den kurzen Obertasten scheue, zu denselben Uebungen gezogen. Hierauf nimmt man zu dem zweiten und dritten den vierten Finger und übt herauf und hinunter Sätze von folgender Art

zuerst langsam und allmählig schneller, sobald sich es nämlich ohne Anstrengung thun lässt. Auf dieselbe Art wird ferner der Daumen der zweite und dritte – und der dritte, vierte und fünfte Finger geübt, bis kein Unterschied im Anschlage der verschiedenen Finger mehr zu bemerken ist und alles im höchsten Grade gleichmässig und frei klingt. Nun erst folgen Figuren, bei denen vier Finger erforderlich sind

anfänglich mit dem Daumen, zweiten, dritten und vierten, dann mit dem zweiten, dritten, vierten und fünften Finger; darauf Figuren für alle fünf Finger

mit den Versetzungen, die fast in jeder Klavierschule verzeichnet sind. Der Anschlag der kürzeren Obertasten erfordert besondere Uebung, zu der man sich folgender Figuren bedienen kann

Zuletzt alle Tonleitern und gebrochenen Akkorde. Die linke Hand macht dieselben Uebungen mit den ihr entsprechenden Fingern erst allein, dann mit der rechten Hand zugleich.

Ist der Daumen frei und werden bloss die vier Finger geübt, so darf er niemals herunterhängen; sondern er muss immer, wie zum Anschlagen bereit, über den Tasten schweben. Noch weniger darf der vierte und fünfte Finger, wenn der Daumen, der zweite und dritte geübt wird, weder in die Höhe gezogen, noch in die Hand geklemmt werden; auch sie müssen unter solchen Umständen in gehöriger Entfernung ruhig über den Tasten schweben.

Nachdem nun die beschriebenen Uebungen mit dem natürlichen Gewichte des unteren Armes und mit völlig schlaffem Gelenke am Ellenbogen durchgemacht sind, darf Verstärkung und Erleichterung dieses Gewichts durch Druck oder Hebung, vermöge des Gelenkes am Ellenbogen, hinzugezogen werden. Anfangs im höchsten Grade gleichmässig und erst zuletzt mit stufenweiser Vermehrung und Verminderung für jeden folgenden Ton, damit man das *forte* und *piano*, das Wachsen und Schwinden der Stärke, ohne alle weitere Anstrengung, und besonders das *forte* ohne Schlagen der Finger, in eine Gewalt bekomme.

Diese ganze Vorbereitung kann und darf, bei gehörigem Fleiss, Eifer und Talent, selbst den Anfänger nicht über zwei Monate kosten. Nach ihr aber müssen Uebungsstücke von J.S. Bach selbst gewählt werden, weil wenig andere Komponisten der

linken Hand eine Melodie zu führen geben. Die passendsten sind von den zweistimmigen Inventionen Nr. 1 und 8; dann Nr. 12, 11 und 5. Auch dürfen die Läufe
in Zweiunddreissigsteln aus der chromatischen Phantasie, und andere der Art, ein-
geschoben werden. Jedes Stück aber, was man einüben will, muss man vorher mit
Verstand durchsehen, die beste Fingersetzung, welches immer die bequemste ist,
wohl überlegen, nichts vom Zufalle abhängig machen, und alsdann in so langsa-
mem Tempo anfangen, dass man sicher ist, das ganze Stück gleich zum ersten Male
ohne Anstoss durchführen zu können. Die grössere Schnelligkeit kommt durch fortgesetzte Uebung von selbst. Auch soll man nicht früher zu einem zweiten Stücke
forteilen, als bis die Schwierigkeiten des ersten ganz bezwungen sind. Wer diese
Vorschriften nicht befolgt, der wird sich unfehlbar zum Stottern gewöhnen, die
Zeit des Lernens verdoppeln und doch niemals mit Freiheit, Sicherheit und Selbst-
bewustseyn spielen lernen. Uebrigens ist zur Ausbildung der Hand für den Anfang das Klavier bei weitem besser, als das *Forte-Piano*, weil man jeden Fehler des
Anschlags leichter hört und weil mehr vom Spieler, als vom Instrument, abhängt.
Der Uebergang von ihm zum *Forte-Piano* hat gar keine Schwierigkeiten, indem der
Anschlag derselbe bleibt und das *Forte-Piano* nur grössere Nachlässigkeiten zulässt,
ohne bedeutende Abänderungen in der Behandlung herbeizuführen. Wer anderer
Meinung ist, der hat wahrscheinlich das Klavier nicht in seiner Gewalt, wie alle
blossen *Forte-Piano*-Spieler.

Sollte es aber jemandem ein rechter Ernst seyn um seine musikalische Ausbildung
und sollte er dazu die genaueste Kenntniss aller Klavierkompositionen von J. S.
Bach für unentbehrlich halten; so muss er sich entschliessen, alle Anfangsstücke
dieses Meisters durchzuarbeiten, ehe er sich an dessen grössere Werke wagt. Zu
den Anfangsstücken gehören vor allen die sechs kleinen Präludien für Anfänger, die
funfzehn zweistimmigen Inventionen und die funfzehn dreistimmigen Symphoni-
en, in der Folge, wie sie hier verzeichnet sind. Wer diese sechs und dreissig Tonstücke alle zu gleicher Zeit fertig in der Hand hat, der darf sich schon für einen guten
Klavierspieler halten, und es wird ihm von älterer und neuerer Klaviermusik nicht
leicht etwas zu schwer seyn. Nur die vier- und fünfstimmigen Fugen von J. S. Bach
bedürfen noch einer besonderen Vorbereitung, welche durch fleissiges und feines
Spielen seiner vierstimmigen Choräle sehr gut geleistet werden kann. –

So viel mag an diesem Orte hinreichen. Die Rede aber musste hier seyn von Bachs
eigenthümlichem Anschlage, weil er zum feinsten Spiel überhaupt unentbehrlich ist
und ohne ihn besonders die chromatische Phantasie und Fuge nicht mit der ihnen
gebührenden Sauberkeit vorgetragen werden könnten. – – –

Der Anschlag aber ist nur der Aussprache zu vergleichen. Zur schönen musikalischen Deklamation gehört mehr, als blosse Deutlichkeit, Sauberkeit, Sicherheit und
Leichtigkeit mit vollgewaltiger Herrschaft über die ganze Mechanik des Spiels. Die
meisten Musikstücke von J. S. Bach sind reine Kunstwerke für alle Zeiten; weshalb
sie nothwendig objectiv behandelt werden müssen. Verbannt ist daher aus ihrem
Vortrage jede Empfindelei und Ziererei, wie alles Modische, Subjective und Indivi-

duelle. Wer sie in seinen Empfindungskreis oder in die Gefühls- und Ausdrucksweise der gegenwärtigen oder irgend einer bestimmten Zeit hineinziehen wollte,
ohne die Empfänglichkeit und Ausbildung zu besitzen, sein Gemüth durch das
Kunstwerk selbst rein bestimmen zu lassen – der würde sie eben dadurch unfehlbar
entstellen und verderben. Rein objektive Kunstdarstellung aber ist die schwerste
von allen und wird auch nur von wenigen geleistet und verstanden, weil zu ihr
nicht bloss Talent und vielseitige Kunstkenntniss, sondern auch vielseitige Bildung
im allgemeinen gehört. Der Mangel derselben erzeugt ja so oft die unsaubere Prätension statt des bescheidenen Verstehens und der frommen Freude am schönen
Kunstwerk bei völligem Selbstvergessen. – Dies alles gilt nun vorzüglich von der
chromatischen Phantasie. Bei ihr hat jeder neuere Klavierspieler hinreichenden
Grund, seinem Gefühle zu misstrauen, und um nur auf die Spur ihres wahren Vortrags zu kommen, muss er sich einige Vorschriften gefallen lassen, welche der auf
dem Titelblatt angegebenen Ueberlieferung entsprechen.
Diese Ueberlieferungen sollen nun hier treu wiedergegeben werden, so weit sich das
durch Wort und Zeichen thun lässt und so weit es unsere Unzulänglichkeit gestatten
mag. Um aber viele Worte zu sparen, ist jedem, der das hier gelieferte mit Verstand
benutzen will, zu rathen, dass er die vorige Ausgabe mit der gegenwärtigen von
Note zu Note vergleiche und die hier getroffenen Abänderungen nicht als anmaass-
liche Verbesserungen, sondern als Andeutungen des ächten in ununterbrochener
Linie überlieferten Vortrags ansehe.
Die beiden ersten Seiten der Phantasie und die dritte bis zum Arpeggio müssen so
brillant und leicht, als nur möglich, gespielt werden, in gleichmässiger sehr schneller
Bewegung, wo noch Deutlichkeit ohne Zusammenfliessen der Töne statt findet, mit
wachsender und abnehmender Stärke nach dem unverkennbaren Sinne der Harmonien. Nur der Uebergang zum ersten Arpeggio durch den in Triolen gebrochenen
D moll Akkord, muss langsam anfangen und nach und nach geschwinder werden,
bis die Bewegung erreicht ist, in welcher man das Arpeggio nehmen will. Dasselbe
gilt von den beiden Zwischenspielen der übrigen Arpeggios.
Die durch Akkorde in weissen Noten angedeuteten Arpeggios selbst sollen, nach
C. Ph. E. Bachs Lehre in seinem Werke von der wahren Art das Klavier zu spielen,
mit liegenbleibenden Fingern auf den angeschlagenen Tasten jeder Akkord zweimal
herauf und hinunter gebrochen werden. Hier nimmt es sich aber besser aus, wenn
man jeden Akkord nur einmal herauf und hinunter bricht und den Schlussakkord
von jedem Arpeggio nur einmal von unten herauf. Das Liegenbleiben der Finger
auf den angeschlagenen Tasten sollte durch das beigefügte Wort *legato* bezeichnet
werden. Gleichmässiger feiner Anschlag, Wachsen und Abnehmen der Schnelligkeit und Stärke in fast unmerklichen Graden nach dem deutlichen Sinne der Harmonie, und vor allem die weichste Verbindung der Akkorde – versteht sich von selbst.
Zu dem letzteren führt meistens der Uebergang von dem von unten an gerechneten
vorletzten Tone des vorhergehenden Akkordes zu dem ersten des folgenden; doch
ist es nicht immer nöthig. Wer ohne Vorurtheil und Leichtsinn an das Studium die-

ser Arpeggios geht, der wird dies alles und noch mehr, als mit Worten bezeichnet
werden kann, gewiss heraus finden. Die zwischen die weissen Noten eingeschobenen Viertel könnten manchen auf den ersten Anblick in Verlegenheit setzen; doch
die einzige nahe liegende Bemerkung: dass hier auf die Taktstriche gar keine Rücksicht genommen werden kann, und dass die Vierte nur verkürzter Ausdruck sind
statt des noch einmal hingeschriebenen Akkordes mit der einen durch das zweite
Viertel ausgedrückten veränderten Note, – entfernt alle Schwierigkeiten.

Der Vortrag des Recitativs überhaupt wird, wie billig, als bekannt vorausgesetzt. Doch
könnten hier die kürzeren Noten, wodurch es bezeichnet ist, zu einem geschwin-
deren Spiel verführen, deshalb muss bemerkt werden, dass diese Notengattung
nur gewählt wurde, um die Sätze zwischen den Taktstrichen einschliessen zu
können. Der äussere sichtbare Rhythmus ist aber hier von dem inneren Rhythmus
der Gedanken sehr weit verschieden, und es kann sich treffen, dass kürzere Noten
eben so langsam oder noch langsamer gespielt werden müssen, als die daneben
stehenden längeren, wie z. B. die Vierundsechzigstel am Schluss des ersten Recita-
tivsatzes. Die erste Note eines jeden dieser recitativischen Sätze ist hier verkürzt
dargestellt, nicht um dadurch zum punktirten und gezerrten Vortrage zu verführen,
sondern einzig um anzudeuten, dass jeder Satz im Auftakte anfängt, und dass also
die zweite Note den Accent haben muss. Die einzelnen Akkorde, welche die recitativischen Sätze trennen und verbinden, müssen von unten herauf mit gleichmässigem
Anschlage bald stärker, bald schwächer, bald schneller, bald langsamer, wie es der
Sinn erfordert, gebrochen werden. Das Uebrige mag die fast überladene Bezeichnung dem ernsten forschenden Kunstsinne verrathen.

Der Orgelpunkt, welcher zum Schlusse führt, von den Worten *senza misura* an,
verträgt den freiesten Vortrag und fast willkührliche Verzierung, die aber nur ein
solcher Spieler wagen darf, der mit der Art und Weise ähnlicher Kunstwerke ganz
vertraut ist. J. S. Bach hat selbst solche Verzierungen durch einzelne Figuren angedeutet, es sind die zwischen den Akkorden stehenden Sätze. In kleineren Noten darüber befindet sich die Art, wie Forkel zuweilen spielte und lehrte. Aus beiden lassen
sich die Gränzen der hier passenden freieren Verzierung ungefähr abnehmen. Für
die „Schwachsichtigen" muss noch bemerkt werden, dass nicht diese Zwischenspiele
die Hauptgedanken des Schlusssatzes sind; sondern die in der Nähe der Akkorde
sich befindenden Achtel, welche durch die halben Töne hinunter steigen. Zu ihnen
muss sich also jedes Zwischenspiel hinneigen und nicht für sich selbst etwas Ganzes seyn wollen. Der Schlussakkord endlich muss von oben herab stets langsamer
gebrochen werden.

Die Fuge hat nur sehr wenige Veränderungen und Bezeichnungen nöthig gemacht.
Es ist das Tempo bestimmt nach Art der neueren Klaviermusik überhaupt, es sind
einige Druckfehler verbessert und einige bloss in der vorigen Schreibart liegende
Schwierigkeiten durch andere Bezeichnung erleichtert. Wer sie mit Fertigkeit, Freiheit und Sauberkeit will spielen lernen, gewöhne sich zu der von C. Ph. E. Bach
gelehrten Fingersetzung seines Vaters, nach welcher die Finger die besten sind,

mit denen der Satz am bequemsten herausgebracht werden kann. Man darf den Daumen und kleinen Finger, so oft es nöthig und nützlich ist, auf die kürzeren Obertasten setzen, man darf jeden kürzeren Finger unter den längeren stecken und jeden längeren über den kürzeren setzen, trotz der einseitigen Regeln mancher neueren Theoretiker. Schrieb doch J. S. Bach Uebungsstücke für solche Fingersetzung, wie denn die fünfte der zweistimmigen Inventionen ein solches ist, um den Daumen und kleinen Finger auf die Obertasten zu gewöhnen. Uebrigens lassen sich nur sehr wenige von Bachs grösseren Klaviersachen ohne jene Fingersetzung gut und leicht herausbringen. – –

Schliesslich steht zu wünschen, dass niemand ein Aergerniss nehmen möge an dieser, vielen zum Besten unternommenen, Darstellung der Vortragsweise eines der vortrefflichsten Kunstwerke, die aus deutschem Geist entsprossen sind. Wer Halbheiten, Mängel und Fehler findet, der rüge sie gerad und streng, doch nicht ohne Liebe und ohne Wärme für das einzige Kunstwerk. Wahrhafte Belehrung hat in solchen Sachen ein jeder nöthig, und unsererseits wird sie mit herzlichem Danke angenommen werden.

Braunschweig, den 10. April 1819.

F. Griepenkerl.

Quelle: Friedrich Konrad Griepenkerl, *Einige Bemerkungen über den Vortrag der chromatischen Phantasie*, Vorwort zur Ausgabe von 1820 → C 127.
Lit.: Karen Lehmann: *„eines der vortrefflichsten Kunstwerke, die aus deutschem Geist entsprossen sind"*
– Zur Rezeption von Bachs Chromatischer Fantasie und Fuge im Zeitalter Mendelssohns und Schumanns. Bericht Konferenz Leipzig 2005, S. 357–366.

E 10

MENDELSSOHN: ZUR AUSFÜHRUNG DER ARPEGGIEN IN DER CHROMATISCHEN FANTASIE
LEIPZIG, 14. NOVEMBER 1840

Ja, die Arpeggien in der chromatischen Fantasie sind ja eben der Haupeffek, wie die Kölner sagen. Ich erlaube mir nämlich die Freiheit sie mit allen möglichen *Crescendos* und *pianos* und *ff's* zu machen, Pedal versteht sich, und dazu die Baßnoten zu verdoppeln; ferner die kleinen durchgehenden Noten (die Viertel in den Mittelstimmen ec.) zu Anfang des Arpeggios zu markiren, ebenso zuweilen die Melodie Note wie es gerade komt, und dann thun die einzigen Harmoniefolgen auf den dicken neuern Flügel prächtig wohl.

Z. B. den Anfang blos so (N. B. Jeden Accord 2mal gebrochen nachher auch nur ein-mal, wie's kommt):

dann z. B. das Ende so:

Die Leute schwören das sei gerade so schön wie *Thalberg*, oder noch besser. Zeig aber dies Recept Niemanden, es ist ein Geheimniß, wie alle Hausmittelchen. …

Quelle: Felix Mendelssohn Bartholdy an Fanny Hensel, 14. November 1840, New Haven, Yale University. Beinecke Rare Book & Manuscript Library.

Anm.: Mendelssohns Spiel blieb nicht unwidersprochen. So schrieb Carl Gotthelf Sigmund Böhme (1785–1855) am 9. Mai 1842 an Griepenkerl: „In seinem Spiele der *chrom. Fantasie & Fuge* ist mir die *Arpeggio*-Stelle aufgefallen, die er sehr brillant vortrug, nur machte er auch alle die Brechungen durch mehre *Octaven* was mir etwas lange zu dauern schien. Einige meinten es sei ausserordentlich und klänge wie Thalberg". Am 15. Mai 1842 antwortete Griepenkerl: „Aus der Beschreibung, die Sie von Mendelssohns Vortrage der chromatischen Phantasie machen, sehe ich wohl, daß er von der Wahrheit weit entfernt ist. Die Arpegies sind so schon lang genug und man hat eher Ursach[e], sie zu verkürzen, als zu verlängern. Daß es wie Thalberg geklungen haben soll, nach der Bemerkung einiger Zuhörer, ist die beste Ironie, die man darüber sagen kann.", zitiert nach Lehmann Bach-GA, S. 463, 472. Mendelssohn und Griepenkerl verweisen auf den Komponisten und Klaviervirtuosen Sigismund Thalberg (1812–1871).

Mendelssohns Bemerkungen zur Spielweise stehen in engem zeitlichem Zusammenhang zu seinen beiden Konzertdarbietungen des Stückes im Leipziger Gewandhaus am 29. Februar 1840 sowie am 21. Januar 1841 → D 162, D 200.

Lit.: P. Mendelssohn Bartholdy und C. Mendelssohn Bartholdy (Hrsg.): *Briefe aus den Jahren 1833 bis 1847 von Felix Mendelssohn Bartholdy*, Leipzig 1863 (Erstausgabe), S. 241f.; vgl. auch Eva Weissweiler, *Fanny und Felix Mendelssohn: „Die Musik will gar nicht rutschen ohne Dich". Briefwechsel 1821 bis 1846*. Berlin 1997, S. 346f.

E 11

Volkening: Ein Nebenmanual zur Ausführung schwerer Pedalpartien
Langenberg, 1846

Ein beachtenswerther Gegenstand für Orgelbauer.
Wenn die großartigen brillanten Orgelcompositionen älterer und neuerer Meister,
wie die von Händel, Bach, L. Krebs, Rinck, Hesse, Krüger u. s. w. zur Aufführung
kommen, so muß es einem echten Freunde und Kunstkenner des Orgelspiels immer
sehr schmerzlich sein, daß die Pedal-Parthien nicht mit der gehörigen und erforderlichen Präcision und Gebundenheit ausgeführt werden, als dies der Charakter und
die Vollständigkeit der Composition verlangen. Es ist dies eine sehr schwierige Aufgabe. Im ganzen deutschen Reiche sind sehr viele Orgelspieler berufen; aber was
die Traktirung des Pedals anbetrifft, sehr wenige auserwählt. Dieser Gegenstand
verdient Beachtung, und dem Uebel kann folgendermaßen abgeholfen werden:
Man richte bei Neubauten von Orgeln neben dem Pedale zugleich noch eine Hand-
klaviatur ein, welche mit dem Pedale in Verbindung steht und wodurch dieses mit
den Händen traktirt werden kann. Diese Vorrichtung ist gewiss mit wenigen Kosten
einzurichten. Es würde also außer den Manualen noch ein Pedal-Manual, wenn ich
es so nennen soll, von zwei Octaven unmittelbar unter den Manualen auf der Bass-
Seite anzubringen sein. Auf diese Weise würden von zwei Orgelspielern die schwierigsten Orgelcompositionen mit Leichtigkeit auszuführen sein. Es versteht sich ganz
von selbst, daß dadurch das eigentliche Pedal durch Traktirung der Füße durchaus
nicht überflüssig gemacht werden soll.
Langenberg.

Volkening, Organist.

Quelle: Urania, 3. Jg., 1846, Nr. 8, S. 122f.
Anm.: Verfasser ist der Langenberger Organist August Dietrich Volkening. Ähnliche Ausführungen waren durchaus üblich, wie die Ausgabe der Triosonaten (BWV 525–530) von Samuel Wesley und Carl Friedrich Horn aus den Jahren 1809/1810 zeigt. Die Herausgeber empfehlen die
Ausführung für 3 Hände.

E 12

Siebeck: Um die richtige Applikatur von Bachs Pedalpartien
1846

Anzeigen und Beurtheilungen.
Kleine Orgelschule für angehende Organisten und Freunde des Orgelspiels von Carl
Heinrich Zöllner. Op. 71 …

Der Verf. lehrt derlei Applicaturen für das Pedal: „Nach der ersten spielt man dasselbe mit abwechselndem Füßen. Nach der zweiten mit abwechselnder Ferse und
Spitze des Fußes, so daß der linke Fuß in der Unter-Octave, der rechte in der Ober-
Oktave gebraucht wird; die dritte entsteht aus der Verbindung der ersten mit der
zweiten." Wir glauben nicht, daß man hiermit für alle Fälle ausreichen wird. Es werden die angegebenen Applicaturen nicht überall da bequem auszuhelfen im Stande
sein, wo man z. B. mit den Spitzen beider Füße auf einer Taste zu wechseln gewohnt
ist u. s. w. Auch scheint der Verf. auf die zweite und dritte der aufgestellten Applicaturen zu wenig Werth zu legen: zu Gunsten der ersten, allerdings nächstliegenden
und einfachsten, von der er §. 18. mit Kittel zu versichern für nöthig fand, daß auch
Seb. Bach sich ihrer bedient habe. Ebenso hat die Behauptung: „auch aus Seb. Bach's
Orgelcompositionen ist zu ersehen, daß die Applicatur mit abwechselnden Füßen
die günstigste für die Ausführung seiner Pedalpartien ist" – keinen hinlänglichen
Grund, da uns viele Stellen aus den Compositionen des Meisters bekannt sind, wo
die Ausführung der Pedalpartien mit fast ausschließlicher Anwendung der „ersten"
Applicatur eben so mißlich erscheint, als sie bei vielen andern Stellen allerdings für
die vortheilhafteste und einzig rechte angesehen werden muß. Gewiß aber ist, daß
Seb. Bach bei der Abfassung seiner Pedalsätze gerade diese untergeordnete Rücksicht nicht hervorgehoben hat, sondern sie nur zuweilen beiläufig, insoweit sie, wie
jede andere Rücksicht, der blos mechanischen Ausführung mit der innern künstlerischen Nothwendigkeit der betreffenden Sätze zu vereinen war, gelten lassen
mochte. – …

G. Siebeck

Quelle: Urania, 3. Jg., 1846, Nr. 8, S. 115f.
Anm.: Der Rezensent Gustav Heinrich Gottfried Siebeck (1815–1851) studierte in Berlin bei August Wilhelm Bach und Adolph Bernhard Marx. Carl Heinrich Zöllner (1792–1836) war Gesangslehrer, Orgel- und Klavierspieler und Komponist.

E 13

PROBLEME BEIM SPIEL BACHSCHER ORGELWERKE AUF DEM KLAVIER

LEIPZIG, APRIL 1848

Zwanzigstes und letztes Abonnementconcert im Saale des Gewandhauses zu Leipzig (Donnerstag, den 6. April 1848.) …
Eine besondere Bewunderung nöthigte uns der höchst correcte Vortrag der, namentlich auf dem Pianoforte äußerst schwierigen Orgelfuge von Bach ab, obwohl wir
zugleich gestehen müssen, daß wir bei Anhörung derselben zu keinem rechten
Kunstgenuß gekommen sind. Bach muthet bekanntlich schon allein in den für's

Pianoforte bestimmten Fugen einem gewandten Clavierspieler Vieles und Schweres zu. Die Schwierigkeiten steigen aber um das Doppelte und Dreifache, wenn man eine Orgelfuge auf dem Pianoforte spielt, wobei der Producirende nicht selten durch die Pedalpartie, welche in diesem Falle der linken Hand anheimfällt, genöthigt ist, weite Sprünge zu machen, auch viele Accorde zu arpeggiren. – Zwar hat Frau Schumann diese sehr schwierige Aufgabe mit größtmöglichster Vollendung gelöst, aber keineswegs vermocht, die Nachtheile welche durch ein solches Verfahren für den Zuhörer entstehen, ganz zu beseitigen. Einerseits wird zuweilen der Stimmenfluß unterbrochen, und andererseits treten die Harmonieen in Folge des bereits erwähnten Arpeggio's nicht überall scharf und deutlich genug hervor. ...

Quelle: Signale, 6. Jg., Nr. 16, April 1848, S. 121f.
Anm.: Der Bericht bezieht sich auf Clara Schumanns Konzert am 6. April 1848. Gespielt hat sie vermutlich die a-Moll-Fuge (BWV 543/2) in einer eigenen Bearbeitung.

Klangbild und Vortragsweise

E 14

Abkehr von barocken Verzierungen

1. Januar 1806

... Alles was zur Verzierung der einfachen Melodie dient, gehört zu den Manieren; jedoch sind die Manieren nur in so fern wesentlich, als sie in den jetzigen Zeiten üblich sind, alles übrige ist dem Zeit- und Modegeschmack unterworfen. Dies sehen wir aus den vielen veralteten Manieren.
Man hat zu Couperins und zu Seb. Bachs Zeiten manches für schöne Verzierung und Manier gehalten, was jetzt gar nicht dafür angesehen wird. ...

Quelle: AMZ, 8. Jg., Nr. 14, 1. Januar 1806, Sp. 213. (*Beschluss der Recension der Lehrbücher Türks, Müllers und Vierlings, im dreyzehnten Stück.*)

E 15

[MICHAELIS]: ZUR RICHTIGEN VORTRAGSWEISE VOKALER KIRCHENMUSIK
1806

Ueber den Charakter der Kirchenmusik. …
Betrachten wir den Gesang – die Hauptsache der Kirchenmusik – wie feierlich wirkt
der einfache Choral ohne Instrumentalbegleitung, wie tief rührt er, wenn er mit
Würde vorgetragen, wenn besonders das Tragen, Aushalten, das sanfte Zunehmen
und Verhallen der Töne von den Sängern glücklich bewirkt wird! Künstliche Passagen, Verzierungen und Kadenzen sind eigentlich dem Wesen der Kirchenmusik
fremd, so schön und bewundernswerth sie an sich seyn mögen, und sie haben sich
nur mit dem verbreiteten Luxus unsers Geschmacks und unserer Kunst auch in die
Tempel eingeschlichen. Können sie nicht ganz verbannt werden, so möchte man
doch wenigstens einen sparsamen Gebrauch und die größte Einfalt für dieselben
wünschen.
Die ohne Instrumente gesungenen Motetten, die von J. S. Bach, Doles, Homilius,
Hiller, Haydn, Rolle u. a. machen nicht den unbedeutensten Theil der Kirchenmusik
aus. Die Worte der heil. Schrift oder religiöser Volksdichter, aus welchen sie meist
bestehen, in dem vielstimmigen figurirten und fugirten Vortrage eines oder mehrerer Sängerchöre, prägen sich tief ein, wenn sie so edel, kraftvoll und erhaben, wie
von den genannten Meistern komponirt sind, und in einer nicht zu schnellen Bewegung mit Ruhe, Würde und schöner Haltung gesungen werden. Sie haben dann
nicht selten eine noch mächtigere Wirkung, als manche mit Instrumenten begleitete
kunstreiche Cantaten, bei deren Anhören das Gemüth leichter zerstreut, und auf
einzeln glänzende Partieen abgelenkt wird, als in den Motetten, wo alle Mannichfaltigkeit sich in der Menschenstimme so schön und rührend vereinigt.
Wie wichtig die Chöre in der Kirchenmusik sind, wie groß ihr Effekt ist, erhabene Wahrheiten, heilige Gefühle und Gesinnungen ins Herz zu flößen, weiß jeder,
der die Chöre eines Händel, J. S. Bach, Graun, Jos. Haydn, Mozart und ähnlicher
Componisten kennt. Ihre größte Wirkung aber erreichen sie nicht sowohl durch
künstlich figurirte und überhäufte Instrumentalbegleitung, als durch ihren festen
gravitätischen Gang, durch ihre erhabene Ruhe und Einfalt, und mehr durch einen
zwar stark besetzten, aber doch gemäßigten, als durch einen starken oder gar heftigen Gesang. …

M.

Quelle: M. [Christian Friedrich Michaelis]. BMZ, 2. Jg., 1806, Nr. 35, S. 139f.
Anm.: Die Abhandlung stammt von dem Philosophen und Musikästhetiker Christian Friedrich
Michaelis (1770 – 1834). Dieser hatte in Leipzig die Thomas- und Nikolaischule besucht, Kontra-
punkt und Harmonielehre bei Johann Friedrich Doles und Johann Gottlieb Görner studiert.

E 16

KITTEL: ÜBER BACHS ACCOMPAGNEMENT
ERFURT, 1808

... Wenn Seb. Bach eine Kirchenmusik aufführte, so mußte allemal einer von seinen fähigsten Schülern auf dem Flügel accompagniren. Man kann wohl vermuthen, daß man sich da mit einer magern Generalbaßbegleitung ohnehin nicht vor wagen durfte. Demohnerachtet mußte man sich immer darauf gefaßt halten, daß sich oft plötzlich Bachs Hände und Finger unter die Hände und Finger des Spielers mischten und, ohne diesen weiter zu geniren, das Accompagnement mit Massen von Harmonien ausstaffirten, die noch mehr imponirten, als die unvermuthete nahe Gegenwart des strengen Lehrers. – ...

Quelle: Johann Christian Kittel, *Der angehende praktische Organist, Dritte Abteilung*, Erfurt 1808, S. 33.
Lit.: Laurence Dreyfus, *Zur Frage der Cembalo-Mitwirkung in den geistlichen Werken Bachs*, in: Bachforschung und Bachinterpretation heute. Wissenschaftler und Praktiker im Dialog. Bericht über das Bachfest-Symposium 1978 der Philipps-Universität Marburg. Hrsg. von Reinhold Brinkmann, Kassel etc. 1981, S. 180.

E 17

RICHTIGE REGISTRIERUNG DER BACHSCHEN PEDAL-CANTUS FIRMI
REZENSION 15. JUNI 1814

Zwanzig Orgelstücke verschiedener Art – von Ch. H. Rink. 8te Sammlung. 33stes Werk. Offenbach, b. André. ...
Auf eine Art zu registriren, deren sich Seb. Bach zuerst und mit grösstem Erfolg bedienet haben soll, und die Rec. mehrmals von dem trefflichen Friedr. Schneider in Leipzig mit eben so viel Kunst, als Geschicklichkeit und Wirkung anwenden hörte – hat Hr. R. nicht Rücksicht genommen; auf die nämlich, das Pedal (besonders beym Choralvorspiel, oder auch wo überhaupt ein *Canto fermo* recht pathetisch durchklingen soll,) nur in seinen mittlern und höhern, aber doch imposanten Stimmen zu gebrauchen, um eben darauf, während der Satz übrigens blos manualiter, etwa als Trio, durchgeführt wird, den Choral oder *Canto fermo* mit *diesem* Pedal einzuweben. Mehrere der herrlichsten Bach'schen Vorspiele, namentlich in der reichen Sammlung, die bey Breitkopf und Härtel erschienen, machen blos darum nicht viel Wirkung, weil man dies nicht weiss und nicht anwendet, sondern das Pedal nach gewöhnlicher Weise ziehet, wo denn der *Canto fermo* entweder nicht genug, oder doch nicht deutlich hervortritt, oder auch in einem, zu den andern Stimmen zu

entfernten Verhältnis stehet. Darum wollte auch Rec. diese Bemerkung nicht unterdrücken; und sollten Unerfahrne glauben, dann klinge ja das Pedal nur, wie ein zweytes Manual in der Tiefe; so will er nichts hinzusetzen, als: versucht es nur erst, und ihr werdet es ganz anders finden. – …

Quelle: AMZ, 16. Jg., Nr. 24, 15. Juni 1814, Sp. 409f.
Anm.: Der Herausgeber ist der Organist, Komponist und Pädagoge Johann Christian Heinrich Rinck (1770–1846); der Rezensent ist unbekannt.

ZELTER: VIOLINKONZERT MIT BOUCHER – ZUM VORTRAG ALTER MUSIKSTÜCKE
BERLIN, 13. AUGUST 1821

→ D 177.

E 18

CLARA SCHUMANN: ZUR AUSFÜHRUNG DER SONATEN FÜR VIOLINE UND KLAVIER
24. Juli 1842

… Zum ersten Male spielte ich auch heute einige Sonaten von *Bach* mit *David*. Ich kann mir noch kein Urtheil abgeben, denn diese Sachen muß man oft spielen, um sie recht lieb zu gewinnen. Mir fiel es sehr auf, daß *David* alle fortlaufenden Figuren staccato spielte – ob das wohl *Bach* so haben wollte? Ich denke mir, gewiß hat sie *Mendelssohn* so gespielt, denn aus eigener Auffassung thut das *David* nicht, um so mehr interessirt es mich, ob es wohl recht ist! …

Quelle: Clara Schumann in ihren Tagebuchaufzeichnungen vom 24. Juli 1842. Tagebuch 13 – Ehetagebuch II, Robert-Schumann-Haus Zwickau, Signatur: *7087,2 – A3*, zit. nach Schumann TB II, S. 233.
Anm.: Ferdinand David (1810–1873) und Felix Mendelssohn Bartholdy brachten die Sonate für Violine und Klavier E-Dur (BWV 1016) am 15. Februar 1838 im Leipziger Gewandhaus zur Aufführung → D 198. David wurde 1836 Konzertmeister am Gewandhausorchester. Mit Mendelssohn verband ihn eine lebenslange Freundschaft.
Lit.: Anselm Hartinger, *„Eine solche Begleitung erfordert sehr tiefe Kunstkenntnis" – Neues und neu Gesichtetes zu Felix Mendelssohn Bartholdys Klavierbegleitung zu Sätzen aus Bachs Partiten für Violine solo, nebst einer Analyse der Begleitung zum Preludio in E-Dur BWV (1006/1)*, BJ 2005, S. 35–82 (insbes. S. 56).

E 19

KRÜGER: ZUM VORTRAG DER FANTASIE IN G-MOLL

28. August 1843

… S. Bachs G-Moll-Phantasie für die Orgel (in der Marx'schen Ausg. I. Heft) klingt z. B. in freiem Tempo immer bedeutend und interessant; aber in strengem Tempo und ohne Zusätze gespielt, ist sie unendlich ergreifender und wahrhaft erschütternd, der Vortrag jedoch weit schwieriger. …

Quelle: Eduard Krüger, *Der kunstgemäße Vortrag (Fortsetzung)*. NZfM, 19. Bd., Nr. 17, 28. August 1843, S. 66.
Anm.: Der Pädagoge und Musikschriftsteller E. Krüger (1807–1885) bezieht sich auf die Fantasie g-Moll (BWV 542) und die Auswahlausgabe der Orgelwerke Bachs von Adolph Bernhard Marx 1834 (→ C 91). Krügers dreiteilige Aufsatzreihe *Der kunstgemäße Vortrag* (NZfM, 19. Bd., Nr. 15, 17 und 18) bietet eine allgemeine und stilgeschichtliche Theorie der Vortragsarten.

E 20

KRÜGER: UNTERSCHIEDLICHE TEMPOAUFFASSUNGEN BEI KLAVIERFUGEN BACHS

15. April 1844

Als wir neulich einige Beethoven'sche Symphonieen versuchten mit unseren sehr lückenhaften Kräften darzustellen, sagte mir ein junger Freund, ich Rigoriste, der ich über Tempo-Raserei mich oft so ungeberdig anstelle, habe diesmal so ungebührlich über die Schnur gehauen, und das Tempo des Scherzo's und Finale's der C-Moll Symphonie über die Maßen beschleunigt. Da mich hierbei weder die Jugend noch die Unkunde, sondern höchstens einiger dämonischer Eifer entschuldigen könnte, so ging ich in mich, und gedachte mancher Erlebnisse, die sich an diese intricate Materie anknüpfen, die, so unbedeutend sie scheine, doch täglich anfängt wichtiger zu werden, je weiter die Jahre dahin eilen und uns entfernen von der Lebenszeit Mozart's und Beethoven's. Denn die Heutigen sind ohnedies gewohnt, im Einzelnen strenger zu bezeichnen, belehrt durch das Schwanken bei den älteren Meisterwerken. – Man kann zwar sagen, daß das Aechte, Classische auch in diesem Puncte den Charakter der Unwandelbarkeit an sich trage, denn in den meisten Fällen ist, wie über Forte, Piano, Legato, Staccato ec., so auch über die Wahl des Tempo an den Stellen, wo es die Alten unbezeichnet lassen, kein Zweifel. Wer würde z. B. die Einleitungschöre im Messias und Matthäus, oder die Arie: „Ich weiß, daß mein Erlöser lebt", oder die Orgelfugen Bach's, oder den Einleitungschor des Requiem u. a. geschlossene Meisterwerke im Tempo gröblich verfehlen können? Selbst daß der ganze Messias ohne Tempobezeichnung ist, macht nur selten Verlegenheit. Aber schon hier giebt es ein Mehr und Minder, wie ich dieses auffallend bemerkte bei der Aufführung in Hamburg durch F. Schneider 1841. – Selbst bei J. S. Bach, wo meistentheils die Wahl des Tempo unzweifelhaft ist, sind mir Fälle vorgekommen, wo verschiedene Autoritäten ungleich urtheilen; vorzüglich nenne ich drei Fälle:

1) Die F-Moll Fuge im temp. Clav. Th. 1. $^2/_4$

welche Marx in seiner Compositions-Lehre irgendwo melancholisch nennt. Diese habe ich in dem Tempo: ♩ = 88 gehört, und vielmehr diabolisch gefunden mit ihren Sprüngen und Windungen, und glaube, der langsame Gang würde ihr unnatürlich sein.

2) Die C-Moll Fuge in der Haslinger'schen Sammlung (6 Präludien und Fugen):

welche ich ♩ = 76 nahm, wollte Clara Schumann lieber wehmütig fassen: ♩ = 85, was ich auch angemessen finde.

3) Die A-Moll Fuge ebenda:

nahm Clara Schumann im Tempo: ♩. = 75 auf dem Clavier, wo ich, wenigstens für die Orgel, ♩. = 55 natürlicher finde. …

Quelle: Eduard Krüger, *Metronomische Fragen*. NZfM, 20. Bd., Nr. 31, 15. April 1844, S. 121f.
Anm.: Zu Eduard Krüger → D 155. Die von Krüger aufgeführten Fugen sind BWV 881/2, 546/2 und 543/2.

E 21

[Schellenberg?]: Kritik am zu raschen Vortrag Bachscher Orgelwerke

April 1846

Die erstere fand am 3. d. M. in der Nicolaikirche statt, und ließ auch diesmal unter den Orgelspielern ein tüchtiges Streben erkennen. Außer dem Präludium und Fuge in H moll von Seb. Bach, gespielt von F. Breunung aus Brotterode, waren vorzüglich

Mendelssohn's Sonaten der Gegenstand auf den die Wahl der Spieler gefallen war.
… Was den Vortrag des Bach'schen Stücks anlangt, so können wir aussprechen, daß
dessen Spieler eine bedeutende technische Fertigkeit entwickelte, die Aufmerksamkeit verdient; doch möchten wir demselben anempfehlen, die bei ihm schon früher
wahrgenommene Hast nach und nach sich abzugewöhnen zu suchen, schon aus
dem Gesichtspunkte, daß eine derartige Bach'sche Composition, wenn sie auch
lebhaftes Tempo verträgt, doch durch zu schnelles an Charakter einbüßen muß. Indeß sind wir durch diese Leistung, als rein technische genommen, recht zufrieden
gestellt worden …

Quelle: H. S. [Christian Hermann Schellenberg?], Die halbjährigen Hauptprüfungen am Conser-
vatorium der Musik zu Leipzig, Signale, 4. Jg., Nr. 15, April 1846, S. 115.
Anm.: Der in Brotterode geborene Ferdinand Breunung (1830–1883) wirkte später als Klavier-
pädagoge und Musikdirektor in Köln und Aachen. Der Verfasser ist wahrscheinlich Christian
Hermann Schellenberg (1816–1862). Er wirkte von 1846 bis 1854 als Organist an der Leipziger
Johanneskirche und wurde im gleichen Amt 1854 Nachfolger von Carl Ferdinand Becker an der
Nicolaikirche. Er war mit den Leipziger Orgeln bestens vertraut und ein seinerzeit geschätzter
Orgelvirtuose.

„Herz und Mund und Tat und Leben" (BWV 147)
Autographe Partitur mit Vorschlägen zur Besetzungsänderung von C. F. Zelter (E 3)

fremden Künstler sogar bey dem Lesen und Anhören fremder Compositionen äussern. Der fleißige Kontrapunktist hört nicht leicht eine Musik von einem fremden Meister, ohne jede von diesem berührte Gelegenheit zu einer schönen canonischen Nachahmung zu bemerken und schmerzlich zu bedauern: denn fleißigen Melopoiet fällt immer zuerst das Matte, Gezwungene, Rauhe, in der Melodie — dem fleißigen Harmonicker das leere, einförmige Tongeflingel in der Harmonie auf. Wenn Seb. Bach eine Kirchenmusik aufführte, so mußte allemal einer von seinen fähigsten Schülern auf dem Flügel accompagniren. Man kann wohl vermuthen, daß man sich da mit einer magern Generalbaßbegleitung ohnehin nicht vor wagen durfte. Demohnerachtet mußte man sich immer darauf gefaßt halten, daß sich oft plötzlich Bachs Hände und Finger unter die Hände und Finger des Spielers mischten und, ohne diesen weiter zu geniren, das Accompagnement mit Massen von Harmonien ausstaffirten, die noch mehr imponirten, als die unvermuthete nahe Gegenwart des strengen Lehrers. —

Nach diesen mannichfaltigen Abschweifungen kehren wir nun zu den Vorspielen vor alten Choralen zurück.

J. C. Kittel: Der angehende praktische Organist, Dritte Abteilung, Erfurt 1808 (E 16)

ANHANG

ABKÜRZUNGEN

Allgemein

Abkürzungen, deren voller Wortlaut sich ohne weiteres aus dem Sinnzusammenhang ergibt, wurden nicht aufgenommen.

Ao.	Anno
Bz.	Batzen
cf.	confer (vergleiche)
Cs., Cmes	Centimes
C. M.	Conventions-Münze
Conv. Gulden	Conventions-Gulden
dM.	des Monats
E. E.	Euer Ehren
Fl.	Florin (= Gulden)
Frh.	Freiherr
Fr., fr., frs.	Franc, Francs
Geh.	Geheimer
ggr.	guter Groschen
Gr.	Groschen
Gr. Sächs.	sächsischer Groschen
J. s. A.	Jahr seines Alters
k. k. priv.	kaiserlich-königlich privilegiert
Kr.	Kreuzer
Kr. Rhein.	Rheinischer Kreuzer
Laubrh.	Laubtaler
Liv.	Livre
Ngr.	Neugroschen
Nro.	Numero
pag.	pagina
PN	Plattennummer
pp.	perge, perge (usw.)
Pr.	Preis
resp.	respektive
Rthlr., rh., Rr.	Reichstaler
Sgr. Sg., S.	Silbergroschen
s.g.	so genannt
seqq.	sequentes (folgende)
Sr.	Seiner
cs.	scilicet (nämlich)
Thlr., Thl.	Taler
u. s. f.	und so fort
v. J.	vorigen Jahres
&c.	et cetera

Literatur

AfMw	*Archiv für Musikwissenschaft*, Bückeburg und Leipzig 1918–1926, Trossingen 1952–1961, Wiesbaden 1963ff.
ADB	*Allgemeine Deutsche Biographie*, Leipzig 1875–1912. Reprint Berlin 1967–1970
Bach und die Nachwelt 1	*Bach und die Nachwelt. Band 1: 1750–1850*, hrsg. von Michael Heinemann und Hans-Joachim Hinrichsen, Laaber 1997
BC	Hans-Joachim Schulze und Christoph Wolff, *Bach Compendium. Analytisch-bibliographisches Repertorium der Werke Johann Sebastian Bachs*, Leipzig 1986ff.
BG	*J. S. Bachs Werke. Gesamtausgabe der Bach-Gesellschaft zu Leipzig*, Leipzig 1851–1899
BJ	*Bach-Jahrbuch*, hrsg. im Auftrag der Neuen Bachgesellschaft, Leipzig 1904ff.
Beethoven Briefe 1, 2, 5	Ludwig van Beethoven, *Briefwechsel. Gesamtausgabe. Band 1: 1783–1807. Band 2: 1808–1813, …, Band 5: 1823–1824, …*, im Auftrag des Beethoven-Hauses Bonn hrsg. von Sieghard Brandenburg, München 1996
Bericht Konferenz Leipzig 2005	*„Zu groß, zu unerreichbar" – Bach-Rezeption im Zeitalter Mendelssohns und Schumanns*, hrsg. von Anselm Hartinger, Christoph Wolff und Peter Wollny, Leipzig 2007
BWV	Wolfgang Schmieder, *Thematisch-systematisches Verzeichnis der musikalischen Werke von Johann Sebastian Bach (Bach-Werke-Verzeichnis)*, Leipzig 1950
BzBf	*Beiträge zur Bach-Forschung*, Leipzig 1982–1991
DBE	*Deutsche Biographische Enzyklopädie*, hrsg. von Walther Killy und Rudolf Vierhaus. München 1995–1999
Dok II, III, IV	*Bach-Dokumente, hrsg. vom Bach-Archiv Leipzig. Supplement zu Johann Sebastian Bach. Neue Ausgabe sämtlicher Werke.* Band II: Fremdschriftliche und gedruckte Dokumente zur Lebensgeschichte Johann Sebastian Bachs 1685–1750. Vorgelegt und erläutert von Werner Neumann und Hans-Joachim Schulze, Leipzig, Kassel 1969 Band III: Dokumente zum Nachwirken Johann Sebastian Bachs 1750–1800. Vorgelegt und erläutert von Hans-Joachim Schulze, Leipzig, Kassel 1972 Band IV: Bilddokumente zur Lebensgeschichte Johann Sebastian Bachs. Hrsg. vom Bach-Archiv Leipzig unter Leitung von Werner Neumann, Leipzig, Kassel 1979
Dörffel 1881	*Statistik der Concerte im Saale des Gewandhauses zu Leipzig*, in: Geschichte der Gewandhausconcerte zu Leipzig vom 25. November 1781 bis 25. November 1881. Im Auftrage der Concert-Direction verfasst von Alfred Dörffel, Leipzig 1884.
Eitner	Robert Eitner, *Biographisch-Bibliographisches Quellen-Lexikon der Musiker und Musikgelehrten …*, Leipzig 1900ff.

Elvers Verleger-Briefe 1	Felix Mendelssohn Bartholdy. Briefe. 1. Briefe an deutsche Verleger, gesammelt und herausgegeben von Rudolf Elvers, Berlin 1968
Fanny Hensel Letters	*The Letters of Fanny Hensel to Felix Mendelssohn*. Collected, Edited and Translated with Introductory Essays and Notes by Marcia J. Citron, [Stuyvesant, New York] 1987
Forkel	Johann Nikolaus Forkel, *Ueber Johann Sebastian Bachs Leben, Kunst und Kunstwerke*, Leipzig 1802. Fotomechan. Nachdruck Frankfurt am Main 1950
Geck Matthäuspassion	Martin Geck, *Die Wiederentdeckung der Matthäuspassion im 19. Jahrhundert. Die zeitgenössischen Dokumente und ihre ideengeschichtliche Deutung*, Regensburg 1967 (Studien zur Musikgeschichte des 19. Jahrhunderts. 9.)
Gerber ATL	Ernst Ludwig Gerber, *Historisch-biographisches Lexicon der Tonkünstler: welches Nachrichten von dem Leben und den Werken musikalischer Schriftsteller, berühmter Componisten, Sänger, Meister auf Instrumenten, Dilettanten, Orgel- und Instrumentenmacher, enthält. Zusammengetragen von Ernst Ludwig Gerber*, Leipzig, 1790–1792
Gerber NTL	Ernst Ludwig Gerber, *Neues historisch-biographisches Lexikon der Tonkünstler*, Teil 1–4, Leipzig 1812–1814. Fotomechan. Nachdruck Graz 1966/69
Goethe Briefwechsel I	Johann Wolfgang von Goethe. Sämtliche Werke nach Epochen seines Schaffens. Band 20.1: *Briefwechsel zwischen Goethe und Zelter. 1. Teil*, hrsg. von Hans-Günter Ottenberg und Edith Zehm, München 1991
Goethe Briefwechsel II	Johann Wolfgang von Goethe. Sämtliche Werke nach Epochen seines Schaffens. Bd. 20.2: *Briefwechsel zwischen Goethe und Zelter. 2. Teil*, hrsg. von Edith Zehm und Sabine Schäfer, München 1998
Gojowy HGN	Detlef Gojowy, *Wie entstand Hans Georg Nägelis Bach-Sammlung? Dokumente zur Bach-Renaissance im 19. Jahrhundert*, BJ 1970, S. 66–104
Großmann-Vendrey	Susanna Großmann-Vendrey, *Felix Mendelssohn Bartholdy und die Musik der Vergangenheit*, Regensburg 1969 (Studien zur Musikgeschichte des 19. Jahrhunderts. 17.)
Grove 1920	*Grove's Dictionary of Music and Musicians: American Supplement: Being the Sixth Volume of the Complete Work*. Waldo Selden Pratt, Editor, New York 1920
Hauptmann Briefe Hauser I	*Briefe von Moritz Hauptmann, Kantor und Musikdirektor an der Thomasschule zu Leipzig an Franz Hauser*, Bd. I, hrsg. von Alfred Schöne, Leipzig 1871
Hauptmann Briefe Hauser II	*Briefe von Moritz Hauptmann, Kantor und Musikdirektor an der Thomasschule zu Leipzig an Franz Hauser*, Bd. II, hrsg. von Alfred Schöne, Leipzig 1871
Heller G	Karl Heller, *Friedrich Konrad Griepenkerl. Aus unveröffentlichten Briefen des Bach-Sammlers und -Editors*, BJ 1978, S. 211–228
Hiller L	*Lebensbeschreibungen berühmter Musikgelehrten und Tonkünstler, neuerer Zeit, von Johann Adam Hiller. Erster Theil. Leipzig, im Verlage der Dykischen Buchhandlung 1784*

Kat Forkel	*Verzeichniß der von dem verstorbenen Doctor und Musikdirector Forkel in Göttingen nachgelassenen Bücher und Musikalien welche den 10ten May 1819 und an den folgenden Tagen … meistbietend verkauft werden*, Göttingen 1819 (D-B, Signatur: *Df 132/1*)
Kat Hauser I	*Clavier- Orgel- und Instrumentalmusik. (auch Vokalmusik) … Thematisches Verzeichniss der Werke [von Joh]ann Sebastian Bach. Hauser* (D-B, Signatur: *Mus. ms. theor. K. 419*)
Kat Hauser III	*Bach, J. S. Thematisches Verzeichnis der Orgel u. Klaviermusik* (D-B, Signatur: *Mus. ms. theor. K. 463*)
Kat Hauser IV	Kopie nach Kat Hauser III [1829–1832] (D-B, Signatur: *Mus. ms. theor. K. 419/10*
Kat Kittel	*Verzeichniß derjenigen Musikalien und musikalischen Schriften aus dem Nachlasse des verstorbenen Hrn. Organist Kittel in Erfurt, welche Dienstags den 24ten October u. folg. Tage … versteigert werden sollen*, Erfurt 1809
Kat Schuster	*Verzeichniß der Musikalien von Johann Sebastian Bach. Joh. Gottlob Schuster Cantor in Oelsnitz im Voigtlande* [o. J.] (D-DS, Signatur: *Hs 4233/Schuster, J. G.:1*)
Krause I	*Handschriften der Werke Johann Sebastian Bachs in der Musikbibliothek der Stadt Leipzig* [Katalog], bearb. von Peter Krause, Leipzig 1964 (Bibliographische Veröffentlichungen der Musikbibliothek der Stadt Leipzig. 3.)
Krause II	*Originalausgaben und ältere Drucke der Werke Johann Sebastian Bachs in der Musikbibliothek der Stadt Leipzig* [Katalog], bearb. von Peter Krause, Leipzig 1970 (Bibliographische Veröffentlichungen der Musikbibliothek der Stadt Leipzig. 5.)
Kobayashi FH	Yoshitake Kobayashi, *Franz Hauser und seine Bach-Handschriftensammlung*, Dissertation, Göttingen 1973
KV	*Chronologisch-thematisches Verzeichnis sämtlicher Tonwerke Wolfgang Amade Mozarts … von Dr. Ludwig Ritter von Köchel.* [Leipzig 1862] Nachdruck der dritten, von Alfred Einstein bearbeiteten Auflage, Leipzig 1984
LBB	*Leipziger Beiträge zur Bach-Forschung*, Hildesheim 1995ff.
Lehmann Bach-GA	Karen Lehmann, *Die Anfänge einer Bach-Gesamtausgabe. Editionen der Klavierwerke durch Hoffmeister und Kühnel (Bureau de Musique) und C. F. Peters in Leipzig 1801–1865. Ein Beitrag zur Wirkungsgeschichte J. S. Bachs*, Leipzig 2004 (Leipziger Beiträge zur Bach-Forschung. 6.)
Luther Documenta	Wilhelm Martin Luther, *Johann Sebastian Bach. Documenta*, Kassel 1950
Mf	*Die Musikforschung*, Kassel 1948ff.
MGG²	*Die Musik in Geschichte und Gegenwart. Allgemeine Enzyklopädie der Musik. Begründet von Friedrich Blume. Zweite, neubearbeitete Ausgabe*, hrsg. von Ludwig Finscher, Kassel und Stuttgart 1994ff.
Mosewius	Johann Theodor Mosewius, *Die Breslauische Sing-Akademie in den ersten fünf und zwanzig Jahren ihres Bestehens*, Breslau 1850.

MuK	*Musik und Kirche*, Kassel 1947ff.
NBA	*Neue Bach-Ausgabe. Johann Sebastian Bach. Neue Ausgabe sämtlicher Werke.* Hrsg. vom Johann-Sebastian-Bach-Institut Göttingen und vom Bach-Archiv Leipzig, Leipzig und Kassel 1954ff., Kassel 1991ff.
NDB	*Neue Deutsche Biographie*, hrsg. von der Historischen Kommission bei der Bayerischen Akademie der Wissenschaften, Berlin 1953ff.
Nekrolog	*Nekrolog auf Johann Sebastian Bach*, von Carl Philipp Emanuel Bach und Johann Friedrich Agricola (verfaßt 1750, veröffentlicht 1754; = Dok III, Nr. 666).
Neuer Nekrolog	*Neuer Nekrolog der Deutschen*, hrsg. von Friedrich August Schmidt (Jg. 1 und 2), Bernhard Friedrich Voigt (Jg. 3–30), Ilmenau [et al.] 1824–1856
Riemann 1929	*Hugo Riemanns Musiklexikon*, bearbeitet von Alfred Einstein. 11. Aufl., Berlin 1929
Schünemann Bachpflege	Georg Schünemann, *Die Bachpflege der Berliner Singakademie*, BJ 1928, S. 138–171
Schünemann Singakademie	Georg Schünemann, *Die Singakademie zu Berlin 1791–1941*, Regensburg 1941
Schulze Bach-Überlieferung	Hans Joachim Schulze, *Studien zur Bach-Überlieferung im 18. Jahrhundert*, Leipzig/Dresden 1984
Schumann GS	Robert Schumann, *Gesammelte Schriften über Musik und Musiker*, 4 Bände, Leipzig 1854 (Reprintausgabe in zwei Bänden, hrsg. v. Gerd Nauhaus, Leipzig 1985)
Schumann TB II	Robert Schumann, *Tagebücher*, Band II 1836–1854, hrsg. von Gerd Nauhaus, Leipzig 1987.
Schumann Briefe NF	Robert Schumanns Briefe. Neue Folge, hrsg. von F. Gustav Jansen, 2. verm. u. verb. Aufl., Leipzig 1904
Sittard	Joseph Sittard, *Geschichte des Musik- und Concertwesens in Hamburg vom 14. Jahrhundert bis auf die Gegenwart*, Altona und Leipzig 1890 (Reprographischer Nachdruck Olms Hildesheim 1971)
Spitta I, II	Philipp Spitta, *Johann Sebastian Bach*, Bd. I, Leipzig 1873, Bd. II, Leipzig 1880
Stauffer	*The Forkel-Hoffmeister & Kühnel Correspondence. A Document of the early 19th-Century Bach Revival.* Editor: George B. Stauffer, New York, London, Frankfurt 1990
Winterfeld 1847	Carl von Winterfeld, *Der evangelische Kirchengesang und sein Verhältnis zur Kunst des Tonsatzes*, Bd. III, Leipzig 1847 (Reprographischer Nachruck Olms Hildesheim 1966)
Wq	Alfred Wotquenne, *Thematisches Verzeichnis der Werke von Carl Philipp Emanuel Bach*, Leipzig 1905. Reprint Wiesbaden 1964
ZfMw	*Zeitschrift für Musikwissenschaft*, Leipzig 1918ff.

Historische Zeitungen und Zeitschriften bis 1850

AMZ	*Allgemeine Musikalische Zeitung*, Leipzig 1798/99–1848. Reprint Amsterdam 1964
AMAnz	*Allgemeiner musikalischer Anzeiger*, Wien 1829–1839
AWMZ	*Allgemeine Wiener Musik-Zeitung*, Wien 1841–1847
Berliner AMZ	*Berliner allgemeine musikalische Zeitung*, Berlin 1824–1830
BMZ	*Berlinische Musikalische Zeitung*, Berlin 1805–1806. Reprint Hildesheim 1969
Cäcilia	*Cäcilia: eine Zeitschrift für die musikalische Welt*, Mainz 1824–1848.
Euterpe	*Euterpe. Ein musikalisches Monatsblatt für Deutschlands Volksschullehrer*, Erfurt, Leipzig 1841–1884
Eutonia	*Eutonia, eine hauptsächlich pädagogische Musik-Zeitschrift für alle, welche die Musik in Schulen zu lehren und in Kirchen zu leiten haben, oder sich auf ein solches Amt vorbereiten*, Breslau, Potsdam, Berlin 1829–1837
H. Mb.	*[Hofmeisters] Musikalisch-literarischer Monatsbericht neuer Musikalien, musikalischer Schriften und Abbildungen*, Leipzig 1829ff.
Iris	*Iris im Gebiete der Tonkunst*, Berlin 1830–1841
Leipziger AMZ	*Leipziger Allgemeine Musikalische Zeitung*, Leipzig 1866ff.
LZ	*Leipziger Zeitungen*, Leipzig 1734–1809
NBMZ	*Neue Berliner Musikzeitung*, Berlin 1846–1896
NZfM	*Neue Zeitschrift für Musik*, Leipzig 1834ff.
RhMZ	*Rheinische Musik-Zeitung für Kunstfreunde und Künstler*, Köln 1850–1859
Signale	*Signale für die musikalische Welt*, Leipzig 1843–1941
Wiener AMZ	*Wiener allgemeine musikalische Zeitung*, Wien 1813
WZ	*Wiener Zeitung*, 1703ff. (*Wiennerisches Diarium*, ab 1780 *Wiener Zeitung*)
Urania	*Urania. Ein musikalisches Beiblatt zum Orgelfreunde etc. Zur Belehrung und Unterhaltung für Cantoren, Organisten, Schullehrer etc. so wie für Behörden, Geistliche und Freunde der Orgel und des Orgelspiels*, Erfurt, Langensalza und Leipzig 1844–1846
ZfdeW	*Zeitung für die elegante Welt*, Leipzig 1801ff.

Bibliotheken und Archive

A-Wn	Wien, Österreichische Nationalbibliothek, Musiksammlung
CH-Zz	Zentralbibliothek Zürich
D-B	Staatsbibliothek zu Berlin, Preußischer Kulturbesitz
D-BS	Braunschweig, Stadtarchiv und Stadtbibliothek
D-Dl	Sächsische Landesbibliothek – Staats- und Universitätsbibliothek Dresden, Musikabteilung
D-ERu	Erlangen, Universitätsbibliothek
D-Jmi	Musikwissenschaftliches Institut der Friedrich-Schiller-Universität Jena
D-LEb	Bach-Archiv Leipzig
D-LEdb	Deutsche Nationalbibliothek Leipzig
D-LEm	Leipziger Städtische Bibliotheken – Musikbibliothek
D-LEmi	Universität Leipzig, Zweigbibliothek Musikwissenschaft und Musikpädagogik [in: LEu]
D-LEsta	Sächsisches Staatsarchiv Leipzig

D-LEu   Universitätsbibliothek Leipzig „Bibliotheca Albertina"
D-Wa   Niedersächsisches Staatsarchiv in Wolfenbüttel
D-WRgs   Stiftung Weimarer Klassik, Goethe-Schiller-Archiv
PL-Kj   Kraków, Uniwersytet Jagiellónski, Biblioteka Jagiellónska

Sonstige

Kopierbuch 1836–1841   *COPIR-BUCH. | L^{ßA} B. | gehalten von | Carl Gotthelf Siegmund Böhme | getauft | Boehm | unter der Firma | C. F. Peters in Leipzig. | Angefangen am 11 Juni 1836.* (D-LEsta, Signatur: Musikverlag C. F. Peters Nr. 5026)

Kopierbuch 1841–1844   *COPIR-BUCH | L^{ßA} C. | gehalten von | Carl Gotthelf Siegmund Böhme. | getauft: | Boehm, | unter der Firma: | C. F. Peters, Bureau de Musique | in | Leipzig. | Angefangen am 3ten Mai, <u>1841</u>.* (D-LEsta, Signatur: Musikverlag C. F. Peters Nr. 5027)

Kopierbuch 1844–1855   *Copir-Buch. | L^{ßl} D. | 1844. | C. F. Peters in Leipzig.* (D-LEsta, Signatur: Musikverlag C. F. Peters Nr. 5028)

PERSONEN

KOMPOSITIONEN

Vorbemerkung:
Wird eine Komposition nur im Kommentar erwähnt, so erscheint der Buchstabe „K"
hinter der Dokumentennummer. Läßt sich die im Dokument genannte Komposition
nicht mit Sicherheit ermitteln, so wird die Nummer *kursiv* gesetzt. Dies ist vor allem
bei den Werken für Tasteninstrumente häufiger der Fall.

BWV
1–200 Kirchenkantaten A 1, A 4, A 6, A 8, A 9 K, A 11, A 12, A 14–A 16, A 18, A 19, A 22, A 31,
  B 6 K, B 34, B 55, B 58, B 59, B 64, B 106, B 108, B 113, C 16, C 37, C 38, D 1–D 27, E 5

  1   „Wie schön leuchtet der Morgenstern" *B 58,* D 9
  2   „Ach Gott, vom Himmel sieh darein" *D 30 (N)*
  6   „Bleib bei uns, denn es will Abend werden" E 5
  8   „Liebster Gott, wenn werd ich sterben" D 10, D 11, D 184 K
 11   „Lobet Gott in seinen Reichen" (Himmelfahrts-Oratorium) D 9
 14   „Wär Gott nicht mit uns diese Zeit" C 52
 16   „Herr Gott, dich loben wir" D 9
 19   „Es erhub sich ein Streit" B 106
 20   „O Ewigkeit, du Donnerwort" D 1, D 9
 21   „Ich hatte viel Bekümmernis" A 4
 22   „Jesus nahm zu sich die Zwölfe" B 34, D 9
 23   „Du wahrer Gott und Davids Sohn" D 9
 25   „Es ist nichts Gesundes an meinem Leibe" D 17 K
 27   „Wer weiß, wie nahe mir mein Ende" D 9
 29   „Wir danken dir, Gott, wir danken dir" D 9
 31   „Der Himmel lacht! Die Erde jubilieret" B 81
 32   „Liebster Jesu, mein Verlangen" D 9
 36   „Schwingt freudig euch empor" D 9
 37   „Wer da gläubet und getauft wird" D 9
 38   „Aus tiefer Not schrei ich zu dir" D 9, *D 39*
 39   „Brich dem Hungrigen dein Brot" B 34, D 9
 40   „Darzu ist erschienen der Sohn Gottes" D 9
 43   „Gott fähret auf mit Jauchzen!" D 17 K
 44   „Sie werden euch in den Bann tun" D 9
 45   „Es ist dir gesagt, Mensch, was gut ist" D 9
 47   „Wer sich selbst erhöhet, der soll erniedriget werden" D 9
 50   „Nun ist das Heil und die Kraft" B 108 K, D 17 K
 51   „Jauchzet Gott in allen Landen" D 9
 56   „Ich will den Kreuzstab gerne tragen" D 9
 57   „Selig ist der Mann" D 9
 64   „Sehet, welch eine Liebe hat uns der Vater erzeiget" D 5, D 9
 67   „Halt im Gedächtnis Jesum Christ" B 58

BWV

[1] Nur aus wenigen Dokumenten geht die dargebotene Fassung (Es-Dur oder D-Dur) eindeutig hervor. Bei den frühen Aufführungen des Magnificat erklang wohl ausschließlich die 1811 bei Simrock erschienene Es-Dur-Fassung.

BWV

BWV

1001–1006	Drei Sonaten und drei Partiten	A 1, A 4, A 9, A 12, A 15, A 16, B 64, C 133, D 175
1004	Partita d-Moll	C 133, C 134, D 169, D 172, D 175, D 176, D 200, D 201
1006	Partita E-Dur	D 169, D 171, D 202 K, D 203, E 18 K
1007–1012	Sechs Suiten	A 1, A 4, A 9, A 11, A 12
1014–1019a	Sechs Sonaten	A 4, A 11, A 12, B 96, C 19, C 21–C 23, C 25, C 31, C 124 K, E 18
1014	Sonate h-Moll	A 4, B 96, D 173, D 174
1015	Sonate A-Dur	A 4, B 24, B 96
1016	Sonate E-Dur	A 4, B 96, B 97 K, D 170, D 198, E 18 K
1017	Sonate c-Moll	A 4, B 96
1018	Sonate f-Moll	A 4, B 96
1019	Sonate G-Dur	A 4, B 96
1025	Trio A-Dur (nach Silvius Leopold Weiß)	A 4
1031	Sonate Es-Dur	A 4
1038	Sonate G-Dur	A 4
1039	Sonate G-Dur	A 4
1041–1065	Konzerte	A 1, A 12, A 14, A 18, D 177–D 179, D 181
1041	Konzert a-Moll	A 4, D 181
1042	Konzert E-Dur	D 181, D 189
1043	Konzert d-Moll	A 4, D 181
1044	Konzert a-Moll	D 181
1046–1051	Brandenburgische Konzerte	*B 103*, B 112, D 181
1049	Brandenburgisches Konzert 4 G-Dur	D 181
1050	Brandenburgisches Konzert 5 D-Dur	A 4, B 112, D 181
1051	Brandenburgisches Konzert 6 B-Dur	D 181
1052–1065	Konzerte für Cembalo (bzw. mehrere Cembali)	A 1, A 11, A 12, A 15, A 16, B 37, D 184
1052	Konzert d-Moll	A 4, C 17, D 181, D 182, D 187, D 191, D 202, D 203
1053	Konzert E-Dur	*D 123*, D 181
1055	Konzert A-Dur	A 4
1057	Konzert F-Dur	D 181
1058	Konzert g-Moll	D 181
1061	Konzert C-Dur	C 34
1063	Konzert d-Moll	B 24, C 33, C 34, D 181, *D 183*, D 184–D 186, D 188, D 190, D 192, D 193
1064	Konzert C-Dur	D 188
1066–1069	Ouvertüren (Suiten)	A 4
1066	Ouvertüre (Suite) C-Dur	A 4, D 181
1067	Ouvertüre (Suite) h-Moll	A 4, D 181
1068	Ouvertüre (Suite) D-Dur	A 4, *A 15, A 16*, B 39, *B 66*, B 97, *D 181*, D 198, D 202 K, D 203, D 206 K
1069	Ouvertüre (Suite) D-Dur	*A 15, A 16*
1074	Kanon zu vier Stimmen	A 23
1076	Kanon zu sechs Stimmen	A 23, A 29
1079	Musikalisches Opfer	A 1, A 4–A 6, A 9–A 12, A 16, A 19, A 20, A 22, A 32, B 24, B 64, C 14–C 17, C 19, C 20, C 22, C 88, C 98, C 135, D 146, D 168 (A), D 194

BWV

1080	Kunst der Fuge	A 1, A 4, A 11, A 12, A 15, A 22, A 31, A 40, B 15 K, B 56, B 94, B 98, B 115, C 11, C 14–C 17, C 19, C 20, C 24, C 124 K, C 136, D 168 (B), *D 180*
Anh. I 4a	„Wünschet Jerusalem Glück"	A 22
Anh. I 9	„Entfernet euch, ihr heitern Sterne"	A 22
Anh. I 13	„Willkommen! Ihr herrschenden Götter der Erden"	A 22
Anh. I 195	„Murmelt nur, ihr heitern Bäche" (Musik möglicherweise von Bach)	A 22
Anh. I 200	„O Traurigkeit, o Herzeleid" (Skizze zu einer nicht ausgeführten Choralbearbeitung im „Orgelbüchlein")	C 123
Anh. II 45	Fuge B-Dur über B-A-C-H für Orgel (Justin Heinrich Knecht)	*D 139*
Anh. III 159	Motette „Ich lasse dich nicht, du segnest mich denn"	B 24 K, B 64, C 42, C 46, C 104, D 5 K, D 29 (D), D 30 (A), D 30 (B), D 32, D 33, D 40 K, D 41, D 43 (G), D 46, D 50, D 51 K, D 101, D 200 K, D 201, D 202 K, D 203, E 2
Anh. III 160	Motette „Jauchzet dem Herrn, alle Welt" (Pasticcio?)	A 4, C 44, D 29 (A)
Anh. III 161	Motette „Kündlich groß ist das gottselige Geheimnis"	D 43 (H)
Anh. III 162	Motette „Lob und Ehre und Weisheit und Dank" (Georg Gottfried Wagner)	D 30 (M), D 206
Anh. III 167	Messe G-Dur	A 4, B 6 K, C 64, D 77–D 81, D 194
Anh. III 180	Fuge d-Moll (Johann Peter Kellner)	*C 31 K*

Werke von Mitgliedern der Bach-Familie

Carl Philipp Emanuel Bach (1714–1788)
Wq 183/1 (H 663) Sinfonie D-Dur   B 57 K
Wq 215 (H 772) Magnificat   D 79
Wq 217 (H 778) „Heilig"   D 59–D 61, D 77, D 78 K, D 79
Wq deest. (H 848) instrumentale Einleitung zum Credo (BWV 232^{II})   D 61

Johann Andreas Bach (1713–1779)
Capriccio c-Moll   A 28

Johann Bernhard Bach (1676–1749)
Ouvertüren   A 11, A 19

Johann Christian Bach (1735–1782)
Gloria (G-Dur?)   A 17, D 79
Fuge für Orgel   *D 196*

Johann Christoph Bach (1642–1703)
„Ich lasse dich nicht" → BWV Anh. III 159
„Lieber Herr Gott, wecke uns auf"   D 199
„Es erhub sich ein Streit"   A 19
Motetten   A 11, D 196

Johann Ludwig Bach (1677–1731)
    Kirchenkantaten   A 7, A 28
    „Ja, mir hast du Arbeit gemacht" (JLB 5)   B 34 K
    Motetten   A 7, A 28

Johann Michael Bach (1648–1694)
    „Nun hab ich überwunden"   D 199
    Motetten   A 11, A 19

Wilhelm Friedemann Bach (1710–1784)
    Kirchenkantate (nicht näher bezeichnet)   D 30 (P)
    Pfingskantate (Fk 72? Fk 88?)   A 28
    Konzert d-Moll → BWV 596